HISTOIRE
DE L'ÉDITION
FRANÇAISE

Histoire de l'édition française

TOME III

Le temps des éditeurs
Du Romantisme à la Belle Époque

PROMODIS

publié avec le concours du Centre National des Lettres

f Z8 .F8 H57 1982 t.3

Tous droits de traduction,
de reproduction et d'adaptation
réservés pour tous les pays.
© PROMODIS 1985

« La loi du 11 mars 1957 n'autorisant, aux termes des alinéas 2
et 3 de l'article 41, d'une part, que les « copies ou reproductions strictement réservées à l'usage privé du copiste et non
destinées à une utilisation collective » et, d'autre part, que les
analyses et les courtes citations dans un but d'exemple et
d'illustration, « toute représentation ou reproduction intégrale, ou partielle, faite sans le consentement de l'auteur ou de
ses ayants droit ou ayants cause, est illicite » (alinéa 1er de
l'article 40).

« Cette représentation ou reproduction, par quelque procédé que ce soit, constituerait donc une contrefaçon sanction-
née par les articles 425 et suivants du Code Pénal. »

ISBN 2-903181-44-6

f Z8 .F8 H57 1982 t.3

Le tome III de l'Histoire de l'édition française
a été réalisé sous la direction
de Henri-Jean Martin et Roger Chartier
en collaboration avec Jean-Pierre Vivet

Iconographie   Marie-Henriette Besnier
Conservateur honoraire à la Bibliothèque nationale
Traduction du texte anglais   Nina Musinsky
Secrétariat général   Martine Barruet
Fabrication   Jouve
Mise en pages   Pierre Faucheux

Introduction par Roger Chartier et Henri-Jean Martin

Il y a peu encore, ce tome troisième de notre Histoire de l'édition française n'aurait sans doute pas pu être mené à bien. Longtemps, en effet, le XIXe siècle est demeuré le parent très pauvre d'une histoire tout entière séduite par le livre ancien, ancien parce que fabriqué pendant plus de trois siècles avec les techniques et la machine inventées par Gutenberg, ancien, aussi, parce que inscrit dans un Ancien Régime aboli avec la Révolution. En ces dernières années, très heureusement, les intérêts des historiens du livre se sont élargis et ont progressivement annexé un XIXe siècle jusque-là délaissé. Les textes qui constituent ce volume, et qui éclairent les soixante ou soixante-dix années comprises entre les innovations techniques d'après 1830 et ce que les contemporains ont désigné comme une « crise du livre » à la charnière des XIXe et XXe siècles, sont les témoins de ces recherches nouvelles et de ces préoccupations inédites.

Ce livre, comme celui qui le suivra et qui mènera de l'avant Première Guerre mondiale aux lendemains de la Seconde, repose donc sur un savoir neuf, articulé autour de quelques directions de recherche. La première, à l'évidence, concerne la production de l'imprimé, qu'il soit livre, brochure ou périodique. Après 1830, ses conditions techniques changent : la presse mécanique n'est plus celle de Gutenberg, et la Linotype bouleverse les techniques de la composition. Tout le travail de l'atelier prend ainsi une figure nouvelle et, peu à peu, s'effacent les gestes anciens, vieux de quatre siècles en Occident. Les dispositifs législatifs et réglementaires, eux aussi, se transforment, modifiant profondément les contrôles sur l'édition, l'exercice des censures, les règles de la concurrence entre les entrepreneurs. Libérée du carcan des interdits anciens, disposant de machines plus efficaces, portée par un marché sans cesse élargi, la production imprimée s'envole entre 1840 et la Première Guerre. Aux séries

patiemment construites pour établir la conjoncture du livre français du temps des incunables à celui de la reprise postrévolutionnaire, peuvent donc être ajoutées celles qui maintenant dessinent l'irrésistible progression des objets imprimés, magnifiques ou modestes, au siècle de l'industrialisation, du suffrage universel et de l'instruction pour le plus grand nombre.

Le XIXe siècle ou le temps des éditeurs. Plus encore que par le changement d'échelle de la production imprimée, les décennies qui suivent 1830 peuvent être caractérisées par l'affirmation d'une figure et d'un rôle nouveaux dans le monde du livre : ceux de l'éditeur — ou du moins de l'éditeur dans l'acception moderne du terme. Certes, les imprimeurs de la Renaissance, les grands marchands libraires du XVIIe siècle ou les directeurs des sociétés typographiques à l'âge des Lumières étaient bien des éditeurs, à leur façon, mais au XIXe siècle la fonction s'émancipe des autres métiers du livre. Elle se reconnaît de diverses manières : par une économie du temps qui privilégie la recherche des manuscrits, les relations avec les auteurs, la connaissance du marché ; par une activité commerciale fondée sur l'écoulement des titres du fonds propre, et non sur le commerce d'assortiment ; par une progressive spécialisation des catalogues et des collections qui donne une image, et une clientèle, à chaque maison. Tout le monde du livre se trouve réorganisé à partir de cette figure nouvelle de l'éditeur, qui passe commande aux auteurs, fait travailler les imprimeurs, approvisionne la librairie de détail. Et le marché lui-même s'ordonne de façon inédite, à partir du lien établi entre une maison, un répertoire de titres (ou de genres) et des livres immédiatement identifiables par leurs formes matérielles, leur format ou leur reliure, leur couleur ou leur graphie. L'affirmation de l'éditeur et des maisons d'édition porte, en effet, un nouveau mode de relation avec les livres, tout de suite reconnus et classés du seul fait de leur appartenance visible à tel catalogue ou à telle collection.

Les produits de l'édition, imprimés plus nombreux pour plus de lecteurs au XIXe siècle, doivent être considérés de multiples manières : comme des marchandises vendues et achetées, conservées ou jetées, comme des objets organisés selon des dispositifs spécifiques, comme les supports des milliers d'écrits mis en circulation. L'histoire des matériaux imprimés, faite genre par genre, a donc nécessairement pris en compte ces trois dimensions pour comprendre la diffusion, les formes et les effets des textes qu'ils ont répandus, à grande ou à petite échelle. C'est pourquoi attention a été portée à la manière dont ils sont mis en imprimé, distribués sur l'espace de la page, agencés visuellement, liés souvent à l'image. L'ensemble de ces dispositifs formels importe grandement dans le travail de construction du sens des textes et exige donc que soient reconnues et décrites avec rigueur les caractéristiques « typographiques » (au sens de la bibliographie matérielle, qui est large) des différentes classes d'imprimés du XIXe siècle. La relation entre texte et image est l'une de celles-ci, parmi les plus fondamentales. En ce domaine, le XIXe siècle innove. Le retour à la gravure sur bois (mais de bout) d'un côté, le recours à la gravure sur acier, puis à la lithographie, enfin à la photogravure d'un autre, ouvrent des possibilités neuves à l'illustration, partant des usages et des fonctions de l'image interdits au temps de la domination de la gravure sur cuivre, contraignante et coûteuse. Pédagogiques, romantiques, populaires, documentaires, ces emplois pluriels de l'image dans l'imprimé sont la marque d'une époque où les deux langages, textuel et visuel, ne sont plus pensés comme concurrents ou redondants mais comme d'indispensables compléments pour que soit rendue possible l'entrée du plus grand nombre dans la culture écrite.

Le XIXe siècle, temps des lecteurs nombreux et du livre pour tous. Toute histoire de l'édition est nécessairement une histoire de la lecture et des lecteurs. Ici, la novation du XIXe siècle est bien repérée : de 1830 à 1914, les progrès de l'alphabétisation, dans et hors l'école, le désenclavement des campagnes, les attentes populaires créent les conditions pour une multiplication des lecteurs. Plus encore qu'auparavant, le rapport au livre est double. Pour une part, il est achat personnel, possession privée, conservation au for familial — soit toute une série de gestes alimentés par le réseau plus dense des librairies ou le commerce essentiel des colporteurs. Mais, d'autre part, en ville au moins, la relation à l'imprimé n'implique pas forcément la propriété individuelle de l'objet : les cabinets de lecture d'abord, les bibliothèques « populaires » ensuite (en leurs diverses modalités) sont en effet autant de lieux qui rendent possible la lecture gratuite ou locative. À cette première polarité s'en ajoutent d'autres (entre lecteurs d'ancienne tradition et nouveaux lecteurs, premiers de leur lignée à entrer dans l'écrit, entre les lectures de la solitude et celles de la sociabilité, entre lecture de la liberté conquise et lecture du contrôle imposé) qui définissent des pratiques originales, des manières de lire, à la fois contrastées et neuves, en un temps où lire devient progressivement le devoir, l'affaire ou le plaisir de tous.

C'est sur le socle des recherches qui ont exploré en ces dernières années ces différents aspects de l'histoire du livre et de l'édition au XIXe siècle que ce volume a été bâti. Plus encore que les précédents, qui s'appuyaient sur un savoir déjà largement établi, il sera l'écho d'enquêtes point achevées, de travaux en cours, d'intérêts naissants. Premier bilan d'une histoire encore inédite, fondé souvent sur des dépouillements originaux, il voudrait indiquer les problèmes et les tâches, les acquis et les questions de ce champ encore neuf qu'est l'étude du livre aux temps contemporains. Son cadre chronologique s'imposait avec force. Avec la décennie 1830, à l'amont, s'achève en France un « ancien régime typographique » où les techniques et les gestes de l'atelier, les pratiques de l'édition, les formes de l'imprimé étaient demeurés sans bouleversement radical depuis l'âge de Gutenberg. À l'aval, les deux décennies qui précèdent la Première Guerre marquent, tout ensemble, un temps de crise et d'apogée — de crise parce que d'apogée. À la charnière des XIXe et XXe siècles, l'édition française connaît ses très hautes eaux, qui multiplient les titres, gonflent les tirages, étendent les usages de l'écrit imprimé. Les techniques nouvelles ont permis ces réussites superbes, qui sont celles du livre, en tous ses genres, mais aussi du périodique devenu lecture du plus grand nombre. Mais face à la production accrue, diverse, conquérante, le public des lecteurs, même élargi, ne semble pas croître en suffisance. Et, avant même l'époque des grandes concurrences audiovisuelles, le marché du livre paraît ne plus pouvoir accueillir tout ce que les éditeurs publient. De là, les diagnostics de crise et de krach portés par les contemporains. De là, pour nous, la nécessité de prendre en compte, sans pourtant répéter inutilement les histoires existantes de la presse française, cette concurrence première pour le livre que fut le triomphe du journal.

Le livre que l'on va lire s'inscrit aussi dans le flux d'études qui, hors de France, s'attachent aujourd'hui aux éditeurs et aux lecteurs du XIXe siècle. Il en va ainsi dans les pays, encore neufs, d'ancien statut colonial : aux États-Unis, au Québec, en Nouvelle-Zélande, en Australie les travaux se multiplient qui visent à connaître les premiers temps, plus longs ici, plus brefs là, de l'édition « nationale », la distribution du livre en des terres longtemps sauvages, le public des lecteurs. Plus proches, les recherches anglaises et allemandes ont donné inspiration et comparaison, en centrant tôt l'attention sur l'histoire des maisons d'édition, en proposant des modèles macroscopiques pour comprendre les pratiques de lecture, saisies dans leur évolution chronologique ou leurs différenciations sociales. Âge du livre pour tous, le XIXe siècle est peut-être celui d'une nouvelle manière de lire, dévorante, désinvolte, désacralisée — que l'on a qualifiée d'« extensive » en supposant que celle des siècles antérieurs, révérente et appliquée, était tout « intensive ». Il est peut-être aussi celui d'une lecture populaire à grande échelle dont les normes et les attentes, les règles et les codes ne sont pas ceux des autres lecteurs, ni ceux que les autorités entendaient imposer, pour les contrôler ou les certifier, aux lecteurs nouveaux venus dans le monde de l'écrit. Construites à partir des situations allemande et anglaise, ces hypothèses peuvent sans nul doute aider à bâtir une histoire de la lecture dans la France du XIXe siècle — une histoire évidemment inséparable de celle du livre et de ses éditeurs.

Tel qu'il est, avec ses manques et ses déséquilibres, ce tome troisième de l'Histoire de l'édition française voudrait avant tout redresser une perspective et dire que c'est au XIXe siècle, entre 1830 et les années 1900, que l'activité d'éditer trouve son plein apogée, une fois franchies les limites traditionnelles imposées par les techniques anciennes et avant que le livre ne subisse les rudes concurrences qui entameront son rôle dominant comme source d'enseignements, diffuseur d'informations, dispensateur de plaisirs. Aux triomphes anciens de l'imprimé, le XIXe siècle ajoute la vigueur de ses novations techniciennes, l'existence d'un public multiplié et acculturé à l'écrit, l'exigence d'une lecture universelle. Il est le temps du livre pour chacun, et celui de l'éditeur glorieux.

R. C. - H.-J. M.

10

Table des matières

Les articles du troisième tome de l'Histoire de l'édition française ont été rédigés par :

Frédéric Barbier
: *Chargé de recherches au Centre National de la Recherche Scientifique.*

Pierre Casselle
: *Conservateur à la Bibliothèque administrative de la Ville de Paris.*

Christophe Charle
: *Chargé de recherches au Centre National de la Recherche Scientifique.*

Maurice Crubellier
: *Professeur émérite de l'Université de Reims.*

Jean Glénisson
: *Directeur de l'Institut de Recherche et d'Histoire des Textes au Centre National de la Recherche Scientifique et directeur d'études à l'École des Hautes Études en Sciences Sociales.*

Jean Hébrard
: *Chargé de recherches au Service d'histoire de l'éducation de l'Institut National de Recherche Pédagogique.*

Simon Jeune
: *Professeur à l'Université de Bordeaux III.*

Ségolène Le Men
: *Attachée de recherches au Centre National de la Recherche Scientifique (Musée d'Orsay).*

Martyn Lyons
: *Professeur à l'Université de Nouvelles Galles du Sud.*

Henri-Jean Martin
: *Professeur à l'École des chartes et directeur d'études à la IVe section de l'École Pratique des Hautes Études.*

Michel Melot
: *Directeur de la Bibliothèque publique d'information du Centre Georges Pompidou.*

Madeleine Rebérioux
: *Professeur à l'Université de Paris VIII.*

Anne Sauvy
: *Maître-assistant à la IVe section de l'École Pratique des Hautes Études.*

Claude Savart
: *Maître de conférences à l'Université de Paris XII.*

Valérie Tesnière
: *Conservateur à la Direction du livre et de la lecture.*

Anne-Marie Thiesse
: *Attachée de recherches au Centre National de la Recherche Scientifique.*

Jean Viardot
: *Libraire, expert pour les livres rares près la Cour d'appel de Paris.*

Jean Watelet
: *Conservateur au Département des périodiques de la Bibliothèque nationale.*

Les introductions des différents chapitres de ce tome
ont été rédigées par Roger Chartier.

Les encadrés du troisième tome de l'Histoire de l'édition française

ont été rédigés par :

Christian Amalvi — *Conservateur au Département des imprimés de la Bibliothèque nationale.*

Alain-Marie Bassy — *Chargé de mission à la Documentation française.*

Robert-Henri Bautier — *Membre de l'Institut. Secrétaire du Comité des Travaux historiques et scientifiques (Section d'histoire médiévale et de philologie).*

Catherine Bertho — *Archiviste-paléographe. Conservateur aux Archives nationales. Chargée de mission à la Direction générale des Télécommunications.*

Gérard Blanchard — *Responsable du Département communication à l'École des Beaux-Arts de Besançon.*

Astrid-C. Brandt — *Étudiante.*

Bruno Delmas — *Professeur à l'École des chartes.*

Alfred Fierro — *Conservateur au Département des cartes et plans de la Bibliothèque nationale.*

Paul-Marie Grinevald — *Conservateur de la bibliothèque de l'Imprimerie nationale.*

Armand Lapalus — *Directeur des services de la Bibliothèque municipale de Mâcon.*

Benoît Lecoq — *Archiviste paléographe.*

Andrée Lhéritier — *Conservateur à la Bibliothèque nationale. Responsable de la Salle des catalogues et des bibliographies.*

Isabelle Luquet — *Bibliothécaire.*

Sophie Malavieille — *Conservateur aux Archives nationales.*

Odile Martin — *Agrégée de l'Université et Docteur en histoire.*

Élisabeth Parinet — *Agrégée de l'Université.*

Nicolas Petit — *Conservateur à la Réserve de la Bibliothèque Sainte-Geneviève.*

Roger Pierrot — *Directeur du Département des manuscrits de la Bibliothèque nationale.*

Annie Prassolof — *Maître de conférences à l'Université de Paris VII.*

Voir page 518 la liste des encadrés.

Remerciements

Marie-Henriette Besnier tient à souligner combien ses recherches iconographiques ont été facilitées par la compréhension qu'elle a rencontrée auprès des services de la Bibliothèque nationale et en particulier auprès du département des Imprimés et de son service des Magasins, auprès du service de la Réserve des Imprimés, auprès du département des Estampes et, comme toujours, auprès du service photographique. En outre elle a pu faire appel aux collections de la Bibliothèque de l'Arsenal et de la Bibliothèque Mazarine et de la Réserve de la Bibliothèque Sainte Geneviève. La Bibliothèque des Arts graphiques, à la Mairie du VIᵉ arrondissement, a mis à sa disposition une documentation spécifique très intéressante. Enfin, Marie-Henriette Besnier a reçu le meilleur accueil auprès de plusieurs collectionneurs privés, notamment M. Henri George et M. Michel de Guillebon, elle remercie également M. Blaizot et M. Lobstein, ainsi que les éditions Calmann-Lévy.

Tableaux chronologiques

	Repères	Édition et presse	Vie littéraire et succès	Innovations techniques
1800		1824 Désiré Dalloz donne ses premières publications juridiques	1824 Charles Nodier commence à recevoir écrivains et artistes « romantiques » à l'Arsenal	1816 Essor de l'impression 1830 lithographique en France
	1825 Débuts d'une phase 1826 de dépression économique (jusque vers 1850). Crise financière		1825 Grande vogue des 1830 *Chansons* de Béranger. Walter Scott à la mode	
	1826 Le projet de loi 1827 « de justice et d'amour » bâillonnant la presse est retiré devant l'opposition de la Chambre des Pairs	1826 Cascade de faillites 1832 dans l'édition 1826 Louis Hachette devient libraire et prépare un fonds d'édition d'enseignement	1827 « Bandes dessinées » de 1844 Rodolphe Toepffer en albums lithographiques (*Amours de M. Vieux-Bois*, *Histoire de M. Cryptogame*, etc.)	
			1828 Balzac s'engage défini- tivement dans le roman	1828 Création de la Société des Papeteries du Marais. Multiplication des machines à papier en France
			1828 Goethe, *Faust*, éd. Motte, lithographies de Delacroix. Échec commercial	
			1829 Victor Hugo, *Les Orientales*, éd. Gosselin et Bossange. Vente très lente	1829 Niepce et Daguerre 1833 créent le « daguerréotype »
				1829 Essor de la gravure en 1840 bois de bout en France
	1830 Les Français débarquent en Algérie. Prise d'Alger	1830 Bossange, Renouard et autres libraires liés à Laffitte lancent *Le National* de Thiers, Megret et Carrel. Gérant : Sautelet puis Paulin	1830 20 février : bataille d'*Hernani*	1830 Les typographes s'en prennent aux presses mécaniques qui ont commencé d'apparaître en France
	1830 25 juillet : les Quatre Ordonnances. Restriction de la liberté de la presse		1830 Nodier, *Histoire du roi de Bohême*, éd. Delangle, ill. gravées sur bois de bout par Porret d'après T. Johan- not. Mévente	
	1830 Juillet-août : les Trois Glorieuses. Chute de Charles X. Louis-Philippe roi des Français	1830 Juillet : Louis Hachette combat parmi les insurgés		
		1830 27 octobre : loi prêtant 30 millions à l'industrie française dont 2 707 822 francs iront aux libraires		

Repères	Édition et presse	Vie littéraire et succès	Innovations techniques
1800	1831 Essor de la presse illustrée (*La Mode*, *Le Charivari*, *La Caricature*, etc.) grâce à la lithographie et surtout au bois de bout	1831 Victor Hugo, *Notre-Dame de Paris*, éd. Gosselin. Hugo détrône W. Scott	
	1832	1832 L. Hachette acquiert l'*Histoire de France* de Mme de Saint-Ouen dont les versions successives auront été tirées à 2 276 708 exemplaires en 1880	
1833 Loi Guizot réorganisant l'enseignement primaire	1833 Les frères Garnier arrivent au Palais-Royal	1833 Lamennais, *Paroles d'un croyant*, éd. Renduel. 70 000 exemplaires vendus avant 1840	1833 Principe du télégraphe électrique (Gauss)
		1834	
1834 Guizot organise le Comité des travaux historiques et scientifiques et développe la politique des souscriptions	1834 Ruine définitive de Ladvocat	1834 Le *Dictionnaire latin-français*, de Quicherat, éd. Hachette, tiré à 445 886 exemplaires	
1838		1934	
1835 Juillet : attentat de Fieschi	1835 Création de l'agence Havas	1835 Le Sage, *Gil Blas*, éd. Paulin, ill. Gigoux, en 24 fascicules à 50 centimes. Début du livre illustré romantique	1835 Premières expériences de télégraphe électrique (Morse)
1835 Septembre : restriction de la liberté de la presse	1835 Importantes commandes d'État à Louis Hachette pour l'enseignement primaire		
	1836 Girardin et Dutacq lancent *La Presse* et *Le Siècle*, abonnement 40 francs (annonces et feuilleton)	1836 Hugo, *Notre-Dame de Paris*, éd. Renduel ill.	1836 Engelmann achève la mise au point de la chromolithographie
			1840
	1836 Paulin s'associe à Hetzel		1836 Efforts pour améliorer la qualité du papier (Papeteries du Marais) et l'impression mécanique (Curmer)
	1836 Furne organise sa librairie en société		1840
	1836 Les frères Lévy ouvrent un cabinet de lecture et une librairie à Paris		1836 Essor de la reliure industrielle (percaline et cartonnages)
			1845
	1836 L'abbé Migne lance ses publications catholiques et fonde une grande imprimerie au Petit-Montrouge		
	1838		
	1837 Fondation de la Société des gens de lettres		1837 Chemin de fer Paris-Saint-Germain
	vers Louis Hachette ouvre une succursale à Alger	1838 *Livre d'heures*, éd. Hetzel et Paulin, illustrations en couleurs	1838 Apparition du steamer à coque de fer et à hélice
	1838		
		1838 Bernardin de Saint-Pierre, *Paul et Virginie*, éd. Curmer, ill. acier et bois de bout ; La Fontaine, *Fables*, ill. par Grandville	1838 Labrouste trace les plans de la bibliothèque Sainte-Geneviève réalisée de 1843 à 1850
		1838 Gervais Charpentier lance sa collection à 3,50 francs avec la *Physiologie du goût* de Brillat-Savarin et les *Poésies* de Chénier	

	Repères	Édition et presse	Vie littéraire et succès	Innovations techniques
1800				
		1839 Fondation de la Chambre syndicale des maîtres imprimeurs. Reconstitution de la Société typographique ouvrière	1839 *Les Français peints par* 1841 *eux-mêmes,* éd. Curmer ill.	
		1839 Curmer fait reconnaître lors de l'Exposition la dignité de la profession d'éditeur		
		1839 Création de la librairie Privat à Toulouse		
		1840 Les frères Garnier reprennent le fonds Delloye. Début de leur grande fortune	1840 Mode des physiologies 1842	1840 David d'Angers donne la statue de Gutenberg : glorification de l'imprimerie
			1841 Littré, *Dictionnaire,* éd. Hachette	1840 Apparition d'usines à 1860 imprimer et à relier (Didot, Chaix, P. Dupont, Mame à Tours, Martial Ardant à Limoges, etc.)
	1842 Juin : loi sur l'établissement des grandes lignes de chemin de fer		1842 E. Sue, *Les Mystères de Paris,* au moins 60 000 exemplaires débités avant 1850	
			1842 *Scènes de la vie publique et privée des animaux,* éd. Hetzel, ill. Grandville, 2 vol.	
			1842 Balzac, *La Comédie* 1848 *humaine,* éd. Paulin, Hetzel, Dubochet, Furne et Cie, 7 vol. Furne et Houssiaux gardent la propriété de l'ouvrage	
			1843 *Voyage où il vous plaira,* éd. Hetzel, ill.	1843 Machine à écrire de Thurbur
				1843 Premiers accords sur 1850 la propriété littéraire (avec le Piémont)
		1844 Paulin lance *L'Illustration*	1844 A. Dumas, *Le Comte de Monte-Cristo*	1844 J. F. Talbot obtient des décalques d'images sur papier photosensible
			1844 *Un autre monde,* éd. Fournier, ill. Grandville	
			1844 E. Sue, *Le Juif errant,* 50 000 exemplaires sortis avant 1850	1844 J. F. Talbot publie 1846 *The Pencil of nature* illustré de photographies
		1845 Curmer en faillite, 1848 Hetzel en difficulté. Furne reprend leur fonds	1844 A. Dumas, *Les Trois* 1847 *Mousquetaires*	
		1846 Constitution de la librairie Masson		1846 Louis Perrin amorce à Lyon une révolution typographique en réaction contre le règne des caractères Didot
	1847 Des scandales ébranlent la monarchie de Juillet	1847 Fondation du Cercle de la librairie		
	1848 24 février : proclamation de la République	1848 La Deuxième République assouplit le régime de la presse	1848 Prévost, *Manon Lescaut,* éd. G. Havard, ill., à 20 centimes	1848 Paris relié par chemin de fer à Leipzig, Berlin et Vienne
		1848 Mars : création du Comptoir national d'escompte avec la coopération de Pagnerre, Bixio et Hachette	1848 60 millions de « romans 1859 à quatre sous » sortis	
	1848 Juin : émeutes ouvrières	1848 Juin : Louis Hachette et les frères Plon participent à la répression. Pierre Larousse spectateur de la mort de Baudin. Poulet-Malassis au bagne de Brest		
	1848 Décembre : Louis-Napoléon Bonaparte président de la République			
	1848 Marx et Engels, *Manifeste du Parti communiste*	1848 Les frères Garnier rachètent le fonds Dubochet		

Repères	Édition et presse	Vie littéraire et succès	Innovations techniques
1800	1849 27 juillet : les colporteurs soumis à l'autorisation préalable		1849 Delcambre présente à l'Exposition une machine à distribuer les caractères
			1849 La Cunard établit la première ligne de steamers entre Liverpool et New York
			1849 Premier timbre-poste français
1850 Début d'une période de hausse des prix de longue durée (jusqu'en 1873)	1850 Essor des journaux-romans	vers 1850 / 1855 Le livre de prix devient un des moteurs de l'édition française	1850 F. Gillot invente la gravure paniconographique en relief
1850 15 mars : loi Falloux		1850 / 1880 Essor de l'édition religieuse	
1850 31 mai : restriction du suffrage universel			
1851 / 1852 100 000 exilés et condamnés politiques	1851 / 1852 Exil de V. Higo, E. Quinet, V. Schoelcher, E. de Girardin, J. Hetzel, etc. A. Dumas à Bruxelles		1851 Premier câble télégraphique sous la Manche
1851 2 décembre : coup d'État de Louis-Napoléon Bonaparte			1851 Création de l'Imprimerie photographique de Blanquart-Évrard à Loos-les-Lille
1852 22 novembre : plébiscite en faveur du rétablissement de l'Empire	1852 Février-avril : série de décrets restreignant la liberté de la presse	1852 M. Du Camp, *L'Égypte, la Nubie, la Palestine et la Syrie*, éd. Gide et Baudry, ill. photographiques de Blanquart-Évrard	1852 Apparition en France du flan-forme stéréotypique souple qui permet l'essor des presses rotatives
1852 2 décembre : rétablissement de l'Empire	1852 Création de la Commission de colportage et obligation de l'estampille pour les livres colportés	1852 Lancement des collections de la Bibliothèque des chemins de fer	
	1852 Louis Hachette crée les Bibliothèques de gare	1852 V. Hugo, *Napoléon le Petit*, Londres et Bruxelles (publié par les soins d'Hetzel)	
	1852 Pierre Larousse fonde avec A. Boyer la librairie Larousse		
	1852 / 1854 Convention avec le Hanovre, l'Angleterre et la Belgique sur la propriété littéraire		
1853 / 1870 Le baron Haussmann préfet de Paris		1853 V. Hugo, *Les Châtiments*, Bruxelles (publ. Hetzel)	
1854 / 1856 Guerre de Crimée	1854 8 avril : loi étendant la durée du droit d'auteur	1854 Rabelais, *Gargantua*, éd. Bry. Premier livre illustré caractéristique de G. Doré	
	1855 1er septembre : premier contact de Louis Hachette avec la comtesse de Ségur	1855 Balzac, *Contes drôlatiques*, ill. de G. Doré	1855 A. Mame reçoit la médaille d'or de l'Exposition pour la supériorité et le bon marché de sa production typographique
	1855 Louis Hachette acquiert le fonds Lecou et se lance dans la librairie générale	1855 Michel Lévy lance sa collection in-18 (format Charpentier) à un franc	
	1855 Arthème Fayard fonde sa librairie		
	1856 24 décembre : contrat Michel Lévy-Gustave Flaubert pour la publication en livre de *Madame Bovary*	1856 V. Hugo, *Les Contemplations*, éd. Hetzel. 50 000 exemplaires des diverses éditions en deux ans	1856 Le duc de Luynes organise un concours pour rendre la photographie utilisable par l'imprimerie
	1857 Procès de *Madame Bovary* édité en feuilleton dans *La Revue de Paris*. Flaubert acquitté	1857 P. Féval, *Le Bossu*, éd. Hetzel	
	1857 Condamnation des *Fleurs du mal*. Les pièces incriminées sont saisies	1857 Baudelaire, *Les Fleurs du mal*, Alençon, Poulet-Malassis	

	Repères	Édition et presse	Vie littéraire et succès	Innovations techniques
1800		1858 Création de la librairie Dunod 1858 Le Congrès littéraire international de Bruxelles adopte le principe de la reconnaissance internationale de la propriété littéraire et artistique	1858 G. Flaubert, *Madame Bovary*, éd. M. Lévy. 29 150 exemplaires sortis jusqu'en 1862 1858 Comtesse de Ségur, *Les Petites Filles modèles,* éd. Hachette (1 527 109 exemplaires écoulés jusqu'en 1964)	1858 Th. Beaudoire grave un « elzevier » qui détrône le Didot
	1859 Guerre de libération italienne. Victoire de Magenta (4 juin) et Solferino (24 juin) 1859 17 août : amnistie générale des condamnés politiques, y compris Blanqui 1860 Libération du régime. Le décret du 24 novembre rend vie aux Chambres	1859 Victor Hugo refuse l'amnistie et reste en exil volontaire 1862 Victor Hugo cède à l'éditeur belge Lacroix *Les Misérables* pour 12 ans moyennant 240 000 francs 1862 1866 Émile Zola chargé des relations avec la presse à la Librairie Hachette	1859 Comtesse de Ségur, *Les Malheurs de Sophie,* éd. Hachette (1 714 711 exemplaires écoulés avant 1964) 1859 P. Larousse, *Nouveau Dictionnaire de la langue française* (44 000 exemplaires écoulés en un an) 1862 24 décembre : *La Journée de Mademoiselle Lili,* éd. Hetzel. Début des « Albums Stahl » 1862 V. Hugo, *Les Misérables,* Bruxelles, Lacroix. Énorme succès. L'édition populaire de Hetzel et Lacroix a dépassé les 130 000 exemplaires en 1870	1862 Création de la Société Franklin. Essor des bibliothèques populaires
	1863 Victor Duruy ministre de l'Instruction publique	1863 Saisie de l'*Histoire des princes de la maison de Condé* du duc d'Aumale, éd. Michel Lévy 1863 Auguste Poulet-Malassis ruiné quitte la France après plusieurs mois de prison et gagne Bruxelles 1863 1870 Auguste Poulet-Malassis plusieurs fois condamné par défaut 1863 Naissance du *Petit Journal* (presse à un sou) 1863 1868 Hetzel rentre en France et met son entreprise en société	1863 Renan, *La Vie de Jésus,* éd. M. Lévy. 140 000 volumes débités en un an et demi 1863 J. Verne, *Cinq Semaines en ballon,* éd. Hetzel. 70 000 exemplaires écoulés en 1904. Au total plus d'un million d'exemplaires des romans de J. Verne écoulés à cette date 1863 Erckmann-Chatrian, *Madame Thérèse,* éd. Hetzel. 110e éd. et 120 000 exemplaires vendus en 1910 1863 P. Féval, *Les Habits noirs,* éd. Hachette 1863 1876 P. Larousse, *Dictionnaire universel du XIXe siècle*	
	1864 24 mai : loi établissant le droit de grève	1864 Gauthier-Villars reprend la librairie de Mallet et Bachelier 1864 Hetzel lance son *Magasin d'éducation et de récréation* 1864 Charles Delagrave reprend le fonds Dezobry 1865 Débuts d'A. Lemerre qui remplace Percepied dans le Passage Choiseul	1864 E. Zola, *Contes à Ninon,* éd. Hetzel et Lacroix	1865 1866 Presse rotative à bobine (papier continu) 1865 1875 Adoption en France de la pâte à papier de bois 1865 Première réunion de l'Union télégraphique internationale qui unifie les procédures d'exploitation sur la planète

Repères	Édition et presse	Vie littéraire et succès	Innovations techniques
1800 1866 Jean Macé fonde la Ligue de l'enseignement	1866 14 juillet : loi étendant à 50 ans la propriété des œuvres littéraires	1866 E. Gaboriau, *L'Affaire Lerouge*, éd. E. Dentu	
1866 Guerre austro-prussienne. Sadova (3 juillet) et hégémonie prussienne sur l'Allemagne (traité de Nikolsbourg, 26 juillet)		1866 *Le Parnasse contemporain*, 18 livraisons, consacre le groupe des poètes parnassiens dont Lemerre devient l'éditeur attitré	
1867 Envoi de troupes à Rome contre Garibaldi. Rappel des troupes françaises du Mexique	1867 Mort de Louis Hachette 1867 Mort de Baudelaire	1867 La Librairie Hachette lance la collection des Grands écrivains de la France	1867 Grande médaille d'Exposition universelle pour la Librairie Hachette
		1867 Mort de Baudelaire et de Lamartine	1867 Charles Cros et Alcide Ducros établissent le principe de la sélection photographique des couleurs
		1868 A. Daudet, *Le Petit Chose*, éd. Hetzel. 27 400 exemplaires in-18 vendus en 1884	
1869 Achèvement du canal de Suez	1869 Anatole France lecteur chez Lemerre	1869 A. Daudet, *Lettres de mon moulin*, éd. Hetzel. 25 000 exemplaires in-18 vendus en 1884	
1869 Les élections mettent en minorité les partisans du régime autoritaire. Rétablissement du régime parlementaire		1869 H. Malot, *Romain Kalbris*, éd. Hetzel	
1870 Juillet : guerre contre la Prusse	1870 Armand Colin crée sa maison d'édition		
1870 30 août-2 septembre : Sedan	1870 Septembre-octobre : suppression du brevet. Liberté des métiers du livre		
1870 4 septembre : chute de l'Empire			
1870 19 septembre : Paris assiégé			
1870 27 novembre : capitulation de Metz			
1871 Mai : traité de Francfort		1871 E. Zola, *Les Rougon-*1893 *Macquart*, 23 vol.	
1871 18 mars-27 mai : Commune de Paris		1871 E. Zola, *La Fortune des Rougon*, éd. Lacroix. Succès médiocre	
1871 21-29 mai : la Semaine sanglante			
	1872 22 juillet : premier contrat G. Charpentier-E. Zola	1872 E. Zola, *La Curée*, éd. Lacroix. Succès médiocre	
1873 Début d'une récession de longue durée (jusqu'en 1893)	1873 Ducoudray, *Premières Notions d'histoire de France*, Hachette. 372 900 exemplaires vendus en 1900	1873 A. Daudet, *Contes du lundi*, A. Lemerre	
		1874 X. de Montépin, *Les Deux Orphelines*	
1875 Trois lois organiques définissent la forme du nouveau régime de la presse	1875 Mort de Pierre Larousse 1875 Mort de Michel Lévy. Calmann Lévy lui succède		
1876 Février-mars : élection de la Chambre des députés			1876 Ch. Gillot installe à 1877 Paris un atelier de photogravure typographique au trait puis réussit à traduire les dégradés
1877 Chute de Mac-Mahon	1877 8 mai : deuxième contrat G. Charpentier-E. Zola	1877 E. Zola, *L'Assommoir*, éd. Georges Charpentier. Premier grand succès. 150 000 exemplaires vendus en 1877	
	1877 P. V. Stock reprend la librairie Barba	1877 G. Bruno (Mme A. Fouillée), *Le Tour de France de deux enfants*, éd. Belin, 300 éditions en 30 ans ; 8 349 000 exemplaires vendus en 1972	

	Repères	Édition et presse	Vie littéraire et succès	Innovations techniques
1800				
	1879 Jules Grévy président de la République	1878 Congrès de la propriété littéraire sous la présidence de Victor Hugo à Paris	1878 H. Malot, *Sans famille*, éd. E. Dentu	1878 Réorganisation des 1883 bibliothèques univer-sitaires
	1880 Loi sur l'enseignement secondaire des jeunes filles (loi Camille Sée)	1880 Essor des livres d'étrennes et de prix. Hachette et Hetzel diversifient leurs collections. Recul de l'édition provinciale catholique	1880 Mort de G. Flaubert 1880 G. Ohnet, *Serge Panine*, éd. Ollendorff. 300 000 exemplaires écoulés	1880 Début du repli des 1900 bibliothèques populaires
		1881 16 juin et 29 juillet : loi sur la liberté de la presse et de réunion	1881 A. France, *Le Crime de Sylvestre Bonnard*, éd. Calmann-Lévy	
		1881 Naissance de la Fédération typographique française		
	1882 28 mars : loi sur l'enseignement primaire laïque, gratuit et obligatoire (Jules Ferry)		1882 G. Ohnet, *Le Maître de forges*, éd. Ollendorff	
			1883 G. de Maupassant, *Une vie*, éd. Havard	1884 Mergenthaler construit aux États-Unis la première Linotype
		1885 La Fédération typographique française devient la Fédération française des Travailleurs du livre	1885 A. Daudet, *Tartarin sur les Alpes*, éd. Calmann-Lévy. 20 000 exemplaires en deux ans.	1885 Ives achève la mise au point de la trame aux États-Unis
			1885 G. de Maupassant, *Bel Ami*, éd. Havard	
			1885 Mort de Victor Hugo	
	1886 Le général Boulanger ministre de la Guerre	1886 Congrès de Berne. Vote le 9 septembre d'une convention internationale sur la propriété littéraire	1886 Pierre Loti, *Pêcheurs d'Islande*, éd. Calmann-Lévy	
			1886 E. Drumont, *La France juive...*, éd. C. Marpon et E. Flammarion	
			1886 Mort d'Hetzel	
		1887 Mort d'Auguste Garnier		1887 Le téléphone devient usuel
				1887 Tobert Lanston met au 1889 point la Monotype aux États-Unis
	1888 Le général Boulanger est mis en non-activité		1888 G. de Maupassant, *Pierre et Jean*, P. Ollendorff	
	1889 Le général Boulanger député de Paris	1889 Armand Colin publie 1905 dans *Le Petit Français illustré La Famille Fenouillard, Le Sapeur Camembert, Le Savant Cosinus* et *Plick et Plock* de G. Colomb (Christophe)	1889 Ch. Merouvel, *Chaste et flétrie*, éd. Dentu. 400 000 exemplaires distribués en 1914	
			1889 P. Bouget, *Le Disciple*, éd. A. Lemerre	
		1891 27 juin : mort de Calmann Lévy	1890 A. France, *Thaïs*, éd. Calmann-Lévy	1890 Essor de la similigravure aux États-Unis et en Europe
		1892 Création de la Chambre syndicale des libraires de France		
	1893 Procès de Panama. Condamnation de Lesseps		1893 A. France, *La Rôtisserie de la reine Pédauque*, éd. Calmann-Lévy	
	1894 Décembre : condamnation de Dreyfus	1894 Arthème II Fayard succède à son père et rachète le fonds Dentu		
	1896 Réception à Paris du tsar Nicolas II			1895 28 décembre : première projection publique d'un film par les frères Lumière
	1898 Zola, *J'accuse*. Fondation de la Ligue des droits de l'homme			

I. L'envol de la production

L'envol de la production

Un nouveau monde pour l'imprimé. Toutes les séries l'indiquent : le XIXᵉ siècle d'après 1830 connaît une croissance inouïe de la production imprimée, en toutes ses formes. Soit le livre : à la veille de la Révolution, le nombre de titres imprimés dans le royaume atteignait, après une forte progression séculaire, deux mille ; en 1828 il s'élevait à un peu moins de six mille, en 1889 il frôle les quinze mille. Et il ne semble pas, malgré les données de la Bibliographie de la France *et en dépit des discours du temps sur la crise de l'édition, que la croissance s'arrête avant la Première Guerre mondiale, portant, peut-être, à vingt-cinq mille le nombre de titres alors publiés. Mais le livre n'est pas le seul objet imprimé : si on lui ajoute les travaux de ville, les prospectus et catalogues, les imprimés administratifs — à l'exclusion toutefois des périodiques — le nombre des titres enregistrés par le Dépôt légal est de près de trente-trois mille en 1913, ce qui représente une multiplication par 5,5 du chiffre de 1840. Ces dénombrements des titres publiés ne donnent d'ailleurs qu'une idée fausse des conquêtes de l'imprimé au XIXᵉ siècle dans la mesure où ils ne tiennent pas compte de l'accroissement des tirages. Il faut rappeler qu'au XVIIIᵉ siècle ceux-ci demeurent fort modestes, compris généralement entre mille et deux mille exemplaires. Au XIXᵉ siècle l'évolution est double. D'une part, le tirage moyen augmente : près de trois mille exemplaires en 1860, cinq mille en 1880, onze mille en 1900. D'autre part, l'éventail des tirages s'ouvre largement : certains perpétuent les prudences d'autrefois, d'autres, de plus en plus fréquents, produisent entre trois et dix mille exemplaires, une minorité enfin dépasse, et parfois de beaucoup, le seuil des dix mille exemplaires. Accélérée à la Belle Époque, cette croissance des tirages, qui surpasse alors celle des titres, multiplie peut-être par vingt-cinq le nombre d'objets imprimés mis en circulation entre 1840 et 1910.*

*Comment comprendre une telle progression, qualifiée souvent de seconde révolution du livre, qui transforme radicalement la présence de l'imprimé, distribué en masse, promis à tous ? La réponse, à l'évidence, est d'abord technique. Peu à peu, les anciennes machines et les anciennes pratiques sont remplacées par d'autres, nouvelles et efficaces, qui bouleversent le travail des papetiers, des pressiers, des relieurs, des compositeurs. L'une après l'autre, les diverses étapes de la fabrication du livre (ou du journal) sont mécanisées, industrialisées. Il en va ainsi, dans un pre-*mier temps, avec la presse mécanique à vapeur, la machine à papier continu, les presses de la reliure industrielle. Puis de nouvelles innovations s'imposent, liées à la presse rotative ou à la Linotype et à la Monotype qui révolutionnent les gestes anciens de la composition. Ces nouvelles techniques, qui peu à peu démantèlent l'ancien régime typographique, sont la nécessaire condition de possibilité de l'accroissement de la production. Grâce à elles peuvent être franchies les limites traditionnelles imposées depuis quatre siècles à l'activité d'imprimer.*

Elles ne sont pas sans conséquences — économiques et sociales. Exigeant des capitaux et de l'espace, les nouvelles machines ne peuvent être adoptées par tous, et nombreux sont les ateliers qui restent tardivement fidèles aux techniques anciennes. De là, des écarts accrus entre grandes et petites entreprises, France du nord et France des midis, Paris et les provinces. Dans une conjoncture de croissance, qui voit la multiplication du nombre des imprimeries (surtout avant 1840 et après 1870) et l'élévation du nombre moyen d'ouvriers et de presses par atelier (surtout durant le Second Empire), les différences se creusent, contrastant fortement les nouvelles « usines à livres », industrialisées et rationalisées, et les ateliers familiers de la tradition. Les premières travaillent pour les gros éditeurs de la capitale ou pour une édition provinciale fortement spécialisée (ainsi, réussite exemplaire, l'entreprise Mame à Tours), les seconds doivent borner leur ambition à satisfaire une clientèle locale et à imprimer la masse éphémère des travaux de ville. Malgré les temps meilleurs de la fin du siècle permis par l'existence d'un crédit plus facile, de matériels plus légers et moins chers, de transports meilleur marché, les techniques nouvelles ont sans doute plus qu'auparavant accentué l'hétérogénéité du monde de l'imprimerie, partagé entre le temps de Gutenberg et celui de la révolution industrielle.

Le monde du travail, lui aussi, se trouve traversé par les clivages apparus ou accrus avec l'industrialisation des métiers. Au moment où s'effacent les gestes anciens, où se perdent les qualifications, il n'est pas étonnant que ce soit les compositeurs qui prennent la tête des associations nouvelles nées sur le terreau des solidarités traditionnelles. Plus tardivement touchés que les autres par la mécanisation puisque les machines à composer ne s'installent qu'après 1880, incarnant par excellence un métier aux traditions vives, à l'indépendance affirmée, les typographes — et au pre-

mier chef les Parisiens — s'organisent précocement pour négocier le juste tarif de leur rémunération, régler l'organisation de leur travail, développer toute une panoplie de secours et d'assistances. Même si elle regroupe en théorie tous les « travailleurs du livre », leur fédération d'industrie demeure durablement dominée par ceux le moins tôt touchés par la révolution industrielle de l'imprimé. À sa manière, cette suprématie imposée aux « métiers similaires », ancrée dans les entreprises de la capitale, intolérante au travail féminin, dit l'attachement à une culture vieille de plusieurs siècles — une culture masculine, conviviale, fière, façonnée et fortifiée dans l'atelier de la presse à bras et de la composition à la main. Même s'il leur faut finalement désapprendre les gestes toujours faits et maîtriser de nouvelles machines, les typographes perpétuent à travers le siècle des valeurs et des conduites point effacées par l'industrialisation.

Rendue techniquement possible par les innovations, la multiplication de l'imprimé est facilitée aussi par la nouvelle législation qui règle l'édition. Certes, de 1830 à 1881, les dispositions législatives comme les pratiques répressives ont varié, au gré des régimes politiques, mais il est clair qu'avant même la loi sur la liberté de la presse, et même aux temps les plus sévères, l'édition a échappé au XIXᵉ siècle aux contraintes qui étaient celles de l'Ancien Régime ou du Premier Empire. Trois domaines ont toutefois été étroitement et durablement contrôlés : les journaux — longtemps soumis à autorisation préalable et à un lourd cautionnement, longtemps menacés par les avertissements, les suspensions ou les saisies administratives —, les gravures et les brochures de colportage pour lesquelles est rétablie un temps la censure préventive. Mais le livre est soustrait à ces surveillances tatillonnes puisque jamais n'est réinstaurée pour lui la censure préalable, puisque rares en sont les saisies faites par l'administration, puisque les procès intentés à des auteurs, des éditeurs ou des imprimeurs de livres devant les cours d'assises demeurent au total peu nombreux. La loi n'entrave donc pas gravement les possibilités offertes par les techniques nouvelles et, même si un régime sans contrainte fut lent à s'installer, l'édition du XIXᵉ siècle, pour le livre au moins, jouit d'une liberté jusque-là inconnue.

Mais ni l'industrialisation des techniques, ni le libéralisme des dispositions législatives ne peuvent, par eux-mêmes, rendre compte du changement d'échelle de la production imprimée. Celle-ci est faite pour être

vendue et sans un véritable bouleversement du marché des acheteurs de livres et de journaux, les machines nouvelles et les règlements favorables seraient restés sans effet décisif. La seconde révolution du livre est, d'abord, une révolution du lire, qui élargit de manière inédite la population des lecteurs potentiels, les usages de l'imprimé, les demandes de l'écrit. De Guizot à Ferry, l'école (mais pas seulement elle) a alphabétisé les Français, gommant les anciens écarts, faisant du savoir lire une compétence quasi universelle. Si en ville l'aptitude à la lecture était déjà anciennement partagée, dans les campagnes la diffusion à chacun de ce savoir nouveau bouleverse la culture traditionnelle. Au rapport lointain avec l'écrit, toujours médiatisé par une parole de curé, de notaire ou de notable, rarement manié, souvent investi de valeurs magiques ou symboliques, l'alphabétisation généralisée substitue progressivement d'autres attitudes, fondées sur une familiarité directe avec l'objet écrit, manuscrit ou imprimé. Aux siècles des lecteurs minoritaires, le XIXᵉ fait succéder un temps où presque tous peuvent lire le livre, la brochure ou le journal — donc acheter.

Du coup, l'imprimé se trouve porteur d'usages neufs, de missions nouvelles. Certes, comme auparavant, il doit instruire les enfants, façonner de bons chrétiens, enseigner les savoirs utiles ou dispenser les distractions licites. Mais au siècle d'un État plus présent, il doit aussi communiquer et recueillir l'information nécessaire au gouvernement des choses et des hommes ; au temps des conquêtes démocratiques, sanctionnées par le suffrage universel, il doit former des citoyens lucides et conscients ; à l'âge de l'affirmation des droits des plus démunis, il doit soutenir les efforts d'émancipation par la connaissance. De là, les recours pluriels à l'imprimé et les incitations multiples à la lecture, venues de l'école et de l'Église, des sociétés philanthropiques mais aussi des associations populaires. De là, corollairement, les partages instaurés dans les lectures elles-mêmes : bons livres contre mauvais livres des évêques catholiques, livres de la morale quotidienne contre livres du dérèglement corrupteur des bibliothèques scolaires, livres d'utilité contre romans inutiles des fondateurs des bibliothèques populaires. Ces fronts divers, à leur façon, manifestent la nouvelle puissance du livre, enjeu d'intentions contradictoires, mis à la portée de tous, octroyé pour acculturer mais aussi saisi, en toute liberté, pour des plaisirs rebelles.

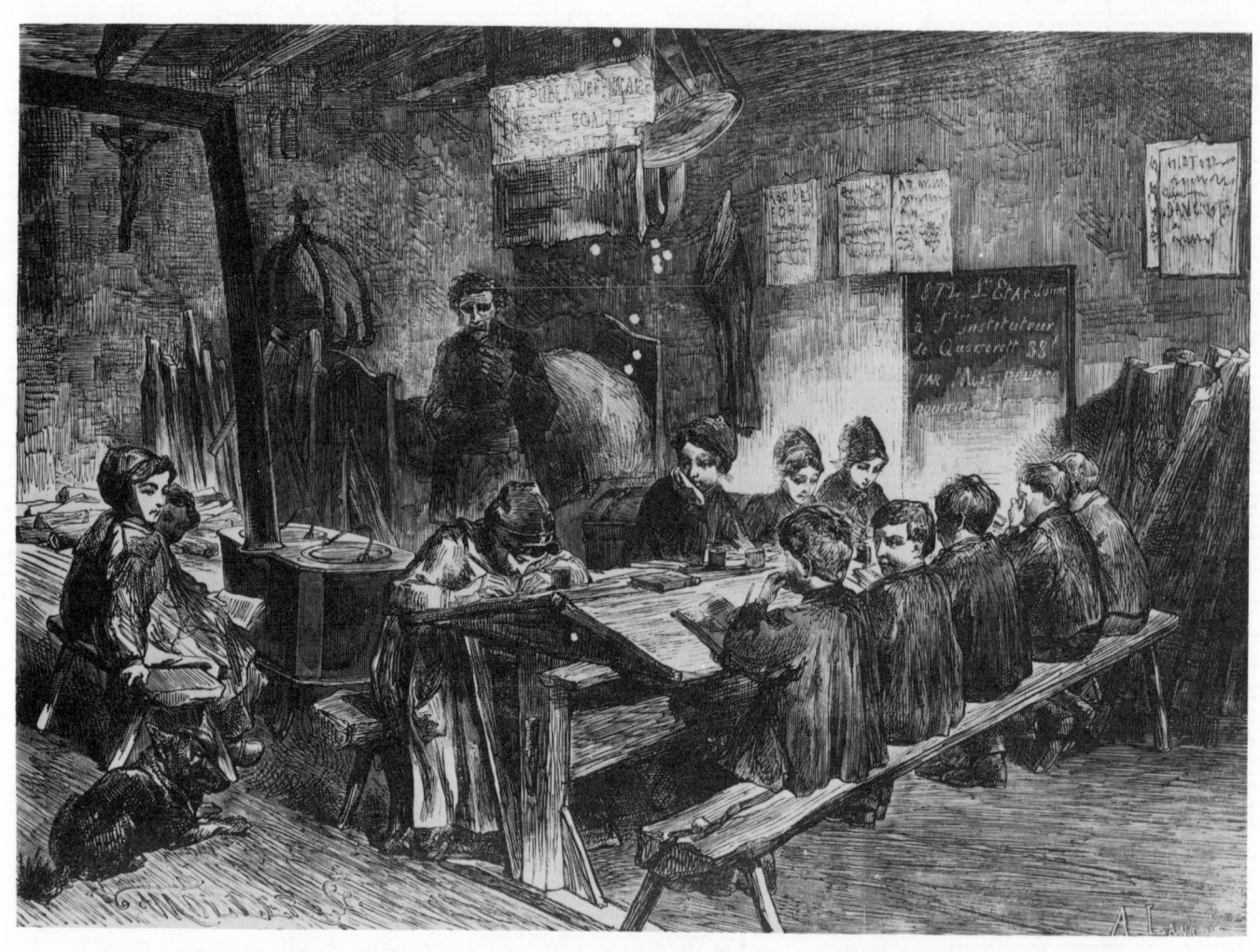

L'alphabétisation gagne les coins les plus reculés de la montagne, mais ce village du Haut-Jura
n'est pas riche : la classe se fait dans la salle municipale,
qui sert aussi de logement à l'instituteur, payé 38 fr par mois...

L'élargissement du public

par Maurice Crubellier

Lire avait été, jusqu'à l'imprimerie, un privilège des clercs, que partageaient quelques catégories de laïcs, médecins et juristes notamment. La Réforme protestante voulut ouvrir à tous les fidèles l'accès au livre et, d'abord, au Livre par excellence, la Bible. La multiplication des textes par l'imprimerie rendait la chose désormais possible. La Réforme catholique suivit et amplifia le mouvement, dont les collèges et les petites écoles furent les agents les plus actifs.

 ## Un préalable : l'alphabétisation généralisée

L'alphabétisation des masses était en route. A la veille de la Révolution, la moitié des Français et le quart environ des Françaises savaient signer leur nom sur leur acte de mariage, un minimum qu'on s'accorde aujourd'hui à juger suffisamment significatif ; mais la répartition régionale et socioprofessionnelle de cet humble savoir était fort inégale. Au cours du XIXe siècle, le taux des alphabétisés allait atteindre 95 %, toutes classes et toutes régions confondues. C'était pour tous l'« entrée dans la culture écrite » (1), une transformation profonde, une espèce de révolution ou de mutation culturelle, qui n'avait pu s'opérer sans résistances ni refus. Un discours triomphaliste, amorcé à l'époque des Lumières et poursuivi par le progressisme du XIXe siècle, a mythifié l'entreprise, n'en a voulu retenir qu'une signification idéale, ou idéologique : l'émancipation du peuple par l'instruction et, d'abord, par le livre. Une histoire plus récente et plus attentive au réel a révélé d'autres perspectives, d'autres desseins, si l'on veut, moins purs et moins généreux. « La lutte contre l'analphabétisme — a écrit par exemple Claude Lévi-Strauss — se confond [...] avec le contrôle des citoyens par le Pouvoir » (2).

Sous la Restauration, exercice de lecture
dans une école parisienne, où l'enseignement mutuel
était pratiqué.

L'élargissement du public

Les moyens du progrès

On pense d'abord et tout naturellement à l'école, dont Furet et Ozouf nous invitent toutefois à « ne pas fétichiser le rôle ». En marge des collèges dont la clientèle avait pu, dans les meilleures années de l'Ancien Régime, s'étendre à l'artisanat et aux plus riches laboureurs, un réseau d'écoles s'était développé, plus dense au nord d'une ligne Saint-Malo - Genève, moins serré au sud et à l'ouest. Ce réseau, grâce aux lois de Guizot (1833 — une école dans chaque commune, ou groupe de communes à la rigueur), Falloux (1850 — une école de *filles* dans chaque commune de 800 habitants, de 500 à partir de Duruy) et Ferry (1881-1882), s'étendit également à toute la France. En fait, la scolarisation était à peu près générale dès 1881-1882 puisque, à cette date, 2 708 000 garçons et 2 633 000 filles étaient inscrits dans les écoles, qu'il n'y avait plus que 159 communes dépourvues d'école et que les trois quarts des hommes et les deux tiers des femmes signaient leur nom sur leur acte de mariage — ou, selon un critère plus précis mais limité au sexe masculin et à l'âge de vingt ans, que 82,1 % des conscrits savaient lire et écrire en 1871-1875. Il ne restait plus qu'à obtenir une fréquentation régulière et à améliorer les conditions d'accueil. Il restait surtout à pousser plus loin l'apprentissage de la lecture, à dépasser le déchiffrage des lettres, des mots et des phrases, c'est-à-dire à acquérir de simples mécanismes pour parvenir à une lecture courante, raisonnée, qui impliquât l'assimilation du sens.

Tâche difficile. La culture livresque était étrangère à la culture populaire, à celle des campagnes surtout. « Dans les classes agricoles — pouvait-on lire, en 1907, dans le *Bulletin départemental* du Doubs — le nombre des mots compris est très restreint, le style d'un auteur, quelque simple qu'il soit, n'a aucun rapport avec la phraséologie naïve, hésitante et pauvre des habitants des campagnes » (3). Or, le Doubs était un des départements les plus anciennement scolarisés et alphabétisés.

Là où l'école avait été longtemps absente, dans le centre et l'ouest de la France, dans les hameaux trop distants des bourgs, des institutions de suppléance avaient parfois vu le jour. Bien connue est, par exemple, celle des *béates* du Velay, pieuses filles vouées (mais sans vœux officiels) à l'éducation d'enfants qu'elles réunissaient pour leur donner « les rudiments d'instruction jugés indispensables, c'est-à-dire l'apprentissage de la lecture qui leur permettra ensuite de mieux suivre les offices » ; elles enseignaient également la dentelle aux filles, mais peu l'écriture, assurément moins nécessaire au salut des âmes. Elles étaient répandues, outre celui du Puy, dans six diocèses du Massif Central. Sept diocèses de l'ouest armoricain avaient leurs « bonnes sœurs », assez analogues aux béates, et les départements de la Meurthe, de la Moselle et du Bas-Rhin leurs sœurs de la Divine Providence institutionnalisées sous ce titre en 1852 (4).

La statistique ménage parfois d'intéressantes surprises. On y voit que des hommes, des hommes beaucoup plus que des femmes, qui ne savaient pas lire à la conscription ou au mariage, avaient appris plus tard et savaient à trente ans. Les carences de l'école avaient pu être compensées par les cours du soir, une institution fort en faveur au temps de l'Empire libéral et dans les premières décennies de la République républicaine. Il s'agissait surtout d'un rattrapage destiné aux jeunes gens de treize à vingt ans, d'un enseignement complémentaire et calqué sur le modèle scolaire, qui n'aurait touché, au mieux, que 3 % de la population dans une vingtaine de départements. L'armée a joué aussi un « rôle alphabétisant » en faisant place à l'enseignement mutuel sous la Restauration, puis en appliquant l'article 47 de la loi Guizot qui posait « le principe de l'instruction élémentaire dans leur corps, des jeunes gens illettrés incorporés dans l'armée ». Furet et Ozouf estiment que « plus de 1 150 000 jeunes hommes auraient de 1844 à 1869 acquis dans l'armée une instruction élémentaire et auraient appris au moins à lire », ce qui pouvait représenter, en 1872, le huitième des alphabétisés.

Il sera question plus loin des ouvriers, des maçons creusois, par exemple, immigrés à Paris, qui se réunissaient après leurs longues et rudes journées de labeur pour se donner mutuellement un minimum d'instruction, professionnelle surtout, mais qui impliquait le savoir lire, pour se faire, selon le mot de l'un d'entre eux, « la courte échelle du savoir ». Les stimulaient dans ce sens, outre l'espoir d'une promotion dans leur métier, le désir de participer à la vie politique, la tentation rapidement multipliée des publications imprimées de toutes sortes, le harcèlement des affiches, des kiosques à journaux, des brochures de propagande, etc.

Une diversité qui s'efface

L'alphabétisation généralisée a entraîné la liquidation des différences qu'on pouvait constater à la fin du XVIIIᵉ siècle entre sexes, entre campagnes et villes, entre le nord et le sud de la France, entre les populations francophones et les autres.

Le retard féminin s'était plutôt accentué au cours du XVIIIᵉ siècle. Il correspondait à un fait de mentalité. Ce fait, un Rétif de la Bretonne l'exprimait cyniquement : « Il faudrait que l'écriture et même la lecture fussent interdites aux femmes. Ce serait le moyen de resserrer leurs idées et de les circonscrire dans les soins utiles du ménage, de leur inspirer du respect pour le premier sexe qui serait instruit de ces mêmes choses » (5). L'Église était plus nuancée dans son appréciation et « souvent, les règlements synodaux et les ordonnances épiscopales [insistaient] sur la seule lecture pour les filles, accompagnée d'un apprentissage ménager à base de travaux de couture », quelque chose comme leur « enfermement dans l'univers familial », pour le bien des leurs et pour le leur propre (6). Sa tendance était assez nette à dissocier la lecture et l'écriture : aux femmes, la lecture, liée au catéchisme et à l'éducation religieuse des enfants ; aux hommes, l'écriture qui permettait de tenir les comptes et de signer les actes du notaire. Un inspecteur de la Haute-Loire observait, en 1833, qu'« à la messe, ce sont les femmes qui ont un livre, les hommes n'ont qu'un chapelet » (7). Le rattrapage féminin, plus lent dans les campagnes, était réalisé au début du XXᵉ siècle. L'équilibre allait même tendre à s'inverser à mesure que les femmes, premières responsables de l'instruction séculière des enfants comme elles l'avaient été de leur éducation religieuse, plus disponibles du fait de l'allégement des tâches ménagères, en quête peut-être de compensations à l'infériorité de leur statut et sollicitées par toute une production imprimée à elles spécialement destinée, devenaient des liseuses convaincues, voire passionnées.

Sous l'Ancien Régime, les villes et plus encore la capitale avaient affermi leur avance en matière d'alphabétisation. Dans le Paris de Louis XVI, on estime que 66 % des hommes savaient lire et déjà 62 % des femmes (8). Mais l'industrialisation récente avait provoqué un recul sensible du taux des alphabétisés dans les villes du Nord à la fin du XVIIIe et, au début du XIXe, dans les quatre cantons de Saint-Étienne, les villes usinières de Saône-et-Loire, quelques centres du Limousin et de la Haute-Normandie. Il s'agissait là d'un phénomène complexe où se combinaient plusieurs facteurs : exode de populations rurales moins alphabétisées — et, de plus, déculturées globalement par leur transplantation — ; travail salarié des jeunes enfants écartés de l'école par la manufacture, et travail des mères qui auraient dû être leurs premières éducatrices ; insuffisance du nombre des écoles dont la construction ne suivait pas le rythme de la croissance démographique.

Un contraste opposait aussi les hameaux écartés et privés d'école aux bourgs qui en étaient dotés, ou, plus généralement, les pays de bocage à l'habitat dispersé aux « campagnes » à l'habitat groupé.

Ainsi s'explique, pour une part, le dualisme cartographique décelé par les enquêteurs du XIXe siècle, le baron Dupin et Ambroise Rendu en 1827, le recteur Maggiolo après 1877 : une France instruite du Nord-Est, au-dessus d'une ligne Saint-Malo-Genève, et une « France du retard », de l'Ouest et du Midi, au-dessous de cette même ligne (9). Selon Dupin et Rendu, treize millions d'habitants, dans la première France, confiaient à l'école 740 000 enfants ; dix-huit millions dans la seconde ne lui confiaient que 376 000 enfants, soit deux fois moins d'enfants scolarisés pour une population supérieure de moitié en effectifs. Au temps de Maggiolo, le Midi avait à

peu près rattrapé son handicap du XVIIIe siècle ; l'analphabétisme s'attardait encore « dans un triangle dont la base serait la côte atlantique, de la Bretagne aux Landes, et la pointe en plein cœur du Massif Central », il s'y résorbait lentement.

Ce dualisme cumulait les oppositions mentionnées entre campagnes et villes, plaines et bocages, avec l'opposition fondamentale entre pays pauvres et pays riches, régions à l'économie stationnaire ou déclinante et régions en plein essor, déjà intégrées à un système de relations nationales, sinon internationales, par la route puis le rail, par les échanges à longue distance. Ici, le bourgeois des villes, de bonne heure alphabétisé, usager habituel de l'écrit en affaires comme dans ses loisirs, donnait le ton, imité par les boutiquiers, les artisans, puis par les laboureurs aisés. Là, le petit propriétaire, le petit fermier, le manouvrier, le métayer surtout — soumis à l'autorité d'un maître obscurantiste, lié quelquefois par un contrat qui stipulait qu'il n'enverrait pas ses enfants à l'école (10) — suivaient mal ou ne suivaient pas le mouvement général, ne pouvaient pas le suivre.

On a observé des contrastes subtils. Dans le département d'Eure-et-Loir, la quasi-totalité des membres des groupes privilégiés sait lire dès 1833-1837, les artisans savent aussi à 80 %, les cultivateurs indépendants à 78 %, les ouvriers d'industrie à 62 % ; les deux groupes défavorisés, salariés agricoles et domestiques, se rapprochent des autres en 1863-1867 (respectivement 73,3 et 63,7 %) et les ont presque rejoints en 1878-1882 (86,9 et 79,8). Dans le département du Cher, pourtant proche, l'alphabétisation des groupes même privilégiés est acquise plus lentement et assez tard : 50 % seulement de propriétaires et d'artisans sachant lire en 1833-1837, 55 % de cultivateurs indépendants en 1863-1867, et encore en 1878-1882 62,7 % de salariés agricoles et 53,4 % de domestiques (mais pour ces derniers les taux étaient de 6 et 4 % en 1833-1837) (11).

Plus que du désavantage des uns, les retardataires, peut-être vaudrait-il mieux parler de l'avantage des autres, ceux qui abordaient le XIXe siècle sachant déjà lire. La France rurale qui avait appris « massivement à lire au

XVIIIe siècle, c'est celle de la classe moyenne et moyenne-inférieure des campagnes, les paysans-exploitants, les petits marchands, les artisans » (12). L'élan initial qui leur avait été imprimé par l'élite a été répercuté, amplifié par les catégories en ascension sociale. En ascension sociale et en mutation culturelle, les deux allaient de pair.

La diversité linguistique — des patois, des dialectes, des langues —, tant dénoncée et combattue par la volonté centralisatrice des jacobins (13), a exercé une action inégale sur l'alphabétisation. S'il est vrai que celle-ci était fort en retard en 1866-1872 dans les trois départements bretons bretonnants, en Corse et dans les Pyrénées-Orientales ainsi que dans plusieurs départements de la « nébuleuse occitane » (Ariège, Corrèze, Haute-Vienne, Dordogne, Landes) et qu'elle l'était encore en 1901 dans ces mêmes départements, les Pyrénées-Orientales exceptées, au contraire, dans le département du Nord, les arrondissements flamands de Dunkerque et d'Hazebrouck se classaient en tête au milieu du XIXe siècle, le Bas-Rhin et le Haut-Rhin occupaient les sixième et neuvième rangs pour l'instruction des conscrits, et le Bas-Rhin, au recensement de 1866, avait le taux le plus bas d'illettrés, parmi les habitants de plus de cinq ans, de toute la France. Un inspecteur de Guizot avait souligné le paradoxe de cette province, l'Alsace, où sur un nombre donné d'individus on en trouve « le moins qui ne savent ni lire ni écrire » et « le plus qui ne savent ni lire ni écrire la langue nationale ». Un autre inspecteur, en pays flamand, quelque vingt ans plus tard, constatait que « l'élève qui sait lire dans une langue sait lire dans l'autre après quelques semaines d'exercice » (14). C'est que la lecture est une technique dont l'acquisition dépend avant tout d'un contexte mental, disons : de l'acceptation ou du refus de l'écrit et de l'imprimé.

« Métissage culturel »

Furet et Ozouf, les auteurs de cette formule, l'ont dit avec raison et avec force, et l'on ne peut que le redire après eux : c'est une contagion culturelle, amorcée au XVIIe siècle, étendue au XVIIIe, qui s'est achevée au XIXe, de la tradition rurale par le modèle urbain bourgeois, de l'oral par l'écrit, du gestuel et du rituel par le livresque. La rencontre des cultures entraînait tour à tour, selon les temps et selon les lieux, imitation et refus. L'imitation opérait tantôt consciemment et tantôt inconsciemment. Les réactions de rejet restaient le plus souvent implicites.

Pour les populations, l'alphabétisation représentait quelque chose comme le passage d'un seuil culturel. Certaines le franchissaient résolument, d'autres hésitaient à le franchir, se rendaient obscurément compte que le pas serait décisif, qu'il signifiait le renoncement, à plus ou moins brève échéance, à une richesse authentique, à une culture encore vivace et nourricière. Ils allaient être emportés par un courant irrésistible qui, de l'alphabet et du syllabaire, du latin du missel ou du français des *Devoirs du chrétien,* les acheminerait à toutes les formes de l'imprimé, les soumettrait à son message et à sa loi, les plierait à un service bien plus qu'il ne les servirait (15).

Les enfants des classes aisées apprennent à lire à la maison sur les genoux de leur mère, gravure sur bois en tête d'un alphabet (1847).

Les chemins de la lecture

Quiconque a appris à lire, c'est-à-dire est apte à signer un acte officiel ou à subir les tests de l'incorporation dans l'armée, n'est pas devenu pour autant un *liseur.* A quel niveau de connaissances générales l'école l'a-t-elle amené ? Quel est depuis l'école sa pratique de la lecture, quotidienne ou épisodique ?

De « savoir lire » à « lire »

L'expression *savoir lire* peut avoir plusieurs sens, depuis le sens minimal, déchiffrer les lettres, les mots et les phrases, jusqu'au sens maximal, être capable de nourrir son intelligence et sa sensibilité de celles d'autrui, accueillir dans leur plénitude tous les messages écrits et imprimés. La progression d'un sens à l'autre n'est pas simple, linéaire en quelque sorte ; elle serait plutôt circulaire (16). Sait lire, vraiment lire, celui qui a déjà emmagasiné dans sa mémoire le contenu de lectures antérieures, qui *reconnaît* dans un texte nouveau beaucoup plus de choses qu'il n'en *découvre.* Le « lire »

nourrit le « savoir lire ». C'est ce qui explique qu'aujourd'hui on compte en France, outre 300 000 illettrés, deux millions de *mal-lisants* et dix millions d'*hésitants* (17). Et combien d'experts ? Mais quels critères permettent de reconnaître ceux-ci ? La possession de livres, d'une bibliothèque, est sans doute un critère trop étroit. On peut aimer les livres et n'en posséder que quelques-uns. C'est affaire d'argent. Ils risquent cependant d'être exclus de la lecture ceux à qui manquent l'argent et le temps.

Du simple déchiffrement à la consommation délectable, le chemin est long, jalonné de toutes sortes d'étapes ; et variés sont les itinéraires qui permettent de le parcourir. L'apprentissage scolaire nous fournit de précieuses indications. Encore faut-il rappeler qu'un apprentissage familial a pu le précéder. Lamartine parlait de « l'enseignement élémentaire que nous [entendons : les enfants des classes privilégiées] avons reçu sur les genoux de notre mère » (18), enseignement que relayaient pour ces mêmes enfants les humanités du collège, où il n'était plus guère question de l'apprentissage de la lecture, sans doute parce qu'on le considérait comme déjà acquis. Il en allait autrement pour la masse des enfants du peuple. La durée de leur apprentissage, variable selon les auteurs, apparaît étonnamment longue : de deux à cinq ans en moyenne au XIXe siècle ; George Sand comptait trois ans ; c'est aussi ce que supposent les plans d'études de Rapet (1859), de Gréard (1868) et de Jules Simon (1871) (19). Lecture mécanique ou matérielle, lecture courante puis expressive, lecture expliquée ou raisonnée, telles étaient les étapes officielles. Les meilleurs pédagogues déploraient cette lenteur, ils s'ingéniaient à mettre au point des méthodes plus rapides ou des procédés astucieux, simplifiaient l'épellation, associaient l'écriture à la lecture... Certains novateurs, pour prouver l'excellence de leurs manuels, signalaient les performances accomplies par quelques-uns des utilisateurs. La *Statilégie* de Laffon (1827), recommandée par la Société pour l'instruction élémentaire, avait appris à lire à un jeune illettré en vingt-huit heures ! Grâce à la *Lecture simplifiée* de Maître, en 1830, « cinq enfants illettrés apprennent à lire en dix-huit heures. Il n'en faut que douze à un jeune homme de dix-sept ans et à deux adultes de trente-six ans pour parvenir au même résultat » (20).

Pourquoi cette lenteur alors ? Il faut évoquer d'abord la réalité quotidienne de la classe, une classe le plus souvent surchargée d'enfants d'âge et de capacité inégaux, où la méthode qui pouvait faire merveille auprès d'un individu s'émoussait et perdait ses vertus. Le souci du bon ordre dans la classe conférait à tout l'enseignement, et particulièrement à celui de la lecture, un caractère disciplinaire. Ce caractère s'accusait jusqu'à la caricature à l'école mutuelle. La méthode syllabique (les psychopédagogues l'appellent aussi synthétique par opposition à la méthode globale, dite analytique) longtemps la plus utilisée, sinon la seule utilisée, favorisait les exercices routiniers, individuels ou collectifs (21). « La leçon de lecture se borne à faire déchiffrer un texte, généralement sans intérêt pour l'élève, voire hors de sa portée » (*Bulletin de l'instruction primaire*, Savoie, 1872). Legouvé a dénoncé l'« insupportable psalmodie qui est devenue dans les écoles une sorte de musique sacrée », qui est, dit-il aussi, « comme un vice héréditaire » (22). A cela s'ajoutait la hantise de l'orthographe française, dont toutes les subtilités, et les absurdités, avaient été délibérément endossées et même renforcées par l'école du peuple, véritable négation de l'idéal libérateur de ses promoteurs (23). Des enfants particulièrement éveillés pouvaient se rebeller contre un tel état de choses. Jean-Baptiste Dumay, écolier stéphanois des années 1850, a justifié ainsi son habitude de l'école buissonnière : « Cette rage de manquer l'école avait pour cause ma passion de la lecture », la hâte de dévorer tout ce qui lui tombait sous la main (24). Paradoxe de la lecture qui se retourne contre l'institution scolaire chargée de la propager !

Si le maître, rural surtout, se résignait à la lenteur, c'est qu'au fond rien ne pressait. Ses élèves n'auraient rien à lire, ou si peu, dans leur village, alors que dans les villes, les enseignes, les affiches, les crieurs de journaux... éveillaient du moins la curiosité des humbles.

L'accélération de la pratique de la lecture devait être la conséquence du grossissement massif de la production imprimée, et de sa diffusion sur tout le territoire national. C'est l'envie de lire qui a longtemps fait défaut. Les instituteurs eux-mêmes qui auraient dû donner l'exemple, qui auraient dû être des entraîneurs, comme les instructions officielles les y invitaient, lisaient-ils ? L'échec des bibliothèques pédagogiques, même dans un bon département comme le Doubs, a son éloquence : 1 300 volumes y étaient empruntés en moyenne dans les années 1880 (tout juste un par enseignant), 300 vers 1900. Or, il suffisait désormais, dans ce même département, « de six mois à un an à un bon maître pour apprendre à lire à ses élèves » (25). Comprenons pour apprendre la lecture mécanique ou matérielle ; cela laissait du temps pour les niveaux ultérieurs, de plus en plus désirables et sans doute désirés à mesure que les sollicitations de la presse bon marché s'exerçaient partout, poussaient la masse des Français à pénétrer dans une culture que beaucoup avaient tenue jusque-là pour étrangère.

Le XVIIIᵉ siècle avait imaginé des procédés attrayants. J.-J. Rousseau les évoque dans l'*Émile :* « On invente des bureaux, des cartes ; on fait de la chambre de l'enfant un atelier d'imprimerie. Locke veut qu'il apprenne à lire avec des dés » (26). Ils convenaient aux enfants des familles riches et déjà tournés vers la lecture.

Dans la familiarité des livres

Legouvé, apôtre officiel de « l'art de la lecture », distingue formellement deux publics et deux lectures. Il y a, d'abord, la caste des lettrés, aristocrates et bourgeois — mais ce ne sont pas, à beaucoup près, tous les aristocrates et tous les bourgeois. Pour l'historien de la lecture, la possession d'une bibliothèque, attestée par les inventaires après décès, est un critère précieux parce que chiffrable. Adeline Daumard a utilisé ces inventaires afin de mieux connaître les bourgeois parisiens des années 1815-1848. Elle a compté que 60 % des membres des professions libérales possédaient une bibliothèque (c'est-à-dire plus de quelques livres), 50 % des fonctionnaires,

37 % des employés de l'État et 35,5 % des négociants, mais seulement 16 % des employés et 6,3 % des boutiquiers (27). Le fait d'avoir des livres à soi ne revêt pas dans tous les cas la même signification. Robert Escarpit lui a reconnu plusieurs « fonctions » qui ne s'excluent pas l'une l'autre : placement quelquefois, plus souvent élément de prestige, livre-outil pour les professions libérales, livre-compagnon pour l'honnête homme (28).

Le beau livre est recherché par les amateurs en quête de prestige autant que d'un placement. Les éditeurs, soucieux de satisfaire cette clientèle, luttent contre l'avilissement dont la multiplication et le bon marché menacent les livres ; ils créent « ce qui ne s'était jamais produit encore, une série spéciale de livres de luxe distribués à une classe privilégiée, auxquels ils consacrent leurs efforts et réservent les procédés artistiques » (29). Les livres professionnels « forment une partie importante des bibliothèques des avocats, des notaires, des avoués, des médecins et des professeurs », de quelques architectes aussi. Mais les ouvrages d'économie sont rares chez les commerçants, « même le traité d'économie politique de J.-B. Say » (30).

En général, les catalogues des bibliothèques reflètent l'éducation reçue au collège par leurs propriétaires, avec quelques déviations cependant qui méritent d'être notées. Cette éducation reposait sur les auteurs « classiques », ceux de l'Antiquité et ceux des XVIIᵉ et XVIIIᵉ siècles — du XVIIᵉ encore plus que du XVIIIᵉ à cause des valeurs par eux transmises : moralisme chrétien plus ou moins teinté de jansénisme, individualisme et esthétique, une idée du beau fondée sur l'ordre et la mesure, rationalisme cartésien, un peu de science. La proportion des genres ne variait guère quand le nombre des ouvrages augmentait. Il semble qu'on ait conservé les livres de piété des siècles précédents plutôt qu'on en ait acquis de nouveaux. Les Grecs et les Latins étaient représentés surtout par des traductions. L'histoire et les voyages se taillaient une part non négligeable, ainsi que des ouvrages étrangers célèbres, anglais (*Robinson Crusoé, Clarisse Harlowe, Tom Jones*), espagnols (*Don Quichotte*), italiens (*Roland furieux* et la *Jérusalem déli-*

vrée). Les auteurs contemporains — Chateaubriand, Mme de Staël, Lamartine, Béranger... — apparaissent moins qu'on pourrait s'y attendre. Parce que les relevés sont incomplets ? Ou parce que, davantage lus, les volumes se détérioraient et auraient déparé un ensemble qu'on souhaitait aussi élégant que possible ? Ou parce que « la mode des cabinets de lecture détournait beaucoup de gens, même les plus riches, d'acheter des livres nouveaux qu'ils préféraient emprunter » ? (31).

Le chemin des livres, l'enfant des milieux lettrés l'avait rencontré tout jeune encore ; un véritable conditionnement avait commencé pour lui bien avant le collège. C'est ce qu'illustre magnifiquement le témoignage de Jean-Paul Sartre : « J'ai commencé ma vie comme je la finirai sans doute : au milieu des livres » ; « C'est dans les livres que j'ai rencontré l'univers » (32). Valery Larbaud a raconté sa découverte précoce de la poésie « d'abord dans les *Morceaux choisis* et plus tard dans les gros tomes rouge et or de Victor Hugo, dans ceux de Lamartine qui étaient reliés en bleu, dans le petit Musset blanc et or, enfin dans les deux petits livres d'aspect pauvre et triste qui étaient Alfred de Vigny et André Chénier ». Le conditionnement du goût, du bon goût, s'opérait alors de façon insidieuse. C'est encore Valery Larbaud qui raconte comment, après avoir songé à se rebeller, dans un devoir de vacances, contre La Fontaine, contre la tyrannie pédagogique de La Fontaine, à cause d'un petit poème de Verlaine lu par hasard dans le journal *Gil Blas,* il a fini par se convaincre, plus qu'on ne le convainquait, de la supériorité de La Fontaine, et que c'est « ne pas aimer ses bons parents » que préférer Verlaine à Victor de Laprade ou Autran (33).

Ces enfants, ces jeunes gens qui sont nés et qui ont grandi dans la familiarité des livres, ont vite dépassé l'étape du déchiffrement des textes, ils ont appris à s'en nourrir, à se les approprier, à s'en délecter. Legouvé leur en a indiqué les moyens. La lecture à haute voix, par exemple, qui représente la plénitude de l'art de lire, ou, mieux, la mémorisation et la récitation pour soi « des plus beaux passages des grandes œuvres. Il ne nous suffit pas de les *lire,* nous voulons les *dire...*

les dire quand il nous plaît... toutes les fois qu'il nous plaît ! partout où le désir nous en prend » (34).

Il ne reste plus au jeune lettré qu'à imiter ses auteurs favoris, des poètes généralement, à rivaliser avec eux, à découvrir les secrets de leur art, à les connaître par le dedans, technique et âme. Le risque est réel de manquer le contact avec le monde vrai des hommes. Mais le jeu est passionnant, « la bataille avec les mots », comme disait Valery Larbaud. « Une fois encore, [les mots] se refusaient à nous. Pourtant nous les avions bien accueillis quand nous les avions rencontrés pour la première fois dans les livres : ceux qui sont rares et tout baignés de songe ; ceux qui désignent les choses avec une grande précision [...] ; ceux qui sont faits pour dire un aspect du temps... » (35).

Quant aux nouveaux bourgeois, l'apparence les séduisait plus que la réalité, le prestige que leur procurait une bibliothèque abondamment garnie plus que le compagnonnage des livres qui la composaient. Ils voulaient posséder les œuvres complètes des grands écrivains classiques que les libraires leur vendaient par souscription. Ainsi rendaient-ils hommage à la culture lettrée mais sans que cela engageât leur vie quotidienne. Tel César Birotteau à qui sa chère fille Césarine avait payé, avec toutes ses économies de jeune fille, les classiques : « Bossuet, Racine, Voltaire, Rousseau, Montesquieu, Molière, Buffon, Fénelon, Delille, Bernardin de Saint-Pierre, La Fontaine, Corneille, Pascal, La Harpe, enfin cette bibliothèque vulgaire qui se trouve partout et que son père ne lirait jamais » (36).

Mais leurs fils seraient formés, et conformés, par le collège. Eux-mêmes, grâce au foisonnement des journaux et des revues qu'ils achetaient et lisaient parfois, finiraient par se rapprocher du monde des livres. Les Goncourt ont lourdement raillé le comportement des parvenus de la province : « Autrefois, la province ne lisait pas et n'avait nulle opinion sur les faiseurs de livres. Aujourd'hui, elle ne lit pas plus, mais elle a des opinions littéraires prises dans les bas petits journaux. Un déplorable progrès ! » (37). Mais « parler des livres est pour beaucoup une étape nécessaire avant de les lire » (R. Escarpit) (38).

Par le canal de la moins bonne littérature en plein essor, un public de plus en plus vaste se préparait à accueillir la meilleure, celle d'hier, comme il se devait, celle du jour aussi, au risque de déstabiliser la culture lettrée.

La lecture pieuse

Le fait est bien connu : la première initiation à la lecture populaire a été l'œuvre des Réformes, la protestante d'abord, pour une minorité de Français, puis, pour le grand nombre, la catholique. « L'immense effort de prosélytisme contre-réformé qui a marqué le Grand Siècle » (39) s'est exercé par ces deux moyens, le livre et l'instruction, qui était l'habilitation au livre. Les saints fondateurs des « petites écoles », Jean-Baptiste de La Salle plus que tout autre, ne faisaient pas mystère du but qu'ils poursuivaient : sauver les âmes, celles des pauvres, les plus menacées par les désordres du temps. La piété disciplinée devait en être le moyen. D'où une organisation scolaire dominée par un strict encadrement de prières et de liturgie. Un autre moyen serait le choix des livres de lecture courante qui succéderaient, entre les mains des élèves, aux alphabets et aux syllabaires, tels les *Devoirs du chrétien* et les *Règles de la bienséance et de la civilité chrétienne* (40). Le salut proposé ne devait pas rester individuel. Il passait par l'intégration à un ordre socioculturel, l'ordre bourgeois — et monarchique au XVIIe — en cours d'édification. Remarquons que cet idéal scolaire *pour le peuple* n'a pas été tellement combattu par les philosophes. Il l'a été par la Révolution. Napoléon, puis la Restauration, et Guizot lui-même se sont employés à le rétablir.

Après la crise révolutionnaire, ce sont les anciens ordres enseignants soutenus par de nouveaux, très nombreux, qui relancèrent, dans les campagnes notamment, l'école chrétienne, école de lecture chrétienne. L'Institut des frères de l'Instruction chrétienne de Ploërmel, fondé par Jean-Marie de La Mennais, le frère de Félicité, en est un bon exemple, qui a été bien étudié (41). Jusqu'à 1833, l'enseignement primaire élémentaire est « sans programme et sans livres ». Force est donc, pour les maîtres, de se servir des seuls livres disponibles, ceux que l'édition pieuse a multipliés au siècle précédent et qui paraissent compatibles avec l'âge et l'esprit des enfants. Ainsi se trouve justifié et fortifié le conservatisme du monde pédagogique tant public que privé, un « archaïsme dévotieux » (42). Les catalogues des imprimeurs qui alimentent le colportage, comme la maison Oudot de Troyes, ont une rubrique réservée à « plusieurs sortes de livres de piété, et principalement tous ceux qui sont à l'usage des Écoles chrétiennes et pour l'éducation des enfants » (43). On y relève des titres comme :

A.B.C. par syllabes, tant français que latin ; Alphabet français, avec l'ordinaire de la messe et d'autres prières en français ; Nouveau testament en français ; Psautier en latin ; Cantiques spirituels anciens et nouveaux ; La vie de plusieurs saints et saintes ; L'école paroissiale ; La civilité puérile et honnête, etc.

Parmi ces titres, les frères de Ploërmel font leur choix ; ils tâchent aussi de faire rééditer, ou éditer, des manuels qui répondent mieux à leurs fins : le *Syllabaire français* de J.-B. de La Salle, qui comprend « une dizaine de pages consacrées à l'étude des syllabes, suivies — exercices d'application — des principales prières usuelles, de longs *Avis à un enfant chrétien*, tous textes écrits en caractères gros et en syllabes séparées, les prières de la messe et un copieux *Abrégé de ce qu'il faut savoir, croire et pratiquer pour être sauvé* » (les frères le vendent deux sols à leurs élèves sous la forme d'un petit in-8° broché de 108 pages) ; les *Devoirs du chrétien envers Dieu*, de J.-B. de La Salle également, qui ont servi de manuel de lecture courante dans beaucoup d'autres écoles que celles des frères. Ce livre s'est maintenu dans les classes en dépit des critiques répétées des inspecteurs de l'Université qui le jugeaient *inadapté*, « nullement à la portée des enfants et même d'un grand nombre de maîtres », qui y voyaient une des causes du « peu d'attrait que les élèves trouvaient dans des classes remplies par d'interminables exercices de lecture faits sans goût ni intelligence dans des ouvrages de théologie ». Une nouvelle édition en était faite à la demande des frères de Ploërmel en 1846, d'autres encore jusqu'en 1892 (44). Vers

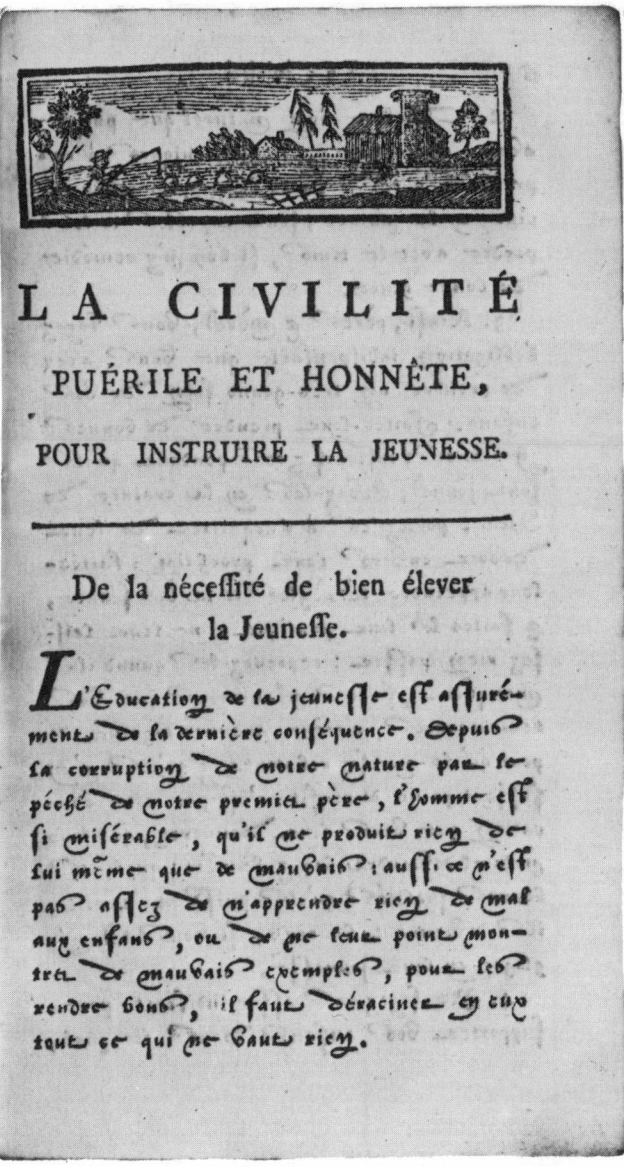

La Civilité puérile et honnête.
Évreux, chez J.-J. Ancelle, 1829. H. 163 mm.
Ouvrage très répandu encore au XIXᵉ siècle
dans les petites écoles, quoique sa présentation
ait été quelque peu désuète.

1895, Toinou (Antoine Sylvère) l'avait encore en main à l'école des frères d'Ambert : « Le temps de l'école était en grande partie consacré aux *Devoirs du chrétien.* Toute la classe psalmodiant sur deux notes épelait ces tristes devoirs selon une cadence réglée » (45).

A cette date, des manuels de lecture courante avaient vu le jour depuis le *Simon de Nantua* de Laurent de Jussieu (1818) ; et les frères de Ploërmel eux-mêmes avaient retenu, à partir de 1867, un *Choix de lectures pour l'année,* de Hanrot, qui portait sur « les grands faits moraux et religieux de l'histoire sacrée ou profane et les connaissances usuelles indispensables à l'homme de nos jours ». Signe des temps : la religion concédait au siècle sa part légitime. Elle n'était pas gommée pour autant. Il est piquant de noter que les journaux pédagogiques et les manuels scolaires de Pierre Larousse, éditeur et libre penseur, dans les années 1860-1875, « regorgent de considérations et d'exemples religieux » (46).

Il faut essayer de comprendre certains caractères, choquants pour nous, de l'apprentissage de la lecture jusqu'à Ferry. La place faite au latin, d'abord : mais le latin, tel du moins qu'on l'épelait et le prononçait alors en France, offrait l'avantage d'accorder l'écriture et la lecture, la graphie et la phonie, ignorait les anomalies orthographiques trop fréquentes en français ; et les missels n'étaient-ils pas les seuls livres, ou à peu près les seuls, que la majorité des campagnards, c'est-à-dire des Français, avaient chance d'utiliser dans leur vie ? Puis, en un temps où les livres restaient rares, mémoriser était encore plus urgent que comprendre. Ce que l'esprit a emmagasiné, le catéchisme d'abord et surtout, on aura le temps de toute la vie pour l'assimiler. L'enseignement mutuel lui-même, une fois épuisé le recours à ses tableaux, proposait aux élèves de sa dernière section, celle de la lecture courante, des « *extraits* de la Bible, de l'Évangile, des Sentences morales et plus particulièrement du catéchisme », c'est-à-dire des morceaux faciles à retenir sinon à comprendre (47).

Lorsque la grande poussée de l'édition française se produit, passé le premier tiers du siècle, le magistère ecclé-siastique s'inquiète ; il se fait scrupule d'avoir ouvert un accès au péché en diffusant la lecture ; il souhaiterait revenir en arrière. Mgr Le Breton, du Puy, déclare en 1865 : « Bien que détestant l'ignorance autant que personne, puisque le premier devoir de notre mission est de la combattre — *Euntes docete* — nous sommes loin de regretter pour vous le manque d'une certaine instruction, prônée à bon escient dans votre intérêt prétendu. » Mgr Caverot, de Saint-Dié, lui fait écho en 1867 : « Que l'on ne s'étonne pas si, en applaudissant aux progrès de l'instruction populaire, nous cherchons à mettre en garde, contre l'appât des mauvaises lectures, ces âmes si faciles à séduire… Mieux vaudrait mille fois pour elles être dans l'ignorance en gardant la foi, la simplicité, la droiture, la probité antiques que de payer, au prix de ces biens sacrés, la faculté de lire des journaux irréligieux, des contes obscènes ou des romans socialistes. » Les romans, qui mettent « en honneur l'amour profane au grand détriment de la divine charité » et menacent dangereusement l'institution familiale, sont la cible préférée des évêques (48).

Le remède existe, c'est la propagation des « bons livres » et, en premier, des livres religieux : recueils de prières, paroissiens, manuels de confréries ; vies de saints ou vies édifiantes ; petits traités de spiritualité — trois catégories qui représentent à peu près la moitié des livres religieux. Ceux-ci atteignent, dans la décennie 1860, de 15 à 20 % des titres publiés. Ils se vendent même si bien qu'un libraire de province pouvait dire : « Le commerce va mal, mais la piété nous sauve. » La maison Mame diffuse des livres classiques à l'usage des écoles chrétiennes signés F.P.B., c'est-à-dire frère Philippe Branciet, le supérieur général des frères. Périsse, le plus fécond des éditeurs catholiques (1 895 titres entre 1851 et 1870), publie, en 1858, *Le journal de Marguerite ou les deux années de préparation à la première communion,* qui atteindra une cinquantaine d'éditions. Le combat pour la lecture catholique passe aussi par le périodique ; Nettement fonde, en 1858, une revue pour la jeunesse *La semaine des familles.*

Pour que ces ouvrages touchent le public auquel on les destine, des bibliothèques se créent partout en France, en ville comme à la campagne. Mgr d'Astros avait donné l'exemple à Toulouse dès 1833 (49) ; les Conférences de Saint-Vincent-de-Paul en ouvrent à Nantes (Notre-Dame des bons livres), à Bordeaux (l'Œuvre des bons livres)… Les appellations sont significatives dans leur monotonie. Gallix, inspecteur général de la librairie, signale des « bibliothèques des bons livres » dans trente-six des quarante départements de France qu'il a visités de 1860-1864. Des associations envoient aux curés de campagne « des lots de livres destinés à constituer le fonds initial d'une bibliothèque paroissiale de prêt » (50).

La Société pour l'instruction élémentaire, qui patronnait l'enseignement mutuel, n'avait pas réussi, entre 1815 et 1848, à imposer son idéal de neutralité ; elle avait dû accepter que le catéchisme figurât dans ses programmes à raison de quelques heures par semaine (51). La pédagogie des tableaux de lecture dispensait toutefois ses maîtres de recourir aux alphabets, syllabaires et autres manuels utilisés par leurs rivaux, les frères. Ils proposaient ensuite, pour la lecture courante, un ensemble fort hétérogène de textes tirés des « écrivains orientaux », du *Bonhomme Richard* de Benjamin Franklin, des Messieurs de Port-Royal et de Fénelon comme de la Bible. L'idée vint naturellement d'appeler à composer des ouvrages qui offriraient aux élèves des « lectures agréables et instructives ». Un prix fut fondé à cet effet en 1817, destiné à récompenser un livre « où seraient tracés avec simplicité, précision et sagesse, les principes de la religion chrétienne, de morale, de prudence sociale, qui doivent diriger la conduite des hommes de toutes les conditions, et les qualités de père, de fils, de mari, de citoyen, de sujet, de maître et d'ouvrier ». Il fut attribué pour la première fois en 1818 à Laurent-Pierre de Jussieu pour son *Simon de Nantua ou le marchand forain,* modèle d'un genre promis à une longue carrière (52). Dans *Simon de Nantua,* la religion devenait sinon l'accessoire du moins une valeur parmi d'autres ; la meilleure part était réservée à l'utilité sociale, source et garantie des satisfactions particulières des individus. Il faut apprendre à lire pour se rendre utile :

LA
SEMAINE DES FAMILLES
REVUE UNIVERSELLE
SOUS LA DIRECTION DE
M. ALFRED NETTEMENT

L'atelier du photographe.

LES MYSTÈRES DE LA PHOTOGRAPHIE
—

Certes, si Bertall avait mis le texte au-dessous du dessin, vous seriez mieux renseignés sur les mystères de la photographie que vous n'allez l'être. Il voit chaque jour ce que je ne fais qu'entrevoir; il sait ce que je suis contraint de deviner; il regarde la scène de son observatoire établi dans les coulisses, tandis que je n'ai que ma place au parterre. Mais

Bertall *reste* muet et ne rend pas d'oracles.

8ᵐᵉ Année.

Son crayon parle seul; sa plume, quoique bien taillée, demeure impitoyablement discrète et silencieuse. On assure qu'au temps de Cicéron, sur lequel, je le dirai en passant, M. Boissier vient de publier un livre plein d'intérêt: *Cicéron et ses Amis*, — livre qui introduit le lecteur dans l'intimité de la vie romaine, — on dit donc qu'au temps de Cicéron deux augures ne pouvaient se regarder sans rire. Soit, mais j'imagine qu'avant de se rire au nez, les augures regardaient préalablement si quelqu'un passait dans la rue. Deux photographes, quand ils se rencontrent, ont sans doute aussi de joyeuses confidences à se faire; mais, s'ils se les font, ils ne les font pas au public: le public reste donc tou-

1

La *Semaine des familles*, publiée à partir de 1858 par Alfred Nettement chez l'éditeur Lecoffre, s'adresse à la fois aux parents et aux enfants, leur apportant des informations sur des sujets variés et d'actualité : la photographie, dans ce numéro du 7 octobre 1865. H. 293 mm.

Il avait de bons yeux & de bonnes oreilles;
il avait vu beaucoup de pays, beaucoup de gens,
et entendu beaucoup de choses.
Ch. I.

SIMON DE NANTUA,

OU

LE MARCHAND FORAIN.

OUVRAGE

Qui a obtenu, en 1818, le prix proposé par la Société pour
l'instruction élémentaire, en faveur du meilleur livre
à l'usage des habitans des villes et des campagnes.

PAR LAURENT DE JUSSIEU.

Je fais des vœux, mes amis, pour
que vous soyez sages et heureux.
(Chap. XXXVIII.)

CINQUIÈME ÉDITION.

A PARIS,

CHEZ LOUIS COLAS, LIBRAIRE

DE LA SOCIÉTÉ POUR L'INSTRUCTION ÉLÉMENTAIRE,
Rue Dauphine, n° 32.

1830

Livre de lecture courante pour les élèves des classes élémentaires, le *Simon de Nantua,*
de Laurent de Jussieu, primé en 1818 par la Société pour l'instruction élémentaire,
en est déjà à sa cinquième édition en 1830. H. 164 mm.

telle est la leçon que Simon répète à qui veut l'entendre.

Des lectures utiles

Des humanistes avaient rêvé d'une « école vraiment libératrice », du salut du peuple par le livre. Ceux qui préconisaient l'instruction et la lecture populaires dans la première moitié du XIXᵉ siècle — pouvoirs publics, Église, philanthropes, et l'élite ouvrière elle-même — avaient en vue des buts plus intéressés.

Il en était également ainsi chez les ruraux. Pour eux, l'écrit à déchiffrer n'était ni le livre ni même le journal ; c'était avant tout l'état civil et les papiers du notaire, les actes de propriété, les baux de fermage ou de métayage... Jean-Marie de La Mennais le soulignait dans un rapport de 1830-1831 : « Dans ce pays-ci [la Bretagne], si on supprimait [du programme de nos écoles] ce que l'on appelle les « contrats », le nombre des élèves diminuerait de moitié et le plus ignorant des maîtres les attirerait tous en faisant ce que nous ne voudrions pas faire » (53). Les plans d'études publiés — de Rapet, 1860, de Gréard, 1868, de Jules Simon, 1871 — prévoient tous le déchiffrement des manuscrits ; Gréard précise, pour le cours moyen, « sujets simples et *usuels* » ; Rapet associait la lecture des manuscrits et celle du latin, confirmant ainsi l'horizon limité des ruraux en matière écrite, contrats et missel. Des cahiers lithographiés de *Manuscrits,* distincts des cahiers de modèles d'écriture, circulaient, offrant aux élèves les « types les plus divers d'écriture à la main, depuis les plus lisibles jusqu'aux plus indéchiffrables ». Certains de ces cahiers, pour répondre à une autre fin utilitaire, joignaient aux habituels « contrats » des conseils sur la culture des jardins, l'agriculture et la sylviculture (54).

Tout le monde au fond s'accordait sur une fin utilitaire. Villemain en reconnaissait même une aux humanités du collège ; en 1814, il exaltait « ces études classiques qui conduisent à toutes les professions savantes de la société ». Dans la diffusion de la lecture populaire, les classes dirigeantes, après 1815, ont vu à la fois le moyen de freiner la révolution politique et

celui de contrôler la révolution économique. L'élite populaire des villes, qui avait dépassé le stade du refus initial, entrait dans ces vues, à sa manière toutefois, avec un déphasage inévitable. Elle entendait saisir ses chances d'une participation active à la vie politique et économique, bénéficier à la fois de promotions individuelles et d'une promotion collective.

Il s'agissait bien, même pour les plus généreux des notables — Gérando, Ampère, Cuvier... —, de perfectionner et de consolider du même coup un nouvel ordre socio-économique. En 1860 encore, Perdonnet, à la distribution des prix des Associations polytechnique et philotechnique, s'appliquait à nier le risque de déclassement pour les meilleurs ouvriers qui avaient suivi les cours de ces associations : « Non, Messieurs, on ne quitte pas son état parce qu'on a acquis les moyens d'y réussir et de s'y distinguer : on l'aime d'autant plus » (55). L'exemple de l'école mutuelle allait dans le même sens d'une meilleure insertion des travailleurs dans la société. Aux savoirs de base, lire, écrire et compter, elle associait ces applications : la géographie, à l'aide des cartes (sans grand succès), la tenue des livres en partie double, le dessin (c'était l'équivalent de l'« école de trait » du compagnonnage ; mais beaucoup de compagnons restaient illettrés), l'arpentage, le lever de plans... (56). On peut encore évoquer ce projet de bibliothèque communale qu'envisageait en 1845 un « aristocrate républicain », Cormenin, dans ses *Entretiens de village* : « Les notions sur les *caisses d'épargne,* l'*hygiène urbaine,* qui n'est point l'*hygiène rurale,* les *relations des ouvriers avec la police municipale,* les *éléments de la mécanique,* de la *physique,* de la *chimie,* la *géométrie élémentaire,* la *statistique,* la morale, un peu d'*histoire,* l'art du *dessin* dans ses diverses applications aux divers métiers, les mouvements du *commerce* et de l'*industrie,* etc. : voilà la matière des petits livres qui sont faits ou à faire, et qui pourraient composer le fonds d'une bibliothèque urbaine » (57).

L'ouvrier intelligent qui aspirait à une promotion sociale raisonnait d'abord de façon semblable. Ainsi Martin Nadaud, maçon creusois,

monté à Paris comme tant de ses compatriotes, en 1830 (58) : il s'est fait inscrire au cours mutuel d'adultes du cloître Saint-Méry ; comme il a déjà « un bon commencement », il est nommé « moniteur d'une table, chargé de faire lire les commençants ». Il comprend vite qu'il perd son temps. L'école, payante, d'un instituteur de profession, ne lui apporte pas davantage « ce qu'il m'importe le plus de savoir, ce qui est utile et immédiatement nécessaire... un peu de dessin, de toisé, de coupe de pierres et de géométrie ». Il trouve cela dans un livre emprunté au cours de la rue de l'École-de-Médecine — non au cours lui-même, trop lent à son gré — et qu'il dévore dans sa chambre : c'était le « cours complet d'un nommé Gautier, commis chez un entrepreneur de maçonnerie, lequel avait été approuvé par le professeur ». Il fonde alors, en 1838, à vingt-trois ans, son propre cours. Il réunit une quinzaine de jeunes gens qu'il veut faire bénéficier de son expérience : « Au bout de quelques mois, ceux qui ne connaissaient pas leurs lettres parvinrent à écrire passablement. D'autres apprenaient assez vite leurs quatre règles, et je pouvais leur faire faire de petites dictées. » Le maître improvisé aura plus tard sa récompense : « Un certain nombre de ces laborieux zélés jeunes gens qui ont passé devant moi pendant dix ans sont devenus de bons maîtres compagnons et même de riches entrepreneurs. »

On ne pouvait, dans de telles écoles, s'en tenir à la seule aspiration professionnelle ; elles devenaient des milieux d'éveil. La lecture ne se cantonnait pas au domaine des techniques utiles ; elle débouchait sur une « lecture courante ». « Le livre que je mis entre les mains de mes élèves — écrit encore Martin Nadaud — était les *Paroles d'un croyant* de l'abbé de Lamennais, livre étonnant d'audace, de vigueur de style et bien conçu surtout pour amener le peuple à détester les rois. Il leur convenait beaucoup. » Ainsi glissait-on de la lecture à la culture générale et à la politique. Les journaux socialistes et beaucoup de brochures publiées alors alimentaient la discussion. Il y avait aussi des sortes de clubs de lecture. Le tailleur Henri Troncin, militant de la Société des droits de l'homme, entre 1830 et 1840, avait coutume de faire le soir des lectures à ses camarades. Il n'était pas possible, comme le fait remarquer Noë Richter, de dissocier préparation technique, instruction générale et formation politique (59).

Les notables n'avaient pas exclu l'orientation politique de leurs visées éducatives. « Le droit de vote implique la possibilité de lire et d'écrire — observait le conseil général de l'Yonne au lendemain du vote de la loi Guizot — sinon la fraude et la déception détournent trop souvent les suffrages au profit de l'intrigue » (60). L'évidence du propos devenait plus pressante encore après l'institution du suffrage universel en 1848. L'école populaire telle que les Duruy et les Ferry allaient la modeler serait l'école de l'électeur, et déjà le gros effort d'instruction postscolaire de l'Empire libéral trouvait là sa principale raison d'être. Éclairer le vote, c'était aussi se donner un moyen de l'inspirer ou de le contrôler. Par la force des choses, les groupes officiels ou officieux, qui apparurent alors, risquaient de devenir des foyers de propagande républicaine, démocrate ou socialiste, comme l'« école » de Nadaud, ou cette bibliothèque populaire centrale de Nantes, « qui s'affirmait une société de propagande républicaine », ou la bibliothèque démocratique de Saint-Étienne, dont parle J.-B. Dumay dans ses *Mémoires,* constituée en comité électoral pour le candidat républicain en 1869 et pour le *non* au plébiscite de 1870 (61).

L'utilité de la lecture a été ici entendue au sens le plus large. Pour l'élite populaire, l'utilité s'opposait à l'agrément. Du modèle bourgeois, elle voulait retenir surtout la part sérieuse, la maîtrise du langage écrit qui fonde le pouvoir économique et politique. Elle négligeait et semblait même se méfier de la part plaisante et romanesque. Ainsi s'installait au cœur de la culture populaire un redoutable malentendu.

Le plaisir de lire

La lecture est « une fatigue pour l'homme peu habitué », écrivait Michelet dans une lettre à Béranger ; et il demandait que « la République agisse sur ces masses pour exiger la lecture, qui est impossible aujourd'hui » (62). L'ouvrier parisien Urbain Desvaux, non pas un ouvrier quelconque mais un ouvrier d'élite, se plaignait de ce que « la manière de parler des hommes des journaux n'est pas du tout la nôtre ; nous trouvons à chaque ligne des mots inconnus ; les choses dont on s'occupe, nous ne les savons pas d'avance » (63). L'homme du peuple se sentait exclu des lectures des riches. Il se rejetait sur d'autres, plus accessibles, écrites et imprimées à son intention, un peu pour son édification et bien davantage pour son plaisir, un plaisir de nature très variable.

Car il existait une tradition déjà longue de lecture populaire. Dans le tableau qu'il a tracé du *Peuple de Paris* au XVIIIe siècle, Daniel Roche oppose aux bibliothèques et aux collections privées des lettrés « une autre culture visuelle où le livre n'est qu'un élément parmi d'autres » (64). Y figurent les « canards », les périodiques, les almanachs, les affiches, encore rarement illustrées, des images genre Épinal avec ou sans légende, les chansons imprimées ou manuscrites..., toutes ces incitations à lire, qu'on retrouvait plus ou moins dans les autres villes. Le livre y avait aussi sa place. Les inventaires en font foi. Les humbles possédaient des livres pieux surtout. Il n'est pas sûr que c'était ceux qu'ils lisaient le plus volontiers. Et D. Roche parle d'« un détournement populaire d'une pédagogie édifiante », du détournement du savoir lire acquis dans les petites écoles chrétiennes (65).

Dans la première moitié du XIXe siècle, à leur tour, les campagnes sont envahies par le colportage de librairie. Même pour les ouvrages religieux, les colporteurs sont les concurrents victorieux des libraires des villes. Ne sont-ils pas experts dans la dialectique de l'offre et de la demande ? « Manœuvrant sur un terrain qu'ils connaissaient admirablement, ils conditionnaient tout autant qu'ils suivaient les goûts de leur clientèle. » La sélection des titres retenus par les éditeurs de Troyes et d'ailleurs s'effectuait « par l'espèce de dialogue qui s'instaura très tôt, par l'intermédiaire des colporteurs, entre producteurs et consommateurs ». On atteignit une production annuelle de dix à vingt millions de livres et brochures entre 1847-1848 et 1870, sans compter les gravures et les prospectus (66).

Cette production peut se répartir entre quelques catégories. Une dizaine selon Charles Nisard (67) : almanachs (les plus demandés, les plus vivaces de tous les titres) ; sciences occultes ; facéties, bons mots, calembours ; dialogues et catéchismes (séculiers souvent, ô combien !) ; discours, éloges funèbres, contrats de mariage et sermons burlesques ; types et caractères (de femmes, et antiféministes) ; vies de personnages illustres ou de brigands fameux (Cartouche et Mandrin notamment), vrais ou imaginaires ; religion et morale ; cantiques spirituels (avec Geneviève de Brabant) et complaintes en nombre croissant ; « épistolaires » (« La plus jeune bonne de ma cousine a, par-dessous le linge qu'elle repasse, le *Secrétaire français,* qui apprend à une amante à répondre à son promis, à un soldat à demander la place d'un caporal vacant », *Journal* des Goncourt, oct. 1858.) ; romans anciens et modernes (ceux de Ducray-Duminil, de Mme Cottin ou d'Eugène Sue). Jules Simon, à la tribune du Corps législatif, le 14 juillet 1868, dressait un tableau simplifié, plus vigoureux mais moins objectif : « On peut distinguer quatre classes de publications répandues par la voie du colportage. Il y a d'abord les histoires galantes... ; ensuite les chansonniers obscènes ; puis les superstitions révoltantes et enfin les histoires de voleurs » (68).

Le colportage de librairie n'avait pas reçu le même accueil dans toutes les régions de France. Jean-Jacques Darmon a esquissé une géographie du colportage qui recoupe celle de l'alphabétisation (69). Les zones de résistance, sur lesquelles le colportage avait peu ou très peu mordu, comprenaient à la fois les départements les plus alphabétisés, ceux du Nord-Est, et les départements les moins alphabétisés, ceux de l'Ouest. Il se heurtait, dans ce dernier cas, à un goût de lire trop peu répandu, dans le premier cas, au dédain à l'égard d'une marchandise désuète, à l'habitude déjà prise de recourir à une autre production.

L'apogée du colportage s'est accompagné d'une explosion d'éditions à grand tirage, destinées à un vaste public. George Sand le notait en présentant en 1854 son roman *Consuelo,* d'abord publié en feuilleton dans la *Revue indépendante* de Pierre Leroux :

DÉPÔT GÉNÉRAL: PLACE MAUBERT, 8.   *Prix : 5 centimes.*   RUE DES GRAVILLIERS, 28. R. ST JACQUES, 41.

LES INONDES
DE SAINT-ETIENNE.

SOMMAIRE. — Nouvelle catastrophe. — Chaumière emportée par les flots avec ses habitants. — Prière d'une pauvre mère pour son enfant au berceau, etc.

e nouvelle inondation, dit une de Saint-Étienne, 12 juillet, d'affliger notre malheureuse Nous n'étions pas remis des ons de la terrible nuit d'avant lorsque hier, le Furens, grossi ne trombe, a fait à neuf heu lu soir une nouvelle et sou irruption dans la ville. Je ne vous peindre la consternation et événement a jetée dans tou âmes.

premier cri d'alarme, la po ion, qui remplissait les rues places publiques, s'est dis e dans toutes les directions, lue, pleurante, terrifiée, ne si chacun eût senti la main ieu s'appesantir sur la cité. On dait les portes se fermer avec , les cris des mères qui cher t leurs enfants. Bientôt tous uartiers de la ville basse ont angés en un lac plein de cou furieux qui se brisaient aux s des maisons, qui transpor des meubles, des arbres, des aux vides.

elle catastrophe! quelle ruine! mble que le Furens ait voulu er aujourd'hui ce qu'il avait épargné hier, et achever par l'œuvre de destruction qu'il avait commencée.

s vieillards et même nos anciennes chroniques n'ont pas rvé la mémoire d'une pareille calamité. L'ancien lit du ruis a disparu sous les sables et sous les décombres.

cherche sur ses rives la place où étaient encore il y a deux des usines florissantes, entre autres les belles forges de alespine.

près du pont de la Badouillère se trouvait une masure habitée ne pauvre famille composée du père, de la mère et de trois ts. Avertis par les voisins, ces malheureux ne voulurent point er leur maison.

entôt envahis par l'eau, ils se voient forcés de monter sur le mais l'eau s'élevant toujours, le toit cède bientôt, se disloque; les membres de la famille, à genou et se tenant par la main pas tardé à disparaître au milieu des flots avec les derniers s de l'habitation.

s personnes de qui nous tenons ce fait pleurent en racontant cette scène émouvante.

Au-dessus du pont de la Ba douillère, le nommé Varenne, contre-maître chez M. Malespine, et sa femme, qui était buandière, ont été emportés avec leur habita tion, qui s'est écroulée. Une jeune fille de dix-sept ans a péri avec eux. Leurs enfants, qu'on avait eu la précaution de porter chez les voi sins, ont été sauvés.

Dans la vallée de Rochetaillée, on compte de nombreuses victimes.

On cite la mort d'un des frères G..., riche cultivateur de la com mune de Valbenoîte, et de deux ou trois orphelins qu'il élevait par charité, de concert avec son frère.

Les deux frères et les jeunes enfants s'étaient réfugiés dans une grange, lorsque l'un des murs venant à crouler, l'un des frères est atteint par une poutre qui l'é crase.

A ce moment, les enfants s'en fuient au hasard.

Le malheureux G... veut retirer son frère de dessous les décombres; il reconnaît bientôt que cela est im possible.

Il fuit alors en appelant les enfants qui l'avaient quitté, mais déjà ces malheureux avaient été entraînés par le courant, et G... se trouve seul de toute cette famille qui l'entourait quelques instants auparavant.

Jeudi soir, à huit heures et demie. — En ce moment, la terreur causée par le fléau n'a pas encore disparu dans notre ville, et l'on semble craindre qu'à chaque moment un nouveau désastre ne vienne aggraver notre situation.

Le ciel, du côté du mont Pila, est toujours chargé de nuages me naçants.

Ces affreux désastres sont de nature à éveiller toutes les sympathies. Une commission, composée de représentants et de citoyens du dépar tement de la Loire, s'est formée, sous la présidence de M. Heurtier, représentant et maire de Saint-Étienne, à l'effet de provoquer et de recueillir les souscriptions, qui sont reçues aux bureaux des principaux journaux.

PAUVRE MÈRE
OU L'ENFANT SAUVÉ DES FLOTS.
Chanson nouvelle.

Air : *T'en souviens-tu?*

1.

Entendez-vous!... c'est le torrent qui gronde,
Portant le deuil au milieu des hameaux.
Adieu beaux champs!... adieu, moisson féconde!
Tout disparaît englouti par les eaux.
Voyez là-bas, une famille entière,
Près de périr sous le flot dévorant;
Au milieu d'eux voyez la pauvre mère
De loin tendant la main à son enfant!

2.

Elle disait : « Mon Dieu je t'abandonne
« Mon beau jardin, ma chèvre et mon troupeau,
« Reprends ces biens que j'aimais... mais pardonne
« Au pauvre enfant encor dans son berceau.
« Étends sur lui ta bonté tutélaire,
« Vois son sourire et son front innocent :
« Ah! prends pitié des larmes d'une mère;
« Calme les flots! grâce pour mon enfant!... »

3.

Ainsi priait cette mère éplorée
Joignant les mains, poussant de longs sanglots;
Et Dieu, du haut de la voûte-éthérée,
Dieu toujours bon, eut pitié de ses maux.
Comme un lion qui rentre en son repaire,
Calme en son lit va rentrer le torrent,
Dieu prit pitié des larmes d'une mère;
A son amour il rendit son enfant!

4.

Petits oiseaux, jouez sous le feuillage;
Oui répétez vos joyeuses chansons;
Le calme enfin, va remplacer l'orage;
Un beau soleil sourit à nos moissons.
Pour rebâtir leur rustique chaumière,
O *Charité*, viens bien vite, on t'attend !
Sèche tes pleurs, et souris, pauvre mère,
Dieu toujours bon t'a rendu ton enfant!

5.

La charité par sa main bienfaisante
Seule pourra guérir tant de douleurs;
Tous exposés à la même tourmente,
Nous ressemblons aux marins voyageurs!
Par le malheur chaque homme devient frère;
Le bien qu'on fait Dieu toujours nous le rend,
Sèche tes pleurs, et souris, pauvre mère,
Dieu toujours bon t'a rendu ton enfant!

C. J.

Paris. Imp. Lacour et Cie, rue Soufflot, 11.

Un « canard » journal populaire qui se « criait » et se vendait dans les villes pour informer les gens du peuple, encore souvent illettrés, des événements marquants, ici de terribles inondations dans la région de Saint-Étienne. H. 438 mm.

N° 4.

21 janvier 1860.

LA MODE ILLUSTRÉE

Le numéro vendu séparément,
25 centimes.

JOURNAL DE LA FAMILLE

Le numéro avec patrons, vendu séparément,
50 centimes.

CONTENANT LES DESSINS DE MODES LES PLUS ÉLÉGANTS ET DES MODÈLES DE TRAVAUX D'AIGUILLE, ETC. — BEAUX-ARTS — MUSIQUE — NOUVELLES — CHRONIQUES — LITTÉRATURE, ETC.

UN NUMÉRO PAR SEMAINE PARAISSANT LE SAMEDI

PRIX DE L'ABONNEMENT :	RÉDACTION ET ABONNEMENT, RUE JACOB, 56.	ON S'ABONNE ÉGALEMENT
Un an, 12 fr. — Un semestre, 6 fr. — Un trimestre, 3 fr. *et 50 centimes de plus par trimestre* pour recevoir franc de port dans les départements. Les abonnements partent du 1er n° de chaque trimestre.	S'adresser pour la rédaction à Mme Emmeline **RAYMOND**. Et pour les abonnements et réclamations à **M. W. UNGER**. Toutes les lettres doivent être affranchies.	Chez tous les Libraires de la France et de l'Étranger. Toute demande non accompagnée d'un bon sur la poste ou d'un mandat à vue sur Paris, à l'ordre de MM. FIRMIN DIDOT FRÈRES, FILS ET Cie, sera considérée comme non avenue.

Pour recevoir *directement par la poste* | Dans les Départements : ajouter au prix de l'Abonnement *50 centimes* par chaque trimestre pour frais d'affranchissement. / A l'Étranger : surcharge du port suivant le tarif postal des divers pays.

Pelote brodée.
Nos 1 et 2.

MATÉRIAUX. — Drap écarlate ; velours noir ; soie plate de diverses couleurs ; petites perles noires ; perles d'or ; cordonnet d'or ; bouillon d'or ; taffetas blanc ; percaline blanche.

Cette pelote est représentée toute terminée. Un deuxième dessin en donne le patron avec la broderie. On fait un petit coussin en percaline blanche, composé de deux parties égales cousues ensemble et ayant 23 centimètres de diamètre ; on remplit ce petit coussin avec du son, en ayant soin de ne pas le faire trop dur ; on entoure ce coussin d'un bouillonné de taffetas blanc composé d'une bande coupée en biais, ayant 14 centimètres de hauteur et 1m,12 de longueur ; on pose ce bouillonné de façon à ce qu'il recouvre le coussin de chaque côté, en laissant vide un espace rond ayant 12 à 13 centimètres de diamètre. On coupera deux parties en drap rouge sur le patron, en forme d'étoile : l'une, sans broderie, est destinée à former la partie inférieure de la pelote ; la deuxième sera brodée et placée sur le dessus ; elles seront réunies par les pointes de chaque branche des étoiles, comme notre modèle l'indique, et entre chaque branche le bouillonné de taffetas blanc ressortira comme un crevé. On découpera l'étoile seulement après l'avoir brodée, et l'on en tracera les contours sur la partie qui doit être brodée ; on reportera ce dessin sur le drap écarlate et on le reproduira de la façon suivante : la branche dentelée qui entoure le bouquet est une application de velours noir fixée par un point de chaînette en soie verte ; les contours extérieurs

et la forme intérieure des palmes se font au point de cordonnet, en soie verte pour la palme du milieu, lilas pour les deux autres ; les tiges sont en cordonnet d'or, et, quand elles se croisent, on les fixe par un petit point en soie noire.

Les différentes petites feuilles, coquilles, etc., dont les couleurs sont indiquées par le dessinateur, près du modèle, se font au passé en soie ; on a soin de *bourrer* ces ornements avec de la laine avant de les broder avec la

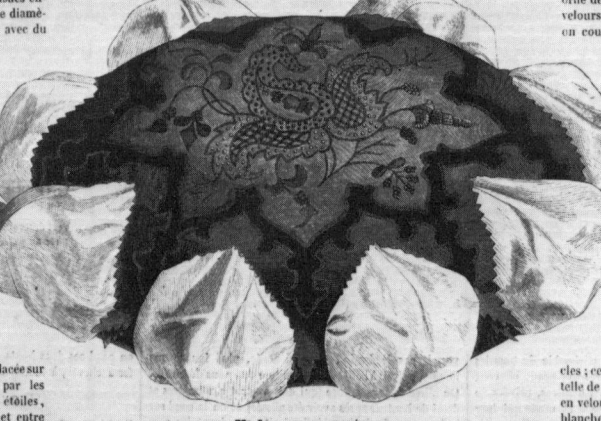

N° 1. — PELOTE BRODÉE.

soie ; la petite palme isolée se fait en perles ou bien avec du bouillon d'or : les perles noires sont indiquées par des points noirs, les perles d'acier par des points blancs, les perles d'or par des points rayés, et le dessin reproduit ces détails avec une exactitude qui nous dispense de toute autre indication.

Cravate de dame.
Nos 3 et 4.

MATÉRIAUX. — Ruban de velours ; soutache de même couleur que le ruban ; dentelle noire étroite ; perles de jais ; tulle noir roide.

Le nœud de la cravate est en ruban de velours, ayant 6 centimètres de largeur et 28 de longueur ; on attache à ce nœud les deux bouts pendants que l'on orne de la manière suivante : on couvre le velours avec le tulle noir, et sur ce tulle on coud, comme cela est indiqué sur le modèle, une soutache de même couleur que le ruban ; les points blancs marquent la place des perles. On peut supprimer ce détail à volonté ; on laisse dépasser le tulle afin d'y attacher la petite dentelle qui sert de bordure : il serait plus commode de monter ce travail sur du papier ou bien de la toile cirée, afin qu'il ne fronce nulle part. On orne, de la même façon que ces deux bouts, une bande ayant 14 centimètres de longueur et 5 de largeur, et l'on s'en sert pour former le nœud qui est entre les deux bouts ; cette bande doit être bordée de dentelle de chaque côté. Le tour du cou se fait en velours ou bien en soie doublée de soie blanche. On le fixe d'un côté sous le nœud en y plaçant une porte d'agrafe ; on met un crochet d'agrafe de l'autre côté ; on coud les deux bouts sous le nœud en les plissant un peu. Il est superflu d'ajouter que ces cravates se font en toutes couleurs et avec du ruban de taffetas comme avec du ruban de velours. Le modèle que nous décrivons était orné de perles placées dans le milieu de chaque petit carré ; nous préférons la cravate sans perles.

La *Mode illustrée* a été fondée en 1860 pour atteindre les femmes de toutes les classes de la société, leur proposant avec des patrons des modèles de vêtements et d'objets usuels à réaliser économiquement. H. 381 mm.

« ... La grande consommation de livres nouveaux qui s'est faite de 1835 à 1845 particulièrement, la concurrence des journaux et des revues, l'avidité des lecteurs, complice de celle des éditeurs, ce furent là des causes de production rapide et de publication pour ainsi dire forcée » (70). Ce que confirme le nombre des titres publiés en France (qui avait déjà quintuplé au XVIIIᵉ siècle) :

1815	3 357 titres
1830	6 739 titres
1860	11 905 titres
1875	14 195 titres

Quelques mécanismes de ce processus d'élargissement apparaissent assez bien. Il s'agissait d'abord d'appâter des publics spécifiques par la voie du journal, du périodique notamment. La presse ouvrière, plus autonome, doit sans doute être mise à part. Mais la presse parisienne est exemplaire ; Villemessant, avec son *Figaro,* ne se proposait-il pas, selon le mot des Goncourt, de « raconter Paris à Paris » (71) ? Il a été plus haut question de l'édition catholique. Une des innovations les plus riches d'avenir fut la presse féminine et féministe, la première surtout ; le XVIIIᵉ siècle finissant avait eu des journaux de mode destinés aux dames de la société ; passé 1830, on s'adressa moins exclusivement aux dames, on voulut atteindre toutes les femmes, et les éditeurs de la *Mode illustrée* sous le Second Empire, puis du *Petit Écho de la mode* après 1879 firent les pas décisifs dans cette direction (72). Ils avaient compris que, dans le peuple comme dans la bourgeoisie, la femme était culturellement disponible. Les publications pour enfants suivirent, entraînées par des périodiques : le *Nouveau magasin des enfants,* d'Hetzel, en 1843, la *Semaine des enfants,* d'Hachette, en 1857. Ed. Charton, qui avait été le collaborateur d'Hippolyte Carnot au ministère de l'Instruction publique en 1848 (après avoir été un des fondateurs de l'*Illustration*), lançait en 1860 le *Tour du monde,* journal de voyages dont la carrière se poursuivit jusqu'à la guerre de 1914-1918. On est presque étonné, quand on sait la fascination du crime sur l'opinion publique du temps, de constater comme est modeste l'audience de la *Gazette des tribunaux* — 2 500 exemplaires en 1846, 3 000 sous l'Empire — concur-

rencée, il est vrai, par *Le droit.* Mais c'est bien la chronique du crime qui, relayant les prestigieux bandits du colportage, allait favoriser la vente des quotidiens à un sou de Millaud et de Jean Dupuy et leur valoir leurs plus forts tirages (73).

Le toujours meilleur marché du papier imprimé, livres, romans à quatre sous, journaux à un sou, a joué un rôle décisif. En 1838, l'éditeur Gervais Charpentier mettait en vente au prix de 3,50 francs (le salaire quotidien d'un bon ouvrier) des volumes *grand in-18* « contenant la matière d'un livre *in-8°* ordinaire qui, de longtemps, s'était vendu 7,5 à 9 francs ». La vogue du « roman à quatre sous, c'est-à-dire découpé en livraisons hebdomadaires écoulées à ce prix, remonterait au libraire Marescq (Librairie centrale des publications à 20 centimes, 5 rue du Pont-de-Lodi) et aux alentours de 1850 (74).

C'est le journal à un sou qui doit être considéré comme le véritable successeur de la littérature de colportage, même si l'on admet que la succession a pu passer par le relais des romans à quatre sous et de tous les journaux-romans hebdomadaires ou bihebdomadaires à 10 ou à 5 centimes le numéro. Outre le bas prix, l'essor a été rendu possible grâce au nouveau réseau ferroviaire qui assurait une diffusion inimaginable quelques décennies plus tôt, la pénétration dans des campagnes jusque-là rebelles. L'essor est dû encore aux sujets traités : tous ceux que le colportage avait rendus familiers, ceux que Nisard énumérait, revus et mis au goût du jour, et d'autres, plus nouveaux, rébus et jeux d'esprit, conseils à la ménagère, faits divers, concours... en attendant les bandes dessinées venues d'Amérique. La politique restait réduite à la portion congrue, boudée par une clientèle qui ne s'y intéressait qu'épisodiquement. La population en majorité ouvrière de « Saint-Denis la Rouge », en pleine ferveur communiste, dans l'entre-deux-guerres, achetait jusqu'à quinze exemplaires de la grande presse quotidienne pour un de *L'humanité* (75).

Ainsi se trouva mobilisé l'immense public virtuel des alphabétisés, désormais accoutumé à la lecture et à une consommation plus ou moins régulière de papier imprimé. Le malentendu initial subsistait. Le succès de l'école se

retournait contre l'idéal de l'école. Le goût des lectures distrayantes contrecarrait la vulgarisation des lectures utiles. L'école du peuple, dont la pédagogie s'ouvrait lentement et comme à regret à l'intérêt immédiat de l'enfant et à son plaisir de lire, et, avec l'école, tous les promoteurs de la culture populaire se sentirent le devoir de réagir contre une tendance soudain manifestée avec tant de force, de discipliner la lecture.

Discipliner la lecture

Les meilleurs esprits n'avaient jamais douté que la lecture acheminerait l'homme à la vertu, la vertu civique plus encore que morale, c'est-à-dire à la bonne insertion de chacun dans l'ordre sociopolitique. Mais leur confiance commençait d'être ébranlée. Ils étaient partagés entre leurs espoirs et leurs craintes.

Les craintes n'étaient ni nouvelles ni particulières à tel ou tel secteur de l'opinion. Elles se ravivaient à l'occasion de chaque phase d'expansion, colportage, puis romans et feuilletons, puis journaux... Les progrès de l'instruction élémentaire leur conféraient un maximum d'acuité. On a entendu la voix des évêques ; écoutons encore celui de Périgueux : « Que l'on nous cite donc une ville, hélas ! bientôt nous serons forcés d'ajouter une bourgade, qui ne renferme ces deux arsenaux de vice et de poison : le lieu infâme où l'on ne s'introduit que protégé par les ténèbres, et le cabinet de lecture, avec ses titres burlesques et bizarres, réceptacle d'immondices littéraires » (76). Le jugement de Nisard était mieux équilibré, et le fameux rapport de la Commission des livres de colportage, qui était son œuvre, voulait faire mesurer au public « quelle influence fâcheuse a dû avoir sur les mœurs et l'esprit du peuple le colportage abandonné à lui-même et, au contraire, quel bien pourrait faire une telle industrie réglée par la vigilance de l'administration et réduite à ne demander son succès qu'aux livres moraux et utiles » (77).

Mais comment diriger les lecteurs formés jeunes par l'école et livrés ensuite à eux-mêmes ? « À peine sortie des leçons de l'instituteur, la jeunesse se précipite sans discernement sur les ouvrages que la spéculation met à sa portée, et elle choisit de préférence tous ceux qui flattent son imagination et répondent à ses passions » (78). C'est, bien entendu, des romans qu'il s'agit. Un autre conseiller des ouvriers précisait : « Les romans licencieux ou même sentimentaux qui parent de couleurs séduisantes les coupables égarements du cœur. » Quels romans échappent à une telle définition ? De bons maîtres se firent conscience d'avoir favorisé sans le vouloir la lecture des mauvais livres. Un instituteur de l'Yonne, dans sa réponse à l'enquête du ministre Rouland, dénonçait les romans « qui dérèglent l'imagination [de ses anciens élèves], leur donnent des goûts déplacés, des désirs immodérés, leur font détester peu à peu leur condition modeste et les occupations auxquelles ils s'adonnent et finissent par faire déserter aux moins raisonnables la maison paternelle » (79).

Puisque la littérature populaire « *s'avilissait à mesure que son public s'élargissait* » (la formule est de J.-J. Darmon) (80), il fallait trouver des remèdes et l'on estima qu'il convenait de discipliner la lecture, à l'école d'abord et ensuite après l'école, de la discipliner par les bons livres, c'est-à-dire par les livres qui rendent bons.

Les bons livres à l'école. — C'était un problème de forme autant et plus peut-être qu'un problème de fond. Ainsi s'introduisit, dans le domaine de la lecture, le critère du langage littéraire, dont il ne s'agit pas de mettre en cause la valeur mais simplement de relever le caractère étranger. Ainsi le lire allait fournir la norme du parler. Le langage littéraire, c'était par excellence le français classique, celui du XVIIe siècle, « la langue si forte, si souple, si large de Corneille et de Bossuet », comme l'écrivait en 1888 un collaborateur du journal pédagogique *L'éducation nationale.* Ce n'était assurément pas celui que parlaient les habitants des villages ou des faubourgs des grandes villes. « Je suis à peu près la seule personne qui parle français ici », notait une institutrice rurale, témoin solitaire d'une culture étrangère, mais qui avait appris à l'école normale le remède à sa solitude : « Je me délasse en feuilletant un roman *bien écrit* » (81). La lecture devenait l'agent majeur d'une acculturation qui

ne pouvait commencer trop tôt. Marie Pape-Carpantier, qui fit tant pour développer les écoles maternelles, où l'on commençait d'apprendre à lire en même temps qu'à bien parler, affirmait, en 1876 : « En France, le langage du peuple est incorrect et sans élégance. Nous ne tolérerons rien qui soit radicalement contraire aux règles de la langue ; et nous commencerons ce redressement dès que nous recevrons l'enfant des mains de sa mère » (82). Tous les textes lus en classe devaient être des modèles de correction grammaticale et orthographique. « Quand on a le bonheur d'avoir une langue classique, il faut s'y tenir [...] il faut se rattacher à la langue qui a fait la conquête de l'Europe... il faut là, et là seulement, chercher le prototype de notre style » (83). Ce propos de Renan est un propos d'homme de lettres ; mais de nombreux textes de dictées sur l'excellence et la primauté de la langue française le vulgarisaient à l'intention des candidats au certificat d'études. Une génération de penseurs et d'hommes politiques républicains, celle de Ferry et de ses collaborateurs, qui se déclarait hautement l'ennemie de toutes les entraves apportées à la liberté de penser et à celle de publier sa pensée, s'employait pourtant à enfermer la jeunesse populaire dans le cadre rigoureux d'un système linguistique.

Les linguistes nous l'ont aujourd'hui bien enseigné. « Tout système linguistique renferme une analyse du monde extérieur qui lui est propre et qui diffère de celle d'autres langues ou d'autres étapes de la langue. Dépositaire de l'expérience accumulée de générations passées, il fournit à la génération future une façon de voir, une interprétation de l'univers ; il lui lègue un prisme à travers lequel [elle] devra voir le monde non linguistique » (84). La langue lue substituée à la langue parlée, c'est apparemment la même et c'est une autre. Le peuple qu'on habilite à une nouvelle culture risque d'être dépossédé de la sienne.

Les législateurs de la langue, grammairiens et lexicographes, ont été tenus en grand honneur par l'école. La carrière d'un Pierre Larousse est symbolique à cet égard. Ancien élève de l'école normale de Versailles, instituteur de campagne pendant un temps très court, il voulut se faire l'insti-

teur des instituteurs, leur maître à lire. Il présentait en ces termes son premier ouvrage, « un cours complet de langue et de style » : « L'art de bien rendre ses pensées, sans contredit le plus précieux de tous, mériterait, ce nous semble, de figurer en tête de toutes les branches de l'enseignement » (85). Les éditions de ses grammaires — « du premier âge », « élémentaire » — s'écoulèrent par dizaines de milliers. Et, puisque lire les mots c'est les reconnaître encore plus que les découvrir, Larousse décida de donner aux Français les instruments qui leur permettraient d'enrichir leur vocabulaire : ce furent, pour les débutants, le *Dictionnaire* de 1856, l'ancêtre du *Petit Larousse* — 600 000 exemplaires encore vendus chaque année dans le monde francophone, la clé de la lecture populaire — et, pour les plus avancés, le *Grand Dictionnaire universel du XIXe siècle.*

Les bons livres bien écrits étaient aussi ceux qui porteraient leurs lecteurs au bien, leurs lecteurs enfantins, les élèves des écoles en premier lieu. Ils devaient être moraux et moralisateurs. L'historien de l'enseignement laïque sait quelle anxiété nourrirent ses initiateurs. Une morale laïque pourrait-elle jamais remplacer la morale chrétienne comme ciment de la société nouvelle ? Leur sollicitude fut à la mesure de leur anxiété. De « l'instruction *morale* et religieuse », première matière inscrite dans le programme de la loi Guizot (1833), à « l'instruction *morale* et civique », première matière du programme Ferry (1882), l'insistance est maintenue sur la morale. Mais la leçon de morale même quotidienne, même appuyée par des préceptes et des exemples de tous les instants, ne pouvait suffire. La lecture, principale ouverture sur le monde, fournirait le maximum d'illustrations à la leçon de morale. Une tradition des livres de lecture courante n'a cessé de mettre en relief, de répéter, de ressasser sous toutes les formes possibles, les valeurs qui fondaient l'ordre social. Le *Simon de Nantua* avait ouvert la voie. On utilisa parallèlement la *Science du bonhomme Richard.* Deux modèles, imités par de nombreux manuels, dont beaucoup sont restés obscurs, comme ce *Guide des jeunes gens,* « livre de lecture spécialement destiné aux jeunes gens des

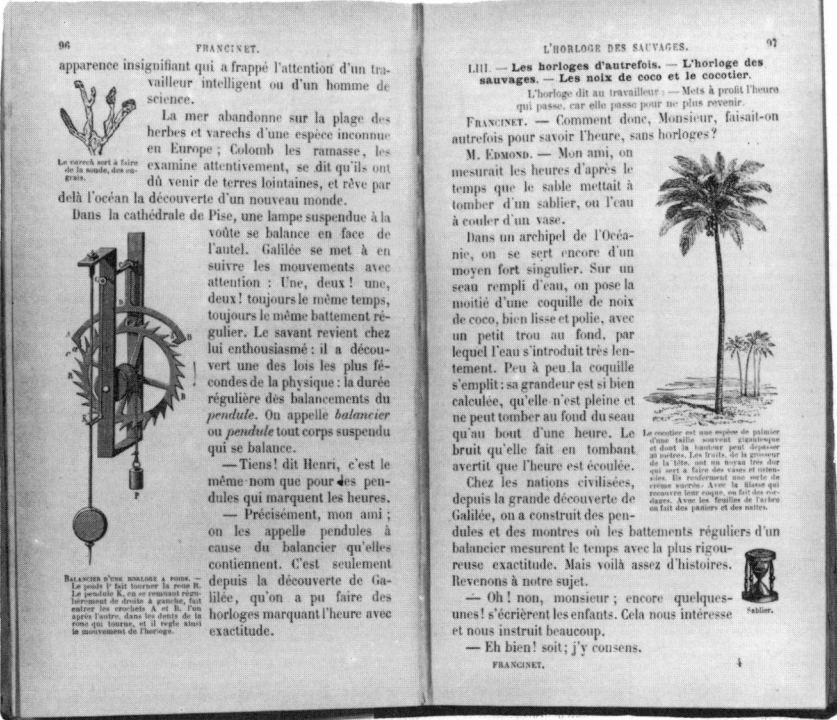

Encore un livre de lecture courante à succès, *Francinet*,
de G. Bruno (pseudonyme de Madame Alfred Fouillée),
qui, sous la forme d'un dialogue, donne des leçons de sciences usuelles,
hygiène, agriculture, morale, etc., avec figures à l'appui.
Ici la 108ᵉ édition. Paris, Belin, 1900. H. 180 mm.

Bibliothèque populaire ouverte
à la fois aux adultes et aux enfants.

campagnes », par un abbé Dumay, curé lorrain (Sedan, 1844), et quelques-uns devenus célèbres, comme le *Francinet* et le *Tour de la France par deux enfants,* de Bruno. La pratique, plus récente, des recueils de textes choisis n'y changea pas grand-chose. Les mêmes valeurs s'y retrouvèrent à l'honneur : vie familiale, travail, épargne, patriotisme, probité-honnêteté, modération des désirs...

On jugea qu'il ne suffisait pas de faire lire les élèves dans de bons manuels mais qu'il fallait offrir aux plus experts d'entre eux des lectures parallèles irréprochables. Dans ce but furent créées, sur l'initiative du ministre Rouland, en 1862, des bibliothèques scolaires. La conception originelle était très modeste puisque une simple armoire devait assurer la conservation des livres ; leur nombre, en fait, resta généralement inférieur à la centaine. Un bon départ se traduisit par l'existence de 35 000 bibliothèques en 1887 (mais le département du Doubs n'en avait qu'une pour trois écoles, une pour vingt écoles de filles). La stratégie officielle visait l'adulte, les parents, à travers l'enfant. « Le livre prêté à l'enfant passe dans sa famille, se répand et la vérité moralisatrice fait son chemin » (*Bulletin départemental du Doubs,* 1902). Le contrôle de l'inspecteur primaire s'imposait ; il était invité à retirer immédiatement les ouvrages qui pourraient « offrir quelque danger » (86). À l'instituteur-bibliothécaire les guides ne faisaient pas défaut : *Société Franklin,* 1862, le plus ancien, la *Société des bibliothèques communales du Haut-Rhin,* puis du *Nord-Est,* née de l'action patiente et généreuse de Jean Macé, la *Ligue de l'enseignement* (87).

Tant de précautions pour, à la fois, éveiller et contrôler le goût naissant de la lecture n'allaient pas sans dommages. L'imagination suspecte et pourchassée, un large champ s'ouvrait à la vulgarisation scientifique et technique d'où le mystère et la poésie étaient exclus. L'*Alphabet des merveilles de l'industrie,* de Louis Figuière, excitait les railleries d'Anatole France : « M. Louis Figuière, qui pourtant est un homme de bien, sort de sa placidité ordinaire à la seule pensée que les petits garçons et les petites filles de France peuvent connaître encore *Peau-*

42

L'inflation de l'imprimé administratif

Pour gouverner de vastes territoires et régler des affaires nombreuses et diverses, les autorités politiques et administratives doivent déléguer leurs pouvoirs. Ces délégations ne peuvent convenablement s'exercer sans un échange permanent d'instructions et d'informations entre le pouvoir et ses représentants. En France, l'imprimerie est utilisée, dès son apparition, pour diffuser plus facilement les décisions des autorités dans des structures administratives qui évoluent peu. La Révolution française rompt avec les structures et les méthodes de gouvernement et d'administration de l'Ancien Régime. Elle crée une situation nouvelle : les sujets et les territoires ne sont plus administrés selon des statuts et des coutumes particuliers. Tout découle désormais de lois universelles qui s'adressent à des citoyens égaux en droit et à des structures administratives uniformes et hiérarchisées par la centralisation jacobine puis napoléonienne. À cette première mutation se surimpose, au XIXᵉ siècle, celle de la révolution industrielle qui réclame une adaptation permanente de la législation et de la réglementation. Ces deux phénomènes créent un besoin général et massif : tous les citoyens doivent connaître la loi, pouvoir l'interpréter et s'y référer. L'imprimé officiel et administratif connaît alors un développement sans précédent et devient la pièce maîtresse d'un nouveau système d'information.

Le système d'information publique qui se met en place au cours de cette période repose essentiellement sur l'imprimé. Il s'agit d'assurer une information régulière, rapide, contrôlable, susceptible d'être conservée, c'est donc la forme du périodique qui est généralement adoptée. Il s'agit aussi d'assurer la transmission d'informations de nature différente soit de caractère général, soit de caractère officiel, soit d'usage interne. Des organes spécialisés se développent progressivement pour répondre à ces besoins particuliers.

Ainsi, dès le 24 novembre 1789, paraît sous initiative privée la *Gazette nationale,* organe d'information sur les actes, délibérations et décrets des assemblées. En décembre 1799, il devient le *Moniteur universel* et ne prend un caractère officiel qu'en janvier 1869 en prenant le titre de *Journal officiel.* Cependant, le rôle de promulgation des actes officiels est assuré par le *Bulletin de correspondance,* institué lui aussi en 1789 et adressé aux municipalités pour affichage et qui se fond dans le *Bulletin des lois* créé le 14 frimaire an II. Cette formule permet d'assurer la régularité de la diffusion des actes officiels, le contrôle de leur arrivée,

leur classement, leur conservation et leur disponibilité pour les autorités locales. Ces avantages étaient plus difficilement réunis par la publication à mesure et en feuilles des décrets de l'Assemblée. L'impression en feuilles subsiste toutefois pour les circulaires et autres documents administratifs d'usage interne.

Ce système d'information est limité par les possibilités réelles et les contraintes de l'outil de production industriel des documents qui se met en place à la même époque. L'Imprimerie royale, établissement privé, ayant le privilège de toutes les impressions officielles, voit alors son importance s'accroître en proportion de l'activité des assemblées et du pouvoir exécutif. Le nombre des presses augmente rapidement et, dès 1790, il dépasse la centaine. On doit bientôt ouvrir deux succursales et réorganiser l'imprimerie. En 1792, elle est affectée au service du pouvoir exécutif, tandis que la création d'une imprimerie législative assure le service de l'Assemblée nationale et de la Convention et qu'une troisième imprime les assignats. Toutes ces imprimeries sont en activité jour et nuit et leurs ouvriers sont dispensés du service militaire. En l'an II, une nouvelle imprimerie est créée pour le service du *Bulletin des lois.* Pour les besoins de la production officielle et administrative, d'autres imprimeries sont récupérées par le gouvernement. L'ensemble est réorganisé en l'an II et le monopole de l'Imprimerie nationale réaffirmé. Toutefois, rapidement la capacité de production de l'Imprimerie nationale ne suffit plus.

L'apparition et le perfectionnement de nouvelles techniques d'impression permet à de nombreux ministères de se doter d'ateliers lithographiques pour la production de circulaires et de formulaires à usage interne, ainsi les Finances en 1825, la Guerre en 1831, l'Intérieur en 1833, etc.

L'Imprimerie nationale est aussi trop chère. Des éditeurs privés, comme Berger-Levrault, Charles Lavauzelle ou encore Paul Dupont, fondent leur fortune sur les impressions administratives des ministères. Ainsi sont publiés recueils de textes, annuaires, bulletins administratifs ou statistiques de ministères ou de grandes administrations.

Ce double mouvement s'accentue tout au long du XIXᵉ siècle en dépit du monopole de l'Imprimerie nationale dont il est officiellement possible de s'affranchir à partir de 1886.

En province, le problème est différent. L'Imprimerie nationale est limitée dans ses possibilités de tirage, et la lenteur et le coût des transports justifient, au début du siècle, le développement de relais au chef-lieu des départements, voire des arrondissements.

Dans toute ville de quelque importance administrative, des éditeurs et des imprimeurs bénéficient des travaux de réimpression des textes dans les journaux locaux, publication d'affiches diverses, puis publication d'annuaires départementaux (an VII) et des *Recueils des actes administratifs*

Un des premiers numéros du *Journal officiel* en janvier 1869. H. 628 mm.

(1815). Aux impressions de la préfecture viennent s'ajouter sous la monarchie de Juillet celles des procès-verbaux des conseils généraux et, pour les grandes villes, des budgets et des bulletins officiels. Enfin, les préfectures s'équipent à leur tour de presses sous le Second Empire.

Dès lors, les documents administratifs imprimés se comptent par milliers et tout ce qui peut faire l'objet d'une impression est imprimé.

Un marché considérable se crée en quelques années, une puissante industrie se constitue à travers toute la France pour répondre aux besoins publics. Point de départ, puis élément de son essor au XIXe siècle.

Différents facteurs vont au cours du siècle favoriser encore la multiplication de l'imprimé administratif : le développement de l'administration, des services extérieurs de l'Etat, de leurs actions qu'accompagne la première révolution industrielle, accroît le besoin de textes spécialisés dans les domaines de l'instruction, des chemins de fer et des chemins vicinaux, des mines, de la santé, etc. Des bulletins administratifs de plus en plus nombreux sont créés et diffusés.

La baisse des prix du papier et de l'impression et le chemin de fer, qui permet le transport de plus en plus rapide à un coût de plus en plus bas des imprimés, sont d'autres causes de l'essor continu de l'imprimé administratif au cours de cette période.

À la croissance du nombre des pages imprimées et des titres des publications s'ajoute, en particulier à partir des années 1880, avec la deuxième révolution industrielle, celle du nombre des informations contenues dans ces publications et de leur tirage. La baisse du prix du *Journal officiel,* par exemple de 0,15 franc en 1896 à 0,05 franc en 1900, fait monter les tirages de moins de 14 000 à plus de 30 000 exemplaires. En 1810, le compte administratif de l'Etat tient dans 130 pages, 602 pages en 1830, 856 pages en 1870, 1 033 pages en 1910. En un siècle, le nombre de caractères à la page double, ce qui revient à dire que l'information contenue dans ce document, très formalisé et stéréotypé, est multipliée par seize, alors que grâce au perfectionnement de la fabrication du papier, son épaisseur n'est multipliée que par un peu plus de cinq. De plus en plus, des tables, recueils, codes, répertoires, dictionnaires administratifs sont publiés pour permettre aux administrateurs de se retrouver dans cette masse d'imprimés.

Né de la Révolution française et de la révolution industrielle, ce système d'information qui repose sur le document imprimé connaît son apogée au cours des années 1880-1914. Mais dans le même temps il atteint ses limites : il est difficile de fabriquer du papier plus fin, d'imprimer plus petit, de faire circuler l'information écrite plus vite. D'autres moyens de communiquer l'information administrative voient le jour : le téléphone, la radio notamment, qui élargissent la brèche ouverte dans son monopole par le télégraphe.

Bruno Delmas

d'Âne » (88). La platitude des pièces en vers retenues par les manuels de lecture courante est affligeante. L'imagination déçue n'allait-elle pas chercher satisfaction ailleurs, loin des livres recommandés ? Le public n'a plus « trouvé à étancher sa soif, imprudemment éveillée par le roman aseptisé de provenance officielle qu'au prix de la littérature plus équivoque débitée pour presque rien par le libraire ou son crieur » (89). Cette critique dépasse la lecture scolaire.

L'idée que ses initiateurs se faisaient et voulaient donner de la lecture était si haute qu'ils aboutissaient en quelque sorte à la sacraliser, sans doute pour en exorciser plus sûrement les effets maléfiques. Au frère des Écoles chrétiennes qui obligeait ses élèves à lire debout et tête nue, parce que lire donne accès à la Sainte Écriture, répondait ce propos de Jules Payot, repris de Malebranche : « On se met à lire comme on se met à prier » (90).

Les bons livres après l'école. — Aux yeux des zélateurs de la lecture populaire, ce n'était pas seulement le peuple enfant mais tout le peuple qui était enfant. Les conduites valables pour le premier continuaient donc de l'être pour le second. La lecture ne pouvait être bonne que sous surveillance. Éditeurs, bibliothécaires, philanthropes devaient s'unir pour assurer cette surveillance.

Des éditeurs n'ont pas manqué de s'intéresser au développement de l'instruction et de la lecture populaires, avant 1860 et surtout après. Aussi bien les livres scolaires tenaient-ils souvent la plus large place dans la bibliothèque des humbles. Des liens s'établirent entre les services du ministère de l'Instruction publique et certains éditeurs, Hachette notamment : d'accord avec la Société Franklin, Hachette proposait des lots de livres « d'une valeur marchande de 2 000 francs [qui] circulaient dans des caisses louées à raison de 25 centimes par jour » (91). La littérature enfantine prenait un essor prodigieux de 1811 — 80 titres publiés — à 1836 — 275 titres — et à 1890 — 1 000 titres. C'était une littérature *piégée* comme Hetzel le reconnaissait dans une lettre à Cuvillier-Fleury à propos de son *Histoire d'un âne et de deux jeunes filles :* « Le discours, le sermon d'une Fée à un petit âne,

l'enfant s'y engage sans méfiance. Il se sent à la place de l'âne et ne devine le maître sous la pie que quand il est au bout. La petite médecine est absorbée » (92).

Les bibliothèques populaires devaient être la pierre angulaire de l'édifice de la lecture démocratisée. Les associations indiquées plus haut s'étaient donné pour tâche d'en créer ou d'aider ceux qui en créeraient. Outre des organismes de prêt, sur place ou à domicile, les bibliothèques deviendraient des lieux d'échanges, de conférences, de lectures en commun, de débats. « Ce goût à naître ou déjà né, on avait l'espoir en haut lieu que [les bibliothèques] parviendraient à le canaliser ou, pour mieux dire, à le circonscrire à des lectures politiquement et socialement inoffensives et, plus encore, orientées dans un sens favorable aux intérêts conservateurs » (93). La lecture distrayante pour le peuple faisait peur. À défaut de la direction morale, on s'efforçait de l'orienter dans des directions utilitaires. Assez souvent, le prêt d'un livre de récréation s'accompagnait de l'obligation d'emporter aussi un ouvrage documentaire. Si Jean Macé se montrait relativement accommodant — « on pourra sans inconvénient, au début, faire la part plus large aux livres de récréation » —, c'est qu'il ne doutait pas qu'au terme d'une patiente propédeutique de la lecture, les livres sérieux l'emporteraient sur les autres. « L'enfance — écrivait-il encore — est pour les friandises, que ce soit l'enfance du corps ou celle de l'esprit [...]. Il faut en prendre son parti, et bien se dire que l'important, pour aujourd'hui, est de répandre l'habitude de la lecture. Qui a lu lira » (94). Optimisme, tempéré par l'expérience, d'un humaniste convaincu. Optimisme quand même. La demande croissante de fiction ne cessait de préoccuper les bibliothécaires. Combien plus préoccupante allait être, à la fin du XIXᵉ et au début du XXᵉ siècle, l'invasion triomphante des produits commercialisés de l'imprimerie.

La discipline de la lecture se révélait largement inefficace.

À la croisée des chemins

L'élargissement du public de l'imprimé au long du XIXᵉ siècle n'a

donc pas été l'opération simple que d'aucuns avaient cru, ou donné à croire. Ce que nous avons entrevu, c'est plutôt une ouverture grandissante sur le monde et sur la société, vécue différemment par les uns et par les autres. Les pouvoirs — politique, économique, culturel — ont mené un jeu subtil, tour à tour égoïstes et généreux, ils se sont affrontés ou alliés au gré de la conjoncture.

Un exemple, joliment conté, nous donne une idée de la complexité de l'évolution et de l'enchevêtrement des lectures. Il est emprunté au *Cheval d'orgueil* de P.-J. Helias. Dans les années 1920, il y avait, au foyer du petit Pierre-Jakez, trois livres, et trois seulement : la *Vie des saints* en breton, le *Petit Larousse* et le *Catalogue de la manufacture d'armes et de cycles de Saint-Étienne.* Chacun des trois, à sa façon, témoignait pour une lecture et pour une culture : la culture pieuse et particulariste de ce canton bigouden de la Bretagne ; la culture scolaire au prestige encore neuf ; la culture « consommationniste ». L'enfant, qui ne connaissait encore que ses lettres, butait sur les difficultés des deux premiers. Quant au troisième, « on peut le comprendre sans savoir lire ». Cela ne signifiait-il pas qu'un des chemins de la lecture, le plaisir de lire, menaçait de ramener à la non-lecture (95) ?

Notes

1. Fr. Furet et J. Ozouf, *Lire et écrire,* l'alphabétisation des Français de Calvin à Jules Ferry, 2 vol., Paris, 1977, I, 350. C'est l'ouvrage capital sur le sujet, qui a fourni presque toute la matière de la première partie de cet exposé.

2. *Tristes Tropiques,* Paris, 1955, p. 344.

3. J. Gavoille, *L'école publique dans le département du Doubs, 1870-1914,* Paris, 1981, p. 354.

4. G. Cholvy, « Une école des pauvres au début du XIXᵉ siècle, pieuses filles, béates ou sœurs des campagnes », *in* D. N. Baker et P. J. Harrington, *The making of Frenchmen,* Waterloo, Ontario, 1980. V. également Furet et Ozouf, I, 213-214.

5. Cité par Furet et Ozouf, I, 356.

L'élargissement du public

6. Furet et Ozouf, I, 85, 91.

7. Cholvy, art. cité, p. 141.

8. D. Roche, *Le peuple de Paris,* Paris, 1981, p. 209.

9. Furet et Ozouf, I, pp. 13-35, « Un grand dossier revisité ».

10. Y. Pasquet, *in* Furet et Ozouf, ouv. cité, II, « L'alphabétisation dans le département de la Vienne au XIXᵉ siècle ».

11. A Corbin, « Pour une sociologie de la connaissance de l'alphabétisation au XIXᵉ siècle », *in Revue d'histoire économique et sociale,* 1975, I, pp. 117-118.

12. Furet et Ozouf, I, p. 179.

13. Voir M. de Certeau, D. Julia et J. Revel, *Une politique de la langue,* la Révolution française et les patois, Paris, 1975.

14. Furet et Ozouf, I, pp. 326, 328, 344.

15. Sur le problème général du passage de l'oral à l'écrit, Jack Goody, *The domestication of the savage mind,* Cambridge Univ. Press, 1977. Trad. fr., *La raison graphique,* Paris, 1979.

16. Excellente présentation du problème par Jean Hébrard, « École et alphabétisation au XIXᵉ siècle (approche psychopédagogique des documents historiques) », in *Annales E.S.C.,* 1980.

17. Voir *Les illettrés en France,* rapport au Premier ministre, par V. Espérandieu et A. Lion, janv. 1984.

18. Lettre publiée dans la *Revue indépendante,* 10 août 1843.

19. P. Giolitto, *Naissance de la pédagogie moderne (1815-1879),* 3 vol., Grenoble, 1980, I, pp. 348-349, II, pp. 17-18.

20. Abondants renseignements dans la thèse de Giolitto, II, *Pédagogie de la lecture,* ch. XII et XIII, pp. 5-137.

21. Sur ces méthodes un guide G. Mialaret, *L'apprentissage de la lecture,* Paris, 1966, et la forte prise de position de J. Foucambert, *La manière d'être lecteur,* Paris, 1976.

22. E. Legouvé, *L'art de la lecture,* Paris, 1857.

23. Sur la tyrannie de l'orthographe sur l'apprentissage du français à l'école, voir A. Chervel, *Et il fallut apprendre à écrire à tous les petits Français,* 1977, réédité sous le titre *Histoire de la grammaire scolaire,* Payot, poche, 1981.

24. J.-B. Dumay, *Mémoires,* cité par N. Richter, *Les bibliothèques populaires,* Paris, 1978, p. 15.

25. Gavoille, ouv. cité, pp. 353 et 355.

26. *Émile,* éd. Garnier, 1964, p. 116 — précédé par cette juste réflexion : « Un enfant n'est pas fort curieux de perfectionner l'instrument avec lequel on le tourmente ; mais faites que cet instrument serve à ses plaisirs, et bientôt il s'y appliquera malgré vous. »

27. A. Daumard, *La bourgeoisie parisienne de 1815 à 1848,* Paris, 1963, p. 138.

28. R. Escarpit, *La révolution du livre,* 2ᵉ éd., 1965, « Les fonctions du livre ».

29. R. Brun, *Le livre français,* 1969, p. 111.

30. A. Daumard, ouv. cité, p. 354.

31. *Ibid.* V. aussi Fr. Parent-Lardeur, *Lire à Paris au temps de Balzac. Les cabinets de lecture à Paris,* Paris, 1981.

32. J.-P. Sartre, *Les mots,* pp. 36 et 40.

33. Valery Larbaud, *Enfantines,* « Devoirs de vacances », 1918, *in* éd. Pléiade, pp. 497-498.

34. E. Legouvé, ouv. cité, p. 105.

35. V. Larbaud, *id.,* p. 521.

36. H. de Balzac, *César Birotteau, in* O. C., Club du livre, t. 2, p. 183.

37. E. et J. de Goncourt, *Journal,* Fasquelle-Flammarion, II, pp. 299-300.

38. *In* Collectif, *Le livre français, hier, aujourd'hui et demain,* Paris, 1972, p. 215.

39. Furet et Ozouf, ouv. cité, I, p. 55.

40. Réédités dans les *Cahiers lasalliens* qui donnent, pour chacun des deux ouvrages, l'indication de toutes les rééditions et réimpressions : 270 pour les *Devoirs du chrétien* de 1703 à 1928 ; 126 pour la *Civilité* de 1703 à 1863.

41. H. Rulon et Ph. Friot, *Un siècle de pédagogie dans les écoles primaires* (1820-1940), « Histoire des méthodes et des manuels scolaires utilisés dans l'Institut des frères de l'Instruction chrétienne de Ploërmel », Paris, 1962.

42. Formule de R. Chartier et D. Roche, « Le livre, un changement de perspective », in *Faire l'histoire,* Paris, 1974, t. 3, p. 122.

43. P. Brochon, *La littérature de colportage en France depuis le XVIIᵉ siècle,* Paris, 1954, pp. 24-25.

44. Rulon et Friot, ouv. cité, pour le *Syllabaire,* pp. 37 et 85, et pour les *Devoirs du chrétien,* pp. 89 et suiv.

45. A. Sylvère, *Toinou, le cri d'un enfant auvergnat,* Terre humaine, Plon, 1980, Paris, pp. 91-92.

46. A. Rétif, *Pierre Larousse et son œuvre, 1817-1875,* Paris, 1975, pp. 226-227.

47. R. Tronchot, *L'enseignement mutuel en France de 1815 à 1833,* Lille (thèses), 3 vol., 1973.

48. Citations empruntées à la thèse (Paris IV) de Claude Savart, *Le livre catholique témoin de la conscience religieuse* (en France au XIXᵉ siècle), 3 vol. ronéotés, 1981.

49. P. Droulers, s. j., *Action pastorale et problèmes sociaux... chez Mgr d'Astros, arch. de Toulouse...,* Paris, 1954, pp. 173-176.

50. Cl. Savart, ouv. cité, pp. 400 et suiv.

51. R. Tronchot, ouv. cité, I, p. 188.

52. *Id.,* I, p. 215.

53. Rulon et Friot, ouv. cité, p. 40 ; voir aussi « La lecture du latin et des manuscrits », pp. 95-102.

54. *Id.,* p. 41.

55. Distribution des prix des Associations polytechnique et philotechnique, *in Journal des instituteurs,* 29 janv. 1860.

56. R. Tronchot, ouv. cité, I, au chap. IV, « Les nouvelles disciplines introduites par l'enseignement mutuel », pp. 188 et suiv.

57. *In* Noë Richter, ouv. cité, Document 2, p. 176.

58. Martin Nadaud, *Mémoires de Léonard,*

ancien garçon maçon, éd. Maur. Agulhon, Paris, 1977, pp. 150 et suiv.

59. N. Richter, ouv. cité, p. 121.

60. Cité par Furet et Ozouf, I, p. 146.

61. J.-B. Dumay, ouv. cité.

62. Lettre à Béranger du 14 juin 1848, *in* P. Viallaneix, *La voie royale,* pp. 372-373.

63. J.-J. Darmon, *Le colportage de librairie en France sous le Second Empire,* Paris, 1972.

64. D. Roche, ouv. cité, p. 217.

65. *Id.,* p. 214.

66. J.-J. Darmon, ouv. cité, p. 75 ; voir aussi, p. 138 ; chiffres donnés, p. 84.

67. Ch. Nisard, *Histoire des livres populaires,* « Rapport de la Commission des livres de colportage », 2 vol., éd. 1854, rééd. (augmentée) 1864 ; réimpression en 1 vol. (illustré), Paris, 1968.

68. Cité par Darmon, p. 99.

69. Darmon, ouv. cité, p. 126.

70. *Consuelo,* éd. 1979, p. 11.

71. *Journal,* I, p. 424.

72. E. Sullerot, *La presse féminine,* Kiosque, 2ᵉ éd., 1966.

73. C'est le crime de Pantin, à la fin de septembre 1869, qui vaut au *Petit Journal* ses premiers tirages records, qui passent, avec les découvertes successives des cadavres des victimes, de 403 950 à 448 000 puis à 467 000.

74. J.-J. Darmon, ouv. cité, p. 190.

75. J.-P. Brunet, *Saint-Denis la ville rouge, 1890-1939,* p. 317.

76. Cité par Cl. Savart, thèse citée, p. 327.

77. Ch. Nisard, ouv. cité, Préface, i-ii.

78. E. A. de L'Étang, cité par Darmon, p. 213.

79. J.-J. Darmon, p. 215.

80. *Ibid.,* p. 160.

81. In *Le volume,* 3 fév. 1900 (c'est le journal pédagogique de Jules Payot).

82. Marie Pape-Carpantier, *Manuel des maîtres,* 2ᵉ éd., Paris, 1876, pp. 56-57.

83. De Goncourt, *Journal,* II, p. 702.

84. Todorov, « Les anomalies sémantiques », *in Langages,* 1966, n° 1 (cité par Peytard et Genouvrier, *Linguistique et enseignement du français,* 1970, p. 173).

85. A. Rétif, ouv. cité, p. 108.

86. Gavoille, ouv. cité, p. 353.

87. N. Richter, ouv. cité, pp. 56-63.

88. A. France, *Le livre de Suzanne.*

89. J.-J. Darmon, ouv. cité, p. 236.

90. *Le volume,* 21 oct. 1899.

91. N. Richter, ouv. cité, p. 116.

92. A. Parménie et C. Bonnier de La Chapelle, *Histoire d'un éditeur et de ses auteurs,* Paris, 1953, p. 595.

93. Darmon, ouv. cité, pp. 230-231.

94. Jean Macé, cité par N. Richter, pp. 101-102.

95. P.-J. Helias, *Le cheval d'orgueil,* Terre humaine, Plon, Paris, pp. 193-194.

La « liberté de la Presse », constamment remise en question au cours de la période
qui va de 1830 à 1881, avec une alternance de liberté presque totale et de prévention
ou répression ; cette lithographie de Daumier, publiée en 1835 dans la *Caricature*,
traduit bien la détermination populaire de défendre cette liberté envers et contre tout.
320 × 447 mm.

Le régime législatif

par Pierre Casselle

La période qui sépare la révolution de 1830 de la loi du 29 juillet 1881 « sur la liberté de la presse » est jalonnée par de très nombreux textes relatifs à la presse, périodique ou non. Ceux-ci, selon les régimes qui se succèdent et selon les circonstances, font alterner liberté presque totale, prévention, autorisation ou répression, sans que toutefois aucun n'ose officiellement revenir sur l'abolition de la censure préalable, acquise depuis la Restauration (1).

La monarchie de Juillet

Parvenu au pouvoir grâce à une révolution déclenchée par les ordonnances de Charles X sur la presse, Louis-Philippe était contraint de donner immédiatement des gages aux tenants du libéralisme en cette matière. La nouvelle charte constitutionnelle, promulguée le 14 août 1830, proclama la liberté de la presse : « Les citoyens ont le droit de publier et de faire imprimer leurs opinions en se conformant aux lois. La censure ne pourra jamais être rétablie. » Les dispositions qui avaient restreint la liberté de la presse à la suite de l'assassinat du duc de Berry étaient abrogées ; c'était le retour à la législation libérale de 1819. La loi du 8 octobre 1830 rétablit la compétence des jurys d'assises, moins soumis aux pressions que les tribunaux correctionnels, pour les délits commis soit par voie de presse périodique, soit par tout autre moyen de publication, exception faite pour les diffamations envers des personnes privées.

La loi du 14 décembre 1830 réduisit considérablement le montant du cautionnement exigé pour la parution d'un journal : 2 400 francs de rentes, au lieu des 6 000 francs prévus par la loi du 18 juillet 1828. Enfin, la loi du 8 avril 1831 sur la procédure en matière de délits de presse reprenait, en cas de saisie, les dispositions de la loi du 26 mai 1819 relatives aux délais de comparution devant les tribunaux.

Le retour aux grands principes libéraux étant acquis, il ne fut cependant pas touché à la législation du Premier Empire sur les brevets d'imprimeurs et de libraires, législation contraire à la liberté d'entreprise. L'application des règlements sur l'imprimerie et la librairie était confiée au ministère de l'Intérieur, par l'ordonnance du 6 avril 1834.

Mais le pouvoir s'inquiéta rapidement de la montée des oppositions républicaine et légitimiste et s'affola devant les émeutes de 1832 et 1834. L'émotion causée par l'attentat de Fieschi contre le roi, le 28 juillet 1835, fut exploitée par le gouvernement. Le 9 septembre suivant, les Chambres, convoquées d'urgence, adoptèrent un projet de loi instaurant un régime répressif très dur, sans toutefois rétablir la censure. « La société, déclara le garde des Sceaux lors de la discussion de la loi, vit au milieu de la plus épouvantable anarchie ; on dirait, en lisant les papiers publics, que la France est déchirée par une multitude de gouvernements qui se disputent le pouvoir à l'aide de l'injure, de la calomnie, de la confusion de tous les principes politiques [...]. Plus de censure, la Charte le dit ; il faut franchement exécuter sa disposition en ne recourant à aucune mesure préventive ; mais peines sévères contre les délits, peines immenses contre les crimes qui s'adressent à la personne du Roi, au principe ou à la forme de son gouvernement. C'est la condition sans laquelle il ne peut plus y avoir de liberté de la presse. Autrement cette liberté dégénère en licence, et la licence de la presse finit par devenir funeste aux gouvernements les plus fortement constitués [...]. Notre loi manquerait son effet si toute autre presse que la presse monarchique constitutionnelle, opposante ou non, pouvait se déployer librement après sa promulgation. Il n'y a pas en France, et il ne peut y avoir de république, de gouvernement légitime restauré : l'invocation de l'un ou de l'autre serait un délit et même un crime aujourd'hui ; et un délit ou un crime ne peuvent pas avoir d'organe avoué de publicité » (2).

Lamartine, tout en affirmant que la presse n'avait « pas été digne de sa haute et sainte mission », combattit le projet de loi, « parce que baillonner la presse, c'était baillonner·à la fois le mensonge et la vérité », parce que « les gouvernements libres, difficiles par elle, sont impossibles sans elle » (3).

La loi du 9 septembre 1835 introduisait une innovation importante dans la législation : toute provocation aux attentats contre le roi, toute offense au roi, toute attaque contre le gouvernement, par voie de presse, périodique ou non, constituait un attentat à la sûreté de l'État, qu'elle ait été ou non suivie d'effet. Il était désormais interdit de se qualifier de républicain ou d'appeler de ses vœux le retour sur le trône de la branche aînée des Bourbons.

Afin de freiner l'augmentation du nombre des journaux, le taux du cau-

CHARTE
CONSTITUTIONNELLE.
1814.

Édition-Touquet.

BIBLIOTHÈQUE ROYALE

PARIS.

Chez l'Éditeur, rue de la Huchette, n°. 18,

1821.

Édition in-32 de la *Charte
constitutionnelle* de 1814, publiée
par Jean-Baptiste Touquet
chez l'imprimeur Baudouin en 1821.
H. 102 mm.

Le in-32, un format suspect

La censure politique sous la Restauration s'attachait d'ordinaire plus à l'intention de l'auteur qu'à la forme du message. Cependant le format in-32 (sept à onze centimètres sur cinq ou six, en moyenne) l'inquiéta au point que le nouveau procureur du roi, De Belleyme, en fit le sujet de son discours d'installation à Paris le 20 juillet 1826 : « Nous voyons publier chaque jour des livres dont le format et le prix ajoutent aux dangers de l'ouvrage. Vous jugerez si ces publications ont pour objet d'éclairer le gouvernement, comme on le prétend, sur les besoins publics, de défendre les garanties nationales, ou si elles ne tendent pas plutôt à propager les doctrines les plus pernicieuses, à porter la corruption dans toutes les classes de la société, et à donner aux élèves, aux fils de famille, aux ouvriers et aux domestiques, le moyen de les soustraire facilement aux regards des instituteurs, des parents et des maîtres et aux recherches de la justice. »

Le plus célèbre et sans doute le plus répandu des in-32 : la *Charte constitutionnelle*, publiée chez l'imprimeur Baudouin par Jean-Baptiste Touquet (encore un demi-solde reconverti dans l'édition), le 22 juillet 1820. Quatre nouvelles éditions in-32 paraîtront dans l'année qui suit, éditions massives à cinq cent mille exemplaires, puis un million, distribuées gratuitement avec le soutien d'une *Société pour la propagation de la Charte,* puis vendues quinze, vingt-cinq ou cinquante centimes. Plus tard, dans la même intention de propagande, le *Tartuffe* in-32 paraît chez Baudouin, puis Barthélemy, en réplique à un tumulte suivi de l'expulsion de la salle de l'Odéon pendant une représentation de la pièce. Enfin, une nuée de *Petites Biographies* (de la Chambre des députés, de la Chambre des pairs, des dames de la cour…), plus étroitement adaptées au format par leur rédaction lapidaire, en petits articles satiriques et souvent calomnieux. Puis, *l'Évangile, partie morale et historique,* en 1826, qui valut à Touquet la suppression de son brevet de libraire et de sa pension.

Successivement Touquet et le libraire Sanson revendiquèrent devant les tribunaux l'invention de l'in-32. Prétention abusive puisqu'on trouve par exemple en 1811 des *Étrennes mignonnes* in-32, à Lyon, chez Lambert Gentot, en 1813, un *Almanach de l'amour et de la fortune,* et, dans le registre politique, des *Buonapartiana, ou Petite Histoire d'un grand homme,* à Paris, chez Aubry, 1814. Il est à remarquer qu'avec sa typographie élégante, son brochage solide, ses sobres ornements de palmettes, la *Charte-Touquet* affecte plutôt le style d'un octavo miniature que d'une édition populaire dans la manière des almanachs et des livres de colportage.

Les vertus pratiques du in-32 (bas prix, légèreté, clandestinité) expliquent-elles seules son succès, d'ailleurs passager ? Sous la monarchie de Juillet, les brochures politiques reprendront plus couramment le chemin de l'octavo-fascicule : sous la Restauration même, Paul-Louis Courier préférait pour ses pamphlets ce format qui rappelle la lecture rapide « à l'américaine » de la feuille de journal. Le in-32 joue de valeurs symboliques plus fines : dérision du grand format des journaux officiels, *Le Moniteur* ou *La Quotidienne,* et des « belles marges » des libraires bien-pensants qui refusaient de s'encanailler en descendant au-dessous de l'octavo ; pugnacité imaginaire du lilliputien contre les lourdeurs du pouvoir ; charmes un peu magique de l'objet à double face, du livre-boîte. Poussant jusqu'au bout l'ambiguïté, les parfumeurs Dissey et Piver lancent dans le commerce le « savon constitutionnel », avec un prospectus précédé de la charte : « Telle une bonne charte corrige et adoucit les mœurs, de même notre nouvelle composition donne à la peau un velouté et une douceur difficiles à décrire… ». Touquet diffuse ses « tabatières à la charte » des « pipes constitutionnelles » des « bonbons à la charte », concurrencés par le « bonbon des élections » de Charles Sédille. Avec ce Petit Livre rouge avant les temps, il ne s'agissait donc plus seulement de faciliter la lecture, mais de permettre au bourgeois libéral de s'incorporer le texte fondateur en une sorte de communion laïque…

Annie Prassoloff

CONSTITUTIONELLE.

PARIS.

DISSEY ET PIVER, PARFUMEURS,

RUE SAINT-MARTIN, N. 111.

1829.

Page de titre de l'édition de la *Charte constitutionnelle* publiée en 1829 par les parfumeurs Dissey et Piver en même temps qu'un extrait de leur catalogue de parfumerie... H. 65 mm.

≈ 35 ≈

SAVON

CONSTITUTIONNEL.

Malgré le peu de rapport qu'au premier aperçu on pourrait remarquer entre les lois qui nous régissent et notre nouveau savon, nous n'avons pas craint de le nommer constitutionnel, et jamais titre en effet ne fut mieux en harmonie avec son sujet : telle une bonne charte corrige et adoucit les mœurs, de même notre nouvelle composition donne à la peau un velouté et une douceur difficiles à décrire : le pacte social dont nous jouissons rend presque insensible les chaînes qui lui sont indispensables ; notre savon permet au rasoir un usage et si parfait et si libre, qu'à peine se sent-on de son passage : dégagé de

3.

Page du catalogue de Dissey et Piver relative au « savon constitutionnel »... H. 65 mm

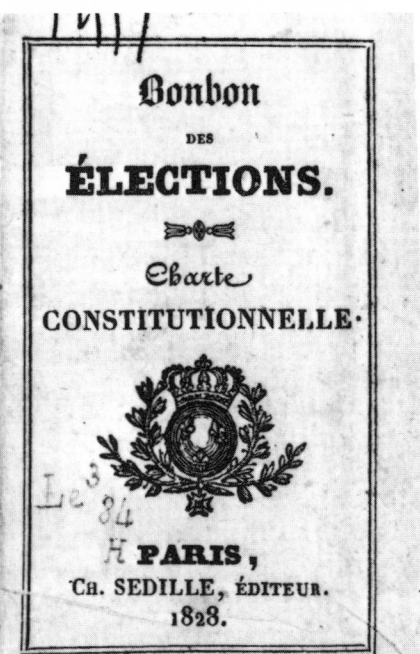

La *Charte constitutionnelle* présentée comme « bonbon des élections », publiée chez Ch. Sédille en 1818. H. 64 mm.

tionnement fut considérablement élevé ; au lieu d'être acquitté en rentes, il devait être versé en numéraire : 100 000 francs pour un périodique paraissant plus de deux fois par semaine, 50 000 francs pour un hebdomadaire.

« Depuis longtemps, déclarait le garde des Sceaux, la pudeur publique est blessée par le spectacle offert dans nos rues. Des gravures obscènes [...], des caricatures [...] attaquent les citoyens jusque dans le sanctuaire de la vie privée, ou appellent la dérision, le ridicule et le mépris sur la personne et l'autorité du souverain et de sa famille [...] ; tous ces écarts accusent l'insuffisance de notre législation ». Devant la prolifération des caricatures que la lithographie permettait de reproduire rapidement (que l'on songe à Daumier, à *La Caricature* et au *Charivari*), la loi de 1835 rétablit l'autorisation préalable pour la publication des dessins. Cette autorisation devait être demandée, à Paris, au ministère de l'Intérieur, dans les départements, aux préfets.

C'est sous ce régime contraignant que vécut la presse jusqu'à la révolution de 1848. Contrainte, mais non arbitraire : la censure préalable n'était rétablie que pour les gravures ; les délits restaient passibles des cours d'assises et non des tribunaux correctionnels.

La loi de 1835

La loi de 1835 fut efficace. De 1831 à 1834, le nombre de délits politiques commis par la presse non périodique, jugés par les cours d'assises, est respectivement de 13, 40, 30 et 17. À partir de 1835 et jusqu'en 1847, le nombre de ces délits est en moyenne de moins de 4 par an ; il n'y a même aucune affaire de ce type jugée en 1843. Même constatation pour la presse périodique (toutes affaires confondues, c'est-à-dire délits politiques, diffamation, etc.) : de 1831 à 1834, plus de 110 affaires jugées par an, moins de 24, de 1835 à 1847. L'autocensure, par crainte des poursuites judiciaires, fonctionnait parfaitement.

La censure préalable était à peine plus efficace : 14 affaires annuelles en moyenne de 1831 à 1834, concernant des délits commis par le moyen de gravures ou lithographies, 3, de 1835 à 1847 (4).

49

La révolution de 1848 et la Seconde République

L'un des premiers actes du gouvernement provisoire fut d'abroger la loi de 1835 et de supprimer l'impôt du timbre sur les écrits périodiques (décrets des 4 et 6 mars 1848). On assista alors à une explosion de publications périodiques et de brochures politiques, quoique le cautionnement n'eût pas été supprimé mais seulement réduit (décret du 9 août 1848). Très vite, cependant, des mesures furent prises pour fixer des limites à la liberté dont disposaient presses périodique et non périodique. Le décret du 11 août 1848 précisa les délits de presse passibles d'amende ou d'emprisonnement : attaques contre les droits de l'Assemblée nationale, contre les institutions républicaines, contre la liberté des cultes, le principe de la propriété et les droits de la famille. La loi du 27 juillet 1849 étendit ces dispositions aux attaques contre l'autorité du président de la République et aux offenses envers sa personne.

Surtout, la loi de 1849 s'attaqua au colportage, accusé de tous les maux par le « parti de l'ordre ». Elle soumettait les colporteurs de livres, brochures, gravures et lithographies à l'autorisation des préfets (le préfet de police, à Paris). De plus, les brochures traitant de politique ou d'économie sociale devaient être déposées au parquet du procureur de la République, vingt-quatre heures avant toute publication. L'Assemblée législative n'avait pas craint de rétablir ainsi indirectement la censure en subordonnant la libre publication des écrits à l'action discrétionnaire des préfets.

La peur devant les effets « pernicieux » du colportage dans les campagnes avait été grande dans les milieux conservateurs, comme le montre une circulaire du ministre de l'Intérieur : « Ce ne serait pas comprendre le sens de la loi et le vœu du législateur que d'interdire seulement le colportage des écrits ou des emblèmes séditieux ou immoraux que les tribunaux auraient déjà condamnés : pour en venir là, il n'était pas besoin d'une loi nouvelle ; le droit ordinaire suffisait. Vous reconnaîtrez que des écrits dangereux peuvent échapper à l'action de la loi, au moyen de certains artifices de rédaction, et cependant produire le plus pernicieux effet sur l'esprit des habitants de la campagne, s'ils sont colportés et distribués à vil prix. Selon la loi, la faculté de colporter ne s'exerce pas comme un droit, mais comme une concession : l'autorité, responsable de l'ordre et protectrice de la morale, ne peut accorder de telles concessions aux dépens de l'ordre et de la morale » (5).

Malgré tout, de 1849 à 1851, le nombre de délits politiques commis par la presse non périodique, jugés par les assises, est respectivement de 40, 21 et 20, soit de 5 à 10 fois plus que sous le régime de la loi de 1835.

Le Second Empire

Le coup d'État de Louis-Napoléon, le 2 décembre 1851, allait replonger la presse dans l'arbitraire administratif. Le prince-président, au cours de la période dictatoriale d'apparence républicaine, restaura le régime mis au point par Napoléon Ier. Seule la presse périodique était expressément visée.

Le décret du 17 février 1852 autorisait des mesures répressives sévères et nombreuses, ainsi que des mesures préventives prohibitives. Aucun journal traitant de politique ou d'économie sociale ne pouvait être créé ou publié sans l'autorisation préalable du gouvernement. Le taux du cautionnement était relevé par rapport aux dispositions de 1848 ; il demeurait cependant moitié moins lourd que sous la monarchie de Juillet. Le droit de timbre était rétabli. L'article 32 prévoyait qu'un journal pouvait être suspendu après deux avertissements motivés, par décision ministérielle, alors même qu'il n'avait été l'objet d'aucune condamnation, ou être supprimé par décret du président de la République, soit après une suspension judiciaire ou administrative, soit par mesure de sûreté générale.

Le contingentement des brevets d'imprimeurs était également maintenu. Les contrôles furent renforcés, la transmission des brevets, même entre membres d'une même famille (lors d'un décès, par exemple), étant soumise à une enquête de moralité et d'obéissance au régime impérial.

On était revenu au système de la saisie administrative qui existait sous le Premier Empire, quoique cela ne fût pas prévu par le texte de 1852. On invoqua l'article 10 du Code d'instruction criminelle, qui donnait aux préfets le droit de faire tous les actes nécessaires à l'effet de constater les délits et contraventions, pour justifier la saisie d'un journal ou d'un ouvrage quelconque avant sa publication et en dehors de toute poursuite judiciaire. La publication d'un ouvrage pouvait être interdite sans qu'aucun grief précis eût été formulé contre lui et sans que l'auteur ou l'éditeur pût trouver une garantie quelconque devant les tribunaux.

C'est dans ces conditions que fut saisie l'*Histoire des princes de la maison de Condé,* écrite en exil par le duc d'Aumale. L'ouvrage était déjà imprimé et sur le point d'être publié, lorsque le gouvernement impérial en interdit la publication et le fit saisir chez l'éditeur, Michel Lévy, le 19 janvier 1863, par les soins du préfet de police. Le duc d'Aumale intenta un procès retentissant contre les ministres de l'Intérieur et des Finances, les préfets de police et de la Seine, qui dura six ans et se termina en sa faveur (6).

Les droits des auteurs et de leurs héritiers furent réaffirmés par la loi du 8 avril 1854. Celle-ci étendit à trente ans la durée de la jouissance accordée aux enfants à partir soit du décès de l'auteur, soit de l'extinction des droits de la veuve. Parallèlement, de nombreux accords internationaux furent contractés pour la garantie réciproque des productions de l'esprit, en particulier avec la Sardaigne, le Portugal, l'Angleterre, l'Espagne et la Belgique.

Dans les dernières années de l'Empire, un certain nombre de mesures furent prises allant dans le sens d'une libéralisation du régime. Parmi elles, la loi du 11 mai 1868 qui abrogea l'article 32 du décret de 1852, relatif aux avertissements et aux suspensions de journaux par voie administrative.

Quels furent les effets de la législation particulièrement coercitive du Second Empire ?

De 1852 à 1855, le nombre de délits politiques commis par la presse non périodique, jugés par les tribunaux correctionnels, est respectivement de 34, 20, 39 et 11. De 1856 à 1866 (7), le nombre annuel moyen d'affaires

À la suite de la promulgation de la loi du 9 septembre 1835, la *Caricature* réagit vivement dans ses colonnes et par ses illustrations, telle cette lithographie de Grandville et Desperet montrant de façon caricaturale la répression exercée contre les imprimeurs qui manifestaient trop d'audace (5ᵉ année, tome 10) 240 × 449 mm.

BULLETIN DES LOIS
DE LA RÉPUBLIQUE FRANÇAISE.
Nº 182.

RÉPUBLIQUE FRANÇAISE.
Liberté, Égalité, Fraternité.

AU NOM DU PEUPLE FRANÇAIS.

Nº 1478. — *Loi sur la Presse.*

Du 27 Juillet 1849.

L'ASSEMBLÉE NATIONALE LÉGISLATIVE A ADOPTÉ LA LOI dont la teneur suit :

CHAPITRE Iᵉʳ.

DÉLITS COMMIS PAR LA VOIE DE LA PRESSE OU PAR TOUTE AUTRE VOIE DE PUBLICATION.

6. Tous distributeurs ou colporteurs de livres, écrits, brochures, gravures et lithographies devront être pourvus d'une autorisation qui leur sera délivrée, pour le département de la Seine, par le préfet de police, et, pour les autres départements, par les préfets.

Ces autorisations pourront toujours être retirées par les autorités qui les auront délivrées.

Les contrevenants seront condamnés, par les tribunaux correctionnels, à un emprisonnement d'un mois à six mois et à une amende de vingt-cinq francs à cinq cents francs, sans préjudice des poursuites qui pourraient être dirigées pour crimes ou délits, soit contre les auteurs ou éditeurs de ces écrits, soit contre les distributeurs ou colporteurs eux-mêmes.

7. Indépendamment du dépôt prescrit par la loi du 21 octobre 1814, tous écrits traitant de matières politiques ou d'économie sociale et ayant moins de dix feuilles d'impression, autres que les journaux ou écrits périodiques, devront être déposés par l'imprimeur, au parquet du procureur de la République du lieu de l'impression, vingt-quatre heures avant toute publication et distribution.

L'imprimeur devra déclarer, au moment du dépôt, le nombre d'exemplaires qu'il aura tirés.

Il sera donné récépissé de la déclaration.

Toute contravention aux dispositions du présent article sera punie, par le tribunal de police correctionnelle, d'une amende de cent francs à cinq cents francs.

Réglementation du colportage de livres et gravures par la loi du 27 juillet 1849.

L'immeuble du Cercle
de la librairie, réalisé en 1878
par Charles Garnier à l'angle
du boulevard Saint-Germain et
de la rue Grégoire-de-Tours.

La grande salle qui servait aux assemblées générales,
aux expositions, aux bals et aux banquets.
(D'après Marius Vachon, *les Arts et industries
du papier en France*, 1871-1894. Paris, libr. impr. réunies,
[1894].)

Le Cercle de la librairie

C'est en 1847 que le libraire parisien Hébrard prenait l'initiative de proposer à ses confrères de créer un groupement où pourraient se réunir amicalement tous les professionnels du livre. La société était bientôt fondée sous l'appellation de Cercle de la librairie, avec comme premier président Ambroise Firmin-Didot.

Au moment de l'assemblée constitutive, 119 membres étaient inscrits, se répartissant ainsi : 68 libraires, 18 imprimeurs-typographes, 1 imprimeur lithographe, 3 imprimeurs en taille-douce, 14 fabricants de papier, 8 fondeurs de caractères, 1 fabricant d'encre, 1 brocheur, 5 agents de publicité.

Le premier conseil d'administration du Cercle de la librairie comprenait 8 représentants de la librairie et de l'édition, 4 représentants de la papeterie, 2 représentants de l'imprimerie, 1 représentant de la fonderie.

En 1848, le Cercle comptait 157 membres. En 1856, il acheta à Pillet la *Bibliographie de la France* qui paraissait depuis 1811 et qui allait être pour lui un élément d'activité accrue et un appui financier important.

En 1864 arriva à la présidence Louis Hachette qui procéda à une réorganisation des services et mit sur pied la bibliothèque technique.

À la fin des années 70, le Cercle de la librairie décida de faire construire un hôtel sur un terrain du boulevard Saint-Germain et de la rue Grégoire-de-Tours sur lequel s'élevait une maison de fâcheuse réputation, à l'enseigne du « Cœur volant ». Le soin de l'édification de l'immeuble destiné au Cercle de la librairie fut confié à l'architecte Charles Garnier, qui venait de terminer la construction de l'Opéra. L'inauguration officielle eut lieu le 4 décembre 1879 « dans une tempête de neige ».

« Dès 1880, une exposition réservée aux produits de l'imprimerie se tenait dans les salons de l'hôtel du Cercle de la librairie, qui reçut près de 7 000 visiteurs. Elle comprenait deux parties, offrant chacune un intérêt particulier. La partie ancienne, qui s'étendait des débuts de la typographie en France à la fin du XVIIIe siècle, comprenait — nous dit le catalogue — des produits choisis parmi les plus dignes de fixer l'attention des connaisseurs. C'est ainsi que l'on pouvait voir le premier livre avec figures sur métal qui ait été imprimé en France : les *Méditations* du cardinal de Torquemada, sorti des presses de Jean Neumeister, élève et associé de Gutenberg après le procès de 1455, qui s'établit à Albi en 1481, année que porte ce livre » (1).

L'essor était donné et désormais chaque année, sauf pendant les périodes de guerre, l'hôtel abrita une ou plusieurs expositions sur différents thèmes.

C'est sous la présidence d'Eugène Plon que le Cercle acquit l'immeuble mitoyen, 31, rue Grégoire-de-Tours, en vue de l'agrandissement de l'hôtel.

La promulgation de la loi du 21 mars 1884 sur les syndicats ouvrit de nouvelles perspectives, et deux ans plus tard, sous la présidence de Paul Delalain, le Cercle se transforma en syndicat professionnel. En 1889 fut fondé le syndicat patronal de la Reliure dont le siège fut fixé chez son secrétaire, 7, rue Coetlogon, mais qui eut immédiatement des rapports de bonne entente et de sympathie avec le Cercle.

Dès 1891, des pourparlers furent engagés entre libraires-éditeurs et libraires détaillants, qui aboutirent en 1892 à la création simultanée de deux syndicats : le syndicat national des Éditeurs et le syndicat des Libraires détaillants.

Un premier congrès d'imprimeurs de Paris et de province se tint à l'hôtel du Cercle de la librairie en 1894, qui aboutit à la création de l'Union des maîtres imprimeurs de France en 1895.

Parmi les présidents qui se sont succédé depuis cette date, mentionnons entre autres Jules Hetzel, René Fouret, Pierre Mainguet, Albert Gauthier-Villars, Louis Hachette, Paul Belin, Jules Tallandier, Joseph Bourdel, Maurice Languereau, Georges Baillière, Gabriel Beauchesne, Jacques Rodolphe-Rousseau, René Philippon. Après la libération, le Cercle rappela à sa tête Jacques Rodolphe-Rousseau.

1. J. Fléty, « Le Cercle de la librairie », *Art et métiers du livre*, n° 127, septembre-octobre 1983.

tombe à 5. La sévérité des tribunaux correctionnels est évidente : de 1852 à 1866, sur 231 prévenus, 80 % sont condamnés à l'amende ou à l'emprisonnement, alors que pour les mêmes délits, il n'y a que 31 % de condamnés par les cours d'assises de la monarchie de Juillet.

Les effets « libérateurs » de la loi de 1868 sont très sensibles sur la presse périodique : de 1852 à 1867, on compte en moyenne 9 affaires par an. Effet de la censure et de l'autocensure, on ne relève certaines années qu'un seul, ou même aucun, délit. En revanche, les années 1868, 1869 et 1870 voient respectivement 125, 117 et 85 affaires passer devant les tribunaux, l'absence de censure préalable ne supprimant pas la répression.

Les délits pour colportage apparaissent dans les statistiques du ministère de la Justice sous le Second Empire. Les affaires sont nombreuses : près de 160 par an, de 1852 à 1870. L'inquiétude des autorités devant ce mode difficilement contrôlable de l'écrit transparaît derrière la proportion de condamnés, 92 % des prévenus !

Les livres et gravures contraires aux bonnes mœurs sont également l'objet de l'attention des tribunaux. Si les affaires sont relativement peu nombreuses, moins de 7 par an, les prévenus sont condamnés dans 90 % des cas.

La défense de la morale publique était une priorité du décret de 1852, comme l'écrivait aux préfets le ministre de la Police générale pour leur rappeler leurs droits de contrôle préventif sur la publication des gravures : « Parmi les moyens employés pour ébranler et détruire les sentiments de réserve et de moralité qu'il est si essentiel de conserver au sein d'une société bien ordonnée, la gravure est un des plus dangereux. C'est qu'en effet la plus mauvaise page d'un mauvais livre a besoin de temps pour être lue, et d'un certain degré d'intelligence pour être comprise, tandis que la gravure offre une sorte de personnification de la pensée, elle lui donne du relief, elle lui communique, en quelque façon, le mouvement et la vie, présentant ainsi spontanément, dans une traduction à la portée de tous les esprits, la plus dangereuse de toutes les séductions, celle de l'exemple » (8).

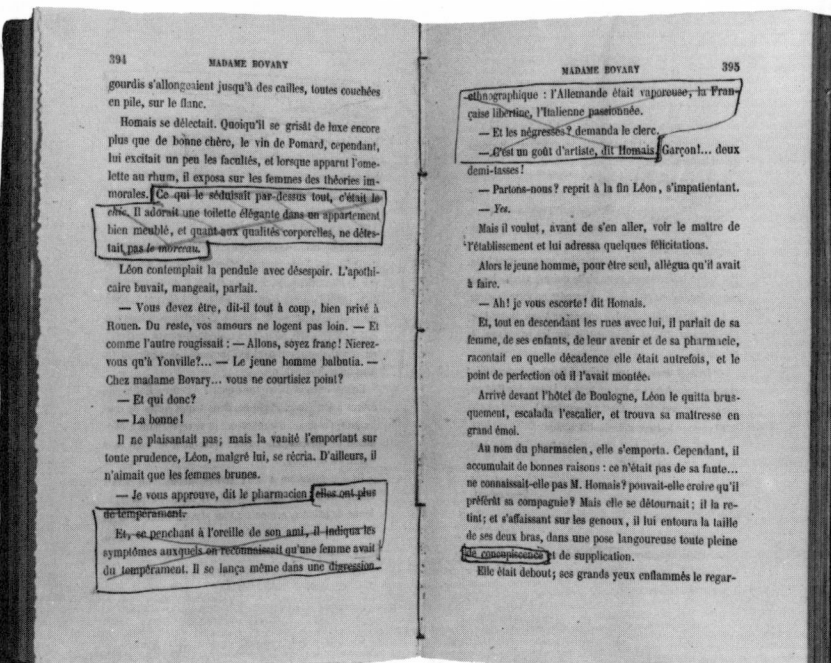

Sur cet exemplaire de l'édition originale de *Madame Bovary*, Flaubert a encadré et barré les passages de son roman qui avaient été supprimés dans la publication préoriginale de la *Revue de Paris*, ce qui n'avait pas empêché, du reste, l'inculpation d'outrage à la morale publique. H. 182 mm. (Bibliothèque historique de la Ville de Paris.)

Procès intenté à Flaubert à propos de *Madame Bovary* en 1857.

L'accusé, Gustave Flaubert.

L'avocat de la défense, Me Antoine-Marie-Jules Sénard, ancien ministre. (Photographie.)

Le Ministère public en la personne d'Ernest Pinard, avocat impérial. (Lithographie par Sirouy.)

PARTIE OFFICIELLE

Paris, 29 juillet 1881.

LOi sur la liberté de la presse.

Le Sénat et la Chambre des députés ont adopté,

Le Président de la République promulgue la loi dont la teneur suit :

CHAPITRE Ier

DE L'IMPRIMERIE ET DE LA LIBRAIRIE

Art. 1er. — L'imprimerie et la librairie sont libres.

Art. 2. — Tout imprimé rendu public, à l'exception des ouvrages dits de ville ou bilboquets, portera l'indication du nom et du domicile de l'imprimeur, à peine, contre celui-ci, d'une amende de 5 francs à 15 francs.

La peine de l'emprisonnement pourra être prononcée si, dans les douze mois précédents, l'imprimeur a été condamné pour contravention de même nature.

Art. 3. — Au moment de la publication de tout imprimé, il en sera fait, par l'imprimeur, sous peine d'une amende de 15 francs à 300 francs, un dépôt de deux exemplaires, destinés aux collections nationales.

Ce dépôt sera fait : au ministère de l'intérieur pour Paris; à la préfecture, pour les chefs-lieux de département; à la sous-préfecture, pour les chefs lieux d'arrondissement, et pour les autres villes, à la mairie.

L'acte de dépôt mentionnera le titre de l'imprimé et le chiffre du tirage.

Sont exceptés de cette disposition les bulletins de vote, les circulaires commerciales ou industrielles et les ouvrages dits de ville ou bilboquets.

Art. 4. — Les dispositions qui précèdent sont applicables à tous les genres d'imprimés ou de reproductions destinés à être publiés.

Toutefois, le dépôt prescrit par l'article précédent sera de trois exemplaires pour les estampes, la musique et en général les reproductions autres que les imprimés.

CHAPITRE II

DE LA PRESSE PÉRIODIQUE

§ 1er. — *Du droit de publication, de la gérance, de la déclaration et du dépôt au parquet.*

Art. 5. — Tout journal ou écrit périodique peut être publié, sans autorisation préalable et sans dépôt de cautionnement, après la déclaration prescrite par l'article 7.

Art. 6. — Tout journal ou écrit périodique aura un gérant.

Le gérant devra être Français, majeur, avoir la jouissance de ses droits civils et n'être privé de ses droits civiques par aucune condamnation judiciaire.

Art. 7. — Avant la publication de tout journal ou écrit périodique, il sera fait, au parquet du procureur de la République, une déclaration contenant :

1° Le titre du journal ou écrit périodique et son mode de publication ;

2° Le nom et la demeure du gérant;

3° L'indication de l'imprimerie où il doit être imprimé.

Toute mutation dans les conditions ci-dessus énumérées sera déclarée dans les cinq jours qui suivront.

Art. 8. — Les déclarations seront faites par écrit, sur papier timbré, et signées des gérants. Il en sera donné récépissé.

Art. 9. — En cas de contravention aux dispositions prescrites par les articles 6, 7, 8, le propriétaire, le gérant, ou, à défaut, l'imprimeur, seront punis d'une amende de 50 fr. à 500 fr.

Le journal ou écrit périodique ne pourra continuer sa publication qu'après avoir rempli les formalités ci-dessus prescrites, à peine, si la publication irrégulière continue, d'une amende de 100 francs, prononcée solidairement contre les mêmes personnes, pour chaque numéro publié à partir du jour de la prononciation du jugement de condamnation, si ce jugement est contradictoire, et du troisième jour qui suivra sa notification, s'il a été rendu par défaut; et ce, nonobstant opposition ou appel, si l'exécution provisoire est ordonnée.

Le condamné, même par défaut, peut interjeter appel. Il sera statué par la cour dans le délai de trois jours.

Art. 10. — Au moment de la publication de chaque feuille ou livraison du journal ou écrit

Loi de 1881 sur la liberté de la presse, parue au *Journal officiel*
du 24 juillet 1881. Début du texte.

NOUVELLE LOI SUR LA PRESSE.

— Tout journaliste ayant publié une fausse nouvelle ne pourra sortir pendant un mois sur la voie publique qu'accompagné d'un canard.

Lithographie humoristique de Cham
à propos des délits de presse,
extraite du *Charivari* du 4 juin 1875.
235 × 192 mm.

Le *Catalogue* de Drujon recense un grand nombre d'ouvrages condamnés comme étant contraires à la morale publique, alors même qu'il s'agit souvent de réimpressions de textes anciens (9).

L'affaire de ce type la plus célèbre concerne le roman de Gustave Flaubert, *Madame Bovary*. Flaubert fut jugé le 31 janvier 1857 par le tribunal correctionnel de Paris, en compagnie de Pichat et Pillet, gérant et imprimeur de la *Revue de Paris* (dans laquelle avaient été publiés des extraits du roman), sous l'inculpation « de délits d'outrage à la morale publique et religieuse et aux bonnes mœurs ». Le tribunal estimait que « la mission de la littérature [devait] être d'orner et de récréer l'esprit en élevant l'intelligence et en épurant les mœurs plus encore que d'imprimer le dégoût du vice en offrant le tableau des désordres qui peuvent exister dans la société ». Flaubert, se défendant d'avoir écrit une œuvre immorale, fut acquitté ainsi que ses « complices ». Les magistrats jugèrent, en effet, que les passages répréhensibles étaient peu nombreux par rapport à l'étendue de l'œuvre, dont était reconnue la qualité, et que ce livre n'avait pas été, « comme certaines œuvres, écrit dans le but unique de donner une satisfaction aux passions sensuelles, à l'esprit de licence et de débauche ou de ridiculiser des choses qui doivent être entourées du respect de tous » (10).

La Troisième République

Dès le 4 septembre 1870, jour de la proclamation de la République, le gouvernement de la Défense nationale décréta l'amnistie pour tous les délits de presse commis depuis le 3 décembre 1852. Le 10 septembre, les professions de libraire et d'imprimeur furent déclarées libres, toute personne qui voudrait exercer l'une ou l'autre n'étant tenue qu'à une simple déclaration au ministère de l'Intérieur. Le décret du 27 octobre suivant attribua aux jurys d'assises la connaissance des délits politiques et des délits de presse. La loi du 15 avril 1871 substitua au décret de 1852 des dispositions plus libérales empruntées aux textes de 1819 et de 1849. Mais la loi du 29 décembre 1875 confia de nouveau aux tribunaux correctionnels le jugement d'un grand nombre de délits de presse, en particulier les injures envers les corps constitués ou les délits commis contre les bonnes mœurs.

Les dispositions peu libérales de ce dernier texte régirent la presse jusqu'à la loi du 29 juillet 1881, qui fut, avec les lois sur l'instruction publique, la manifestation la plus significative de l'établissement définitif du régime républicain.

Son titre est à lui seul un manifeste, « loi sur la liberté de la presse », repris, avec une grandiose simplicité, par l'article 1 : « L'imprimerie et la librairie sont libres. » Les principales dispositions sont les suivantes : les publications doivent porter le nom et l'adresse de l'imprimeur et sont soumises au Dépôt légal, à l'exception des « ouvrages de ville » ; tout journal peut être publié sans autorisation préalable ni dépôt de cautionnement, à condition de déclarer au parquet du procureur de la République son titre et l'identité du gérant ; le colportage est autorisé sur simple déclaration à la préfecture ; les délits sont explicitement énumérés et non plus soumis à l'arbitraire des autorités du moment (offense au président de la République et aux chefs d'État étrangers, publication de fausses nouvelles, outrage aux bonnes mœurs, diffamation) ; la compétence des cours d'assises est réaffirmée, sauf pour les cas de diffamation envers des particuliers.

Ce texte essentiel ne s'ajoutait pas à la législation antérieure ; il faisait table rase de tous les textes promulgués depuis le Premier Empire. C'était un véritable code de la presse, comme l'expliquait le garde des Sceaux, dans sa circulaire du 9 novembre 1881 (11) : « Les lois fondamentales de 1819 avaient défini méthodiquement les délits et réglé la procédure, mais elles avaient laissé en dehors de leurs prévisions toute la matière des instruments de publication [...]. Depuis lors, les lois nouvelles se sont accumulées ; elles se sont ajoutées les unes aux autres, subsistant toutes ensemble et ne s'abrogeant que dans leurs dispositions contraires. Nées, la plupart, des circonstances, elles ont presque toutes, sauf de rares retours à la liberté selon les régimes, étendu indéfiniment le domaine de la réglementation et de la répression. L'opinion publique réclamait depuis longtemps, avec l'abrogation de cette législation surannée, une loi nouvelle et complète sur la matière. Il était réservé à notre dernière législature d'entreprendre et mener à fin cette œuvre considérable. La loi qui est sortie de ses délibérations a été définie d'un mot : c'est une loi de liberté, telle que la presse n'en a jamais eue en aucun temps. »

Notes

1. Voir *Histoire de l'édition française*, tome 2, pp. 536-541.

2. *Le Moniteur universel*, 5 août 1835, pp. 1812-1813.

3. *Le Moniteur universel*, 22 août 1835, p. 1928.

4. *Compte général de l'administration de la justice criminelle en France...*

5. *Bulletin officiel du ministère de l'Intérieur*, 1849, p. 290.

6. R. Cazelles, *Le Duc d'Aumale*, Paris, 1984, pp. 180-182.

7. *Compte général de l'administration de la justice criminelle...* (De 1867 à 1870, les statistiques sont globales, sans indication de la nature précise des délits.)

8. Circulaire du 30 mars 1852, reproduite dans G. Rousset, *Nouveau Code annoté de la presse...*, Paris, 1856, p. 177.

9. F. Drujon, *Catalogue des ouvrages... poursuivis, supprimés ou condamnés depuis le 21 octobre 1814 jusqu'au 31 juillet 1877*, Paris, 1879. Voir, en particulier, les ouvrages publiés et vendus par le libraire-éditeur Jules Gay.

10. *Gazette des tribunaux*, 8 février 1857, p. 145.

11. *Bulletin officiel du ministère de la Justice*, 1881, pp. 122-123.

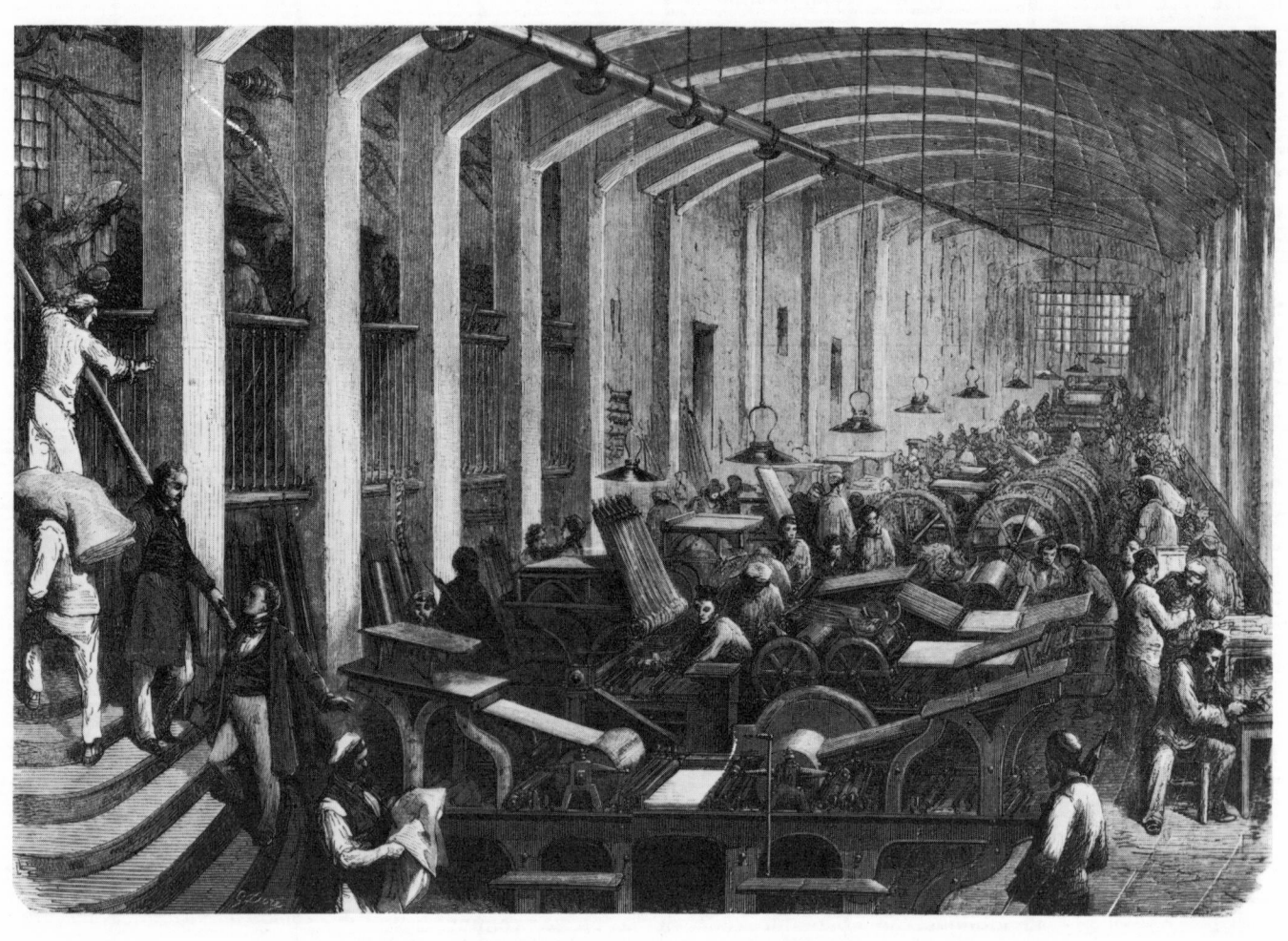

L'atelier des machines de l'imprimerie Lahure, à Paris, en 1854,
gravure sur bois d'après Gustave Doré.
À gauche sur la cinquième marche le directeur de l'imprimerie,
Auguste Lahure (1809-1897).

L'industrialisation des techniques

par Frédéric Barbier

Le processus d'innovation technique, qui marque dans une large mesure la fin de la logique gutenbergienne et le passage à l'industrialisation proprement dite, s'étend pratiquement sur plus d'un siècle. Son étude, qui a jusqu'ici principalement été conduite sur le seul plan de la pure histoire des techniques, demanderait à être prolongée dans deux directions.

En amont, il faut souligner, à la suite de Lucien Febvre, que, d'une manière générale, l'histoire des techniques devrait être « œuvre de techniciens (...), mais ne s'enfermant ni dans leur époque, ni dans leur territoire, et donc capables non seulement de comprendre et de décrire, mais encore de reconstituer un outillage mental ».

La notion fondamentale pour penser ainsi l'invention technique, dégagée notamment par Bertrand Gille (1), est celle de « système technique », dont l'évolution dépasse en les englobant les évolutions des techniques isolées. Dans cette optique, la somme des techniques utilisées par une certaine civilisation à une époque donnée constitue une structure logique, dont tous les éléments, interdépendants les uns des autres, sont liés, à des degrés évidemment divers. Ce premier point suggère deux observations. Ce « système technique » peut être avec profit considéré comme une structure, dont il possède les trois propriétés fondamentales de totalité, de transformation et d'autorégulation (2). Système se suffisant à lui-même (c'est l'idée de totalité) (3), mais aussi système en transformation constante et pourvu d'un mécanisme d'autorégulation : dans un premier temps, un changement technique ne peut apparaître et se développer pleinement que s'il n'est pas en contradiction avec l'ensemble du système ; dans un second temps, l'adoption d'une certaine invention est génératrice d'un déséquilibre ponc-

tuel, corrigé par une lente adaptation des autres éléments, par la mise au point et l'adoption d'autres innovations, etc. Le système tend ainsi à retrouver son équilibre global, et c'est le développement de ce processus très complexe qui explique la longue durée — plus d'un siècle — sur laquelle s'étend en fait ce que l'on a appelé la « seconde révolution du livre » (4).

Voici donc éclairées les conditions d'apparition du progrès technique, puis la logique interne suivant laquelle celui-ci se déroule : parvenu à ce stade, il reste à aborder, en aval, le délicat problème de l'adoption et de l'expansion des technologies nouvelles, en s'efforçant notamment d'en retracer la chronologie et la géographie.

Il faut en effet que l'invention soit économiquement viable, ce qui débouche rapidement sur une multitude de problèmes. L'invention doit avoir un marché, elle doit donc être produite dans des conditions économiques acceptables permettant aux utilisateurs éventuels de rembourser les investissements qu'elle aura supposés (problème qui pose celui des conditions mêmes de l'investissement). Il arrive d'autre part, de plus en plus souvent, que l'adoption d'une technologie nouvelle à caractère industriel implique à court terme une réorganisation parfois très profonde des entreprises : c'est le cas, notamment, dès que l'on utilise la force motrice de la vapeur. Enfin, il ne sert à rien de produire davantage — et souvent moins cher — si l'on se trouve

dans l'impossibilité de diffuser sa marchandise — en l'occurrence des livres — dans des conditions convenables de rapidité : d'où des problèmes de transport, mais aussi d'organisation des circuits commerciaux, de législation (5), de publicité, etc.

Nous nous trouvons donc devant un jeu complexe d'interactions, qu'il convient de démonter lorsque l'on aborde l'étude d'un processus d'innovation technique. La finalité de toute innovation technique est une finalité économique : « une technique doit s'insérer dans un système de prix, dans une organisation de production, faute de quoi elle n'a plus d'intérêt (...). À la limite, les techniques artisanales ont pu subsister grâce à une demande particulière (6). C'est sur le marché et dans le calcul des marges bénéficiaires que la technique s'impose ou se voit refusée » (B. Gille).

Inutile de préciser que nous ne donnerons ici qu'un état des connaissances et des questions, plutôt qu'une synthèse, bien des points de la problématique que nous venons de tracer restant à étudier pour ce qui regarde l'histoire du livre français au XIXe siècle.

▌ La seconde révolution du livre

Nous ne reviendrons pas ici sur des questions qui ont été précédemment traitées, mais nous nous bornerons à rappeler rapidement les grands traits de

Vaste ensemble de la machine à papier continu de l'Usine Vacquerel, depuis les cuves contenant
la pâte à papier qui sera versée sur la toile métallique sans fin, jusqu'aux rames de papier
empilées sur des chariots, en passant par les caisses aspirantes pour l'élimination de l'eau,
les presses et enfin les cylindres de séchage.
(D'après M. Vachon, *Les Arts et les industries du papier, en France*, 1871-1894.
Paris, Libr. Impr. réunies [1894].)

La fabrication du papier

Contrairement à une opinion répandue, le remplacement progressif du chiffon par le bois comme matière première à la fabrication du papier n'explique pas seul la dégradation de la qualité des papiers à partir du XIXᵉ siècle. Il s'inscrit dans un ensemble de transformations qui pour augmenter la productivité sacrifie souvent la qualité à la quantité.

L'augmentation de la production du papier a été rendue possible grâce à l'invention de la « pile hollandaise » et à celle de la machine à papier (1), dont un prototype est mis au point en 1798 par Nicolas Louis Robert, collaborateur de François Didot à la papeterie d'Essonnes. En 1801, le fils de François Didot, associé à son beau-frère John Gamble et aidé de Donkin, prend un brevet anglais sur ce procédé. Les premiers essais sont effectués à la papeterie des frères Fourdrinier. Cette machine fonctionne de la façon suivante : la suspension fibreuse de la pâte à papier est déversée de façon continue sur la toile métallique sans fin en mouvement ; le matelas fibreux obtenu passe ensuite au-dessus de caisses aspirantes qui éliminent une partie de l'eau, puis il entre dans la section des presses ; lorsque la feuille quitte cette section, elle contient encore

environ 60 % d'eau. Cette humidité restante est éliminée dans la section « sécherie » où la feuille passe entre des cylindres chauffés intérieurement par de la vapeur. Quelques détails sont apportés à la machine à papier en 1830 par Barret qui ajoute aux toiles mécaniques sans fin des filigranes et, en 1831, par Jequier qui invente le moyen de donner au papier mécanique l'apparence du papier vergé fabriqué à la main. Vers les années 1850-1870 se développent les sections de lissage, satinage, glaçage, etc. La machine à papier acquiert ses caractéristiques définitives autour de 1880, lorsque apparaissent les premières usines de machines-outils spécialisées dans sa production, et ne subit pratiquement plus de modifications importantes jusqu'aux années cinquante de notre siècle, si ce n'est le passage de la machine à vapeur à la machine électrique. Il est à noter que le papier machine est soumis à plus de contraintes (traction, séchage…) que le papier fait à la main, ce qui a une répercussion sur sa qualité.

La mécanisation de la mise en feuille entraîne également d'autres transformations. L'encollage traditionnel à la gélatine, coûteux, lent et difficile à appliquer à la machine à papier, est progressivement rem-

placé par l'encollage à la résine, plus facile et peu onéreux. Ce procédé inventé par Illig en 1806 et généralisé à partir de 1826, consiste à verser dans la pile un savon de résine, généralement obtenu de la colophane, que l'on précipite sur les fibres cellulosiques avec de l'alun ou du sulfate d'alumine. Le procédé, toujours utilisé — la plupart des papiers fabriqués actuellement sont encollés à la résine — a un effet très négatif sur la résistance au vieillissement des papiers, car les ions sulfates présents à la suite de l'encollage produisent, en contact avec l'humidité de l'air, de l'acide sulfurique qui détruit peu à peu le papier. À partir du XIXᵉ siècle, même les papiers faits à la cuve sont souvent encollés ainsi (2).

À l'origine, les papiers étaient blanchis par exposition au soleil ; ce processus lent est remplacé à partir du début du XIXᵉ siècle par le blanchiment au chlore, très efficace, rapide et permettant de blanchir les chiffons teintés et plus tard les pâtes obtenues à partir des succédanés de chiffon, telles que la paille et la pâte chimique de bois. Malheureusement, de nombreux abus sont commis en voulant blanchir à outrance. En effet, le chlore employé à l'état gazeux et le chlorure de chaux que quelques fabricants, par ignorance, mettent en poudre dans la pile pour donner aux pâtes plus de blancheur altèrent la qualité du papier. Les papiers jaunissent, deviennent friables et tombent en poussière (3, 4).

Malgré toutes ces découvertes, la question du remplacement du chiffon par une autre matière première reste toujours posée. La « pile hollandaise » et la machine à papier, en augmentant considérablement les capacités de production papetière, rendent plus aigu le problème de l'alimentation en matière première. Il faut attendre la moitié du XIXe siècle et les progrès réalisés en chimie pour qu'apparaissent de véritables solutions de rechange, acceptables du point de vue industriel. Depuis les essais de Koops pour fabriquer du papier avec de la paille, des déchets de chanvre et de lin et différentes sortes de bois et d'écorces, les brevets se multiplient. Les recherches portent essentiellement sur la paille, l'alfa et d'autres plantes annuelles. En 1854, Mellier prend un brevet pour la fabrication de la pâte à partir de la paille dont le rendement en cellulose est meilleur que celui d'autres plantes. Le traitement chimique n'est pas différent de celui que l'on fait subir à l'époque au chiffon : lessivage à la soude et blanchiment au chlorure de chaux. Vers 1860, la paille est universellement employée comme succédané de chiffon. Ces papiers sans consistance, assez minces, mais d'un épair irréprochable se sont relativement bien conservés. La pâte de paille est souvent mélangée à d'autres pâtes.

En 1844, Keller invente la machine à râper les rondins de bois afin de produire une pâte appelée par la suite pâte mécanique. En 1860, le papetier allemand Voelter perfectionne l'appareil pour le rendre utilisable industriellement. Le bois, préalablement écorcé et taillé en buchettes, est râpé en présence d'eau. La pâte mécanique ne peut être employée seule dans la fabrication du papier, car elle ne peut pas feutrer et donner une feuille résistante. On doit plutôt la considérer comme une matière de remplissage, destinée à diminuer le prix de revient du papier. D'après son mode de fabrication, la pâte mécanique contient tous les éléments non cellulosiques du bois, la lignine en particulier. Ces produits peu stables s'altèrent beaucoup plus vite que la cellulose : le papier devient jaune et friable. À partir des années 1870, les pâtes mécaniques entrent massivement dans la production papetière (5, 6).

Pour vraiment produire des succédanés de chiffon à partir du bois, il faut attendre jusqu'en 1850-1860, période où les connaissances des propriétés chimiques de la cellulose progressent d'un grand pas. Payen démontre notamment que la cellulose résiste aux agents chimiques comme les alcalis bouillants et les acides étendus, tandis que les incrustants se solubilisent et se colorent. Désormais, il est possible d'imaginer un procédé chimique qui permet d'éliminer tous les constituants non cellulosiques sans attaquer la cellulose elle-même. Les pâtes chimiques de bois naissent lorsque Watt et Burgess proposent en 1850 un procédé alcalin à la soude caustique pour obtenir de la pâte à partir du bois. En 1857, ce procédé est breveté par Houghton. Le remplacement de la soude par le sulfate est dû à Dahl, en 1882. En 1867, Tilgmann invente le procédé acide du bisulfite. Dans les pâtes chimiques de bois, une fraction importante des constituants du végétal original, à savoir la lignine, et une partie des hémicelluloses sont éliminés, grâce à une cuisson plus ou moins prolongée à température et pression élevées, ce qui explique leur meilleure résistance au vieillissement par rapport aux pâtes mécaniques. La pâte obtenue après désintégration, dite écrue, peut être blanchie. Les pâtes chimiques entrent généralement seules ou en mélange dans les papiers d'édition courante. Grâce à l'invention de la pâte chimique de bois, le problème de pénurie de matière première est résolu pendant longtemps.

Très tôt cependant, on se rend compte que les papiers fabriqués essentiellement à partir de la seconde moitié du XIXe siècle vieillissent très mal (7). L'emploi de la pâte mécanique de bois et l'acidité restant dans les papiers à la suite des divers traitements chimiques (obtention de la pâte, blanchiment, et surtout encollage) semblent être les principaux responsables. Les résidus acides en présence de la lumière, de la chaleur et de l'humidité précipitent la dégradation des papiers. Ainsi, parmi les deux millions de livres français publiés entre 1875 et 1960 et conservés à la Bibliothèque nationale, 90 000 sont irrémédiablement perdus, 580 000 en danger à court terme et 600 000 à moyen terme (8). Or, la Bibliothèque nationale est la seule collection publique à posséder la totalité des ouvrages imprimés en France, et un grand nombre d'entre eux ne se trouvent dans aucune autre bibliothèque. S'ils disparaissent, c'est une partie de la mémoire culturelle de la France qui est perdue. La situation est comparable dans la plupart des bibliothèques mondiales et des plans de sauvegarde par microfilmage et désacidification sont en train d'être adoptés.

Astrid-C. Brandt

1. R. H. Clappeton, *The Papermaking machine*. Londres, 1967.

2. Georges Olmer, *Du Papier mécanique et de ses apprêts dans diverses impressions*, Paris, Libr. ancienne et moderne, E. Rouveyre, 1882.

3. A. F.-Didot, *L'imprimerie, la librairie et la papeterie à l'exposition universelle de 1851*, Paris, 1854.

4. John Murray, *Pratical Remarks on modern paper*, Blackwood, Edimbourg, 1829. Réédition, North Hills, Pa. 1981.

5. M. Jolivet, *Notice sur l'emploi du bois dans la fabrication du papier*, Paris, 1877.

6. J. Hochstetter, *De l'emploi de la pâte de bois dans la fabrication des papiers*, Lille, 1889.

7. M.-S. Kantrowitz, *Permanence and durability of paper : an annotated bibliography of the technical literature from 1885 A. D. ; to 1939 A. D.*, Washington, 1940.

8. G. Le Rider, « Sauvegarde des collections de la Bibliothèque nationale », *Bulletin de la Bibliothèque nationale*, 3, 1979, pp. 99-103.

la conjoncture nouvelle qui se développe à partir des années 1730 et conditionne au départ le renouvellement des techniques.

Une observation à caractère général, d'abord : la « seconde révolution du livre » ne constitue nullement un fait isolé, bien au contraire, elle s'insère dans un changement global du système technique dont les préliminaires sont à rechercher probablement dans l'émergence d'une structure démographique nouvelle (7) et dans l'inversion tendancielle des courbes économiques (8) : « il est remarquable de constater (...) que toutes les courbes du mouvement économique pris dans son ensemble se relèvent vigoureusement entre 1730 et 1760, c'est-à-dire au moment où se situe une part importante de l'effort de rénovation technique, avant même qu'il n'ait pu faire sentir ses effets. Il faut donc constater que la reprise économique précède incontestablement l'établissement du nouveau système technique (...). Cela nous induirait à penser que, au moins à un certain stade de développement, il pourrait y avoir comme un prédémarrage concordant avec la poussée démographique et d'autres phénomènes, et une mutation technique imperceptible. C'est seulement après que viendraient et la véritable mutation technique, et le véritable démarrage de la croissance » (B. Gille). Dans le domaine des techniques du livre, l'observation confirme pleinement cette logique.

Non seulement la « seconde révolution du livre » intervient dans un processus général d'inversion des tendances, mais elle s'intègre dans un changement d'ensemble du niveau technique : un processus d'innovation ne peut se développer dans un domaine déterminé que s'il n'est pas en contradiction avec le « macrosystème » des techniques dont il participe (9). Un des éléments fondamentaux est évidemment constitué par le problème du matériau : la machine pré-industrielle (en l'occurrence, la presse typographique gutenbergienne) est une machine de bois, ce qui a pour double conséquence une médiocrité relative de fonctionnement, par suite du jeu intervenant entre les divers éléments, et l'impossibilité d'obtenir rapidement une production très élevée. Cette machine demeure pratiquement un travail de charpentier, et, jusque dans les années 1760, il n'existe pas de machines-outils telles que par exemple les machines à fileter (permettant d'obtenir des vis et des écrous) : il est donc impossible de fabriquer les pièces isolées devant ensuite entrer dans la composition d'une presse métallique comme la presse Stanhope.

Or, voici que ce système séculaire de l'économie et de la technique du bois bouge à partir précisément des années 1760 (10) : les progrès de la sidérurgie rendent désormais possible d'obtenir un métal plus résistant, plus abondant et plus facile à travailler, les machines nouvelles que l'on construit peu à peu sont susceptibles d'une productivité accrue, et de nouvelles sources d'énergie permettent d'en tirer plus complètement profit. Et nous nous trouvons bientôt devant la trilogie machine métallique-houille-utilisation de la vapeur, qui sert de base au système technique du XIXᵉ siècle industriel : l'impulsion de départ est donnée, le système technique conduisant à l'âge industriel peut se développer, mais le développement de la logique nouvelle s'étendra pratiquement sur plus d'un siècle. Ajoutons que ce mouvement s'accompagne d'un mouvement concomitant d'expansion du public des lecteurs, par le biais notamment de l'alphabétisation (11).

Les préliminaires de l'innovation technologique. Le papier

Au cours du « second XVIIIᵉ siècle », un premier équilibre est rompu entre la demande du public des lecteurs et les moyens (commerciaux comme techniques) de la satisfaire. Un premier processus d'adaptation se développe donc, processus qui entraîne à son tour un certain nombre de déséquilibres et qui tend ainsi à se propager à travers l'ensemble du séculaire système gutenbergien. Rappelons en quelques lignes les premières ruptures, qui touchent d'abord la presse typographique elle-même, profondément modifiée par une succession d'améliorations techniques ponctuelles : de la presse bâloise de Haas, en 1772, à la presse à un coup de Laurent Anisson (1783), à la presse métallique Stanhope, enfin à la première presse mécanique à vapeur de

König et Bauer. En un demi-siècle, la productivité (mesurée en capacité horaire de tirage) est sextuplée.

Second complexe d'innovation, celui du papier. La peur du manque de matière première (de chiffe) agite déjà les rédacteurs de l'*Encyclopédie méthodique*. Le 29 nivôse an VII (12), Louis-Nicolas Robert, employé de Léger Didot à Essonnes, prend un brevet pour une machine à papier continu, qui introduit la logique du rouleau face à celle du traditionnel va-et-vient (13). L'histoire de la mécanisation de l'industrie papetière française reste à écrire, mais d'importants ensembles se constituent rapidement, et il semble bien que, par ailleurs, à partir de la Restauration, les entreprises papetières aient joué un rôle important comme bailleurs de fonds des principales imprimeries et librairies. Lors de la grande crise de la librairie parisienne, autour de 1830, nous retrouvons bon nombre de papetiers, et pour de fortes sommes, parmi les créanciers des entreprises en faillite. L'une des plus importantes de ces maisons est la papeterie du Marais, dont les établissements principaux sont installés dans le petit bourg de Jouy-sur-Morin, en Seine-et-Marne. L'évocation de ses débuts met en évidence les voies employées pour rassembler le capital nécessaire au lancement d'une fabrication sur des bases réellement « industrielles ».

L'acte de fondation de cette société anonyme, passé les 15 et 27 février 1828 (14), précise qu'il s'agit de « donner à l'exploitation des papeteries (...) du Marais-Sainte-Marie et Laplanche toute l'extension dont elle est susceptible ». La société nouvelle est prévue pour trente ans, avec un capital de 1,8 million de francs, somme divisée en 1 800 actions de 1 000 francs chacune. Parmi les associés, plusieurs papetiers (15), des propriétaires (16), des administrateurs et membres de professions libérales — notamment des avocats (17) —, le comte de Tascher, pair de France, mais aussi des négociants, un marchand de vins, un boulanger de Jouy-sur-Morin, un peintre-doreur, etc.

Au total donc, un groupe relativement disparate, représentatif peut-être des élites de l'argent constituées sous la Révolution et l'Empire, auxquelles

les papetiers de Seine-et-Marne se sont adressés pour effectuer dans leur affaire les investissements qu'ils estimaient nécessaires. L'opération se révélera rapidement très profitable : la Société anonyme du Marais, qui reçoit deux médailles d'or pour ses productions aux Expositions de 1834 et 1839, possède, en 1840, six cuves de papiers « faits de main d'homme » et quatre mécaniques (18). Parmi ses spécialités, outre les types traditionnels de papier, les « papiers à billets pour actions » et les cartons fabriqués mécaniquement pour les relieurs.

Au milieu du XIXᵉ siècle, l'industrie française du papier a su investir pour sa modernisation et est regardée comme une des plus importantes en Europe. Les principales entreprises sont alors, à côté de la Société du Marais, les papetiers du Sud-Est : Blanchet et Kléber à Rives (Isère), Lombard, Latune et Cie à Crest (Drôme) (19), Rabourdin, dont les deux établissements de Cusset (Allier) et de Villeret (Loire) font un chiffre d'affaires annuel estimé à environ 700 000 francs, et, bien évidemment, les Montgolfier à Annonay. Dans le Sud-Ouest, nous rencontrons d'abord les localisations traditionnelles de l'Angoumois : à Nersac, Laroche-Joubert et Dumergue et Cie font, quant à eux, un chiffre d'affaires annuel de 1 million de francs. Paul et Cardaillac viennent de créer une papeterie mécanique à Toulouse, mais ils possèdent une autre usine à Bagnères, et ils ont également investi à l'étranger puisqu'ils ont financé une usine de papier à Valladolid. Dans le Tarn, voici Coste et Desgatz-Ricole, qui fabriquent du papier à la cuve depuis 1785 et ont installé des mécaniques à papier continu en 1825.

L'Est est également une région traditionnellement spécialisée dans la papeterie : la Société anonyme du Souche, dans les Vosges, possède trois « grandes machines », emploie 325 ouvriers et produit quelque 500 tonnes par an. En 1854, l'imprimerie d'Oscar Berger-Levrault à Strasbourg s'approvisionne auprès des grands fournisseurs nationaux (Blanchet et Kléber, Laroche-Joubert et Montgolfier), mais aussi auprès d'un grand nombre de papetiers vosgiens, alsaciens et lorrains, tels Schwindenhammer frères à Turckheim,

André Kremer à Zinswiller, Kiener frères à Colmar, Zuber et Rieder à Rixheim, Bichelberger à Nancy, Lamy à Ars, etc. (20). Enfin, voici la région parisienne, avec les papeteries d'Essonnes, les usines de Seine-et-Marne et celles de l'Eure (21). Il paraît certain, au total, et en l'absence malheureusement de travaux universitaires plus précis sur cette activité industrielle, que la papeterie française a bien effectué sa première transformation industrielle avec l'installation en nombre de mécaniques à papier continu, autour des années 1820.

Second temps fort dans la révolution papetière, l'abandon progressif de la chiffe au profit de la pâte à bois. L'invention date de 1867 et est fondée sur l'utilisation du bois réduit en poudre, soit que l'on se borne à une fabrication exclusivement mécanique de la pâte, soit que l'on passe d'abord les copeaux de bois au bisulfite, de manière à ne conserver que la cellulose. Dans la pratique, les fabricants mélangeront des pâtes de différentes origines selon des dosages variables, et disposeront ainsi d'une multiplicité de types différents de papiers. Mais, contrairement à la première phase d'innovation (celle du papier continu), les entrepreneurs français prennent ici un retard sensible sur leurs concurrents étrangers, préférant longtemps la meilleure qualité et la beauté du papier traditionnel au papier obtenu à partir de la pâte à bois. Dès 1873, le rapporteur à l'Exposition de Vienne lance cet avertissement : « il importe que la papeterie française veille avec soin à son exportation, et qu'elle multiplie ses efforts pour ne pas se laisser déborder par ses rivales, dont la production (...) dépasse également les limites des demandes de leurs propres marchés » (22).

Plus grave, l'*Internationale Papierstatistik,* publiée par Franz Krawany à Berlin et à Vienne en 1911, met en évidence le retard français face aux autres concurrents d'Europe centrale et de Scandinavie : en 1908, la France s'inscrit, pour les importations et les exportations de papier, avec un solde négatif de 48 millions de couronnes autrichiennes, le second du monde en importance après celui de l'Angleterre — par comparaison, la Suède, la Hollande et l'Empire d'Allemagne ont des soldes positifs de 103, 99 et 85 mil-

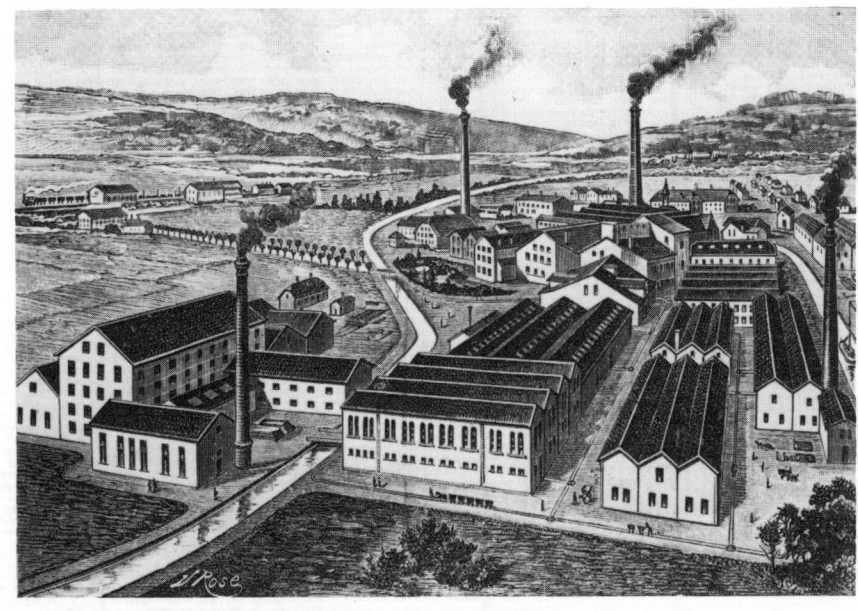

Vue générale d'une des papeteries de l'Est de la France en 1904, la Société Anonyme des Papeteries du Souche dans les Vosges. (Revue des industries du livre, n° 91, avril 1904.)

Hippolyte Marinoni construisit une presse rotative utilisant du papier en bobine et permettant l'impression automatique des deux côtés du papier : c'est le modèle représenté ci-dessus. (D'après H. Fournier, *Traité de la typographie.* Paris, Garnier, 1919.)

Deux opératrices au travail sur les machines du procédé Delcambre, machine à composer à droite, machine à distribuer à gauche.

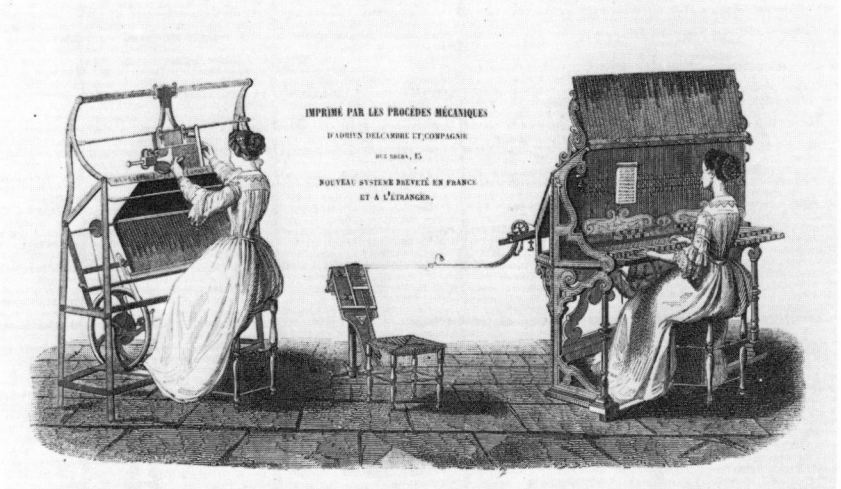

Abbé M., *Vies édifiantes
de quelques enfants chrétiens.*
M. Ardant fr., 1857, gr. 8°.
Percaline dorée et mosaïquée —
(285 × 185 × 25).
(Bibliothèque de l'Institut national
de recherches pédagogiques.)

Un grand éditeur-relieur de province :
Martial Ardant frères à Limoges

La maison d'édition Martial Ardant frères était l'une des plus importantes de la deuxième moitié du XIXe siècle. Spécialisée dans les livres de prix et de prières, elle avait de larges débouchés et publia quantité de petits volumes cartonnés et de grands livres dorés et mosaïqués recherchés aujourd'hui sous le nom de cartonnages romantiques.

C'est d'une imprimerie de livres de colportage, fondée en 1807 par Martial Ardant, que naquit trente ans plus tard la Société Martial Ardant frères (ses fils) d'imprimerie-librairie, de laquelle se détacha encore, en 1858, la maison F. F. Ardant frères. La Société regroupait à Limoges imprimerie, fonderie et stéréotypie, fabrique de papier et de carton et faisait travailler de nombreux relieurs. Cette « librairie des bons livres » avait des publications variées et une production abondante : elle proposait par exemple en 1854, dans son seul catalogue pour les distributions de prix, 431 titres, « depuis l'in-folio jusqu'à l'in-128 », répartis en vingt et une séries. Cette même année, elle imprimait soixante-quatre ouvrages et on sait qu'au moment de l'inventaire trois cent mille volumes se trouvaient chez les relieurs. Toute la production était en effet reliée ou cartonnée, et pour ses livres d'église, de prix ou d'usage, elle devait réaliser toutes sortes de reliures de chagrin, de velours ou de basane et de car-

tonnages de percaline ou de papier, au décor simple ou abondant (voir planche 26).

Cependant, Martial Ardant frères, « éditeur-relieur », n'avait pas d'atelier propre et répartissait le travail entre les relieurs de Limoges, contribuant à en maintenir un nombre élevé dans la ville. Car, loin des ateliers parisiens qui s'étaient montés pour répondre aux demandes de l'édition, il dut organiser lui-même la fabrication de ses cartonnages et reliures en faisant venir les fournitures et les machines nécessaires (en 1852 il achetait à Steinmetz sa presse à dorer à vapeur). Il s'adressait aussi, jusqu'en 1845, à des relieurs de Paris et à Maitre, à Dijon, spécialisés dans la reliure de livres religieux qu'ils pratiquaient en grand. À Limoges, il fit travailler entre 1838 et 1862 quarante-trois ateliers différents. Mais avec l'augmentation de sa production, et donc du nombre de livres à relier, certains ateliers se développèrent et se spécialisèrent et, de vingt-trois en 1842, ils ne furent plus que dix en 1854 et cinq en 1862 à relier pour Ardant. Enfin, en 1861, la Société rachetait le plus important d'entre eux, ce qui marquait bien le lien nécessaire qui existait entre ce type d'édition et la reliure.

La correspondance avec les fournisseurs, qui est conservée, permet de bien connaître les matières premières employées et les

quantités utilisées. Chaque année, la Société M. Ardant fr. achetait trois mille mètres de percaline, dont les deux tiers en hiver, époque de préparation des livres de prix ; elle faisait graver trois ou quatre plaques à dorer pour les cartonnages de percaline et autant de plaques à gaufrer pour les reliures de basane, car il fallait renouveler les décors. Elle achetait de l'or et du cuivre en feuilles pour la dorure. Afin de varier les modèles des couvertures de papier gaufré, elle partageait entre plusieurs lithographes les commandes qui se passaient par milliers ou dizaines de mille et se montaient à environ deux cent mille. Le velours pour les livres religieux venait de Lyon et les garnitures étaient achetées aux bijoutiers de la rue Saint-Martin à Paris.

La concurrence était grande avec les autres éditeurs de province à tendance catholique — Mame à Tours, Barbou à Limoges, Mégard à Rouen, Lefort à Lille (voir planches 24, 25) — dont les publications semblables s'adressaient au même marché. Il en résulta, à partir de 1859, une importante baisse des prix, et en conséquence de la qualité, des livres comme des couvertures. Mais presque toutes ces maisons, et en particulier Ardant, durèrent jusqu'aux années 1960, quand livres de prix et livres de prières disparurent…

Sophie Malavieille

		1875	1900	1905	1908
Allemagne	Quintaux	2,3	7,2	11,8	13,5
	Indice	100	313	516	588
France	Quintaux	1,5	3,5	4,9	6
	Indice	100	234	330	404

Production annuelle de papier (millions de quintaux).

lions de couronnes. La production française a rapidement augmenté sous la Troisième République, moins vite cependant que celle de ses principaux concurrents : de 1875 à 1908, la production allemande, déjà supérieure à l'origine, sextuple, alors que la production française quadruple.

L'analyse de ce retard relatif semblerait renvoyer à une dispersion plus importante des papeteries françaises, dont beaucoup ne peuvent disposer des capitaux nécessaires pour passer le second cap de l'industrialisation.

La presse

Nous avons expliqué dans le précédent volume en quoi consistait l'invention de la presse mécanique à vapeur par Frédéric König. L'innovation fondamentale réside dans la substitution d'un mouvement cylindrique au mouvement de va-et-vient de la presse gutenbergienne, innovation à l'origine modestement introduite par le biais de cylindres d'encrage. Dans la presse de 1812 (presse mécanique, ou *Schnellpresse*), c'est en effet le marbre qui glisse le long du socle, la platine étant remplacée par un cylindre de pression qui s'arrête après un tour.

Un second point capital est constitué par la notion d'intégration fonctionnelle de l'ensemble : tous les mouvements de la machine sont solidaires les uns des autres, le marbre étant déplacé par l'intermédiaire d'une crémaillère elle-même liée au jeu de la forme. Cette notion d'intégration fonctionnelle d'une machine est à la base du processus d'industrialisation, elle permet d'utiliser la vapeur, et sa logique s'étendra progressivement aux structures d'organisation des nouvelles usines d'imprimerie : l'encrage se fait mécaniquement, de même que la pression de la forme et son retrait. Il convient cependant de souligner que, dans l'immense majorité des cas, la presse de König et Bauer reste mue à la main : l'utilisation de la vapeur, dans les années 1830, demeure une exception. La presse de 1812 donne un tirage horaire de 800 feuilles, mais les améliorations successives permettront d'augmenter très sensiblement ce chiffre.

Le goulot d'étranglement des nouvelles presses mécaniques réside, on le voit, surtout dans le mouvement du marbre et de la forme, et cette limite se fait davantage sentir à une époque où le développement de la presse périodique demandait des possibilités de tirage plus rapide (pour les quotidiens) et plus important. L'idée est dans l'air, qui consisterait à utiliser le principe du cylindre imprimeur, ce qui permettrait d'obtenir une machine entièrement intégrée par l'utilisation conjointe du papier à rouleau continu (23), du cylindre de pression, des cylindres d'encrage et d'une forme cylindrique. C'est ce dernier point qui fait problème, car il semble impossible de faire tenir une forme typographique — par définition plate — sur une surface courbe : les caractères typographiques devraient être rognés, afin que leur surface d'œil retrouve la rondeur nécessaire pour que la feuille de papier soit imprimée de manière régulière.

Une première possibilité consiste à utiliser des cylindres de très grands diamètres, afin de réduire au minimum la courbure de la forme : la presse de Hoe, aux États-Unis, est construite sur ce principe, et permet d'imprimer de six à dix feuilles à la fois en juxtaposant sur le cylindre le nombre correspondant de formes. Cette machine doit donc utiliser les « margeurs » (c'est-à-dire les ouvriers qui placent les feuilles), et non le papier continu, puisque plusieurs formes se trouvent juxtaposées. Une presse de ce type est fabriquée en France par Hippolyte Marinoni, pour le journal *La liberté*. Les rapporteurs de l'Exposition de 1849 dont Ambroise Firmin-Didot, tout en faisant le point sur les améliorations récentes, laissent entendre qu'une ère nouvelle va bientôt s'ouvrir pour les ateliers d'imprimerie : « quant à la célérité, il suffira de dire qu'un seul établissement peut exécuter aujourd'hui autant de produits à lui seul qu'en auraient pu fabriquer il y a vingt ans toutes les imprimeries réunies de Paris. Pour accélérer encore l'impression des journaux, bien des tentatives ont été faites ces dernières années ; mais, quelque ingénieux que soient les nouveaux mécanismes, ils ne sauraient devancer en rapidité la main de la margeuse qui, quelque agile et exercée qu'elle soit, ne saurait placer plus de trois à quatre mille feuilles de papier par heure sur le pupitre de la presse mécanique. Aujourd'hui, ce dernier obstacle n'existe peut-être plus : nous apprenons à l'instant qu'un marché va se conclure avec un mécanicien qui s'engage à fournir une machine imprimant 20 000 journaux à l'heure, au moyen d'un énorme rouleau de papier continu, se déroulant sur les cylindres et s'imprimant aussi rapidement que les engrenages de cette machine accélérée le permettront » (24).

Cette invention qu'annonce ainsi Firmin-Didot, c'est celle de la rotative. Le problème de la « forme cylindrique » est en fait résolu dès lors que l'on utilise la technique anglaise (1849) qui consiste à mouler la forme non plus en métal, mais « à la pâte », c'est-à-dire dans un carton tout à la fois fort et suffisamment souple pour être courbé à volonté. Il n'est plus nécessaire de faire appel à d'immenses cylindres, et du coup il devient possible d'adapter aux machines nouvelles des rouleaux à papier continu : la rotative de Nelson à Édimbourg (1851) est la première rotative européenne et produit 10 000 feuilles à l'heure. Le *Times* utilise une rotative à partir de 1853. Dès lors, les progrès de détail se bornent à augmenter progressivement les surfaces d'impression et les chiffres de tirage (25).

Les machines à composer

Dans les années 1850, le goulot d'étranglement se trouve donc à nouveau déplacé ; l'équilibre traditionnel de l'atelier est brisé, la composition manuelle ne suit plus les possibilités de tirage de l'atelier des presses : il devient nécessaire de disposer d'ateliers de composition aux effectifs pléthoriques, afin de ne pas « casser » le rythme de production. Une première direction de recherche consiste à composer mécaniquement, par l'intermédiaire d'un clavier : les caractères typographiques sont stockés dans un magasin légèrement surélevé ; à l'appel d'une touche, ils s'assemblent dans l'ordre voulu, en lignes, et, les lignes une fois terminées, en pages (26). La fiabilité est cependant médiocre, par suite de l'engorgement des tuyaux servant à mettre en place les caractères et de la nécessité d'effectuer à la main la justification. Comme, d'autre part, il faut après l'impression reclasser les types, on met parallèlement au point des « machines à distribuer ».

A l'Exposition de 1849, le constructeur parisien Adrien Delcambre « expose (...) une machine à distribuer. Cette machine se compose d'une galée mécanique, portant le caractère à distribuer. A l'aide d'une petite pédale qu'on touche, les lettres viennent s'engager successivement dans une tringle creuse mobile ; en conduisant cette tringle à l'aide d'un guide le long d'une casse composée de rainures mobiles propres à recevoir les lettres, elle les dispose de suite pour être appliquées au clavier par les compositeurs » (27).

Si imparfaite qu'elle soit, cette machine est cependant l'occasion d'une première transformation de l'atelier de la composition : il apparaît en effet un élément essentiel nouveau, promis à des développements importants, le clavier. Par ailleurs, les promoteurs de ce système mettent également en avant le fait qu'il peut être employé par un personnel féminin (28).

Les imperfections de la machine d'Adrien Delcambre sont parfaitement perçues par les rapporteurs de l'Exposition universelle de 1867, qui déclarent : « jusqu'à l'Exposition de 1867, le problème que se sont proposé les inventeurs et le seul, paraît-il, qu'ils pussent se poser, consistait à chercher, au moyen d'une touche de piano, (...) à *lever* une lettre, et à réduire ainsi le temps nécessaire pour saisir un caractère avec les doigts et le placer

Swift, *Voyages de Gulliver*. Garnier fr., 1852, 8°.
Percaline dorée et mosaïquée (235 × 145 × 35).
(Collection J. Bouvier.)

Le développement de l'édition et les perfectionnements dans la fabrication du livre au XIXᵉ siècle ont entraîné de grandes transformations dans la reliure. La reliure d'édition en particulier, dont la pratique s'accrut beaucoup, poussa la fabrication de série à s'industrialiser. Elle fit naître les ateliers industriels, puis les usines, de Boutigny dès 1835, d'Engel, « le père de la reliure industrielle », en 1838, de Lenègre, « l'inventeur pratique », en 1840, de Maitre à Dijon, etc. C'est en effet entre 1840 et 1860-1870 que la reliure commença son industrialisation, créant, outre des machines, de nouveaux procédés, de nouvelles matières, et donnant au livre, à très bon marché, un aspect plus moderne.

La pratique de l'emboîtage, qui caractérise la reliure d'édition, permet d'élaborer séparément le volume, qui est plié, cousu, endossé et rogné, et la couverture, dont la matière, peau, toile ou papier, est collée sur les cartons et entièrement décorée avant que l'un et l'autre ne soient réunis par un simple collage. Cela facilitait la division du travail, entraînant une spécialisation et une plus grande rapidité de l'ouvrier, qui, plus

que l'introduction, assez lente, de machines, permit de produire en masse, à bas prix. Les maisons parisiennes multiplièrent par quatre le nombre de leurs ouvriers entre 1850 et 1860 ; c'est ainsi qu'en 1862 Lenègre en employait deux cents, auxquels il faut ajouter sans doute autant d'ouvrières accomplissant en chambre les travaux restés manuels.

Car la reliure requérait toujours une main-d'œuvre nombreuse. L'assemblage se faisait en tournant, à pied, autour de longues tables. Bien que les premières machines à plier datent de 1850, leur travail imparfait les faisait réserver à la brochure et la pliure était toujours un long travail, peu payé et confié aux femmes (1). La couture aussi resta, jusqu'à la fin du siècle, un travail féminin. Pour les autres opérations, on inventa assez vite des machines-outils performantes, ou on sut adapter à la reliure des machines existantes. On procédait au satinage au moyen de presses hydrauliques. Le battage fut remplacé par le laminage, à l'imitation des Anglais, dès 1830-1835, et Engel fit construire un laminoir de son invention en 1847. La machine à grecquer

P. Gervais, *Histoire naturelle des mammifères.* Curmer, 1854 (t. 1), 4°.
Percaline dorée et mosaïquée (275 × 183 × 45).
(Bibliothèque de l'Institut national de recherches pédagogiques.)

La mécanisation de la reliure

aussi était d'invention anglaise ; Engel en fit construire une française vers 1855. Pour l'endossure, on fabriqua d'abord de simples étaux, inventés par Engel et Lenègre vers 1845, qui maintenaient le livre pendant que l'ouvrier en martelait le dos ; dix ans plus tard, le rouleau à endosser, d'origine américaine, fut un réel progrès puisque la simple action d'un cylindre de fer arrondissait le dos tout en formant les mors. Pour la rognure, on chercha d'abord à transformer la presse traditionnelle, afin d'opérer sur plusieurs volumes à la fois ; mais, pour sa rapidité d'action, c'est le massicot qui fut partout adopté. Guillaume Massiquot déposa son premier brevet en 1844 et à partir du milieu du siècle plusieurs modèles de coupe-papier furent inventés, par Massiquot, Massiquot fils et Thirault, Pfeiffer et Poirier. Le décor enfin, que les éditeurs voulaient important, s'appliquait à la presse, car la force d'un homme ne pouvait suffire à pousser les grandes plaques employées. Utilisée dès avant 1830 par Thouvenin et Simier, ensuite par Boutigny, elle subit de nombreuses améliorations. Munies d'un balancier, les presses furent de plus en plus grandes et puissantes. Le constructeur Steinmetz y intégra un système de chauffage, afin qu'on pût y fixer les plaques pour dorer toute une édition. C'est lui aussi qui, vers 1870, perfectionna la presse à genouillère importée d'Angleterre par Engel en 1854, qui opérait non plus par choc mais par pression.

L'exigence de bon marché de la reliure de commerce faisait réserver la peau aux belles éditions et imposa l'emploi d'un matériau nouveau, la percaline. C'était une forte toile, teinte, apprêtée puis gaufrée au moyen d'un cylindre gravé, de façon à la rendre séduisante. Il faut cependant noter qu'en France, contrairement à ce qui se faisait en Angleterre, les percalines employées furent en majorité de couleur sombre (jusqu'en 1860 où le rouge s'imposa) et de grain géométrique ou tendant, à partir de 1855, à imiter la peau. Le principal décor des cartonnages de percaline était en effet le dessin doré imposé par les grandes plaques illustrées qui caractérisent la reliure d'édition de cette époque. Les graveurs les plus connus, dont on peut parfois lire le nom dans le dessin d'une plaque — Haarhaus, Liebherre, Souze (voir planches 27, 29) — eurent une production très abondante, dont la variété fait la joie des amateurs. Quant aux couvertures de papier gaufré, leur fabrication était l'objet d'une industrie spéciale : des imprimeurs lithographes fournissaient aux relieurs les couvertures dorées et gaufrées prêtes à être collées sur les cartons. Le papier, découpé au format de la couverture, était décoré de couleurs et de métaux par procédé chromolithographique, puis gaufré au moyen d'un balancier, entre une plaque gravée en creux et sa contrepartie. On y découpait parfois une fenêtre dans laquelle était placée une image lithographiée coloriée et vernie, nommée médaillon (voir planche 25).

Ces procédés rapides de fabrication de série faisaient des cartonnages d'éditeurs des objets fragiles, mais qui ne manquaient pas d'un charme qui sait encore nous émouvoir.

Sophie Malavieille

1. *Les sœurs Vatard* de Huysmans, publié en 1879, donne une image du travail des plieuses à cette époque.

dans le composteur. Il y a loin de la solution du problème ainsi posé, d'aider en quelque sorte l'opérateur par un mécanisme auxiliaire, à la substitution de l'action d'une puissance naturelle à un travail humain » (29). La conclusion est décisive : les machines du type Delcambre sont trop coûteuses pour un résultat trop incertain.

Une nouvelle logique

De nouvelles directions de recherche sont donc explorées, qui remettent cette fois en cause la logique même du travail de la composition directement héritée de Gutenberg. Le pas décisif sera ici franchi avec l'apport des innovations survenues parallèlement dans une autre branche, celle de la fonderie mécanique : « la conquête de la fonte des caractères par les procédés mécaniques suit son cours, et (...) les perfectionnements des machines l'auront bientôt rendue complète. Toute la fabrication de l'Allemagne, toute celle des États-Unis d'Amérique, une grande partie de celle de l'Angleterre, une fraction moindre de celle de la France, sont aujourd'hui faites avec des machines, avec de grands avantages d'économie, de facilité et de rapidité » (30).

L'idée se développe donc, qui consisterait à jumeler en quelque sorte les deux opérations de la fonte et de la composition : Flamm, en France, et Goldmann, aux États-Unis, cherchent ainsi à obtenir non plus la forme, mais une matrice de page, d'après laquelle on réaliserait un cliché — idée très intéressante dans son principe, mais d'usage limité, dans la mesure où elle interdit pratiquement toute correction. L'invention décisive sera ici faite par Mergenthaler, aux États-Unis, en 1884 : la Linotype. Le principe en est simple : un jeu de matrices est placé dans un magasin, d'où on les appelle par l'intermédiaire d'un clavier. Elles se mettent en place entre deux réglettes, qui assurent la justification (31). Puis la ligne est placée en face du moule qui fond l'ensemble (c'est la ligne-bloc). Les matrices sont aussitôt reclassées automatiquement, et réemployées. C'est donc un procédé très rapide, mais qui ne va pas sans corrections onéreuses : il faut le cas échéant refaire entièrement la ligne.

Une dernière invention intervient dans ce même domaine de la composition au cours de notre période d'étude : l'invention de la Monotype, qui vient également des États-Unis (32), où elle est mise au point par Tolbert Lanston entre 1887 et 1899. L'idée, qui reprend le principe de la fonte et de la composition, tout en maintenant cependant séparées les deux opérations, consiste à mouler des caractères isolés au lieu des lignes-blocs de la Linotype : un clavier de 300 touches permet de « dactylographier » le manuscrit sous forme de perforations dans un rouleau de papier sans fin (33). Lorsque la fin de la ligne approche, le compositeur, averti par un signal sonore, coupe la ligne, et un tambour de calcul fixe alors l'épaisseur nécessaire à donner aux espaces pour que celle-ci soit justifiée. Le texte une fois terminé, le rouleau de papier perforé est placé sur la fondeuse, qu'il commande en faisant commencer chaque ligne par la fin : la fonte se fait donc caractère par caractère, avant que les lignes une fois complètes ne soient amenées en galée. Les avantages du procédé résident essentiellement dans la grande rapidité du travail (34), et dans le fait que les caractères utilisés sont toujours neufs puisqu'ils sont tout de suite refondus. Dans son principe, la logique de l'innovation engagée dans la seconde moitié du XVIIIᵉ siècle est dès lors à son terme, un nouveau « système technique » est né qui s'est substitué au système gutenbergien. Le déroulement même du cycle illustre au mieux le processus interne suivi par tout mécanisme d'innovation technique, avec une impulsion initiale exogène, une première adaptation ponctuelle, entraînant un déséquilibre du système ancien, déséquilibre que viennent progressivement corriger de nouvelles et successives améliorations : l'innovation se propage ainsi de proche en proche, jusqu'à parcourir l'ensemble de la structure ancienne et à la transformer complètement.

Une seconde remarque : ce jeu complexe ne se généralise nullement dans le « petit monde » des imprimeries françaises du XIXᵉ siècle, bien au contraire. L'application des procédés nouveaux suppose un investissement que tous les imprimeurs ne sont pas à même de faire ou qu'ils n'estiment pas

utile, mais désormais, chacun se trouve théoriquement disposer d'un éventail de techniques d'impression — impression manuelle traditionnelle, impression mécanique, impression à la rotative, etc. — adaptées chacune à une situation et à une demande particulières. Les imprimeries forment ainsi un ensemble hétérogène, des usines de plusieurs centaines d'ouvriers coexistent à côté de petits ateliers traditionnels, et au sein d'une entreprise suffisamment importante se rencontrent toujours les différents modes de travail (35) : dans tous les cas, c'est le marché qui constitue la première donnée, d'après laquelle toutes les autres devraient théoriquement s'organiser (36).

Notes

1. B. Gille, *Histoire des techniques,* Paris, Encyclopédie de la Pléiade, 1978.

2. Une introduction théorique à ces problèmes est donnée par les travaux de Jean Piaget, dont on trouvera un aperçu commode dans *Le Structuralisme,* Paris, 1968, 1re édition, collection Que sais-je ?, notamment pp. 6 et 7.

3. Ce qui ne veut évidemment pas dire que le système technique soit indépendant de l'environnement général, social comme économique, mais simplement qu'il existe une logique propre de l'évolution technique. C'est ainsi que, notamment, l'impulsion de départ à partir de laquelle, de proche en proche, se propage le processsus d'innovation, est nécessairement extérieure au système technique lui-même. Nous reviendrons plus à loisir sur ce point. Le déterminisme externe intervient en fait constamment au cours du processus.

4. Terme médiocre, en ce qu'il suggère précisément l'existence d'un processus soudain et brutal, à l'inverse de ce qu'observe l'historien.

5. Le « système » ancien de l'économie du livre était fondé sur des éditions et éventuellement rééditions stéréotypiques multiples, à petits tirages, et l'existence d'une véritable économie de la contrefaçon : l'industrialisation suppose donc la formation d'un marché aussi vaste que possible, ce qui sous-entend la protection nationale et internationale des « œuvres de l'esprit ».

6. Hâtons-nous de dire que c'est précisément là le cas dans l'imprimerie de l'âge industriel.

7. La meilleure synthèse récente est ici l'*Histoire économique et sociale de la France,* tome II (1660-1789), Paris, 1970. Rappelons que l'émergence d'une nouvelle démographie réside d'abord dans le recul de la mort et dans l'atténuation des grandes crises de surmortalité (épidémies, disettes, etc.) : d'où un premier essor des chiffres (reconstitués) de population.

8. Inversion de phase, de B à A, autour de 1730. C'est en fait le passage de la « société bloquée » décrite par E. Le Roy-Ladurie à la société en évolution de la période contemporaine. Ces mouvements sont à mettre en parallèle avec un premier désenclavement national, générateur d'un marché nouveau, même s'il est limité à certains produits, par la « pré-révolution » des transports.

9. Sur l'ensemble de ces problèmes théoriques, voir : B. Gille, « Prolégomènes à une histoire des techniques » dans *Histoire des techniques, ouvr. cité,* pp. 3 à 77.

10. *Ibidem,* p. 692 et suiv.

11. Rappelons que les études récentes sur l'alphabétisation de la France ont montré que le royaume atteint précisément dans les années 1730 un taux d'alphabétisation qui ne sera plus dépassé avant le XIXe siècle : dans les années 1730, c'est-à-dire, à nouveau, à échéance d'une génération avant le « tournant » de 1760.

12. 18 janvier 1799.

13. A. Firmin-Didot, *Le centenaire de la machine à papier continu,* Paris, 1900. Voir aussi Archives nationales, Minutier central (MCNP), IX, 856/4.

14. A.N., MCNP, étude de Me Poisson. Voir aussi Archives de la Seine (AVP), D31-U3/36, n° 298. Les statuts sont passés par devant Me Poisson les 5 et 14 mai de la même année.

15. Dont les anciens propriétaires des papeteries du Marais, auxquels un certain nombre d'actions sont remises en échange de leur apport des entreprises déjà existantes : Jean-Baptiste Delagarde, qui reçoit ainsi 700 actions, Charles-Alexandre Delatouche, « fabricant de papiers au Marais », etc.

16. Parmi ceux-ci, un groupe de propriétaires de Châteaudun et des environs.

17. Des conseillers à la Cour royale, un maire-adjoint du 2e arrondissement, plusieurs « employés au Trésor royal » ou à la Banque de France, Jacques Toussaint-Delesalle, intendant de la 11e division militaire, Jean-Charles de Larminal, conservateur des domaines et chasse de Fontainebleau et son collègue de Compiègne, un inspecteur-général des prisons, etc.

18. *Bottin,* 1840, p. 945.

19. « C'est en 1820 qu'ils ont remplacé l'ancien système de fabrication à la cuve par les mécaniques de papier sans fin » (*Rapport de l'Exposition de 1849,* tome III, p. 579 et suiv.).

20. Archives du Bas-Rhin (ABas-Rhin), Fonds Berger-Levrault, « Journal 18 », p. 26 (12 janvier 1854).

21. Il s'agit surtout de l'établissement créé par les frères Didot au Mesnil-sur-Estrée et à Muzy en 1826, et qualifié par le préfet de l'Eure de « fort utile au pays, en ce sens qu'il occupe un grand nombre d'ouvriers et y déverse des capitaux assez importants » (AD.Eure, 5M-218, 18 nov. 1844). L'installation d'une nouvelle usine à blanchir les chiffons par le chlore, en 1855, sera cependant l'occasion d'une certaine opposition de la part des riverains (AD.Eure, 5M-221, avec des plans des installations, et la description des machines à blanchir).

22. *Rapports de l'Exposition de Vienne,* 1873, tome III, p. 107 et suiv.

23. Ce qui ne sera cependant pas le cas en France, où l'obligation du timbre impose durant tout le Second Empire l'impression des périodiques feuille à feuille.

24. *Rapports du jury à l'Exposition de 1849,* tome III, p. 488 et suiv.

25. Il est évident que la rotative permet d'imprimer en plusieurs couleurs simultanément : il suffit de faire passer le papier sous des rouleaux successifs encrés chacun d'une couleur élémentaire, ce qui permet également de combiner celles-ci entre elles pour obtenir des teintes intermédiaires. Le procédé avait (exceptionnellement) été utilisé au XVIIIe siècle pour les cuivres polychromes (par exemple, la célèbre édition du *Paradis perdu* de Milton, gravée par Gauthier-Dagoty et publiée par Defer de Maisonneuve à Paris en 1792).

26. Dans A.N., F18-552, une brochure intitulée *Le Bois de Boulogne* porte au dos de la couverture la mention suivante : « Imprimé par les procédés mécaniques d'Adrien Delcambre et Cie, rue Bréda, n° 15. Nouveau système breveté en France et à l'étranger ». Une gravure reproduit une machine à composer de ce type.

27. *Rapports du jury...,* Paris, 1849.

28. Ce qui présente l'avantage de demander des salaires moins élevés. Nous nous trouvons au début de l'insertion des femmes dans les professions des bureaux, avec les dactylographes, l'apparition des machines à écrire, etc.

29. *Rapports de l'Exposition de 1867,* tome IX, p. 290 et suiv.

30. *Rapports de l'Exposition de 1862,* tome V, p. 377-378.

31. Celle-ci, qui constituait le problème le plus difficile à résoudre, est effectuée par l'intermédiaire des « espaces bandes », lames d'alliage de laiton composées de deux coins coulissant l'un contre l'autre. Lorsque l'opérateur voit qu'il approche de la fin d'une ligne, il coupe le mot éventuellement en cours et serre les « mâchoires de justification ».

32. La recherche américaine dans ce domaine est évidemment soutenue par les immenses développements de la presse périodique outre-Atlantique.

33. Sur les développements de l'automatisme lié à la révolution industrielle, voir Bertrand Gille, *Histoire des techniques* (Paris, 1978), p. 703 et suiv. : la carte perforée elle-même apparaît dès les années 1730.

34. Selon la nature des textes à composer, on estime le rendement horaire, à la fin du XIXe siècle, à quelque 5 ou 7 000 signes à l'heure. Les fondeuses les plus perfectionnées atteignent quant à elles environ 20 000 caractères à l'heure.

35. Qui s'accompagnent d'ailleurs de différences fondamentales entre les ouvriers travaillant dans chaque secteur, différences portant notamment sur les modes de rémunération.

36. Signalons ici que la fin du XIXe siècle voit apparaître un phénomène des plus intéressants, et promis à un avenir très large : il s'agit du développement de machines à imprimer beaucoup plus légères que les machines traditionnelles, et qui autorisent donc l'adaptation de l'imprimerie à des marchés et à des espaces qui lui étaient jusque-là demeurés fermés. Un premier pas est franchi avec la presse autographique, que l'on peut installer dans certaines administrations (pour la reproduction des circulaires, etc.) ou entreprises (pour la fabrication de papier à entête et d'étiquettes), voire chez des particuliers. La multiplication des presses autographiques n'échappe d'ailleurs pas à l'administration du Second Empire, qui exige de chaque utilisateur une autorisation officielle. Dans le département de la Meuse, en 1859, un certain nombre de particuliers possèdent ainsi des presses autographiques : des notaires, un ingénieur, un instituteur, un curé, plusieurs maires et négociants, le directeur de l'École normale, un maître de pension, un libraire, un huissier, un « contrôleur », enfin, le « régisseur des biens de M. le comte d'Imécourt » (A.N., F18-2303). Un second pas est franchi avec la « presse à platine », qui, beaucoup plus légère que les presses traditionnelles, est mise en œuvre par un seul ouvrier : sa caractéristique est d'être organisée non plus horizontalement mais verticalement, la platine mobile s'appliquant par un pivot sur le marbre (fixe).

Vue générale de la principale usine de l'imprimerie Paul Dupont à Clichy.
(P. Dupont, *Une imprimerie en 1867*, Paris, Impr. et libr. administratives, 1867.
Illustrations gravées sur bois d'après Émile Bourdelin.)

De grandes baies vitrées et une fontaine à l'intérieur de l'atelier mettent les ouvriers
de l'imprimerie Mame dans un cadre aussi agréable que possible.
(*A. Mame et Cie à Tours. Notice et documents*. 1862.)

Les imprimeurs

par Frédéric Barbier

Les machines de plus en plus efficaces qu'a suscitées l'innovation technique demandent aussi des investissements de plus en plus lourds. La nécessité de les rentabiliser incite les imprimeurs à chercher dans le livre de nouveaux débouchés en jouant sur l'augmentation des tirages et la baisse des prix.

Le XIXe siècle va voir se développer un type nouveau d'entreprises, que l'on pourrait appeler des « usines à livres », dont l'organisation interne est radicalement transformée, pour répondre autant que possible aux impératifs d'une double logique. L'installation de presses mécaniques nécessite en effet à terme que l'on dispose d'une source d'énergie, généralement la vapeur. D'où une lourde contrainte : la réglementation en vigueur impose des normes sévères de sécurité pour l'installation des chaudières, particulièrement dans les villes — où sont précisément établis les ateliers (1) — ; d'autre part, la chaudière une fois installée, il faut transmettre le mouvement aux machines par des arbres de transmission et des jeux de courroies. Autant d'impératifs qui exigeraient le plus souvent une réorganisation complète des ateliers — ce qui est généralement impossible dans les locaux anciennement occupés par ceux-ci.

D'autre part le capital fixe représenté par les machines nouvelles demande, pour être rentabilisé, une production beaucoup plus importante : d'où des contraintes dans l'approvisionnement en matières premières — papier, carton, peaux, etc. — comme dans l'organisation intérieure du travail entre les différents ateliers et services.

Dans toute la mesure possible, cette organisation doit réduire la somme des déplacements nécessaires, qui tendraient évidemment à faire baisser la productivité. Elle se développe donc dans un système spatial différent et spécifique, alors que les ateliers anciens étaient toujours installés dans des bâtiments non spécialisés. Cette tendance à l'intégration fonctionnelle de l'ensemble de l'entreprise est certainement une des tendances fondamentales de l'application de la logique industrielle dans le monde du livre.

Dans la plupart des cas, les ateliers étant installés dans des immeubles progressivement aménagés au fil des besoins, les contraintes de tous ordres interdisent, même dans le cas d'entreprises importantes, d'appliquer intégralement la nouvelle logique industrielle : c'est le cas, par exemple, dans l'imprimerie Berger-Levrault, la plus importante de Strasbourg à la fin du Second Empire, mais installée depuis la fin du XVIIe siècle dans le même immeuble ancien du centre de la ville (2). Il est finalement très rare que l'on puisse établir une usine entièrement nouvelle, répondant à toutes les exigences du système industriel, comme dans le cas de l'imprimerie Paul Dupont à Paris, ou de l'imprimerie Mame de Tours (3). Ces investissements très importants, lorsqu'ils peuvent être réalisés, imposent de faire appel à de nouvelles sources de financement, c'est-à-dire de modifier la forme juridique de la société (4). L'impératif dominant devient celui de la rentabilisation du capital : autant de facteurs qui expliquent que le nombre d'ateliers fondamentalement transformés en usines industrielles soit au total demeuré réduit.

L'émergence de l'« espace industriel » dans les ateliers d'imprimerie s'accompagne pratiquement toujours d'un effort particulier pour la sécurité et l'amélioration des conditions de travail. Du côté de la sécurité, on s'attache à protéger les courroies, arbres de transmission, cages d'ascenseurs, etc., de manière à éviter autant que possible les causes d'accident. Du côté des conditions de travail, on vise à obtenir les conditions d'éclairage les meilleures — au gaz, puis à l'électricité, et par l'utilisation dans les ateliers de toitures spécialement étudiées dont les plus appréciées sont les toitures en biseau (5) — ; on établit un système de chauffage en utilisant généralement la machine à vapeur elle-même ; on ne néglige pas de prévoir des toilettes, éventuellement séparées selon les sexes, et d'améliorer l'environnement général : une fontaine au centre d'une salle de l'imprimerie Mame, qui donne elle-même sur un petit jardin, etc. (6). Enfin, à côté des services anciens d'aide financière et d'assurance mutuelle, les maisons principales assurent souvent le logement à bon marché de leurs ouvriers dans des immeubles proches, ainsi que, le cas échéant, d'autres services pouvant aller du dispensaire à l'école et au magasin d'alimentation. La construction de ces usines s'est le plus souvent faite dans la périphérie urbaine, voire dans des communes suburbaines comme Clichy, où il est plus facile de disposer des terrains nécessaires à ce type d'installations, leur intérêt étant en outre de

Réalisations sociales de l'Imprimerie
Paul Dupont à Clichy. (Paul Dupont, *op. cit.*)

Immeubles construits pour le logement des ouvriers.

Bibliothèque dont la salle pouvait être utilisée
pour des conférences, des cours et des activités de distraction.

Bureau d'assistance médicale.

fixer plus facilement une main-d'œuvre dont on craint la traditionnelle mobilité (7).

Lorsque l'usine est ainsi réaménagée, les conditions mêmes de travail y deviennent radicalement différentes de ce qu'elles étaient traditionnellement : les ateliers sont désormais séparés les uns des autres, ils emploient des équipes beaucoup plus importantes et constituent une chaîne logique de fabrication (8). Du coup, des contraintes nouvelles deviennent nécessaires pour assurer le bon fonctionnement de l'ensemble : c'est le « travail éclaté » de la civilisation industrielle, les ouvriers étant affectés à un atelier en particulier et n'ayant donc plus de vue générale sur l'ensemble du processus de fabrication ; c'est l'obligation de s'intégrer à des équipes de plusieurs dizaines, voire plusieurs centaines de personnes, d'obéir au « régulateur commun » que constitue la pendule dans chaque salle (9) ; c'est enfin la constitution d'une hiérarchie nouvelle, remontant par échelons successifs jusqu'aux directeurs ou aux patrons. L'industrialisation des ateliers implique en fait la disparition progressive de ce qui était séculairement la spécificité ouvrière du monde du livre.

Les imprimeries industrielles les plus importantes de France rassemblent ainsi, en une construction rationnelle, plusieurs centaines d'ouvriers. La mise en œuvre d'ensembles aussi lourds et complexes aboutit à l'apparition et au développement de fonctions que nous pourrions appeler des fonctions de planification et de régulation — autrement dit, tout un secteur « tertiaire », celui des bureaux, nécessaire à la bonne marche de l'usine, etc. Son objet sera l'administration du personnel et l'organisation de la chaîne de travail, de manière que les ateliers se trouvent toujours efficacement occupés, le maintien de la discipline, etc. Ces services eux-mêmes se spécialisent et se subdivisent entre le service comptable, celui de la correspondance, celui des commandes et des expéditions, et une direction plus ou moins étoffée, à laquelle reviennent la recherche et la négociation des contrats, les rapports avec les banques, ainsi que la définition et le contrôle de la politique suivie par l'entreprise. Le monde des « cols blancs » prend ainsi, dans l'imprimerie industrielle, une importance jusqu'alors inconnue.

Au total, donc, des transformations fondamentales, telles que le « petit monde du livre » n'en avait jamais connues. Ce qu'il est important, cependant, de souligner, c'est que l'élément déterminant demeure ici le marché. C'est par rapport au marché, c'est-à-dire par rapport à un gain éventuel plus ou moins important, que l'achat de machines nouvelles et la transformation intérieure des entreprises trouvent ou non leur justification financière. On comprend dès lors que le secteur de l'imprimerie soit caractérisé à l'époque de la révolution industrielle par l'hétérogénéité de ses structures, et que s'y trouvent juxtaposés de petits ateliers de modèle traditionnel, dont le marché sera presque exclusivement constitué par des « travaux de ville » à l'échelle de la sous-préfecture, ne justifiant aucun des investissements que demande le processus d'industrialisation (10), des imprimeries lentement adaptées aux nouvelles structures et, dans les cas les plus favorables, les « usines à livres » — Paul Dupont à Paris, les Mame à Tours, Crété à Corbeil, etc. Le rapport changeant entre ces différents types d'ateliers est comme le révélateur direct du processus d'innovation structurelle, caractérisé par la conquête très progressive de notre branche d'activité par l'industrialisation.

Les ateliers au XIXᵉ siècle : évolution quantitative

Une « pesée globale » du nombre des ateliers d'imprimerie pendant le XIXᵉ siècle peut, pour l'essentiel, se faire à partir de trois sources documentaires : les enquêtes statistiques nationales ou spécialisées, les sources d'archives (11), enfin, les annuaires industriels et commerciaux. Il convient cependant de bien souligner le fait que ces types de documents correspondent à des objectifs différents les uns des autres : les résultats les plus complets sont *a priori* ceux donnés par les sources d'archives, dans la mesure où il s'agissait le plus souvent d'établir un contrôle policier sévère — donc aussi

Avis important.
VENTE EXTRAORDINAIRE.
PLUS DE COTON !!

Plusieurs importantes fabriques de TOILES en fil viennent de se concerter afin de faire oublier la pénurie des cotons.

Elles ont résolu le grand problème !

C'est de parvenir à fabriquer des TOILES en fil meilleur marché que le plus mauvais des Calicots ;

Et, afin de le prouver, elles ont envoyé dans les principales villes de France des représentants chargés d'opérer la vente de leurs produits.

En conséquence, 6 JOURS DE VENTE sont accordés à la ville de STRASBOURG, rue des Hallebardes, 25.

Nous engageons les habitants de cette ville et des environs à venir se convaincre par eux-même de l'étonnant bon marché qui existe réellement sur nos marchandises. Les plus incrédules resteront ébahis quand ils pourront s'acheter de quoi faire une bonne et belle chemise en pur fil d'excellente TOILE pour 2 fr.

Toutes ces TOILES sont blanchies au lait et séchées sur prés, et d'une qualité supérieure.

PAS DE CONCURRENCE POSSIBLE.

Le MAGASIN est situé à STRASBOURG,
Rue des Hallebardes, 25, au SANGLIER.

La Vente aura lieu de 8 heures du matin à 4 heures du soir.

Aperçu de quelques articles :

1,000 pièces TOILES, en pur fil, pour Chemises, depuis 90 c. le mètre.
500 pièces TOILES, en pur fil, pour Draps, grande largeur, depuis 1 fr. 15 c. le mètre.
100 pièces TOILES BLEUES, pour Tabliers, depuis 85 c.
100 pièces TOILES GRISES en fil, depuis 50 c. le mètre.
500 pièces TOILES BLEUES en fil, pour Sarraux.
500 pièces NAPPES pur fil, damassées, depuis 1 fr. 80 c. le mètre
CHEMISES de flanelle, toutes confectionnées, depuis 6 fr.
500 douzaines MOUCHOIRS de Hollande, d'Irlande et de Courtrai.
500 pièces fines TOILES, de belle qualité.
5,000 TORCHONS, belle qualité en fil, depuis 15 centimes le mètre.
BONNETS DE COTON à 15 centimes.
Riches SERVICES de table.
MOUCHOIRS DE POCHE en fil, depuis 3 fr. la douzaine.
Enfin, TOILES en tous genres.
SOCLES pour dames, à 25 centimes la paire.

Affaire exceptionnelle.

Une forte partie de DRAPERIE noire pour Pantalons et Redingotes et pour le Clergé.
200 pièces de REPS ANGLAIS pour Robes, belle qualité, depuis 85 centimes le mètre.
1,000 CRAVATES en soie, depuis 20 centimes.
ORLÉANS, TARTANELLE, SATIN duchesse, etc., etc., à moitié prix de leur valeur.
CALICOTS et MADAPOLAMS en tous genres.

La Vente en gros se fera de 7 à 8 heures du matin.

Ouverture de la Vente, AUJOURD'HUI et jours suivants.

Nancy. — Imp. HINZELIN et Cⁱᵉ.

SALLE DE VENTE : A STRASBOURG, rue des Hallebardes, 25, au Sanglier.

Ouverture de la Vente, AUJOURD'HUI, et continuation les jours suivants.

Annonce d'une vente de toiles de fil à Strasbourg en 1864, vente particulièrement intéressante en raison de la raréfaction des importations de coton en provenance des États-Unis d'Amérique due à la Guerre de Sécession (210 × 146 mm). (Strasbourg, Archives du Bas-Rhin.)

exhaustif que possible. A l'inverse, la *Statistique industrielle* ne retient que les entreprises ayant une certaine durée, et elle présente en outre l'inconvénient de les regrouper par grands types d'activités dans des cadres géographiques plus ou moins appropriés (arrondissements). Enfin, la représentativité des annuaires est très variable selon leur objet, les plus intéressants étant probablement les annuaires généraux du type du *Bottin industriel et commercial* (12). Il convient donc d'avoir ces oppositions présentes à l'esprit, pour qui veut tracer la ligne générale d'évolution des imprimeries du XIXᵉ siècle français.

Ajoutons que, si les séries ainsi obtenues sont effectivement comparables entre elles en prenant un certain nombre de précautions, et si l'évolution d'ensemble du nombre des ateliers peut ainsi être reconstituée avec une approximation raisonnable, il n'en va pas de même pour les aspects proprement industriels des entreprises, tels que la population des ouvriers qu'elles emploient, la répartition de cette population selon les types d'activité (13), l'importance et la nature du parc de machines. Sur tous ces points, pourtant essentiels pour qui veut suivre précisément le processus d'industrialisation des activités du livre dans la France du XIXᵉ siècle, s'il existe des données ponctuelles (14), on ne dispose pas de séries constituées.

Il est possible de déterminer avec une approximation relativement bonne l'évolution du nombre des ateliers au cours du XIXᵉ siècle — avec deux réserves toutefois. D'une part, l'imprimerie, pendant la majeure partie de ce siècle, demeure une activité surveillée, ce qui conduit parfois à des chiffres d'ateliers fixés à un niveau artificiellement bas. Les chiffres postérieurs à 1870 devraient donc, *a priori*, mieux refléter l'évolution de la conjoncture générale de l'imprimé. D'autre part, si l'on dispose de sondages entre 1840 et 1880, les données postérieures n'existent que pour 1911. Les résultats, donnés par le tableau n° 1 de la page 73, n'en paraissent pas moins significatifs (15).

Globalement, le XIXᵉ siècle est bien le « siècle de la croissance », et d'une croissance qui tend à s'accélérer au cours de la période puisque le nombre

des ateliers est multiplié par 8 entre 1811 et la veille de la Première Guerre mondiale, alors que, dans le même temps, la population n'augmente guère que du tiers : nous enregistrons bien, à travers le simple décompte des entreprises, un resserrement des réseaux de l'imprimé, que traduit la baisse du nombre moyen d'habitants par atelier (tableau n° 2 de la page 73).

Il est intéressant d'observer, dans le temps long, les ruptures de cette évolution : on peut dire que deux poussées encadrent une période de relative stagnation constituée pour l'essentiel par le Second Empire. Les années de la Restauration aboutissent à un taux d'augmentation des ateliers de 150 % — ce qui veut dire que les imprimeries augmentent une fois et demie plus vite que la population entre 1811 et 1840. Le milieu du siècle, alors que le régime impérial rétablit un contrôle plus serré sur les choses de l'esprit, est une période de stagnation tendant à s'accentuer — taux de 108 % entre 1840 et 1850, de 98 % (c'est-à-dire en fait affaissement des réseaux du livre) de 1850 à 1860.

A partir de la libéralisation des années 1870, il est normal qu'une reprise se fasse sentir ; il est beaucoup plus intéressant de souligner que celle-ci tend à s'accélérer au cours du dernier tiers du siècle, jusqu'à atteindre des taux inégalés — dans la génération 1880-1911, les imprimeries augmentent près de deux fois et demie plus rapidement que la population. La Belle Époque, qui est aussi l'époque de la nouvelle politique éditoriale inaugurée notamment par Grasset, apparaît ainsi comme celle des années d'or pour l'économie de l'imprimé dans la France contemporaine.

Il est à ce titre intéressant de comparer les performances de la France avec celles des pays voisins d'évolution semblable : par rapport à l'Allemagne, les résultats français apparaissent dans l'ensemble médiocres. Dans le royaume de Prusse, par exemple, on compte 34 000 habitants par atelier en 1834, mais 9 822 en 1875 et 8 115 en 1910, autrement dit le retard de la France est net pendant les deux tiers du siècle, mais son rattrapage d'autant plus étonnant à l'époque de la Troisième République.

Il semble que l'on atteigne avec des

taux nationaux de 8 à 10 000 personnes par atelier un seuil critique, difficilement dépassable, ce qui ne signifie nullement que l'on ne rencontre pas des chiffres très inférieurs dans des cadres géographiques plus réduits : 4 500 habitants par imprimeur dans la Seine en 1911, contre environ 32 000 dans les Côtes-du-Nord et le Morbihan (soulignons encore une fois l'avance allemande, avec une fourchette allant à la même date de moins de 2 000 habitants par atelier à Berlin à 19 500 dans les districts les plus retardataires de la Prusse-Orientale). La statistique des ateliers débouche, on le voit, sur une géographie différenciée.

Mais la statistique des ateliers ne révèle pas l'essentiel, à savoir l'évolution réelle de la capacité de production — celle-ci étant mesurée par les effectifs ouvriers comme par le nombre et la nature des machines employées dans les ateliers. Malheureusement, la médiocrité des sources disponibles interdit, dans l'état actuel de nos connaissances, une analyse de ces phénomènes dans le temps long, de sorte que nous en sommes davantage réduits à baliser une piste qui resterait à parcourir (17).

En ce qui concerne les effectifs ouvriers, d'abord : en 1851, pour 77 départements dont les données sont connues (le Rhône et Paris *intra muros*, notamment, étant exclus), l'on dénombre 6 657 ouvriers pour 627 ateliers, soit, en y adjoignant les maîtres, environ 11 personnes par imprimerie — chiffre très probablement inférieur à la réalité dans la mesure où il est légitime de penser que les imprimeries parisiennes et lyonnaises sont plus importantes que la moyenne.

Les résultats au niveau départemental sont par ailleurs éminemment variables : dans certains départements *a priori* peu favorables, un imprimeur a su pratiquement conserver une position de monopole, comme dans le cas de l'Aveyron (un seul atelier pris en compte, 20 ouvriers), alors que, dans des départements plus riches, comme la Gironde, le nombre plus élevé des ateliers rétablit une pondération qui aboutit à une baisse du chiffre moyen (en l'occurrence, 186 ouvriers pour 15 ateliers). C'est donc une activité qui reste très dispersée, fondée sur un véritable semis de très petites entre-

Planche 1 — Une des gracieuses et amusantes figures
dessinées par J.-J. Grandville, pour les *Fleurs animées,*
finement gravées sur acier et délicatement coloriées.
Paris, Gabriel de Gonet, 1847. H. 267 mm.

Planche 2 — Double page de la célèbre édition de *Paul et Virginie*,
de Bernardin de Saint-Pierre, publiée par Curmer en 1838.
On a rapproché du livre le bois gravé qui a servi à imprimer la vignette
de la page de droite ; selon les habitudes alors en usage, la gravure des bois
d'après les dessins des artistes fut exécutée par divers graveurs d'un même atelier.
(Paris, Bibliothèque nationale, Cabinet des Estampes, Musée.)

Planche 3 — *Le Nouveau Paris :* « Comme c'est heureux pour les gens pressés qu'on ait élargi les voies de communications ! », une des quelque quatre mille lithographies de Honoré Daumier, planche publiée dans *le Boulevard* (n° 6, 8 avril 1861) et pierre lithographique d'après laquelle l'estampe a été tirée. (Paris, Bibliothèque nationale, Cabinet des Estampes, Musée.)

Tu vas porter cette note aux journaux.

« Un provincial ayant par mégarde avalé une blague, devint subitement chauve et insolvable, le célèbre Doct.ʳ **Rob.ᵗ Macaire** en conclut que les blagues ruinant les uns doivent d'après le système homœopatique enrichir les autres. Ce traitement médical lui a complètement réussi. Avis aux perruques.

Et comme je suis nommé dans cet article, demain, en vertu de la loi du 9 7.ᵇʳᵉ 1835, je réclamerai l'insertion de la lettre que voici.

Monsieur le Rédacteur,

Je vous prie de déclarer que vous ne tenez pas de moi l'article dans lequel vous m'avez nommé hier, je m'occupe il est vrai de guérir la Calvitie, (rue Belle-charge, N.º 1) mais je la traite par un autre moyen que lui dont vous parlez.

J'ai l'honneur, etc. **ROBERT-MACAIRE** (rue Belle-Charge, N.º 1).

Imp. d'Aubert et C.ᵉ   Paris chez Aubert

◄ Planche 4 — N° 60 des *Cent et un Robert Macaire, composés et dessinés par H. Daumier sur les Idées et légendes de M. Ch. Philipon.* Paris, Aubert, 1840.
Dans cette suite de lithographies, dont la couleur relève le trait, l'artiste montre toutes ses qualités d'humoriste impitoyable. H. 263 mm.

Planche 5 — Reproduction par procédé chromolithographique d'une peinture du manuscrit des *Antiquités Judaïques* de Flavius Josèphe illustré par Jean Fouquet au XVᵉ siècle (163 × 135 mm). Elle est sortie de l'atelier de l'éditeur Curmer, qui avait créé une véritable entreprise de reproduction de manuscrits anciens, Heures, Missels, Imitation et ouvrages historiques.

Planche 6 — Une des aquatintes qui illustrent le *Panorama d'Égypte* de l'architecte
Hector Horeau (1841) reproduisant les daguerréotypes rapportés de son voyage en Égypte.
Cette reproduction manuelle de documents photographiques sous la forme de gravures
à l'aquatinte a constitué une première étape vers l'utilisation de la photographie
pour l'impression. H. 603 mm.

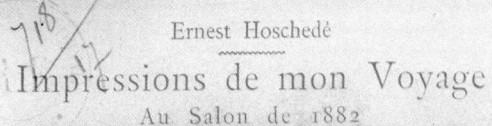

Ernest Hoschedé

Impressions de mon Voyage

Au Salon de 1882

Jeanne (par Édouard Manet)

En vente chez Tolmer et Cie

Et chez tous les libraires

PRIX : 1 fr. 50

Planche 7 — Couverture des *Impressions de mon voyage
au Salon de 1882,* par Ernest Hoschedé, illustrée
d'une reproduction du portrait sur toile de Jeanne Demarsy
par Édouard Manet.
Cette reproduction photographique fut réalisée par
Charles Cros, appliquant la méthode qu'il avait découverte
dès 1867. Manet a encouragé le poète dans ces essais,
car il voyait là un moyen de diffusion populaire
des œuvres d'art. H. 231 mm.

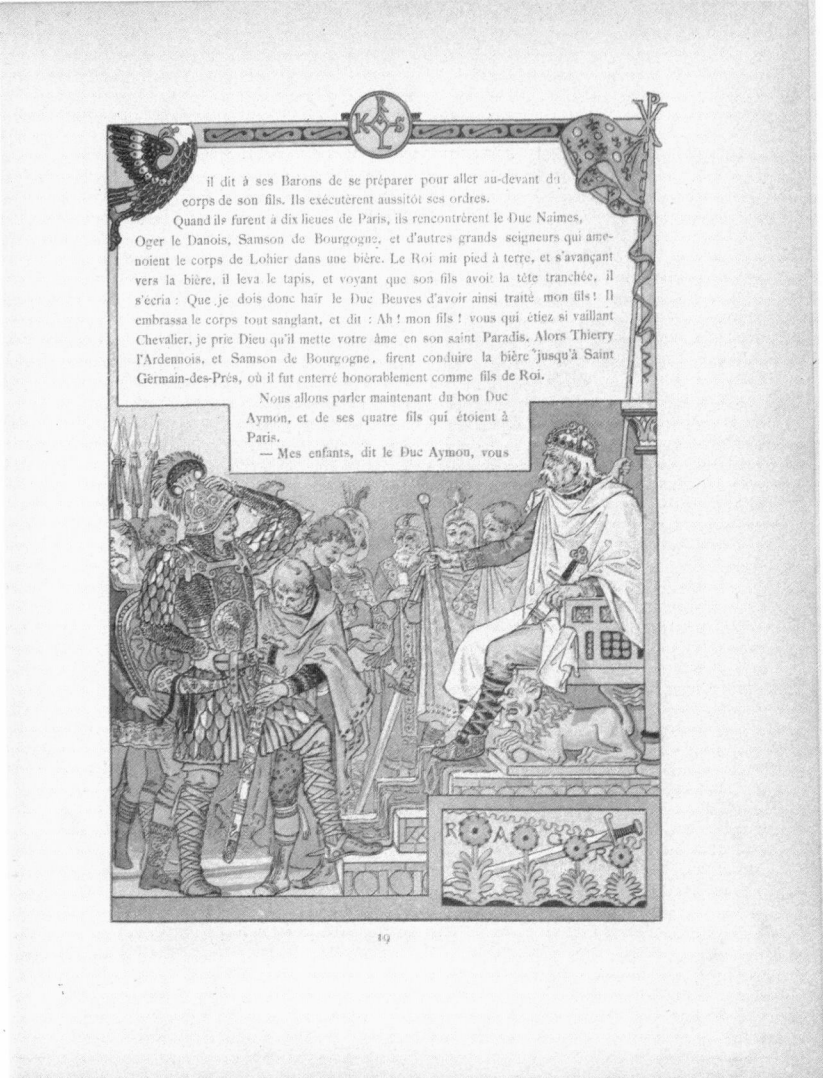

Planche 8 — Une page de l'*Histoire des quatre fils Aymon*
parue chez l'éditeur H. Launette en 1883, illustrée de
compositions en couleurs d'Eugène Grasset, reproduites par
le procédé de Charles Gillot, qui peut être considéré comme
un premier essai de photogravure quadrichrome. H. 272 mm.

prises. La statistique ne donne malheu-reusement pas la distribution des pres-ses, mais, si l'on reprend le chiffre tra-ditionnel de 3 ouvriers par presse, on n'obtient guère qu'une moyenne de l'ordre de 3 presses dans les imprime-ries françaises du milieu du siècle — soit un parc qui atteint peut-être 3 500 machines.

Dix années plus tard, le paysage est déjà différent. Pour 74 départements (mais Paris inclus), nous comptons 15 494 ouvriers, travaillant dans 684 ateliers, soit une moyenne (en comptant les patrons) de l'ordre de 24 ouvriers par imprimerie. Une fois prises en compte les distorsions inévita-bles dues à des sources d'origines diffé-rentes, il n'en demeure pas moins que nous nous trouvons devant un accrois-sement très rapide et important des effectifs — multiplication de ceux-ci par 2,5, ce qui permet de corriger ce que nous avons dit de la conjoncture médiocre de l'Empire. Tout se passe, et cela semble d'ailleurs logique, comme si la limitation autoritaire du nombre des ateliers conduisait à une concentra-tion plus rapide de ceux-ci afin de répondre à une demande elle-même en expansion (18).

Désormais, dans les départements les plus favorables au développement des activités de l'imprimerie, le niveau de l'entreprise industrielle moyenne est atteint, comme c'est le cas en Côte-d'Or (2 ateliers, 205 ouvriers), en Ille-et-Vilaine (2 ateliers, 146 ouvriers), dans la Seine (72 ouvriers en moyenne par imprimerie), etc. Dans des exem-ples plus rares, nous sommes même au niveau de la grande entreprise indus-trielle : les Mame, seuls imprimeurs recensés pour l'Indre-et-Loire, s'inscri-vent pour 961 ouvriers.

Comme on s'y attend, à ces effectifs plus importants correspond un parc de machines lui-même supérieur. Le recen-sement industriel de 1861 ne reprend guère ici que 62 départements : nous comptons alors 2 699 presses de tous types, tournant dans 580 ateliers, soit une moyenne de l'ordre de 5 machines par imprimerie. Pratiquement cepen-dant, la distribution conduit à opposer un groupe très majoritaire de départe-ments où l'on ne dépasse toujours pas 3 presses par atelier à un groupe mino-ritaire dont les chiffres moyens sont régulièrement plus du double des pré-

Tableau n° 1 — *Évolution globale des imprimeries françaises, 1811-1911.*			
Années	Population	Imprimeries	Hab./impr.
1811	29,17 M	506	57 492
1840	33,57 M	877	38 222
1851	35,97 M	1 011	35 493
1861	37,39 M	1 031	36 268
1879	36,88 M	1 511	24 508
1911	39,60 M	4 006	9 885

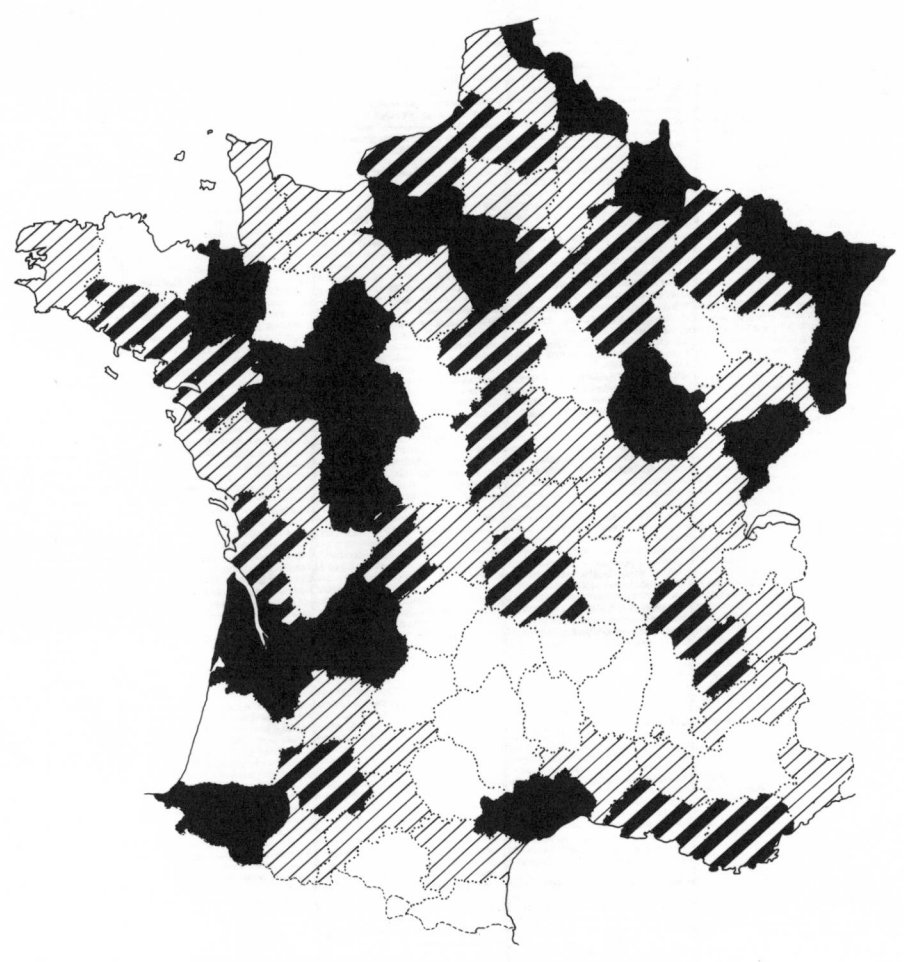

La concentration dans l'imprimerie : nombre moyen
d'ouvriers par atelier en France en 1848.
(noir : plus de 20 ; hachures larges : de 11 à 20 ;
hachures fines : de 5 à 10 ; en blanc : moins de 5 ouvriers.)

Tableau n° 2 — *Taux de variation relative de la densité d'imprimeries, 1840-1911* (16).				
1811-1840	1840-1851	1851-1861	1861-1879	1879-1911
150 %	108 %	98 %	148 %	248 %

Tableau n° 3 — *Répartition régionale des ateliers typographiques, 1840-1911.*						
	1840	%	1879	%	1911	%
Nord	447	51	782	49	1 646	41
Midi	345	39	700	44	1 427	36
Paris	85	10	114?	7	933	23

cédents : 7 presses dans le Loiret et le Nord, 8 dans le Maine-et-Loire, 9 dans la Seine, 11 en Moselle, 13 en Ille-et-Vilaine, 14 dans le Bas-Rhin et la Seine-Maritime, 25 en Indre-et-Loire. Retenons un instant cette répartition, pour la retrouver aussitôt dans la distribution des machines à vapeur.

La répartition d'ensemble des presses ne saurait suffire, en effet, dans la mesure où l'industrialisation introduit une variation considérable dans les capacités de production de chaque type de machine. Toujours en 1861, et cette fois pour 74 départements regroupant 684 ateliers, nous relevons 117 machines à vapeur, soit en moyenne une machine pour environ 6 ateliers. Mais 44 départements (60 % de l'ensemble) n'ont aucune machine, alors que, à l'autre extrémité de l'échelle, 30 départements, regroupant 364 ateliers, rassemblent la totalité des machines à vapeur des imprimeries françaises (soit, cette fois, une machine pour 3 ateliers). La Seine (57 machines), le Nord (7 machines), puis l'Aisne, le Bas-Rhin et la Seine-Maritime (chacun 3 machines) occupent le haut du tableau, soit, pour 5 départements (moins de 7 % du total), 62 % de la mécanisation. Ces chiffres permettent de mesurer l'ampleur de la cassure : il y a bien plusieurs France de l'imprimé, sur la logique interne desquelles il convient donc de se pencher maintenant.

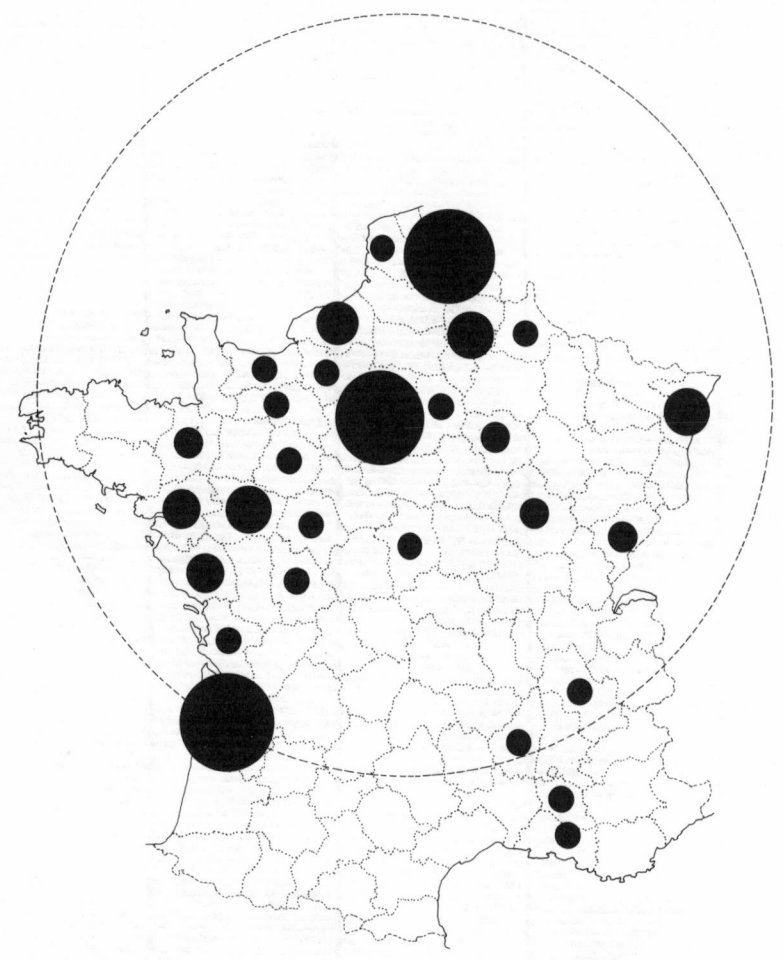

Localisation des machines à vapeur dans les imprimeries typographiques et lithographiques en France en 1861.
(En noir : cercles dont le rayon est proportionnel au nombre des machines ; le pointillé indique la proportion pour la Seine.)

La France de l'imprimerie

Dans l'ensemble, la géographie des imprimeries dessine en effet au moins trois France fondamentalement différentes : d'une part, Paris (progressivement, Paris et sa « couronne »), que ses scores isolent radicalement du reste du territoire. En second lieu, une France davantage pénétrée par l'imprimé, une France qui, dans une large mesure, s'identifie avec la France située au nord de la Loire (davantage que la France du nord de la ligne Maggiolo) avec l'exception des départements bretons (19). Enfin une France des Midis, sous-équipée et retardataire.

Rappelons les résultats que nous venons d'exposer : en 1861, les départements comptant au moins 7 ouvriers

Tableau n° 4 — *Typologie des imprimeries typographiques, cinq départements, 1861.*								
1861	Popul.	%	Impr.	%	Ouvr.	%	M. à v.	%
Seine	1,95 M	5,2	90	8,8	5 968	38,5	57	48,7
Nord	1,30 M	3,5	46	4,5	1 338	8,6	7	6
B.-d.-Rh.	0,51 M	1,4	23	2,2	107	0,7	1	0,9
Morbihan	0,49 M	1,3	7	0,7	69	0,4	0	0
Lozère	0,14 M	0,4	4	0,4	5	0	0	0
France	37,39 M	100	1 031	100	15 494	100	117	100

en moyenne par atelier sont tous des départements situés au nord de la Loire, Seine et Seine-Maritime, Nord, Moselle, Bas-Rhin, vallée de la Loire (Loiret, Indre-et-Loire, Maine-et-Loire), Ille-et-Vilaine. Les 5 départements pilotes pour la répartition des machines à vapeur obéissent à une géographie encore plus concentrée vers le Nord et vers l'Est. Si le Rhône est malheureusement souvent absent des séries statistiques, il n'en demeure pas moins que l'absence, dans le peloton de tête des années 1860, de villes comme Bordeaux, davantage encore Toulouse ou Marseille, est un phénomène à souligner : la dernière partie du siècle atténuerait cette opposition, notamment en ce qui concerne le sud-est de la France.

Comment ces trois grands ensembles évoluent-ils au cours de la période les uns par rapport aux autres ? Seuls les chiffres du nombre des ateliers permettent d'obtenir des séries suivies et comparables, ce qui n'est sans doute pas le meilleur indicateur de modernité. Le tableau n° 3 de la page 74 présente l'essentiel des résultats, malheureusement entachés d'incertitude par suite de l'absence des chiffres de Paris *intra muros* en 1879 et du caractère inévitablement hétérogène (lui-même changeant au cours de la période) des grandes régions ainsi définies.

Globalement, les enseignements sont clairs : la France du Nord voit sa part d'imprimeries diminuer de 10 % entre 1840 et 1911, le Midi perd quant à lui 3 % — chiffre qui recouvre en réalité des évolutions très différentes selon les départements, voire les régions —, le département de la Seine étant le grand bénéficiaire de ce double recul, avec près du quart des ateliers français en 1911 contre 10 % seulement en 1840. Le rapport entre ces chiffres et ceux de la population permet cependant, en ce qui concerne Paris et sa couronne, de nuancer ces résultats. Ainsi, en 1840, le département de la Seine regroupe 10 % des ateliers pour seulement 2,3 % de la population française, c'est-à-dire que la concentration des imprimeries y est plus du quadruple par rapport au simple poids démographique. Or ces chiffres sont, en 1911, respectivement de 23 % des ateliers pour 10,9 % de la population : autrement dit, le rapport

est désormais du simple au double, l'imprimerie parisienne a certes accentué son emprise d'ensemble, mais elle n'a pas suivi dans les mêmes proportions l'augmentation de la population dans la ville et sa proche banlieue. Il s'opère un rattrapage relatif de certains ensembles provinciaux. Nous avons cependant vu que ces résultats seraient à pondérer en fonction de l'importance moyenne plus grande des ateliers parisiens.

Au-delà de l'exemple parisien, et davantage qu'une approche cas par cas, nous présenterons à travers quelques exemples une typologie rapide de cette géographie de l'imprimerie dans la France du XIXe siècle. Nous centrerons l'analyse autour de l'année 1861, pour laquelle le tableau n° 4 de la page 74 reprend quelques résultats significatifs.

Au sommet de la pyramide, la Seine, dont le nombre d'imprimeries est maintenu artificiellement bas par suite de la limitation très sévère des brevets. Du coup, la concentration des moyens par atelier y est bien supérieure à la norme, plus de 4 fois pour les effectifs ouvriers, 5 fois et demie pour les machines à vapeur. Dans le département du Nord, une population en expansion, une forte urbanisation et un développement industriel générateur d'une demande très importante en « travaux de ville » expliquent des résultats également favorables : la concentration ouvrière y est de moitié supérieure à la normale, la concentration des machines à vapeur, du tiers. D'importants capitaux sont de toute évidence en mesure de s'investir dans les imprimeries locales, mais l'abondance de la main-d'œuvre conduit à un taux de mécanisation qui, pour rester le second de France, n'en demeure pas moins très inférieur à celui de la Seine.

Les trois autres départements présentés nous offrent des variantes différentes du modèle général de sous-développement de la France encore relativement fermée à l'imprimé. Les Bouches-du-Rhône, département relativement peuplé mais sans doute trop excentré et à la tradition imprimée médiocre, constituent un exemple typique d'archaïsme : pour 1,4 % de la population nationale, 2,2 % des ateliers typographiques mais seulement

0,7 % d'ouvriers (soit une concentration par atelier égale seulement au tiers de la concentration moyenne), et 0,9 % des machines à vapeur. Le département n'a pas su profiter de sa population plus importante ni de son urbanisation élevée, les débouchés y restent faibles, les investissements ne suivent pas, et l'imprimerie demeure fondée sur une juxtaposition de micro-ateliers du modèle pré-industriel.

Même phénomène, mais accentué, dans le Morbihan (et les autres départements bretons) : les effets favorables d'un poids démographique important (même si la conjoncture démographique est négative) sont neutralisés par l'absence d'urbanisation, la dispersion de l'habitat et une tradition de l'imprimé franchement médiocre, l'élément déterminant étant ici la faiblesse même des réseaux du livre — de près de moitié moins denses que la normale, ils se situent à un niveau égal au tiers de celui des Bouches-du-Rhône. Compte tenu de cette faiblesse structurelle, il est normal que la concentration ouvrière soit un petit peu moins mauvaise. Quant à la mécanisation, elle est nulle.

Enfin, voici la France du vide, le nouveau « désert français ». Les conditions déterminantes y sont des plus simples quant à l'implantation de notre industrie : faiblesse démographique, urbanisation inexistante, absence de toute perspective d'industrialisation, isolement géographique marqué interdisant de compenser ces déficits du côté d'un public extérieur à la région. Le marché, déjà des plus médiocres, n'est susceptible d'aucun développement, il n'y a donc pas de possibilités d'investissement, et les micro-ateliers existants sont condamnés à la stagnation.

En fait, c'est le marché qui commande toute possibilité de développement, et il n'est pas surprenant que la géographie de l'imprimerie recouvre dans une large mesure la géographie économique et humaine de la France de la révolution industrielle. Ce n'est que lorsque les réseaux de communication auront désenclavé le territoire national, que des opportunités nouvelles de développement s'offriront aux régions jusqu'alors en retard — parce que le coût de la main-d'œuvre y sera inférieur. Dans la plupart des cas cependant, le retard accumulé demeure impossible à combler, parce que le tissu économique et humain, dont l'imprimerie est précisément le reflet fidèle, s'est désagrégé.

L'exemple du département du Nord

L'analyse d'ensemble doit être régulièrement sous-tendue par des analyses plus ponctuelles, à cadre départemental ou local. Dans le cas qui nous occupe, le département du Nord constitue un exemple intéressant pour apprécier non seulement l'évolution d'ensemble de la population des imprimeurs, mais aussi la pénétration plus ou moins rapide des structures industrielles ; dans le même temps, il s'agit d'un ensemble territorial à l'évolution économique et démographique suffisamment marquée pour que nous y rencontrions pratiquement tous les modèles d'ateliers.

Le Nord comptait 35 ateliers d'imprimerie au début du XIXᵉ siècle, les décrets de 1811 en réduisent autoritairement le nombre à 20, soit une des densités parmi les plus élevées de France (environ 1 atelier pour 40 000 habitants, contre, par exemple, 290 000 dans l'Ariège). Le tableau n° 5 résume l'évolution, malgré des sources insuffisantes et divergentes (20).

Une fois éliminés les chiffres aberrants, provenant de la disparité des sources documentaires (en 1848 notamment), ce qui frappe, c'est en premier lieu le fait que, durant la majeure partie du siècle, il ne se produit que peu ou pas de resserrement des réseaux du livre, autrement dit que, jusqu'à la fin du Second Empire, le nombre des ateliers suit difficilement la courbe de l'évolution démographique : un imprimeur pour 24 000 habitants en 1806, pour 28 000 en 1861. Cependant, et en tenant compte de la représentativité moindre des chiffres de 1848, les moyennes cachent évidemment un fort processus de concentration, sans doute pour l'essentiel déjà engagé autour de 1850. Second point très significatif : le département du Nord est comme l'illustration du « décollage » de la Troisième République. La densité des réseaux d'imprimerie double entre 1861 et 1879, elle est à nouveau multipliée par 2,1 entre 1879 et 1911.

D'autre part, et dans le détail, le paysage change très profondément, ce que permet de suivre l'évolution des simples localisations d'ateliers. Voici, en 1837, les imprimeries liées à la présence d'une administration, comme à Avesnes (2 ateliers, 3 presses) ; dans d'autres cas, c'est la présence d'activités industrielles importantes qui domine, notamment à Maubeuge (3 ateliers, 7 presses), Valenciennes, Anzin, Roubaix, Tourcoing, etc. Mais, partout, ce ne sont que de très petits ateliers. Le stade supérieur de développement n'est atteint que dans les deux cas de Lille et de Valenciennes, qui combinent une tradition culturelle et administrative ancienne (ce furent notamment des sièges d'intendances) avec un développement économique rapide : 10 imprimeurs brevetés (mais seulement 7 ateliers) à Lille, 2 ateliers et 10 presses à Valenciennes.

Les deux ateliers lillois de Blocquel et de Lefort disposent chacun d'une presse mécanique, mais le premier atelier du département est celui de Léonard Danel, toujours à Lille, avec 9 presses. La décennie 1840-1850 est celle d'un premier développement industriel : les imprimeries lilloises occupent désormais quelque 220 ouvriers et font tourner 40 presses typographiques, dont 4 mécaniques. A la tête de sa profession, Léonard Danel semble avoir déjà réussi la mutation de son entreprise : la maison a désormais 112 ouvriers, environ 17 presses typographiques à bras, 3 mécaniques, 9 presses lithographiques à bras et 1 mécanique. Une machine à vapeur de 4 chevaux a été mise en place, et l'entreprise dispose également de 2 laminoirs et d'une presse hydraulique. L'imprimerie règle 115 000 francs de banques annuelles et

produit une valeur ajoutée de 110 000 francs.

Cet exemple fait entrer au cœur de la nouvelle logique industrielle, mais il n'est qu'assez lentement suivi par ses confrères, et la grande majorité des ateliers locaux se bornent en fait à profiter avec plus ou moins de bonheur des opportunités locales de développement. En 1911, le réseau des imprimeries s'est très fortement étoffé puisque nous en trouvons désormais dans 66 villes différentes : 137 ateliers dans les centres les plus actifs — Lille, Roubaix, Tourcoing, Douai et Valenciennes, Dunkerque —, tandis que la structure particulière de l'habitat dans le département (nombreuses villes de 4 000 à 5 000 habitants) explique la dispersion des autres imprimeries — 146, soit plus de la moitié du total, dans 60 villes. La localisation des industries est l'élément déterminant, comme dans le cas de Fourmies (7 ateliers, moins de 2 000 habitants par imprimerie), Jeumont (1 700 habitants par atelier), etc.

Le monde des ateliers traditionnels

Toute typologie des ateliers renvoie avant tout à la typologie différenciée des marchés dont disposent ceux-ci. Les ateliers traditionnels sont encore ceux qui dominent très largement l'imprimerie française durant tout le XIXᵉ siècle. Il s'agit le plus souvent d'entreprises personnelles ou familiales, vivant presque exclusivement à partir des besoins de la ville où elles sont situées et, ainsi, du plat pays qu'elle commande : davantage que le chiffre brut de population, la présence de quelques bureaux administratifs,

Tableau n° 5 — *Évolution du nombre des ateliers typographiques du département du Nord, 1806-1911.*					
Dates	Population	Impr.	Hab./imp.	Ouvriers	Presses
1806	839 533	35	23 987	?	?
1811	—	20	41 977	?	?
1837	1 026 417	33	31 103	?	90
1840	—	42	24 439	?	?
1848	1 158 295	26	44 550	209	?
1851	—	45	25 740	?	?
1861	1 303 380	46	28 334	1 338	189
1879	1 519 595	105	14 472	?	?
1911	1 961 780	283	6 932	?	?

d'une sous-préfecture, éventuellement d'établissements d'enseignement plus ou moins importants, plus rarement des autorités ecclésiastiques ou d'une société savante, tels sont les éléments générateurs des « travaux de ville » qui constituent l'assise de ces ateliers. Il peut s'y joindre les multiples publications d'intérêt local ou départemental, tels qu'annuaires statistiques, procès-verbaux des séances du conseil municipal, proclamations et professions de foi pour les élections, voire la publication d'une feuille d'annonces ou d'un périodique local. Donnons-en quelques exemples, tirés notamment du *Feuilleton* de la *Bibliographie de la France,* dans lequel sont proposés les ateliers dont les propriétaires souhaitent se défaire.

Tout d'abord, les annonces insistent toujours sur la présence, dans la ville, d'une clientèle spécifique institutionnelle, selon le modèle que nous venons de développer : cette ville de l'est de la France, en 1837, est ainsi tout à la fois un chef-lieu d'arrondissement et un siège épiscopal. La moitié des presses de l'imprimerie « roulent continuellement sur des ouvrages diocésains, qui sont la propriété de l'imprimeur, et les autres servent aux ouvrages de ville ». Cette autre ville des environs de Paris est un chef-lieu de préfecture (Versailles, Melun ?), cette troisième, de 30 000 habitants, est chef-lieu de département, à nouveau dans l'est de la France... De toute évidence, il s'agit bien, pour le rédacteur de chaque notice, d'un élément de première importance, susceptible de favorablement influencer un acheteur potentiel.

Mais au-delà, la pénétration des éléments d'innovation semble rester toujours des plus limitées : le premier atelier que nous venons de citer ne se compose que de cinq presses, dont quatre à un coup avec marbre et platine en fonte — ce qui veut dire que l'on y utilise toujours, en 1837, une presse datant probablement du siècle précédent. Dans notre cas de la région parisienne, on compte six presses, mais l'annonce précise que trois d'entre elles sont à deux coups, et seulement deux en fer. Situé à 30 lieues de Paris, « sur une des routes les plus fréquentées de France, dans un arrondissement riche et populeux, où il se trouve seul

en son genre », un dernier atelier, « parfaitement monté en caractères très variés », ne compte pourtant que deux presses en bois et une seule en fer. On pourrait multiplier les exemples (21) : la grande masse des imprimeries françaises demeure dominée par le modèle de la petite entreprise et est très peu touchée par le mouvement d'innovation technique et d'industrialisation. Au total, une flagrante médiocrité, d'autant plus nette si nous comparons le cas de la France à celui de certains pays voisins tels que l'Allemagne.

A l'origine de cette résistance très forte à l'innovation se trouve un ensemble de contraintes dont il est presque impossible, pour un petit imprimeur de province, de se dégager. En premier lieu, la géographie traditionnelle de l'imprimé est une géographie de la sous-population, chacun y survit en contrôlant un marché local ou, au mieux, régional — et seule une minorité d'imprimeurs parisiens, à proximité immédiate des sources du pouvoir (22), peut contrôler un marché suffisant qui nécessite des ateliers beaucoup plus importants (23).

Dans cette logique, les possibilités de développement sont en rapport direct avec la conjoncture locale ou régionale : la progression démographique médiocre, la perte de substance apportée dans bien des cas par le développement de l'immigration parisienne, le caractère traditionnel des structures socio-économiques dans une grande partie de la France du XIXᵉ siècle, autant d'éléments fondamentaux qui ferment à beaucoup de nos imprimeurs toute possibilité d'expansion. Or, le fonctionnement de l'atelier est cher — que l'on songe aux capitaux circulant —, le simple renouvellement des fontes fait souvent problème, l'achat de presses mécaniques et d'une machine à vapeur est donc le plus souvent exclu, d'autant que les imprimeurs n'ont à leur disposition aucune structure adaptée susceptible de leur procurer le crédit indispensable. Même dans un département *a priori* favorisé par une conjoncture propice, tel le Nord, l'étroitesse des marchés locaux interdit toute tentative d'expansion : à Hazebrouck, en 1844, le seul imprimeur, Guermonprez, « ne faisait ordinairement que des ouvrages de ville ou de bilboquet, c'est-à-dire des imprimés

pour le compte des administrations ou destinés à des usages privés », tandis que, au Cateau, « la presse du sieur Dumesnil, imprimeur en cette ville, ne fonctionne que pour objets de commerce et notariat » (24).

Les inventaires notariés ou sous seing privé, les annonces également, permettent de situer les investissements que réclame l'achat de matériel nouveau : dans les années 1830, une presse à bras en état de marche est estimée 1 200 francs, mais une « mécanique anglaise » vaut 25 000 francs. Même s'il s'agit en l'occurrence d'un prix qui va en fait diminuer rapidement, il demeure à plus de 10 000 francs pour une mécanique durant la décennie suivante. A ces chiffres, il convient d'ajouter les frais d'acquisition d'une machine à vapeur, 9 200 francs, et d'installation de l'ensemble (plusieurs milliers de francs s'il s'agit, ce qui est le plus fréquent, d'un immeuble ancien à aménager) (25). La distorsion est encore plus sensible si l'on songe que la plupart des presses à bras dont disposent les ateliers sont des presses anciennes, dont la valeur est en fait bien plus faible : les 12 de l'imprimerie Levrault à Strasbourg sont estimées 4 000 francs en 1839 (26), une presse à bras d'occasion est proposée pour 600 francs à Paris en 1850 (27). Or, si nous admettons que l'achat et la mise en route d'une presse mécanique mue par la vapeur nécessite un investissement de 20 000 francs — c'est un minimum —, somme dont la plupart du temps l'imprimeur devra emprunter l'essentiel à un taux de l'ordre de 5 %, cela signifie qu'il lui faut dégager un bénéfice net supplémentaire de quelque 2 750 francs par an pour rentabiliser l'achat, en calculant un amortissement du capital fixe sur vingt ans. Cette somme est absolument hors de portée de la majorité des ateliers — il n'est, pour s'en convaincre, que d'observer le montant très bas des capitaux sociaux déclarés lors de la formation d'imprimeries nouvelles — surtout si l'on considère qu'il s'agit d'un bénéfice moyen devant être maintenu sur deux décennies.

L'industrialisation de l'imprimerie française va donc se faire sans cette piétaille de petits ateliers : or, la productivité des machines et des installations nouvelles marque une telle supériorité que, non seulement un petit nombre

Une page des *Œuvres complètes* de La Fontaine illustrées de vignettes dessinées par Devéria et gravées sur bois par Thompson. Malgré la notoriété de ces artistes, cette édition, lancée par Balzac, n'eut pas de succès. H. 228 mm.

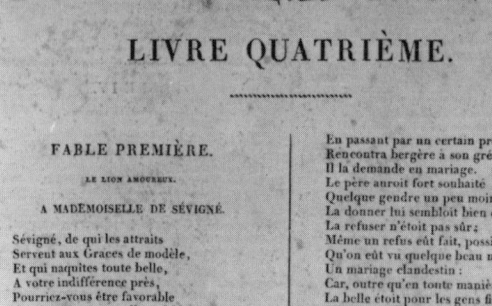

LIVRE QUATRIÈME.

FABLE PREMIÈRE.

LE LION AMOUREUX.

A MADEMOISELLE DE SÉVIGNÉ.

Sévigné, de qui les attraits
Servent aux Graces de modèle,
Et qui naquites toute belle,
A votre indifférence près,
Pourriez-vous être favorable
Aux jeux innocents d'une fable,
Et voir, sans vous épouvanter,
Un lion qu'Amour sut dompter?
Amour est un étrange maître!
Heureux qui peut ne le connoître
Que par récit, lui ni ses coups!
Quand on en parle devant vous,
Si la vérité vous offense,
La fable au moins se peut souffrir :
Celle-ci prend bien l'assurance
De venir à vos pieds s'offrir,
Par zèle et par reconnoissance.

Du temps que les bêtes parloient,
Les lions, entre autres, vouloient
Être admis dans notre alliance.
Pourquoi non? puisque leur engeance
Valoit la nôtre en ce temps-là,
Ayant courage, intelligence,
Et belle hure outre cela.
Voici comment il en alla :

Un lion de haut parentage,

En passant par un certain pré,
Rencontra bergère à son gré :
Il la demande en mariage.
Le père auroit fort souhaité
Quelque gendre un peu moins terrible.
La donner lui sembloit bien dur ;
La refuser n'étoit pas sûr ;
Même un refus eût fait, possible,
Qu'on eût vu quelque beau matin
Un mariage clandestin :
Car, outre qu'en toute manière
La belle étoit pour les gens fiers,
Fille se coiffe volontiers
D'amoureux à longue crinière.
Le père donc ouvertement
N'osant renvoyer notre amant,
Lui dit : Ma fille est délicate ;
Vos griffes la pourront blesser
Quand vous voudrez la caresser.
Permettez donc qu'à chaque pate
On vous les rogne ; et pour les dents,
Qu'on vous les lime en même temps :
Vos baisers en seront moins rudes,
Et pour vous plus délicieux ;
Car ma fille y répondra mieux,
Étant sans ces inquiétudes.
Le lion consent à cela,
Tant son ame étoit aveuglée !
Sans dents ni griffes le voilà,
Comme place démantelée.
On lâcha sur lui quelques chiens :
Il fit fort peu de résistance.

Amour! Amour! quand tu nous tiens,
On peut bien dire : Adieu prudence !

Portrait de Balzac jeune homme d'après la sépia attribuée à Achille Devéria et conservée dans la collection Lovenjoul. (Extrait de E. Aubrée, Balzac à Fougères, *les Chouans*. Ed. Perrin.)

Balzac imprimeur

En avril 1825, Honoré de Balzac se lance dans l'édition. En association avec le libraire Urbain Canel, le médecin Charles Carron et un officier réformé, Jacques-Édouard Benet de Montcarville, il entreprend la publication en édition compacte à deux colonnes et en un seul volume in-octavo des œuvres complètes de Molière, La Fontaine, Corneille et Racine. Seules les *Œuvres complètes* de Molière et de La Fontaine ont le temps de paraître avant la dissolution, le 1er mai 1826, de cette association. Tirés à 3 000 exemplaires, ces ouvrages n'eurent aucun succès en raison de leur typographie trop fine, de la médiocrité de l'illustration et d'un prix de vente trop élevé.

Désireux de récupérer sa créance, le bailleur de fonds de Balzac lui fait visiter l'imprimerie d'un de ses parents. Enthousiasmé, Balzac fait, avant même que soit dissoute son entreprise manquée d'édition, une demande d'obtention de brevet d'imprimeur, le 12 avril 1826. Son égérie, la « Dilecta » de sa correspondance, lui prête 45 000 francs et obtient que son mari, M. de Berny, un haut magistrat, intervienne en faveur du postulant. Muni de son brevet d'imprimeur dès le 1er juin, Balzac dispose déjà d'une imprimerie, acquise le 16 mars grâce à l'argent de sa famille et de Mme de Berny, celle de Laurens de Pérignac, sise au 17 de la rue des Marais-Saint-

Germain, devenue rue Visconti en 1864. Il a versé 12 000 francs à un jeune typographe, André Barbier, pour qu'il quitte son emploi et lui apporte son concours technique. Le matériel est constitué de sept presses de Stanhope, d'une presse à satiner, de six cents livres de caractères cicero, de quatre cents livres de caractères petit texte et de onze cents livres de caractères petit romain. 36 ouvriers font de cette imprimerie une entreprise de taille moyenne, Firmin-Didot en employant alors 200 et Everat 500.

Débutant par un prospectus publicitaire pour les « pilules anti-glaireuses de longue vie » du pharmacien Cure, Balzac dépose 282 livres au Bureau de la librairie entre

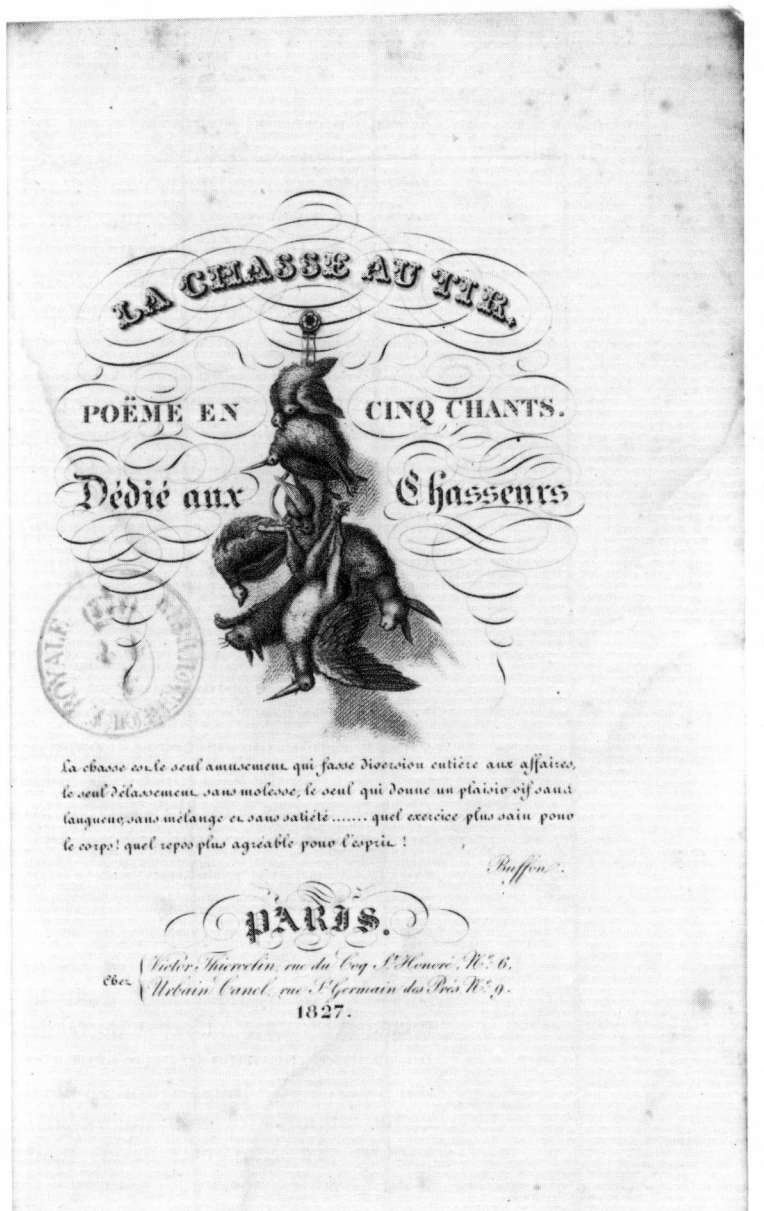

Un des petits volumes sortis des presses de l'imprimerie Balzac, orné d'un titre et de planches gravés sur acier. (H. 209 mm).

juillet 1826 et août 1828. Ce sont souvent des brochures d'actualité concernant des procès, des pots-pourris politiques de chansonniers, de petits volumes à la mode paraissant sous le titre « Art de... » : *Art de donner à dîner, Art de mettre sa cravate, Art de ne jamais déjeuner chez soi, Art de payer ses dettes...* Il réimprime aussi des ouvrages didactiques célèbres et de grande diffusion : *Lycée ou Cours de littérature* de La Harpe, *Vocabulaire* de Wailly, *OEuvres* de Ducis et de Colardeau. On lui doit les *Mémoires* de Barbaroux, de Bouillé, de Mme Roland, la troisième édition de *Cinq-Mars* par Alfred de Vigny, celle de *La Jacquerie* par Prosper Mérimée. Outre les pots-pourris séditieux des journalistes, Balzac se signale à la censure en imprimant des ouvrages condamnés : les *OEuvres* de Parny, les *Ruines* de Volney, les *Scènes contemporaines* de la vicomtesse de Chamilly.

Déplorable gestionnaire, Balzac met rapidement son entreprise en difficulté. Il croit pouvoir redresser la situation par l'achat, en septembre 1827, de la fonderie de caractères d'imprimerie de Joseph-Gaspard Gillé. Mais le passif de l'imprimerie-fonderie dépasse l'actif et Barbier abandonne Balzac. Mme de Berny le remplace et, le 16 avril 1828, Balzac perd tout droit sur la fonderie. Il ne tarde pas à être obligé de liquider aussi l'imprimerie, le 12 ou le 16 août suivant.

C'est son ex-associé Barbier qui rachète le fonds et reprend le brevet d'imprimeur, le 28 septembre 1828.

Ainsi se termine dans la déconfiture et avec des dettes qui l'accableront sa vie durant la courte aventure d'imprimeur d'Honoré de Balzac, une expérience qui lui servira pour écrire les *Illusions perdues*. André Barbier fit d'excellentes affaires dans l'imprimerie et la fonderie, connut une prospérité remarquable sous la direction d'Alexandre Deberny, qui avait renoncé à la particule, avant de devenir l'entreprise Deberny et Peignot et de disparaître dans des conditions balzaciennes, le 31 décembre 1972.

Alfred Fierro

Billet publicitaire de l'Imprimerie Henry,
la principale imprimerie de Valenciennes au XIXᵉ siècle.
Ce billet fait état de travaux variés et indique que
l'imprimerie est aussi le siège d'un périodique régional
(180 × 114 mm). (Valenciennes, Archives municipales.)

Verso du prospectus consacré aux activités du fils de M. Henry,
Eugène, spécialisé dans les impressions lithographiques,
la réglure et la reliure de registres (180 × 114 mm).

d'imprimeries industrielles peut produire la masse d'impressions supplémentaires écoulées sur le marché, mais aussi, les investissements importants de départ se trouvant ainsi rentabilisés, les coûts de fabrication sont largement abaissés même pour des tirages inférieurs, et les entreprises se trouvent parfois en mesure de sortir à un prix plus bas des travaux qui constituaient précisément l'essentiel de la production de nos petites maisons. Ajoutons que la révolution des transports permet encore de diminuer les prix du fret et des expéditions et retire donc à l'imprimeur local un de ses derniers atouts. Le processus joue pareillement à l'encontre des petits imprimeurs des différents arrondissements parisiens.

Les exemples de ces tentatives, qui toutes échouent devant la première crise du crédit, sont multiples. Nous nous bornerons à en présenter un qui nous paraît caractéristique : en 1845, Auguste-Constant Maistrasse, originaire d'Orléans, s'associe à un certain Barrot, bailleur de fonds, pour exploiter une imprimerie de trois presses, propriété de Barrot, mais dont lui-même a le brevet. L'achat de ce dernier auprès du titulaire précédent a été fait pour 8 000 francs comptant et la même somme à régler en quatre billets à ordre. Le 1ᵉʳ janvier 1846, moins d'un an après, les scellés sont mis sur l'atelier : Maistrasse trouve un nouvel investisseur en la personne de Wiart et déménage pour s'établir le 4 avril rue Notre-Dame-des-Victoires, où il a un nouveau matériel — « deux presses ordinaires toutes neuves et une presse mécanique. Les casses de la composition s'y trouvent également et sont garnies d'un matériel tout neuf ». Maistrasse a apporté son brevet, estimé 16 000 francs, et Wiart la même somme. Le 8 février 1847, le voici pourtant en fuite et en déconfiture, ayant perdu tout crédit et ne pouvant régler un des billets pour l'achat du brevet : le 10, Wiart dépose le bilan de la faillite, qui est déclarée le 12, avec un passif de 60 000 francs répartis entre 46 créanciers. Le 18 août, Maistrasse crée avec Baudouin une nouvelle société en nom collectif, pour exploiter son imprimerie dont les scellés sont levés le lendemain, mais le matériel appartient au gendre de Baudouin, Lacour, auprès duquel il est loué :

c'est un nouvel échec, la faillite est déclarée, les scellés remis, puis l'imprimerie déménagée chez Lacour en 1851 (28). C'est donc bien le manque de numéraire qui interdit tout investissement, oblige à des montages financiers particulièrement aléatoires et enferme l'imprimeur dans la logique de la médiocrité et de l'échec. Ajoutons que l'imprimerie est une activité qui dans la grande majorité des cas ne peut conduire à des profits qu'à moyen ou à long terme, alors que les investisseurs recherchent précisément des placements spéculatifs hautement rentables dans le court, voire le très court terme.

▉ Les ateliers industriels

Quarante années plus tard, des facteurs nouveaux interviennent, qui transforment plus ou moins profondément ce paysage. Deux éléments paraissent ici importants, et, en premier lieu, un marché financier moins étriqué. C'est ainsi que, à la fin du XIXe siècle, les sociétés en commandite qui se forment pour exploiter des imprimeries disposent assez souvent de capitaux de départ sensiblement plus importants que ceux déclarés jusqu'alors — même s'il convient de faire la distinction entre le capital fixe et le fonds social proprement dit.

L'*Intermédiaire des imprimeurs* de l'année 1895 nous en donne un certain nombre d'exemples parisiens, qui permettent de situer le niveau général des investissements : Noizette et Compagnie, société en nom collectif pour l'exploitation d'une imprimerie, établie pour douze ans, a un capital de 60 000 francs ; Durdilly et Cie, société en commandite, déclare un capital de 300 000 francs, dont, il est vrai, 60 000 correspondent effectivement à la commandite, c'est-à-dire à des apports d'argent frais ; Cartigny et Forget, rue de Belleville, société en nom collectif, déclare un capital de l'ordre de 60 000 francs ; la Société anonyme de l'imprimerie Appel, rue du Delta, un capital de 50 000 francs, et la Société parisienne d'impressions, rue Notre-Dame-des-Champs, société anonyme, un capital de 600 000 francs.

En 1911, les grands ateliers parisiens disposent de fonds sociaux considéra-

Amusante réclame (bilingue) pour un fabricant
de fausses dents à Strasbourg en 1861 (193 × 127 mm).
(Strasbourg, Archives du Bas-Rhin.)

bles : la Société anonyme de l'Imprimerie de Vaugirard est organisée en 15 ateliers spécialisés, possède 80 machines à imprimer alimentées par une force motrice de 400 chevaux, qui lui permettent de réaliser tous les types de travaux, et déclare un capital de 1 million de francs. Une imprimerie parisienne de labeur, l'imprimerie Moullot, spécialisée dans les brochures et les catalogues en chromolithographie pour la publicité, est également constituée en société anonyme et déclare un capital de 3 millions de francs.

Les chiffres de la province sont parfois sensiblement inférieurs à ceux-ci : à Lyon, la société en nom collectif Pithioux et Vve Botton est établie au capital de 22 181,35 francs. Cette infériorité n'est toutefois nullement de règle comme le montrent les exemples de l'Imprimerie Vve Guy et Fils à Alençon, société en commandite au capital de 69 000 francs, ou de Wallays, Nisse et Cie à Roubaix, société en commandite au capital de 181 109 francs. Dans certains cas, nous atteignons aussi, au début du XXe siècle, des chiffres très élevés : à Nancy, la Société anonyme des Imprimeries réunies a été formée par la fusion des anciennes maisons Bergeret, Humblot et Helmbinger, elle fait tourner 60 presses mécaniques et déclare un fonds social de 2 millions de francs (29).

Le deuxième élément à intervenir, qui explique dans une certaine mesure la conjoncture favorable, tient dans les caractères nouveaux de l'innovation technique : l'accent est en effet mis, désormais, sur la commodité et la légèreté. Une génération de machines et de procédés nouveaux permet de s'affranchir des contraintes très lourdes qui étaient celles de la première phase de l'industrialisation. Voici, d'abord, le moteur à gaz, rapidement utilisé dans bon nombre d'ateliers où il tend à supplanter la machine à vapeur pour son encombrement bien moindre, sa plus grande sécurité et sa commodité d'emploi (il sera évidemment suivi de l'électricité). Il s'agit la plupart du temps de petits moteurs de fabrication allemande, d'une puissance de 1 cheval ou 1 cheval 1/2. Puis vient un ensemble de machines à imprimer bien moins chères et moins encombrantes (30) que les mécaniques anciennes et dont la rentabilisation

est obtenue beaucoup plus facilement.

Sous la Troisième République, les grands constructeurs de matériel typographique s'orientent délibérément dans cette direction nouvelle, avec notamment la presse à pédale. Marinoni sort ainsi l'Active, dont le plus petit modèle n'occupe que 2 mètres sur 1,20 mètre, et pèse moins de 1 200 kg. Plus de 15 000 exemplaires de cette machine sont vendus avant la fin du siècle. La presse à pédale Alauzet est d'un encombrement encore moindre, et son entretien est pratiquement nul. La plus petite et la moins onéreuse semble cependant être la presse dite « pédale simplifiée » de J. Voirin, dont le modèle le plus accessible, autour des années 1900, ne coûte que 650 francs ; le même constructeur fabrique également toute une gamme de machines légères, dont une petite presse mécanique à la disposition traditionnelle, comportant un dispositif de réglure, n'occupant que 2,25 mètres sur 1,15 mètre, et assurant des tirages de 1 300 exemplaires à l'heure. D'autres maisons, telles que Tourey, E. Ravasse, etc. produisent des machines concurrentes.

Les constructeurs de machines bénéficient pleinement de l'expansion du marché : un Hippolyte Marinoni, qui se déplace en train spécial, est l'une des grandes fortunes françaises des années 1900. Fondée en 1834, la Société anonyme Voirin possède deux usines, à Paris et dans l'Oise (Montataire) et déclare un capital de 2,750 millions de francs.

La conjoncture de l'imprimé à la fin du XIXe siècle est suffisamment porteuse pour expliquer également ce décollage, mais ce qui nous paraît bien ici le plus important, c'est le fait que se produit un renouvellement profond du matériel disponible dans les imprimeries. La souplesse d'emploi des machines nouvelles en permet l'utilisation dans des locaux indifférenciés, réduit les frais de fonctionnement et, du fait d'un prix de revient bien inférieur, permet une utilisation infiniment plus large. Pour un investissement de départ minime, l'imprimeur dispose désormais d'un matériel d'une productivité très améliorée.

Enfin, au cours des dernières décennies du XIXe siècle, les grands investissements d'infrastructure sont achevés,

notamment dans le domaine ferroviaire, ce qui conduit à deux conséquences importantes : tout d'abord, la libération d'importants capitaux disponibles permet une augmentation de la formation de capital fixe à travers le secteur secondaire — ce qui expliquerait pour partie l'augmentation pressentie des fonds sociaux déclarés dans les entreprises nouvelles de la fin du siècle ; seconde conséquence, la baisse des coûts de transport, même si elle est en France moins importante qu'en Allemagne, permet aux imprimeries provinciales de tirer profit de leurs avantages quant aux tarifs de la main-d'œuvre et aux frais généraux (notamment parce que les taxes sont moins lourdes).

Dans les dernières années du XIXe siècle, les tarifs pour la composition varient de 0,45 à 0,52 franc le mille en province, contre 0,65 franc à Paris. La rapidité des relations épistolaires, la possibilité de faire aisément régler les factures par simple transfert entre comptes courants, autant d'éléments qui permettent à certains imprimeurs provinciaux de travailler pour de grands éditeurs parisiens. Du coup, les exemples de « décollage industriel » se multiplient, certains imprimeurs parisiens trouvant même plus avantageux d'établir leurs usines en banlieue, sinon en province. On connaît le cas de Firmin-Didot au Mesnil-sur-Estrée (Eure), mais voici celui de Plon, Nourrit et Cie à Nanteuil-lès-Meaux (Seine-et-Marne).

Un exemple caractéristique de ce processus de désenclavement est celui de l'imprimerie de Marie-Pierre Marchessou, au Puy-en-Velay : Marchessou acquiert en 1853 cet atelier créé sous la Révolution et entre bientôt en relations avec différents éditeurs. Il y installe, en 1855, la première presse mécanique du Puy et y adjoint un atelier de lithographie en 1867. Sa spécialité est surtout de travailler pour les ouvrages de bibliophilie, comme en témoigne son édition des *Fleurs de montagnes,* mais il est également l'imprimeur attitré de la vénérable Société des anciens textes français pour laquelle il imprime les *Chroniques* d'Étienne Médicis, les *Mémoires* de Jean Burel, etc. De son atelier sortent également la *Revue des études grecques,* la *Revue de l'Orient.*

D'autres s'efforcent avec plus ou moins de bonheur d'échapper aux contraintes d'un environnement médiocre. Les uns se spécialisent : en 1911, l'imprimeur de La Pacaudière, localité de 1 755 habitants du département de la Loire, travaille surtout à des « prospectus à prix réduits » ; à l'inverse, et nous retrouvons un réflexe traditionnel de repli frileux sur le cadre local, certains sortent du seul domaine de l'imprimerie : de nombreux imprimeurs de province sont également libraires, ce qui peut parfois les amener de fait à exercer un commerce de définition très large, comme ces « bazars » à La Ferté-Milon au début du XXᵉ siècle (31).

Cependant, dans l'ensemble, les dernières décennies du siècle offrent d'intéressantes opportunités d'expansion aux ateliers, même de seconde importance, qui savent les saisir.

La mécanisation des ateliers

Les années 1770 avaient été marquées (32) par un important développement de la production imprimée, et, par voie de conséquence, de l'économie du livre, développement qui a eu pour effet la constitution dans la plupart des régions de quelques ateliers plus importants pouvant compter plusieurs dizaines d'ouvriers. Ces ateliers, qui bénéficiaient d'une position privilégiée dans leur ville ou leur région, ont fréquemment traversé avec quelques difficultés la période révolutionnaire. Au début du XIXᵉ siècle cependant, ils ont fréquemment retrouvé leur ancienne position et se trouvent parmi les mieux placés pour profiter du développement rapide des activités du livre.

Un exemple intéressant des voies qui s'ouvrent à ce type de maisons nous est donné par l'imprimerie Silbermann de Strasbourg (33).

Gustave Silbermann, né en 1804, fait des études pour devenir avocat — trait caractéristique des nouvelles élites apparues depuis la fin de l'Ancien Régime — mais décide de succéder à son père imprimeur, à la mort de celui-ci, en 1824. Pour se mettre au fait des techniques alors employées, il travaille pendant deux ans chez Firmin-Didot à Paris, avant d'entreprendre un voyage qui le conduit dans les principaux ateliers d'Angleterre, de Hollande et d'Allemagne. De son périple, il rapporte la conviction que

Hippolyte Marinoni (1822-1904), portrait paru dans la *Revue des industries du livre*, 11ᵉ année, n° 89, février 1904.

Une des nombreuses presses à pédale construite sous la Troisième République, *la Sanpareille*, présentée par la maison Geibel et Wibart en 1872, pesant 600 kg seulement, occupant 1,80 mètre sur 1 mètre et capable de tirer 600 exemplaires à l'heure. (*L'Imprimerie, journal de la typographie et de la lithographie*, 1872.)

l'ère des innovations ouvre à l'imprimerie des possibilités nouvelles très riches et dès lors va attacher une attention particulière à suivre le mouvement des techniques. Lui-même travaille dans le domaine difficile de l'impression en couleurs, dans lequel son atelier acquiert bientôt un renom européen.

Si Silbermann, représentant des milieux libéraux de Strasbourg, réussit à se tailler une place appréciable parmi les imprimeries de la capitale alsacienne, le succès matériel lui est assuré par une production tout à fait spécifique, celle des « petits soldats de Strasbourg » dont il lance la production en 1832 et qu'il tire bientôt à 150 000 feuilles par an (voir planche 13). Il y joint ce que nous appellerions aujourd'hui une activité d'« éditeur régionaliste » (où il concurrence son collègue Heitz) et est enfin le gérant du grand journal d'opinion dans l'Alsace du XIXᵉ siècle, le *Courrier du Bas-Rhin*. L'exemple de Silbermann met en évidence quelles sont les voies du succès pour ces imprimeries provinciales de moyenne importance : diversité des travaux réalisés ; choix de quelques « créneaux » de production plus ou moins spécialisés, pour lesquels l'imprimeur est également éditeur, et qui sont susceptibles de développements suffisamment importants ; enfin, clientèle régulière de certaines administrations ou institutions, sociétés savantes, groupes politiques, etc.

Le marché régional ne permet que très exceptionnellement de dépasser ces cadres de développement et impose cette forme de spécialisation ; tel imprimeur construit sa prospérité sur la publication d'une feuille périodique importante, tel autre sur celle d'almanachs et de livrets populaires, celui-ci sur les missels et ouvrages religieux pour le diocèse, celui-là sur les fournitures administratives. Nous trouvons ces différents modèles dans presque toutes les « capitales régionales » de la France du XIXᵉ siècle.

Ce modèle de réussite a pu être dépassé dans un certain nombre d'ateliers qui sont devenus les plus importants de France. La capacité nouvelle des moyens de production a cependant empêché toute diffusion trop large du modèle de l'« usine à livres », puisque un petit nombre d'imprimeries très

performantes suffisait à couvrir les besoins du marché, et que, d'autre part, les besoins considérables en capitaux qui s'y manifestaient faisaient de ce groupe un club particulièrement fermé, où les réussites étaient de plus en plus rares. Soit quelques exemples.

Des ateliers comme ceux de Danel et de Lefort à Lille, de Mégard à Rouen, de Berger-Levrault à Strasbourg, puis Nancy, de Barbou et de Martial Ardant à Limoges, de Popelin à Dijon, etc. se situent dans cette logique de développement. À Lille, à partir de 1873, l'imprimeur Lefebvre-Ducrocq imprime bon nombre de périodiques pour des éditeurs parisiens, notamment Léon Gondeau : *Le Diable rose,* le *Journal des marchandes de mode, Le Génie de la mode,* etc.

Dans des villes apparemment secondaires, l'on rencontre des imprimeries qui ont su profiter pleinement de la facilité nouvelle des communications : à Montluçon, Herbin emploie 260 ouvriers, fait tourner 18 machines alimentées par l'électricité et dispose d'un téléphone « direct avec Paris ». À Châteauroux, Méllottée fait tourner 35 presses, dont 3 rotatives, et emploie 450 ouvriers. Dans une capitale régionale plus importante, mais davantage isolée géographiquement, Clermont-Ferrand, nous trouvons la Société anonyme du *Moniteur du Puy-de-Dôme* et des imprimeries G. Mont-Louis, qui, avec 24 presses de tous types (dont une rotative), 4 Linotypes, des plieuses et brocheuses, etc., a su s'attacher la clientèle des administrations et du P.L.M. Les ateliers parisiens ne sont cependant pas en reste, comme le montrent les exemples de Napoléon Chaix (qui se spécialise dans les produits pour l'administration), ou de Paul Dupont ; l'ancienne imprimerie Lahure possède, au début du XXᵉ siècle, 50 presses typographiques à vapeur, 5 « presses américaines », 15 presses typographiques à bras et 65 « machines diverses ».

Cette réussite de l'imprimerie industrielle provinciale trouve sa consécration dans la réussite de la maison Mame, à Tours, unanimement regardée comme exemplaire.

Il s'agit d'une vieille famille d'imprimeurs, mais surtout de notables de la capitale de la Touraine (plusieurs d'entre eux seront maires, conseillers

municipaux, députés, etc.). De cette insertion étroite dans l'élite locale, insertion accompagnée par un grand souci de conformisme (34), vient le succès de l'entreprise, qui se spécialise avant tout dans les publications catholiques, dont elle cherche à diminuer le prix de revient en augmentant considérablement le tirage grâce à l'utilisation la plus large possible des machines industrielles. À côté des impressions traditionnelles susceptibles d'une très large diffusion, tels que les missels, la maison saura pleinement profiter des développements de la production spécialement destinée aux enfants : livres d'étrennes et multiples collections éducatives bien pensantes pour lesquelles une production massive et l'emploi systématique du clichage permettent d'obtenir des prix de revient très bas (35). Ajoutons que la maison saura parfaitement faire sa propre publicité, en donnant un certain nombre d'éditions luxueuses présentées dans les multiples expositions industrielles — parmi lesquelles la *Bible* de Gustave Doré et surtout *la Touraine* recueillent régulièrement tous les suffrages (36).

L'imprimerie des Mame est regardée comme la première de France : les bâtiments sont rénovés en 1845, des presses mécaniques et une machine à vapeur mises en service, plus tard un atelier de reliure y est ajouté. En 1862, l'imprimerie fait tourner 20 presses mécaniques à vapeur et est répartie entre les ateliers de composition, de stéréotypie, d'assemblage, d'impression (37), de glaçage, d'impression manuelle auxquels s'ajoutent la tremperie, la laverie, la fonderie des rouleaux, le séchoir, les magasins spécialisés (notamment pour le papier), etc. A la fin du Second Empire, ce sont 30 presses mécaniques à vapeur qui produisent chaque jour l'équivalent de 20 000 volumes de 10 feuilles format in-12.

La reliure a pris alors une grande importance, elle emploie 700 ouvriers — dont une certaine proportion « en chambre » — et se subdivise également en ateliers aux tâches spécifiques (38). Enfin, la maison abrite, outre les magasins de livres en feuilles, une librairie spécialisée pour le commerce de gros et l'assortiment de ses propres productions : « tous les établissements enseignants, les communautés religieuses, les institutions laïques, les

L'atelier des presses lithographiques de l'imprimerie Berger-Levrault à Nancy.
(M. Vachon, *les Arts et les industries du papier en France,* 1871-1894. Paris, libr. impr. réunies [1894].)

CHAMP DE FOIRE AU CONTADES.

AUJOURD'HUI ET JOURS SUIVANTS, A 4 HEURES ET A 6 HEURES.

REPRÉSENTATIONS EXTRAORDINAIRES

DONNÉES A LA

GRANDE MÉNAGERIE

ROYALE NÉERLANDAISE

de M. KREUTZBERG

DOMPTEUR D'ANIMAUX FÉROCES.

Le repas de tous les animaux féroces a lieu pendant les deux représentations.

La ménagerie se compose des animaux les plus rares, tels que :

LE GRAND ÉLÉPHANT MONSTRE,
cadeau de S. M. l'Empereur de Russie, haut de 4 mètres 70 centimètres, pesant 100 quintaux métriques.

LE PETIT ÉLÉPHANT NAIN,
haut de 1 mètre 35 centimètres. Tous deux n'ont jamais été vus en Europe.

LE ZÈBRE LE PLUS RARE.

LE CHEVAL-A-LAINE DU CAUCASE.

Lama, Taureau-Bramine, Chèvres arabes.

CINQ LIONS,

Tigre royal, Guépards, Jaguars, le Tigre récemment découvert,

2 PANTHÈRES, 2 LÉOPARDS, CHAT-TIGRE OZELETTE,

plusieurs autres espèces de Chats-Tigres, 6 Hyènes de différentes espèces,

OURS de l'Amérique, des Indes Orientales et de Russie. CHAMEAUX.

Autruches, Grues royales, Pélicans, Marabout, Vautours, Serpents, Crocodiles,, Singes et Oiseaux de toute espèce, ainsi que d'autres petits animaux.

Ces représentations auront lieu sur une scène nouvellement construite à cet effet.

D'abord le dompteur Kreutzberg entre dans une cage où se trouvent 6 hyènes, 2 ours d'Amérique et 2 ours de Russie ; il y exécutera les tours les plus difficiles ; il les forcera à prendre dans sa bouche de la viande et du sucre ; bien plus ! il leur reprendra le sucre saisi et mettra sa main et sa tête dans leur gueule ; il leur présentera un agneau vivant, que les bêtes, sur son commandement, caresseront et porteront sur leur dos. Ensuite le dompteur passera sur la scène ou dans la cage centrale : sur un signe, se présenteront 4 lions, 6 hyènes, 2 ours d'Amérique et 2 ours russes, et toutes ces bêtes mangeront à la même table que lui. Si l'obéissance de ces animaux laissait quelque chose à désirer, le dompteur l'exécuterait avec le grand lion : **Prince.**
Pour terminer la représentation, on verra le petit Eléphant-Prodige faire des tours extraordinaires, tels qu'on n'en a jamais vus.

PRIX DES PLACES : Premières, 2 fr. ; secondes, 1 fr. ; troisièmes, 50 cent.

Les enfants ne paient que moitié place aux premières et deuxièmes ; les militaires non gradés ne paient que demi-place.

La ménagerie est ouverte à partir de 9 heures du matin.

G. KREUTZBERG, propriétaire de la ménagerie.

Strasbourg, typographie de G. Silbermann.

Si l'imprimerie Silbermann a su acquérir une large renommée par sa spécialisation dans la lithographie en couleurs, d'une part, et, d'autre part, ses éditions régionalistes telles que *le Courrier du Bas-Rhin,* elle ne dédaigna pas les petits travaux d'utilité courante comme ce prospectus pour un spectacle de ménagerie. On remarquera l'autorisation de distribution pendant la durée de la foire (280 × 220 mm).
(Strasbourg, Archives du Bas-Rhin.)

collèges, les lycées, s'y approvisionnent pour leurs distributions de prix. Les libraires sont assurés d'y rencontrer aux approches du jour de l'an l'assortiment le plus complet et les nouveautés les plus séduisantes... »

Au total, dans les années 1875, Mame fait vivre quelque 1 200 personnes, pour lesquelles la maison pratique une politique sociale regardée comme exemplaire : Napoléon III ne lui a-t-il pas décerné, en 1867, un prix de 10 000 francs pour l'organisation de ses ateliers « où régnaient à un degré éminent l'harmonie sociale et le bien-être des ouvriers » (39) ? L'entreprise est regardée comme le modèle d'un processus bien contrôlé de développement, et un succès économique : elle dégage une valeur ajoutée annuelle de 961 500 francs en 1847, de 3 millions de francs en 1861 (40). La puissance exceptionnelle de la maison se continue jusqu'à la Première Guerre mondiale et est mise en évidence par l'importance des capitaux engagés, 4,340 millions de francs au début du siècle.

Ainsi, le XIXᵉ siècle constitue bien, en France, une période de mutation pour l'industrie du livre. La courbe même de la conjoncture est génératrice de changements très profonds dans les conditions économiques auxquelles les entreprises doivent s'adapter : l'évolution de la pratique réglementaire vers une plus ou moins grande libéralisation, les transformations de l'environnement social et économique, que manifestent notamment l'urbanisation (et son corollaire négatif, le dépeuplement), la révolution des transports et celle des banques, la conjoncture générale de l'imprimé, la place même du livre et du journal dans le modèle culturel dominant, autant de facteurs fondamentaux qui, pour être interdépendants, n'en suivent pas moins des lignes d'évolution séparées et dont la combinaison détermine celle de l'industrie typographique.

La principale caractéristique de celle-ci réside certainement dans son hétérogénéité : l'imprimé peut aussi bien répondre à un besoin de diffusion limité à quelques milliers, voire à quelques centaines d'exemplaires, comme c'est le cas pour la majorité des titres publiés et des « travaux de ville », qu'à une demande relevant de

L'atelier de pliure de la maison Alfred Mame et Cie à Tours en 1862 : les vastes dimensions de cet atelier et le nombre considérable de ses ouvriers et surtout ouvrières — car la pliure est un travail réservé en général aux femmes — donnent une idée de l'importance prise par l'entreprise tourangelle au milieu du XIXᵉ siècle.
(*A. Mame et Cⁱᵉ à Tours. Notice et documents.* 1862.)

Galerie des livres reliés.

Dans les bâtiments occupés par la maison Mame deux immenses galeries tapissées de rayonnages reçoivent les volumes reliés à leur sortie des ateliers : quinze cent mille volumes de tous formats y trouvent place.
(*M. Mame à Tours,* dans *l'Illustration,* XIII (1849) p. 317.)

la diffusion de masse, pour les éditions à grands tirages, les principaux titres de la presse périodique, etc. À chaque type de travail correspond désormais une technologie qui est économiquement la plus favorable, et, du coup, rien de surprenant si dans la population des ateliers coexistent des entreprises radicalement différentes les unes des autres, et cela jusqu'au début du XXᵉ siècle.

Mais le XIXᵉ siècle ouvre effectivement, pour certaines d'entre elles, les voies difficiles du succès : dans un premier temps, l'espace national demeure sans doute par trop divers et hétérogène pour que ce succès même puisse être autre que parisien, comme le montre la réussite des grands ateliers fondés sous la monarchie de Juillet. Mais les conditions de travail se modifient : le contrôle étroit maintenu sur les choses du livre par le Second Empire présente probablement l'avantage d'imposer, notamment aux Parisiens, une concentration autoritaire qui leur donnera de meilleures chances pour aborder la période d'expansion postérieure à 1870. Du côté de la province, la formation d'un marché réellement unifié et la présence probable de capitaux importants cherchant à s'investir rétablissent dans nombre de cas l'équilibre des chances et offrent des opportunités de développement qu'une pléiade d'imprimeurs sauront mettre à profit. On le voit, ce sont bien les structures du marché qui commandent et, à travers elles, les structures et l'évolution des réseaux de diffusion.

Notes

1. La chaudière doit se trouver suffisamment isolée pour donner une sécurité convenable en cas d'explosion, et il faut élever une cheminée suffisamment haute pour écarter autant que possible les nuisances que constitue la fumée, voire les risques d'incendie. Ces dossiers d'autorisation sont conservés dans les dépôts d'archives départementales.

2. Frédéric Barbier, « Le Livre et l'espace industriel de production en France au XIXᵉ siècle », dans *Les Espaces du livre,* colloque organisé par l'Institut d'étude du livre, Paris, 1979-1980, dactyl.

3. Paul Dupont établit son usine principale à Clichy lorsque son établissement parisien est menacé par les expropriations d'Haussmann. Berger-Levrault a profité de son transfert à Nancy après la guerre de 1870 pour construire à la périphérie de la ville (rue des Glacis) une usine d'imprimerie entièrement nouvelle : cf. F. Barbier, *art. cité,* et « Le transfert des industries alsaciennes en Lorraine après la guerre de 1870 : l'exemple de Berger-Levrault », dans *Actes du 103ᵉ Congrès national des sociétés savantes* (Nancy-Metz, 1978), Section d'Histoire moderne et contemporaine, Paris, 1979, tome II, pp. 121-134.

4. De société de personne à société en commandite, en commandite par actions, société anonyme, société anonyme à responsabilité limitée, avec ou non participation des banques.

5. Les toitures en biseau donnent un éclairage maximal, tout en protégeant des rayons directs du soleil.

6. Chez Mame, à Tours.

7. À Lille, en 1894, l'imprimerie Le Bigot frères s'installe dans de nouveaux locaux, 25, rue Nicolas-Leblanc, pour la conception desquels elle fait appel à un architecte spécialisé : « Le programme comportait (...) : sous-sol éclairé, rez-de-chaussée et trois galeries, avec éclairage par le haut. (...) Le sous-sol, éclairé par des dalles bien disposées, renferme les ateliers de menuiserie, la fonderie de rouleaux, les transmissions, les calorifères, les caves au charbon avec wagonnets sur rails conduisant au générateur (...). [Au rez-de-chaussée, pour des questions de poids, les presses et une partie de la composition.] Le premier étage est occupé, à droite, par la composition, et à gauche, par le brochage, la fabrication des registres et le gommage ; au-dessus du générateur se trouve le séchoir ; puis la cour et les water-closets. Le deuxième étage est occupé par les machines à régler, la papeterie, les machines à perforer, les machines à couper le papier, le carton, etc., le découpage d'étiquettes et les divers services du façonnage. Le troisième étage sert de magasins à papiers, reçoit les conserves typographiques et autres, et la photogravure y est installée. Ces étages sont desservis par un ascenseur » (*Intermédiaire des imprimeurs,* 15 XI 1894, pp. 6-9).

8. Sur les problèmes de la vie ouvrière, voir pp. 91-101 et, outre P. Chauvet, *ouvr. cité,* note 17, F. Barbier, « Les Ouvriers du livre et la révolution industrielle en France au XIXᵉ siècle », dans *Aux origines de la révolution industrielle,* (second fascicule), *Revue du Nord,* tome LXIII (nᵒ 248), janv.-mars 1981, pp. 189-206.

9. L'interruption du travail dans un seul atelier finit, à terme, par paralyser l'ensemble de l'entreprise.

• 10. Que l'on songe, par exemple, à l'atelier d'Angoulême décrit par Balzac : « ... trois presses en bois maintenues par des barres de fer, à marbre de fonte (...). Avec tous les ustensiles : encriers, balles et bancs, etc. seize cents francs ! Mais, mon père, dit David Séchard en laissant tomber l'inventaire, vos presses sont des sabots qui ne valent pas cent écus, et dont il faut faire du feu. » (H. de Balzac, les *Illusions perdues,* Paris, le Livre de poche, 1972, p. 12.)

11. Particulièrement sous le Second Empire. Ces documents sont répartis entre les séries de l'administration centrale (sous-série F-18 aux Archives nationales) et des administrations préfectorales dans les différents départements — ces dernières pouvant être plus complètes, et donnant souvent la correspondance à partir de laquelle le dossier de l'administration centrale a été constitué.

12. Ce n'est évidemment pas le cas des multiples annuaires à cadre territorial — départemental ou local, dont cependant la mise en œuvre se heurte à une double difficulté d'utilisation : difficulté de recensement, les collections étant dispersées entre une multitude de petits centres (une bibliographie commode pour la période qui nous intéresse en sera donnée par le *Catalogue de l'histoire de France*), et difficulté pour constituer des séries cohérentes, les cadres de recensement variant selon les volumes, les collections ne constituant pas des ensembles suivis, etc.

13. Ce qui permettrait notamment de suivre les transformations de la profession, à travers

l'apparition de nouvelles spécialités (conducteurs de machines, etc.), le développement du monde des « bureaux », etc.

14. Voir notamment le détail dans P. Chauvet, *Les Ouvriers du livre en France...*, Paris, 1959, 2 volumes (notamment p. 657). Compte rendu de Pierre Léon, dans *Revue d'histoire moderne et contemporaine*, 1960, pp. 252-256.

15. Chiffres de population donnés par les recensements ; pour le nombre des imprimeries : en 1806, chiffres des brevets ; en 1840, d'ap. *Statistiques de la France* ; en 1851, d'ap. AN F18-2296 à 2309 ; en 1861, d'ap. *id.* ; en 1879, d'ap. *id.* ; en 1911, d'ap. le *Bottin commercial...*, Paris, 1911.

16. Progression proportionnelle inverse au nombre d'ateliers par habitant aux différentes dates retenues.

17. Le préjugé, qui plaçait les maîtres imprimeurs, à la fin du XVIIIe siècle, dans le bas de la hiérarchie sociale d'Ancien Régime, a disparu à la faveur de la Révolution : Levrault l'aîné sera recteur de Strasbourg, le père de Paul Dupont, lui-même imprimeur, maire légitimiste de Périgueux, son frère, député en 1848. Un nouveau pas est franchi avec l'industrialisation : le grand imprimeur devient alors un des notables de sa ville, tel Léonard Danel, né en 1818, président du conseil d'administration des mines de Lens, juge au Tribunal de commerce, membre de la Chambre de commerce, qui déploiera une grande activité dans des organisations philanthropiques et recevra la cravate de commandeur de la Légion d'honneur. Nous reviendrons à ce modèle de réussite avec les Mame, mais on pourrait également citer l'exemple d'Oscar Berger-Levrault à Strasbourg et à Nancy.

18. Ce qui constituait le but avoué du législateur, cherchant, en limitant autoritairement le nombre des ateliers, à assurer à leurs possesseurs de quoi vivre, et donc à les détourner d'éventuels travaux subversifs.

19. Finistère, Côtes-du-Nord, Morbihan, dans une moindre mesure l'Ille-et-Vilaine, où se développe notamment l'imprimerie Oberthur (de Rennes). Voir ci-dessous note 23.

20. Sources utilisées (ADN = Archives départementales du Nord). 1806, 1811 : *Statistique des brevets* ; 1837 : A.D. Nord, I-T/225-1 ; 1840, 1848 : *Statistique de la France...*, publiée par le ministère de l'Industrie et du Commerce, Paris, 1848 (les documents préparatoires dans A.D. Nord, I-T/225-1) ; 1851, 1860, 1879 : A.N., F18-2296 à 2309 (pour 1851, aussi A.D. Nord, I-T/225-1) ; 1911 : *Bottin commercial...*, Paris, 1911.

21. *Bibliographie de la France*, 1837 : 6 mai, 3 juin, 24 juin, 15 juillet, 11 novembre.

22. Pouvoir financier : c'est à Paris que sont concentrés les capitaux susceptibles de s'investir dans les opérations de librairie, de sorte que de nombreuses sociétés sous seing privé, dont l'activité principale s'exerce en fait en province, se font cependant enregistrer également à Paris ; pouvoir intellectuel : Paris draine les écrivains et les intellectuels, impose les modes et, plus profondément, rassemble les élites pour une bonne part responsables du modèle culturel dominant ; pouvoir politique, assurant les commandes officielles, mais exerçant aussi une surveillance

d'autant plus importante que nous nous plaçons dans le cas d'une activité étroitement contrôlée par l'administration et la police.

23. Le chiffre des habitants par imprimerie, dans chaque département, est significatif : pour la Seine, 8 399 en 1811, 13 022 en 1840, 15 801 en 1851, 21 707 en 1861 — soulignons au passage le caractère artificiel de ces chiffres, dû à la limitation autoritaire des brevets, plus étroitement respectée à Paris que dans le reste de la France ; la population de la ville augmente rapidement, alors que le nombre d'ateliers reste impérativement limité à 90. D'où une concentration de moyens plus importante au niveau de chaque atelier. En 1911, quarante ans après la suppression du brevet, on compte 4 452 habitants par atelier dans le département de la Seine. Donnons, à titre de comparaison, les chiffres des Côtes-du-Nord : 172 143 habitants par atelier en 1811, 100 927 en 1840, 52 390 en 1861, 45 068 en 1879, 31 870 en 1911.

24. A.D. Nord, I-T/226-1. Les chiffres que nous fournissent ces sources d'archives constituent en fait une statistique des brevets, et non pas des ateliers fonctionnant effectivement : toujours en 1844, à Lille, « le sieur Durieux (...) continue de ne pas avoir de presse, et de faire exécuter par le sieur Danel les impressions qu'on lui demande. Cet établissement n'offre aucune importance... » *(ibid.)*.

25. AN MCNP, XLI, 918 : imprimerie Paul Dupont à Paris.

26. ABR, Fonds Berger-Levrault, inventaire de 1839. Ces chiffres sont d'ailleurs sous-estimés, dans la mesure où il s'agit de matériel d'occasion. Voir aussi : F. Barbier, *Le Monde du livre à Strasbourg, de la fin de l'Ancien Régime à la chute de l'Alsace française*, ouvr. cité, p. 285.

27. *Journal de la librairie*, Feuilleton, 28-IX-1850, p. 324.

28. AN, F18-1798.

29. *L'Intermédiaire des imprimeurs*, 1894, *passim*.

30. *Ibidem*.

31. D'ap. le *Bottin commercial*.

32. *Histoire de l'édition française*, tome II, p. 552.

33. Sur Silbermann, voir Frédéric Barbier, *Le Monde du livre à Strasbourg...*, ouvr. cité, pp. 127-141. Sur Lefebvre-Ducrocq, A.D. Nord, I-T/216 (5). Il se substitue pour ces travaux à un imprimeur de Mayenne.

34. Trois points ont toujours guidé le travail de la maison, au premier rang desquels « l'esprit inattaquable de ses publications, toutes à l'abri de reproche, toutes soumises à de sévères examens et revêtues d'approbation dont l'imposante autorité les rend dignes d'une confiance aveugle » *(A. Mame et Cie, ouvr. cité)*. Mame publie de multiples collections de ce type : Bibliothèque illustrée de la jeunesse, Bibliothèque de la jeunesse chrétienne, Bibliothèque illustré des petits enfants, Bibliothèque des écoles chrétiennes, Bibliothèque catholique des familles, Bibliothèque pieuse des maisons d'éducation. Les titres sont imprimés en deux formats, in-8° et in-12.

35. Le second point réside précisément dans « la modicité de leur prix de vente, modicité

inouïe dans les annales de la librairie, inexplicable pour les acheteurs et que seuls rendent possible un débit considérable et des bénéfices restreints » *(ibid.)*.

36. *La Touraine : histoire et monuments*, publiée sous la direction de l'abbé J.-J. Bourassé, A. Mame et Cie, Tours, 1855, 2°. « Magnifique volume, tiré à 1 000 exemplaires, réunissant toutes les beautés typographiques des gravures sur bois et sur métal, que M. Mame vend 100 francs ; prix néanmoins qui ne suffira pas à l'indemniser des frais énormes d'établissement, en supposant qu'il parvienne à vendre toute l'édition. » (Association des imprimeurs de Paris. *Coup d'œil sur la typographie à l'Exposition de 1855*, Paris, 1855. Voir aussi le *Journal des débats*, 2-IX-1855, et la *Bibliographie de la France*, 30-VI-1855, p. 461, n° 4049).

« La grande *Bible* de Gustave Doré, qu'ils ont achevée en 1865 (...) n'est pas un livre plus beau [que la *Touraine*, en 1855]. On en peut trouver le caractère un peu fin pour le format, inconvénient qu'il n'était pas possible d'éviter en ne donnant que deux volumes au texte sacré (...), et enfin, il serait permis de croire qu'un ouvrage de premier rang ne doit pas être uniquement orné de gravures sur bois, quelque neuves, quelque hardies qu'elles soient, et que la gravure sur acier doit jouer le principal rôle dans sa décoration, que les bois relèvent alors et enrichissent » *(Rapport de l'Exposition universelle de 1867...*, tome II, p. 28).

37. L'atelier des presses est « parfaitement approprié à sa destination sous le rapport de l'espace, du jour et de la température ; les transmissions de mouvements y sont toutes renfermées dans des caniveaux souterrains ».

38. Un atelier au personnel féminin pour la pliure et la couture, un autre pour l'endossure, la rognure, la marbrure, la dorure sur tranches, la parure des peaux, la couvrure, la dorure sur cuir et la gaufrure : « rien n'est comparable à la bonne organisation de ces magnifiques ateliers qui exécutent à la fois les plus riches travaux de l'art, et des reliures d'un bon marché incompréhensible » *(Rapport de l'Exposition universelle de 1867*, tome II, pp. 26 et suiv.).

Voir aussi F. Barbier, « La Formation d'un atelier de reliure industrielle au XIXe siècle : Berger-Levrault, 1870-1886 », dans *Revue française d'histoire du Livre*, 1982, n° 37, pp. 746-752.

39. *Dictionnaire encyclopédique et biographique de l'industrie et des arts industriels*, Supplément, Paris, 1891 : « D'un esprit profondément chrétien et libéral, Alfred Mame avait compris que, pour diriger un établissement comme celui qu'il avait créé, il était indispensable de s'attacher ses ouvriers et de développer chez eux des sentiments de moralité et de devoir. Il fallait donc à la fois leur procurer des avantages matériels qui tendent à les fixer à la maison, et leur donner une éducation morale... »

40. *Statistique de la France*, Paris, 1850 ; *id.*, Nancy, 1873. Par comparaison, en 1861, les quatre imprimeries recensées à Strasbourg produisent une valeur ajoutée totale de 800 000 francs. Elles emploient 304 ouvriers (Mame : 960), soit un rapport de 2 632 francs par ouvrier (Mame : 3 125 francs). La productivité supérieure de la grande usine apparaît ici nettement.

FÉDÉRATION FRANÇAISE

DES

TRAVAILLEURS DU LIVRE

20, Rue de Savoie. — PARIS

La Machine à Composer

et les

Ouvriers du Livre

✳ ✳ ✳

A NOS CAMARADES.

Tout ce qui touche, de près ou de loin, à l'imprimerie est aujourd'hui préoccupé des conséquences que pourra amener, dans la corporation du Livre, l'emploi grandissant de la machine à composer.

Les vendeurs de machines multiplient leurs efforts pour le placement de ces concurrents d'acier ; ils sont dans leur rôle. Aucun moyen de réclame n'est épargné, et pour exalter les avantages de la machine, le discrédit est jeté sur les ouvriers syndiqués en leur attribuant les plus détestables intentions ; les appréciations les plus malveillantes sont mises en circulation, elles portent un grave préjudice aux syndiqués, elles ont une influence néfaste sur le choix du personnel et sur les conditions du travail.

C'est donc pour tenir en garde nos camarades des autres corporations, et aussi les patrons imprimeurs, contre ce dénigrement systématique que le Comité central a déjà affirmé, à plusieurs reprises, *depuis quelques années*, qu'il acceptait l'emploi de la machine à composer comme un inévitable progrès ; mais il a aussi affirmé avec autant de raison son intention de régler l'usage de cette machine au profit des ouvriers. Cette opinion était exposée dans l'article suivant, publié dans la *Typographie française* du 16 novembre 1900, et dont la reproduction a été décidée :

La Machine à Composer

Au moment où paraîtront ces lignes, l'Exposition aura fermé ses portes et, de cette immense, de cette prodigieuse exhibition de tout ce que peuvent produire le génie et l'activité de l'homme, après avoir émerveillé les visiteurs du monde entier, il ne restera plus que le souvenir et aussi la perspective affligeante d'un chômage provoqué par l'emploi des machines perfectionnées, remplaçant le travail manuel.

Quel que soit le point de vue où l'on voudra se placer en faisant le bilan de l'Exposition, on ne peut se soustraire à l'obsession que laisse la constatation des progrès accomplis dans toutes les branches de l'activité humaine, et principalement dans le domaine de la mécanique ; on ne saurait résister à l'inquiétude que laisse la croissante incertitude du lendemain, en présence de l'activité la plus désordonnée et de la plus extraordinaire abondance des produits.

L'industrie du Livre, plus que toutes les autres, a provoqué la curiosité, l'intérêt et les angoisses de tous ceux qui y puisent leurs moyens d'existence. On peut affirmer qu'au-dessus de l'intérêt qui pouvait attacher les visiteurs aux progrès réalisés dans les diverses spécialités des arts graphiques, se manifestait la poignante préoccupation de voir fonctionner la machine à composer, le souci de se rendre compte de son caractère pratique, de la place qu'elle pouvait occuper dans nos ateliers de composition.

Au scepticisme du passé a dû succéder, chez un grand

Tract distribué aux ouvriers typographes par la F.F.T.L. le 16 novembre 1900,
à propos de l'introduction dans les ateliers de machines à composer dont l'emploi
était susceptible de provoquer le chômage. H. 266 mm.

Les ouvriers du Livre

par Madeleine Rebérioux

S'il est parmi les gens du Livre une catégorie pour laquelle 1830 constitue une coupure opportune, les ouvriers lui appartiennent sans conteste. Certes les historiens s'accordent, aujourd'hui, pour dater des années 1840 les mutations qui vont, en France, définir les premiers traits de la révolution industrielle. Mais pour les travailleurs de l'imprimerie, c'est bien des Trois Glorieuses qu'il faut partir.

Les quelque vingt à vingt-cinq années qui s'ouvrent alors vont les conduire, en effet, d'une part à se confronter à deux grandes crises politiques et économiques, d'autre part à débattre très tôt des options qui se présentent aux nouvelles comme aux anciennes sociétés ouvrières, enfin à se situer par rapport aux idéaux, à tout le moins républicains, qui vont parcourir le siècle et dont le noyau se constitue dès la monarchie de Juillet.

Le temps des sociétés ouvrières

Combien sont-ils les ouvriers du Livre, à l'heure où s'effondrent les tentatives de restaurer l'Ancien Régime, politique social et culturel ? Nous ne le savons pas exactement. Quelque cinq mille à Paris peut-être, s'il faut en croire une note célèbre du libraire Ladvocat : mais compte-t-il dans ce chiffre les apprentis et les femmes ? Un peu moins en province sans doute : un indice, Berger-Levrault n'emploie encore à cette date, à Nancy, qu'une cinquantaine de travailleurs. Ils sont peu nombreux en tout cas, mais ils constituent déjà une force en raison de leur concentration dans quelques villes dites imprimantes, de leur culture qui en fait en quelque sorte les intellectuels de la classe ouvrière, de leurs traditions corporatives et de l'influence grandissante que leur avait conférée le premier essor de la presse sous la Restauration.

C'est bien comme une force qu'ils apparurent en effet aux heures chaudes de juillet : proches des maîtres imprimeurs que rendaient furieux les ordonnances sur la presse ; atteints par la hausse du prix du pain, base de l'alimentation ouvrière ; inquiets enfin, non tant de l'arrivée des premières presses mécaniques — il en existait déjà dans la plupart des imprimeries parisiennes — mais de l'aggravation du chômage à laquelle ils les associaient dès lors que le travail avait commencé de manquer. Aussi les bris de machines qui se produisirent, le troisième jour de la révolution, à l'Imprimerie royale puis dans plusieurs imprimeries privées traduisent-ils non pas quelque folle panique, mais le désir des ouvriers d'établir un bon rapport de force pour résister à la déqualification et au chômage. Leurs actes s'inséraient d'ailleurs dans l'effervescence chaleureuse des journées révolutionnaires : ils ne manquèrent pas d'arracher les drapeaux à fleurs de lys et d'arborer les trois couleurs jusque sur les tours de Notre-Dame et l'horloge des Tuileries.

Ces rassemblements, ces manifestations, nourris de discussions véhémentes dans les ateliers — on y fit circuler maintes pétitions —, cette multiplication des journées sans travail, les organisations d'entraide les rendirent moins intolérables en 1830-1831, au cœur de la crise. Selon le rapport annuel de la Société Philanthropique,

il existait une quarantaine de sociétés de secours mutuels à Paris, dans le Livre. Leurs statuts les obligeaient, à partir de cotisations régulièrement payées, non seulement à organiser les funérailles des confrères ou les banquets en l'honneur du saint patron, mais à verser des secours en cas de maladie ou de chômage. Miroir des Vertus, Cordiale Amitié, Prévoyante Philanthropie : celles qui portaient ces noms n'étaient peut-être que partiellement composées de travailleurs du Livre. Société des Imprimeurs en Taille-douce, Société Typographique d'Espérance et de Soulagement, Amis de la Bienveillante Typographie, en voici trois qui laissent supposer un recrutement strictement corporatif. Elles ne semblent pas avoir failli à leurs tâches.

Le mouvement mutuelliste qui prolonge dans le Livre, où le compagnonnage n'a jamais existé, des traditions anciennes et diverses va aller se développant jusqu'au Second Empire. Non sans fortes nuances entre Paris et la province. Cette diversité permet de prendre conscience du poids inégal de la division du travail à l'intérieur de la profession. À Paris, capitale du livre et de la presse, où, à côté d'un flot croissant de petits ateliers — Napoléon Chaix fonde le sien en 1845 — se développent de vastes imprimeries — Firmin-Didot, Paul Dupont, l'Imprimerie nationale, ex-royale, etc. —, la spécialisation des métiers du Livre est

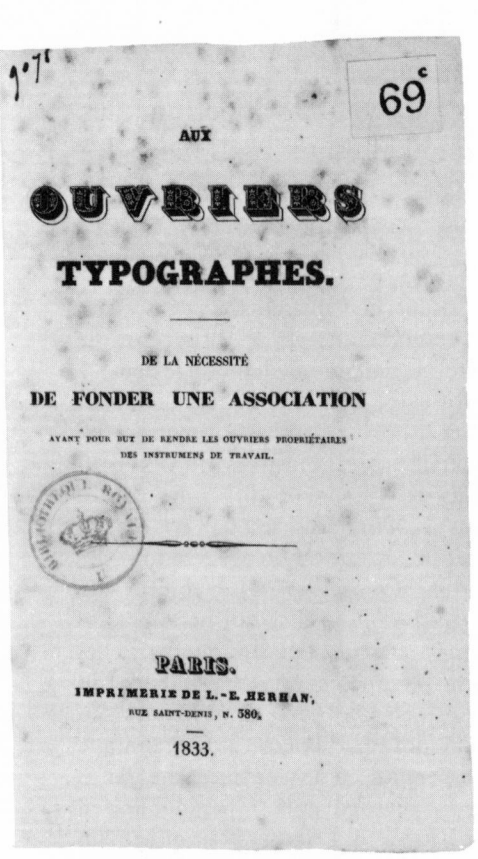

AUX

OUVRIERS

TYPOGRAPHES.

DE LA NÉCESSITÉ

DE FONDER UNE ASSOCIATION

AYANT POUR BUT DE RENDRE LES OUVRIERS PROPRIÉTAIRES
DES INSTRUMENS DE TRAVAIL.

PARIS.
IMPRIMERIE DE L.-E. HERHAN,
RUE SAINT-DENIS, N. 380.
1833.

Brochure de Jules Leroux,
exposant un audacieux projet
d'association des ouvriers
visant, en fin de compte,
à supprimer le patronat.
H. 277 mm.

en cours. Le mot « typographe » renvoie dès lors aux seuls compositeurs : labeuriers, tableautiers aptes à mettre en page les statistiques, paquetiers qui rassemblent leurs lignes en paquets ; un prote leur distribue le travail. Parmi les imprimeurs, on distingue non seulement les lithographes, ces nouveaux venus, mais les sombres pressiers voués aux presses à bras — voyez le vieux Sechard dans les *Illusions perdues* — et les conducteurs, fiers de leurs « mécaniques », assistés de clicheurs et de margeurs. Voici encore les correcteurs — on dit souvent corrigeurs —, suprêmes gardiens de l'orthographe et de la grammaire, et, en bout de course, les relieurs et les brocheurs. Leurs sociétés de secours mutuels commencent à s'organiser par métiers : lithographes en 1838, conducteurs en 1843 — c'est la riche « Gutenberg » —, protes en 1847, relieurs en 1848. En province au contraire, à l'exception de Lyon au statut intermédiaire, Lyon où la première société typographique de secours mutuels s'est constituée en 1822, les associations mutuellistes s'organisent toujours autour des typos. Ce nom recouvre alors, parfois, à l'exception de la lithographie, tous les professionnels de l'imprimerie, mais toujours autour du compositeur, détenteur du métier roi. Aussi peut-il arriver qu'une société de secours mutuels typographique groupe les spécialistes des divers métiers dont un bon ouvrier, dans un petit atelier, doit posséder quelque maîtrise : il en est ainsi à Troyes où elle rassemble typos, relieurs et papetiers ; mais il advient souvent aussi que seuls les compositeurs y adhèrent et, plus souvent encore, qu'ils la gèrent seuls. Ces sociétés de province, on les voit naître en particulier en 1833-1834, lors du renversement de la conjoncture économique favorable à l'action. Trois exemples : Nantes, 1833 ; Bordeaux et Angers, 1834.

Reste que, dans la capitale comme dans les villes imprimantes plus modestes, les sociétés de secours mutuels ont contribué à former des militants voués à l'entraide, ne plaignant pas leur peine et bons gestionnaires des deniers communs. Reste aussi que certains ouvriers du Livre vont tenter d'associer explicitement la défense des intérêts professionnels à la solidarité mutuelliste. Comment appliquer la prévoyance à la défense du travail et non à la seule santé ? La Société de Nantes inscrit par exemple dans ses statuts un réseau de contraintes : son conseil doit se réunir dès qu'une discussion s'élève entre un de ses membres et un maître imprimeur, il doit convoquer une assemblée générale si le sujet touche à « l'intérêt général » de la corporation, défini d'abord par le maintien du salaire. Mais la lumière de Nantes ne semble pas avoir inondé ses sœurs. Chez les ouvriers du Livre, les pratiques mutuellistes étaient sans doute trop ancrées dans un mode de sociabilité, un mode de vie, et depuis trop longtemps, pour pouvoir être aisément converties en autre chose.

Aussi ne faut-il pas s'étonner si ceux pour qui la promotion d'un bon tarif, et surtout d'un tarif uniforme, apparaissait comme l'essentiel se sont finalement orientés vers un autre type d'organisation. L'Association Libre Typographique est créée à Paris en novembre 1833 avec un seul objectif : « Indemniser les associés dans le cas seulement de cessation de travaux provenant de la non-exécution du travail... pour cause de débat des prix fixés par le tarif », en clair en cas de grève. L'Association est à peine constituée que les membres de son bureau sont arrêtés. Deux ans plus tard, nouvelle tentative, nouvelles arrestations. Mais, outre les ouvriers typos, les maîtres imprimeurs aspirent, Didot en tête, à s'organiser et à négocier. Il faut forcer la main à l'État. En 1839, les maîtres fondent leur première chambre syndicale et, peu après, plusieurs compositeurs — Joseph Mairet, Amédée Parmentier, Leneveux — reconstituent dans une demi-clandestinité la Société typographique. En vingt-six séances, le premier tarif de l'histoire du Livre — quarante et un articles d'une extrême minutie — est signé. Nous sommes en juillet 1843. Les typos parisiens ont su créer l'outil original dont ils avaient besoin : une association dont tous les membres doivent être consultés mais qui confie l'élaboration des décisions à une direction restreinte. Favorisés par la réglementation de la profession et par la conjoncture économique, ils ont ouvert la voie au syndicalisme de négociation paritaire qui va caractériser le Livre : paritaire sera la commission chargée de réviser tous les cinq ans le tarif parisien, paritaire la commission arbitrale qui aura mandat de connaître les conflits.

Sur le moment pourtant, le choix du tarif comme axe d'unification du métier a pu, légitimement, paraître plus important que la mise en place d'associations ouvrières créées pour négocier avec les patrons, d'autant qu'un débat de masse s'était ouvert sur ce thème entre les typos parisiens en 1833. L'un d'entre eux, Jules Leroux, le frère de Pierre, venait alors de proposer, dans une brochure qui eut son heure de célébrité, de rompre l'isolement ouvrier en fondant une association commune aux compositeurs et aux imprimeurs. Son but ? « Rendre les ouvriers propriétaires de leur instrument de travail. » Il suffisait aux milliers d'ouvriers du Livre parisien de verser un franc par semaine pendant dix ans pour créer une imprimerie que — « Un pour tous, tous pour un » — ils administreraient eux-mêmes. Ce projet unificateur, qui témoignait d'un sens nouveau de la solidarité, demandait de longs délais, de constants sacrifices et se heurtait aux rivalités catégorielles. Lors de l'assemblée générale du 24 novembre 1833, il fut battu au bénéfice du tarif, et du tarif pour les seuls typos. Certes, ce projet de suppression du patronat par la coopérative de production fut repris dans les années 1840 par ceux qui rédigeaient et composaient *L'Atelier,* des communistes chrétiens qui, autour de Buchez, voyaient dans l'association la condition de la régénération des âmes. Maints typos, plus ou moins militants, s'engagèrent sur la voie de la coopération. Certains réussiront. Mais la majorité des hommes du Livre se reconnut finalement mieux dans les formes d'action collective qui avaient eu leur préférence lors de la grande assemblée de novembre 1833 et qui avaient débouché sur le tarif de 1843.

D'autant qu'à l'approche de 1848, ce choix même s'élargissait à la mesure des espérances républicaines et démocratiques qui rapprochaient patrons et ouvriers dans le cadre des solidarités professionnelles. En témoignent les célèbres banquets typographiques au cours desquels, de 1843 à 1851, on boit « à la concorde fraternelle », « à la prospérité de l'imprimerie », voire à

Un ouvrier typographe du XIXe siècle, gravure sur bois de Ad. Lavée, ornant la couverture du *Dictionnaire de l'argot des typographes* par E. Boutmy. Paris, Marpon et Flammarion, 1883.

DEUXIÈME ANNÉE.

N° 8.

On s'abonne chez l'Éditeur, A BOUSSAC, département de la Creuse.
PRIX DE L'ABONNEMENT : CINQ FRANCS PAR AN.
Les souscripteurs recevront franc de port à domicile dans toute la France.
Envoyer un mandat sur la Poste par lettre affranchie.
Nota. Les lettres *non affranchies* ne seront pas reçues.

MAI.

1847.

REVUE SOCIALE,

OU

SOLUTION PACIFIQUE DU PROBLÈME DU PROLÉTARIAT,

PUBLIÉE PAR PIERRE LEROUX.

NOTE

SUR

LA MÉMOIRE,

CONSIDÉRÉE DANS SES RAPPORTS

AVEC LA

DOCTRINE DE LA RENAISSANCE

DANS L'HUMANITÉ.

Lethœum ad fluvium Deus evocat agmine magno :
Silicet *immemores* super ut convexa revisant.
VIRG., *Æneid.*, lib. VI.

Ecce enim ego creo cœlos novos et terram novam ; *et
non erunt in memoria priora* , et non ascendent super
cor.
ISAÏE, cap. LXV, v. 17.

L'objection qu'on oppose le plus communément à la doctrine de la renaissance de l'Humanité est tirée de l'absence de la mémoire. Cette objection a été réfutée dans la livraison du mois de février dernier. Notre intention est d'ajouter quelques considérations à celles qui ont été déjà présentées. Nous ne pouvons exposer de nouveau ce que les lecteurs connaissent ; aussi prenons-nous le parti de les renvoyer simplement, pour tout ce qui se rattache de près ou de loin à ce point de doctrine, au livre DE L'HUMANITÉ, aux articles métaphysiques de l'ENCYCLOPÉDIE NOUVELLE, tels que *Condillac, Conscience, Eclectisme, Sommeil*, etc., et encore, principalement pour les personnes qui n'ont pas à leur disposition les écrits que nous venons de citer, à l'*Exposé sommaire* que M. Grégoire Champseix a publié dans cette Revue. C'est dans ces ouvrages qu'ils trouveront développées les idées qui nous ont inspiré cette Note.

La mémoire est cette faculté particulière au moyen de laquelle nous nous souvenons de tout ce qui fait partie du domaine de la vie manifestée. En elle, la sensation existe comme le sentiment et la connaissance, puisque dans tout ce qui compose le monde des manifestations de notre entendement, le non-moi, représenté par le corps, existe aussi bien que le moi ; de sorte qu'il est vrai de dire que tout ce qui est en nous, excepté notre essence elle-

même, est formé de moi et de non-moi, et n'existe qu'à ce titre de composé. Si l'un des deux termes est détruit, le composé ne peut se produire. La loi de la Trinité dans les manifestations de la Vie ne peut pas plus être violée dans le monde moral, qu'elle ne peut l'être dans le monde physique, comme on s'exprime vulgairement, quoiqu'il n'y ait, au fond, qu'un seul monde, la Vie, qui se présente à nous sous divers aspects. Si nous faisons une application de ce principe à la question qui nous occupe, il nous paraît, de prime abord, évident que nous ne pourrons avoir, dans notre vie future, le souvenir de tout ce qui fait partie de notre vie actuelle. Dans le passage de la vie à la mort, le corps disparaît ; de notre existence d'aujourd'hui, il ne reste que le moi, l'essence, qui, dans son retour au sein de l'Humanité, s'unit à un nouveau corps pour donner naissance à de nouvelles sensations, à de nouveaux souvenirs, etc.

Mais nous devons développer plus complètement notre pensée, afin que cette objection de l'absence de la mémoire, qu'on oppose si souvent à notre croyance en la renaissance dans l'Humanité, soit radicalement détruite. Ce point important bien établi, il nous semble que les idées auxquelles nous sommes attachés se feront plus facilement jour dans les esprits.

Toute sensation et toute connaissance supposent la préexistence du sujet et de l'objet, du moi et du non-moi, et ne se produisent qu'accompagnées d'un troisième terme, qui est le rapport du sujet à l'objet, du moi au non-moi. Que l'un des termes disparaisse, plus de rapport possible ; mais que l'un des termes change, comme cela arrive à chaque nouvelle existence, le rapport éprouve nécessairement un changement adéquat au changement qu'éprouve le terme qui concourt à lui donner naissance. Ce composé du moi, uni à un non-moi différent des non-moi auxquels il s'est uni antérieurement, doit différer des composés des existences antérieures. Or ce composé du moi et du non-moi, dans lequel le corps se trouve aussi bien que l'âme, est ce qu'on appelle sentiment, souvenir, affection, etc. Donc la mémoire ne peut exister, puisque l'un des termes qui doivent concourir à sa formation est anéanti. Et comment, en effet, en serait-il autrement ? En renaissant, l'homme est le même être, et n'est plus le même être : il est le même être en essence, mais il n'est plus le même quant à la manifestation, c'est-à-dire par son corps ; et qu'on n'oublie pas que c'est de la manifestation qu'il s'agit ici. C'est la même essence, mais elle a été reprendre une virtualité nouvelle dans le sein de Dieu ; mais elle s'est unie à un nouveau corps pour former un tout complet, un. En passant par la mort, notre âme oublie les manifes-

Première page d'un numéro de la *Revue sociale*
imprimée à Boussac par Pierre Leroux. H. 302 mm.

« l'union des maîtres et des ouvriers » ; on chante, on se remet réciproquement des médailles. Le tarif, en somme, n'était pas vraiment vécu du côté ouvrier comme le fruit d'une lutte contre les patrons, mais comme le témoignage d'une dignité reconnue, d'une égalité de compétences avalisée, bref des vertus majeures prêtées à l'esprit républicain. Aussi, aux yeux de la Société typographique qui regroupait à cette date presque la moitié des compositeurs parisiens, la révolution de 1848 a-t-elle pu apparaître comme une occasion exceptionnelle de rassembler enfin tous les métiers du Livre de la capitale dans un comité électoral typographique capable de présenter des candidats corporatifs aux élections de 1848 et 1849. Une occasion aussi de manifester en tête de tous les corps d'état les 17 mars, 16 avril et 15 mai 1848, et naturellement de s'opposer à tout rétablissement de contrainte fiscale sur la presse, lors de l'insurrection de juin. La « Sociale », ce devait être la maîtrise de chaque corps de métier sur lui-même, appuyé sur l'émancipation politique de tous. Les ouvriers du Livre ne furent pas seuls à penser ainsi. Mais ils se voulurent « têtes de colonnes ». La Société typographique, ce syndicat de masse avant la lettre, pouvait-il suffire à tout ? À Paris où elle était vivante, ils le crurent. Il est vrai que, selon l'enquête de la chambre de commerce de Paris, les quatre mille compositeurs représentaient presque le tiers des travailleurs du Livre parisien — une industrie en essor, donc, malgré la crise — et un cinquième de ceux qui travaillaient en France, s'il faut en croire la statistique publiée en 1848 par le ministère du Commerce et de l'Industrie.

Les débuts du syndicalisme du Livre

Les travailleurs du Livre n'avaient pas été les seuls, pendant la Deuxième République, à placer leurs espoirs civiques et sociaux dans la capacité des sociétés ouvrières à influencer de façon décisive le suffrage universel pour fonder un jour « la Sainte Alliance de tous les travailleurs ». Ils ne furent pas les seuls, dont, au lendemain du coup d'État, les espérances déjà atteintes reculèrent et les solidarités déjà com-

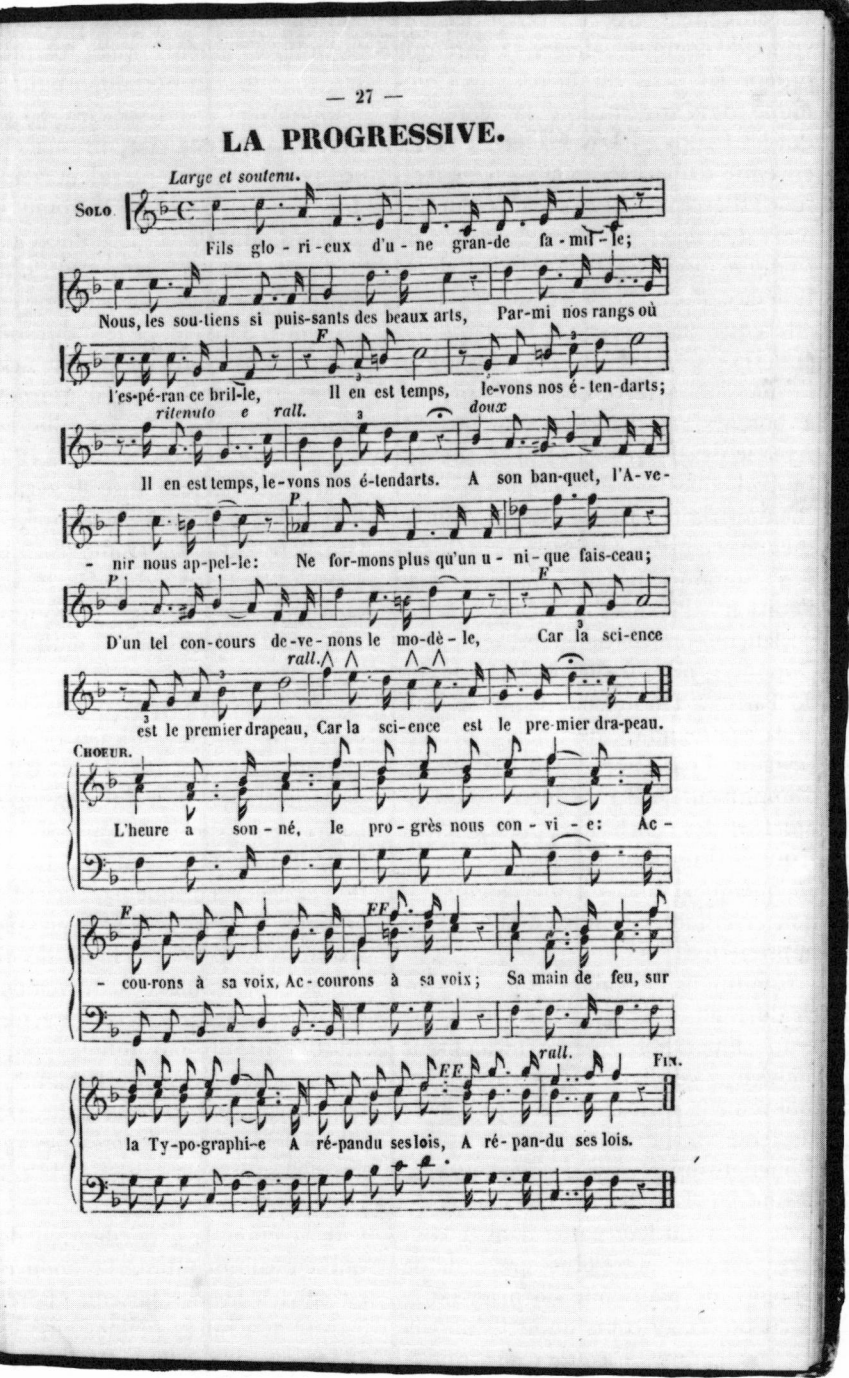

Au cours des banquets annuels qui rassemblaient le monde des typographes, ouvriers et patrons, de nombreux toasts se succédaient, ainsi que des discours, la lecture de poèmes et des chants. Ici la musique de l'un d'eux. (Banquet typographique du 15 septembre 1850.) H. 223 mm.

95

promises se défirent. À Paris en particulier, une longue scission déchira la puissante Société typographique, et il fallut attendre les années 1860 pour que de nouvelles formes d'organisation se conjuguent avec un certain renouveau idéologique. Malgré la part que prirent les gens du Livre à la Commune de Paris, malgré la répression qui les frappa — l'assassinat de Varlin est entré dans la légende — il est légitime d'évoquer comme un tout les deux décennies qui vont du début de l'Empire libéral à la fondation de la Fédération du Livre. C'est alors en effet que naît, avec *Le Petit Journal* (1863), la presse à un sou dont l'expansion est favorisée par la rotative à bobines, la Marinoni (1865-1866). Avec le développement impétueux des bibliothèques — Bibliothèques des chemins de fer, des voyageurs, Bibliothèque Franklin — et les mutations qui se produisent dans les structures de l'édition, l'activité des imprimeries de labeur connaît un grand essor : de Dupont, l'imprimeur de l'archevêché de Paris, à Dubuisson, l'introducteur de la commandite, de Chaix à Berger-Levrault. Et la suppression des brevets d'imprimeur, qui entérine en septembre 1870 les conclusions pratiquement acquises d'un long débat, va conduire en quelques années à une augmentation considérable du nombre des imprimeries.

Conditions favorables, donc. À partir de 1860, elles bénéficient en outre d'un climat politique et idéologique nouveau : générale, la renaissance du mouvement ouvrier s'accompagne de la lente accoutumance à la grève d'ouvriers qui n'en mesuraient jusque-là que les dangers. Les travailleurs du Livre ont tenu leur partie dans ce concert : c'est à la célèbre grève de la typographie parisienne de mars 1862, et au procès au cours duquel s'illustra en novembre l'avocat légitimiste Berryer, que l'on doit pour une part l'abolition en 1864 de la loi sur les coalitions. Ne surestimons pas toutefois l'adhésion aux formes de lutte les plus combatives du monde du Livre : ils ne furent pas très nombreux ceux qui donnèrent à la 1re Internationale une entière adhésion, et l'unité de la Société des ouvriers relieurs ne résista pas, malgré Varlin, aux grèves de 1864-1865, liées à l'A.I.T.

Mais c'est pendant ces années que mûrit une découverte essentielle. Non, une même association ouvrière, fut-ce la Société typographique parisienne, ne peut suffire à tout. Les pratiques mutuellistes d'entraide ont leur propre logique. D'ailleurs, pour participer à la manne impériale, pour être « approuvées », les sociétés de secours mutuels doivent, depuis mars 1852, accepter que leur président soit désigné par l'empereur. De toute façon, les liens noués avec de nombreux maîtres imprimeurs dans le cadre du mutuellisme sont trop anciens et trop profonds dans le Livre pour pouvoir être tranchés sans risques de scission. Aussi, à partir de 1860, le mutuellisme se réorganise-t-il ville par ville, en cessant de servir de couverture à ce qu'on avait appelé la résistance. Il avait pourtant été le cadre où s'était forgée, sur la lancée du programme parisien de 1839 et du tarif de 1843, la volonté ouvrière de s'organiser, en toute autonomie cette fois, pour la seule défense du salaire.

Ainsi viennent au monde les premières chambres syndicales de la typographie, qui vont bénéficier, en 1868, de la tolérance gouvernementale sur la lancée de l'Exposition universelle et de la politique napoléonienne de séduction sociale. Lorsque la Société typographique parisienne crée en 1867 sa chambre syndicale, celle-ci décide de consacrer ses séances exclusivement aux questions salariales et à l'organisation du travail. En novembre 1868, sous l'impulsion d'Achille Baraguet, elle impose, grâce à des démarches organisées le même jour auprès des maîtres imprimeurs de la capitale, la révision en hausse du tarif, mais échoue à faire accepter la généralisation du travail en commandite. Le mouvement est suivi à Lyon, Marseille, Bordeaux. Sans se généraliser pleinement — ainsi à Toulouse et à Tours — le modèle continue à se diffuser au tout début de la Troisième République. D'une ville à l'autre, des statuts-types circulent, sous l'impulsion sans doute d'ouvriers sur le trimard dans des aires géographiques assez restreintes.

La création, en 1881, de la Fédération typographique française s'insère dans ce mouvement. À la fin des années 1870, le beau temps industriel et la victoire définitive des républi-

cains, qui garantit l'essor de l'école et la liberté de la presse, jettent dans les bras du syndicalisme Auxerre et Lille, Troyes et Chambéry, Nancy, Limoges et Avignon. Comme les anciennes, les nouvelles sociétés souhaitent l'union sinon de tous les ouvriers du Livre, du moins de tous les typographes pour monter une garde commune contre les « sarrasins », contre les femmes, contre tous ceux que les patrons utilisent en vue d'abaisser ou de ne pas augmenter le tarif. Voici même apparaître l'idée d'un tarif « aussi uniforme que possible pour toute la France » : quel rêve dans un pays où pour le même travail les salaires provinciaux sont en moyenne inférieurs de moitié à ceux de la capitale ! Celle-ci d'ailleurs n'a pas été en flèche. Il faut attendre l'échec, total et ruineux, de la grève du Labeur parisien de 1878 pour que la fière chambre typographique parisienne perçoive clairement l'urgence de faire bloc avec la province. Finalement, le 2 septembre 1881, après la Fédération des chapeliers, venue au monde en 1879, voici celle des typographes. Illégale encore — jusqu'à la loi de mars 1884 — mais assurée de sa profonde légitimité : pour les cinq mille deux cent quarante ouvriers du Livre représentés au congrès fondateur de Paris, le syndicat local, mieux assuré désormais par son insertion nationale, et la Fédération vont devenir sinon le centre de la vie sociale, du moins le point de référence obligé de multiples facettes de la vie quotidienne. La dispersion, la division des « forces corporatives » a été dominée.

De la naissance de la F.F.T.L. à la Grande Guerre

Telle est du moins l'idéologie qui sous-tend dans le Livre l'esprit fédératif lorsqu'il parvient à se cristalliser. Il convient évidemment d'y regarder de plus près et de cerner les réactions des ouvriers du Livre selon les lieux où ils travaillent, selon leurs métiers aussi.

Fédération typographique en 1881, Fédération française des travailleurs du Livre en 1885 : ce changement de dénomination signifie-t-il qu'en quatre ans on est passé de l'organisation d'un métier à celle d'une industrie ? Ce serait beaucoup trop dire. D'abord parce que dès 1881, deux « sociétés similaires », toutes deux parisiennes, adhèrent à la Fédération : celle des imprimeurs-conducteurs et celle des relieurs. Puis parce que, quand on quitte Paris, les chambres syndicales regroupent souvent — ainsi à Nancy où elle est créée en 1879 — les conducteurs aux côtés des compositeurs, toujours plus nombreux cependant. Plus nombreux et plus prestigieux : la typographie, au sens étroit du mot, restera, au moins jusqu'en 1914, le métier roi, celui autour duquel s'ordonnent les revendications, celui qui assume les responsabilités syndicales les plus hautes. Les autres métiers, les similaires, n'ont guère d'élus au comité central qui dirige la Fédération. Certes, les choses vont évoluer. Alors que Nancy, par exemple, aurait voulu, en 1881, éliminer les clicheurs et les lithographes, considérés « nuisibles aux intérêts de la typographie », cette section de la Fédération, sans aller jusqu'à se nommer « syndicat du Livre », songe en 1896 à marquer son désir d'ouverture en s'intitulant « syndicat typographique et des parties similaires ». Et à Paris, la seule ville où les syndicats de métier ne sont pas fondus dans une section unique, les correcteurs, les fondeurs, plus tard les clicheurs-galvanoplastes tentent de conquérir une vraie place au soleil fédéral. En vue de contrebalancer le poids des typos, les imprimeurs vont même se battre pendant des années, au début du siècle, pour obtenir le droit de constituer un syndicat national, base nécessaire, disent-ils, d'une fédération d'industrie... En vain : comme ses sections, la Fédération s'ouvre volontiers, depuis le tournant du siècle, à l'ensemble des professionnels du Livre, mais elle leur refuse le droit de s'organiser nationalement. Aussi arrive-t-il souvent que, se sentant peu concernés, les adhérents des « parties similaires » quittent le syndicat sur la pointe des pieds. Bref, le cadre, moderne, de l'industrie a été admis dans le Livre plus tôt que dans bien d'autres branches professionnelles. Mais, pour l'essentiel, la Fédération est restée en gérance chez les compositeurs.

Tous les compositeurs ? Non. C'est Paris-typos qui ouvertement dirige la Fédération. Certes, depuis 1889, les sections ont le droit de présenter des

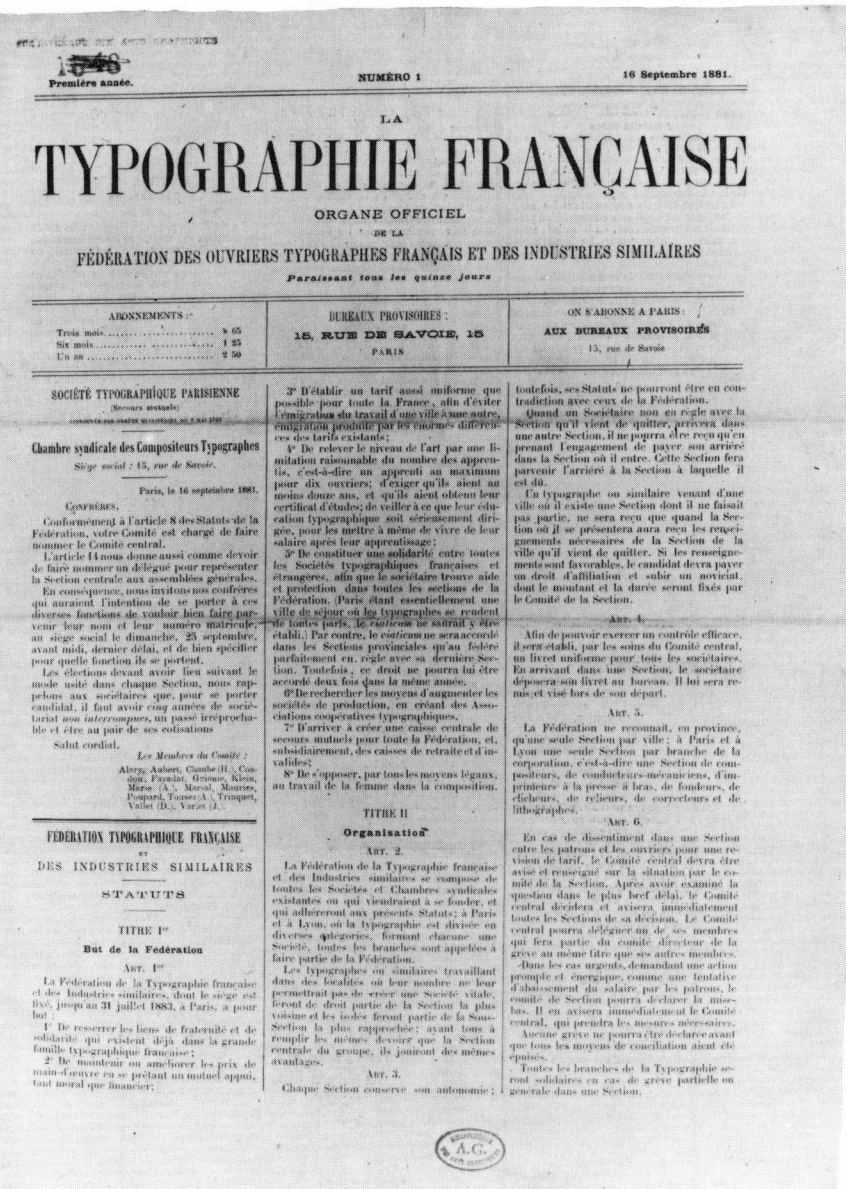

Dans ce numéro de la *Typographie française* du 16 septembre 1881, la Fédération de la Typographie française et des industries similaires, récemment fondée, publie ses statuts. H. 347 mm.

SIN — 101 — SOR

casse que celle de ces augustes personnages. Le jour même, nos quatre drôles avaient quitté la Sibérie et l'atelier. (Nous devons la définition de la *Sibérie* et les développements de cet article à M. Delestre, un des héros du drame... L'enfant promettait !)

Singe, s. m. Ouvrier typographe. Ce mot, qui n'est plus guère usité aujourd'hui et qui a été remplacé par l'appellation de *typo*, vient des mouvements que fait le typographe en travaillant, mouvements comparables à ceux du singe. Une opinion moins accréditée, et que nous rapportons ici sous toutes réserves, attribue cette désignation à la callosité que les compositeurs portent souvent à la partie inférieure et extérieure de la main droite. Cette callosité est due au frottement réitéré de la corde dont ils se servent pour lier leurs paquets.

« Les noms d'*ours* et de *singe* n'existent que depuis qu'on a fait la première édition de l'*Encyclopédie*, et c'est Richelet qui a donné le nom d'*ours* aux imprimeurs, parce qu'étant un jour dans l'imprimerie à examiner sur le banc de la presse les feuilles que l'on tirait, et s'étant approché de trop près de l'imprimeur qui tenait le barreau, ce dernier, en le tirant, attrape l'auteur qui était derrière lui et le renvoie, par une secousse violente et inattendue, à quelques pas de lui. De là, il a plu à l'auteur d'appeler les imprimeurs à la presse des *ours*, et aux imprimeurs à la presse d'appeler les compositeurs des *singes*. » (Momoro.) — Autrefois MM. les typographes se qualifiaient pompeusement eux-mêmes du titre d'*hommes de lettres*, et MM. les imprimeurs de celui d'*hommes du barreau*.

Sonnettes, s. f. pl. Lettres ou mots mal justifiés qui tombent d'une forme qu'on lève de dessus le marbre. Les *sonnettes* diffèrent des *sentinelles* en ce qu'elles ne restent pas debout comme ces dernières.

Sorte, s. f. Quantité quelconque d'une même espèce de lettres. || Au figuré, Con-

9.

Dans le *Dictionnaire de l'argot des typographes* de Boutmy (*op. cit.*) définition des termes « singe » et « ours ». H. 161 mm.

candidats au comité central élu par le congrès. Mais pourquoi payer des voyages, hebdomadaires, puisque, signe de démocratie, le comité central se réunit toutes les semaines ? Le pouvoir de Paris ne se fonde pas essentiellement sur une idéologie jacobine. C'est le service de grève, principal devoir fédéral, qui y conduit en raison de l'extrême centralisation qu'il exige, de l'examen minutieux et quotidien des informations reçues, dès lors que c'est la Fédération qui « autorise » les grèves et verse l'indemnité statutaire. Comment un non-résident pourrait-il maîtriser ce travail ? Tous les ouvriers du Livre, et même tous les typos n'ont pas également apprécié ce type de pouvoir syndical, cette conception d'un syndicalisme gestionnaire central de grèves. La correspondance des sections avec Paris donne assez souvent la parole à ceux qui trouvent pesante la tutelle parisienne et mettent l'accent sur l'importance de la propagande régionale, voire sur la nécessité de structures de décision moins centralisées. Pourtant ce type de syndicalisme n'a pas nui à la croissance fédérale. Plus de cent soixante villes se sont fédérées en une vingtaine d'années. Et, en passant de quelque cinq mille adhérents en 1881 à quatorze mille environ en 1914, la FFTL est devenue une organisation nationale, même si elle recrutait encore, à la veille de la guerre, le tiers de ses cotisants dans la capitale. À cette date, près de la moitié des ouvriers susceptibles d'être organisés dans le Livre sont fédérés. La Fédération a nationalisé le syndicat. Et si, de Jean Allemane, le typo communard chez qui le socialisme fut une dimension de l'énergie, à Auguste Keufer, qui a dirigé la FFTL de 1884 à 1920, ceux qui se sont imposés ont toujours été des Parisiens, leurs pratiques de propagande, leurs « délégations » comme on disait alors, en ont fait des figures familières à toute la « France typographique ».

On comprend mieux dès lors comment la Fédération fut capable de guider les réactions ouvrières lors de l'apparition, tardive mais massive, de la machine à composer, entre 1896 et 1900. Certes les négociations nationales échouèrent. Mais la Fédération arma ses syndiqués d'une stratégie que chaque section, après le Congrès de

98

Paris en 1900, fut chargée de mettre en œuvre : refuser le refus ; négocier pour obtenir, en faveur des futurs linos, de meilleurs salaires adaptés à une qualification supplémentaire ; permettre aux compositeurs à la main d'accéder à cette qualification par des stages de longue durée, si possible rétribués. Inégaux, bien meilleurs sauf exception, dans les journaux que dans le Labeur, franchement bons dans la presse parisienne, les résultats, constamment révisés et réajustés, mirent en évidence à la fois la coupure croissante entre un secteur privilégié de fait, celui de la Presse, et le secteur plus nombreux mais plus dispersé du Labeur, le pouvoir syndical supérieur de la capitale, et, finalement, l'influence de la Fédération et sa reconnaissance par la base ouvrière.

Une culture spécifique

Le moment est venu de s'interroger non plus sur l'évolution des ouvriers du Livre au XIXᵉ siècle, mais sur l'existence de traits relativement permanents, maintes fois évoqués dans la geste qu'ils ont largement contribué à constituer. Une anthropologie culturelle des travailleurs du Livre, ces « ouvriers pas tout à fait comme les autres », est-elle possible ? Cette esquisse permettra en tout cas d'aborder, même très brièvement, l'entre-deux-guerres : l'histoire de ceux qui font le livre et le journal ne s'est pas arrêtée en 1914.

Une culture d'atelier

Largement née dans l'atelier parisien ou lyonnais — les deux capitales imprimantes — la culture des ouvriers du Livre en est restée très fortement marquée. Lieu où s'organise le procès de travail et où, au XIXᵉ siècle, s'acquièrent les qualifications, l'atelier est aussi le cadre où s'affirment des valeurs ouvrières particulièrement vigoureuses dans le Livre, même si elles ne lui appartiennent pas en propre. Et tout d'abord une sociabilité intense, qui transcende sinon les sexes — nous y reviendrons — du moins les tranches d'âge, voire les métiers ; presque tous de nationalité française, les

gens du Livre n'ont pas eu à surmonter les mêmes difficultés d'intégration que les ouvriers du bâtiment ou de la sidérurgie. Cette sociabilité s'exprime à la fois au plan du langage et des pratiques conviviales, ainsi qu'à travers de multiples solidarités.

Sur l'argot des typos, nous disposons du petit *Dictionnaire* publié en 1883 par Eugène Boutmy, longtemps membre de la famille. Les termes de métier abondent : si singe et ours ont à cette date déjà vieilli, voici le paquetier et le piéton que distingue leur position dans la maison, le bibelotier et le tableautier aux spécialités différentes. Chez les conducteurs, la presse mécanique a suscité margeurs et receveurs. Plus originaux, les mots qui, par-delà les métiers, renvoient au travail : justifier une ligne, commettre un bourdon, travailler en conscience. Ou ceux qui relèvent d'expressions toutes faites : on ne se met pas en colère chez les typos, on gobe son bœuf. L'atelier facilite aussi les plaisanteries ou « sortes », voire les chansons où l'amour des femmes se mêle à celui du vin et de la typographie. Le passage est quasi insensible du plein travail à la convivialité quotidienne : on boit, on mange dans l'atelier, aux frais de l'un ou de l'autre, « à la santé du confrère qui nous régale aujourd'hui ». Ces occasions sont multipliées par les rites de passage : fin d'apprentissage, départ en retraite, pot d'entrée offert par le nouvel arrivé : on l'appelle le « quand est-ce ? ».

Ces pratiques ludiques colorent de façon originale d'autres formes de solidarité d'atelier, particulièrement puissantes dans l'imprimerie : organisation du travail, syndicalisme, service social. En matière d'organisation du travail, les typos ont en effet longtemps lutté pour imposer la commandite : expérimenté à Paris dès 1840, populaire au tournant du siècle, ce système autogestionnaire, souvent égalitaire, sauf quand la commandite est « au prorata », prévoit qu'une équipe de compositeurs s'engage à exécuter un travail déterminé, rémunéré au tarif, et se répartit le salaire global. Porteuse de grands espoirs d'autonomie dans l'atelier, la commandite, que la FFTL soutint vigoureusement, se heurta, en province comme à Paris — à un moindre degré dans la presse, où l'entente

ouvrière était indispensable à la sortie rapide du produit —, à l'opposition d'un patronat soucieux de faire reconnaître son autorité. Les tentatives de relance, au lendemain de la guerre, n'eurent pas plus de succès. Seule parmi les grands, la commandite de l'Imprimerie nationale, vigoureusement critiquée au Parlement, notamment en 1896, parvint à s'imposer. Faire nos affaires nous-mêmes : les amants de ce grand rêve du milieu du XIXᵉ siècle n'avaient pas cherché dans la seule commandite les moyens de le mettre en œuvre. Jusque chez les syndicalistes les plus convaincus, on

Auguste Keufer (1851-1924), secrétaire général de la Fédération française des travailleurs du Livre.

trouve trace — et trace constante — de l'espoir mis dans les coopératives de production. On considérera emblématique le cas de Jean Allemane, communard et socialiste : il quitte en 1889 ses responsabilités syndicales pour fonder, au cœur du vieux Paris, une coopérative d'édition, l'Imprimerie du prolétariat, à laquelle s'ajoute bientôt une commandite ouvrière.

On peut penser, sans grand risque d'erreur, que la vocation syndicaliste des ouvriers du Livre s'est nourrie elle aussi, dans l'atelier, de ces solidarités vivaces, et même qu'elle en constitue en quelque sorte l'acmé. Certes il faut attendre 1936 pour qu'apparaissent, comme dans les autres entreprises, des

Les ouvriers du Livre

Pierre Leroux (1797-1871), typographe
et journaliste, philosophe et homme
politique, apôtre du socialisme.
Portrait gravé en taille-douce
par Carey, en tête du petit volume
consacré à Pierre Leroux
par E. de Mirecourt dans la série
Les Contemporains. Paris, 1858.
H. 136 mm.

Une femme typographe employée
à l'usine Paul Dupont en 1867.

représentants officiels du syndicat, les délégués d'atelier. Mais il y avait longtemps que, dans les imprimeries de Labeur et de Presse, les collecteurs du syndicat passaient chaque semaine prélever les cotisations, en général pendant les heures de travail et donc avec la tolérance des protes et des patrons. L'argent ainsi collecté était remis au receveur qui en assurait la répartition : tant pour la section, tant pour la Fédération. Si nulle miette ne revenait directement au lieu de collecte, c'était bien là pourtant que les militants chargés de cette tâche acquéraient non seulement l'*abc* de leur responsabilité mais cette irremplaçable liaison avec la base qui faisait d'eux la voix de l'atelier. N'est-ce pas aussi là qu'on syndiquait, dès le plus jeune âge, l'apprenti, qu'on lui enseignait les vertus de la solidarité et l'histoire, cent fois répétée, de « notre chère Fédération » ? Ou encore la haine des sarrasins, ces jaunes nommément désignés à la vindicte ouvrière, voire au « mépris des honnêtes gens », pour avoir trahi l'honneur prolétarien en acceptant de remplacer un camarade gréviste ?

C'est enfin dans l'atelier que s'affirme hautement la fierté d'appartenir à des métiers exceptionnellement qualifiés, aux franges du monde intellectuel. C'est là que le compositeur et le correcteur affichent leurs compétences. Le goût pour la belle ouvrage, la chasse aux bourdons et aux coquilles, la joie de corriger malignement l'orthographe et la ponctuation d'un auteur négligent, tout cela se discute sur le lieu du travail. Et c'est là que peut s'affirmer la double vocation de bien des typographes. Sait-on par exemple que Pierre Leroux, le père de l'*Encyclopédie nouvelle,* fut prote à vingt ans, au début de la Restauration, et qu'il inventa alors un procédé de stéréotypie, voué à l'échec faute de fonds, avant d'acquérir, en 1843, divers brevets de fonderie et d'imprimerie et d'aller les exploiter à Boussac en publiant avec George Sand la *Revue sociale* ? Oui, de beaux métiers au total, où il est bien vu d'apprendre le latin comme le fit Varlin, de sortir de l'Université comme Boutmy ou de se préparer, comme Michelet, à y entrer, sans rompre avec les pratiques quotidiennes d'atelier et les capacités d'innovation technique.

Faut-il s'étonner dès lors des formes de malthusianisme dont tant de congrès de la FFTL se sont fait l'écho ? Elles tournent autour du problème de l'apprentissage. Une fois de plus, ce sont les compositeurs qui sont visés. Les futurs imprimeurs-conducteurs commencent en effet comme margeurs : d'aucuns le restent toute leur vie, d'autres quittent tôt le métier. Au contraire des jeunes typos, il n'y a pas là de réel apprentissage. Aussi est-ce à propos de ces derniers que les objectifs ouvriers s'expriment sans ambages. Il s'agit dans chaque atelier d'en limiter le nombre pour éviter la pression sur les salaires. Deux procédés sont alors recommandés : renforcer la durée de l'apprentissage — apprenti pendant trois ans, puis, pendant trois autres années, « jeune ouvrier » — et réduire au minimum le nombre d'apprentis. L'article premier des statuts de la FFTL prévoyait, en 1881, qu'aucune imprimerie ne devait en avoir plus d'un pour dix ouvriers. Il faudra en rabattre : l'accord avec les maîtres imprimeurs se fera en 1899 sur la base d'un apprenti pour cinq ouvriers, et il ne sera jamais respecté...

Au-delà de l'atelier

Les pratiques culturelles des ouvriers du Livre ne se sont cependant pas cantonnées à l'atelier. Les habitudes sociales se prolongent aux alentours : dans les cafés voisins, dans les fêtes patronales — on tente, vers 1895, de réacclimater celle de la Saint-Jean-Porte-Latine —, dans les bals et les tombolas dont les bénéfices permettent d'élargir l'assise matérielle de la solidarité, dans les banquets surtout, dont Joseph Mairet a évoqué, au milieu du XIXe siècle, la symbolique républicaine.

Solidarités réjouissantes donc, mais fugaces. D'autres, plus consistantes, tissent des liens réguliers et forts entre l'atelier, le syndicat et, depuis 1881, la Fédération. Au XXe siècle encore, beaucoup de sections locales utilisent une partie des cotisations pour verser, sur la lancée des traditions mutuellistes, des indemnités complémentaires. Surtout, dès lors que le service de grève eut conquis ses lettres de noblesse et établi sa priorité, dès lors que, une fois revenus les temps ensoleillés du profit, la négociation paritaire put à nouveau déployer toute son efficacité, l'effort se porta sur la gestion nationale des services de solidarité : le viaticum d'abord, ou secours de route, fédéralisé en 1900 avant de disparaître en 1934 ; les secours de maladie, dont la gestion devint centrale elle aussi en 1900 ; l'indemnité au conjoint survivant, établie en 1904 ; l'indemnité d'invalidité-vieillesse, instaurée en 1905. En devenant prestataire de services beaucoup plus qu'aucune autre organisation syndicale française, en s'appuyant sur le referendum ouvrier chaque fois qu'il fallait augmenter des cotisations déjà lourdes, la FFTL consolidait au plan national les valeurs ouvrières de prévoyance et de solidarité que le monde du Livre avait, de longue date, privilégiées.

Les ouvriers du Livre ne se sont d'ailleurs pas laissés enfermer dans ces solidarités corporatives. Au moins jusqu'à la Grande Guerre, leur pratique s'est voulue ouverte aux intérêts de la classe. Ils ont parfois offert leurs services et ceux-ci n'ont pas été souvent refusés. À Toulouse, au Havre, à Nancy, ce sont des militants du Livre qui ont dirigé les premières Bourses du travail et accepté la responsabilité, financièrement toujours dangereuse, de journaux ouvriers locaux. Et la CGT naissante dut beaucoup à son premier trésorier, Auguste Keufer. Est-ce à dire que les gens du Livre se sont posés en guides de la classe ouvrière ? Ce n'est pas certain. Les liaisons verticales, associées au métier, voire à l'industrie, l'emportaient dans de nombreuses sections sur les solidarités horizontales liées aux Bourses du travail. Et l'ascension du syndicalisme révolutionnaire mettait en lumière, au début du siècle, l'isolement, dans la CGT, des pratiques contractuelles et négociatrices du Livre. Cependant, sûr d'être suivi dans sa dénonciation des « braillards » anarchistes et des « politiciens » de la SFIO, convaincu que l'action parlementaire devait se faire « parallèlement à l'action syndicale » pour « contribuer à l'œuvre d'émancipation ouvrière et à la défense des intérêts corporatifs », Keufer était entendu lorsqu'il soulignait l'objectif fondamental de la FFTL : l'organisation de toute la classe ouvrière sur des bases purement revendicatives. Réformiste, la grande majorité des ouvriers du Livre ? Sans aucun doute, comme l'atteste la pratique d'un syndicalisme très représentatif. Mais attaché aussi à la classe, au-delà des professions, et disposée à se solidariser avec les victimes de la société et d'abord celles d'un patronat arrogant.

Que de nuances !

Existe-t-il « une » culture ouvrière ? On peut en douter. On doutera aussi bien sûr de l'existence d'une culture commune à tous les ouvriers du Livre. On notera d'abord le caractère minoritaire de ceux qu'on présente un peu facilement comme des gens de lettres. Certes les typos-poètes n'ont pas manqué (d'Eugène Orrit à Hégésippe Moreau, de Claude Genoux à Marc Guilland) et le journalisme militant s'est largement recruté dans le Livre — voyez le socialiste grec Argyriades, l'anarchiste Malato et les nombreux candidats allemanistes qui se présentent aux élections législatives de 1893 et aux élections municipales de Paris pendant les mêmes années. Même chez les typos pourtant, ils sont l'exception.

À l'autre bout de la chaîne, voici ces demi-exclus de la culture du Livre, les non qualifiés. Un manœuvre, un travailleur formé en quelques semaines, est-il vraiment un ouvrier ? Non, répond la tradition des professionnels. Et voici les brocheurs et les brocheuses, les cartonniers et les papetiers, sans parler des margeurs et des receveurs, ces servants des nouvelles presses et des rotatives. Avec la mécanisation leur nombre s'est accru, bien sûr. D'après l'enquête des maîtres imprimeurs réalisée à Nancy en 1937, ils constituent environ le tiers des effectifs. Leur syndicalisation même fait problème : nulle interdiction assurément ne pèse sur eux, guère d'encouragements non plus. À vrai dire, nous en ignorons presque tout : la parole ouvrière ne les concerne pas.

Les vrais exclus pourtant sont ailleurs. Et l'on en parle. Les femmes, ou plutôt « la femme » comme on dit dans le Livre — le singulier est lourd de significations obscures — ont été, au moins jusqu'à la Grande Guerre, l'objet d'un rejet massif, plus encore à la base que chez les dirigeants. Même à salaire égal, disent les statuts de 1881, il faut les écarter « par tous les moyens légaux de l'atelier de composition ». Elles y travaillent déjà pourtant, au moins depuis 1848, et même depuis la Révolution française, ainsi qu'à la reliure et au brochage. Un quart de siècle plus tard, en 1906, on compte quelque trois mille compositrices, un peu moins du septième de l'effectif total. Comment interpréter ce refus, rationnellement absurde, dans une population ouvrière qui fait massivement confiance à l'instruction, aux lumières, à la raison ? Que les femmes aient été sous-payées, instrumentalisées par le patronat pour faire baisser les salaires, on en conviendra sans peine. Cette interprétation se vérifie en 1862 à l'imprimerie Paul Dupont où se déclenche la première mise bas contre le travail des femmes, et à nouveau en 1878. En 1901, c'est pire encore : le syndicat des typotes, créé par Marguerite Durand, la patronne du quotidien féministe *La Fronde* envoie ses adhérentes jouer les sarrasins chez Berger-Levrault ! Mais, au-delà de ces raisons raisonnables, émergent les pulsions profondes d'une société patriarcale : en interdisant l'atelier et le syndicalisme à la femme, ne reste-t-on pas fidèle à sa nature de bonne ménagère, à son essence de non-ouvrière, inconstante dans son travail, soumise à l'homme, étrangère à toute organisation autre que la famille ? : « La femme ne saurait être groupée. » C'est en 1919 seulement, après un premier vote contesté en 1910, après la célèbre affaire Emma Couriau dont se mêlèrent la CGT et les institutrices féministes, que par referendum — cent quatre-vingt dix voix pour, trente-quatre contre — les femmes compositrices furent autorisées à se syndiquer à la FFTL.

Moins originale sans doute que l'ont cru les ouvriers du Labeur et de la Presse, la culture du Livre présente pourtant des traits particuliers liés à son ancienneté et au caractère tardif et partiel de la mécanisation et de la concentration. Dès l'entre-deux-guerres pourtant s'esquissaient de singuliers frémissements : la mise en place d'instances régionales, l'ouverture aux femmes, la distinction croissante entre les imprimeries du Labeur et celles du Journal, bien des indices indiquaient dès lors que, si la classe ouvrière du Livre ne sortait pas bouleversée de la guerre, pour elle aussi le XIXe siècle était bien terminé.

126

Et le 15 décembre elle donnait à la guerre un caractère social, se portant pour défenseur
du peuple, des classes pauvres. (P. 1087.)

LIV. 136.   J. MICHELET. — HISTOIRE DE LA RÉVOLUTION FRANÇAISE — ÉD. J. ROUFF ET Cⁱᵉ. LIV. 136.

Le secteur historique est un domaine à succès dans l'édition au XIXᵉ siècle,
notamment lorsque l'histoire se charge de signification politique. *L'Histoire de la
Révolution française* de Jules Michelet en est un exemple (Paris, J. Rouff, 1890).
Planche illustrant le chapitre relatif à la Convention. H. 272 mm.

Une production multipliée

par Frédéric Barbier

L'analyse de la production imprimée française du XIXᵉ siècle (1) se heurte à un certain nombre de contraintes que la masse même des chiffres mis en jeux, tout en interdisant de les contourner, rend particulièrement difficiles à résoudre. L'enjeu en est capital puisque la mesure de la production et de son évolution permet seule de situer réellement l'importance de ce processus que l'on désigne du terme générique de « seconde révolution du livre ».

 ## Le livre et la société industrielle

Dans le domaine de l'histoire du livre, le XIXᵉ siècle industriel présente une double originalité — à la fois période de triomphe, par le caractère massif de la production imprimée, et moment de déséquilibre, alors que de nouveaux concurrents apparaissent.

Moment de triomphe : le livre avait jusqu'alors été le médium privilégié d'une société demeurée minoritaire, celle des lecteurs.

La « République des lettres », à l'époque des Lumières, est comme l'image parfaite de ces micro-milieux, isolés les uns des autres à travers toute l'Europe, minoritaires, et n'offrant à un livre guère de possibilités de diffusion au-delà de quelques milliers d'exemplaires. Même si une accélération parfois notable se fait peu à peu jour dans les systèmes de communication (ce dont témoignent d'ailleurs les premiers développements importants de la presse périodique), même si de nouvelles catégories sociales accèdent progressivement à la lecture, même si un premier développement de la production imprimée est enregistré autour de 1760 (et un premier mouvement d'innovation dans les ateliers), il n'en demeure pas moins que l'économie de la chose imprimée est restée au XVIIIᵉ siècle une économie traditionnelle, qui pour l'essentiel porte à ses frontières ultimes les possibilités de l'outil né au XVᵉ siècle.

Mais un processus d'expansion — et d'expansion d'abord économique — se trouve d'ores et déjà engagé, un processus que l'épisode révolutionnaire charge d'une valeur idéologique très importante. L'instruction est désignée comme le garant de la démocratie que l'on cherche à inventer, la chose imprimée devient la voie royale d'accès à la dignité de citoyen responsable.

Le XIXᵉ siècle sera tout entier placé sous l'influence de cette double logique économique — le livre demeurant une marchandise, il n'est pas surprenant de le voir pleinement s'intégrer dans les processus d'industrialisation — et politique — le régime de l'imprimerie et de la librairie a constitué un des points centraux du débat politique du XIXᵉ siècle français. Du côté de la production, les possibilités des nouvelles machines frappent chacun : une seule imprimerie industrielle se trouve, au milieu du XIXᵉ siècle, en mesure de sortir autant d'exemplaires de livres que toutes les imprimeries françaises un demi-siècle auparavant (2). Du côté de la lecture, l'élargissement du public est pareillement remarquable (3) : pour reprendre l'image proposée par McLuhan, la monarchie, en fondant l'expérience administrative française, avait créé un « empire de papier », et il est parfaitement logique qu'à l'élargissement progressif de la base sociale sur laquelle se fondent les régimes politiques du XIXᵉ siècle corresponde également un élargissement parallèle des publics

ayant accès à la chose imprimée.

Paradoxalement, ce double caractère est en lui-même annonciateur de la conjoncture nouvelle qui sera celle du XXᵉ siècle.

Tout se passe, en effet, comme si, face à la poussée conjointe d'une population de lecteurs en expansion rapide, de flux plus complexes d'informations à acheminer plus rapidement, et de masses d'informations également plus lourdes, l'économie de l'imprimé devenait globalement moins pertinente. Du coup, il convient de sortir de la seule logique gutenbergienne, ce qui se fera par les nouveaux moyens de communication et d'information que constituent dès le XIXᵉ siècle le télégraphe et le téléphone (4), plus tard les moyens audiovisuels, puis la révolution informatique.

Âge du triomphe et de l'hégémonie du livre et du périodique, le XIXᵉ siècle s'inscrit donc en même temps dans une logique nouvelle qu'il convenait d'évoquer rapidement ici, même si elle ne connaît ses principaux développements que postérieurement à la Première Guerre mondiale.

Enfin, est-il légitime d'étudier *la* production imprimée, comme s'il n'y avait pas une typologie infiniment diversifiée *des* lectures, chacune répondant à un projet différent, chacune chargée d'un jugement de valeur qui transparaît déjà dans le vocabulaire par lequel on ne tarde pas à distribuer les différents types littéraires en fonction de leur usage social (que l'on songe à la « littérature de l'escalier de service ») ? Malheureusement, les sources dont nous disposons ne permettent guère dans l'immédiat de mener à son terme une telle approche liant économie de la production et sociologie des lectures, tout au moins en dépassant le cadre de l'étude de cas ou de la monographie : la simple distribution diachronique de la production imprimée par grandes catégories thématiques demeure pratiquement hors de notre portée.

La construction d'une courbe de la production imprimée française au cours du XIXe siècle peut s'appuyer sur des sources documentaires théoriquement exhaustives, constituées par les registres du Dépôt légal (5) : il s'agit ici des registres d'inscription des ouvrages nouvellement parus, à leur entrée à la Bibliothèque nationale, et qui se présentent année par année, en séparant sous une double numérotation continue Paris et les départements. Il serait donc *a priori* simple de relever pour chaque année le numéro d'ordre du dernier ouvrage déposé dans chaque département, afin d'obtenir une courbe d'ensemble de la production, en même temps que sa distribution géographique. C'est au demeurant sur ces chiffres que se fondent la plupart des statistiques épisodiques de la production imprimée données au cours de la période.

L'utilisation systématique de ces documents supposerait cependant une vérification très poussée ; les sondages que nous avons faits dans certains départements montrent que les critères d'inscription varient beaucoup, tel préfet retenant tous les travaux typographiques sans exception (jusqu'aux bulletins de vote imprimés à la veille d'une élection), tel autre effectuant un tri selon des critères qui, la plupart du temps, nous échappent. Le Dépôt légal lui-même ne recouvre que partiellement la production réelle, dans la mesure où il a été plus ou moins bien observé. La représentativité de nos chiffres est donc aléatoire, tandis que la mise en œuvre exhaustive de ces sources très lourdes (plus d'un million de titres à pointer et à vérifier sur un siècle) est un objectif actuellement inaccessible (6).

Ce travail considérable n'est d'ailleurs pas impérativement nécessaire

pour retracer avec une approximation raisonnable l'évolution de la production imprimée française à l'époque industrielle, et l'on s'est efforcé de construire d'autres séries statistiques plus ou moins représentatives. La plus anciennement utilisée est celle des titres annoncés chaque année dans la *Bibliographie de la France* (7) : même si les chiffres enregistrés varient à court terme en fonction des conditions mêmes du travail bibliographique réalisé, cette série est des plus intéressantes dans le long terme, en ce qu'elle permet de situer proportionnellement l'importance de l'augmentation de la production imprimée.

Une autre série est fondée sur la bibliographie rétrospective qu'est le *Catalogue général de la librairie française* (8), qui remonte à 1840. Afin d'éviter l'écueil d'une représentativité évidemment difficile à apprécier (puisqu'il ne s'agit pas d'une bibliographie rétrospective exhaustive), les titres ont été relevés par sondages (9), et distribués selon leurs années de parution. On obtient ainsi une courbe indicielle de production qui permet d'affiner les résultats.

 ## Évolution globale de la production

Le XIXe siècle, quelle que soit la série statistique à laquelle on fait appel, est bien le siècle d'une croissance nouvelle de la production imprimée. Si nous ramenons l'ensemble de nos chiffres à des valeurs d'indice par rapport à la production de l'année 1840, année à partir de laquelle commence la série du *Catalogue général de la librairie française,* nous enregistrons pour la série tirée de la *Bibliographie de la France* (tableau n° 1) une multiplication par 2,3 en un demi-siècle, et pour celle du *Catalogue général* (colonne 2) un quadruplement jusqu'aux années 1910.

De 1840 à 1890, ces deux statistiques coïncident dans leur dessin général, alors que la production imprimée, toujours mesurée en nombre de titres, a doublé par rapport à 1840. À partir des années 1895, en revanche, elles divergent nettement l'une par rapport à l'autre : la *Bibliographie de la France* culmine en 1889, avec près de 15 000

titres, la courbe se stabilise à ce niveau jusqu'à la fin du siècle, puis s'oriente très progressivement à la baisse, malgré des années isolées de reprise en 1909 et surtout en 1913. Cette série statistique corrobore donc l'idée de la « crise du livre », survenue dans la dernière décennie du XIXe siècle, et du déclin de la production entre les années 1900 et la fin de la Seconde Guerre mondiale.

Ce point appelle d'emblée une première remarque. La production livresque doit au premier degré être regardée comme un phénomène économique, dont l'évolution devrait *a priori* concorder dans une large mesure avec celle des indices globaux construits par les historiens de l'économie (10). Le taux de croissance moyen annuel de l'économie française entre 1870 et 1913 est de l'ordre de 1,6 % ; notre seconde série, avec un taux de l'ordre de 2 % durant la même période, semble donc plus sûre que la première, qui enregistre une quasi-stagnation. De même, ces chiffres coïncident mieux avec ce que l'on sait du mouvement macro-économique, qui est notamment marqué par une expansion vigoureuse à partir de 1896. La comparaison, donc, avec les indices économiques d'ensemble permet de trancher, à partir du moment où les deux séries statistiques divergent, en faveur de celle tirée de la bibliographie rétrospective. Ajoutons que cette courbe présente l'avantage d'éviter les variations excessives comme l'augmentation sur un an de 60 % de la production enregistrée à la suite du rachat du *Journal de la librairie* par le Cercle de la librairie (11).

Analyse de longue durée

Dans le long terme, l'analyse de régression linéaire (coefficient de corrélation de 89 %) montre bien que la croissance rapide enregistrée constitue l'élément fondamental de notre série statistique. Ces chiffres nous permettent de situer le niveau global de production au cours du siècle. Au centre de notre période d'étude, l'année 1875 est celle d'un enregistrement total de 20 759 unités par le Dépôt légal, d'où nous pouvons soustraire 1 691 unités relatives aux périodiques départementaux, soit 19 068 unités pour les livres et ouvrages non périodiques. Par transposition, il devient possible de connaître les chiffres correspondants de chaque année entre 1840 et 1912.

Le tableau n° 2 appelle un certain nombre de remarques. Rappelons d'abord que les chiffres obtenus correspondent à la tendance de longue durée et que, par conséquent, les effets des évolutions cycliques comme les accidents ponctuels en sont évacués.

Soulignons également qu'il ne s'agit pas ici d'une statistique des ouvrages littéraires, ni même des livres proprement dits, mais de l'ensemble de la production enregistrée, y compris les ouvrages de ville, prospectus, documents publicitaires, etc. Une série se rapportant plus exclusivement aux livres peut être obtenue en effectuant le même calcul à partir du nombre de livres annoncés dans la *Bibliographie de la France,* toujours en 1875.

Dans tous les cas, la production imprimée marque une croissance rapide au cours de la période, et les chiffres traditionnellement avancés se trouvent, notamment à partir du début du XXᵉ siècle, notablement augmentés (moins de 5 000 titres en 1840, près de 15 000 en 1875, près de 25 000 à la veille de la Première Guerre mondiale). La France est toujours dépassée par l'Allemagne impériale au début du XXᵉ siècle, mais la cassure devient beaucoup moins sensible. Il est probable que, la production de périodiques et de « travaux de ville » ayant considérablement augmenté au cours de la Troisième République, l'équilibre interne, placé en 1875, se trouve brisé et notre hypothèse, légèrement surévaluée.

Un indice intéressant de fiabilité de la courbe de production ainsi obtenue tient à ce que celle-ci enregistre, de 1840 à 1913, un accroissement moyen annuel de 2,3 %, à rapprocher de l'accroissement moyen annuel du nombre des imprimeries pour la même période (2,2 %).

La conjoncture du livre

L'analyse à moyen terme peut être conduite par le biais des moyennes mobiles décennales, qui permettent de situer les principaux cycles d'expansion et de — relatif — déclin. Une pre-

Tableau n° 1 — *Progression indicielle de la production imprimée française (nombre de titres publiés, 1840-1913, indice 100 en 1840).*

Années	Colonne 1	Colonne 2	Différence entre 1 et 2
1840	100	100	
1843	97	75	− 22 %
1853	127	106	− 17 %
1863	190	191	+ 0,5 %
1873	181	157	− 13 %
1883	215	234	+ 9 %
1893	213	221	+ 4 %
1903	193	289	+ 50 %
1912	182	338	+ 86 %

Colonne 1 : *Bibliographie de la France.*
Colonne 2 : *Catalogue de la librairie française.*

Tableau n° 2 — *Production imprimée française (nombre de titres), 1840-1913* (12).

Années	Indices	Ouvrages enregis.	*Bib. Fr.*
1840	61	6 220	4 630
1850	97	9 891	7 363
1875	187	19 068	14 195
1890	240	24 472	18 218
1900	276	28 143	20 951
1913	322	32 834	24 443

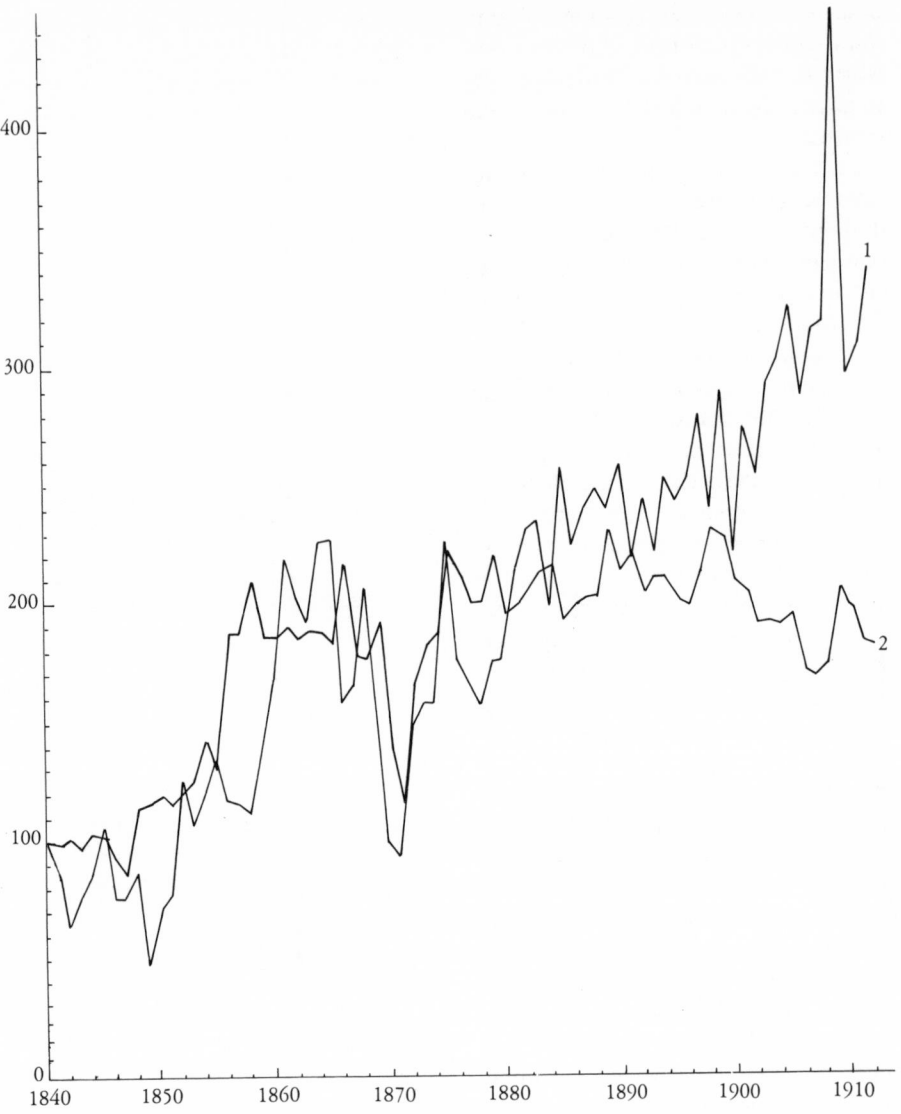

Production imprimée française
indices annuels, 1840-1913 (100 en 1840)

1 = *Catalogue général de la librairie française*
2 = *Bibliographie de la France.*

Production imprimée française
nombre de titres, moyennes
mobiles décennales, 1840-1913

1 = *Catalogue général de la librairie française*
2 = *Bibliographie de la France.*

mière observation s'impose au vu des deux courbes obtenues. Le dessin est pratiquement le même jusqu'aux années 1895, ce qui constitue un élément positif important tant pour évaluer la représentativité de la série établie d'après sondages dans les répertoires bibliographiques rétrospectifs (série 2), qu'en faveur de la représentativité des deux séries durant cette période. La rupture s'opère, comme nous l'avons dit, à l'extrême fin du XIXe siècle, alors que la série de la *Bibliographie de la France* passe à une tendance négative, tandis que l'autre continue sa progression.

La périodisation de cette série met en évidence une succession de deux cycles aux phases plus ou moins prononcées. Le premier, après une période de stagnation passagère à la fin de la monarchie de Juillet, est marqué par une expansion rapide sous le Second Empire : de 1860 à 1869, la courbe décennale se situe nettement au-dessus de celle du *trend.* Le second est marqué par une phase difficile de 1870 à 1878, puis par une expansion rapide jusqu'en 1889. L'examen de la courbe permet en fait d'observer la présence d'un troisième cycle très aplati entre 1890 et les années 1910, avec la même succession de deux phases : une décennie de croissance ralentie entre 1890 et 1900, une reprise vigoureuse à partir de 1901. La persistance, même atténuée, de cette chronologie des cycles constitue également un indice en faveur de cette série statistique.

Comparons l'évolution d'ensemble ainsi dégagée avec ce que nous savons de l'évolution (notamment économique) générale de la France durant la même durée : après la croissance ralentie des années 1825-1840, reprise rapide de 1840 à 1860 ; croissance ralentie jusqu'en 1880 et stagnation de 1880 à 1896 ; enfin, nouveau décollage de la fin du XIXe siècle à la Première Guerre mondiale.

Tout se passe comme si, dans un premier temps, l'économie du livre ne répondait qu'avec retard aux impulsions économiques générales ; la reprise, sur notre courbe, n'intervient qu'à partir de 1850, mais se poursuit jusqu'en 1870. À l'inverse, les difficultés sont d'autant plus sensibles au début de la Troisième République. À la stagnation des années 1880-1896

correspond dans notre cas une phase remarquable d'expansion. Dans un second temps — mais à l'extrême fin du siècle —, la corrélation est plus nette, la Belle Époque est aussi la grande époque du livre et, plus largement, de la chose imprimée. Ces différences dans la chronologie tiennent en fait aux spécificités qui sont celles du livre comme objet de production et de consommation.

La spécificité du livre comme objet de production réside avant tout dans le fait qu'il se trouve davantage que d'autres soumis aux aléas de la conjoncture juridique et policière ; la phase d'expansion — 1860-1870 — trouve sans doute une de ses causes dans le règlement du problème de la contrefaçon internationale, tandis que c'est à la loi de 1881, plus encore aux lois scolaires de Jules Ferry, qu'il faut rapporter dans une large mesure le développement de la décennie 1880-1890.

Mais l'essentiel tient pour nous dans la spécificité du livre comme objet de consommation. D'une part, la géographie du livre privilégie une certaine géographie (celle des villes) ; d'autre part, l'accès au livre suppose un minimum de bagage culturel ; enfin, sa consommation diffère du mode de consommation traditionnel. Revenons rapidement sur ces trois points.

Nous n'avons pas à nous étendre ici sur le processus d'urbanisation que connaît la France du XIXe siècle (13) : 26 % de population urbaine au milieu du XIXe siècle, 44 % à la veille de la Première Guerre mondiale, et un taux annuel de progression de 1,1 % entre 1851 et 1911. Plus significative est la différence entre la courbe de la production imprimée et celle de la population urbaine, largement positive sous le Second Empire, qui tend progressivement à s'affaisser. La production

imprimée croît plus vite que la population urbaine, ce qui veut dire que l'accès au livre fonctionne comme un multiplicateur (voir tableau n° 3 ci-dessous).

L'extension de la civilisation de l'écrit constitue ainsi une des composantes du développement géométrique des échanges matériels (mais aussi échanges d'informations) qui accompagne l'urbanisation. Non seulement la ville constitue un remarquable milieu d'acculturation, mais la société urbaine se caractérise par le développement des comportements d'imitation, des catégories sociales en influençant d'autres (ainsi les domestiques) qui peuvent prendre l'habitude de la lecture, puis la diffusent vers l'ensemble de la société urbaine.

Le tableau n° 4, page 108, présente l'essentiel des résultats sur la base de la série de production imprimée d'où les variations décennales n'ont pas été évacuées.

Une croissance plus rapide, donc, mais par ailleurs une différence en cours d'amenuisement constant. La vague de l'urbanisation, qui s'est développée sous le Second Empire, avait vu le livre et la chose imprimée sortir définitivement des micro-milieux, qui avaient jusqu'alors été les leurs, et devenir des produits de consommation plus large. De vastes gisements de lecteurs potentiels peuvent être facilement atteints, donc exploités. On récolte alors les dividendes d'un effort d'intégration géographique et culturelle (c'est-à-dire d'acculturation) parfois vieux de plus d'un siècle, mais, par la suite, les gains proportionnels sont de moins en moins importants, même si les premières années du XXe siècle paraissent, à nouveau, marquées par une conjoncture plus favorable. Cette évolution rejoint l'économie de la consommation, et renvoie en fait

Tableau n° 3 — *Taux moyens annuels de progression, 1851-1911.*

	Population urbaine	Production imprimée	Différence
1851-1866	+ 1,6 %	+ 4,9 %	+ 3,3 %
1866-1881	+ 0,8 %	+ 1,9 %	+ 1,1 %
1881-1896	+ 0,9 %	+ 1,2 %	+ 0,3 %
1896-1911	+ 1 %	+ 1,4 %	+ 0,4 %

Tableau n° 4 — *Urbanisation et production imprimée en France, 1841-1911.*

	Population (en millions d'habitants)	Population urbaine	Production imprimée	Indice
1841	34,23	7,39	6 220	100
1876	36,96	11,96	19 068	307
1911	39,60	17,50	32 834	528

Tableau n° 5 — *Principaux paramètres de la consommation de livres en France, 1830-1910.*

	Revenu	Indice	Prix du livre		5 % du revenu	
1830	326					
1840	378	100	6,65	100	2,8 livres	100
1850	443	117				
1860	514	136	3,52	53	7,3	261
1870	602	159	3,45	52	8,7	311
1890	697	184				
1910	876	232	4,13	62	10,6	378

au processus d'unification socioculturelle d'une société dans laquelle l'analphabétisme tend à devenir un phénomène marginal.

Il est naturel en effet que la chronologie de développement du livre suive celle de l'alphabétisation, dont les travaux de F. Furet et de ses collaborateurs ont mis en évidence la composition. Sur l'exemple des mobilisables du seul département du Nord, plus du tiers des hommes ne savent pas lire en 1850, mais ce chiffre tombe à moins de 11 % en 1890, et à 5 % à la veille de 1914. Au total, la partie est largement gagnée dès avant 1880, et la législation de la Troisième République a pour effet principal d'assurer définitivement le rattrapage des départements et des groupes — les femmes notamment — les plus en retard.

Soulignons, dans le même sens, les progrès de l'enseignement, mesurables par le biais des chiffres de la scolarisation aux différents niveaux et des examens : 62 % des jeunes gens mobilisables dans le Nord en 1890 ont reçu une instruction primaire, ce qui implique quelque familiarité avec le livre. Les monographies ouvrières de l'école de Le Play (14) montrent pareillement que presque tous les enfants des ménages décrits à partir des années 1880 ont reçu un minimum d'éducation scolaire.

Le marché global du livre imprimé s'accroît donc par le développement d'un processus de conquête intérieure dans la France du second XIXᵉ siècle, mais cette progression quantitative ne suffit pas à expliquer l'ampleur de la mutation qui touche l'édition française. En effet le livre, cette « marchandise », est à ce titre même un objet de consommation, donc susceptible de se voir appliquer les méthodes éprouvées de l'histoire de la consommation, démarche qui n'a que rarement été suivie et se révèle pourtant riche d'enseignements.

Objet de consommation, certes, mais objet très spécifique : non seulement le livre demeure pendant les deux tiers du XIXᵉ siècle un produit cher, hors de portée de la plupart des bourses, mais il est également un produit d'une grande élasticité. Autrement dit, dans la conjoncture traditionnelle, la majorité des familles se trouvent dans l'obligation de consacrer aux simples achats de nourriture l'essentiel de leur budget, les dépenses de loisir ou d'éducation — dont les achats de livres et les abonnements à des périodiques — s'en trouvent réduites à très peu de choses, et cela d'autant plus qu'il s'agit de produits proportionnellement plus onéreux. Même pour des budgets moyens (par exemple, celui d'un instituteur), la constitution d'une petite bibliothèque personnelle est difficile : c'est l'âge d'or du cabinet de lecture.

Mais, que le prix du livre baisse ou, ce qui revient au même, que le revenu moyen augmente dans la même proportion, une fois couverts les besoins de première nécessité, les achats de ce qui auparavant apparaissait comme superflu deviennent d'autant plus importants. Au-delà d'un certain seuil de richesse moyenne, la consommation des livres et des périodiques croît donc plus vite que l'augmentation moyenne du revenu. À l'inverse, en cas de crise, ces types de dépenses se trouveront théoriquement parmi les plus touchées. Nous avons donc, pour le problème qui nous occupe ici, à faire intervenir les trois variables de l'évolution du revenu moyen, de l'évolution du prix des livres, et de la structure interne de la consommation.

Sur le premier point, nous disposons des évaluations du revenu en francs constants par habitant proposées par François Caron (15). Ce revenu passe de 326 francs environ vers 1830, à 443 francs en 1850, 602 francs autour de 1870, 697 francs en 1890, et 876 francs en 1910. Donc, une croissance qui tend à s'accélérer jusque sous le Second Empire, que le déclin démographique « casse » dans les premières années de la Troisième République, mais qui reprend autour des années 1900, sans que cependant les taux de croissance de la première moitié du XIXᵉ siècle puissent à nouveau être atteints. Dans l'ensemble, sur la période qui nous occupe, le revenu moyen est multiplié par 2,7.

Il est intéressant de voir que, de ce fait, de nouvelles catégories de lecteurs peuvent effectivement être gagnées. Ainsi, la famille de l'ajusteur de Guise décrite par Le Play en 1890 (16) ne dispose, en liquide, que de 437,50 francs par personne et par an, somme dont elle consacre 2,4 % aux dépenses

« religieuses, culturelles et de santé ». Le père ne peut guère qu'acheter des journaux pour 19,75 francs. Les livres possédés par la famille sont des livres scolaires, des livres donnés en prix et ceux empruntés à la bibliothèque du familistère. À la même date, voici un ébéniste du faubourg Saint-Antoine (17), dont la famille compte également cinq personnes ; chacune ne dispose guère annuellement que de 658,50 francs en liquide, mais cette somme suffit pour que les dépenses ci-dessus passent à 9,6 % du total, ce qui permet l'abonnement à plusieurs journaux et l'achat irrégulier de livres. Même observation pour l'ouvrière en jouets et ses deux fils en 1892 (18) : le revenu annuel est de 864,62 francs par personne, les dépenses « culturelles » s'élèvent à 8 % du total, et la famille possède une petite bibliothèque.

Ces analyses demanderaient une étude sérielle plus précise et régionalisée, qui prenne en compte l'infinie diversité des situations et des comportements individuels. Nos chiffres mettent cependant en évidence un point important : à partir d'un seuil de 500 francs de revenus annuels, il devient possible d'investir régulièrement dans les dépenses de santé et d'éducation. Il suffit de comparer ce chiffre de 500 francs avec ceux que nous avons donnés plus haut, concernant le revenu moyen annuel des Français au XIXᵉ siècle, pour constater que la barre est globalement franchie autour des années 1870, et que la différence ne cesse dès lors de s'accentuer.

Les effets de la hausse des revenus se trouvent accrus par l'évolution des prix moyens du livre durant cette même période, évolution qui a été mise en évidence sur le même échantillonnage statistique tiré de la bibliographie rétrospective que dans le tableau n° 5 de la page 108 (19).

Trois phases successives peuvent être discernées. Dans un premier temps, jusqu'aux années 1860, baisse rapide du prix moyen du livre, qui diminue presque de moitié en deux décennies. Dans un second temps, le mouvement se poursuit à un rythme très ralenti, tandis que, à partir des années 1880, le prix moyen du livre (toujours exprimé en francs courants) tend au contraire à augmenter légèrement. Si l'on suppose qu'il est dépensé 5 % du

revenu moyen en achats de livres, l'évolution du pouvoir d'achat dans notre domaine (indépendamment des deux courbes des prix et des revenus) se présenterait ainsi : hausse moyenne très rapide dans les années 1840-1860 (+ 4,9 % par an), et qui se ralentit progressivement, passant d'abord à 1,8 % par an dans la dernière décennie de l'Empire, puis à 0,5 % entre 1870 et 1910. L'augmentation du revenu moyen permet de compenser, et au-delà, les effets de la hausse du prix du livre autour des années 1900.

Ainsi, le marché n'est pas suffisamment porteur pour permettre la rentabilisation des investissements parfois très lourds consentis par les imprimeurs et les éditeurs pour la modernisation de leurs usines. Afin, en quelque sorte, d'« amorcer le marché », les principaux éditeurs vont donc se lancer dans une course à la baisse des prix et au succès de masse. Par contrecoup, les structures de diffusion s'améliorent — le livre pénètre, par exemple avec les « bibliothèques de gare », l'espace de la vie quotidienne —, de même que les modes d'information publicitaire. Ensuite, deux éléments continuent leurs effets pour provoquer la hausse moyenne enregistrée pendant la Belle Époque : l'augmentation des frais généraux, et notamment des hausses de salaire, se répercute sur les coûts de production, donc sur les prix de vente, tandis que les éditeurs ne sont plus systématiquement contraints à une course à la baisse pour compenser l'insuffisance du revenu moyen. La conjoncture de la production imprimée débouche sur le problème des stratégies éditoriales.

Production imprimée et stratégies éditoriales

L'évolution thématique de la production imprimée française au cours de notre période d'étude demeure, dans l'état actuel de nos connaissances, inconnue pour l'essentiel. Le problème est d'autant plus délicat que l'importance des habitudes de lecture au sein de nouvelles catégories sociales de même que la nature des livres les plus appréciés ne tardent pas à devenir l'objet de débats passionnés entre les contemporains eux-mêmes. Dès la Restauration, Pigoreau insiste sur la vogue des romans en même temps que sur les dangers que toute mode trop accentuée fait courir à l'équilibre de la librairie. C'est contre les romans que s'élèveront les autorités religieuses et administratives du Second Empire, et ils suscitent encore à la fin du siècle la méfiance des élèves de Le Play (20).

Comme pour la presse à un sou, le reproche fondamental est de donner au « peuple » une ouverture sur des mondes qui lui étaient jusque-là demeurés interdits, alors qu'il ne saurait disposer de l'outillage intellectuel qui lui permette de les juger à leur juste valeur (21). De là un sentiment nouveau d'insatisfaction, générateur de la haine sociale, ou encore des rêveries illusoires à la poursuite desquelles le ménage d'ouvriers ou de paysans ne tarde pas à se ruiner complètement et à tomber dans la misère. Pigoreau attaque en fait cette forme d'irresponsabilité sociale qui est celle des libraires et, à un moindre degré, des auteurs cédant à la spéculation sur la mode :

> « Il faut des romans populaires, si j'ose m'exprimer ainsi, puisque le peuple veut lire des romans : il en faut pour l'artisan dans sa boutique, pour la petite couturière dans son humble mansarde, pour la ravaudeuse dans son tonneau ; il en faut pour les petits esprits, comme il faut des éditions de nos philosophes pour la petite propriété. De là tous ces romans d'un jour, toutes ces productions insipides. Dépêchons-nous d'en inonder la province, mettons-les au plus vile rabais ; sans nous inquiéter de ce que deviendront les exemplaires que nous venons de vendre en gros à nos confrères, faisons colporter nos éditions, à tout prix, dans les rues, dans les marchés, autrement elles occuperont bientôt dans nos magasins une place inamovible... » (22).

Ainsi, à travers ces modes de lecture apparaissent des marchés d'un type nouveau, des marchés de masse : dès les années 1840, la technique typographique permet d'obtenir des tirages très supérieurs aux tirages habituels. L'intégration de l'espace français ouvre progressivement les portes d'un véritable marché national, qui plus est alors en cours de développement, tandis que les premiers accords internationaux vont assurer la protection nécessaire contre le piratage des éditions.

Du coup, une nouvelle pratique éditoriale devient possible, par laquelle on modifiera l'équilibre économique interne des éditions, pour transformer un produit jusque-là resté limité dans sa diffusion sociale en un produit de consommation de masse. Trois types de marchés — outre celui de la presse périodique — sont bientôt reconnus, dans ce contexte, comme particulièrement porteurs : il s'agit d'abord du marché religieux, puis du marché du livre pour enfants — aussi bien livre scolaire que livre de récréation —, enfin, du marché des très grands succès littéraires.

Les grands courants

Dans l'ensemble, l'évolution des grands courants de la production imprimée française a pu être reconstituée à partir des bibliographies courantes et rétrospectives.

Jusque sous la monarchie de Juillet, les genres littéraires dominants sont le théâtre et la poésie, dans une moindre mesure le roman. Jeune homme monté depuis quelques années à Paris, Alexandre Dumas se lance enfin grâce à sa tragédie de *Christine ;* après la première, on dîne copieusement, et

> « ...nous fûmes tirés de notre léthargie, le lendemain matin, par le libraire Barba, qui venait m'offrir 12 000 francs du manuscrit de *Christine,* c'est-à-dire le double de ce que j'avais vendu *Henri III.* Décidément, c'était un succès » (23).

Un peu plus tard qu'à Paris, la mode poétique gagne la province : dans les dernières années de la Restauration, Julliard, « doublé de sa passion romantique », lance une feuille périodique à Provins pour laquelle il obtient 200 abonnements, et où il fait paraître « des stances mélancoliques incompréhensibles en Brie » (24).

Au milieu du siècle, cependant, la grande époque de la poésie est terminée. Alphonse Daudet en donne un écho, lorsqu'il met en scène le *Petit Chose,* qui, ayant quitté son collège des Cévennes pour « monter » à Paris, espère se lancer en publiant à compte d'auteur, grâce à l'aide de son frère, un recueil de poèmes, qu'il confie à un imprimeur d'origine alsacienne. Daudet nous décrit de manière finalement très exacte le détail des opérations qui mèneront les deux frères à la ruine, l'ouvrage ne s'écoulant pratiquement pas :

> « On met ton livre à l'impression demain. Cela nous coûtera 900 francs, une bagatelle. Je ferai des billets de 300 francs, payables de trois mois en trois mois (...). Nous vendons le volume 3 francs, nous tirons à 1 000 exemplaires (...). Nous payons l'imprimeur, plus la remise d'un franc par exemplaire aux libraires qui vendront l'ouvrage, plus l'envoi aux journalistes... » (25).

À la même époque, Flaubert reprend cette idée, et, lorsqu'il veut décrire ce décalage des goûts entre la province et Paris, il nous montre Emma Bovary demander à son amant une « *pièce d'amour* » que celui-ci, incapable de dépasser le premier vers, « finit par copier dans un *keepsake* » (26).

Mais le XIXᵉ siècle est avant tout le siècle du roman, qui connaît un développement constant dès la Restauration, et dont la progression s'accentue au cours du siècle : 300 titres nouveaux en 1877, 750 en 1890.

Deux périodes peuvent être distinguées dans cette trajectoire triomphante. D'abord, les chiffres faibles de tirage limitent nécessairement son audience. Il s'agit alors souvent d'un texte d'inspiration historique ; c'est un « roman sur l'histoire de France, à la manière de Walter Scott, et qui a pour titre *l'Archer de Charles IX* », puis, en désespoir de cause, un « recueil de poésie », que Lucien, dans les *Illusions perdues,* propose vainement au libraire Porchon (27). De même, Paul de Manerville, mis en scène dans le *Contrat de mariage,* emploie presque tout son temps « à lire des romans, car son père n'admettait pas les études transcendantes par lesquelles se terminent aujourd'hui les éducations » (28). Dès le transfert de son magasin rue P.-Sarrazin, le 30 décembre 1826, le jeune Louis Hachette, qui cherche à se constituer un fonds d'une certaine valeur commerciale, annonce dans la *Chronique* de la *Bibliographie de la France* qu'il vient « d'acquérir de M. Bachelier le restant de l'édition 1825 du *Robinson Crusoe* en anglais, 2 volumes in-12, prix 6 francs ». Cependant, les chiffres de tirage demeurent modestes jusqu'aux années 1840 et à la « révolution Charpentier ».

Dans un second temps, et précisément autour des années 1840 et à la fin de la monarchie de Juillet, le roman devient la production dominante : son succès même fait de cette forme de lecture un véritable phénomène social, dont on développe volontiers les excès et les ridicules, voire les dangers. La vieille lingère employée au collège de Rouen, où est la future Emma Bovary, dans sa jeunesse (donc vers 1840) « ... prêtait aux grandes, en cachette, quelque roman qu'elle avait toujours dans les poches de son tablier, et dont la bonne demoiselle elle-même avalait de longs chapitres, dans les intervalles de sa besogne. Ce n'était qu'amours, amants, amantes » (29). L'idée que l'élargissement de la lecture ne peut se faire que par une baisse du niveau moyen est déjà née.

Plus tard, Emma lira Eugène Sue, Balzac, George Sand, « y cherchant des assouvissements imaginaires pour ses convoitises personnelles », avant que Charles et sa mère ne s'efforcent de l'en empêcher : « ... donc, il fut résolu que l'on empêcherait Emma de lire des romans (...). [Mme Bovary mère] devait, quand elle passerait par Rouen, aller en personne chez le loueur de livres, et lui représenter qu'Emma cessait ses abonnements. N'aurait-on pas le droit d'avertir la police, si le libraire persistait quand même dans son métier d'empoisonneur ? » (30).

Au cours de la seconde moitié du siècle, en effet, la lecture des romans se répand de plus en plus largement, en partie par le biais de canaux nouveaux de diffusion comme la Bibliothèque des chemins de fer de Louis Hachette (1852), et de supports originaux comme le feuilleton populaire, en partie aussi grâce à des succès à scandale, comme précisément la publication de *Madame Bovary* chez Michel Lévy en 1857. Voici Bouvard et Pécuchet qui découvrent le monde nouveau des romans, les voici, à la poursuite de toutes les modes successives, dévorant d'abord Walter Scott, puis Alexandre Dumas, Frédéric Soulié, Alphonse Karr, George Sand, enfin Honoré de Balzac, et des romans humoristiques comme le *Voyage autour de ma chambre* (31).

Mais, surtout, le roman est signalé généralement comme de plus en plus répandu auprès des catégories sociales précisément supposées comme les moins aptes à effectuer cette distanciation qui est censée mettre le lecteur à l'abri de son texte : le commis du pharmacien Hommais ne lit-il pas *l'Amour conjugal...*, qui plus est

— Thèse générale, môsieur, aujourd'hui, pour réussir, il faut faire un feuilleton de ménage, passez-moi l'expression. Dégusté par le père et par la mère, le feuilleton va de droit aux enfants, qui le prêtent

à la domesticité, d'où il descend chez le portier, si celui-ci n'en a

9

Au XIXᵉ siècle le roman pénètre partout, même à la cuisine, surtout quand il est publié en feuilleton, comme en témoigne cette figure gravée sur bois d'après Grandville pour *Jérôme Paturot à la recherche d'une position sociale*, de Louis Reybaud. Paris, Dubochet, 1846.

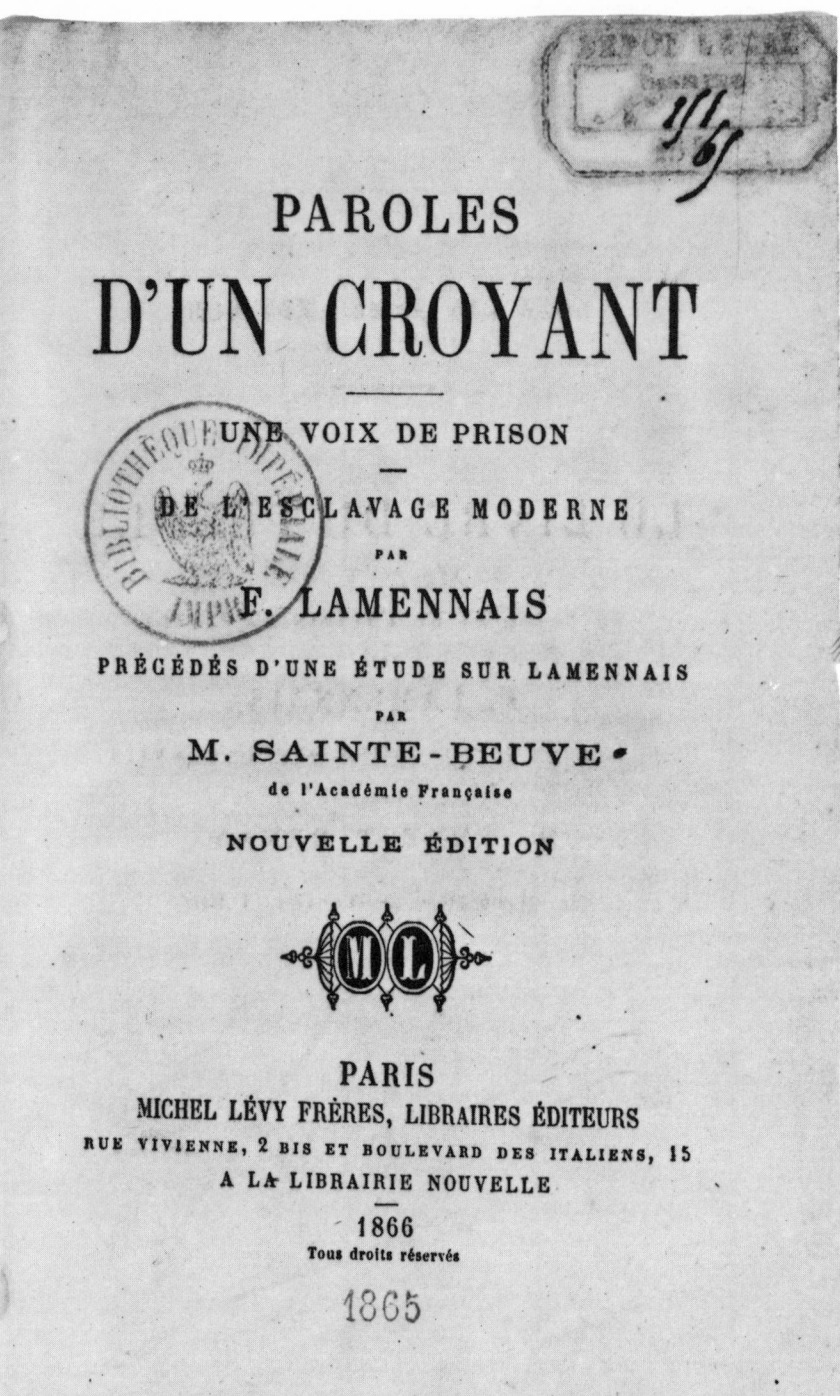

PAROLES
D'UN CROYANT

—

UNE VOIX DE PRISON

—

DE L'ESCLAVAGE MODERNE

PAR

F. LAMENNAIS

PRÉCÉDÉS D'UNE ÉTUDE SUR LAMENNAIS

PAR

M. SAINTE-BEUVE
de l'Académie Française

NOUVELLE ÉDITION

PARIS
MICHEL LÉVY FRÈRES, LIBRAIRES ÉDITEURS
RUE VIVIENNE, 2 BIS ET BOULEVARD DES ITALIENS, 15
A LA LIBRAIRIE NOUVELLE
1866
Tous droits réservés

1865

Un grand succès dans le domaine de l'édition religieuse,
Paroles d'un croyant de Lamennais, publié en 1834 et repris
en de nombreuses éditions dont celle-ci chez Calmann-Lévy, en 1866.
H. 177 mm.

« avec des gravures » (32) ! Autour des années 1900, la Célestine d'Octave Mirbeau admire un temps Paul Bourget et Hector Malot, qu'elle lit à ses moments de loisir dans sa petite chambre de bonne lorsqu'elle s'ennuie : « Je lis des romans, des romans et encore des romans », désormais tout comme le fait sa maîtresse lorsqu'elle est brouillée avec son mari : « Madame (...) ne quittait plus sa chambre où, sur une chaise longue, longuement étendue, elle lisait des romans d'amour... » (33).

La problématique de l'édition française au cours du XIXᵉ siècle est, dans une large mesure, dominée par la question de la diffusion sociale du savoir et des implications politiques de cette diffusion. Un certain nombre de grands succès de librairie sont ceux d'éditions spécialisées, telle l'édition religieuse : les *Paroles d'un croyant* publiées en 1834 par Renduel constituent le premier grand succès du siècle — avant tout parisien, les marchés étranger et provincial étant couverts par les contrefaçons belges (34). En 1863, et en partie sous l'influence de l'école exégétique allemande, *la Vie de Jésus* (35), inaugurant la série des *Origines du christianisme* de Renan, triomphe par le scandale : on en écoule en quatre ans quelque 1,3 million d'exemplaires, l'ouvrage est traduit en dix langues, et le marché relancé par la succession savante d'éditions à meilleur marché. Sans revenir sur les ouvrages de piété, rappelons enfin que l'imprimerie la plus importante de France est précisément alors l'imprimerie Mame, de Tours, qui s'est fait une spécialité du livre catholique.

Un second domaine est celui de l'édition historique (36). D'une part, le gouvernement, notamment sous la monarchie de Juillet, avec l'impulsion donnée par Guizot, et sous le Second Empire, avec Victor Duruy, finance de grandes collections d'édition et de critique historique, telle que la *Collection des documents inédits sur l'histoire de France*, entreprise en 1835 et qui compte aujourd'hui plus de 300 volumes. Plus important, ce modèle est repris non seulement par des administrations particulières — que l'on songe aux collections historiques publiées par la Ville de Paris (37) —, mais aussi, dans la tradition des « Lumières provinciales », par une multitude de sociétés savantes régionales ou locales, finançant la publication de collections importantes de sources et de documents qui, sans leur intervention, n'auraient jamais pu trouver un marché suffisant pour assurer l'équilibre de l'entreprise. À Saint-Omer, l'imprimeur d'Homont publie ainsi les *Chartes de Saint-Bertin,* financées par la Société des antiquaires de la Morinie avec l'aide d'une souscription du ministère de l'Instruction publique (38).

Deuxième modèle d'édition historique, radicalement différent : à partir de la monarchie de Juillet, l'histoire, et notamment l'histoire de la Révolution de 1789, se charge d'une lourde signification politique, et les années 1847-1848 voient la publication d'un certain nombre d'ouvrages importants (Michelet, Blanc, Lamartine, Esquiros), qui sont pour la plupart des succès de librairie, et que l'on retrouve au cours de la seconde moitié du siècle jusque dans certaines des bibliothèques privées des ouvriers étudiés par Le Play. Le charpentier de Paris, dans les années 1890, possède la *Révolution française* de Michelet, ce qui correspond pour lui à un engagement politique confirmé par le reste de sa bibliothèque (39). Une troisième vague dans le secteur de l'histoire est atteinte lorsque la diffusion d'un enseignement primaire, au sein duquel elle tient précisément une place fondamentale, fait pénétrer le livre scolaire, et à sa suite le manuel, dans un nombre toujours plus grand de foyers : les histoires de France par Anquetil et par Henri Martin sont ainsi, à partir du Second Empire, les best-sellers du genre.

Dernier domaine, celui des dictionnaires et des encyclopédies sur lesquels se construisent certaines des grandes fortunes de la librairie nouvelle du XIXe siècle. Au premier rang, le fils d'un forgeron de l'Yonne, Pierre Larousse, enseignant jusqu'en 1851, s'associe à cette date avec un condisciple pour se lancer dans l'édition pédagogique. En 1867, il achète l'imprimerie Divry, rue Notre-Dame-des-Champs, et, à partir de 1868, se retire de l'édition pour se consacrer exclusivement à la fin de la rédaction et à l'impression de son monumental *Grand Dictionnaire universel du XIXe siècle* en

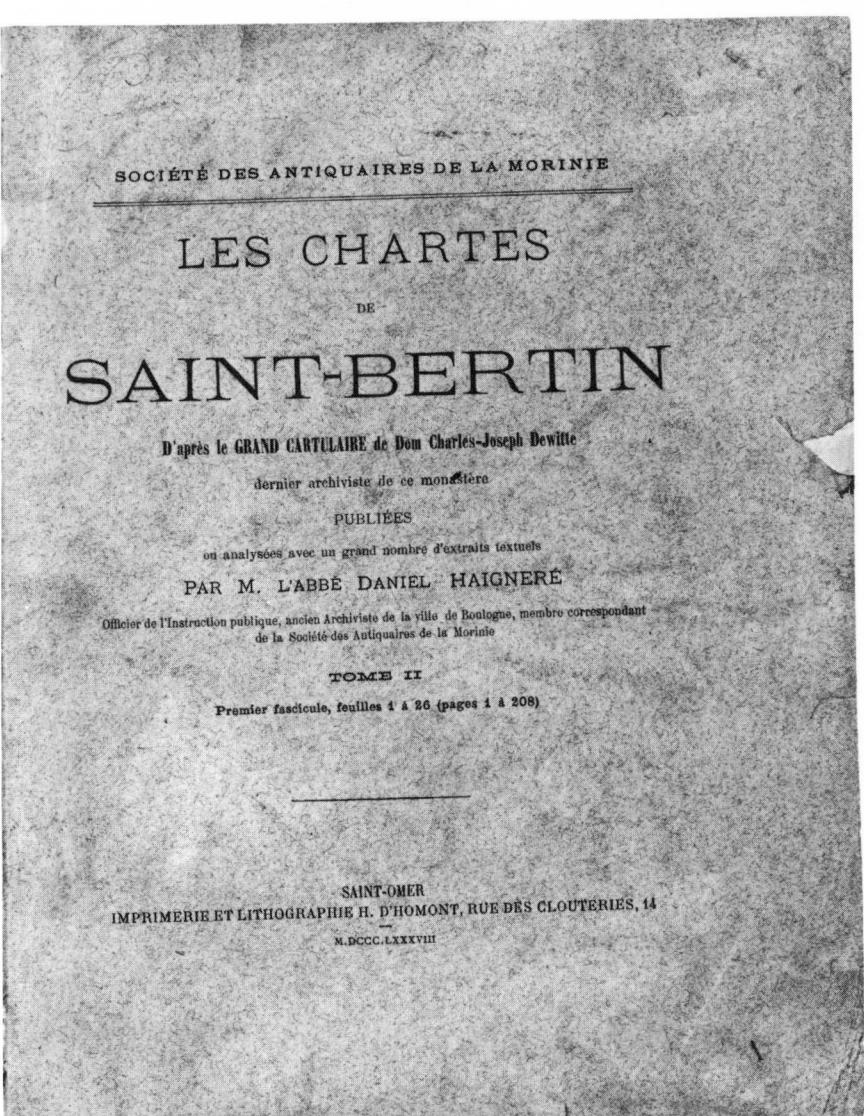

La publication des *Chartes de Saint-Bertin* est dans le domaine de l'histoire un exemple d'édition critique financée par une société savante régionale. H. 270 mm.

15 volumes publié par fascicules depuis 1865. L'entreprise est un succès, Pierre Larousse, qui était parti de rien, laisse 850 000 francs à sa mort en 1875.

Bien d'autres secteurs éditoriaux caractérisent le XIXᵉ siècle, par exemple celui du livre et du périodique scientifique, et notamment médical : l'expansion des études médicales alimente un important secteur éditorial universitaire, et l'on sait d'autre part que la chose imprimée joue un rôle fondamental dans le développement du savoir médical, au point que la constitution d'une bibliothèque personnelle et l'abonnement à un périodique spécialisé sont regardés comme d'indispensables composantes de l'image que les « nouveaux médecins » veulent donner de leur science et d'eux-mêmes. Dans le cabinet de Charles Bovary, « les tomes du *Dictionnaire des sciences médicales,* non coupés, mais dont la brochure avait souffert dans toutes les ventes successives par où ils étaient passés, garnissaient presque à eux seuls les six rayons d'une bibliothèque en bois de sapin... », et, tandis qu'Emma s'abonne « à la *Corbeille,* journal des femmes, et au *Sylphe des salons* », Charles, « pour se tenir au courant, (...) prit un abonnement à la *Ruche médicale,* journal nouveau dont il avait reçu le prospectus. Il en lisait un peu après son dîner, mais la chaleur de l'appartement, jointe à la digestion, faisait qu'au bout de cinq minutes il s'endormait ».

Même présence du livre spécialisé chez le jeune docteur Thibault, lorsqu'il s'installe dans sa garçonnière : « ... Commençons par les livres (...). Voyons..., les cahiers de cours en bas... Les dictionnaires à portée de la main... Thérapeutique... Bon (...). Tiens, songea-t-il tout à coup en se levant, je voulais regarder dans Hémon ce qu'il dit du diabète... » (40).

Économie interne de l'édition

Économie externe, économie interne : au cœur du processus de *feed-back* qui se développe ainsi entre la production imprimée et le marché correspondant, nous trouvons le personnage nouveau de l'éditeur, qui joue le rôle du capitaliste dans le modèle schumpétérien. La montée en puissance de ces fonctions tertiaires se fait précisément au moment où la

coordination administrative, qui assure l'unification législative (par la protection des « œuvres de l'esprit ») et matérielle (par la « révolution des transports ») d'un marché national, puis international, permet d'obtenir théoriquement une productivité plus élevée et des coûts moindres par la seule économie de marché. Cette évolution se combine avec les ruptures technologiques que nous avons décrites par ailleurs, et qui, au prix d'investissements très importants en capital fixe, permettent précisément la constitution de marchés plus vastes et leur pénétration plus rapide.

À l'éditeur, d'abord, de percevoir, par rapport à l'état des structures de production et de diffusion, les opportunités du marché, et de les développer, voire, par des procédés sur lesquels nous reviendrons, de susciter des opportunités nouvelles. À lui de réunir les capitaux de plus en plus importants, nécessaires au développement d'une « politique éditoriale », et de les mettre en œuvre de la manière la plus adéquate. La mécanisation des ateliers implique des investissements très lourds, les frais d'amortissement des machines et installations nouvelles ont augmenté en proportion, et c'est à l'éditeur d'innover en mettant en œuvre la politique qui permettra à l'appareil de production de tourner. Deux domaines peuvent être évoqués : l'économie interne du livre, d'abord ; ensuite, les procédés incitatifs visant à augmenter le débit d'une édition (41) et que Néret, après d'autres, qualifie de « fautes professionnelles de l'édition » (42).

Le premier problème est celui des chiffres de tirage et du devis correspondant d'une édition. Reprenons rapidement le schéma de l'équilibre financier d'une édition suivant le modèle traditionnel (43). La loi des rendements décroissants donne à la courbe du prix de revient par rapport au tirage le dessin d'une hyperbole et fait que, au-delà d'un certain seuil, l'augmentation du tirage ne joue plus de manière significative sur la baisse du prix de revient par feuille. Compte tenu de l'impossibilité où l'on se trouvait de diffuser assez vite et à des prix suffisamment bas pour occuper le marché de la contrefaçon, des tirages dépassant 2 000 à 3 000 exemplaires ne se justi-

fiaient que pour des ouvrages d'une diffusion pratiquement assurée dans un cadre géographique limité, régional ou local.

Il est aléatoire de tenter d'évaluer le gain de productivité réalisé par un atelier s'équipant de presses mécaniques : tout au moins peut-on évaluer les montants annuels de dépenses pour chaque type de matériel, qui permettent de fixer l'échelle des grandeurs, sur la base notamment des chiffres que donnent König et Bauer eux-mêmes dans leur circulaire de 1832 (44) et des valeurs usuelles du matériel jusqu'au Second Empire (45) : voir tableau n° 6 de la page 116.

Si nous nous en tenons aux chiffres de ce tableau, la mécanisation permet de diminuer les coûts annuels de 30 % par rapport à l'utilisation de presses Stanhope — une presse isolée ne nécessite pas l'installation d'une machine à vapeur.

Les frais supplémentaires de fonctionnement de la presse mécanique (combustible, etc.) sont, pensons-nous, balancés par les gains sur l'occupation au sol, donc sur l'éclairage, le chauffage, le loyer, etc., et aussi sur les caractères typographiques, qui « tournent » moins longtemps, etc. Au fur et à mesure que l'innovation technique se développe, les coûts du matériel mécanique diminuent, et la différence s'accroît d'autant.

En revanche, les innovations qui portent sur le domaine de la composition n'ont que peu d'intérêt pour les imprimeries qui ne travaillent pas d'abord pour la presse périodique — et surtout les quotidiens. La Linotype, par exemple, demande en 1899 un investissement de 12 000 francs par machine, en réalité bien davantage, puisque la compagnie anglaise qui tient le monopole des ventes en Europe exige l'achat de 4 machines au moins à la fois, soit une immobilisation de capital de 48 000 francs. Les seuls intérêts du capital fixe s'élèvent à 2 400 francs par an, auxquels s'ajoutent les frais d'amortissement. En prenant en compte les frais généraux, les salaires de l'opérateur etc., l'intérêt financier de la Linotype se révèle nul dans la majorité des cas : 32,37 francs pour 48 000 lettres à la Linotype en 1899, contre 28,96 francs pour la composition manuelle.

Publicité pour la Bibliothèque littéraire publiée par l'éditeur Michel Lévy : l'achat de ces livres donnait droit à des primes. Ce procédé incitatif à l'achat fut considéré par certains comme relevant d'une moralité professionnelle douteuse.
(Publicité parue dans *le Rire* du 18 septembre 1897. 309 × 231 mm.)

Une production multipliée

Les tirages

Une des caractéristiques de la « seconde révolution » technique de l'imprimerie est de donner aux imprimeurs et aux éditeurs une souplesse beaucoup plus grande dans la fixation des chiffres de tirages. Le même atelier industriel est en mesure de fournir aussi rapidement le rapport d'activité annuel d'une société par actions, tiré à quelques dizaines d'exemplaires, et le prospectus du nouveau feuilleton périodique, tiré à 100 000 exemplaires — alors que l'atelier traditionnel ne tirait à plusieurs dizaines de milliers d'exemplaires, et dans des délais bien supérieurs, que dans les cas tout à fait exceptionnels de productions « populaires » d'une diffusion régionale assurée, c'est-à-dire le plus souvent pour des almanachs : avatar du *Grand Double Almanach dit de Liège* lancé en 1825 par Casterman, à Tournai, et qui atteint 200 000 exemplaires sous le Second Empire (46), le *Triple liégeois,* in-24 de 4 feuilles d'impression, sort ainsi chaque année à 50 000 exemplaires des presses de la veuve Porthmann, à Paris, autour de 1840. Rappelons que c'est de cet atelier que sort le premier volume au « format Charpentier », en 1838. À Strasbourg, Jean-François Leroux est l'éditeur du *Grand Messa-ger boiteux,* dont le tirage, à 50 000 exemplaires vers 1830, à 100 000 sous le Second Empire, occupe ses presses pendant l'essentiel de l'année (47).

Il est possible d'obtenir une évaluation globale de l'évolution des chiffres de tirage au cours de notre période d'étude. Les sondages effectués à partir des déclarations des imprimeurs parisiens et des registres du Dépôt légal donnent les résultats suivants (voir tableau n° 7 ci-dessous).

Dans l'ensemble, en deux générations, les tirages moyens sont multipliés par 5,7 environ : ainsi apparaissent des chiffres de tirages jusque-là impensables. Il s'agit d'abord de « travaux de ville », prospectus, catalogues publicitaires, etc. : 196 000, 155 000 et 260 000 exemplaires, en janvier 1900, pour les *Catalogues* du pépiniériste Vilmorin, et le record, 4 millions d'exemplaires pour le prospectus du nouveau feuilleton du *Petit Parisien,* présentant le *Mariage secret,* roman de P. Bertray. Les premiers « livres » proprement dits sont des manuels pédagogiques, avec notamment les 60 000 exemplaires du *Livre préparatoire d'histoire de France,* par Augé et Petit chez Larousse.

Si nous mettons ces chiffres moyens en regard de ceux de la production en nombre de titres obtenus en pondérant les résultats des comptages sur la *Bibliographie de la France* par la série indicielle tirée de la bibliographie rétrospective, une double constatation s'impose. En premier lieu, le cumul des deux progressions aboutit à une multiplication par 25 entre 1840 et 1900, résultat qui se trouverait encore augmenté s'il pouvait prendre en compte les périodiques. Il y a eu effectivement une véritable « révolution » dans l'économie de l'imprimé et, au-delà, dans l'économie d'ensemble des systèmes d'information.

Mais — et c'est notre second point — cette « révolution » a vu se succéder deux phases de composantes différentes : d'abord, les années 1840-1880 voient une progression de l'indice des titres sensiblement plus rapide que celle de l'indice des tirages, même si l'avance tend peu à peu à se réduire. Puis, l'équilibre s'inverse, et la progression des tirages moyens se fait désormais plus vite que celle des titres.

Nous nous trouvons bien devant les deux modes de réponse des structures de production à la poussée du marché — entretenue par une politique éditoriale « agressive ». Jusqu'au milieu du siècle, devant un marché national — *a fortiori* international — en cours de formation, la réponse se fait par une montée des tirages, mais d'abord par une multiplication des titres, selon un schéma qui se rattache au système traditionnel d'une économie *capital extensive.* Ensuite au contraire, le mouvement de renversement déjà engagé se parachève : face à un marché désormais bien structuré, la rationalisation du travail peut jouer davantage, entraînant de nouveaux gains de productivité, et nous passons alors dans une économie d'ensemble *capital intensive.*

En ce qui concerne les titres eux-mêmes, cette évolution d'ensemble cache une infinité de cas d'espèce différents. Barba donne ses titres à succès à imprimer en 1818 chez le jeune Paul Dupont, qui vient de s'établir quai des Augustins (49) : *l'Officieux,* de Pigault-Lebrun, en 2 volumes in-12, n'est pourtant tiré qu'à 1 000 exemplaires, de même que *A-t-il perdu ?,* de Charles Longchamps. En cas de succès, on fera un second tirage, du même ordre que le précédent. Ces chiffres modestes ne peuvent guère être dépas-

---

Tableau n° 6 — *Frais à engager annuellement pour une imprimerie, env. 1840.*

	Presse mécanique		4 presses à bras en fer	
Valeur	25 000 fr		4 × 1 200 fr = 4 800 fr	
Amortissement	(5 %/an)	1 250 fr	....	240 fr
Intérêts	(5 %/an)	1 250 fr	....	240 fr
Personnel	2 margeurs	1 800 fr	8 pressiers	7 200 fr
	2 ouvriers	1 800 fr	1 contremaître	1 125 fr
	Total	6 100 fr	....	8 605 fr

Tableau n° 7 — *Production imprimée française, 1840-1900 (48).*

Années	Tirage moyen	Indice	Titres	Indice	Indice cumulé
1840	1 958	100	6 220	100	100
1860	2 787	142	13 541	218	310
1880	5 006	256	20 842	335	858
1900	11 239	574	28 143	452	2 597

sés que dans des cas bien particuliers, tels que les manuels d'enseignement, davantage les livres de piété et plus encore les almanachs. Dupont imprime annuellement l'*Almanach du commerce,* de Bottin, tiré en 1831 à 7 000 exemplaires. Plus intéressant est cependant le fait que, dès cette époque, des possibilités nouvelles sont ouvertes par les presses mécaniques, possibilités qui ne peuvent cependant être pleinement utilisées que pour certains « travaux de ville » : toujours en 1831, Dupont imprime ainsi un *Prospectus* pour les messageries nationales, un quart de feuille in-8°, au tirage de 100 000 exemplaires.

Dès lors, trois modèles de tirages peuvent être définis : au niveau inférieur, des tirages allant de quelques centaines à 3 000 exemplaires perpétuent l'économie traditionnelle de l'imprimé. Firmin-Didot imprime, en 1840, à 500 exemplaires la *Découverte de la Troade* pour Maudut (50), Dupont, cette même année, et à 500 exemplaires également, le *Rapport* de la Compagnie du chemin de fer de Paris à Saint-Germain. À Strasbourg, en dix ans, l'*Ami des écoliers,* par le pasteur Maeder, connaît 6 tirages et retirages successifs à 1 000 exemplaires chaque fois (1844-1854). En 1880 encore, Dupont ne donne que 550 exemplaires de différents textes de Jules Ferry, *Discours* sur les lois scolaires, *l'Instruction primaire en Angleterre,* etc.

Bien davantage, l'innovation réside à nos yeux dans le groupe des tirages « moyens », entre 3 000 et 10 000 exemplaires : il s'agit en effet d'un niveau qui était dans une certaine mesure déjà atteint par la librairie traditionnelle, mais qui tend à s'élever et dont de nouveaux types de textes deviennent justiciables — en particulier les livres pédagogiques. En 1840, par exemple, Firmin-Didot imprime à 6 000 exemplaires le *Tour du monde, ou premières études géographiques,* de Renouard, à 10 000, le *Petit Cours de géographie* de l'abbé Gaultier. Progressivement, ce groupe aura ainsi tendance à passer au stade supérieur, celui des très gros tirages, notamment sous la Troisième République. Enfin, voici le groupe essentiellement nouveau des tirages élevés, à partir de 10 000 exemplaires.

STATISTIQUE ANNUELLE DE L'INDUSTRIE.

ALMANACH-BOTTIN

DU COMMERCE DE PARIS,

DES DÉPARTEMENS DE LA FRANCE ET DES PRINCIPALES VILLES DU MONDE,

CONTENANT :

La Statistique élémentaire, revue chaque année, des 86 départemens de la France, considérés sous les rapports topographique, agricole, industriel, commercial et administratif;

Une Revue statistique commerciale sommaire des principaux États des cinq parties du monde;

Des Nomenclatures exactes et revues à domicile chaque année, de raisons de commerce et adresses pour Paris, les principales communes de France et les principales villes du monde;

Une Table géographique des 10,000 localités comprises dans l'Almanach;

Une Table très détaillée des matières.

PAR SÉB. BOTTIN,

Chevalier de l'ordre de la Légion-d'Honneur, ancien député, ancien administrateur; membre de la société royale et centrale d'agriculture, des sociétés d'horticulture, de géographie, de l'institut historique; du conseil d'administration de la société d'encouragement pour l'industrie nationale, correspondant des sociétés des antiquaires de Normandie, de la Morinie, des sociétés littéraires de Lille, Douai, Valenciennes, Cambrai, Strasbourg, Nancy, Évreux, St-Quentin, Épinal, St-Étienne, Abbeville, Saint-Omer, etc., de la société royale d'horticulture des Pays-Bas, de la société pour la conservation des monumens français, etc., auteur du premier Annuaire statistique qui ait été publié en France.

1841.

44ᵉ ANNÉE DE LA PUBLICATION.

Prix : Broché, 12 fr. — Relié, 14 fr.

A PARIS,

AU BUREAU DE L'ALMANACH DU COMMERCE,
RUE J.-J. ROUSSEAU, N° 20.

Exemple de tirage important dès avant 1850, celui de l'*Almanach du commerce,* publié par Sébastien Bottin et tiré chaque année à 7 000 exemplaires. H. 244 mm.

117

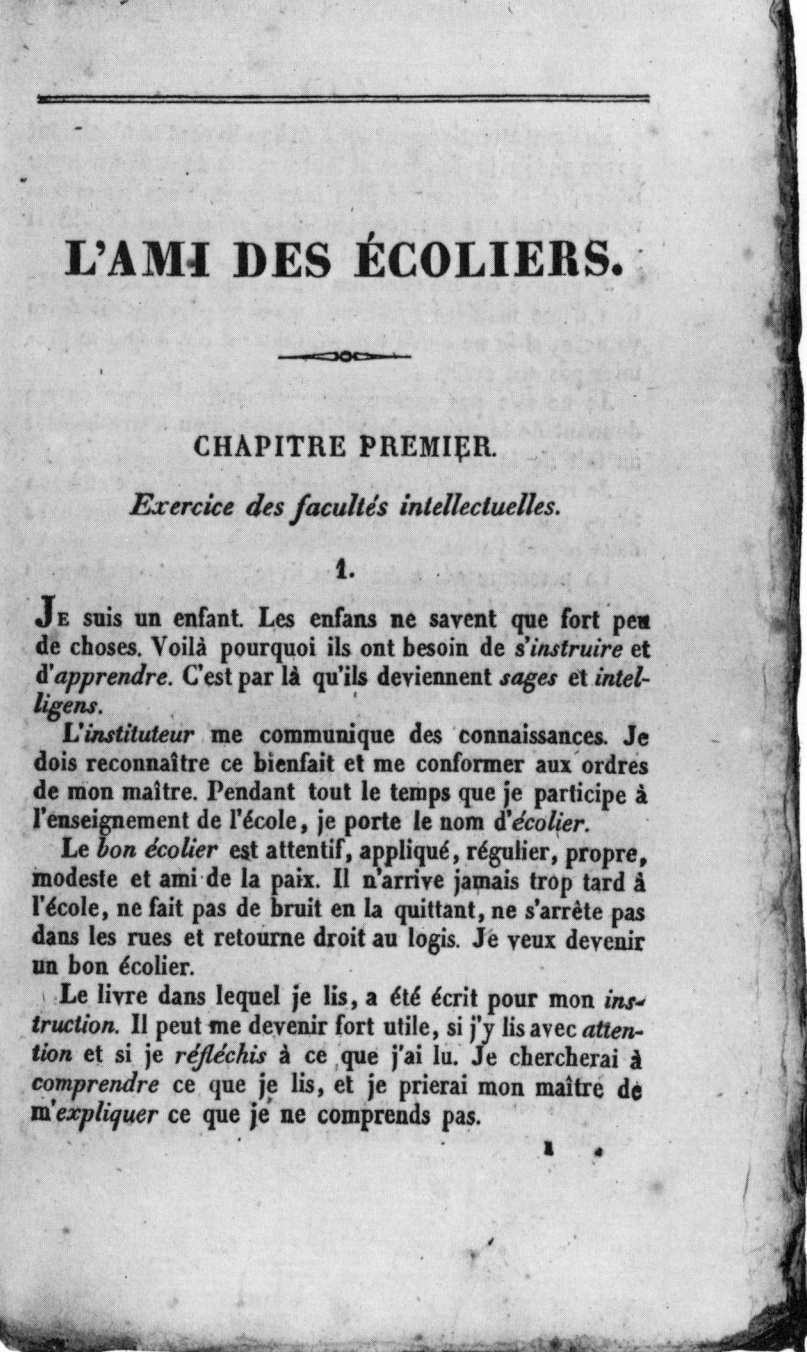

L'AMI DES ÉCOLIERS.

CHAPITRE PREMIER.

Exercice des facultés intellectuelles.

1.

Je suis un enfant. Les enfans ne savent que fort peu de choses. Voilà pourquoi ils ont besoin de *s'instruire* et *d'apprendre*. C'est par là qu'ils deviennent *sages* et *intelligens*.

L'*instituteur* me communique des connaissances. Je dois reconnaître ce bienfait et me conformer aux ordres de mon maître. Pendant tout le temps que je participe à l'enseignement de l'école, je porte le nom d'*écolier*.

Le *bon écolier* est attentif, appliqué, régulier, propre, modeste et ami de la paix. Il n'arrive jamais trop tard à l'école, ne fait pas de bruit en la quittant, ne s'arrête pas dans les rues et retourne droit au logis. Je veux devenir un bon écolier.

Le livre dans lequel je lis, a été écrit pour mon *instruction*. Il peut me devenir fort utile, si j'y lis avec *attention* et si je *réfléchis* à ce que j'ai lu. Je chercherai à *comprendre* ce que je lis, et je prierai mon maître de m'*expliquer* ce que je ne comprends pas.

Première édition en 1834 de *l'Ami des Écoliers* du pasteur Adam Maeder ; livre de lecture à l'usage des écoles primaires qui connaîtra un grand succès pendant vingt ans. Paris, Levrault, 1834. H. 180 mm.

Nous trouvons ici les nouveaux succès littéraires selon le modèle lancé par Charpentier avec la *Physiologie du mariage* en 1838, et dont un exemple intéressant est donné par les éditions des œuvres de Victor Hugo publiées après la mort du poète. Le tirage global de l'édition elzévirienne in-18, chez Alphonse Lemerre, est ainsi de 31 400 volumes, celui de l'édition « définitive » Hetzel-Quantin, de 121 000 volumes ; l'édition en 30 volumes du « Monument et des écoles » est tirée à 50 000 exemplaires (51). Au-delà de la littérature proprement dite, une partie de ces tirages élevés est constituée par les « manuels », dont la catégorie inférieure recouvre en fait les almanachs : 5 000 exemplaires, certes, en 1840, pour les publications de Roret imprimées par Schneidé, mais 36 000, cette même année, pour l'*Utile Almanach de comptoir...*, chez Lacrampe, etc. (52).

Enfin, ce groupe est celui des « travaux de ville », tels les travaux publicitaires, demandant à la fois un tirage très élevé et des délais d'exécution très brefs. Toujours chez Schneidé en 1840, voici le *Catalogue des divers ouvrages de la librairie de Dubochet*, tiré à 50 000 exemplaires, et, chez Paul Dupont, les documents administratifs de la Garde nationale de Paris, à 30 000 exemplaires (53). En 1880, Marpon et Flammarion font tirer à 11 000 exemplaires chez Larousse leur *Catalogue général...*, mais la Samaritaine demande à Goupy 150 000 exemplaires de son prospectus de soldes, et le *Petit Parisien* fait tirer à 400 000 exemplaires chez Cusset le prospectus de son nouveau feuilleton, *Un chevalier de sacristie*, par M.-L. Gagneur.

Une crise du livre ?

La librairie française désigne les années 1890 comme une période de crise, où les faillites retrouvent le rythme des années 1830 et où la tendance de la production imprimée, ascendante depuis 1820, s'inverse brutalement. La statistique tirée de la *Bibliographie de la France* corrobore cette idée, que les résultats auxquels nous avons abouti amènent à nuancer quelque peu. La courbe de production que nous avons proposée suit en effet un dessin tout différent : alors que la courbe de la *Bibliographie de la France* culmine, puis s'affaisse peu à peu à partir de 1892, la courbe tirée de la bibliographie rétrospective poursuit sa progression, de manière quelque peu ralentie, puis plus rapidement, ce qui s'inscrit beaucoup mieux dans le schéma de l'évolution économique d'ensemble de la France à la Belle Époque et correspond davantage à la statistique des ateliers d'impression. Dans cette hypothèse, la masse d'imprimés mis en circulation est multipliée par 25 entre 1840 et 1910 (54). Alors, pas de crise du livre ? La réalité historique est sans doute plus complexe.

Un premier indice intéressant est donné par l'évolution du nombre des faillites dans les professions du livre entre 1830 et 1913 (55). Le tableau ci-dessous présente les résultats d'un sondage décennal sur les faillites parisiennes (56) :

monde parisien du livre dans la dernière décennie du XIXe siècle.

Davantage doit être mis en avant le décalage entre courbe de la production et chiffres de faillites. La courbe de production en nombre de titres voit se succéder des phases d'expansion et de stagnation, voire de déclin, tandis que la statistique des faillites parisiennes suit, comme on s'y attendait, un dessin inverse : à une période d'expansion de la production correspondent des investissements d'autant plus importants que l'on spécule sur une extension constante de la demande, ainsi que des créations plus nombreuses d'entreprises.

D'une part, l'effet cumulatif des investissements sur les résultats de l'entreprise exige, à un certain stade, de nouveaux investissements — ce qui préjuge déjà de l'effet de cycles que nous pouvons effectivement observer sur la courbe —, d'autre part, la rentabilité du capital investi dans la librairie se faisant souvent à moyen terme, le

éléments plus spécifiques à l'économie du livre français. L'évolution du marché est en effet déterminante : or, la croissance mécanique qui avait été celle du public des lecteurs au cours du siècle est désormais cassée. La population globale française n'augmente plus, l'urbanisation est ralentie, l'alphabétisation se trouve achevée, au total, le monde des lecteurs ne se trouve plus guère directement susceptible d'un développement comparable à celle qu'il vient de connaître. Les conditions d'ensemble du marché en sont donc fondamentalement modifiées. L'expansion demeure possible, en revanche, avec le développement de nouveaux modèles de consommation : le revenu moyen augmente (697 francs en 1890, 876 francs en 1910), et la part marginale qui peut être consacrée aux achats de livres augmente proportionnellement plus vite.

Parallèlement cependant, le livre se trouve face à des concurrents très agressifs, les périodiques à très gros tirages et à un sou, et sans doute devant un premier changement de comportement du public à son égard (58). Le marché est un temps artificiellement relancé par des procédés douteux — liquidation des stocks d'invendus en dessous de leurs prix de revient, pratique de véritables « prix d'appel » —, mais la vraie réponse de l'édition trouve son modèle avec Arthème Fayard, et les gains supplémentaires de productivité permis par les très gros tirages à très bas prix : au lieu d'élargir horizontalement le marché, on s'efforce de l'approfondir et de faire en sorte que le livre « à bon marché » devienne effectivement un objet de consommation quotidienne. À la veille de la Première Guerre mondiale, une personne disposant d'un revenu moyen a de fait la possibilité d'acheter chaque année une cinquantaine d'ouvrages des collections de Fayard.

Celui qui se trouve en difficulté, c'est le petit détaillant, auquel son débit ne permet désormais plus de s'assurer des revenus suffisants. Laissons pour finir la parole à un petit libraire de province (59).

Tableau n° 8 — *Les faillites dans les professions parisiennes du livre, 1825-1913.*

Années	Faillites	Indices	P.M.C. (fr.)*	Années	Faillites	Indices	P.M.C. (fr.)
1825	7	100	167 619,08	1875	17	243	104 318,46
1835	7	100	57 769,71	1885	15	214	160 548,06
1845	22	314	151 984,95	1895	22	314	448 871,89
1855	16	229	125 073,29	1905	19	271	38 435,65
1865	10	143	243 326,64	1913	14	200	55 823,06

Nota : la troisième colonne donne le passif moyen des faillites dont la balance est connue.

Il met en évidence les « temps forts » de la librairie parisienne durant la période : la crise des années 1830 est résorbée en moins d'une décennie, mais de nouvelles difficultés se font jour à la fin de la monarchie de Juillet ; le Second Empire est une période calme, tandis que, effectivement, la statistique des faillites augmente sensiblement autour des années 1895, pour redescendre au début du XXe siècle. En 1913, la proportion de faillites par rapport au nombre total d'entreprises est bien inférieure à ce qu'elle était en 1825. Les montants moyens des passifs doivent n'être pris en compte qu'avec beaucoup de précautions (57), mais ils mettent en évidence une vulnérabilité certaine du

ralentissement de la croissance apporte presque nécessairement une crise des disponibilités, qui se traduit par une « remise en ordre » du marché et par l'élimination d'entreprises parfois en difficultés de longue date. Ces effets peuvent se trouver accentués par une crise, même temporaire, du crédit, comme c'est précisément le cas en France autour de 1890. Lorsque l'expansion reprend, pour ce qui concerne la librairie, dans les années 1900, le marché se trouve assaini, comme le met en évidence la statistique des faillites. La « crise de 1891 » apparaît ainsi d'abord comme une crise financière.

À ces éléments relevant de l'analyse économique générale s'ajoutent des

« ... Il conviendrait d'abord de se demander s'il y a réellement une crise (...). Est-ce là ce qu'on appelle un *krach* ? Les prix marqués sur un livre ne sont pas plus pris au sérieux maintenant que ceux d'une romance.

119

Une production multipliée

L'acquéreur hésite : — Cela baissera, je vais attendre (...).

[La librairie] ne suffit point à faire exister son homme. [Elle] avait déjà bien assez d'autres ennemis (...) :

— petitesse des appartements nouveaux ;

— cherté des locations : la superficie occupée par une collection de la *Revue des deux mondes* représente comme loyer une somme supérieure au prix de son abonnement ;

— surcharge des programmes universitaires ;

— amour envahissant du cheval, du vélocipède, du canotage, de la chasse, etc. ;

— mort de la critique et surabondance de la production ;

— le mépris de beaucoup de personnes riches pour le livre... »

Pas de *krach*, au total, mais un changement profond de la conjoncture d'ensemble par lequel les professionnels se sont un temps trouvés surpris, avant de lui répondre par la réorientation parallèle des structures de la production.

Notes

1. Voir notamment, outre l'ouvrage de Néret : F. Barbier, « The Publishing Industry and Printed Output in 19th century France », *Books and society in history*, New York, London, 1983, pp. 199-230. Pour le rôle de la presse périodique et sa place au sein de l'ensemble de la production, *Histoire générale de la presse française*, volume II, Paris, 1969.

2. *Rapports de l'Exposition universelle...*, Paris, 1867, tome II, pp. 26 et suiv.

3. F. Furet, J. Ozouf, *Lire et écrire : l'Alphabétisation des Français, de Calvin à Jules Ferry*, Paris, 1977 (2 volumes). Des mêmes auteurs, « Trois siècles de métissage culturel », *Annales E.S.C.*, 1977 (32), p. 488 et sq.

4. C. Bertho, *Télégraphes et téléphones : de Valmy au microprocesseur*, Paris, 1981.

5. Conservés à la Bibliothèque nationale. Voir par exemple : G. Picot, « Le Dépôt légal et nos collections nationales », *Revue des deux mondes*, 1883, 3ᵉ livraison, p. 622 et sq.

6. L. Lemaître, *Histoire du dépôt légal*, Paris, 1910.

7. Voir : *Bibliographie de la France*, 1911, vol. 100, 2ᵉ série, n° 46, pp. 230-231.

8. *Catalogue général de la librairie française*, Paris, 1867-1945 (34 volumes). Rappelons que ce *Catalogue* recense la production imprimée française de la période 1840-1925, en en excluant notamment les thèses, périodiques et publications officielles. Pour un exemple d'utilisation de cet ouvrage à des fins d'histoire du livre, voir : C. Charle, *La Crise littéraire à l'époque du naturalisme : roman, théâtre, politique*, Paris, 1979.

9. Relevé aléatoire d'un nombre de pages égal à 2 % du corpus d'ensemble.

10. F. Caron, *Histoire économique de la France, XIXᵉ-XXᵉ siècles*, Paris, 1981.

11. Le *Journal typographique et bibliographique*, fondé par Pierre Roux en 1797, prend en 1814 le titre de *Bibliographie de la France*, alors publié par le libraire Pillet. C'est en 1856 que le Cercle de la Librairie en rachète la propriété.

12. Méthode de calcul : d'après les relevés du *Catalogue général...*, un indice de production (1840 = 100) a été établi pour chaque année de la période 1840-1913. La courbe ainsi tracée a été réduite par la méthode des moindres carrés, afin d'éliminer les variations intempestives, et compte tenu du fait qu'il ne s'agissait que des résultats d'un sondage — donc que les résultats dans le temps long se trouvaient plus fiables qu'à court terme. Les indices annuels ont été recalculés en fonction de cette courbe de régression, dont le coefficient de corrélation est de 0,89 — donc très positif. On a ensuite relevé la production en nombre de titres (non périodiques) de l'année 1875, année centrale de la période, d'après les registres du dépôt légal à la Bibliothèque nationale, soit 19 068 unités bibliographiques, correspondant à un indice corrigé de 186,5. De cette valeur centrale sont déduites toutes les autres valeurs annuelles de production utilisées dans l'étude.

13. Sur ces problèmes, voir : *Histoire de la France urbaine*, chap. IV : « La ville de l'âge industriel », Paris, 1983. Notamment chap. V : « Les citadins et leurs cultures » (pp. 357 et suiv.).

14. F. Le Play, *Les Ouvriers des deux mondes*, Paris, 1857-1908 (12 volumes, en 3 séries successives). L'imprimeur est J. Claye, rue Saint-Benoît.

15. *Ouvr. cité* note 10.

16. *Ouvr. cité* note 14, 3ᵉ série, tome IV. Le ménage de l'ajusteur-surveillant compte 5 personnes. Les 3 enfants vont à l'école du familistère, l'ajusteur lit le journal quotidiennement. Les revenus annuels s'élèvent à 2 313,55 francs,

ce qui correspond, en utilisant les pondérations usuelles de l'économie de la consommation, à un revenu annuel de 771 francs par personne. En revanche, les apports en nature — en l'occurrence peu importants — ne sont pas déduits. Cette pondération consiste à prendre comme une unité de consommation la première personne adulte, et de compter pour une demi-unité chacun des adultes suivants, ainsi que chaque enfant.

17. *Ibidem*. Notons cependant que le calcul pondéré, comme ci-dessus, donne un résultat de 1 163 francs de revenu annuel par unité de consommation.

18. *Ibidem*.

19. Ci-dessus notes 9 et 12. La colonne marquée « 5 % du revenu » indique la quantité de livres (au prix moyen de ceux-ci) que peut acheter une personne y consacrant 5 % du revenu annuel moyen.

20. *Ouvr. cité*.

21. Même remarque pour la lecture régulière de la presse périodique. Ainsi, le gantier de Biviers, avant son mariage, habitait à Grenoble : « Il parcourt, plutôt qu'il ne les lit, les deux journaux de la localité qu'il trouve à l'auberge du village et chez un voisin, mais entre lesquels il ne fait aucune différence. Le séjour à Grenoble, les relations d'atelier, les cabinets de lecture où il a jadis loué des livres, le théâtre, lui ont aussi jeté dans l'esprit des idées plus ou moins justes et plus ou moins complètes (...). Il ajoute avoir lu autrefois volontiers des romans et des pièces de théâtre ; il cite avec une certaine complaisance *La Dame aux camélias* comme un des types de ses lectures favorites... » En revanche, sa femme, « avant la naissance de son enfant, employait souvent ses dimanches et ses soirées à lire des livres que lui fournissait la Bibliothèque des bons livres de Biviers ».

22. *Ouvr. cité*.

23. A. Dumas, *Mémoires*, Paris, 1927 (p. 197).

24. H. de Balzac, *Pierrette*, Éd. de la Pléiade, p. 675.

25. Rappelons que l'intrigue du *Petit Chose* se développe probablement sous le Second Empire, époque où la poésie est déjà regardée comme un genre dépassé. À la fin du siècle, et pendant la Belle Époque, les poètes sont présentés comme d'aimables marginaux.

26. G. Flaubert, *Madame Bovary*, Paris (p. 351).

27. H. de Balzac, *Les Illusions perdues*, Paris, 1972 (pp. 175-176).

28. H. de Balzac, *Le Contrat de mariage*, Éd. de la Pléiade, p. 83.

29. *Ouvr. cité*, p. 68.

30. *Ibidem*, p. 173.

31. G. Flaubert, *Bouvard et Pécuchet*, Paris (pp. 202 et suiv.).

32. *Ouvr. cité*, p. 318.

33. O. Mirbeau, *Le Journal d'une femme de chambre*, Paris, 1900 (pp. 164 et 414-415). « De même en littérature : les concierges aiment les romans d'aventure, les bourgeois aiment les romans qui les émeuvent, et les vrais lettrés n'aiment que les livres artistes incompréhensibles

pour les autres » (G. de Maupassant, *Bel Ami*, p. 220).

34. H. Dopp, *La Contrefaçon des livres français en Belgique*, 1932.

35. E. Renan, *La Vie de Jésus*, Paris, Michel Lévy frères, 1863, LX-483 p., 8°. 10 réimpressions de cette édition, datées de 1863, sont conservées à la Bibliothèque nationale, 2 datées de 1864. Ce n'est que pour la 13e édition, donnée par Michel Lévy en 1864, que l'on fait une nouvelle composition, en CV-558 p., 8°. 17 éditions successives seront enregistrées jusqu'en 1870. Le procédé le plus employé pour assurer la diffusion des ouvrages de piété consiste à les inclure dans une collection d'ensemble, dont les titres, jusqu'aux collections publiées par Mame, ne dépassent individuellement pas les 5 000 exemplaires ; en 1826, Cosson imprime ainsi, pour la Bibliothèque catholique des bons livres : *Démonstration évangélique*, in-18, 2 000 exemplaires, *Histoire abrégée de l'Église*, in-12, 2 000 exemplaires, *Lettres sur la Réforme*, in-18, 5 000 exemplaires. Seul le *Prospectus* présentant la collection est tiré à 6 000 exemplaires (A.N., F18-56 B).

36. F. Barbier, « L'édition historique et philologique en France au XIXe siècle », *Gelehrte Buecher vom Humanismus bis zur Gegenwart*, Wiesbaden, 1983 (pp. 153 et suiv.).

37. Avec la collection de l'Histoire générale de Paris, entreprise sous le Second Empire.

38. Voir F. Barbier, *art. cité* note 36.

39. Le Play, *ouvr. cité*, 2e série, tome III. Entre autres titres : *le Capital* (K. Marx), *l'Organisation du travail* (Louis Blanc), *Rapports des congrès ouvriers de Paris, Lyon, Marseille, Reims, Saint-Étienne*, etc., *Journal officiel de la Commune de 1871*, la *Révolution de 1848* (Victor Marouk), la *Révolution française* (Michelet), les *Questions sociales* et les *Chansons* (J.-B. Clément), *Quatre-vingt-treize* (V. Hugo), etc. « L'ouvrier (...) cherche à fortifier encore ses convictions par la lecture consciencieuse d'un journal quotidien et de deux journaux hebdomadaires de son parti. » Notons au passage que sa femme était cuisinière chez des libraires de Bordeaux, qu'elle a suivis lorsqu'ils sont venus s'établir à Paris.

40. Flaubert, *ouvr. cité*, pp. 96-97. Sur cette image du médecin par rapport au livre, voir aussi T. Zeldin, *Histoire des passions françaises, 1848-1945*, Paris, 1980-1981, 5 volumes (tome I, p. 45).

41. *Ouvr. cité*, p. 318.

42. Il s'agit essentiellement des loteries, voire de la distribution systématique d'une prime à quiconque achèterait un certain ouvrage. En 1836, les commissionnaires parisiens refusent d'acheminer ce type de publications : par une note insérée au *Feuilleton* de la *Bibliographie de la France* (1836, n° 1), ils préviennent leurs correspondants « que le mode de publications avec primes, adopté aujourd'hui par quelques éditeurs, présentant à leurs yeux une trop grande responsabilité et un détail d'écritures très minutieux et sujet à erreurs et difficultés [ils] ne peuvent en aucune manière se charger de fournir les ouvrages annoncés avec primes ».

43. Voir : F. Barbier, « Chiffres de tirages et devis d'édition : la politique d'une imprimerie-librairie au début du XIXe siècle », dans : *Bulletin d'histoire moderne et contemporaine*, n° 11, Paris, 1978.

44. Cité dans Goebel (Théodor), *Friedrich König und die Erfindung der Schnellpresse*, Stuttgart, Druck von Gebrüder Kröner, 1883. Une photographie d'une presse de König (vers 1813) dans *Halle der Kultur*, p. 54. Le *Feuilleton* de la *Bibliographie de la France* donne de multiples exemples du commerce qui se forme bientôt autour des presses mécaniques : « à vendre, 5 000 francs chacune (...), deux mécaniques d'occasion, mais en très bon état, du système Rousselet, et tirant à l'heure 800 à 900 de labeur du plus grand format » (20 VII 1850). Ou encore, « à vendre une magnifique et excellente presse mécanique à réaction, sortant des ateliers de M. Normand. Cette presse, qui a tiré pendant deux ans seulement le *Constitutionnel*, (...) fournit 2 000 exemplaires à l'heure » (10 I 1852, p. 11).

45. D'intéressantes informations sont apportées ici par l'acte de fondation de la sté Paul Dupont et Cie, le 29 I 1835 (A.N., MCNP XLI-918), auquel nous empruntons les chiffres du présent tableau. La valeur de l'atelier d'imprimerie est alors estimée à 330 000 francs.

En revanche, pour ce qui regarde les devis d'édition, le problème est très complexe, les variations importantes d'une maison à l'autre. Voir la note publiée dans l'*Intermédiaire des imprimeurs*, du 15 septembre 1898, pp. 164-167 : parmi les matières premières, le papier doit être frappé d'un « bénéfice moral » lorsque l'imprimeur le fournit puisque cela augmente les avances qu'il doit consentir. On peut également prendre en compte les frais de magasinage, de fabrication, etc. Au niveau de la fabrication, on calculera les frais de composition et d'impression en évaluant les travaux de correction à 10 % environ de la composition. Enfin, les frais généraux doivent prendre en compte les loyer, les impôts et les assurances, le coût de la force motrice, de l'éclairage et du chauffage, les salaires du personnel ne produisant pas directement, les frais de port et de correspondance, de papeterie, d'emballage, de fournitures de toutes sortes, les intérêts du capital d'établissement, enfin, les frais d'amortissement du capital fixe. Ces derniers peuvent être très importants — 30 % à 40 % par an pour les caractères typographiques d'une imprimerie spécialisée dans les périodiques par exemple.

46. *Casterman, 1780-1980*, Tournai, 1980.

47. En 1863, Le Roux « publie deux [almanachs] en français et en allemand, sous le titre *Le Grand messager boiteux*. L'édition allemande n'est que la traduction de l'édition française (...). La première se vend principalement en Alsace, dans la Lorraine allemande, et dans le grand-duché de Bade. Il s'en expédie beaucoup en Algérie, et surtout en Amérique. La seconde est répandue dans toute la France. M. Le Roux, qui est également libraire, s'occupe de la vente directe, et les libraires et colporteurs font venir directement les quantités dont ils ont besoin. Cet éditeur n'a pas de colporteurs spéciaux attachés à sa maison » (A.D. Bas-Rhin, 2T-16). Voir : F. Barbier, *Le Monde du livre à Strasbourg, de la fin de l'Ancien Régime à la chute de l'Alsace française*, Paris, 1980.

48. Mode d'estimation : l'indice annuel de production, corrigé des variations à court et moyen terme, est connu par la formule de régression linéaire (ci-dessus note 12). Le tirage moyen est estimé après sondages des déclarations des imprimeurs parisiens en 1840, 1860 et 1880. L'indice cumulé combine les deux indices précédents : 142 × 2,18 = 310, etc. Les chiffres de l'année 1900 sont tirés de A.N. F18 * III-219 et 220.

49. Très importantes sources sur cette imprimerie : du côté de la bibliographie, outre les notices des dictionnaires généraux (notamment Roman d'Amat) voir *Bibliographie de la France, Chronique*, 1879, pp. 210 et suiv. ; *Notice sur l'établissement typographique de M. Paul Dupont*, Paris, Paul Dupont, 1851 ; *Imprimerie, librairie administratives et litho-typographie de Paul Dupont et Cie*, Paris, Paul Dupont, 1864 ; *Notes et documents relatifs à l'organisation ouvrière des établissements de M. Paul Dupont*, Paris, Paul Dupont, 1867 ; *Une Imprimerie en 1867*, Paris, Paul Dupont, 1867. Également dans les *Rapports* des Expositions universelles : 1849, tome III, pp. 491 et suiv. ; 1867, tome II, pp. 33 et suiv., etc. Article de Guy Thuillier, *Revue administrative*, 1970, pp. 152 et suiv. Du côté des archives : A.N. F18/1744 ; F18/1759 ; F18/68 ; F18 * II/27, 178 etc. ; MCNP XLI, Répertoire 18, et liasse 918 (29 I 1835). A.D. Dordogne, 3E 10866 (372, 401, 427), 10871 (22) ; 266 Q 32 ; 266 Q 50 (1) ; 3E 10866 ; 5E-317 (27). A.V.P. D32-U3/15, /17 (799), /18 (520), /35 (2077), /38 (1210), /39 (978), /42 (796), /45 (468), /51 (343) ; D31-U3/61 (147), /243 (468 et 469).

50. Outre les sources archivistiques, on trouvera quantité d'informations intéressant les chiffres de tirage dans le *Feuilleton* du *Journal de la librairie* : « on vient d'achever à Dijon l'impression d'un nouvel ouvrage de M. Peignot, *tiré à 100 exemplaires* et intitulé : « Catalogue d'une partie des livres composant l'ancienne bibliothèque des ducs de Bourgogne » (...). C'est un in-8° de 6 feuilles » (1829, p. 880).

51. L'ensemble du dossier dans *Bibliographie de la France, Chronique*, 1891, n° 22, p. 143.

52. A.N., F18 * II-27.

53. *Ibidem*.

54. En extrapolant à partir des calculs ci-dessus (note 48).

55. Voir : J.-C. Martin, « Le Commerçant, la faillite et l'historien », *Annales E.S.C.*, nov.-déc. 1980, p. 1251.

56. A.V.P. D10-U3/4 (1825), 14 (1835), 24 (1845), 30 (1855), 38 (1865), 47 (1875), 57 (1885), 67 (1895), 77 (1905), 85 (1913).

57. Voir, pour un tableau d'ensemble : *Histoire économique et sociale de la France, tome III : 1789-années 1880*, Paris, 1976 (2 volumes).

58. Le livre est désormais concurrencé, du côté du public populaire, par les quotidiens, bientôt par le cinéma, etc. et, du côté du public bourgeois, par de nouveaux modes de distinction, notamment le sport.

59. *Bibliographie de la France, Chronique*, 1891, pp. 250-252.

II. Auteurs et éditeurs, librairies et bibliothèques

Auteurs et éditeurs, librairies et bibliothèques

Liés pour le meilleur, et parfois le pire, conjointement responsables devant les tribunaux, déchirés par des conflits où se mêlent attentes déçues et susceptibilités blessées, l'auteur et l'éditeur constituent le couple majeur dans le monde du livre au XIXe siècle. Bien comprendre leurs relations, dures et proches, familières et tendues, exige tout d'abord de prendre mesure de la difficulté de l'activité d'édition en un temps où la faiblesse de la banque et la fragilité du crédit menacent en permanence les entreprises, même celles qui semblent les plus solides. Faire le métier d'éditeur expose à la faillite, et nombreux sont ceux qui en connaissent plusieurs avant qu'un désastre ultime ne les oblige à abandonner la profession. Autour de 1830, à la fin de la décennie 40, dans les années 1880-1890, des vagues de faillites frappent durement les éditeurs parisiens, ruinant les mieux installés : les Bossange ou Ladvocat lors de la crise de 1830, Curmer en 1845 ou Hetzel à la veille de 1848. Dans le même temps où les auteurs pensent l'écriture comme une profession qui doit assurer des revenus suffisants pour vivre, ou mieux un bel enrichissement, l'édition reste une activité risquée, aléatoire, spéculative, qui peut construire des fortunes rapides mais aussi les défaire brutalement. Là est sans doute la raison première des tensions entre les éditeurs et leurs auteurs.

Les origines des uns et des autres, et les images qu'ils se renvoient, en ajoutent une seconde. Certes, en leur majorité, auteurs et éditeurs viennent de milieux assez proches, étant issus d'une bourgeoisie moyenne du commerce et des professions libérales, voire de la petite bourgeoisie des métiers et des campagnes. Mais les premiers ont sur les seconds la supériorité objective des études et des grades, et celle qu'ils attribuent à l'activité créatrice, fermement distinguée du négoce. À l'inverse, les éditeurs, dont une part importante est constituée à chaque époque par des hommes nouveaux — nouveaux dans le métier mais aussi dans la « société parisienne » —, affirment une éthique du sérieux contre les exigences et les impatiences, les négligences et les imprévoyances des littérateurs. Point trop éloignés par leurs enracinements familiaux, auteurs et éditeurs le sont en fait par leur manière de vivre, leur échelle de valeurs, leur morale économique. À l'évidence, entre le dramaturge académicien et le poète d'avant-garde les écarts sont grands, comme entre l'éditeur de romans bon marché et celui des textes d'érudition, et il n'est pas de vérité universelle des rapports entre auteurs et éditeurs. Il n'en reste pas moins que dans les représentations partagées, et souvent mises en littérature, les uns et les autres tiennent des parties bien différentes, présentent des traits très contrastés, caractéristiques de deux positions solidaires et affrontées.

C'est donc sur la trame de ces difficultés et de ces différences que l'on doit inscrire la double et parallèle évolution de l'activité éditoriale et de la profession d'auteur. Pour la première, les temps de crise et de faillites sont toujours, également, des prémices pour de nouveaux départs. Ainsi, après les années maussades qui encadrent 1830, l'édition innove, invente des formules nouvelles, produit des objets jusque-là inconnus. Comme le journal, qui le concurrence sérieusement depuis les initiatives de Girardin, le livre est désormais publié en série, édité en fascicules et livraisons, largement illustré, vendu bon marché et lancé à grand renfort de publicité. De même, les faillites d'avant 1848, si elles marquent l'échec du projet romantique qui voulait mettre à portée de tous le livre de qualité, ouvrent la voie aux grandes réussites de la seconde moitié du siècle : celles de Louis Hachette, Pierre Larousse et Jules Hetzel, rétabli après la crise. Dans les trois cas, des traits communs : une solide assise financière de l'entreprise qui prend la forme d'une société par actions, l'élection d'un marché en expansion, largement dominé (le livre scolaire, le dictionnaire, la littérature pour la jeunesse), la satisfaction de nouvelles demandes de lecture : celle du voyage, alimentée par les bibliothèques de gare ; celle des pédagogues, professeurs et instituteurs, avides d'un savoir encyclopédique, accessible, méthodique, rassemblé ; celle de nouveaux lecteurs, jeunes ou moins jeunes, désireux d'exercer hors l'école, pour leur plaisir, la compétence récemment acquise. Il est certes d'autres manières d'être éditeur, et d'autres marchés (étroits comme ceux de la poésie ou de l'érudition, immenses comme celui du roman à gros tirages ou élargis comme celui du livre universitaire au public plus nombreux après 1870). Mais les trois figures emblématiques de Hachette, Larousse et Hetzel témoignent clairement pour la puissance nouvelle des grandes maisons d'édition, fortifiées et durables, promises à un succès perpétué et non plus entièrement soumises aux aléas de la conjoncture.

Du côté de la condition d'auteur, la mi-XIXe siècle voit plusieurs infléchissements majeurs. Tout d'abord, avec l'accroissement des tirages, se généralise une forme neuve de rémunération du travail d'écriture, constituée par un pourcentage accordé sur chaque exemplaire — et donc proportionnelle à la vente de l'ouvrage. Par ailleurs, s'instaure, contre l'habitude ancienne, la pratique d'une relation stable et exclusive entre un auteur et un seul éditeur. Il y a là un résultat de la progressive différenciation du champ littéraire et du monde éditorial, réorganisés l'un et l'autre autour de quelques pôles majeurs (les genres académiques, les textes d'avant-garde, la littérature dite industrielle), et de la spécialisation accrue de chaque maison qui, dans le domaine qui est le sien, entend être distinguée par son répertoire, son style, ses poulains et ses fidèles. Mais cette association plus étroite entre un éditeur et ses auteurs, entre un auteur et son éditeur peut être source de malentendus nombreux (si la manière de l'un ne correspond à celle de l'autre), de conflits multiples — financiers mais pas seulement —, d'amertumes réciproques.

Écrit, publié, le livre doit être vendu. Au XIXᵉ siècle, trois marchés s'offrent à l'édition française : celui des acheteurs individuels à l'intérieur du pays, celui des institutions qui louent l'imprimé ou le communiquent gratuitement, celui des lecteurs étrangers du livre français. En ce domaine également, les croissances séculaires sont fortes, et les années 1850-1880, les plus décisives. C'est en effet durant ces trente ans que s'effacent deux des modes majeurs de la circulation du livre : dans les campagnes, le colportage ; dans les cités, le cabinet de lecture. Plusieurs faits peuvent en rendre compte et, tout d'abord, un tissu plus dense de librairies, puisque leur nombre se trouve multiplié par trois entre 1840 et 1910. Un rapport nouveau, et très inégal, s'établit entre les éditeurs parisiens et les libraires détaillants de province, visités par les voyageurs des maisons parisiennes ou fournis par des grossistes intermédiaires, soumis à la politique de prix décidée par celles-ci, mis en difficulté à la fin du siècle par la baisse du prix du livre qui réduit les marges bénéficiaires. Malgré ces dépendances, le réseau des librairies françaises s'étend, augmenté encore avec l'apparition des kiosques (qui vendent surtout des périodiques) et des bibliothèques de gare, prises à bail par Hachette.

Les progrès des chemins de fer et des services postaux sont une autre raison qui contribue au déclin du colportage. Plus vite acheminé, et à un coût supportable, le livre peut atteindre directement son acheteur, sans convoyeur obligé, sans déplacement à la ville. À l'échelle de l'Europe ou du monde, ce sont de semblables progrès qui expliquent l'envol des exportations du livre français, multipliées par neuf entre 1810 et 1914 et ce, en dépit du recul du français comme langue de culture internationale. Par rapport aux temps antérieurs, la situation de la librairie française se trouve donc inversée : protégés désormais par une série d'accords bilatéraux et par les conventions internationales contre les contrefaçons étrangères qui avaient envahi le marché national depuis deux siècles, les éditeurs parisiens vendent plus et mieux au loin — mais sur un marché dominé par les clientèles francophones.

Plus rapidement distribué, très bon marché en ses formes les plus humbles, le livre devient plus facilement accessible pour ceux qui ne peuvent l'acheter, ou l'acheter en quantité. En effet, à côté des bibliothèques publiques, parisiennes ou municipales, piètrement organisées, malcommodes et mal accueillantes, se met en place à partir de la décennie 1860 un réseau nouveau de bibliothèques destinées aux lecteurs populaires. À l'imitation des bibliothèques de prêt essaimées par la Société catholique des bons livres, mais avec d'autres intentions, ces institutions neuves, résultat d'initiatives locales ou d'efforts coordonnés, entendent toucher les plus démunis, attirer au livre ceux qui, par misère financière ou culturelle, en restent encore éloignés. Deux modèles président à ces fondations : le premier est porté par des associations ouvrières qui ouvrent des bibliothèques construites sur les valeurs d'utilité, de connaissance, d'émancipation. Le second modèle est plus philanthropique, plus puissant aussi, pris en charge par deux organisations de dimension nationale : la Société Franklin et la Ligue de l'Enseignement. Multipliées sur tout le territoire, ces bibliothèques « populaires » (mais où la majorité des lecteurs proviennent d'une petite bourgeoisie d'employés, de commis, de rentières) sonnent le glas des cabinets de lecture, devenus inutiles face à des institutions gratuites qui, en dépit de leurs objectifs proclamés qui les vouaient à l'instruction du plus grand nombre, prêtent surtout les romans à la mode. Aux genres neufs qui supplantent dans les lectures populaires les livres de la tradition (l'almanach, le livre pieux et le livre bleu du colporteur) correspondent donc de nouvelles pratiques, ou plutôt la découverte et l'imitation par de nouveaux lecteurs de gestes jusque-là réservés aux familiers du livre et aux héritiers de la culture écrite : l'entrée dans la bibliothèque, la visite au libraire, la lecture du voyage.

Il n'a plus qu'à filer son cocon et à s'enterrer dans un livre qui lui sert de chrysalide.

Portrait-charge de l'intellectuel dans les *Scènes de la vie privée et publique des animaux*
illustrées par J. J. Grandville : « tout homme qui baragouine intrépidement
un langage inconnu est la chenille d'un savant... »
Paris, Hetzel, 1842. H. 265 mm.

Le champ de la production littéraire

par Christophe Charle

L'unité de la période dont nous allons tenter de dresser une vue d'ensemble tient dans le terme même de littéraire. Jusqu'en 1830 le « littéraire » ne se distingue guère du reste de la production imprimée. Avec le romantisme apparaît la prétention chez l'écrivain de déterminer lui-même les canons de son écriture indépendamment des traditions ou des goûts du public.

Entre les Trois Glorieuses et les attentats anarchistes, le champ littéraire est entré lui aussi dans une période de révolutions littéraires qui est un long combat pour l'affranchissement des règles héritées. La bienséance classique est malmenée par le drame romantique. Les barrières sociales sont ébranlées par le roman qui commence à s'intéresser aux exclus. Les codes rhétoriques enfin s'effondrent avec le symbolisme (le vers « libre »). Mais cette façade brillante retenue par l'histoire littéraire va de pair — et cela intéresse plus une histoire de l'édition — avec un poids croissant des contraintes économiques sur le fonctionnement du champ littéraire.

Coincés dans cette dialectique de l'autonomisation de la littérature et de l'industrialisation du livre, les écrivains doivent donc, selon le choix symbolique qu'ils ont fait, tenter diverses stratégies de survie en fonction de leurs atouts. À mesure que l'écart va croissant entre l'économique et le littéraire, les destins des diverses écoles ou courants seront de plus en plus tranchés selon ces deux logiques. Alors que les romantiques parviennent tant bien que mal à s'accommoder des deux (pratiquant à la fois les grands genres et les genres grand public), après 1850 le Parnasse et le symbolisme optent pour le littéraire ; le réalisme et le naturalisme cherchent les suffrages du plus grand nombre. Pour comprendre cette évolution enregistrée par l'histoire lit-téraire, il convient donc d'analyser les transformations générales du champ littéraire, l'évolution des rapports entre auteurs et éditeurs et enfin de dresser le bilan économique et idéologique de la condition des hommes de lettres au terme de ces soixante années capitales pour la structuration du champ littéraire.

▍ Une révolution culturelle

Comme le reste de la production imprimée, la production littéraire entendue strictement (roman, théâtre, poésie) connaît une forte expansion entre l'époque romantique et la Belle Époque (voir tableau n° 1). Nous ne reviendrons pas sur les origines générales de ce phénomène. Toutefois, dans le domaine littéraire des facteurs spécifiques entrent en ligne de compte, par-delà les grandes transformations culturelles, sociales et économiques qui expliquent la croissance générale de l'imprimé.

La production littéraire, plus que les autres productions imprimées, est en effet sensible à la conjoncture spécifique d'une époque. Sa croissance comme ses crises sont donc plus accentuées. Elle est un baromètre changeant des évolutions culturelles, politiques ou économiques alors que les autres catégories d'ouvrages répondent à des besoins plus ciblés et relativement constants et n'enregistrent qu'avec lenteur les évolutions séculaires, ainsi les livres techniques, savants ou utilitaires. Le gonflement du nombre de titres, mais aussi d'exemplaires lus, vient de l'ascension du roman, le genre le moins légitime, alors que la poésie et le théâtre, genres classiques, s'ils se maintiennent relativement en nombre de titres, régressent au point de vue des tirages puisqu'ils ignorent le phénomène nouveau et spécifique du roman, le « best-seller ». Cette révolution littéraire, qui est la véritable révolution romantique, a été baptisée par Sainte-Beuve d'un nom resté célèbre : « la littérature industrielle ».

Cette expression symbolise à elle seule le changement de fonction de la littérature, conséquence de l'élargissement du public. Si la littérature a pu devenir une industrie comme une autre, c'est parce que la lecture devient une consommation de masse. Mais entre l'enregistrement par la statistique, la dénonciation par la critique traditionnelle et la consécration au plan des hiérarchies littéraires de cette révolution, près de soixante années se sont écoulées pour que le roman devienne un genre aussi légitime que la poésie ou le théâtre. Entre 1880 et 1890, pour la première fois une école littéraire, le naturalisme, fonde son esthétique sur les canons prosaïques du roman et, peu après, un groupe de romanciers « psychologues » (Bourget, France, Barrès) accèdent à la consécra-

Tableau n° 1 — *L'expansion de la production littéraire.*

Années	Romans	Poésie	Théâtre	Total
(1830-40)	210	365	258	833
1840-75 sondages	246	78	220	544
1876-85	621	139	196	956
1886-90	774	236	264	1 274
1891-99	630	249	257	1 136
1900-05	775	241	278	1 394

N.B. : les chiffres ont été obtenus à partir de comptages dans le *Catalogue de la librairie française* d'O. Lorenz sauf pour la première ligne tirée de C. Louandre, « Statistique littéraire de la production intellectuelle depuis 15 ans », *Revue des deux mondes*, 1847, tome 20, pp. 670-703, ce qui explique la discordance notamment pour la poésie. Les chiffres englobent les rééditions et les traductions. (Comptages réalisés avec R. Ponton et C. Azas, cf. C. Charle, *La crise littéraire à l'époque du naturalisme, op. cit.*, p. 30.) Nombre moyen de titres par an.

Tableau n° 2 — *Évolution du nombre d'écrivains.*

1865-1875	1876-1885	1886-1890	1891-1899
407	540	592	722

Source : C. Charle, *op. cit.*, p. 42 où sont donnés les principes de sélection et de définition des écrivains.

	1876	1886	1896
Recensements : « savants, hommes de lettres, publicistes »	4 173	6 376	6 354

tion académique alors qu'auparavant les romanciers n'avaient jamais été qu'un ou deux sous la Coupole (1). Entre le roman-feuilleton que dénonçait Sainte-Beuve et le roman mondain de Paul Bourget, il y a l'abîme qui sépare le public du journal à un sou et les lecteurs de la *Revue des deux mondes*. Mais il est très significatif du changement de fonction sociale de la littérature que le même moule littéraire puisse répondre aux besoins des catégories sociales les plus opposées (de la concierge à la duchesse pour aller vite). La massification de la population des lecteurs exige à présent le vecteur le plus anonyme et le plus facile à diffuser, celui qui dépend le moins d'un équipement culturel (à la différence du théâtre) ou d'une culture littéraire transmise (comme c'est le cas de la poésie). Cet « art moyen », selon le mot de Moréas (2), correspond bien à une époque dominée par la « classe moyenne », c'est-à-dire en fait la bourgeoisie au sens le plus large.

La différenciation de la production littéraire, qui se faisait autrefois selon la hiérarchie des genres et du mode de diffusion, découle à présent des principes esthétiques mis en œuvre dans le livre en fonction de la stratégie littéraire de l'auteur et du type de circuit d'édition adopté. Ainsi trouve-t-on, en cette époque d'« anarchie littéraire », des romans poétiques pour « happy few » à côté de romans populaires pour grand public, du « théâtre dans un fauteuil » pour les lettrés qui, par définition, ne vont pas au théâtre de boulevard, de la poésie ouvrière (ou pour manuels d'enseignement primaire) tirant à des dizaines de milliers d'exemplaires et des recueils de sonnets à compte d'auteur distribués par souscription. Vers 1830 au contraire, les contraintes techniques (tirage de base des premières éditions : 1 000 à 2 000 exemplaires), le prix élevé du livre et l'étroitesse du marché empêchaient l'existence d'écarts élevés de tirage et de succès entre les divers types de productions littéraires.

Les auteurs romantiques pouvaient donc, pour les plus célèbres d'entre eux, être consacrés par l'élite sociale et connus d'un large public. En revanche, la diffusion de la théorie de l'art pour l'art dans l'avant-garde littéraire, à la suite du rejet des compromissions qu'implique la littérature industrielle ou l'art engagé, après 1850, instaure un divorce de plus en plus net entre la réussite financière obtenue le plus souvent par les genres les moins légitimes (roman-feuilleton, vaudeville) et la consécration littéraire qui reste attachée de manière privilégiée, jusque vers 1890, à la poésie, au théâtre sérieux, rarement très fructueux sur le plan financier.

Le modèle de réussite romantique, même s'il devient de plus en plus exceptionnel du fait de l'évolution du public et du marché littéraire, reste très important, car il sert de référence idéale de mythe professionnel à l'origine de nombreuses vocations littéraires pendant tout le siècle. Sans cette référence historique, on ne comprendrait pas l'attrait extraordinaire du champ littéraire sur les jeunes bacheliers du XIXᵉ siècle, qui est sans doute une des originalités de la France de cette époque (3). La multiplication des écrivains ou des aspirants à l'être est une caractéristique majeure du XIXᵉ siècle. Le tableau dressé à partir de statistiques, relativement restrictives quant à leur définition de l'écrivain, l'enregistre sans aucun doute possible : d'après des comptages tirés d'une bibliographie (auteurs purement littéraires), on assiste à un doublement du nombre des écrivains entre les années 1860 et 1890, doublement qu'on retrouve à partir des chiffres des recensements (voir tableau n° 2). La conclusion de l'article « homme de lettres » du *Dictionnaire des professions* d'E. Charton (édition de 1880) dresse un constat similaire quand le rédacteur écrit : « En résumé, la carrière d'écrivain est plus difficile qu'elle ne l'était autrefois. Il faut donc réfléchir d'autant avant de s'y engager ». Et dix ans plus tard, Paul Bonnetain dans sa réponse à l'*Enquête sur l'évolution littéraire* de Jules Huret (1891) surenchérit : « Tout le monde écrit des romans, les grues en retraite, les ligues des patriotes, les rastaquouères, les notaires et les cabots. Voilà le mal, mon cher Huret, et le seul » (4).

Les attraits du champ littéraire

« Le sacre du poète », pour reprendre le beau titre du livre de Paul Bénichou qui relate le développement de cette mythologie du génie romantique sur laquelle vivront plusieurs générations d'écrivains du XIXᵉ siècle, confère à l'homme de lettres une responsabilité nouvelle. Le philosophe du XVIIIᵉ siècle se cantonnait plutôt dans la critique (« Écrasons l'infâme ») ou se réfugiait dans l'utopie. Le poète romantique se pose, peu à peu, en prophète sensé traduire les aspirations du peuple. Malgré le déclin de cet idéal, après le désenchantement lié à l'échec de l'illusion lyrique de 1848, de longues traces subsisteront dans ce qu'on pourrait appeler l'inconscient littéraire des Français, ne serait-ce qu'à cause de la carrière exceptionnelle de Victor Hugo qui en est l'incarnation jusqu'en 1885.

Tous ceux qui publient des plaquettes de vers n'ont pas l'orgueil de croire qu'ils seront « Victor Hugo ou rien », mais la persistance du recueil poétique, comme première œuvre d'écrivains qui par la suite feront des carrières de romanciers, ne s'expliquerait pas sans ce modèle incontournable et obsédant.

Deux autres modèles peuvent stimuler l'imagination des apprentis écrivains et leur donner confiance pour tenter leur chance dans la plus incertaine des professions. Le théâtre et le roman, s'ils ne jouissent pas de la même aura symbolique, peuvent attirer ceux qui rêvent de réussite financière ou d'influence sociale. La vie opulente d'un Scribe sous la monarchie de Juillet (5), celle de Labiche, Meilhac et Halévy, Sardou, Dumas fils sous le Second Empire et la Troisième République, le train de vie luxueux, malgré l'endettement chronique d'une mauvaise gestion d'un Eugène Sue, d'un Dumas père ou même d'un Balzac, voilà autant de miroirs aux alouettes qui peuvent inciter un jeune bourgeois en rupture de ban avec sa famille à goûter quelque temps à la vie de bohème en attendant le coup de chance du succès. Même le pape de l'historiographie de la Troisième République, Ernest Lavisse, avoue dans ses *Souvenirs* avoir été tenté par la vie littéraire plus que par la rude discipline universitaire de l'École normale (6). En outre, aux objections de la prudence bourgeoise de leurs parents, les débutants littéraires pouvaient répondre en évoquant les multiples ressources secondaires que fournit l'expansion du champ littéraire : collaboration aux nouvelles revues, aux nouveaux journaux qui assure la vie au jour le jour en attendant le succès que le public voudra bien réserver au volume ou à la pièce de théâtre.

C'est une argumentation analogue que développe un autre contemporain, Gérard de Nerval, dans une lettre à son père pour le persuader qu'il a raison de ne pas entrer dans une carrière moins aléatoire : « Le mérite littéraire dispense de monter de grade en grade dans les positions politiques. Vous entrez de plain-pied, et de haut, là où vous ne seriez parvenu que péniblement, et d'en bas, en sacrifiant toute votre vie à cet unique dessein » (7). Dans une autre lettre, il précise : « Le travail littéraire se compose de deux choses : cette besogne des journaux, qui fait vivre fort bien et qui donne une position fixe à tous ceux qui le suivent assidûment, mais qui ne conduit malheureusement ni plus haut, ni plus loin. Puis le livre, le théâtre, les études artistiques, choses lentes, difficiles qui ont besoin toujours de travaux préliminaires fort longs et de certaines époques de recueillement et de labeur, sans fruit, mais aussi, là est l'avenir, l'agrandissement, la vieillesse heureuse et honorée » (8).

La première citation nous livre, en outre, le dernier argument qui peut pousser tant de jeunes bacheliers à délaisser les voies de la sagesse bourgeoise pour les aléas des sentiers de la gloire littéraire. Seul secteur dynamique tout au long du siècle, le champ littéraire n'est limité par aucune des conditions restrictives et sélectives qui règlent l'entrée dans les autres professions. Ni l'hérédité ni les recommandations ne sont décisives comme dans la fonction publique ou les professions juridiques, pour se faire une place au soleil, ni la fortune ni les relations comme dans les affaires, ni les études prolongées comme pour la médecine, le professorat ou les grandes écoles. La plume permet d'échapper à l'alternative stendhalienne sans issue du *Rouge et le Noir*. Le nouveau clerc et le nouveau croisé du XIXᵉ siècle, c'est l'écrivain qui peut, en cette période d'expansion de la librairie et de combat d'idées pour la liberté, espérer tirer à la fois gloire et profit de la carrière littéraire.

Le poète romantique vu par Tony Johannot, gravure sur bois de Hope d'après Johannot pour illustrer les poésies de Lamartine ou de Byron.

L'homme de lettres à l'époque romantique, portrait-charge dans *les Français peints par eux-mêmes,* tome III. Paris, Curmer, 1841. H. 255 mm. Gravure sur bois de Stypulkowski d'après Grandville, texte de Elias Regnaut : « Fort de sa vanité… il se pose, il se drape, il monte sur le piédestal, se fait divinité, s'énivre d'encens et se pare de ses œuvres comme d'une brillante auréole. »

Les contraintes

Cette image sociale brillante, qui rend compte de la vogue persistante de la carrière littéraire dans une partie de la jeunesse cultivée, ne doit pas masquer cependant les contraintes spécifiques qui pèsent sur l'activité littéraire entre 1830 et 1890. Arme de combat depuis le XVIIIe siècle, la littérature entretient des rapports tendus avec le pouvoir jusqu'à l'avènement de la République, et même encore au-delà. La production littéraire, en raison de sa place dominante dans la culture française, est un enjeu politique. Si, d'un côté, tous les gouvernements cherchent à avoir leurs thuriféraires par l'octroi de prébendes et de pensions, de l'autre, tous les mouvements littéraires importants peuvent se relier à un courant ou à une conjoncture politique spécifiques. Les rapports de leurs représentants avec le pouvoir en place sont donc un bon baromètre du degré d'autonomie du champ littéraire, et indirectement de l'édition, par rapport à la politique. Littérature d'émigrés à ses débuts, le romantisme est devenu bientôt un mouvement de combat pour la liberté et, avec Hugo après 1848, pour la République. Littérature de désenchantement, l'art pour l'art du Parnasse ou de Flaubert se protège de la dictature du Second Empire. Le mouvement naturaliste clôt la marche et inverse les termes du débat quand Zola proclame « la République sera naturaliste ou ne sera pas », autrement dit les valeurs positivistes et scientistes doivent inspirer le régime autant que le nouveau roman. Ces renversements successifs d'attitude des courants littéraires face à l'engagement politique sont un indice de la difficulté permanente qu'éprouve le champ littéraire à ne pas perdre, face au gouvernement, la condition *sine qua non* de sa légitimité et de son pouvoir symbolique, la liberté de publier sans tenir compte, sous la Restauration, du respect du Trône et de l'Autel, sous la monarchie de Juillet et le Second Empire, de l'impératif de l'ordre et de la morale. Les démêlés avec la justice peuvent être un argument de vente comme le montre le cas de Flaubert et de *Madame Bovary,* mais aussi une cause de ruine comme pour Baudelaire et son éditeur Poulet-Malassis.

130

Victor Hugo « proscrit » sur le rocher de Guernesey : adversaire irréductible
de la politique de Napoléon III, il reste près de dix-neuf ans hors de France,
mais se tient constamment en liaison avec les principaux écrivains de son temps.
Lithographie de Pilotell datée du 2 décembre 1868. (Paris, Maison de Victor Hugo.)

Le champ de la production littéraire

Cette fragilité du champ littéraire face à la politique fonde, en partie, la solidarité entre les auteurs et les éditeurs puisque la législation, en cas d'infraction, les condamne conjointement. Aussi cette période, à la fois parce qu'elle est plus libre que la précédente mais non totalement libérée à la différence de la suivante, introduit dans la relation entre l'écrivain et l'éditeur une connivence idéologique absente autrefois. Ainsi dans le camp de l'ordre trouve-t-on Dentu éditeur royaliste, les éditeurs catholiques (Palmé, Mame) ; du côté libéral, Ladvocat, Chaumerot, Corréard ; chez les républicains, Pagnerre, Hetzel qui occupe même de hautes fonctions en 1848 avant de devenir l'éditeur des proscrits de Bruxelles. Les naturalistes, pour publier leurs œuvres jugées trop audacieuses, recourent d'abord aux services d'un éditeur belge, Kistemaeckers, avant de se rassembler chez Georges Charpentier qui tient un salon littéraire de tendance républicaine. Un peu plus tard, Stock, par goût, rassemble à son tour l'avant-garde politico-littéraire, et sa boutique de la place du Palais-Royal sert de quartier général aux dreyfusards (9). Il ne faut évidemment pas exagérer le militantisme des éditeurs, la plupart se contentent, comme le dit Werdet, d'être indifférents et de s'attacher aux auteurs qui se vendent le mieux.

Or, c'est sur ce plan purement économique que le champ littéraire connaît les plus grandes incertitudes en raison des particularités de l'édition française. Comme le montre le tableau n° 3, l'édition française est très peu concentrée. Les rapports entre les auteurs et les éditeurs sont des relations d'individu à individu plus que

d'entreprise à client. La contrepartie est l'extrême fragilité des éditeurs, donc des auteurs, face à la conjoncture. En 1830, comme en 1848 ou en 1870-1871, sans parler des crises économiques périodiques du XIXe siècle, la librairie subit durement les contrecoups de l'arrêt des affaires car le livre, produit de demi-luxe, est le premier achat sacrifié en cas de difficultés. Tout arrêt des ventes est catastrophique pour ces petites entreprises qui vivent à crédit. Parmi les créanciers, les auteurs ne sont évidemment pas les plus importants d'autant qu'ils bénéficient souvent d'avances avant la mise en vente. Les faillites sont donc nombreuses, certains éditeurs en ayant même fait une spécialité (10). Citons Ladvocat, éditeur des romantiques ; Delloye, éditeur de Chateaubriand, de Balzac, de Victor Hugo ; Lacroix, éditeur des *Misérables* et des premiers *Rougon-Macquart* ; Werdet éditeur de Balzac, etc.

À la fin des années 1880, comme le montre la courbe des titres (tableau n° 1) une crise plus grave que la précédente se produit, au point qu'on parle dans la presse d'« un krach de la librairie ». Expression excessive, il vaudrait mieux dire dépression, ou palier après la vigoureuse expansion des trente années précédentes. Le marché littéraire est sans doute victime du climat économique général dépressif de la fin du XIXe siècle, mais surtout de la concurrence de la presse devenue populaire et de la stagnation du public susceptible d'acheter des livres. Cette crise ne peut qu'inciter les éditeurs à une grande prudence, à miser sur les valeurs littéraires sûres, au détriment des débutants qui sont de plus en plus nombreux, à cause des illusions créées

par l'euphorie de la période précédente. Cet encombrement du champ littéraire donne naissance au thème idéologique de la surproduction des intellectuels qui fleurit dans la presse et la littérature conservatrice (cf. *Les déracinés* de Barrès). L'antisémitisme, qui prend son essor à la même époque, offre à tous les aigris une mythologie justificatrice qui reporte sur les Juifs l'origine de leurs déboires. Drumont, qui est lui-même un exemple type de raté littéraire, a beau jeu de dénoncer les représentants de cette religion, dont certains occupent précisément des positions importantes dans le champ littéraire et sont donc les employeurs potentiels des intellectuels en chômage : ainsi dans l'édition Calmann-Lévy, Ollendorff ; dans la presse Arthur Meyer, directeur du *Gaulois* ; à la tête des revues, les frères Natanson (la *Revue blanche*).

Publics, auteurs, éditeurs : une sociologie comparée

Ce climat général ne peut que détériorer les rapports entre auteurs et éditeurs. Les clivages de génération se font plus profonds et, pour accéder à la notoriété, les auteurs sont forcés de se grouper afin d'attirer l'attention en lançant un nouveau mouvement, stratégie la plus fréquente en poésie, genre victime de l'évolution économique, mais qui se pratique aussi dans le roman avec le naturalisme et ses diverses scissions, et même au théâtre, avec l'apparition du théâtre d'avant-garde pour les dramaturges exclus des scènes officielles (le Théâtre libre d'Antoine, le Théâtre de l'Œuvre de Lugné Poe) (11).

Ainsi l'époque de difficultés, qui clôt les décennies ici étudiées, voit l'achèvement de la différenciation et du fractionnement du champ littéraire impliqués par la croissance et l'industrialisation du champ de production littéraire. On peut approximativement distinguer trois niveaux de publics, trois types de consécration et donc trois sphères éditoriales.

Au sommet des deux types de hiérarchies (symbolique et économique), et cumulant rentabilité financière et légitimité culturelle, se trouve la sphère académique qui correspond à la littérature traditionnelle s'adressant au

Tableau n° 3 — *Évolution du nombre de libraires-éditeurs (Seine).*			
	1860*	1896	1901
Non littéraires	72	150	?
Littéraires	29	34	?
Total	101	184	240
Plus de 20 employés	?	16	23

* Estimation à partir du *Bottin du commerce de la Seine*.
Autres colonnes : Recensements de 1896 et 1901.

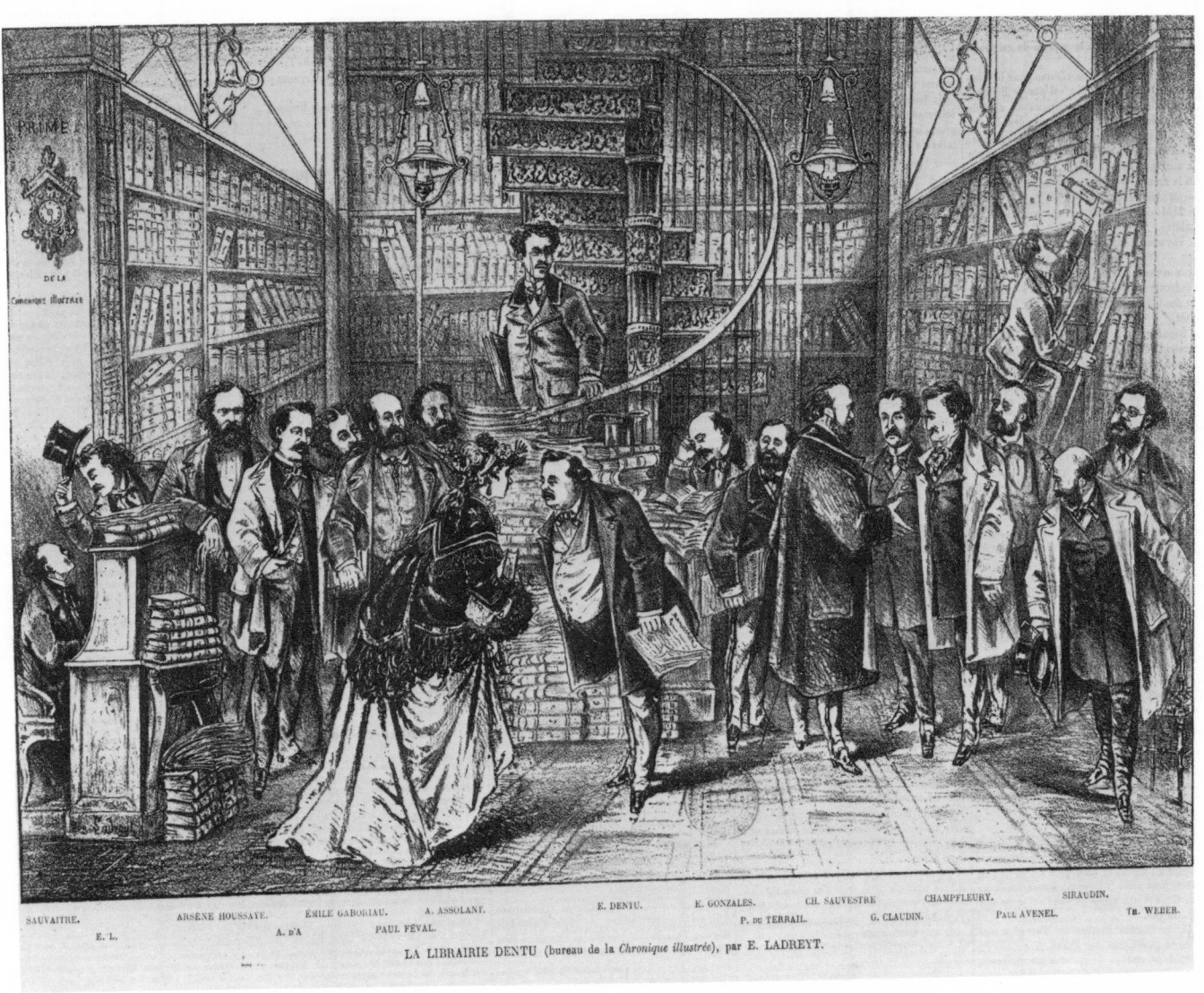

SAUVAITRE.   ARSÈNE HOUSSAYE.   ÉMILE GABORIAU.   A. ASSOLANT.   E. DENTU.   E. GONZALÈS.   CH. SAUVESTRE   CHAMPFLEURY.   SIRAUDIN.

E. L.   A. D'A   PAUL FÉVAL.   P. DU TERRAIL.   G. CLAUDIN.   PAUL AVENEL.   TH. WEBER.

LA LIBRAIRIE DENTU (bureau de la *Chronique illustrée*), par E. LADREYT.

Réunion d'hommes de lettres, romanciers pour la plupart, à la librairie Dentu,
au Palais-Royal. Gravure sur bois par E. Ladreyt.

« La grande course au clocher académique », gravure sur bois de J.-J. Grandville, en 1839 :
un groupe d'écrivains romantiques se heurte aux portes closes de l'Académie française,
qui, en effet, s'est longtemps refusée à les accueillir dans son sein.
On reconnaît entre autres Vigny, devant la porte, écœuré (il a essuyé trois échecs),
Hugo, coiffé de Notre-Dame de Paris (il ne sera élu qu'en 1841),
Dumas père qui tourne le dos à l'Académie d'un air méprisant, Balzac enfin,
soutenu par deux de ses héroïnes.

public relativement étroit qui fait le goût dominant depuis le XVIIIe siècle. Noyau de 30 000 à 50 000 personnes, ce sont les notables culturels auxquels s'adressent les grands genres : poésie, théâtre sérieux, comédie de caractère, roman psychologique ou mondain. Mais ils tolèrent de moins en moins l'innovation, alors que l'Académie avait fini par admettre le romantisme ou le Parnasse. À l'opposé, conséquence du divorce entre ceux qui assurent la consécration et les innovateurs d'une part, et l'industrialisation de la littérature qui écarte l'avant-garde de la rentabilité financière d'autre part, la littérature d'avant-garde ne s'adresse de plus en plus qu'aux autres écrivains ou à quelques rares lettrés, quelques centaines à un millier de personnes tout au plus. De plus en plus exclu du circuit éditorial classique qui ne s'intéresse qu'aux valeurs sûres ou aux succès de vente rapides, ce secteur du champ littéraire doit inventer des procédures de substitution pour percer le mur du silence qui l'entoure : petites revues, cercles et salons pour initiés, banquets, commémorations des grands anciens, récitations publiques, souscriptions, fondation de ses propres maisons d'édition, ainsi le Mercure de France ou la Revue blanche. Entre ces deux extrêmes, se trouve la majorité des auteurs qui essaient de toucher le grand public, voire le public populaire, soit quelques centaines de milliers de lecteurs pour les plus gros succès de la fin du siècle, voire plus d'un million pour les auteurs de romans-feuilletons publiés dans les journaux à un sou comme le *Petit Journal* ou *le Petit Parisien* (12). Selon que le souci du lucre ou, au contraire, l'attachement à la qualité prévaut dans leurs œuvres, ces écrivains peuvent espérer ou non accéder à la consécration académique, sauf s'ils heurtent trop de front les valeurs traditionnelles en honneur sous la Coupole comme en témoignent les échecs successifs de Zola à l'Académie française. Situés à la jonction de ces trois réseaux, les éditeurs littéraires déterminent indirectement, selon le créneau de public qu'ils ont choisi, la stratégie des auteurs qu'ils éditent. Mais cette adéquation plus ou moins réussie entre les deux parties ne se fait pas au hasard ou par un simple jeu des volontés individuelles, elle résulte en

partie de la sociologie comparée des éditeurs et des écrivains et surtout de son évolution car, comme le champ de production littéraire, le champ de l'édition ne s'est différencié selon ces niveaux de public que progressivement.

Les données dont on peut disposer sur les origines sociales des éditeurs, et des écrivains, bien qu'elles ne présentent pas le degré de sûreté et d'exhaustivité qu'on souhaiterait, permettent toutefois d'affirmer sans grand risque d'erreur que le recrutement de ces deux groupes professionnels est un des plus ouverts parmi les professions libérales et commerciales. Le schéma, tracé par Werdet dans la première moitié du siècle, du commis de librairie s'établissant à son compte est confirmé, tant par les exemples qu'il cite que par les sondages que nous avons pu faire dans les dossiers de la série F18 ou par les monographies existantes sur des éditeurs.

Les éditeurs les plus importants du XIXe siècle proviennent de deux milieux : soit de la librairie quand ils succèdent à leur père (mais les dynasties dépassent rarement trois générations), soit de la petite et moyenne bourgeoisie du Bassin parisien au sens large. Citons Louis Hachette, fils d'un pharmacien militaire et d'une lingère ; Michel Lévy, fils d'un marchand colporteur ; Gervais Charpentier, fils d'un sous-lieutenant ; Hetzel, fils d'un maître sellier et d'une sage-

femme ; Furne, fils d'un commerçant ; Dentu, fils d'un imprimeur comme Henri Plon ou Poulet-Malassis. On trouve même, dans la première moitié du XIXe siècle, des origines encore plus modestes : Marpon, fils d'un imprimeur sur mousseline ; Chamerot, fils d'un greffier à la justice de paix ; Renduel, fils d'un aubergiste ; Ladvocat, fils d'un paysan ; Werdet, fils d'un écrivain public. Même après 1850, l'édition reste un secteur relativement ouvert alors que les autres branches industrielles ou commerciales font de moins en moins de place aux « self made men ». Dans quelle autre activité économique pourrait-on rencontrer des fils de cultivateur comme Lemerre ou Havard dont le premier occupa une place de choix dans la littérature tout en laissant une belle fortune à son décès ? Par ces données sociales, l'édition reste un milieu proche du petit commerce, voie d'ascension classique pour la petite bourgeoisie, voire les franges supérieures des classes populaires.

Cette même fluidité sociale se retrouve partiellement chez les écrivains, même si les héritiers (économiques ou culturels) sont ici beaucoup plus nombreux, comme le montrent les statistiques établies par Rémy Ponton (voir tableau n° 4). Les écrivains, dans la seconde moitié du XIXe siècle, période où le recrutement se démocratise, sont issus principalement de la petite et moyenne bourgeoisie déte-

Tableau n° 4 — *Origines sociales d'un échantillon d'écrivains en activité dans la seconde moitié du XIXe siècle, d'après Rémy Ponton,* Le champ littéraire de 1865 à 1905, *thèse dactylographiée, EHESS, 1977, p. 35.*

— Industriels, banquiers	2,3 %	
— Bonne bourgeoisie intellectuelle et politique	4,2 %	13,8 %
— Aristocratie, grande propriété	7,3 %	
— Professions juridiques	6,5 %	
— Moyenne bourgeoisie des affaires	8,9 %	25,8 %
— Moyenne bourgeoisie intellectuelle	10,4 %	
— Écrivains, artistes journalistes	6,2 %	
— Rentiers, propriétaires	4,1 %	
— Employés et assimilés	8,6 %	27,8 %
— Petite bourgeoisie des affaires	11 %	
— Petite bourgeoisie intellectuelle	4,1 %	
— Classes populaires	6,2 %	
— Père inconnu	1,3 %	
— Non-réponses	19 %	
— N = 616		

nant soit un capital économique (commerçants), soit un capital culturel (professions libérales ou intellectuelles) : respectivement 24 % et 23 %. Ils sont donc de milieux assez proches des éditeurs, mais d'un niveau social tout de même plus relevé puisque la plupart des écrivains étudiés ont suivi des études secondaires complètes et même, pour plus d'un tiers, supérieures. Les éditeurs en revanche, sauf ceux qui appartiennent déjà par leur famille à la librairie, sont rarement allés au-delà de l'enseignement primaire. Sans doute Balzac force-t-il le trait quand il affirme : « Le libraire est un homme peu considéré. Une foule d'hommes ignares, paysans la veille, libraires le lendemain se sont rués sur un commerce qui représentait des bénéfices immenses » (13). Bien qu'on ne dispose pas de statistiques pour vérifier ou infirmer la caricature de l'auteur de la *Comédie humaine,* on peut déduire ce faible bagage culturel d'une remarque de Werdet. Selon lui, les conditions suivantes devraient être demandées aux candidats à un brevet de libraire, ce qui suppose qu'elles étaient loin d'être remplies dans les faits ; (...) « Que par devant une commission d'hommes compétents choisis par le ministre de l'Intérieur ou de l'Instruction publique, il [le libraire] a montré clairement qu'il connaît tous les usages de notre librairie, la législation qui régit le commerce et qu'il possède le degré d'instruction exigé par la nouvelle loi. À savoir : celui d'un instituteur primaire, s'il aspire simplement au brevet de libraire marchand ; celui qui comporte le diplôme de bachelier ès lettres (soit l'exhibition de ce diplôme) s'il tient à devenir libraire-éditeur » (14).

Toutefois, à mesure qu'on avance dans le siècle, il est probable que le niveau d'instruction des éditeurs, comme celui de la masse des Français, s'élève — surtout ceux des grandes maisons dont les propriétaires par leur fortune s'apparentent à la grande bourgeoisie. La différence de niveau culturel avec les écrivains a quand même subsisté dans la mesure où, parallèlement, ceux-ci poursuivaient de plus en plus fréquemment des études supérieures. Le stéréotype de l'éditeur béotien dont la citation de Balzac montre l'ancienneté, source de bien

des conflits entre l'écrivain et l'éditeur, tire son origine de cette dissymétrie dans les caractéristiques sociales des deux parties en présence. Tendanciellement le capital des maisons d'édition devient de plus en plus important — du fait des nécessités nouvelles de la technique — tandis que l'écart culturel entre l'éditeur et l'auteur, s'il ne s'accroît pas, se maintient. En revanche, du fait de l'ouverture du recrutement, l'écrivain dispose de moins de rentes et fonde d'autant plus d'espoir sur le succès littéraire pour mettre en valeur ses compétences scolaires.

Ce clivage s'accentue entre 1830 et 1890. À l'époque romantique, la plupart des auteurs, du moins les plus connus, surclassent leurs éditeurs dans tous les domaines : d'origine bourgeoise, voire aristocratique, relativement cultivés, ayant leurs entrées dans les salons, ils peuvent traiter de haut les éditeurs, petits-bourgeois besogneux, menacés de faillite par le manque de crédit ou les condamnations politiques et sans grande culture littéraire. Il n'est pas rare que ce soit l'éditeur qui se dérange pour s'attacher à prix d'or le manuscrit à venir d'un auteur connu. À la fin du siècle, les rapports de force sociaux sont inversés. Seules les grandes maisons peuvent faire d'un livre un best-seller. Or elles sont le plus souvent aux mains d'héritiers des fondateurs, bien intégrés dans la bonne bourgeoisie, plus cultivés, tenant parfois salon eux-mêmes, et maîtres des réseaux de consécrations indispensables pour percer en période de pléthore.

 ## Les rapports entre auteurs et éditeurs

« Pour beaucoup d'écrivains, l'éditeur est la bête des abîmes, la pieuvre aux tentacules homicides. Il convient de ne rien exagérer : l'éditeur ne diffère pas beaucoup des autres animaux qui se servent du langage articulé. Il en est d'abominables, il en est d'indifférents, il en est qui méritent notre amitié et notre estime » (15). À la différence de beaucoup de ses confrères, J. H. Rosny aîné refuse dans ce passage de ses *Mémoires de la vie littéraire* les jugements passionnels et excessifs portés par les écrivains sur les éditeurs. Il

est bien difficile, en effet, de dresser un tableau à la fois complet et nuancé des rapports entre auteurs et éditeurs tant le terrain est piégé. Piégé par les sources puisque nous avons surtout le témoignage des hommes de lettres, rarement celui des éditeurs. Piégé par les faits aussi puisque les auteurs heureux, comme les peuples, n'ont pas d'histoire(s). Ne subsistent dans les mémoires que les querelles, les plaintes, les récriminations, voire les procès. Piégé enfin par la diversité extrême des situations. Tout est affaire de rapports de forces mais aussi de tempéraments individuels, de conjonctures historique et économique, de conception du métier aussi. Le débutant et l'écrivain consacré, le poète et le feuilletonniste, le rentier amateur et l'homme qui vit de sa plume ne peuvent avoir les mêmes rapports humains et financiers avec leur éditeur. Mais au préalable, il convient de rompre avec l'image familière de notre XXᵉ siècle de l'auteur et de « son » éditeur attitré. Jusque tard dans le cours du XIXᵉ siècle, la mono-édition est l'exception (sauf pour les œuvres très spécialisées visant un public spécifique comme les manuels scolaires, les traités universitaires ou les livres d'érudition) et la pluri-édition la règle, ce qui complique singulièrement encore le tableau.

Les contrats

Cette multiplicité des éditeurs pour un même auteur se comprend facilement du fait des usages réglant les contrats d'édition. En raison des faibles tirages de la première moitié du XIXᵉ siècle, les droits sur un livre sont calculés de manière forfaitaire. L'auteur vend sa propriété littéraire pour un nombre défini d'éditions et pour une période restreinte. L'incertitude du succès est telle que l'éditeur n'a pas intérêt à accumuler les invendus. Comme le marché est très vite saturé on ne peut risquer un trop grand nombre d'exemplaires. On retire à coup sûr, après avoir testé, sur une sorte d'échantillon témoin du public (1 000 exemplaires en général), les possibilités de vente plus larges. Si la demande excède nettement l'offre on lance de nouvelles éditions. L'élargissement du public sous l'effet des changements culturels et sociaux et l'abais-

Un contrat d'édition, le contrat passé le 5 août 1869,
pour l'édition du *Dictionnaire de la langue française*,
entre Émile Littré, son auteur, et L. Bréton agissant
au nom et pour le compte de la Société L. Hachette et Cie,
libraires-éditeurs.
(Archives de la Librairie Hachette.)

sement du coût du livre permettent d'élever le tirage de base initial. La carrière d'un livre s'en trouve rallongée et le tirage final peut varier dans des proportions considérables. Aussi de plus en plus, pour qu'aucune des deux parties ne soit lésée, s'instaure progressivement un paiement proportionnel au nombre d'exemplaires vendus ou tirés. On passe ainsi d'un jeu à petits coups, mais à rentabilité relativement constante, à un jeu à coup imprévisible (sauf pour les auteurs déjà lancés) avec de gros gains et de grosses pertes. L'éditeur équilibre ses comptes par des mises multiples (son écurie d'auteurs), mais l'auteur vit dans l'incertitude sur ce qu'il touchera réellement quand ce n'est pas sur le nombre réel d'exemplaires tirés, car l'éditeur n'a pas toujours intérêt à dire la vérité. On voit tout de suite que cette évolution, qui fait passer de l'artisanat à l'industrie, du marchandage à la dépendance financière prolongée (car l'auteur traite pour plusieurs livres à venir), ne peut que potentiellement dégrader les rapports entre les éditeurs et les auteurs et accentuer la coupure entre « l'esprit » et « l'argent ». Un juriste constate ce nouvel état de fait à la fin du siècle : « L'esprit et la matière, tels sont les éléments opposés qui concourent à la confection d'un livre ; à l'auteur d'apporter sa pensée et la forme littéraire dont il l'a revêtue, à l'éditeur de lui donner un corps, une forme matérielle, de la rendre susceptible de se répandre dans le public. Apports bien distincts de part et d'autre et qui ont chacun leur valeur ; mais une commune mesure manque pour l'apprécier ; de là de nombreux conflits » (16).

On peut essayer d'illustrer cette évolution historique des rapports entre les éditeurs et les écrivains par une statistique qui, même imparfaite, quantifie ces généralités dont on n'est jamais sûr qu'il ne s'agit pas d'illusions de contemporains ou de lieux communs admis trop aisément. À partir de la *Bibliographie* de Talvart et Place (17), qui recense tous les livres d'un même auteur dans l'ordre chronologique et le nom précis de l'éditeur pour chaque ouvrage, nous avons fait trois coupes (avant 1850, 1850-1870, après 1880, il s'agit à chaque fois de la date de début d'activité) portant sur un nombre équivalent d'écrivains. Bien qu'il

Hetzel, éditeur des nouveaux recueils poétiques de Hugo (1852-1858)

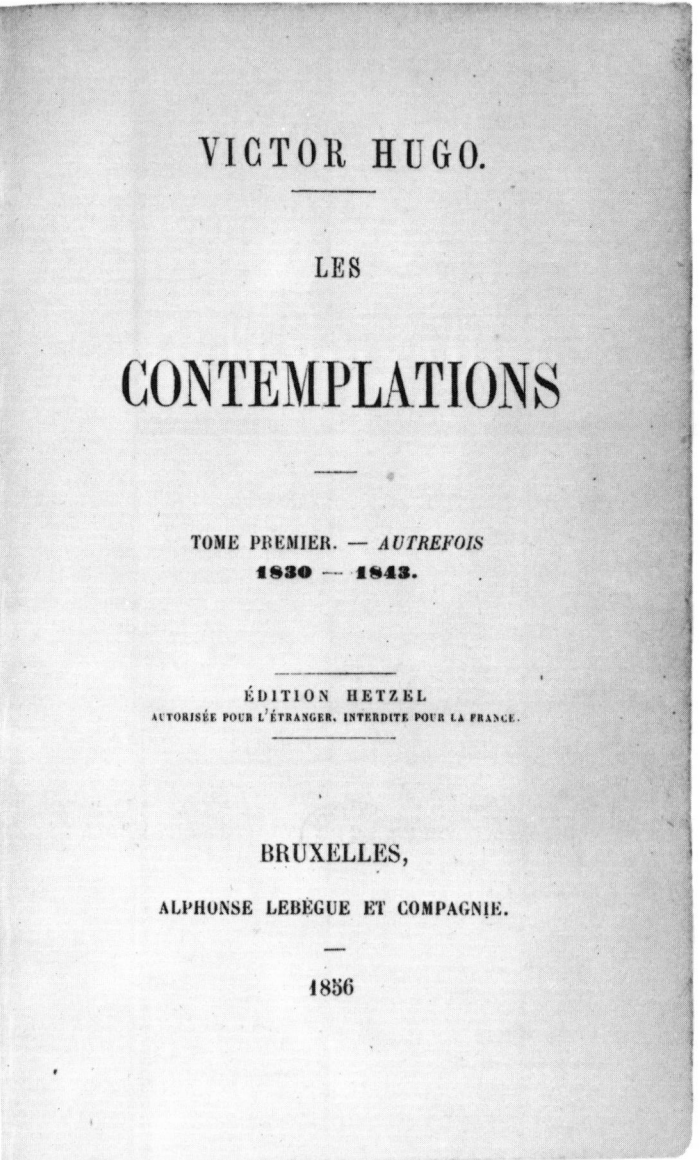

Édition des *Contemplations* diffusée en Belgique en 1856, avec l'adresse d'Alphonse Lebègue, un des deux libraires belges avec lesquels traita Hetzel. On remarquera la mention « Édition Hetzel autorisée pour l'étranger, interdite pour la France ». H. 148 mm.

Hetzel, exilé après le coup d'État du décembre 1851, fut recommandé par Paul Meurice dès le 4 janvier 1852 à Victor Hugo, proscrit lui aussi.

Les deux hommes entreprirent d'abord de faire éditer *Napoléon le petit* par le Belge Caride. L'ouvrage parut le 7 août et 3 850 exemplaires en furent imprimés dans les six mois qui suivirent. Puis vint le tour des *Châtiments* pour lesquels Hugo et Hetzel fondèrent une société d'imprimerie. Deux éditions en furent données, l'une in-18, officielle et expurgée, l'autre in-32, clandestine et complète. Mais l'ouvrage se vendit mal par suite de la surveillance de la police aux frontières de la France, 6 000 exemplaires de l'édition in-18 purent seulement être distribués et un retirage à 5 000 ne fut pas débité. La société fut dissoute.

Hetzel traita alors avec Hugo pour *les Contemplations* qui, dépourvues de caractère politique, pouvaient entrer en principe sans obstacle en France. Un contrat fut signé entre les deux hommes le 24 juillet 1854, mais l'achèvement du recueil demanda deux ans encore au poète qui avait cédé ses droits sur 2 éditions ; l'une à réaliser à Paris à 2 500 exemplaires en 2 volumes in-8°, à 6 francs chacun, et l'autre à Bruxelles, de 3 000 exemplaires en 2 volumes in-18, à 3 francs chacun. Les droits de l'auteur étaient fixés à 6 000 francs pour l'édition parisienne, soit 20 %, et à 3 000 francs pour la seconde, soit 16,7 %.

Les termes de ce marché furent un peu modifiés lors de son exécution, *les Contemplations* étant un peu plus volumineuses que prévu. Hetzel passa le 14 avril 1856 un contrat avec deux libraires belges, Schnée et Lebègue, qui devaient vendre l'édition belge hors de France. Ils prenaient livraison des 1 500 premiers exemplaires, soit 3 000 volumes, moyennant 6 000 francs, c'est-à-dire avec une remise de 50 % sur le prix fort de 4 francs le volume (la remise à faire aux détaillants étant fixée à 25 % plus les treizièmes, ou 35 % pour une commande de 100 exemplaires, ou encore 40 % pour 300 exemplaires). Les acheteurs devaient assurer presque tous les frais de publicité et pourraient prendre le reste de l'édition après l'épuisement de ce premier lot.

Hetzel avait cédé en même temps la totalité de l'édition parisienne, qui fut presque aussitôt épuisée, à Michel Lévy et à Pagnerre qui possédaient de bons réseaux de distribution et qui semblent avoir tenté d'éliminer Hetzel lors d'une réédition.

Par la suite, Hugo et Hetzel s'appliquèrent à diversifier les formats et les prix pour arriver à une diffusion maximale. Ils prévirent au total les éditions suivantes dont les trois dernières semblent bien n'avoir pas été exécutées, comme le montre le tableau placé en haut de page.

Mise en vente	Format	Tirage	Vendeur	Prix	
— avril 1856	2 vol. in-18	3 000 ex.	Schnée-Lebègue (1)	4	fr
— avril 1856	2 vol. in-8°	2 500 ex. (2)	Lévy-Pagnerre	12	fr
— mai 1856	2 vol. in-8°	3 000 ex.	Lévy-Pagnerre	12	fr
— fin 1856	24 livr. in-8°	2 000 ex. (3)	Lévy-Havard	12	fr
— mi 1857	2 vol. in-8° ill.	5 000 ex. (4)	Houssiaux	10	fr
— sept. 1857	2 vol. in-18	5 000 ex. (5)	Hachette	7	fr
—	livr. in-8° ill.	10 000 ex.	Marescq et Cie (6)		
—	9 vol. in-32	1 500 ex.	Collection Hetzel (7)	9	fr
— (fin 1858)	1 vol. in-18	8 000 ex.	Hachette (8)	3,5	fr

Tableau des éditions des *Contemplations* prévues par Hugo et Hetzel (1856-1858).

(1) Vente en Belgique et à l'étranger. (2) Épuisé en quelques jours. (3) Chiffre approximatif : le tirage minimal prévu de 1 500 exemplaires a été dépassé. (4) Houssiaux a pu faire un tirage moindre mais a payé pour 5 000 exemplaires. (5) Il reste 1 700 exemplaires invendus de cette édition en avril 1860. (6) et (7) Ces éditions semblent n'avoir pas été réalisées. (8) Cette édition n'a pas vu le jour : Hachette qui n'a pas épuisé l'édition in-18 accepte de recevoir, en 1860, 8 000 autres volumes édités par Hetzel en place de celle qui avait été prévue.

Chacune de ces éditions exigeait un partage des tâches entre les différentes parties. Les graphiques ci-dessous, qui concernent la troisième édition des *Contemplations* (la deuxième parisienne) et la deuxième de *la Légende des siècles* qui fut exécutée deux ans plus tard dans les mêmes conditions, révèlent l'importance de la part prise par la distribution.

Ces exemples, certes particuliers, montrent clairement que certains libraires-éditeurs — ici Michel Lévy ou Hachette, mais ailleurs Charpentier ou Pagnerre — tiraient déjà une bonne part de leur puissance moins de leur capacité à innover que de l'excellence de leur réseau de distribution fondé sur des correspondances régulières et actives avec les libraires de province.

Nicolas Petit et H.-J. Martin

Texte rédigé par H.-J. Martin d'après N. Petit, *Un éditeur au XIXᵉ siècle, Pierre-Jules Hetzel (1814-1886) et les éditions Hetzel (1837-1914)*, thèse manuscrite, pages 222-248, *cf.* École nationale des chartes. *Positions des thèses soutenues par les élèves de la promotion de 1980*, Paris, 1980, pages 129-134.

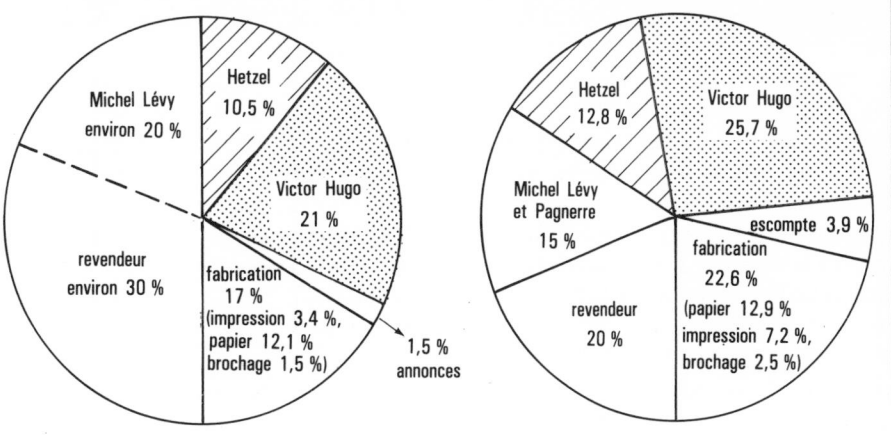

Première édition parisienne de *la Légende des siècles* (2 volumes in-8° vendus 15 francs, tirés à 6 000/6 600 exemplaires et mis en vente le 28 septembre 1859).

La vente totale au public devait rapporter 99 000 francs ; Michel Lévy avait acheté toute l'édition pour 49 500 francs, avec une remise de 50 % ; les bénéfices peuvent se chiffrer à 31 200 francs dont les deux tiers pour Hugo (20 800 francs) et un tiers pour Hetzel (*cf.* la facture de l'imprimeur Claye et un compte daté du 30 septembre 1859, Bibl. nat., ms. fr., n.a.f. 16 962, dossier Victor Hugo).

Deuxième édition parisienne des *Contemplations* (2 volumes in-8° vendus 12 francs, tirés à 3 000/3 300 exemplaires et mis en vente en mai 1856).

La vente au public de 3 102 exemplaires rapporta 37 224 francs ; Michel Lévy et Pagnerre avaient acheté toute l'édition 24 198 francs, soit avec une remise de 35 %, et fait aux revendeurs une remise de 20 % ; le bénéfice est de 14 361 francs, soit 9 566 (les deux tiers) pour Hugo et 4 795 francs pour Hetzel (*cf.* Bibl. nat., ms. fr., n.a.f. 16 962, dossier Victor Hugo).

Le champ de la production littéraire

s'agisse d'une bibliographie littéraire, donc biaisée par rapport à la production moyenne au profit des genres nobles, le biais étant identique pour chaque époque ne devrait pas affecter l'évolution d'ensemble (tableau n° 5).

Après 1850, à mesure que se généralisent les nouveaux modes de contrats, la diminution du nombre d'éditeurs par auteur se dessine alors que dans le même temps l'augmentation de la production par auteur devrait avoir l'effet inverse. Ces chiffres n'ont en eux-mêmes qu'une valeur relative même si la tendance est claire. Il s'agit en effet d'une statistique non pondérée, qui additionne des types d'auteurs extrêmement différents (la productivité des poètes et celle des auteurs dramatiques ou des romanciers sont sensiblement différentes) et met sur le même plan des plaquettes de circonstance et des ouvrages de grande dimension. Si l'on faisait cette pondération, mais il faudrait disposer de bibliographies complètes sur une gamme beaucoup plus large d'écrivains, on constaterait sans peine une concentration plus grande encore que l'on peut déduire de quelques cas typiques pour chaque période.

Soit le poète Arvers, célèbre pour son sonnet : entre 1806 et 1850, il publie 13 volumes différents chez 11 éditeurs (Fournier, Cinqualbre, Floury, Marchant, Barba, Bezon, Mifliez, Henriot, Tresse et deux éditeurs de province). Chaque livre est ainsi comme l'occasion d'entrer en relation avec un nouveau libraire. Sauf pour les célébrités, les éditeurs sont en effet réticents à publier des vers à la vente incertaine (cf. la boutade célèbre « ma boutique est mangée par les vers »). Pour rester dans le même registre, examinons à présent la stratégie éditoriale d'un poète parnassien de second rang, Émile Blémont, que sa fortune personnelle mettait à l'abri des contingences matérielles. Entre 1866 et 1924 sa bibliographie compte, selon notre source, 54 numéros ; 14 éditeurs les ont publiés soit déjà une concentration apparente de la production. Mais parmi eux, Lemerre, éditeur attitré des poètes parnassiens, se taille la part du lion avec 36 titres.

On est ainsi entré dans un nouveau système de rapports privilégiés où l'homme de lettres et l'éditeur se prê-

tent mutuel concours. L'image de marque de l'éditeur, « éditeur de la poésie nouvelle », assure aux auteurs l'attention des amateurs de ce type de littérature, l'école littéraire qui investit préférentiellement une maison d'édition contribue en retour à lui donner une spécificité face aux concurrents. Alors que Renduel par exemple avait échoué à s'assurer tous les livres des Jeune France, les nouvelles maisons d'édition de la seconde moitié du siècle ont commencé à acquérir leur renommée de cette manière. Ce nouveau modèle continuera à être celui de la plupart des maisons d'édition littéraires. Outre Lemerre et le Parnasse, citons Vanier et le Mercure de France avec les symbolistes, Charpentier-Fasquelle et les naturalistes, Stock et l'avant-garde politique et littéraire ou étrangère à la fin du siècle (18). À la veille de la guerre, Grasset et Gallimard prospéreront de manière identique.

L'éditeur se crée ainsi un fond associé à sa raison sociale qui lui permet ensuite d'élargir sa gamme après avoir pris une part exclusive du marché. L'auteur, lui, par son éditeur se situe dans le champ littéraire dans, à côté, ou contre tel ou tel courant ou esthétique qu'on retrouve ici plutôt que là. Plus un auteur a des positions littéraires éclectiques plus il change fréquemment d'éditeur. Ainsi Paul Adam, auteur prolifique de la Belle Époque qui s'essaie successivement au symbolisme, au naturalisme et aux diverses formes de roman, fournit sa prose à 31 éditeurs différents notamment Tresse et Stock, Vanier, Savine, Kolb, Ollendorff, la Revue blanche, Plon, Sansot, Boivin, Fasquelle, Bloud et Gay, Alcan, Messein. À l'opposé, les écrivains les plus typés sont fidèles à une ou deux maisons auxquelles ils sont pour ainsi dire associés : René Bazin, romancier catholique et traditionaliste, passe de Calmann-Lévy, l'éditeur dominant de l'époque, aux éditeurs catholiques Palmé et Mame, pour terminer chez Plon, l'éditeur des académiciens et des maréchaux dans l'entre-deux-guerres. De même Paul Bourget donne toute sa production chez Lemerre jusqu'en 1900 puis, à la suite d'un procès sur lequel nous reviendrons, se retrouve avec René Bazin chez Plon. Le système de l'exclusivité est porté à son apogée avec Zola qui

moyennant une rente fixe s'engage à fournir pendant dix ans un nombre déterminé d'ouvrages à Lacroix, puis à Charpentier après la faillite du premier... L'éditeur assure à l'auteur la sécurité du lendemain mais en faisant un pari audacieux qui se révèle être un gros lot, les best-sellers se succédant après l'Assommoir (19).

Les stratégies

Cette évolution, liée aux facteurs économiques et à l'intensification de la concurrence symbolique dans le champ littéraire, simplifie et complique à la fois les rapports entre les éditeurs et les auteurs puisque deux échelles de valeurs doivent à présent s'accorder alors qu'auparavant le rapport bref et épisodique noué par le contrat n'engageait qu'une question d'intérêt à court terme. La trentaine d'éditeurs avec lesquels Balzac a traité n'était pour lui que des commerçants qu'il accablait régulièrement d'injures après une brève période d'idylle illusoire. Mais il n'attendait pas d'eux la consécration de son talent littéraire. Ce furent plutôt eux qui, à certains moments, ont compté sur lui pour fonder leur réputation de libraire (ainsi Werdet) (20).

À l'inverse, le choix d'un éditeur à la fin du XIXe siècle est pour un débutant plus qu'un choix financier. Il engage aussi peu ou prou sa stratégie littéraire ultérieure. Réciproquement l'éditeur, du fait de l'intensification de la concurrence, peut trier ses auteurs en fonction de critères littéraires ou idéologiques, c'est-à-dire en fonction de sa propre stratégie d'édition ou de l'image de marque qu'il entend donner à sa maison. Être édité ici plutôt que là, chez Calmann-Lévy plutôt que chez Charpentier, chez Vanier et non chez Lemerre, par Stock ou par Ollendorff, etc., ce n'est pas seulement émarger, c'est être marqué littérairement plus classique ou plus réaliste, plus novateur ou plus traditionnel, plus politique ou plus mondain. Aussi à présent quand les rapports s'aigrissent (et ils ont le temps puisque les contrats sont plus longs) traduisent-ils des crises plus profondes que seulement des questions d'argent : l'éditeur est comptable non seulement de droits mais aussi de réputation.

Faute de pouvoir entrer dans un

détail qui demanderait de multiples monographies — qui au reste n'existent pas toujours même pour les plus grands auteurs (21) —, on peut tracer un schéma des stratégies respectives des auteurs et des éditeurs en trois positions correspondant aux trois secteurs du champ de production littéraire et où l'importance de l'aspect littéraire et celle de l'aspect financier varient en sens inverse (tableau n° 6).

Aux deux extrêmes, les rapports entre l'auteur et l'éditeur sont simples puisqu'un seul critère d'évaluation (économique ou littéraire) entre en ligne de compte. Les écrivains situés au pôle littéraire ne publient pas pour de l'argent et, à la limite, donnent de l'argent pour être publiés (e.g. Verlaine, Mallarmé, Coppée à ses débuts...). Ils bénéficient le plus souvent d'aides extérieures (souscriptions d'un groupe de fidèles, fortune familiale, second métier). Les rapports avec l'éditeur sont ainsi purifiés mais restent menacés de retomber du côté du marché, donc des conflits, car ce système anti-économique suppose des conditions tout à fait exceptionnelles pour durer. Vanier, dans une réponse à une journaliste venue enquêter sur le krach de la librairie des années 90, explique comment il échappe aux crises et même en vit : « Je ne lance que de minces volumes à un tirage restreint destiné à un rare public, et je me contente de minuscules bénéfices. Aussi le krach des livres dont il est question, le fameux krach, non seulement je ne le nie pas... mais à vous dire toute la vérité, moi j'en vis du krach et je m'en engraisse » (22).

Son optimisme doit pourtant être tempéré par l'histoire de ses rapports avec Verlaine. Tant que Verlaine a été un poète maudit payant pour se faire éditer (ainsi *Sagesse, Jadis et Naguère*) tout alla bien. Mais la célébrité (relative) venant avec l'apparition de disciples puis d'articles dans la grande presse, Verlaine, toujours à court d'argent, a augmenté ses exigences, baissé le niveau de sa production, tenté une carrière de prosateur. Aussi Vanier a-t-il dû commencer à lui verser des droits, encore minimes (250 francs pour *Amour* en 1888 tiré à 600 exemplaires). En 1890, une souscription lancée pour *Dédicaces* permet à Vanier de donner 600 francs à Verlaine en

Tableau n° 5. — *Les auteurs et leurs éditeurs, d'après la* Bibliographie *de H. Talvart et G. Place.*

Période :	Nombre d'éditeurs par auteur	Nombre de titres par auteur	Nombre de titres par éditeur	Nombre d'auteurs
Avant 1850	13,0	35,5	2,7	32
1850-70	10,9	39,5	3,6	33
après 1880	10,7	36,7	3,4	34

Tableau n° 6. — *Stratégies d'auteurs, statégies d'éditeurs.*

Économique − Littéraire + Poésie d'avant-garde théâtre non joué, roman littéraire	= =	Économique + Littéraire − Roman feuilleton, vaudeville, manuels, littérature de commande
	Roman, théâtre grand public	

une semaine, somme que celui-ci dépense aussitôt en « noce crapuleuse ». L'auteur de *Sagesse* prend alors conscience qu'il est une valeur littéraire qui monte et que, de bon prince, son éditeur est devenu un usurier qui vit à ses dépens ; il cherche donc à se placer auprès de maisons plus importantes, Savine et Charpentier. Mais Vanier fait valoir ses droits car les contrats de Verlaine à son égard n'étaient pas expirés et Pauvre Lélian ne put monnayer son génie avant sa mort. Il est frappant de constater que le climat moral entre les deux hommes s'est dégradé à mesure que le poète est passé du champ de production restreinte à un public plus large (23).

Au pôle opposé du schéma, on trouve les auteurs de la littérature industrielle souvent payés à la ligne ou tenus de fournir un certain nombre de volumes par an. La logique de la rentabilité financière étant reine, la notion d'auteur tend à se dissoudre tout comme celle d'œuvre. La prose devient un fleuve ininterrompu d'épisodes enchaînés à la queue leu leu, une série de suites sans fin, de « vingt ans après » ou de nouvelles aventures. Ponson du Terrail a même inventé, d'après les Goncourt, la littérature sur mesure : « C'est lui qui dit aux directeurs de journaux où il a un immense roman en train : « Prévenez-moi trois feuilletons à l'avance, si ça ennuie le public ; et en un feuilleton je finirai. » On vend des pruneaux avec plus de fierté » (24). Comme le temps est de l'argent, il faut produire de plus en plus vite, donc souvent en collaboration, ainsi n'a-t-on dénombré pas moins de 69 collaborateurs de Dumas père. Proudhon décrit et dénonce ce nouvel agiotage littéraire où la littérature se mue en spéculation et les rapports entre l'auteur et l'éditeur sont ceux d'un associé et d'un commanditaire (25). L'histoire des aléas de la fortune littéraire de Lamartine ne montre que trop cette descente aux enfers (ou aux affaires) du député qui prétendait siéger au plafond sous la monarchie de Juillet (26). Hugo lui-même, Chateaubriand avant lui, sans tomber dans la spéculation effrénée de l'auteur de *Jocelyn,* ont été tentés ou obligés à un moment donné de passer des contrats d'exclusivité pour s'assurer la sécurité du lendemain.

Entre les cessions d'œuvres complètes moyennant un capital ou une rente viagère et les associations à but lucratif conclues entre certains directeurs de journaux ou de revues et Eugène Sue, Ponson du Terrail ou Xavier de Montépin, pour ne citer que les moins oubliés de ces forçats de la plume, il y a certes la distance du génie au faiseur. Mais sur le plan purement financier, il n'y a que l'écart d'une société en commandite à une société anonyme, ou d'une vente de produits de haute couture à une spéculation sur le prêt-à-porter. Quand les rapports entre l'auteur et l'éditeur — il vaudrait mieux dire alors entre le producteur et le promoteur — sont à ce degré d'imbrication économique, les conflits restent circonscrits, nul n'a d'illusion sur l'autre. Tout se complique de nouveau quand l'auteur n'est ni assez fort symboliquement comme Hugo ou Lamartine, ni assez faible financièrement comme les feuilletonnistes pour établir ce *modus vivendi* désenchanté. Et ce double jeu réciproque concerne en fait le gros des auteurs qui n'ont qu'une notoriété moyenne, qui ne peuvent se passer de l'appoint de leurs droits pour essayer d'améliorer leur ordinaire mais qui ne consentent pas encore tout à fait à l'abaissement de la littérature industrielle.

La courbe des rapports entre Flaubert et son éditeur Michel Lévy (27) passe ainsi de l'aigreur à l'idylle et de l'idylle au divorce, en fonction de ce mariage plus ou moins heureux de « l'art et de l'or » pour parler comme l'auteur de *Salammbô.* Au moment du traité signé pour *Madame Bovary,* Flaubert et Lévy se regardent un peu en chiens de faïence. Pour Flaubert, les éditeurs sont tous des « filous ». Pour Lévy, Flaubert est un original, un amateur qui se pique de littérature, et surtout un inconnu. Il conclut l'affaire pour 800 francs, ce qui est très peu. Le succès et le scandale du procès aidant, Lévy fait une très belle affaire puisqu'en cinq ans il vend près de 30 000 exemplaires du roman. Aussi donne-t-il 500 francs de plus à Flaubert et il attend avec impatience son prochain roman, *Salammbô.* Mais Flaubert, à présent conscient de sa valeur, se montre beaucoup plus dur en affaires. Il demande d'emblée 25 000 à 30 000 francs et refuse les

illustrations (ce qui pour un roman historique est un argument promotionnel) et même la lecture du manuscrit à l'éditeur pour préserver son autonomie absolue d'artiste. Tout se passe comme si, pour ne pas avoir l'impression de trahir l'art, Flaubert posait des conditions presque inacceptables pour avoir le sentiment que, malgré la somme qu'il demande, il ne se vend pas. La négociation, après quelques tiraillements, finit par aboutir. Si Flaubert en rabat financièrement (10 000 francs), il ne cède rien sur le plan artistique puisque Lévy s'en remet à lui les yeux fermés contre la promesse d'un roman contemporain que l'éditeur pense naïvement plus « commercial » que la reconstitution carthaginoise. Le romancier et l'éditeur que tout opposait sont ainsi devenus associés. Lévy écrit : « Nous voilà mariés ou plutôt remariés pour une dizaine d'années » ; Flaubert répond : « Nous ferons bon ménage, espérons-le » (28). Mais le « mariage » se dégrade après une série de difficultés matérielles. *L'éducation sentimentale* payée royalement 16 000 francs est un échec. Lévy se repent de sa trop grande confiance (il n'a pas lu le manuscrit pour ménager la susceptibilité de Flaubert). Les difficultés financières de Flaubert puis les circonstances tragiques de l'époque (la guerre) empoisonnent progressivement les relations d'amitié qui s'étaient établies entre les deux hommes. Deux vétilles en elles-mêmes, mais qui touchaient aux deux points sensibles de Flaubert, sa fierté bourgeoise et son amitié pour Louis Bouilhet consomment la rupture.

On ne doit pas conclure de cet exemple que ce sont les auteurs aux exigences littéraires les plus élevées (comme Flaubert) qui ont forcément à terme les rapports les plus tendus avec leurs éditeurs. En fait, ce sont souvent les plus professionnels, ceux qui, à la différence de Flaubert, veulent vivre de leur plume et qui gagnent le plus, qui sont les plus âpres au gain même s'ils se font par ailleurs une haute idée de leur œuvre littéraire. Comme ils veulent tenir les deux bouts de la chaîne (l'or et la gloire) tout est prétexte à conflit et à vitupération. Si le succès vient, l'éditeur est un voleur car il ne paie pas assez, si la vente languit, c'est aussi de sa faute car il n'a pas su faire connaître l'œuvre. George Sand, en dépit de son succès et des revenus confortables qu'elle a tirés de ses romans, ne cesse de relancer Buloz, directeur de la *Revue des deux mondes,* qui lui sert d'éditeur attitré. Elle l'accuse même en 1839 d'être un piètre homme d'affaires à un moment où Buloz subit les effets de la crise commerciale : « Où en serais-je donc si vous nous paralysiez ? Vous faites en grand les affaires que vos rédacteurs font en petit. Vous devriez donc être préparé à tout événement et n'être pas à court d'écus comme un petit négociant, lorsque nous venons, nous qui n'avons qu'une corde à notre arc, frapper à votre porte. » Buloz a beau jeu de lui répondre qu'il n'est pas son débiteur puisqu'il lui a donné 10 500 francs en sept mois et surtout il réplique que les plaintes des écrivains sur leur manque d'argent tient surtout à leur vie dispendieuse. Si les éditeurs, eux, n'étaient pas plus raisonnables ils iraient vite à la faillite. Voici un extrait de cette nouvelle version de *la Cigale et la Fourmi* : « Je n'ai pas non plus plusieurs cordes à mon arc, comme vous le dites avec votre bienveillance ordinaire : je n'en ai qu'une : celle du travail modeste, pénible et honnête, qui est loin de me rapporter ce que vous croyez, mais qui avec mes goûts simples et *républicains* (démocrate en cela seulement) me donnera toujours l'avantage sur vous grands gargantuas qui dépensez avec autant d'imprévoyance que de folie les magnifiques revenus de votre cerveau » (29). Éternel dialogue de sourds, plaisamment émaillé de quelques pointes malicieuses de part et d'autre où, par-delà l'amitié, transparaît la distance sociale de l'artiste et du bourgeois comme on disait alors, de l'intellectuel et de l'homme d'affaires comme on dirait aujourd'hui, à ceci près que les origines respectives inversent la relation sociale habituelle. La descendante du maréchal de Saxe traite le « self made man » Buloz de « petit négociant ». Le petit-bourgeois Buloz oppose l'économie et la modestie qu'il pratique au luxe aristocratique que réclame l'artiste, même si comme George Sand il se prétend « démocrate ».

Les débutants ne sont pas moins âpres que les monstres sacrés. Certains en viennent même à dicter à l'éditeur sa stratégie éditoriale. Ainsi Louis Des-

prez, écrivain naturaliste mineur, suggère dans une de ses lettres à son éditeur Stock des procédés publicitaires pour sortir de l'anonymat de la masse des parutions : « Cherchez — aussi, très important, car le public se laisse prendre aux marques extérieures et un peu de charlatanisme est indispensable — cherchez donc une couleur peu usitée pour vos couvertures. Point de jaune : c'est trop banal. J'aimerai assez le rouge ou le vert. Ça passe plus vite, il est vrai, mais, quitte à faire remettre des couvertures, vous frapperiez la vue des passants. Faites faire aussi une belle marque, très saillante, par un artiste. L'argent que ça vous coûtera ne sera pas non plus perdu » (30). Goncourt, dans son *Journal,* déplore vers la même époque le cynisme intéressé de la jeune génération littéraire dont cet extrait de lettre est une preuve. Il s'agit pourtant en partie d'une illusion rétrospective d'un vieillard qui idéalise sa jeunesse, car Flaubert déjà, sous le Second Empire, s'offusque du matérialisme de ses amis écrivains (31).

Il est probable cependant que l'évolution économique et littéraire générale a tendance à rendre plus banales les stratégies de conquête du succès les plus brutales, même chez les auteurs à prétentions littéraires. Zola dans un article célèbre développe toute une théorie justificative sur l'argent comme récompense du talent littéraire (32). Mais ses cadets vont encore plus loin en allant au-devant des calculs les plus intéressés des éditeurs, sans doute parce que la concurrence rend l'impatience d'arriver plus grande et que les éditeurs, face au marasme, hésitent de plus en plus à lancer de jeunes auteurs.

Georges Darien, jeune inconnu, décrit selon cette tactique son plan de campagne littéraire à son éditeur Stock :

> Vous m'avez dit, je m'en souviens, qu'il ne fallait pas compter sur un succès immédiat ; vous êtes la sagesse même et je ne compte pas plus, depuis ce jour-là, sur un succès immédiat que sur une planche pourrie. Seulement je voudrai un succès rapide. Ça je crois, c'est possible. Je n'ai qu'à prendre pour devise : Labore et Patientia, à garder le travail pour moi et à conseiller la patience au lecteur.
>
> Du travail j'en ai sur la planche haut comme ça. Et ici bon gré mal gré, il est nécessaire de vous donner une idée du système fort simple que je voudrais mettre en pratique. Il

s'agit de faire du pétard (...) du pétard à haute dose mais du pétard intermittent. Je m'explique très bien l'aversion du public pour les chambardeurs à outrance (...). De ces romans inoffensifs entrelardés de romans à pétard je voudrais faire paraître une paire tous les ans (...). Pour une période de 7 ans il me faut donc 14 romans. Six à pétard seulement dont je vais vous dresser la liste (...) (33).

Cette longue citation montre à quel point les stratégies littéraires de la fin du XIXᵉ siècle sont proches de nos modernes études de marché. Dans un marché saturé par les romans où les auteurs dominants monopolisent les meilleurs sujets, les jeunes doivent explorer les marges ou trouver de nouvelles modes. Le scandale qui a tant contribué au succès de quelques romans de Zola devient pour certains une pratique. Mais trop délibéré, il risque de se retourner contre l'auteur en lui donnant une image de marque désastreuse, ou d'être désamorcé par sa répétition. Darien opte donc pour une alternance qui attire l'attention sur les autres œuvres à l'instar de ce qui s'est passé pour *l'Assommoir* de Zola qui a relancé la vente des premiers *Rougon-Macquart* passés inaperçus. Aussi voit-on fleurir, car Darien n'est pas le seul à opter pour ce modèle littéraire, une série de modes romanesques sur des thèmes mis au goût du jour par un grand auteur, un essayiste ou l'actualité journalistique : romans militaires au moment de l'instauration du service militaire universel, roman sur les filles à la suite du succès de *Nana,* romans historiques ou préhistoriques, romans antisémites après le succès de la *France juive* de Drumont, etc. (34). Tous les ingrédients du « book business » actuel sont en place à cause de l'inflation des titres, de la course à la vente, et de l'importance croissante de l'intermédiaire critique ou journalistique, voire de la publicité pour le démarrage d'un livre (35).

De ce fait, un des sujets de discorde les plus fréquents entre éditeurs et auteurs est la question du lancement. Quand le circuit du livre était relativement simple, l'auteur et l'éditeur en cas d'échec reportaient la faute sur des impondérables sur lesquels aucun n'avait vraiment prise : mauvaise volonté du public, crise économique. A mesure qu'un nouveau livre se lance comme un produit commercial, la réclame, la mobilisation des critiques,

L'affiche a été un des moyens
de publicité de Zola pour ses romans,
ici, *Thérèse Raquin,* à 10 c.
la livraison, avec illustration
de Castelli... [1882] 1,20 m × 0,81 m.
(Paris, Musée de la publicité.)

l'intervention auprès des journaux sont la clé de tout. Lointain apparaît le temps où un Werdet pouvait se vanter par une simple visite au prince des critiques de la monarchie de Juillet, Jules Janin, suivie d'un article élogieux, de faire épuiser en une semaine le tirage d'un roman de Jules Sandeau, *Marianne,* qui ne s'était vendu qu'à 100 exemplaires pendant les quinze jours précédents ! Dans les années 90 les éditeurs évoquent aussi l'âge d'or où une critique de Sainte-Beuve lançait un auteur (36). La multiplication des journaux et la différenciation des publics ébranlent l'importance de ces critiques qui font l'opinion dans les trois premiers quarts du siècle. Il faut à présent une critique unanime ou, à défaut, une polémique entre plusieurs organes sur un même livre. La production est si abondante que les critiques, en ne parlant pas d'un livre, sélectionnent presque définitivement les auteurs connus et inconnus. Mais la valeur des critiques diminue aussi dans la mesure où les articles sont souvent de complaisance. En effet, comme la plupart des auteurs sont en même temps journalistes, presque tous disposent d'amitiés qui assurent quelques articles. Mais le public, qui a de plus en plus de mal à faire le tri entre la publicité, la prière d'insérer masquée et la véritable recension, finit par ne même plus suivre les avis des journaux. Seuls les auteurs connus bénéficient d'articles dans tous les journaux, ce qui renforce encore leur domination. Le service de presse est ainsi une pomme de discorde supplémentaire entre l'auteur et l'éditeur. L'un réclame toujours qu'on envoie plus d'exemplaires gratuits, tandis que l'autre se demande si ce n'est pas le plus sûr moyen de restreindre la vente en diminuant encore le nombre des clients potentiels. Les grands auteurs du XIXᵉ siècle ont été aussi des génies de la publicité, que ce soit Hugo ou Zola. Le lancement de *Nana* est toujours cité comme un modèle du genre (37) (voir planche 16).

Disputes et amitiés

Pour dresser un tableau d'ensemble systématique des conflits qui ont opposé les éditeurs et leurs auteurs, il faudrait établir la statistique des procès qui les ont mis aux prises. On pourrait

144

Émile Zola
et le journalisme

Émile Zola, né en 1840 dans une famille modeste, orphelin de père à sept ans, connut la misère et fit des études assez médiocres, mais il décida de se hisser au sommet de la gloire littéraire et aussi de vivre de sa plume.

Or non seulement il y parvint, mais ses livres atteignirent les plus forts tirages de son époque et lui rapportèrent une fortune. Il sut en effet tirer un grand profit des nouvelles conditions de la création littéraire en cette seconde moitié du XIXᵉ siècle.

Contrairement à la plupart de ses confrères, il prit lui-même sa carrière en main et se montra un véritable homme d'affaires. Le principal instrument de promotion de ses œuvres fut la presse à bon marché et à fort tirage qui reposait sur la publicité et le roman-feuilleton. Zola en découvrit l'importance lorsqu'il travaillait chez l'éditeur Hachette, de 1862 à 1866, comme chef de la publicité. Il y côtoya des écrivains et des journalistes dans une intimité commerciale très instructive. Armand Lanoux note qu'« il était toujours question de contrats, d'avances, de droits garantis, d'exemplaires de presse, et de réclame pour la plus grande vente » (1).

Émile Zola collabora durant sa vie à plus de cinquante journaux et revues sous des

Affiche pour un des nombreux
feuilletons de Zola
1,45 m × 1 m.

formes diverses : rubriques bibliographiques, critiques littéraires, dramatiques et esthétiques, chroniques parlementaires, prépublication de poèmes et de contes, romans-feuilletons, lettres ouvertes. Il passa des journaux régionaux *(La Provence)* ou marginaux *(Le Travail),* où il publia ses premières œuvres, aux revues et journaux nationaux *(Le Figaro, L'Événement)* ou étrangers *(Le Messager de l'Europe* à Saint-Pétersbourg), où il fit paraître des feuilletons et des articles concernant notamment ses propres œuvres. Zola ne se cantonna donc pas comme ses prédécesseurs dans une approche traditionnelle du journalisme, il en fit son atout essentiel. Celui-ci devait d'abord lui procurer l'aisance matérielle nécessaire à la création littéraire, mais pour cela les articles ne suffisaient pas. Le feuilleton en revanche était assez bien payé : « Toute œuvre, pour nourrir son auteur, doit d'abord passer dans un journal qui la paie à raison de quinze à vingt centimes la ligne » (2), écrivait Zola. De plus, les livraisons du journal touchaient un large public : « Je considère le journalisme comme un levier si puissant que je ne suis pas fâché du tout de pouvoir me produire à jour fixe devant un nombre considérable de lecteurs » (3).

D'autres auteurs publiaient des feuilletons, mais Zola mettait tout en œuvre pour que ces prépublications fissent monter les ventes en librairie. Il imposait notamment à ses éditeurs des délais très courts entre la parution du feuilleton et celle du volume, quitte à rédiger l'œuvre au fur et à mesure de sa publication et à effectuer les corrections sur les livraisons du journal elles-mêmes, en les considérant alors comme des épreuves d'imprimerie ; ce fut le cas de *Nana* en 1880.

Lorsque le feuilleton était interrompu en raison de son immoralité, l'intérêt des lecteurs était d'autant plus excité envers le volume de librairie, ainsi *La Curée* dont le journal *La Cloche* cessa la parution en 1871 au quatrième chapitre.

Les critiques se déchaînèrent en fait contre l'écrivain dès *La Confession de Claude* en 1865, alors qu'il était encore inconnu, pour culminer en 1877 à la sortie de *L'Assommoir.* Mais Zola sut adroitement faire tourner le scandale au profit de son succès et de ses opinions : « L'écrivain arrivé lâche le journalisme, à moins qu'il ne le conserve comme une arme de polémique pour soutenir ses idées » (4).

En somme, le journalisme fut pour Émile Zola un moyen d'accroître ses revenus, de se faire connaître et d'assurer une large publicité à ses œuvres. Mais ce fut lui aussi qui, souvent, suscita la création littéraire. Comme l'écrit Henri Mitterand : « Rien n'a été publié en librairie qui ne soit d'abord passé par le journal. L'article a nourri le roman comme le croquis préfigure la fresque. (...) De Zola journaliste à Zola romancier, il n'y a aucune solution de continuité » (5).

Isabelle Luquet

1. Armand Lanoux, *Bonjour monsieur Zola,* Paris, Hachette, 1962.
2. Lettre du 8 janvier 1866 à Antony Valabrègue, in *Émile Zola, Correspondance,* éditée sous la direction de Bard H. Bakker, Montréal, Les Presses de l'université ; Paris, éditions du CNRS, 1978, tome I, p. 435.
3. Lettre du 6 février 1865 à A. Valabrègue, *op. cit.,* tome I, p. 405.
4. Émile Zola, *Œuvres complètes,* éditées par Henri Mitterand, Paris, Cercle du livre précieux, 1966-1970, tome X, pp. 1259-1284.
5. Henri Mitterand, *Zola journaliste,* Paris, A. Colin, 1962.

ainsi aller au-delà des impressions vagues tirées de la lecture des journaux, mémoires ou correspondances. Il n'est pas sûr pourtant que l'image qu'on en retirerait ne serait pas faussée, car il est probable que seuls les auteurs les plus consacrés peuvent se permettre d'aller en justice. Les auteurs moins connus doivent se contenter de compromis boiteux ou tenter leur chance avec d'autres éditeurs. Les principales sources de litiges qui ont défrayé la chronique restent en partie les mêmes qu'auparavant : retard dans la remise des manuscrits (Léon Gozlan fait attendre Werdet six ans pour le *Médecin du Pecq !*), ouvrages promis et jamais écrits (Nerval et Gautier signent un traité avec Renduel pour les *Confessions galantes de deux gentilshommes périgourdins* le 22 juillet 1836, ils touchent 500 francs à la signature mais ne rendent jamais leur manuscrit) (38), vente multiple d'un même titre alors qu'un premier contrat n'est pas encore expiré (cf. le cas cité de Verlaine ci-dessus), controverse concernant le tirage réel d'un livre et donc les droits à payer si l'éditeur ne veut pas rendre de comptes (39), négligence de l'éditeur à assurer la vente ou la réclame pour allonger sa durée d'exclusivité, trucage du nombre d'éditions ou d'exemplaires porté sur la couverture pour faire vendre, contestations sur les droits de reproduction dans les journaux ou les revues qui peuvent faire une concurrence déloyale au volume (40), etc.

Michel Lévy et Flaubert comparaient leur accord à un mariage, image que l'éditeur Masson reprend lors du Iᵉʳ Congrès international des éditeurs en 1896 : « N'oublions jamais que c'est dans les familles unies que les enfants prospèrent le mieux » (41). Si la plupart des traités entre les écrivains et les éditeurs furent comme les mariages bourgeois de l'époque des mariages d'intérêt, ces querelles de famille ne doivent pas faire oublier quelques cas où les relations devinrent de longues amitiés, comme celles de Flaubert, Zola et Charpentier ou de Littré et Hachette (42). Mais ces amitiés ne furent durables que parce que la prospérité des uns et des autres ne s'est pas démentie avec le temps. Ce ne fut pas le cas de tous, comme va le montrer l'essai de bilan économique et intellectuel que nous allons tenter.

 L'argent et la littérature

L'extrême diversité du monde des auteurs et des éditeurs rend d'autant plus difficile l'établissement d'un bilan économique de leurs rapports. Ici les extrêmes se touchent, non seulement si l'on prend le débutant et l'auteur à succès, mais aussi pour le même écrivain qui peut passer de la misère à l'opulence et, parfois, retomber dans l'incertitude du lendemain. En outre, les mythes que les hommes de lettres n'ont cessé d'entretenir sont autant d'écrans qui donnent à croire qu'on sait tout des ressorts cachés de l'argent et de la littérature parce qu'on a lu trois œuvres comme *Illusions perdues, Scènes de la vie de bohème* ou *l'Œuvre,* pour ne prendre que les livres les plus connus sur le sujet. Pour nous garder de l'impressionisme littéraire, et au risque d'un certain manque de pittoresque, nous avons choisi un parti pris objectif, voire objectiviste. Nous en connaissons les limites mais dans une histoire de l'édition, au contraire de chez Péguy, le temporel prime sur le spirituel et le conditionne souvent comme l'éditeur des *Cahiers de la Quinzaine* le reconnaissait lui-même à l'heure du bilan au milieu des affres de la faillite menaçante (43).

Pour déterminer la situation sociale qu'assignent aux écrivains les revenus qu'ils tirent de la littérature, on dispose de deux indicateurs grossiers, mais commodes, qui ont le mérite d'englober des échantillons d'auteurs relativement larges puisqu'ils sont tirés d'annuaires presque exhaustifs et dont on peut déterminer à quel biais ils obéissent : d'une part, le pourcentage d'écrivains employant des domestiques, critère qui au XIXᵉ siècle délimite assez bien les contours de la bourgeoisie et des classes moyennes ; d'autre part, leur lieu d'habitation dans l'espace parisien et sa hiérarchie des quartiers.

En 1876, la catégorie statistique « savants, hommes de lettres, publicistes » disposait 61,5 fois sur 100 de domestiques à son service (France entière). Moyenne apparemment élevée, qui surestime sans doute le niveau d'embourgeoisement des écrivains, car certains peuvent en employer plusieurs

alors que nous faisons comme si tous n'en avaient qu'un. Si l'on prend la Seine seule, où sont concentrés les hommes de lettres les plus professionnalisés, le taux tombe à 54,4 %, ce qui est logique, car en province beaucoup de ceux qui se prétendent savants ou hommes de lettres ne sont que des rentiers amateurs de belles-lettres. Ce taux varie peu dans le temps. Il a cependant tendance à diminuer : il n'est plus que de 44,3 % en 1891, ce qui enregistre l'augmentation du nombre d'écrivains déjà évoquée et l'ouverture sociale de leur recrutement. Au total, en fin de période, la moitié ou un peu moins des écrivains disposent d'un niveau de vie proche ou identique à celui de la classe moyenne de l'époque. Cela les place au-dessus des artistes (24 %) ou des enseignants (17 %), mais en dessous des médecins (110 % en 1886), des avocats (94,1 %), des officiers ministériels (93,4 %), des architectes ou des ingénieurs (69,6 %) (44). Au sein de ce qu'on appelait alors les professions libérales, les hommes de plume sont donc dans une situation moyenne, mais c'est une moyenne trompeuse du fait de l'hétérogénéité interne de ce groupe.

La répartition géographique des écrivains dans l'espace social parisien peut permettre de préciser cette hiérarchie des niveaux de vie. Les listes sur lesquelles nous nous appuyons sont évidemment biaisées au profit des écrivains les plus consacrés et les plus professionnels, car les débutants n'ont par définition ni la notoriété, ni l'assurance suffisantes pour y figurer. Elles enregistrent cependant le niveau d'aisance obtenu à mi-parcours de la vie littéraire par ceux qui ont suffisamment persévéré pour se faire une place dans le champ littéraire. La géographie sociale des écrivains, telle que nous l'avons dressée plus en détail ailleurs (45), n'est pas purement intellectuelle. Parmi les arrondissements où les écrivains résident de préférence à la fin du XIXᵉ siècle, ceux de la rive droite l'emportent sur ceux de la rive gauche : les 8ᵉ, 9ᵉ et 16ᵉ priment sur les 6ᵉ et 5ᵉ qui n'arrivent qu'en 4ᵉ et 6ᵉ positions. Or, les loyers sont en moyenne plus élevés dans les premiers que dans les seconds. Confirmation globale de ce mimétisme bourgeois des écrivains,

80 % d'entre eux, recensés dans l'*Annuaire Hachette,* habitent dans les arrondissements les plus chers de la capitale. Les auteurs dramatiques, qui gagnent plus que tous les autres, accentuent cette préférence sociale. En effet, la hiérarchie littéraire se calque sur la hiérarchie sociale des auteurs telle que nous l'avons dessinée plus haut : les auteurs les plus consacrés habitent dans les quartiers les plus chers (8e, 1er, 2e, 7e), les auteurs du secteur moyen se groupent dans le 9e à proximité des journaux et des théâtres, pourvoyeurs de revenus réguliers, mais habitent loin des éditeurs qui, Calmann-Lévy mis à part, sont presque tous rive gauche et n'apportent que des ressources occasionnelles, puisqu'il n'existe pas comme aujourd'hui de postes de directeurs de collection ou de lecteurs. Enfin les débutants, étudiants attardés, résident au Quartier latin, dans les quartiers périphériques moins chers (18e et 14e), à moins que leurs rentes leur permettent de respirer le bon air du 16e.

La réussite littéraire se marque en général par le glissement d'une de ces trois zones à l'autre. Ainsi Paul Bourget, à mesure qu'il s'éloigne de l'avant-garde poétique et se rapproche de l'Académie, déménage de la rue Guy-de-la-Brosse, dans le 5e, pour la rue Monsieur dans le 6e et la rue Barbet-de-Jouy dans le faubourg Saint-Germain dont il recherche les suffrages et fréquente les salons. À l'opposé, sur le plan esthétique, Zola connaît une ascension similaire du « garni à l'hôtel particulier » (46). Des Batignolles ou du Quartier latin, il passe dans le 9e dans son hôtel de la rue de Bruxelles où il paie 6 000 francs de loyer en 1890, ce qui est peu de chose pour quelqu'un qui gagne entre 50 000 et 100 000 francs par an, mais est considérable pour l'époque. Il peut faire figure de pauvre pourtant à côté de l'hôtel particulier qu'occupe Édouard Pailleron, auteur dramatique en vogue, dont le loyer, 55, rue Monceau, s'élève à 22 000 francs (un salaire annuel de très haut fonctionnaire). Le niveau de vie moyen est plutôt représenté par les loyers que paient Jules Renard (1 100 francs, rue du Rocher), Lucien Descaves (1 450 francs dans le 14e), le poète symboliste Stuart Merrill (1 000 francs, quai Bourbon dans l'île

Saint-Louis). Avec Verlaine, enfin, nous tombons aux abîmes du quartier petit-bourgeois des Batignolles et de la place Maubert de sa jeunesse, aux errances provinciales ou à l'étranger de son âge mûr, avant les bouges et les hôpitaux de la décrépitude (47). Pour fixer la hiérarchie quantitative des écarts, saisis ici de manière qualitative et sociale et qui font que des écrivains contemporains peuvent côtoyer dans leur vie de tous les jours, selon qu'ils se rattachent à un pôle ou à l'autre du champ littéraire, des duchesses et des financiers d'un côté, des prostituées et des voleurs de l'autre, il convient d'interroger une source fiscale, les déclarations de succession.

Les fortunes

L'échantillon d'écrivains sur lequel porte l'étude a été constitué de deux manières : à partir de listes d'écrivains relativement connus rassemblées au cours d'une recherche en collaboration avec J.-C. Chamboredon et R. Ponton et par sondage aléatoire sur certains bureaux de l'Enregistrement de Paris de défunts qui mentionnent pour profession « homme de lettres », « publiciste » ou « journaliste ». Ainsi avons-nous les deux faces de la carrière littéraire, les célèbres et les inconnus. Le tableau de la répartition des fortunes, au décès de ces deux groupes, enregistre la coupure économique entre les uns et les autres (voir tableau n° 7). Dans l'échantillon aléatoire, la littérature apparaît comme une activité à faible rentabilité puisque 21,8 % seule-

ment des hommes de lettres laissent plus de 50 000 francs-or à leur décès, ce qui les met tout juste au niveau de la moyenne bourgeoisie de l'époque. En revanche, si globalement la fortune des écrivains les plus consacrés n'est pas considérable, puisque 39,2 % d'entre eux n'arrivent pas non plus à ce chiffre, à l'inverse 22,4 % dépassent le niveau de l'aisance confortable des 500 000 francs comme 8,2 % des Parisiens qui laissent une succession à leur décès en 1911 (48). L'inégalité interne au milieu littéraire peut être à peu près chiffrée à présent à partir de ces données, en dépit des imperfections de l'échantillonnage. Entre les deux tiers et les quatre cinquièmes des écrivains dépassent à peine grâce à leurs gains la vie au jour le jour. Moins du quart parvient au niveau de la moyenne bourgeoisie dont ils sont en général issus. Entre 1 sur 10 et 1 sur 20, selon que l'on retient seulement les plus professionnels ou ceux qui ont renoncé après une amorce de carrière, accèdent à la réussite qui les met au même niveau que la grande bourgeoisie.

Ainsi, carrière ouverte à tous, la littérature est, au bout du compte, sur le plan financier aussi sélective que les carrières les plus fermées. Si beaucoup tentent néanmoins leur chance, c'est parce qu'ils ne voient que ces quelques pour cent dont parlent les journaux et qu'on ne sait pas à l'avance quels seront les élus de la course au succès, alors que partout ailleurs les déterminismes sociaux et intellectuels avantagent systématiquement certaines caté-

Tableau n° 7 — *Niveau de fortune de deux échantillons d'écrivains.*

En francs	Moins de 10 000	De 10 000 à 50 000	De 50 000 à 100 000	De 100 000 à 250 000	De 250 000 à 500 000	De 500 000 à 1 000 000	Plus de 1 000 000
Écrivains « connus » N = 107	22,4	16,8	12,1	14,1	11,2	8,4	14
Échantillon aléatoire N = 32	74,9	3,1	3,1	15,6	3,1	—	—

Sources : déclarations de succession, Archives de la Seine, série DQ7 et archives de l'Enregistrement, place Saint-Sulpice, Paris.

La Société des Gens de Lettres

L'esprit d'association est-il autant qu'on l'a dit contraire à la mentalité individualiste des écrivains, et particulièrement des écrivains français ? Quand la Société des gens de lettres dépose ses statuts le 6 janvier 1838, une partie de ses fondateurs a déjà pris le pli de déléguer les ennuis d'une comptabilité fastidieuse à la Société des auteurs dramatiques. Beaumarchais l'avait fondée en 1777 à la suite d'une grève réussie des dramaturges contre les directeurs de salles : autre démenti à la légende tenace de l'absence de moyens de pression pour les auteurs. Le 7 mars 1829, une assemblée dirigée par Scribe réunissait en une seule agence les divers bureaux de perception de droits nés pendant la révolution, avec un comité rassemblant romantiques, perruques et éclectiques : Hugo et Dumas, mais aussi Scribe, Delavigne, Meyerbeer, Brouilly et Rougemont. Elle avait son conseiller juridique, Paillard de Villeneuve, et intervenait contre les directeurs de théâtre récalcitrants, comme celui du Gymnase, par le boycott et par des procès. Elle leur imposait, outre le versement des droits, un quota de représentations au profit de sa caisse de secours.

L'heure était de plus aux débats économiques et juridiques et à la prise de conscience sociale. La commission sur la propriété littéraire créée par Louis XVIII n'avait pu imposer, en 1826, son projet de propriété perpétuelle assortie d'un domaine public payant. Les projets de la nouvelle commission de 1836 allèrent jusqu'aux Chambres, entre 1839 et 1841, pour y échouer aussi ; elle avait pour rapporteur Villemain, premier président de la SGDL et futur ministre de l'Instruction publique. Les textes programmes de Balzac, la « Lettre aux écrivains français » parue dans la *Revue de Paris* en novembre 1833, l'article sur la propriété littéraire de la *Chronique de Paris* en octobre 1836, et la « Lettre au directeur de *La Presse* sur la contrefaçon étrangère » (17 août 1839) émergent d'une masse de brochures de juristes, d'économistes et d'écrivains qui préparaient ce terrain.

Mais il a fallu un événement, une pression supplémentaire : le mariage du roman et de la presse pour grand public, avec la chasse aux lecteurs engagés concurremment par *La Presse* et *Le Siècle* à l'aide du feuilleton. Nouvelle carrière pour les écrivains, mais aussi nouveaux risques de spoliation. Les petits journaux n'étaient pas seuls à professer, comme Girardin au temps du *Voleur* en 1829, que les œuvres de l'esprit peuvent s'emprunter comme le feu et la lumière.

Le paradoxe à regarder les choses de plus près est que, dans cette croisade, les fondateurs de la Société portent les deux couleurs. Journaliste avant tout, le promoteur Louis Desnoyers, un de ces farceurs doués du sens des institutions, fut fondateur du *Sylphe*, devenu successivement *Le Lutin*, *Le Follet*, *Trilby*, puis fondateur du *Journal des Enfants*, codirecteur du *Charivari* avec Philipon, critique théâtral au *Voleur* puis critique musical du *National*, avant de prendre la direction littéraire... du *Siècle*, tout en gardant un pied dans l'impertinent *Figaro*. Journalistes aussi, les membres les plus actifs du premier comité de direction de la Société, Altaroche, Gozlan, Reybaud, Louis Viardot, Félix Pyat. Balzac ne rejoint la Société qu'en décembre 1838 et prend la présidence l'année suivante, pour démissionner en 1841.

En sorte qu'il est tentant de voir, dans la fondation de la SGDL, non pas tant une bataille des écrivains contre la presse qu'une mesure de rationalisation du marché pour assurer — avec une contrepartie décente pour les auteurs — les possessions des journaux installés contre une nouvelle couche de pirates.

La Société trouve son baptême du feu dans les procès pour reproduction illicite : procès d'août 1838 contre *L'Estafette*, *L'Écho français*, *La Quotidienne*, *Le Cabinet de lecture* et *Le Courrier français*, procès contre *Le Mémorial de Rouen* de janvier à octobre 1839 où Balzac se dépense tandis que Jules Janin met les rieurs contre la Société par des variations démagogiques sur la « fiscalité littéraire » et la « tarification des vers ». Ses adversaires invoquent aussi contre la Société, comme ils l'avaient fait contre la SAD, le fantôme de la « coalition » : « Comment, s'écrie l'avocat Chaix d'Est-Ange, il y aura une loi qui punira de coalition des travailleurs vivant pauvrement du travail de leurs mains, et cette loi ne sera pas applicable aux plus éclairés, aux plus intelligents de tous les hommes ! » Effet rhétorique : on savait bien que Desnoyers était radical ailleurs. Il reste cependant une équivoque juridique : un procès intenté par George Sand à la Société dont elle a démissionné, deux arrêts de 1873 et 1907 ramènent la SGDL au statut de simple mandataire, ne pouvant agir contre la volonté de l'auteur ni lui interdire de traiter directement. La Société tente au nom de l'efficacité de tirer son mandat dans le sens d'une cession complète des droits, autorité que la SACEM, fondée en 1850, a pu s'arroger chez les musiciens en profitant des difficultés techniques de la perception et de la participation des éditeurs. La SGDL repoussera au contraire les tentatives des éditeurs pour figurer en tant que tels dans ses rangs.

Ses assemblées générales élisent un comité, large directoire avec un président et des vice-présidents, assisté d'un conseil juridique, l'ancien avoué Pommier à l'origine. Les présidences de Balzac, Hugo, Zola brillent sur un fond de professionnels reconnus. La règle est que la Société traite avec les journaux pour la seconde reproduction d'une œuvre, établit un catalogue des œuvres reproductibles et poursuit les contrefaçons, moyennant un prélèvement de 20 % au départ, qui, avec les cotisations, dons et subventions finance son fonctionnement, les prix qu'elle décerne, une caisse de secours et de retraite. Elle fait des expériences plus éphémères : une librairie en 1872, une caisse de crédit et d'avances sur les manuscrits, un congrès littéraire international présidé par Victor Hugo en 1873. Ses projets de publication ne sont pas heureux : *Babel*, lancé en 1839, verra le jour malgré son titre néfaste, mais le *Dictionnaire* meurt dans l'œuf, ainsi que l'histoire des écrivains « depuis Moïse jusqu'à nos jours ». Mais c'est tout de même dans le *Bulletin* mensuel de la Société qu'on peut lire en janvier 1847 *La Fanfarlo* de Charles Defayis, qui signait auparavant Baudelair De Fays...

La SGDL avait pris d'emblée le rôle de représentant moral des écrivains en menaçant Buloz d'un procès pour les avoir nommés « les gens les plus indisciplinés du royaume ». La loi sur la propriété littéraire de 1957 lui reconnaîtra implicitement le droit de représenter les intérêts moraux d'un auteur mort en cas « d'abus notoire » de la part de la famille, qui reste en droit français le représentant prioritaire.

Regroupement modéré la plupart du temps, enclin au compromis et d'une respectabilité un peu terne, la Société « reçoit religieusement » le 1er mars 1848 le vœu d'Armand Marrast qui souhaite la rebaptiser « société républicaine des gens de lettres », mais remet la décision à plus tard. En 1870, elle affecte le produit de conférences à l'achat de deux canons, le *Victor Hugo* et *Les Châtiments*, mais encourage après 1871 la démission des communards. Elle sera périodiquement débordée sur sa gauche : en 1847 par Hippolyte Castille, fondateur du *Travail intellectuel*, en 1920 par l'ambitieuse Confédération des travailleurs intellectuels, qui la définit comme une association d'« artisans ». En 1968, de jeunes et moins jeunes contestataires envahiront les salles et les aimables pelouses de l'Hôtel de Massa pour dénoncer sa politique complaisante envers les éditeurs et fonder l'Union des écrivains. Mais la SGDL a survécu et vient de connaître une modernisation spectaculaire avec la fondation de la Société des auteurs multimédia : épanouissement ou « sacémisation » technocratique, la suite le dira.

Annie Prassoloff

Un des fondateurs
de la Société des Gens
de Lettres, Louis Desnoyers,
portrait lithographié
par Aubert, 1839.

COMITÉ

DE LA SOCIÉTÉ DES GENS DE LETTRES.

(1839.)

M. VILLEMAIN, Ministre de l'instruction publique, *Président honoraire.*

MM.

DE BALZAC.   *Président.*
Léon GOZLAN.   } *Vice-Présidens.*
Félix PYAT.
Charles MERRUAU. } *Rapporteurs.*
Louis VIARDOT.
ALTAROCHE.   } *Secrétaires.*
Henry CELLIER.

MM.   MM.
ARAGO de l'Institut.   Victor HUGO.
Jules A. DAVID.   Hippolyte LUCAS.
Louis DESNOYERS.   Henry MARTIN.
Alexandre DUMAS.   Louis REYBAUD.
CAUCHOIS-LEMAIRE.   Roger DE BEAUVOIR.
CLAUDON.   Alphonse ROYER.
Hippolyte FORTOUL.   Georges SAND.
Eugène GUINOT.   THORÉ.

Agent central de la Société : M. POMMIER.

Composition du comité
de direction de la Société
des Gens de Lettres en 1839,
sous la présidence
d'Honoré de Balzac, extraite
de *Babel* (voir ci-dessous).

BABEL

PUBLICATION

DE LA

SOCIÉTÉ DES GENS DE LETTRES.

TOME PREMIER.

PARIS

LIBRAIRIE JULES RENOUARD ET Cⁱᵉ,
RUE DE TOURNON, N. 6.
1840.

Babel, qui parut seulement deux fois, était un recueil de nouvelles écrites par des membres
de la Société des Gens de Lettres, qui les avaient offertes gratuitement pour donner le bon exemple…
La gravure en tête du volume est l'illustration d'une des nouvelles. H. 212 mm.

La réussite d'un écrivain dans le domaine littéraire et sur le plan social :
Victor Hugo dans son salon du 21 rue de Clichy, en 1875, reçoit de nombreux écrivains
et les hommes politiques les plus en vue, Gambetta, Jules Simon, Louis Blanc...
(Gravure d'après Adrien Marie, parue dans la *Chronique illustrée*.)

gories pour l'accès au sommet, que ce soit à l'Université, dans l'administration, la politique ou les affaires. Les quelques témoignages chiffrés dont on dispose sur les revenus des écrivains concordent avec cette estimation globale. D'Avenel, à partir des droits versés par la Société des gens de lettres, estime que 6,6 % des écrivains touchent des revenus suffisants pour vivre de leur plume. À la Société des auteurs dramatiques, où il s'agit véritablement de droits d'auteur, 78 % des plus professionnels touchent entre 500 et 5 000 francs par an, 22 % plus de 5 000 francs, ce qui, théoriquement, permet de vivre à supposer que ce soit un revenu régulier ; enfin au sommet, 3 % encaissent plus de 50 000 francs par an, soit le niveau de la grande bourgeoisie (49).

Ces chiffres globaux sont pour partie fallacieux, car ils n'indiquent pas quelle est la part de la littérature dans la fortune finale. L'héritage familial ou l'art des placements, voire le mariage d'intérêt ne comptent-ils pas plus pour les plus riches que les droits versés par les éditeurs ? Dans certains cas l'équivoque n'est pas possible : ainsi Zola, qui n'avait rien lors de son mariage, laisse plus de 600 000 francs-or à son décès. De même Daudet passe des 6 000 francs de son apport en mariage à 554 000 francs. Ces deux cas confirment la montée du roman dans la hiérarchie des genres littéraires et expliquent sa vogue dans la jeune génération. Le chiffre de propriété littéraire, même si en lui-même il ne signifie pas grand-chose, indique au moins les écarts d'évaluation dans les revenus que les œuvres sont encore censées rapporter lors du décès de l'écrivain. Plus de la moitié des successions n'enregistrent que des droits d'auteur négligeables (moins de 1 000 francs, ce qui représente un revenu de 50 francs par an). Moins du quart mentionnent des droits significatifs et 10 % atteignent des chiffres comparables à ceux d'un véritable capital. L'étagement est ainsi parallèle à celui des tranches de fortune. La palme comme en toute chose revient à Victor Hugo, crédité de 300 000 francs pour une succession de plus de 4 000 000. Lui-même estimait avoir gagné 550 000 francs au cours de ses vingt-huit premières années d'activité littéraire (50). Mais les grands favoris

du succès sont les auteurs de théâtre, moins grâce aux gains d'édition que par les recettes des théâtres. Ainsi Sardou laisse une propriété littéraire d'une valeur de 100 000 francs, et déjà de 50 000 francs lors de son second mariage. Ensuite viennent Barbier (150 000 francs), Labiche (plus de 50 000 francs), Émile Augier (50 000 francs), Ludovic Halévy (25 000 francs) dès avant son mariage, Paul Hervieu (le même chiffre). Les romanciers font plus pâle figure : Zola, 80 000 francs, About, 60 000 francs, Mirbeau et Maupassant 30 000 francs chacun. Les autres romanciers, et surtout les poètes, ne se voient accorder qu'une bien mince immortalité financière. Mis à part Coppée qui n'est pas que poète, on ne donne pas cher de l'avenir littéraire de trois académiciens comme Leconte de Lisle (100 francs), Banville (2 000 francs), Henri de Bornier (750 francs) qui faisaient pourtant figure de classiques à l'époque.

Si l'on pousse un peu plus loin l'analyse, en distinguant les auteurs qui ont hérité de quelque chose et les véritables « self made men », on constate que, parmi les plus riches, la littérature n'est la vraie source de l'aisance que pour un cinquième. Mieux, plus on monte vers le sommet et moins les hommes partis de rien sont nombreux. Parmi les auteurs à succès, un seul dépasse la barre fatidique des 500 000 francs en ayant commencé à zéro. Les parvenus, même avec de gros revenus, réussissent rarement à accumuler ou à placer l'argent de manière à s'intégrer définitivement dans la bourgeoisie assise. Grisés par leurs gains, ils préfèrent mener la vie selon l'idée qu'ils se font de la richesse, avant même d'avoir assuré leurs arrières. Gérés sagement comme ceux du père Hugo, les revenus considérables que Balzac ou George Sand ont tirés de leurs livres leur auraient permis, non seulement d'éponger leurs passifs initiaux, mais de camper au-dessus de la zone des tempêtes où ils n'ont cessé de se débattre. Il est vrai que, pour Balzac, Hugo « vivait comme un rat » (51). Il n'est pas donné à tout le monde, selon le mot de Flaubert, de « vivre en bourgeois et penser en demi-dieu », ce que l'auteur des *Misérables* a parfaitement su concilier.

Si l'héritage et le style de vie condi-

tionnent la réussite financière ultime des écrivains, c'est le type de genre pratiqué qui détermine plus encore les chances de gain.

Rentabilité des genres et second métier

Pratiquement tout le monde s'accorde à l'époque, et les chiffres que nous venons de citer le confirment, pour estimer la rentabilité du théâtre élevée, moyenne et aléatoire celle du roman, et nulle celle de la poésie, du moins celle qui se veut originale. Les écarts ne cessent de se creuser, car les auteurs dramatiques ont su s'organiser pour défendre un niveau minimal de droits par représentation, alors que dans le roman l'inflation des titres rend les succès plus fructueux (puisque les tirages augmentent), mais de plus en plus aléatoires (car il y a de plus en plus de romans) et que la poésie est de plus en plus reléguée dans le compte d'auteur. Le tableau des droits versés pour quelques œuvres significatives au cours de la période donne une image de ces écarts et de la dégradation relative de la position des genres les moins lucratifs par rapport aux genres les plus payants (voir encadré). Selon Zola, un succès au théâtre rapporte aux environs de 40 000 francs alors qu'un roman ordinaire est payé 2 000 francs (52). Pour atteindre les mêmes gains qu'au théâtre, il faut un tirage de 80 000 exemplaires, ce qui n'est donné qu'à une dizaine d'auteurs. On comprend, dans ces conditions, que la plupart des écrivains tentent leur chance sur scène, avec des succès très variables il est vrai. Aussi la plupart recourent à des stratégies compensatrices d'un autre type.

Puisque moins de 10 % parviennent à vivre de leur plume, le plus grand nombre doit trouver un second métier. Traditionnellement, les prébendes ou les protections de l'État permettent d'occuper des postes qui, sans être des sinécures, assurent la sécurité du lendemain et un certain loisir pour la création littéraire. Les poètes, qui sont les moins bien nantis, ont une prédilection marquée pour ce type de fonctions. Leconte de Lisle est bibliothécaire au Sénat, Nodier et Hérédia à l'Arsenal, Sainte-Beuve et Jules Sandeau à la Mazarine, Gautier tient la bibliothèque de la princesse Mathilde,

La bourse des auteurs avant 1850

	Roman	Poésie	Essais, Histoire	Théâtre (édité)
100 000 fr et plus	Eugène Sue : *Le Juif errant* (1844) 100 000 fr		Thiers : *Histoire du Consulat* (1845-62) 10 vol. 500 000 fr Chateaubriand : *Les Mémoires d'outre-tombe* + œuvres complètes 156 000 fr + 12 000 fr de rente viagère (1836-48)	
50 000 fr 20 000 fr	Eugène Sue : *Les mystères de Paris* (1842-1843) Feuilleton 26 500 fr Balzac : *Modeste Mignon* (1844) 11 000 fr en volume + 9 500 fr *(Journal des Débats)*	Lamartine : *Harmonies poétiques* (1830) 27 000 fr Lamartine : *Nouvelles Méditations* (1823) 14 000 fr	Thiers : *Histoire de la Révolution française* 6 vol. (1822-27) 50 000 fr Vapereau : *Dictionnaire des contemporains* 21 600 fr pour 3 ans + 1 fr par ex. 10 1er mille (1855)	Hugo : *Hernani* (1830) 15 000 fr Dumas : *Christine* (1830) 12 000 fr
10 000 fr	G. Sand : *Jeanne* (1844) Feuilleton 10 000 fr	Hugo : *Feuilles d'automne* (1832) 6 000 fr	Michelet : *Histoire de la Révolution française* (1847-53) 7 000 fr	Dumas : *Henri III et sa cou…* (1829) 6 000 fr
5 000 fr	Paul de Kock 5 000 fr (roman) 4 vol. in-12 (1835-40) L. Gozlan : *Le médecin du Pecq* (1839) 2e éd. 4 500 fr Balzac : *Le Père Goriot* 1re éd. (1835) 3 500 fr	Hugo : *Odes et Ballades* (n. éd.) 3 000 fr	V. Cousin : *Cours* (1836) 1 500 fr Michelet : *Introduction à l'histoire universelle* (1831) 1 180 fr	
1 000 fr	T. Gautier : *Mademoiselle de Maupin* (1835) 1 500 fr Balzac : *La peau de chagrin* (1829) 1 125 fr 1ers romans : 800 à 1 300 fr	Hugo : *Odes et Ballades* (1822) 1re éd. 1 000 fr Sainte-Beuve : *Joseph Delorme* (1829) 500 fr	Ampère : *Cours de littérature au Collège de France* 1 000 fr/volume (1840)	Scribe : 2 actes 2 000 fr, 3 actes 4 000 fr (pièces représentées à la Comédie-Française) sinon 400 fr/acte 1 000 fr 3 actes, 1 500 fr 4 5 actes ; Gymnase 250 fr/a (édition en volume par Tresse)

tandis que Verlaine et Albert Samain sont employés à l'Hôtel de Ville, que Maupassant à ses débuts noircit du papier au ministère de la Marine, Huysmans, au ministère de l'Intérieur, Courteline, à la direction des cultes, etc. L'expansion de la fonction publique offre ainsi une compensation au déclin du mécénat d'État, qui gratifie encore jusqu'avant 1870 quelques privilégiés de pensions sur la cassette du souverain : Victor Hugo à ses débuts, le poète Brizeux en 1839, Leconte de Lisle de 1864 à 1870, Mérimée et Sainte-Beuve, nommés sénateurs en récompense de leur fidélité, font partie de cette pléiade aux côtés desquels figurent aussi nombre d'inconnus.

Cette aide paraît un peu anachronique au siècle de la presse.

Zola, dans un article repris dans *Le roman naturaliste,* critiquait durement ces survivances et souhaitait que l'écrivain de son temps s'affranchisse de la tutelle de l'État en gagnant sa vie avec sa plume, ce qu'autorise l'expansion du nombre des périodiques. Nerval,

La bourse des auteurs après 1850

	Romans	Poésie	Essais, Histoire	Théâtre (édité)
00 000 fr	Hugo : *Les misérables* (1862) 250 à 300 000 fr Daudet : dernier volume de *Tartarin* (1890) 100 000 fr Zola : 1re éd. des romans parus entre 1888 et 1900 : 30 à 60 000 fr		E. Renan : *La vie de Jésus* (1863) 195 000 fr en 4 ans éd. normale Lamartine : *Histoire du siècle des Médicis* (1853) 120 000 fr 6 volumes Lavisse : compte chez son éditeur en 1922 : 85 000 fr	
0 000 fr				
0 000 fr	Flaubert : *L'éducation sentimentale* (1869) 16 000 fr	Hugo : *Les contemplations* (1856) 20 000 fr	Clemenceau : Recueil d'articles sur l'affaire Dreyfus (1899-1903) 20 000 fr 7 volumes	
0 000 fr	Flaubert : *Salammbô* (1862) 10 000 fr G. Sand : *Lélia* 6 000 fr			
000 fr	Comtesse de Ségur 3 000 fr/volume Flaubert : *Madame Bovary* (1857) 1 300 fr Fromentin : *Dominique* (1863) 1 200 fr		Sainte-Beuve : *Port-Royal* éd. déf. 5 000 à 6 000 fr (6 volumes)	Lamartine : *Saül* (1850) 4 000 fr Becque : *La Parisienne* 3 000 fr en vol.
000 fr			Gobineau : *Trois Ans en Asie* (1859) 1 000 fr	
0 fr	T. Gautier : *Le roman de la momie* (1857) 500 fr pour la 1re édition Hector Malot : 1er roman 400 fr G. Darien : *Le voleur* (1898), *La belle France* (1901) perte de 3 à 4 000 fr pour l'éditeur	Verlaine : *Choix de poésies* (1898) 500 fr Baudelaire : *Les fleurs du mal* (1857) 325 fr Comptes d'auteur : Rollinat : *Dans les branches* Verlaine : *Sagesse* (1884) Coppée : 1er recueil	Taine : *Voyage aux eaux des Pyrénées* (1855) 600 fr Taine : Thèse à compte d'auteur : coût 577 fr	P. Alexis : *Celle qu'on n'épouse pas* (1879) 105 fr

dans la lettre à son père que nous avons citée, prétendait être, grâce au journalisme, à l'abri du besoin. L'étude qui lui a été consacrée sur ce point confirme ses affirmations et représente assez bien un cas d'écrivain publiciste de notoriété moyenne. À partir de 1836, il collabore régulièrement au *Figaro* d'Alphonse Karr à 5 francs la colonne, ses gains mensuels passent de 250 à 800 francs par mois. Il passe ainsi le seuil de l'aisance qu'on situe à l'époque entre 3 000 et 6 000 francs de revenu annuel (53). Mais son mode de vie fantaisiste, l'irrégularité de son travail compromettent cette sécurité apparente. Sur les années 80 et au même niveau de notoriété littéraire, on dispose du témoignage de Paul Alexis dans sa *Correspondance* avec Zola. Malgré la multiplication des journaux, les tarifs qu'il mentionne n'ont guère progressé par rapport aux années 1830 : entre 1882 et 1884, il touche 50 francs l'article, puis 100 francs la chronique et 180 francs par mois au *Cri du peuple* de Vallès

L'écriture
de Balzac

Très tôt, Balzac a conservé attentivement ses manuscrits et les épreuves corrigées de ses ouvrages, les faisant soigneusement relier pour les garder dans sa bibliothèque ou les offrir à des amis. Ce goût de conserver les traces écrites de sa création et le témoignage de son patient labeur de correcteur, polissant son œuvre, était assez nouveau, à son époque, et place l'éditeur des textes de Balzac dans une situation particulière, à la fois privilégiée et complexe.

Pour les « romans de jeunesse », publiés sous divers pseudonymes, nous ne disposons pas de manuscrits et encore moins d'épreuves. Toutefois, le manuscrit d'un de ces romans, *Wann Chlore,* a été conservé. Ce manuscrit, rédigé en 1823, est d'une écriture serrée sur des feuillets remplis au recto et au verso, avec d'assez nombreuses corrections et des passages offrant une double rédaction. Il est proche du point de vue graphique des essais de jeunesse restés inachevés et inédits. Le roman paraît anonymement en septembre 1825 ; l'année suivante, Balzac achète le matériel de l'imprimerie de Jean-Joseph Laurens et obtient son brevet d'imprimeur (1er juin 1826) ; en 1827, il joint à l'imprimerie une fonderie de caractères. Les affaires sont mauvaises, les amis et la famille liquident, Balzac revient définitivement à la littérature, mais cette expérience dans le monde de l'imprimerie et de la fonderie va avoir une influence décisive sur ses méthodes de travail.

Le manuscrit du premier roman signé, *Le dernier chouan,* rédigé en 1829 a été conservé. Il est écrit uniquement au recto avec le verso blanc, une bonne marge à gauche permet des ajouts. Si l'on compare ce texte à l'édition originale, on constate de notables différences qui témoignent d'un important travail sur épreuves (non conservées).

Ensuite, le plus souvent, manuscrits et plusieurs jeux d'épreuves nous sont parvenus et la méthode de composition se précise.

En général, Balzac livre à l'imprimeur un manuscrit rédigé rapidement avec quelques biffures dans le texte, des corrections interlinéaires et des ajouts marginaux, relativement peu nombreux. La première épreuve est utilisée comme un écrivain du XXe siècle traiterait un brouillon dactylographié : corrections stylistiques innombrables, amplifications marginales, débordant parfois sur des feuillets manuscrits intercalaires (les balzaciens parlent de manuscrits secondaires), transposition de passages entiers modifiant le plan de la nouvelle ou du roman.

Plusieurs jeux d'épreuves se succèdent et, tout en restant importantes, les corrections se raréfient sur les placards successifs avant d'en arriver à la mise en page de l'édition originale.

À partir de 1836, les romans paraissent en général en feuilletons dans la presse quotidienne avant l'édition originale (le plus souvent en deux volumes in-8°, le roman balzacien ayant atteint la dignité de l'octavo remplaçant l'in-douze de la littérature populaire). C'est donc l'imprimerie du quotidien qui subit la contrainte des épreuves successives, l'auteur devant parfois se soumettre à la censure idéologique ou pudique du directeur du feuilleton. Les bonnes feuilles servant à l'édition originale échappent, au moins partiellement, par de nouvelles corrections à cette censure.

Deux exemples concrets illustrent cette méthode de composition.

En 1837, du 1er au 14 juillet, *La Presse,* le journal fondé l'année précédente par Émile de Girardin, publie en feuilletons *La Femme supérieure,* roman de Balzac, maintenant intitulé *Les Employés.* Le manuscrit, divisé en trois parties, se compose de 110 feuillets. Le bon à tirer remis à l'imprimeur du journal comprend 105 feuillets comportant encore des corrections autographes. Avant d'en arriver là, il a fallu neuf jeux d'épreuves criblées de corrections pour la première partie (206 feuillets), onze jeux pour la seconde (197 feuillets), quatre pour la troisième (109 feuillets). Entre le feuilleton du quotidien et la première édition en librairie (1838), de nouvelles corrections seront faites sur épreuves ; de même pour l'insertion dans *La Comédie humaine.* En offrant les trois volumes de manuscrits et d'épreuves de *La Presse* à son ami le sculp-

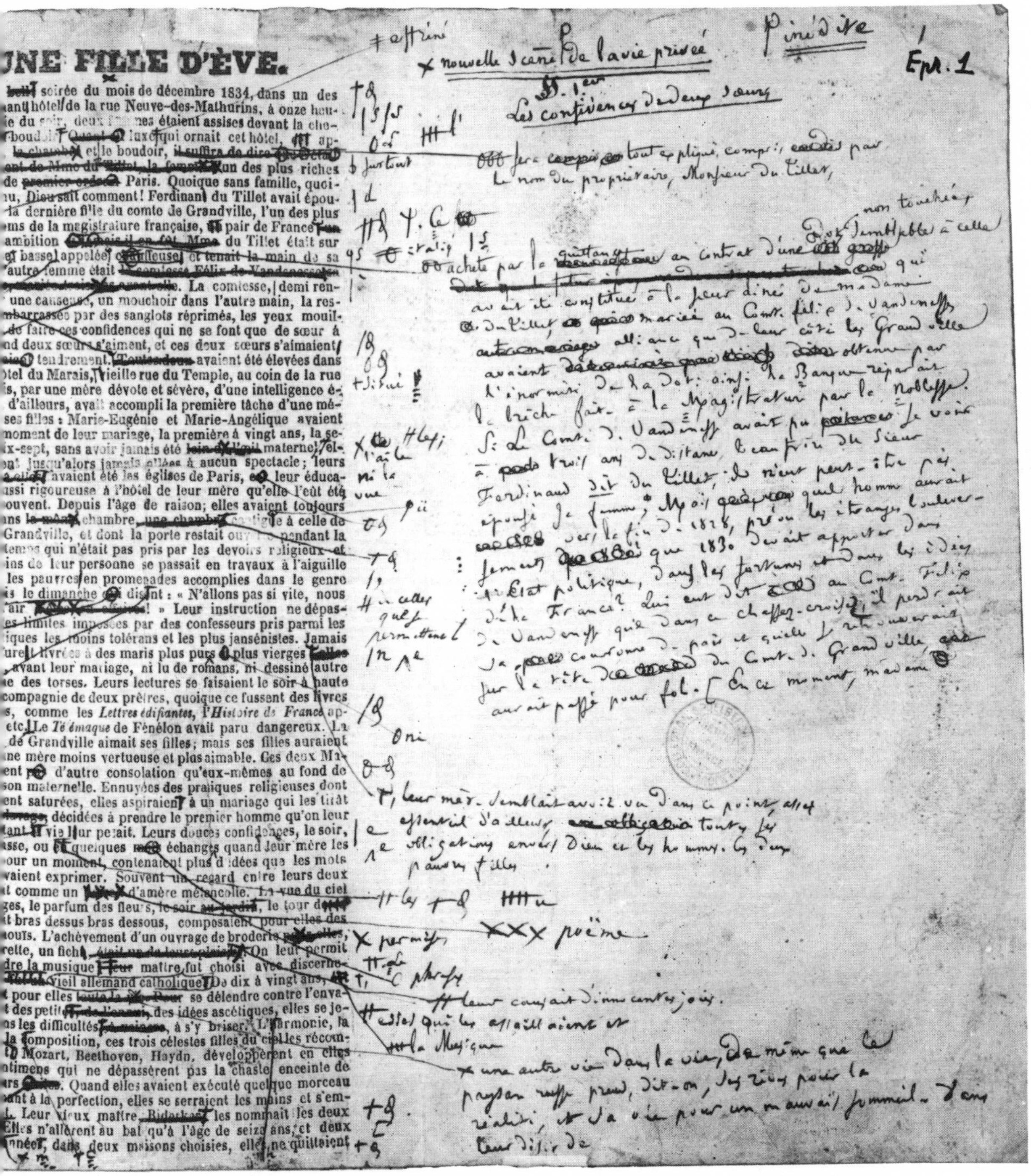

UNE FILLE D'ÈVE.

Début du texte de *Une fille d'Ève* : feuillet d'épreuve avec les très nombreuses corrections
et additions écrites par Balzac sur la feuille de papier blanc sur laquelle l'épreuve typographique
a été collée (Chantilly, Bibliothèque Lovenjoul, ms. A.233).

teur David (d'Angers), Balzac pouvait, à juste titre, inscrire cet *ex-dono* autographe sur le troisième volume : « Il n'y a pas que les statuaires qui piochent. »

Du 31 décembre 1838 au 14 janvier 1839, *Le Siècle* — principal concurrent de *La Presse* — fondé par Armand Dutacq, en 1836, publie en treize feuilletons un autre roman, *Une fille d'Ève*. Le manuscrit de Balzac se compose de 77 feuillets numérotés par l'auteur et écrits au recto, avec ici et là de brèves additions au verso. Ce manuscrit avait été livré à la composition avant son achèvement, des indications de chapitres ou des modifications de noms de personnages montrant que la rédaction se poursuit après les corrections des premiers placards. Le manuscrit est un premier jet, avec une rup-

ture après le feuillet 33. Si le déroulement de l'intrigue suit à peu près le texte du premier jet, le travail sur épreuves a nécessité l'insertion de très importants développements. Balzac avait fait coller ces épreuves de la composition de l'imprimerie du *Siècle* sur de grandes feuilles de papier blanc, pour le plus souvent les couvrir de corrections, à droite, à gauche et parfois en dessous. Ce volume comprend 129 grands feuillets. On peut y distinguer sept jeux successifs d'épreuves comprenant un nombre variable de placards pour les différents chapitres (créés pour la plupart après la rédaction du manuscrit, au fil du jeu des corrections). Le premier jeu comprend 5 placards criblés de corrections au recto et au verso, avec l'adjonction de trois feuillets

autographes (dont l'un recto-verso) constituant un manuscrit secondaire pour de nouveaux développements qui n'avaient pu prendre place sur les feuillets d'épreuves, en dépit de leurs immenses marges.

D'une édition à l'autre, Balzac recorrige et modifie ses romans. Publiée par Charles Furne et P.-J. Hetzel, *La Comédie humaine* paraît en dix-sept volumes in-8° à typographie serrée de 1842 à 1848. Balzac a corrigé son exemplaire personnel en vue d'une seconde édition que la mort ne lui permettra pas de réaliser. Cet exemplaire du « Furne corrigé » est la base des éditions modernes de l'ensemble de l'œuvre romanesque de Balzac.

Roger Pierrot

pour un article par semaine et une rubrique par jour. Un peu plus tard, au *Matin,* il gagne 150 francs par article. Mais la logique de ce salaire aux pièces est de multiplier les collaborations, donc de tomber dans un industrialisme plus dangereux que l'industrialisme littéraire, car il se fait au détriment de l'œuvre littéraire elle-même. Alexis s'avoue « écrasé par le rocher de Sisyphe de l'article quotidien » (54). Plus inspiré, Maupassant, lui, a su trouver une formule littéraire qui convenait à la fois aux contraintes du journal et à la pente de son génie, au prix parfois, il est vrai, d'une certaine facilité.

Mais là comme ailleurs la multiplication des collaborateurs possibles incite les rédacteurs en chef à serrer leurs coûts salariaux, d'autant plus que la baisse des prix des journaux oblige à la plus grande parcimonie. À l'époque de Nerval, la presse est encore un objet de luxe, le journal proche de la revue littéraire, la concurrence s'exerce dans le domaine de la qualité car le public restreint paie cher et en veut pour son argent. Avec la presse à deux sous ou à un sou, ce qu'il faut, c'est plaire au plus grand nombre, varier le contenu, changer souvent de rédacteurs, trouver du nouveau et le moins cher possible (55). Les grandes revues héritières de l'époque des notables payaient mieux : à la *Revue des deux mondes* Buloz donnait 4 000 francs à George Sand pour 32 pages toutes les 6 semaines, tarif princier, le tarif ordinaire étant de 150 francs la feuille (16 pages), ce qui est toujours mieux que les 75 centimes à 1 franc la ligne pour les romans-feuilletons des journaux ordinaires (56), sans compter la rétribution symbolique que constitue l'admission dans un périodique prestigieux. Pour ceux qui n'ont pas d'autre source de revenu, le journalisme peut ainsi se transformer en un piège mortel, car il absorbe toute l'énergie au détriment d'investissements littéraires plus exigeants.

Aussi certains auteurs préfèrent-ils à cette époque consacrer tout leur temps à leur œuvre littéraire en espérant, à l'instar des feuilletonnistes, se rattraper sur la quantité pour compenser l'inégalité des succès prévisibles. Le XIXᵉ siècle inaugure l'époque des forçats des lettres dont les livres remplis-

sent un nombre impressionnant de colonnes dans le Catalogue des imprimés de la Bibliothèque nationale. Tous ne relèvent pas pourtant de la littérature la plus médiocre. *La Comédie humaine,* par exemple, est née pour partie de cette obligation pressante où se trouvait Balzac de multiplier les épisodes de son œuvre afin de rembourser, périodiquement, les dettes chaque année plus importantes que ses inconséquences financières renouvelaient au fur et à mesure. Quelques crans littéraires au-dessous, Dumas père, J. H. Rosny aîné (130 ouvrages seul ou en collaboration) ont pratiqué le même stakhanovisme de la plume pour résoudre leurs problèmes d'argent. Aussi, là où Zola voyait les prémisses de l'autonomie de l'écrivain face au pouvoir, Claudel, vingt-cinq ans plus tard, dénonçait une nouvelle aliénation : « Il n'y a pas de pire carrière que celle d'un écrivain qui veut vivre de sa plume. Vous voilà donc astreint à produire avec les yeux sur un patron, le public, et à lui donner non pas ce que vous aimez, mais ce qu'il aime, et Dieu sait qu'il a le goût élevé et délicat (…). J'ai toujours dans la mémoire les figures tragiques d'un Villiers de l'Isle Adam, d'un Verlaine, avec des restes de talent sur eux comme les derniers poils d'une vieille fourrure mangée. » (57). Mercenaire ou fonctionnaire, tel est le dilemme qui résume la nouvelle situation créée à l'auteur par l'introduction dans le champ littéraire des principes de l'économie libérale.

Une profession comme une autre

Le tableau du champ de production littéraire entre 1830 et 1890, que nous avons essayé de dresser, est au total étonnamment proche de celui qu'un ouvrage, paru récemment, a fait du métier d'auteur aujourd'hui (58). Divorce social entre les auteurs et les éditeurs, liens de dépendance accrus entre eux, accroissement des écarts internes à la pyramide littéraire, nécessité croissante d'un second métier : toutes ces évolutions que nous avons cru discerner préparaient le panorama actuel et arrachent définitivement l'homme de lettres à l'Ancien Régime pour le confronter aux mécanismes du marché libéral. La littérature est deve-

nue une profession comme une autre, à mesure que l'édition peut de plus en plus être conçue comme une spéculation commerciale et non plus comme un artisanat de luxe. Mais à la différence de l'avocat et du médecin protégés par leurs diplômes et leur organisation progressive en corporation, l'homme de lettres doit conquérir ses titres de noblesse sur un marché de plus en plus encombré où l'individualisme — exception faite du théâtre — rend incertains les efforts de quelques pionniers pour défendre leurs droits collectivement (59).

Les essayistes ont beau, périodiquement, réclamer qu'on assimile la propriété littéraire à une propriété comme une autre, la loi d'airain du marché est toujours là pour rappeler, à ceux qui prennent leurs œuvres pour un capital, qu'à chaque nouveau livre tout est presque à recommencer pour conquérir les faveurs du public, si l'on met à part quelques monstres sacrés. Ni bourgeois à part entière, ni prolétaire puisqu'il garde les mains blanches, l'auteur n'a d'autre ressource, pour échapper aux diverses aliénations qui le menacent, que de revendiquer une identité symbolique et politique comme « intellectuel », celui par qui le scandale arrive, faute de pouvoir passer encore pour un dandy à la Balzac ou un artiste à la Flaubert. Mais le plus grand nombre tente de se couler dans la carrière littéraire comme dans une profession bourgeoise. Tout le monde n'est pas Zola pour oser *J'accuse,* ni Mallarmé pour lancer « Un coup de dé » aux « happy few » de l'avenir.

21. Parmi les principales études voir R. Bouvier et E. Maynial, *Les comptes dramatiques de Balzac*, Paris, Sorlot, 1938 et la collection De quoi vivaient-ils ? : F. Dumon et J. Gitan sur Lamartine, Paris, les Deux Rives, 1952, F. Bouvry, sur George Sand, *ibid.*, J. Aubert sur Thiers, d°, J. Rousselot sur Verlaine, d°, 1950 ; J. Seebacher, Victor Hugo et ses éditeurs avant l'exil, in *Œuvres complètes*, éd. Jean Massin, t. VI, pp. I-XII.

22. Enquêtes de Paul Alexis dans *Le Figaro* du 14 décembre 1891.

23 Cf. A. Lods, « Les premiers éditeurs de Verlaine », *Mercure de France,* 15 octobre 1924, pp. 402-424.

24. E. et J. de Goncourt, *Journal de la vie littéraire,* tome 4, p. 213, cité in J. Lough, *Writer and public in France,* Oxford, Clarendon Press, 1978, p. 335.

25. P. J. Proudhon, *Des majorats littéraires,* Paris, Dentu, 2ᵉ éd., 1863, pp. 171-173.

26. F. Dumon et J. Gitan, *op. cit.,* p. 105 et sv.

27. Cf. R. Descharmes, « Flaubert et ses éditeurs, Michel Lévy et Georges Charpentier », *Revue d'histoire littéraire de la France,* avril-juin 1911, pp. 364-393 et 627-663 ; J. Suffel, *Lettres inédites de Gustave Flaubert à son éditeur Michel Lévy,* Paris, C. Lévy, 1965.

28. J. Suffel, *op. cit.,* pp. 70-71.

29. G. Bouvry, *op. cit.,* pp. 83-84.

30. P. V. Stock, *op. cit.,* tome 1, p. 269.

31. G. Flaubert, *Correspondance,* tome 2, Paris, Gallimard, Pléiade, 1980, p. 357.

32. E. Zola, « L'argent dans la littérature » (1880) repris dans *Le roman expérimental,* n. éd., Paris, Garnier Flammarion, 1971, notamment p. 197.

33. P. V. Stock, *op. cit.,* pp. 74-75.

34. M. Raimond, *La crise du roman,* Paris, José Corti, 1966.

35. E. Werdet, *Souvenirs, op. cit.,* pp. 301-304.

36. Cf. le témoignage de Charpentier et Fasquelle à l'enquête citée du *Figaro* : « Nous n'avons plus de critique littéraire : jadis un article de Sainte-Beuve vous lançait un écrivain. » (14 octobre 1891).

37. Cf. P. Alexis, « Une 'première' en librairie », *Le Figaro* du 15 février 1880, repris in *Lettres de Paul Alexis à Émile Zola,* éd. par B. H. Bakker, Toronto, University of Toronto Press, 1971, pp. 462-466.

38. E. Werdet, *Souvenirs, op. cit.,* p. 165 ; A. Jullien, *Le romantisme et l'éditeur Renduel,* Paris, Charpentier, 1897, p. 216.

39. P. Bourget gagna ainsi son procès contre Lemerre à propos de *Cosmopolis* (*Gazette des tribunaux,* 5 juin 1896) cf. P. Rudelle, *op. cit.,* p. 143 ; ce procès est à l'origine de son passage chez Plon comme on l'a vu.

40. Hugo n'a jamais collaboré à la *Revue des deux mondes* car il trouvait les tarifs de Buloz insuffisants alors que ce dernier estimait que sa revue assurait aux auteurs en les publiant une publicité qui n'avait pas de prix.

41. Cité in P. Rudelle, *op. cit.,* p. 15.

42. R. Descharme, *art. cit.* ; C. Becker, *op. cit.* ; J. Mistler, *La librairie Hachette,* Paris, Hachette, 1964, p. 214.

43. « Celui qui dans le système économique du monde moderne se propose de travailler pour ne pas gagner et même pour ne pas s'enrichir et pour ne pas gagner de plus en plus et le plus possible sera condamné et se condamnera lui-même à mort. » [Nous sommes des vaincus], in *Œuvres en prose,* Paris, Gallimard, Pléiade, tome 2, 1961, p. 90.

44. Recensement de 1886.

45. C. Charle, « Situation sociale et position spatiale », *Actes de la recherche en sciences sociales,* 13, 1977, pp. 45-59.

46. C. Becker, « Du garni à l'hôtel particulier », *Cahiers naturalistes,* 43, 1972, pp. 1-24.

47. Ces chiffres sont tirés du calepin du cadastre (1876-1900), série D1 P4 des Archives de la Seine.

48. Cf. A. Daumard, *Les fortunes françaises au XIXᵉ siècle,* Paris, La Haye, Mouton, 1973, pp. 218-219.

49. G. d'Avenel, *Les revenus d'un intellectuel de 1200 à 1913,* Paris, Flammarion, 1922, pp. 347-349.

50. J. Lough, *op. cit.,* p. 327.

51. R. Bouvier et E. Maynial, *op. cit.,* p. 412.

52. Zola, « L'argent dans la littérature », *art. cit.,* pp. 193-194.

53. C. Borgal, *op. cit.,* pp. 48-51.

54. P. Alexis, *op. cit.,* note (37), pp. 222, 237, 257, 262, 279.

55. M. Martin, « Journalistes parisiens et notoriété (vers 1830-1870) », *Revue historique,* juillet-septembre 1981, n° 539, p. 63.

56. Baron Tanneguy de Wogan, *Manuel des gens de lettres,* Paris, Didot, 1898, p. 50 ; F. Bouvry, *op. cit.,* p. 39.

57. *Correspondance avec Jacques Rivière,* cité in J. Lough, *op. cit.,* p. 329.

58. M. Vessilier-Ressi, *Le métier d'auteur,* Paris, Dunod, 1982.

59. J. Bayet, *La société des auteurs et compositeurs dramatiques,* Paris, Rousseau, 1908, pp. 286-287.

L'ÉDITEUR.

ÉDITEUR! Puissance redoutable qui sers au talent d'introducteur et de soutien! talisman magique qui ouvres les portes de l'immortalité, chaîne aimantée qui sers de conducteur à la pensée et la fais jaillir au loin en étincelles brillantes, lien mystérieux du monde des intelligences; éditeur, d'où vient que je ne sais de quelle épithète te nommer? Je t'ai vu invoqué avec humilité et attaqué avec fureur, poursuivi du glaive et salué de l'encensoir; j'ai vu les princes de la littérature t'attendre à ton lever comme un monarque puissant, et les plus obscurs écrivains te jeter la pierre comme à un tyran de bas étage. Objet d'espoir et de colère, de respect et de haine, comment te qualifier sans injustice et sans préoccupations? « Ange ou démon, » dois-je t'adorer ou te maudire? T'appellerai-je notre providence? mais tu n'es rien sans nous. Te nommerai-je notre mauvais génie? mais nous ne sommes quelque chose que par toi? Tu fécondes notre gloire, mais tu en récoltes le prix. Tu es le soleil vivifiant de notre renommée, mais tes rayons dévorants absorbent le fluide métallique des mines que nous exploitons. Nous avons beau nous séparer de toi, nous tenons à toi par tous les points. Nous avons beau

« Puissance redoutable qui sert au talent d'introducteur et de soutien ! Talisman magique qui ouvre les portes de l'immortalité, … Lien mystérieux du monde des intelligences… » C'est en ces termes qu'Élias Regnault s'adresse à l'éditeur dans l'article qu'il lui consacre dans *les Français peints par eux-mêmes* et qui est illustré par Gavarni. Paris, Curmer, 1839-1841. H. 255 mm.

Le monde des éditeurs

par Odile et Henri-Jean Martin

C'est au cours du XIXe siècle que la fonction d'éditeur, jusque-là confondue avec celle de libraire, s'en dissocie presque totalement pour acquérir son originalité et que le mot lui-même prend son acception moderne. On peut y voir une conséquence de l'importance économique croissante des entreprises d'édition et des responsabilités élargies de leurs dirigeants.

La période 1789-1830 avait marqué une nette rupture dans le petit monde du livre. La nationalisation des biens du clergé, la saisie des bibliothèques ecclésiastiques, l'émigration, la ruine d'une bonne partie de l'aristocratie avaient enlevé aux libraires l'essentiel de leur clientèle traditionnelle. Leurs fonds, surtout composés d'ouvrages religieux et de textes juridiques désormais périmés ainsi que de publications glorifiant l'ordre ancien, apparaissaient comme d'un autre âge et constituaient des poids morts. On conçoit donc que la plupart d'entre eux ou de leurs enfants aient préféré se tourner vers les carrières plus brillantes qui s'ouvraient désormais aux bourgeois instruits.

Le choc fut moins rude pour les imprimeurs. Voici en effet que la révolution politique puis la révolution industrielle, l'accélération des communications, les besoins accrus de l'administration, l'essor de la presse provoquent la multiplication d'impressions de toutes sortes. Bien des places s'offrent qu'il faut savoir prendre. Balzac a évoqué en des pages inoubliables la nécessité où se trouvèrent alors les imprimeurs de province de se renouveler ou de périr.

▌ De nouveaux hommes pour de nouveaux temps

Le livre subit, certes, ces bouleversements plus qu'il ne les précéda : chacun sait que le XIXe siècle fut l'âge d'or de la presse. Les libraires de l'Empire durent d'abord constituer ou reconstituer leurs fonds dans des conditions difficiles et s'adresser à une clientèle renouvelée dont les contours étaient mal discernables en un moment où le crédit était irrégulier et le système bancaire rudimentaire. Bientôt, cependant, les grands imprimeurs qui disposaient d'une machinerie toujours plus puissante et les créateurs des premiers ateliers de reliure industrielle allaient se lancer dans des publications audacieuses. Chacun allait s'efforcer désormais d'améliorer la qualité de la production, de rendre ses livres plus attrayants et d'en abaisser le prix de revient afin d'augmenter les chiffres de tirage et d'atteindre un plus large public. Aussi voit-on s'intéresser à l'édition, à côté d'héritiers de familles déjà plus ou moins célèbres, des nouveaux venus à la recherche du succès.

Les héritiers

Voici, en premier lieu, les initiateurs du mouvement de rénovation de la typographie, les Didot. Continuant sa carrière, Pierre (1761-1853) poursuit la série des classiques, qui ont fait la réputation de son père, et multiplie les grandes publications parmi lesquelles la fameuse série des *Voyages pittoresques et romantiques dans l'ancienne France* de Taylor et Nodier dont les volumes se succèdent durant une bonne partie du siècle. Puis son fils Jules crée, avant de sombrer dans la folie, un vaste établissement typogra-phique à Bruxelles qui, racheté par le gouvernement belge, devient l'Imprimerie royale de Belgique (1). Plus célèbre encore, le frère puîné de Pierre, Firmin (1766-1834), tailleur de poinçons émérite et promoteur de la stéréotypie, traverse lui aussi tous les régimes et accède aux honneurs sous la Restauration, présidant à partir de 1817 les collèges électoraux de la Seine avant d'être élu député de l'Eure-et-Loir où il possède des usines. Mais c'est surtout avec son fils, Ambroise Firmin-Didot, que cette branche des Didot brille de tous ses feux au firmament de la notabilité bourgeoise. Après de solides études au cours desquelles les meilleurs maîtres lui ont appris le grec, le jeune homme a parcouru l'Orient et a même été durant quelques mois attaché à l'ambassade de France à Constantinople. De retour à Paris, il milite pour l'indépendance hellénique. Mais l'élection de son père à la députation l'a amené à prendre une part active dans la direction des affaires familiales. Il donne une extension considérable au secteur de l'édition et met au jour, après 1830, les gros ouvrages pour lesquels il bénéficie de souscriptions de l'État : *Ruines de Pompéi* (4 volumes in-folio), *Monuments de l'Égypte et de la Nubie* (4 volumes in-folio), *Voyages de l'Inde* (4 volumes in-4°, 300 planches), *OEuvre complète de Piranèse* (29 volumes in-folio et 2 000 planches), *Thesaurus linguae graecae* de Henri Estienne, sans compter une Bibliothèque grecque de 50 volumes grand in-8°, une

(suite page 166)

Le cas de Lyon

L'*Annuaire de l'imprimerie* de 1874 classe Lyon au deuxième rang — immédiatement après Paris — pour les journaux politiques, mais au huitième seulement pour les livres, après Paris, Limoges, Tours, Corbeil, Coulommiers, Lagny et Saint-Germain où de grandes usines à imprimer travaillaient pour les éditeurs de la capitale.

Cette constatation montre bien que la province ne pouvait résister au centralisme parisien qu'en choisissant des « créneaux » bien déterminés et en multipliant des livres qui n'avaient pas grand-chose à voir avec la création littéraire, Limoges et Tours ne devant leur flatteuse position qu'à l'activité des Ardant et des Barbou d'une part, à celle des Mame d'autre part, spécialistes de cartonnages alléchants, d'entoilages rutilants et de livres d'étrennes et de prix.

Dans ces conditions, les Lyonnais eux-mêmes eurent bien du mal à se maintenir à un niveau honorable en dépit de leur tradition prestigieuse. Leurs grands libraires étaient en effet avant tout tributaires de la capitale. Ainsi Bohaire qui liquide en 1837-1844 un cabinet de lecture de 15 000 volumes et un fonds de 400 000 ouvrages ou Charavay qui apparaît en 1847 avant tout comme le représentant de la librairie parisienne. Mis en faillite en 1844, Micolet se trouve débiteur de Martial Ardant, de Belin-Le Prieur, de Didier bien plus que de confrères lyonnais, tandis que Charles Midan, dont l'actif s'élève en 1846 à 48 500 francs et le passif à 111 494 francs, doit de l'argent à Curmer, Souverain, Dubochet, Didier, Belin-Le Prieur, Charpentier, Paulin, Lehuby, Furne, Hetzel, Garnier et Firmin-Didot. Mais la faillite la plus significative est celle de Charles Savy jeune (1845). Ce personnage entreprenant avait tenté de se tailler une place dans l'édition scientifique, faisant appel aux spécialistes de l'école vétérinaire de Lyon pour lancer un grand *Dictionnaire de médecine et de chirurgie*, et à un professeur de l'École des beaux-arts pour donner un *Cours de perspective*. Mais il devait 386 326 francs contre un actif de 150 172 francs quand il déposa son bilan, et le syndic de ses créanciers n'hésita pas à spécifier dans son rapport que « les causes de cette faillite nous paraissent se révéler par l'importance imprudemment exagérée que le failli avait donné à son commerce. Ses approvisionnements trop considérables, ses opérations d'éditeur dépassent tous les besoins de la localité ». Qu'on ne s'étonne pas si, après cette réflexion empreinte d'un bon sens lyonnais, on retrouve quelques années plus tard le dictionnaire préparé par Savy à Paris, chez Victor Masson.

Bien pires étaient encore les effets du centralisme littéraire. Certes, les Ballanche père et fils avaient été les éditeurs de Chateaubriand dans les premières années du

siècle et Rusand, Pélagaud et Périsse donnèrent encore plus tard des œuvres de cet auteur. De même Rusand, Pélagaud puis Vitte et Périsse publièrent des ouvrages de Joseph de Maistre. Mais, hormis ces deux champions de la religion, les écrivains célèbres du siècle n'acceptèrent de donner aux Lyonnais que des feuilletons. Seule, Marceline Desbordes-Valmore, ayant séjourné dix ans sur les bords du Rhône et s'étant particulièrement liée à l'imprimeur-éditeur Pierre Boitel, fit éditer à Lyon quelques-uns de ses livres.

Que restait-il aux Lyonnais ? Tout d'abord les périodiques locaux et les revues ainsi que les publications des sociétés savantes, alors nombreuses et actives : Auguste et Louis Brun par exemple se spécialisèrent dans la généalogie et l'histoire locale. Et aussi dans les « lyonnaiseries ». Bernoux et Cumi sont les éditeurs de Gnafron, et le grand imprimeur Perrin multiplia les « bijoux » typographiques en donnant les poésies de Maurice Scève, Louise Labbé et autres Lyonnais. Mais on peut tenir pour symbolique le fait que Lemerre ait profité de sa faillite pour mette son matériel au service des parnassiens de Paris.

L'édition lyonnaise aurait été réduite à peu de chose si elle n'avait pas bénéficié des secours de la religion. Contestée dans la capitale, l'Église catholique restait profondément enracinée dans la province. Les auteurs qui la servaient n'étaient pour la plupart affamés ni de gloire ni d'argent. De plus, le clergé et les fidèles, pour dispersés qu'ils fussent, formaient un ensemble cohérent et organisé, donc facile à atteindre à moindres frais. Cité du primat des Gaules, Lyon prit donc la tête d'une sorte de croisade. Dès 1821-1822, Rusand, libraire et imprimeur du roi et héritier d'une vieille tradition, publie avec Périsse un périodique, *La France chrétienne,* et offre des livres édifiants ainsi qu'une collection d'ouvrages classiques destinés aux petits séminaires. Puis, petit à petit, la *Bibliographie de la France* ne donne plus guère de nouvelles de Lyon que dans la rubrique nécrologique. Pélagaud présente par exemple, le 1er juillet 1834, une série d'ouvrages pieux comme ceux de l'abbé Mallois ou ceux de l'abbé Rousselet sur Notre-Dame de la Salette. Et, trente-cinq ans plus tard, Henri Pélagaud fils et Roblot, qui se proclament avec fierté libraires de Son Éminence le cardinal-archevêque de Lyon, proposent dans le même esprit des cours d'histoire et des classiques français et latins manifestement destinés aux établissements confessionnels. Cependant, Mothon fait le 30 novembre 1844 la publicité d'un *Guide des curés,* de *Mois de Marie* et autres *Dévotion à Marie* puis indique le 3 février 1849 qu'il vend les œuvres de M. Moitrier, curé de Favière dans

la Meurthe. S'adressant pour sa part plus spécialement au clergé, Guyot annonce le 19 janvier 1850 les *Œuvres complètes* de saint François de Sales et, le 13 juillet 1852, la *Summa sancti Thomae,* un *Panorama des prédicateurs,* les très traditionnalistes *Mémoires* de Michaud et Poujoulat. Engagé dans tant d'affaires, il fait faillite le 11 mars 1854 avec 254 506,19 francs de dettes. Parmi ses créanciers, quatre Parisiens seulement, mais des imprimeurs de Roanne, Besançon, Tours, Turin, Limoges, Chaumont, Le Mans, Louhans, Chambéry ainsi que sept relieurs et trois papetiers lyonnais. Et parmi ses débiteurs, une série de particuliers dont de nombreux prêtres.

Cependant 1869 s'annonce comme une année faste. Josserand présente le 17 avril *L'Église et l'État en France au IXe siècle : saint Agebard* et, en même temps, dans un *Trésor des jeunes personnes,* des *Exemples de vie chrétienne* et la *Morale sous les fleurs* de Mlle d'Outreleau. Puis il lance en novembre un *Trésor historique de la prédication,* relance le *Cours élémentaire de grammaire* de Lhomond et mentionne un *Petit Abrégé de l'histoire de France* par une religieuse ursuline. Et, le 24 avril de cette même année, Girard fait connaître son *Guide manuel du pèlerin catholique à Rome,* alors disputé par le roi de Savoie au pape.

Tous ces Lyonnais ont également une boutique à Paris, comme s'ils voulaient tenter l'assaut de la capitale. Mais le plus important d'entre eux reste Périsse qui figure un peu partout au palmarès des grands éditeurs français. D'une puissante dynastie du XVIIIe siècle, les frères Périsse étaient imprimeurs et libraires à Lyon en 1802 tandis qu'une veuve Périsse tenait boutique à Paris, rue Saint-André-des-Arts. Leur catalogue de 1821 offre en souscription la cinquième édition du *Dictionnaire historique* de l'abbé Fels en 12 volumes in-8° ainsi que la traduction de la *Sainte Bible* en 16 volumes in-8° qui avait mérité les éloges de Lamennais, Bonald, Chateaubriand, Lamartine et des abbés Fayet, Boyer ou Fontanel. Passons sous silence les innombrables livres de fonds où la piété règne en maîtresse. Même orientation encore dans le catalogue de la Librairie catholique, historique, littéraire et classique de Périsse fils, qui présente en 1830 un nombre considérable de nouveautés. À parcourir ces titres, on a le sentiment que la France catholique offre là comme l'encyclopédie de son savoir et de ses traditions, que les Périsse, méprisant les publicités dans la *Bibliographie de la France* tant ils sont sûrs de leur clientèle, s'appliquent à renouveler périodiquement.

Pour stable qu'apparaisse le secteur dans lequel ils se sont spécialisés, les éditeurs lyonnais n'en connaissent pas moins de gra-

FAILLITE

Du Sieur Etienne SAVY, qui était Libraire à Lyon,
Place des Célestins.

Reddition de Compte et unique Répartition de VINGT FRANCS VINGT-CINQ CENTIMES POUR CENT.

MM. les Créanciers à la Faillite dudit SAVY, dont les titres ont été vérifiés et les Créances affirmées et admises au passif de ladite Faillite, sont invités à se rendre, le Jeudi 13 du courant, à onze heures du matin, dans la Salle des délibérations du Tribunal de commerce, Hôtel-de-Ville, place des Terreaux, à Lyon, à l'effet :

1° De prendre connaissance des comptes définitifs, qui seront présentés par le Syndic, les vérifier et les arrêter;

2° De recevoir une repartition unique de VINGT FRANCS VINGT-CINQ c^{mes} POUR CENT.

MM. les Créanciers devront être munis de leurs titres constitutifs de créance, sans lesquels ils ne pourraient recevoir le dividende pour lequel ils ont été compris dans la répartition à faire.

LYON, le 6 Mars 1851.

Le Juge-Commissaire,
B. LAMBERT aîné.

LYON. — IMPRIMERIE DE B. BOURSY, GRANDE RUE MERCIÈRE, 64.

Annonce de la reddition de compte le 26 mars 1851 et de la répartition de dividende entre les créanciers à la faillite d'un libraire-éditeur de Lyon, Étienne Savy : sa déclaration de faillite remontait à 1831, mais un procès était survenu, retardant le règlement des affaires. Étienne Savy était le frère aîné de Charles Savy, qui dut lui aussi déposer son bilan (1845).

ves difficultés à partir de la Troisième République. En 1872, l'un des plus puissants d'entre eux, Félix Girard, imprimeur et spécialiste du livre religieux et scolaire, fait une faillite retentissante qui révèle un actif de 107 993,30 francs et un passif de 416 120,80 francs. Une fois encore, la liste des créanciers comporte les noms des grands éditeurs parisiens, Firmin-Didot, Delalain, Hetzel, Hachette, Garnier, la veuve Renouard et bien d'autres sans compter Mame, de Tours, et Lefort, de Lille. Il reprend tant bien que mal ses affaires et fait à nouveau faillite en 1875. À ce moment, l'homme fort de la librairie lyonnaise est Nicolas Scheuring qui fait travailler les presses de la ville et, surtout, poursuit une vieille tradition lyonnaise en se livrant au commerce du livre avec l'étranger. Mais il fait faillite à son tour en 1884 avec un passif de 231 093,83 francs. La liste de ses créanciers comporte des noms de capitalistes, en particulier celui de la Compagnie des fondeurs et Forges de Terre Noire et surtout ceux de libraires florentins, hollandais, autrichiens, belges, bavarois, anglais, espagnols, hongrois ainsi que d'assez nombreux ecclésiastiques qui ont dû lui passer des commandes non honorées.

Scheuring a-t-il été imprudent ? Son fonds, qui comportait à la fois des livres anciens, des ouvrages étrangers et des publications nouvelles très largement orientées vers des sujets religieux, est en tout cas dispersé aux enchères en 1884. À ce moment, Henri Pélagaud qui dirige l'une des firmes lyonnaises apparemment les plus solides a déjà dû déposer son bilan. L'heure du repli

semble donc venu pour l'édition catholique en un temps où la religion paraît réduite à la défensive. Du moins les Lyonnais ont su opérer à temps les regroupements nécessaires. Dès 1872, à la suite d'une grève de typographes qui a duré quatre mois, le catholique Albert, las de voir que son journal, *Le Télégraphe,* paraissait régulièrement avec trois heures de retard sur son concurrent radical, *Le Petit Lyonnais,* qui était tiré dans la même imprimerie, décide d'ouvrir une Imprimerie catholique pour laquelle il engage une trentaine de jeunes filles. Puis une association typographique franco-suisse est créée sous le nom d'Œuvre de Saint-Paul, l'atelier fonctionne activement en dépit de nombreuses tentatives de sabotage et, par exemple, assure en 1877 les travaux électoraux demandés par le comité conservateur du Rhône. En 1879, cependant, Vitte et Pérussel qui ont succédé trois ans auparavant à Vitte et Lutrin, eux-mêmes successeurs de Périsse, reprennent la librairie Nové-Josserant, 3, place Bellecour. Puis ils rachètent le fonds de Pélagaud et deviennent ainsi les imprimeurs de l'archevêque primat des Gaules. Ils transforment alors, avec l'appui de la bourgeoisie lyonnaise bien-pensante, leur entreprise en société anonyme sous la dénomination de Librairie générale catholique et classique. Les rapports dressés à cette occasion par des experts attestent l'importance du regroupement. Les livres d'assortiment correspondent, compte tenu de la remise de 35 % consentie à leur achat, à 328 557,90 francs et les ouvrages de fonds, évalués à 40 % du prix fort, soit à leur prix de revient, à

134 017,15 francs. Les clichés, les empreintes et les propriétés littéraires — qui vont des *Ames du Purgatoire* aux *Mois de Marie* et des *Pleurs de Marie* aux *Mois de saint Joseph* viennent s'ajouter à une série de périodiques : *La Controverse* (15 000 abonnés), la *Revue hebdomadaire du diocèse de Lyon* (à peu près autant d'abonnés) et les *Annales du Saint Sacrement* (2 000 abonnés), pour assurer la solidité de l'affaire. Au total, compte tenu de la propriété des boutiques et magasins et des créances, un bel actif de 799 998,70 francs contre un passif de 199 998,70 francs. Donc un capital de 600 000 francs qui permet d'envisager l'avenir avec optimisme. Dans ces conditions, les éditeurs catholiques peuvent assurer définitivement leur indépendance dans les années qui suivent en équipant un atelier qui, le premier à Lyon, commence à utiliser des Monotypes.

M. Lecocq et H.-J. Martin

A. D. Rhône, fonds du tribunal de commerce, non coté, voir aux dates des faillites ; bibliothèque municipale : catalogues de fonds de librairie ; archives municipales : catalogues et brochures diverses ; voir pour l'historique de la fondation de l'Imprimerie catholique et le rapport des experts lors de la fondation de la Librairie générale catholique et classique les brochures cotées 300957 et 705443 ; musée lyonnais de l'Imprimerie : catalogues et brochures ; voir aussi *Louis-Benoît Perrin* (exposition Lyon, 1923) Lyon, 1923, préface de Marius Audin ; Mme M. Lecocq prépare une étude sur l'édition lyonnaise du XIXᵉ siècle. Le texte ci-joint a été rédigé par H.-J. Martin d'après les documents qu'elle lui a aimablement communiqués.

Privat
à
Toulouse

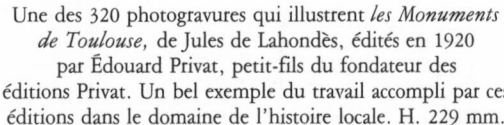

Une des 320 photogravures qui illustrent *les Monuments de Toulouse,* de Jules de Lahondès, édités en 1920 par Édouard Privat, petit-fils du fondateur des éditions Privat. Un bel exemple du travail accompli par ces éditions dans le domaine de l'histoire locale. H. 229 mm.

L'année 1839 marque les débuts des Éditions Privat : cette année-là, Édouard Privat, jeune Aveyronnais « monté » à Toulouse depuis 1834, ouvre une maison d'édition en ville. Muni d'un brevet de libraire (1), fort de son expérience de cinq ans chez le libraire-éditeur Paya, il se lance dans l'édition et la vente des livres, d'abord en une prudente association (2), puis seul, en 1849. Les choix et les méthodes du fondateur († en 1887) marquent fortement l'histoire de la maison, au fil des années, lorsque Paul, le fils († en 1908), Édouard, le petit-fils, l'archiviste-paléographe de la famille († en 1934), la veuve, puis les neveux de celui-ci, Paul, puis Pierre († en 1983) dirigent l'entreprise. Aujourd'hui encore perdure l'héritage de ces personnalités familiales (3).

À sa création, la maison d'édition a su bénéficier de l'essor de l'Instruction publique et du goût renaissant pour les études historiques. Privat s'intitule alors « libraire d'enseignement », devient libraire exclusif du lycée de Toulouse, édite livres classiques, textes grecs, anthologies de littératures étrangères et fournit, comme libraire en gros, les établissements d'enseignement de la région. Passant outre les querelles scolaires, il s'oriente en 1860 vers l'édition des manuels d'enseignement des établissements congréganistes et des livres liturgiques et est choisi comme imprimeur par l'archevêché de Toulouse. La maison édite alors le *Bulle-* *tin théologique scientifique et littéraire de l'Institut catholique de Toulouse,* puis le *Bulletin de l'Université de Toulouse,* dont Privat est le libraire attitré dès 1897. De cette collaboration naîtront beaucoup d'ouvrages dus aux professeurs de l'université, ainsi que la précieuse Bibliothèque méridionale créée en 1905. Mais les éditions scolaires de Privat reçoivent leur consécration avec la publication, en 1903, de la *Grammaire latine* de Maurice Crouzet, auteur également de manuels de français, de grec et de latin, dont les tirages furent nombreux.

Parallèlement, Privat veut promouvoir l'histoire locale. Son « monument » est la très belle réédition de l'*Histoire générale du Languedoc* par Dom Devic et Dom Vaissète. Le fondateur de la maison avait découvert cet ouvrage lors de ses débuts chez Paya. En 1867, il reprend son projet de réédition et de continuation. L'entreprise est patronnée par la Société archéologique du midi de la France et bâtie sur un plan d'Édouard Dulaurier, membre de l'Institut, avec la collaboration d'universitaires et d'érudits, tels Émile Mabille de la Bibliothèque nationale, ou Auguste Molinier, professeur à l'École des chartes. Échelonnée sur trente-deux ans, la lente publication de ces seize volumes s'achève en 1904 par un dernier tome d'*Histoire graphique* ou « musée languedocien », somme iconographique de l'histoire languedocienne sans précédent. Malgré sa qualité, l'ouvrage ne reçoit pas le succès escompté mais grève lourdement le budget de la maison d'édition. Mais les multiples ouvrages d'histoire locale ou régionale publiés à la même époque, les *Inventaires des archives de la Haute-Garonne,* les *Monuments de Toulouse* de Lahondès et tant d'autres publications reflètent le dynamisme de Privat en matière historique.

Dynamisme secondé par une politique commerciale bien définie : dès ses débuts, Édouard Privat, le fondateur, sillonnait la région, entretenant des relations suivies avec ses confrères des villes de Saint-Gaudens, Mirande, Tarbes, Périgueux, et même Ajaccio et Paris. Le progrès des chemins de fer l'encourage. Sa recherche de la qualité le pousse à ces échanges fructueux : si, très rapidement, la maison s'est attaché sa propre imprimerie, Privat n'hésite pas alors à faire travailler des relieurs tourangeaux.

Les Éditions Privat ont toujours observé depuis ce principe initial, refusant la relégation dans leur seule région, gage de succès pour une entreprise si marquée par la tradition familiale.

Michèle Bimbenet-Privat

1. A.N., F¹⁸1924.-1839, 15 octobre.
2. Avec le libraire toulousain Bon (A.N., F¹⁸1921.-1839, 18 septembre).
3. Voir la brochure éditée par Privat, *Les Édouard Privat,* s.d.

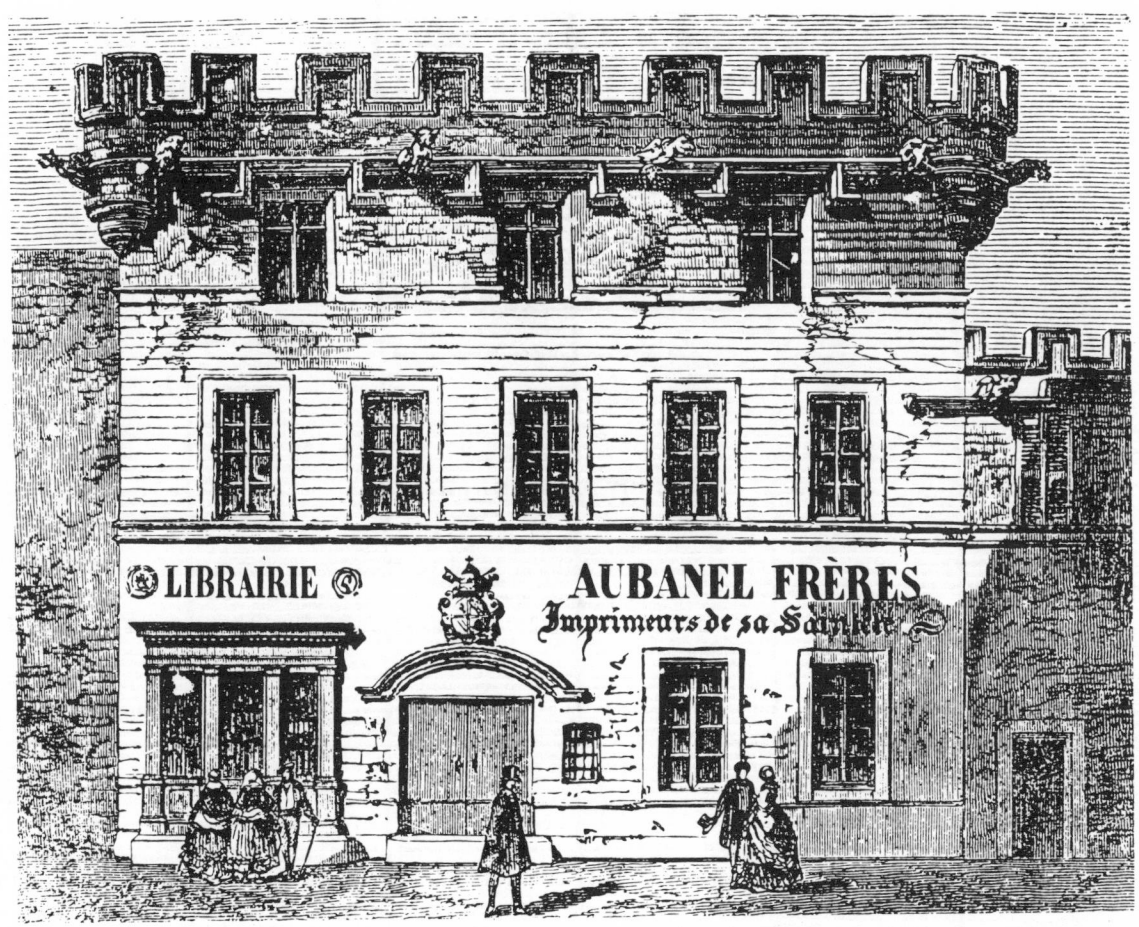

Immeuble de l'Imprimerie Aubanel et de sa librairie, rue Saint-Marc à Avignon au XIXᵉ siècle. (Archives Aubanel.)

Les Aubanel
imprimeurs-libraires
d'Avignon

L'entreprise des Aubanel (1) remonte à l'époque où Avignon, cité pontificale, inondait la France de ses contrefaçons et fournissait des pièces et des livrets aux colporteurs alpins qui parcouraient la France et l'Europe méridionale. Nommé imprimeur du pape en 1780, Antoine Aubanel ne se contenta pas de mettre sous presses des volumes : il édita également une feuille périodique, *Le Courrier d'Avignon,* et établit pour alimenter ses articles des correspondances à travers l'Europe. Dénoncé sous la Terreur, il échappa de peu à la guillotine et refusa, peu après, à un capitaine d'artil-

lerie nommé Bonaparte, un manuscrit intitulé *le Souper de Beaucaire*. Sous l'Empire, son fils développa l'affaire et y joignit une fonderie de caractères.

Balzac, qui souhaitait utiliser ses types, échangea avec lui une correspondance et Paul Dupont fait, dans son *Histoire de l'imprimerie,* l'éloge de ses réalisations. Mais ce fut surtout à la génération suivante que le nom d'Aubanel commença à être universellement connu. Tandis que Charles dirigeait l'affaire tout en rêvant de voyages, Théodore, qui était son associé, contribuait à la fondation du Félibrige et correspondait

avec les plus grands écrivains du temps, en particulier Lamartine et Mallarmé. Mais l'écrivain Joseph Roumanille, pétri de jalousie, le dénonça à l'archevêque, et ce dernier le mit en demeure de brûler ses vers. Désespéré, il mourut alors d'apoplexie à cinquante-sept ans (1886). Centre d'un cercle littéraire non négligeable, la maison Aubanel avait des correspondants dans beaucoup de grandes villes d'Europe.

1. *Histoire curieuse des Aubanel, imprimeurs en Avignon,* Avignon, 1982.

Marque des éditions Protat.

Protat à Mâcon

L'histoire de Protat commence au milieu du XIXᵉ siècle, après celle de Dejussieu, grande famille d'imprimeurs, dont le cadre géographique n'est pas toujours facile à tracer : Dijon, Montrottier dans le Rhône, Autun, Chalon-sur-Saône, Langres, Mâcon. Le plus connu fut sans doute Jules, qui succéda à son frère en 1834 à Chalon-sur-Saône, et dont la célébrité devait précéder d'un demi-siècle celle de Protat, pour avoir concurrencé l'Imprimerie nationale en se faisant le spécialiste d'ouvrages d'égyptologie, imprimés d'abord avec des hiéroglyphes gravés sur bois, puis avec des caractères de métal achetés à Berlin.

Pierre-Philippe Dejussieu, frère du précédent, est donc imprimeur à Mâcon jusqu'en 1849, année où une famille de la bourgeoisie mâconnaise, Protat, rachète son imprimerie, célèbre pour avoir donné le jour au premier numéro du *Journal de Saône-et-Loire,* le 2 juillet 1826, et aussi pour avoir imprimé à part les fameux discours de Lamartine sur les chemins de fer, mais surtout pour inonder d'almanachs portant son nom les campagnes d'une province partiellement analphabète.

Les Protat vont poursuivre ces traditions, malgré le déclin des almanachs, sans négliger pour autant les travaux administratifs qu'exigeait à l'époque une ville préfectorale. Mais cette famille d'érudits va parallèlement et progressivement s'orienter vers l'impression de textes anciens ou de périodiques spécialisés, satisfaisant toujours la demande de sociétés savantes et d'universitaires, ou de clients exigeants, tels que la Bibliothèque nationale et l'École des chartes. D'où la nécessité et la passion de recueillir ou de créer de multiples caractères : grec, arabe, hébreu, russe, copte, syriaque, éthiopien, samaritain, assyrien, démotique, sanscrit, arménien, slavon, phénicien, égyptien cunéiforme ou hiératique, vietnamien... bref, presque toutes les écritures, sauf les idéogrammes chinois et japonais. Et si certains caractères proviennent d'imprimeries disparues, comme celle de Bertrand à Chalon-sur-Saône, d'autres, au contraire, sont des créations uniques. Ainsi

le syriaque gravé à Berlin et détruit pendant la Seconde Guerre mondiale, mais recueilli du fonds Protat en 1982 par le musée de l'Imprimerie à Lyon.

Mais il y a plus. Il faudrait dénombrer tous les caractères latins, de composition manuelle ou de composition monotype, les caractères de titres, les monogrammes, les signes d'épigraphie ou de numismatique, les neumes et les signes de métrique, les bandeaux, fleurons et lettrines, les symboles mathématiques... Et quel livre mieux que le catalogue général des caractères de l'imprimerie Protat, composé sur vingt ans, est capable de nous transmettre cette séduction première de l'art d'écrire ?

Pour être érudits, les Protat n'en sont pas moins voyageurs. L'un des frères, à la fin du siècle, s'en va en Égypte et y fonde une imprimerie, qui sera à l'origine de la création de l'Imprimerie nationale du Caire. La maison Protat travaille alors pour le Maroc, l'Algérie, le Liban et l'Afrique française en général. Une tradition qu'elle perpétue en 1944 d'une façon originale, en imprimant sur ses presses à plat, en langue arabe, le journal de la 1ʳᵉ armée française qui comptait de nombreux soldats du Maghreb.

À la fin du siècle encore, l'imprimerie Protat aborde les travaux scientifiques proprement dits, par vocation d'imprimeur et par l'intérêt qu'y porte l'un des membres de la famille. De la diversité naît une richesse de publications, comme le *Bulletin de la Société française de minéralogie et de cristallographie,* et plus tard la *Revue de l'Institut français du pétrole.*

C'est l'époque où l'entreprise se modernise, avec l'acquisition d'une énorme machine à vapeur qui assurera le fonctionnement de l'imprimerie bien après l'avènement de l'électricité, et dont la marche a encore été testée une dernière fois en 1978. Un atelier de composition mécanique monotype est créé : c'est là que débute le circuit de fabrication d'un livre. Puis d'immenses presses à plat sont commandées à Chicago, lors d'un voyage d'un frère Protat aux États-Unis. Enfin, toutes les améliorations techniques possibles sont apportées

aux divers maillons de la chaîne de fabrication du livre.

Entre 1890 et 1929, l'entreprise est alors des plus florissantes, atteignant deux cents ouvriers, dont un tiers seulement d'hommes, payés à l'heure, qui font la mise en page et le tirage sur presses, tandis que les femmes, affectées à la composition et à la correction manuelle des épreuves, sont rémunérées aux pièces, c'est-à-dire au nombre de lignes composées dans une journée. La rémunération peut être doublée quand il s'agit de langues mortes, particulièrement appréciées de ces femmes composant avec dextérité l'apparat critique des *Budé* ou des *Sources chrétiennes,* jonglant avec les six mille hiéroglyphes ou des milliers de caractères qu'elles ne connaissent pas, mais qu'elles désignent aisément dans le jargon savoureux qui leur est propre. Ainsi, pour la petite histoire, le xi (ξ) c'est le tortillon et le phi (φ), la cravate.

Voilà pour la poésie. Mais au fil des ans, à partir de 1930, la réalité sera tout autre. Pas ou peu d'investissements, réduction de l'effectif du personnel, grèves importantes, diminution du nombre de commandes, tout cela engage l'avenir de la maison dans la mesure où elle aura de la peine à être concurrentielle, surtout avec l'apparition de la photocomposition. Quatre mille heures de travail pour fabriquer traditionnellement et quasi artisanalement un livre, même savant. Cela ne pouvait durer, et le 21 juillet 1981, c'est la fin.

Reste cependant aujourd'hui encore la bibliothèque de Protat, quinze mille livres sortis de ses presses et minutieusement catalogués, désormais recueillis et accueillis à la bibliothèque de la ville de Mâcon, qui, dans leur insolente diversité, apparaissent comme les supports ou les gardiens de Protat, et dont chacun justifie l'inscription de la belle marque typographique figurant sur ces pages de titre toujours si bien architecturées : *Quilibet liber amicus hic filius.* N'importe quel livre est mon ami, celui-ci est mon fils.

Armand Lapalus

Bois gravé aux alentours de 1370 pour l'impression sans doute sur étoffe, découvert par hasard à la fin de 1899
près de l'abbaye de La Ferté-sur-Grosne sous le dallage d'une maison en réparation.
Propriété de l'imprimeur Jules Protat — qui lui donna son nom — ce bois gravé
représente un fragment de crucifixion dont est donnée ci-dessus la photographie ainsi que celle
d'une épreuve moderne tirée sur papier. Il est considéré comme la plus ancienne xylographie d'Occident.
600 × 230 mm et 25 mm d'épaisseur.

Le monde des éditeurs

(suite de la page 159)

autre latine de 27 volumes, la *France littéraire* de Quérard qui recense la production imprimée française du XVIIIe siècle et du début du XIXe siècle, une *Nouvelle Biographie générale* en 21 volumes et un *Univers pittoresque* en 65 volumes in-8°. En même temps, il devient membre de la chambre de commerce de Paris, du Conseil des manufactures et du conseil général de la Seine (1840-1856) et fait partie du jury des expositions industrielles nationales de 1841 à 1849 ainsi que des manifestations internationales de Londres (1851) et de Paris (1855) — ce qui ne l'empêche pas de poursuivre ses études sur le monde grec, de rédiger un *Alde Manuce et l'hellénisme* qui a longtemps fait autorité et d'être élu, en 1872, membre de l'Académie des inscriptions et belles-lettres (2).

La dynastie des Panckoucke, quant à elle, est représentée sous la Restauration et la monarchie de Juillet par Charles-Louis (1788-1844) qui, poursuivant l'action de son père, lance à la fin de l'Empire la grande collection des Victoires et conquêtes des Français, crée une Bibliothèque latine-française, un *Barreau français*, une *Flore médicale* illustrée par sa femme et, surtout, un grand *Dictionnaire des sciences médicales*, puis un *Dictionnaire complémentaire des sciences médicales* ainsi qu'une *Biographie médicale* qui augmentent sa fortune. Après quoi son fils Ernest, né en 1806 et qui se pique plus encore que son père et son grand-père de posséder des talents de lettré, se consacre essentiellement à l'impression du *Moniteur* (3).

Mentionnons encore, parmi les descendants de libraires d'Ancien Régime, Jules Delalain qui prend à partir de 1836 la direction de l'entreprise familiale, lui donne une grande extension, multiplie les livres d'histoire et de géographie ainsi que les classiques anciens. Imprimeur de l'Université, maire adjoint du XIe arrondissement, président du Cercle de la librairie, de l'imprimerie et de la papeterie, auteur de publications sur la propriété littéraire, il fait élever rue de la Sorbonne, pour son officine, un bâtiment « de style historique » qui fait l'admiration de ses contemporains (4). De même, Antoine-Auguste Renouard, le savant éditeur des *Annales des Alde* et de celles des *Estienne*, continue à sortir des

éditions classiques tout en occupant de 1830 à 1854 les fonctions de maire du XIe arrondissement. Et, tandis que son fils Jules lui succède, son fils puîné, Augustin-Charles, normalien de la promotion de 1812, fait une carrière fulgurante. D'abord avocat, il devient en 1830 conseiller d'État et secrétaire général du ministère de la Justice, puis député de la Somme de 1832 à 1842 ; il intervient alors dans la préparation de la loi sur les faillites et les banqueroutes, alors si fréquentes dans le monde de la librairie, et devient pair de France en 1846. Hostile au coup d'État du 2 décembre 1851, il se tient en retrait sous le Second Empire mais est élu sénateur en 1876 et se range parmi les républicains. Ainsi se trouvait consacrée l'ascension d'une dynastie intellectuelle bourgeoise (5).

Citons enfin le nom de Desoer qui lance, peu après la chute de Napoléon, la première édition complète de Voltaire, dont la publicité est assurée par la condamnation de l'archevêque de Paris, et surtout celui de Lefèvre qui, plusieurs fois ruiné, cherche souvent à innover dans la présentation de ses ouvrages (6).

Dès lors, une mode se développe, que soutiennent les bourgeois libéraux, heureux de mettre en bonne place dans leurs demeures les publications qui constituent comme leur image de marque. Les bibliothèques des hôtels et des châteaux dévastés sous la Révolution se garnissent non seulement des œuvres des philosophes des Lumières, mais aussi de collections d'œuvres classiques ou de séries de mémoires qui témoignent soit de la nostalgie de l'Ancien Régime, soit d'une admiration proclamée pour les héros de la Révolution et les soldats de l'Empire, au gré de l'origine et des opinions de leurs propriétaires.

Cette galerie d'éditeurs, qui bénéficient d'un acquis familial technique et financier et transmettent un héritage culturel, ne serait pas complète si nous n'évoquions pas la province. Rappelons le nom des Levrault de Strasbourg (7) ainsi que celui des Aubanel d'Avignon. Et concluons simplement en constatant que ces « héritiers », qui sont pour la plupart imprimeurs plus encore qu'éditeurs, tiennent vers 1830 les secteurs les plus stables et les plus solides de l'édition française.

Firmin Didot
(1766-1834)

Ambroise Firmin-Didot
(1790-1876)

Le Palais-Royal

On pourrait imaginer, à l'évocation de ces hommes pour la plupart instruits et compétents, orientés vers une clientèle aisée, aux goûts classiques, que la librairie française se développa harmonieusement au début du XIXᵉ siècle en dépit des changements de régime et des crises.

Il n'en fut rien. Beaucoup restait à faire : lancer des publications adaptées aux temps nouveaux, chercher un public aussi large que possible, en rendant le livre accessible et attractif pour les classes moyennes en pleine ascension, et — pourquoi pas ? — pour tous ceux des Français qui, toujours plus nombreux, savaient lire et écrire.

Pressentant cette demande massive, de nouveaux venus apparurent entre le Palais-Royal — où joueurs, belles et marchands de nouveautés se côtoyaient dans un entassement de baraques en attendant que le duc d'Orléans y fasse construire la galerie qui porte encore son nom — et la rue de Richelieu, les boulevards et les passages tout récents où se trouvaient les cabinets de lecture à la mode. Comme symboliquement, la librairie tendait à délaisser la rive gauche et ses quartiers traditionnels pour se rapprocher du monde des plaisirs et des affaires.

On a souvent insisté sur l'ignorance de cette nouvelle génération. Libraire lui-même, Imbert n'hésite pas à écrire en 1826 : « Jadis, il fallait pour un libraire avoir fait quelques études et connaître le français et le latin. On voit maintenant combien les temps sont changés » (8). Et Balzac précise encore, quatre ans plus tard, dans un article du *Feuilleton* : « Depuis Panckoucke père, depuis Didot, aucun libraire instruit, sauf M. Renouard et quelques hommes dont les noms sont indifférents au public, la librairie n'a offert aucune capacité. À la Révolution, une foule d'hommes ignares, paysans la veille, libraires le lendemain, se sont rués sur le commerce qui représentait des bénéfices immenses : la chute de la librairie a révélé le secret du papier noirci » (9).

Voici donc d'abord la carrière de Jean-Noël Barba. Fils d'un peintre-verrier de Château-Thierry, Barba commence par apprendre le métier paternel puis arrive à Paris en 1785, chez un

La Galerie de bois du Palais-Royal à la veille de sa démolition en 1828.
Sur cette gravure, à gauche, la devanture de la librairie Dentu.
Eau-forte, 80 × 200 mm.
(Collection particulière.)

La Galerie d'Orléans, récemment construite (1829) à l'emplacement de la Galerie de bois. Parmi les noms des marchands inscrits au-dessus de leurs magasins, on remarque, à droite, le libraire Ledoyen dont on aperçoit les livres en devanture. Gravure d'Achille d'après Le Trait, ombrée à l'aquatinte par Charon.
(Collection particulière.)

Auguste Garnier (1812-1887)
(d'après H. Champion, *Portraits de libraires.
Les frères Garnier.* Paris, 1913).

Hippolyte Garnier (1815-1911)
(d'après le même ouvrage).

oncle assembleur de livres, qui le place auprès du libraire Dehansy dont la boutique est située sur le Pont-au-Change. Il passe ensuite chez un autre libraire, Lamy, mais s'engage bientôt sur un coup de tête dans le régiment du Boulonnais pour déserter en août 1789. Il se déclare vite patriote mais éprouve quelques regrets quand il voit mener à la guillotine le vieux duc de Gesvres qu'il avait bien connu. Il s'engage dans le district des Filles-du-Calvaire. Mais ce mauvais sujet est avant tout soucieux de battre le pavé de la capitale et de gagner de l'argent en colportant des brochures. Un temps marchand forain, il ouvre finalement un magasin rue Gît-le-Cœur. Il y fait de mauvaises affaires faute de boutique et s'établit alors au Palais-Royal, dans la Galerie vitrée, près du théâtre des Planches.

Il a trouvé sa voie et se spécialise dans l'édition des pièces de théâtre et des romans légers ; il publie ainsi, du Consulat à la Restauration, les pièces de Colin d'Harleville et de Pigault-Lebrun dont il regroupe les œuvres en 20 volumes, aussi bien que les romans de Victor Ducange et d'un débutant nommé Paul de Kock. Mais ses opinions et la nature de sa production indisposent le pouvoir. Il est condamné en 1825 à huit jours de prison pour avoir réédité *l'Enfant du carnaval* de Pigault-Lebrun qu'il avait fait imprimer pour la première fois en 1792. On lui retire finalement son brevet de libraire. Plusieurs membres de l'Institut dont Chateaubriand signent une pétition en sa faveur, mais il lui faut plaider trois années avant de pouvoir exercer à nouveau. Ses affaires repartent de plus belle, lorsque la crise de 1826-1831 provoque des cascades de faillites parmi les libraires. Il doit 300 000 francs et les huissiers l'assaillent. Perrin, qui lui est associé dans la Société de reproduction des bons livres, dépose son bilan. Mais ses principaux créanciers, Jules Renouard et les banquiers Goudechaux et Tenré lui font confiance. Il franchit le cap difficile et son fils Gustave, qui le remplace en 1836, réimprime des œuvres de Paul de Kock dont le succès est alors comparable à celui de Victor Hugo, publie la *Chronique de l'Œil-de-bœuf*, contribue à multiplier les éditions théâtrales et fait partie de

ceux qui concevront et réaliseront des collections de romans à vingt centimes (10).

Un peu plus tardive, la carrière des frères Garnier n'est pas sans analogie avec celle des Barba. Leur père semble avoir été cultivateur à Lingreville près de Coutances. Ils étaient donc originaires du Cotentin dont les colporteurs avaient pris, dès l'époque des Lumières, une place importante dans le commerce du livre et de l'estampe à Paris. Auguste Garnier (1810-1887) devient très jeune commis de son compatriote Saint-Jorre qui tient une librairie et un cabinet de lecture. Deux de ses frères, Hippolyte (1815-1911) et Pierre, suivent son exemple tandis que le troisième, Baptiste-Louis, gagne, après un court séjour dans la capitale, Rio-de-Janeiro où il dirige puis acquiert la plus importante maison de correspondance avec l'étranger. Auguste et Hippolyte apparaissent au Palais-Royal vers 1833. Camille Flammarion rappellera plus tard dans ses *Souvenirs,* non sans malice, la modestie de leurs débuts. Auguste avait, paraît-il, son tiroir et sa caisse dans une simple guérite près de laquelle Hippolyte faisait sa correspondance avec le gérant Lemonnier, tout en s'échappant parfois pour suivre une jolie promeneuse (11). Les dossiers de la librairie nous livrent sur les frères des renseignements parfois plus pittoresques encore. Lorsque Hippolyte demande son brevet en 1833, un rapport de police observe par exemple : « On doute que son intelligence s'élève au-delà de celle de bouquiniste. Du reste, sa réputation sur le rapport des mœurs et de la conduite publique ne laisse rien à désirer. » Ce bouquiniste était pourtant un homme avisé. Il obtient son brevet de libraire, tout comme son frère Auguste qui semble disposer d'un bailleur de fonds et pour lequel on ne fait pas les mêmes restrictions... Quoi qu'il en soit, les affaires des frères Garnier se développent alors à grands pas puisqu'ils rachètent successivement les fonds de Delloye (1841), Dubochet (1848), Salvat (1849), se lient avec Musset, Gustave Planche, Jules Sandeau, Théophile Gautier et reçoivent les éloges de Sainte-Beuve dont ils sont les éditeurs. Ils publient pendant la révolution de 1848 une brochure, *La vérité dévoilée aux soldats et aux paysans,* qu'ils tirent à 500 000 ou 600 000 exemplaires.

Mais au moment où la fortune semble leur sourire définitivement, les ennuis commencent. Le 22 novembre 1850, Auguste est condamné en appel à 2 000 francs d'amende pour avoir vendu une brochure sans mention d'imprimeur, *Le bon messager.* Il adresse aussitôt un recours en grâce pour une peine qui semble exagérée et revêt sans nul doute un aspect politique. Deux ans plus tard, et alors que la première affaire n'est toujours pas réglée, Pierre, qui vit avec ses deux frères mais fait commerce de son côté, point encore élevé au-dessus de la condition de simple étalagiste, est arrêté rue du Vieux-Colombier alors qu'il transporte des gravures « obscènes ». Une perquisition dans son magasin permet d'y trouver les *Œuvres badines* de Piron et des estampes d'après l'Arétin. Vers la même époque, les deux frères doivent remettre, pour éviter un nouveau scandale, un stock important d'ouvrages qu'ils détiennent rue des Bernardins, près d'un couvent de jeunes filles, et qui comprend par exemple 500 *Rideau levé ou l'éducation de Laure,* 650 *Libertin de qualité,* 80 *Veillées d'une maison de prostitution* ou 450 *Caroline de Saint-Hilaire.* Mais déjà Hippolyte et Auguste, qui avaient accumulé une fortune considérable, avaient renoncé à ce genre de commerce, de sorte qu'ils obtinrent l'indulgence de la Police et du Garde des Sceaux et purent poursuivre leur carrière. Cependant Taschereau, administrateur général de la Bibliothèque impériale, intervient en faveur de Pierre, qui venait d'être condamné et souligne les services rendus aux Lettres par ses frères, éditeurs de Sainte-Beuve (12).

Des indications données par Honoré Champion à la mort d'Hippolyte, il semble que les Garnier ne doivent pas toute leur fortune à la seule librairie. Tandis qu'Auguste, calme, froid et ponctuel, s'occupe de la gestion interne de l'affaire, Hippolyte, enjoué et caustique, est plus tourné vers l'extérieur. Suivant de très près toutes les spéculations du jour, il allait, paraît-il, à la Bourse où se traitaient les actions des chemins de fer, comme il l'aurait fait « aux marchés de Saint-Lô ou de Coutances et de Grandville ». Il devait spé-culer, en particulier sur les terrains situés autour de la gare Montparnasse, et exploiter les transformations de Paris réalisées par le baron Haussmann, en compagnie d'un autre libraire, Porquet. De telles opérations lui ont-elles rapporté dès le début du Second Empire ? Toujours est-il qu'il s'installe alors à l'angle de la rue de Lille et de la rue des Saints-Pères, dans l'ancien hôtel du gouvernement. La police, toujours vigilante, précise à cette occasion que les frères Garnier ont abandonné tout trafic illicite. Devenus riches et désormais respectés, ils lancent alors des dictionnaires portatifs, éditent la *Correspondance* de Grimm, créent la série des Chefs-d'œuvre de la littérature qui consacre désormais leur réputation et s'appliquent à développer leur réseau de distribution. Mais ces *self-made men* ne renient pas pour autant ce qui semble avoir été leurs convictions premières : ils publient aussi des œuvres de Proudhon, et en particulier *De la justice dans la Révolution et dans l'Église* (1868), ce qui les fait condamner à 1 000 francs d'amende et à trois ans de prison, portés en appel à 4 000 francs et à quatre mois de prison (13).

Les libraires romantiques

Pendant ce temps, des nouveaux venus, souvent d'origine rurale comme les Garnier, explorent d'autres voies en quête de succès littéraires.

Le plus en vue fut Charles Ladvocat. Ni spécialement instruit ni même intelligent selon Werdet, il avait l'esprit d'entreprise, le goût des nouveautés, le sens de la publicité et une sorte de flair pour déceler les talents. Il installe d'abord sa boutique dans les galeries du Palais-Royal où il reçoit les jeunes écrivains comme les auteurs célèbres au milieu d'une sorte de cour, puis il s'établit dans un bel hôtel de la rue Chabanais. Il commence par publier *les Messéniennes* de Casimir Delavigne. Jules Janin a décrit l'enthousiasme avec lequel cet ouvrage aux intonations patriotiques fut accueilli par une jeunesse désorientée et sans but. Ladvocat fait ensuite traduire Byron par Amédée Pichot, Shakespeare par Guizot ainsi que Schiller par Barante. Il publie ainsi 25 volumes de chefs-d'œuvre du théâtre étranger ainsi qu'une splendide édition de Cha-

Portrait de Charles Ladvocat, lithographie de Motte d'après Devéria. 1827.

Le monde des éditeurs

teaubriand. Il donne 3 000 francs à Victor Hugo pour ses *Odes et Ballades,* d'abord tirées à 1 000 exemplaires et vendues 4 francs, et fait encore paraître l'*Histoire des ducs de Bourgogne* de Barante, l'*Histoire de France* du marquis de Saint-Aulaire, les *Mémoires* de Mme de Genlis et celles de la duchesse d'Abrantès ainsi que des livres de Cousin, Villemain et Guizot. Portant beau, se déplaçant dans un cabriolet, considéré comme un mécène par les jeunes écrivains, mais parfois démuni au point d'engager le châle de sa femme, il était d'une fatuité agaçante et prétendait, racontait-on, entrer à l'Institut. Il n'en eut pas moins le mérite d'introduire de nouvelles formes de publicité dans l'édition et fit couvrir les murs d'affiches criardes annonçant ses nouveautés. Et, les jours sombres arrivés, il put se targuer d'avoir été ruiné par Louis-Philippe qui lui avait enlevé ses auteurs, puisque Barante et Saint-Aulaire étaient devenus ambassadeurs, Rémusat ministre de l'Intérieur, Guizot secrétaire d'État, Villemain et Cousin pairs de France (14).

Plus importante pourtant est l'action de Charles Gosselin (15). Né à Paris en 1795, ce fils de cuisinier était entré tôt chez le libraire Nicolle qui avait fait imprimer, en 1810, *De l'Allemagne* de Mme de Staël et avait lancé, dix ans plus tard, les *Méditations* de Lamartine. Nicolle ayant ouvert cette même année une pension, Gosselin prend la direction de la librairie qui passe sous son nom en 1822. Il continue à publier des livres de classe mais bénéficie surtout de l'engouement éprouvé pour Lamartine dont les œuvres ne se débitent, selon son catalogue de 1826, jamais à moins de 15 000 exemplaires et dont il reste l'éditeur jusqu'en 1845. Il lance en outre la mode de Walter Scott et de Fenimore Cooper en France, prend contact dès 1828 avec Victor Hugo et Balzac, avec lequel il entretient des relations parfois orageuses mais souvent amicales. Dur en affaires, furieux quand Balzac tardait à lui remettre un manuscrit, il n'en était pas moins droit et ne faisait, après tout, que son métier quand il jugeait le mérite d'une œuvre par le chiffre de son tirage.

Urbain Canel (16) a obtenu son brevet de libraire en 1822, en dépit de quelques hésitations du pouvoir qui le savait d'opinions libérales. Il publie les *Nouvelles Méditations* de Lamartine (1822), *Bug-Jargal* de Hugo (1826), le recueil annuel des *Annales romantiques* auquel participaient les frères Hugo, les *Poèmes antiques et modernes* (1822) et *Cinq-Mars* (1826) de Vigny. Il fait faillite cette même année mais donne encore *Armance* de Stendhal en 1827. Lié lui aussi à Balzac qui tente alors son aventure d'imprimeur, il édite encore en 1829 *le Dernier Chouan* et, avec Levavasseur, *la Physiologie du mariage* du grand romancier. Il se lance ensuite dans la publication de petits ouvrages qu'on qualifierait aujourd'hui de « livres cadeaux », en particulier de *keepsakes,* et laisse en quelque sorte le champ libre à Eugène Renduel.

Une précieuse documentation (17) nous permet de cerner la physionomie de ce grand éditeur romantique. Il est né en 1798 dans un bourg situé sur les contreforts du plateau morvandiau, Lormes. Ses parents, de très petits bourgeois, étant trop pauvres pour lui payer de longues études, il devient clerc d'avoué et contribue à cacher en 1815 le fils de son patron compromis pour ses opinions républicaines. Puis il gagne Paris et sert comme commis chez plusieurs libraires dont le fameux colonel Touquet. Ayant épousé la fille de l'imprimeur Laurens, qui venait de céder son brevet à Balzac, il ouvre bientôt, rue des Grands-Augustins, un « cabinet de librairie » qui accueille presque toutes les célébrités littéraires du temps (1828).

Renduel apparaît comme le promoteur par excellence des succès de son temps. Il publie par exemple dès 1829 les *Soirées de Walter Scott à Paris* du bibliophile Jacob — Paul Lacroix — qui passait alors pour l'égal des plus grands. Cet ouvrage remporte un très grand succès et marque le départ d'une mode. C'est aussi lui qui donne en 1833 les *Paroles d'un croyant* de Lamennais, l'un des *best-sellers* de la monarchie de Juillet. Il parie en même temps sur Henri Heine, connu jusque-là seulement pour ses articles de la *Revue des deux mondes,* dont il fait paraître *La France* en 1833. Il prend encore l'initiative de faire traduire les *Contes d'Hoffmann,* dont les vingt volumes se succèdent de 1829 à 1833,

et édite des œuvres majeures d'Eugène Sue comme *Plick et Plock* que *La Mode* et *La Salamandre* avaient d'abord publié en feuilleton.

Mais le véritable titre de gloire de Renduel est d'avoir édité des œuvres de la plupart des grands romantiques. Victor Hugo était déjà célèbre quand il commença d'exercer. Il ne peut donc acquérir à l'origine que ses derniers grands recueils de poésie, *les Feuilles d'automne, les Chants du crépuscule, les Voix intérieures* et cinq drames, *Marion de Lorme, Le roi s'amuse, Lucrèce Borgia, Marie Tudor* et *Angelo,* ainsi que deux volumes de *Littérature et philosophie mêlées* et doit racheter les droits des autres ouvrages.

Les relations entre les deux hommes ont été passablement ambiguës. Renduel plaignait Adèle Hugo avec laquelle il avait souvent attendu le retour du grand homme, en visite chez Juliette Drouet ou chez quelque conquête éphémère, pour passer à table. Il préférait le laborieux Sainte-Beuve qui arrivait chaque année un manuscrit sous le bras, ou encore les deux Lacroix dont le premier, Paul, demandait les sujets de ses romans à l'histoire de France tandis que le second, Jules, s'inspirait du spectacle du monde contemporain. Il accueillait aussi avec faveur le bizarre et fantasque Petrus Borel, Henri de Latouche, le classique converti, Léon Gozlan, Joseph d'Ortigues et bien d'autres. Toujours fécond, Charles Nodier, membre de plusieurs académies et conservateur de l'Arsenal, avec tous les avantages que comportait une telle situation, criait sans cesse famine, car il lui fallait bien payer ses dettes de jeu. Si Renduel consentit d'autre part, par égard pour Paul de Musset, à publier le premier volume du *Spectacle dans un fauteuil* du jeune Alfred, il accepta mal de devoir briser les cuivres gravés par Célestin Nanteuil dont il voulait illustrer ce texte et qui n'avaient pas eu l'heur de plaire au jeune auteur. Il ne se fâcha point trop en revanche quand Gérard Labrunie-Nerval et Théophile Gautier lui eurent soutiré 500 francs d'acompte pour *les Confessions galantes de deux gentils-hommes périgourdins,* un roman qu'ils n'avaient jamais eu l'intention d'écrire. Il est vrai que le « bon » Théophile lui avait cédé,

170

moyennant 1 500 francs chacun, deux manuscrits intéressants, *les Jeunes-France* (1833) et *Mademoiselle de Maupin* (1835).

Cependant, Renduel était prudent. Après avoir versé 4 300 francs à Victor Hugo entre octobre 1833 et la fin de 1838, il préfère abandonner la partie. Il se retire en 1840 dans son pays natal et ne sort de son silence que pour poser sa candidature à la députation, en mars 1848. Mais la profession de foi républicaine qu'il rédige à cette occasion ne lui vaut que quelques centaines de voix.

Politiques et « intellectuels »

La rupture provoquée par la Révolution, les changements successifs de régime et l'essor de la demande incitèrent avant 1830 nombre d'anciens officiers, de professeurs, d'avocats et même d'hommes politiques à se faire libraires pour répandre leurs convictions ou leurs connaissances.

Louis-Gabriel Michaud (1778-1852) constitue dans ce groupe un cas exceptionnel. Issu d'une bonne famille d'Ancien Régime, il quitta le service en 1797 et ses opinions monarchistes l'incitèrent à suivre dès lors le sort de son frère Joseph, l'historien des croisades, élu à l'Académie française quand les Alliés entrèrent dans Paris. Tous deux se font libraires pour servir la bonne cause et contribuent sous la Restauration à la fondation de la *Quotidienne*. Mais Louis-Gabriel n'en fait pas moins une œuvre considérable d'éditeur et d'auteur. Après avoir été poursuivi en 1802 pour avoir donné une *Biographie moderne* retraçant la vie de certains de ses contemporains, il se lance dans la rédaction de sa fameuse *Biographie universelle* (85 volumes de 1811 à 1862) dont la deuxième édition est toujours utilisée, et qui servit de modèle à une entreprise similaire de Didot. Il s'engage de même dans la publication de collections de mémoires dont certains n'ont pas encore été remplacés, et qui glorifient très volontiers l'Ancien Régime (18).

Si les frères Michaud étaient des ultras, la plupart des anciens officiers qui se firent libraires après la chute de Napoléon proclamaient, en revanche, bien haut leur attachement à la Révolution et à l'Empire. Tel fut le cas d'Alexandre Corréard, le « naufragé de la Méduse », qui perd son brevet en 1822 mais dont le frère cadet tient une librairie militaire (19) ; du colonel Touquet qui invente une tabatière sur laquelle le texte de la Charte est lithographié en caractères minuscules afin que chacun puisse l'avoir sous le nez (20) ; de Perrotin, revenu de sa captivité en Russie en 1823 seulement et qui est sans cesse poursuivi pour ses éditions des *Chansons* de Béranger. Pendant ce temps enfin, un ancien polytechnicien de la promotion de 1812, Silvestre, reprenait une salle des ventes acquise par son père rue des Bons-Enfants et en faisait un haut lieu de la bibliophilie (21).

On trouve également à l'adresse de certaines publications des noms qui évoquent aussitôt la Révolution : celui d'Émile Babeuf, le fils de Gracchus (22) ou celui de Brissot-Thivars, un neveu de Brissot (23). À côté d'eux, beaucoup d'« intellectuels » qui comptent sur leur plume pour alimenter leur commerce : un ancien surveillant au collège Sainte-Barbe, Werdet (24), un ancien professeur à la faculté des lettres de Paris, Lemaire, ou encore deux avocats, Brière et Bailly de Merlieux (25).

Ce dernier offre un bon exemple de ce que ce type d'hommes pouvait alors entreprendre. Il prend une part importante à la rédaction d'une *Maison rustique du XIXe siècle* (5 volumes in-4°, 1838-1845) en même temps qu'il rédige avec Babinet des résumés d'astronomie, de botanique, de météorologie et de physique, et donne pour la collection que son ami Roret vient de créer un *Manuel de physique* et un *Manuel du jardinier*. Ainsi surgit toute une génération de libraires polygraphes dont l'un, Charles-Louis Dezobry (26), fonde en 1829 avec Magdeleine une Librairie classique en même temps qu'il dirige pour Louis Hachette la rédaction d'un *Cours complet d'éducation pour les jeunes filles*. Il rédige en particulier, en guise de pendant au fameux *Voyage du jeune Anacharsis en Grèce*, quatre tomes d'un *Rome au siècle d'Auguste, ou Voyage d'un Gaulois à Rome* (1re édition, 1848) et signe avec Bachelet son fameux *Dictionnaire de biographie et d'histoire* (1857). Le fonds qu'il a ainsi créé, et qui sera repris et développé en 1865 par Charles Delagrave, est à l'origine de la Librairie qui porte toujours le nom de cet éditeur.

Nul ne devait cependant mener une entreprise comparable avec autant de sûreté et de science que Désiré Dalloz (27). Il est né à Septmoncel, dans une famille d'avocats et de notaires ; son père était négociant en pierres précieuses. Il arrive à Paris, fait son droit, devient avocat (1817). Sans s'engager trop directement dans la politique, il défend en 1821 Fesneau qui n'a pas voulu dénoncer la conspiration ourdie dans la 1re légion de La Rochelle et intervient encore l'année suivante dans le fameux procès des quatre sergents. Il acquiert ensuite une charge d'avocat à la Cour de cassation (1825) et il est, de 1835 à 1838, président de son ordre. Il ne participe pas à la course aux places en 1830 mais devient député du Jura de 1837 à 1848. Il détient alors une solide position locale. Suspecté de sympathie pour Louis-Napoléon Bonaparte à la fin de la monarchie de Juillet, il rentre dans la vie privée en 1848, mais son fils aîné Édouard sera ensuite élu député du Jura comme candidat du gouvernement tandis que le cadet, Paul, deviendra en 1851 directeur du *Moniteur,* le *Journal officiel* de l'époque.

Carrière avisée, donc. Mais les centres d'intérêt de Dalloz ne sont pas d'abord politiques. Lié à tout ce que la France compte de jurisconsultes, d'Isambert à Sirey, il a vite compris que le renouvellement des lois et du système juridique doit être systématiquement accompagné par l'élaboration d'une jurisprudence. Aidé de son frère Armand, il refond d'abord le *Journal des audiences* et le *Recueil de jurisprudence du Royaume* dont il s'est rendu propriétaire dès 1819. Et il en fait une vaste publication, le *Répertoire méthodique et alphabétique de jurisprudence générale,* dont la deuxième édition, donnée entre 1845 et 1870, compte 47 volumes in-4°. Ainsi commence à se constituer l'ensemble de recueils juridiques qui forme aujourd'hui encore l'essentiel du fonds de la Librairie Dalloz (28).

Crises et faillites

Le monde de la librairie apparaît ainsi très divers autour des années

1830. Balzac en a conscience : dans les *Illusions perdues,* il nous montre, à côté de Doguereau, un libraire de la vieille école installé rue de Seine, qui rêve d'enchaîner les jeunes talents à leur table pour quelques morceaux de pain, Dauriat, sorte de Ladvocat, qui rend à Julien son recueil de poésie sans l'avoir lu, lui explique qu'il a du génie, mais qu'il ne publiera pas ses vers afin de lui rendre service. Le romancier indique au passage comment les journalistes font et défont les réputations littéraires au gré de leur fantaisie et de leurs intérêts, et dénonce ceux dont Dauriat achète la plume afin d'assurer le succès de certaines de ses publications. Julien s'étonne, enfin, de voir sur le quai des Grands-Augustins des libraires commissionnaires qui s'imposent comme intermédiaires entre le libraire-éditeur et les libraires de province ou les cabinets de lecture.

Or ce petit monde connut, à partir de 1826, une crise d'une extrême gravité ponctuée par une série impressionnante de faillites — plusieurs dizaines par an jusqu'en 1831, qui se poursuivront encore durant toute la monarchie de Juillet. Désormais, les libraires les mieux établis, les Blaise, les Ambroise Dupont, les Bossange, les Méquignon, les Belin, les Lecointe sont frappés (29).

Voici d'abord le cas le plus célèbre, celui de Ladvocat. Ses difficultés remontaient au moins à 1826-1827 puisqu'il avait alors dû abandonner au papetier Pourrat une partie de ses cuivres et ses droits sur la traduction de Byron ainsi que sur les œuvres de Casimir Delavigne, Barante et Mignet, sur les *Chansons* de Désaugiers ou encore sur les *Mémoires* inédits du comte de Montlozier. Apprenant qu'il est en grave danger, ses auteurs, qui lui doivent souvent beaucoup dans leur réussite littéraire, lui remettent en 1830 le manuscrit d'une publication en quinze tomes in-8° dont chacun a composé gratuitement un chapitre, le *Livre des Cent-un :* il en cède aussitôt la propriété au médecin Pichot afin de se procurer de l'argent frais. Il doit pourtant déposer son bilan dès l'année suivante, avec un actif de 669 527 francs et un passif de 377 599 francs. Il réussit à reprendre la direction de ses affaires, se bat encore, mais se trouve de

nouveau failli en 1834 avec, cette fois, un passif de 408 509 francs et un actif de 142 500 francs seulement. Il mourra à l'hospice, abandonné de tous (30).

Plus caractéristique encore est l'histoire d'Ambroise Dupont, un libraire de nouveautés qui venait de lancer une deuxième édition de l'*Histoire de Napoléon* de Norvins, une affaire que chacun lui enviait. Il doit déposer son bilan en 1829, en annonçant un actif de 617 165 francs et un passif de 598 164 francs. Il survit, certes, à sa faillite. On le retrouve publiant, en 1837-1838, les *Mémoires du Diable* de Frédéric Soulié, puis *les Mémoires d'un touriste* et *la Chartreuse de Parme* de Stendhal (1838 et 1839), enfin, *Servitude et grandeur militaires* de Vigny (1840). Il ne doit pas moins se retirer finalement, ruiné par ses associés selon Werdet. Après avoir perdu jusqu'à la dot de sa femme, il meurt, paraît-il de chagrin, à Perpignan (31).

Delloye connaîtra un sort comparable. Cet ancien officier de la Garde, qui avait quitté l'armée après la chute de Charles X et était réputé pour sa culture et sa distinction, avait lancé de nombreux ouvrages, dont *la Peau de chagrin* de Balzac, le *Dictionnaire de la langue française* de Napoléon Landais, une Bibliothèque d'élite, collection d'auteurs modernes qui devait compter 60 volumes in-8°, ainsi que les séries illustrées de *La France pittoresque, La France monumentale* et *La France militaire* — l'auteur de cette dernière étant Abel Hugó, frère du poète — et contribué également à diffuser en France la mode des *keepsakes*. En difficulté en 1839, il déposa une première fois son bilan (actif, 666 920 francs ; passif 492 665 francs), obtient un concordat, mais se retrouve en faillite quelques mois plus tard et doit céder son fonds aux frères Garnier (32).

Les mésaventures des trois Bossange vont nous aider à comprendre le mécanisme de telles catastrophes. Martin Bossange, qui avait fait fortune sous l'Empire, avait établi en 1826, au 60 de la rue de Richelieu, la fameuse Galerie Bossange et apparaissait avec ses fils Adolphe et Hector, non seulement comme un éditeur, mais aussi comme le grand intermédiaire entre les libraires

français et l'étranger (33). Cependant, son fils Adolphe s'était trouvé gêné dans ses affaires dès 1827, l'un de ses beaux-frères qui s'était engagé à le commanditer n'ayant pas pu, semble-t-il, faire honneur à ses engagements. La crise venue, il doit donc liquider une partie de ses activités. Il compte cependant, pour se refaire, sur une affaire alléchante, le projet de canal Paris-Le Havre. Une société qui comprend des ministres, des pairs de France et des députés a acheté des terrains dans cette perspective et notre libraire, qui en détient 250 actions, s'est vu promettre la direction générale de l'entrepôt de Paris. Mais les ordonnances de juillet brisent cette espérance alors qu'Adolphe Bossange a dû déposer son bilan le 9 juin précédent, avec un actif déclaré de 381 825 francs et un passif de 701 050 francs. Parmi ses créanciers, outre les inévitables propriétaires, des papetiers, de grands imprimeurs comme Crapelet, Jules Didot, Gauthier-Laguionie, Paul Renouard, des libraires tels que Galignani et un lieutenant général, Préval, auquel il doit 150 000 francs. Son père, enfin, est inscrit sur la liste des créanciers pour un total de 284 087 francs. Adolphe ne peut finalement rembourser que 20 % de ses dettes, son actif ayant perdu une bonne partie de sa valeur par suite de sa mise en faillite (34).

Martin Bossange subit le contrecoup de cette chute et se trouve à son tour mis en faillite le 8 décembre 1830. Selon les rapports des syndics, ses marchandises représentent 142 973 francs. Les « bons débiteurs » lui doivent 216 473 francs, mais leurs propres difficultés réduisent l'ensemble de ces créances à 36 479 francs tandis que la part des « mauvais débiteurs », de qui on ne peut à peu près rien attendre, avoisine le million. Autant qu'on puisse en juger, des investissements réalisés dans des papeteries de la région de Troyes ont compromis la situation de cet homme d'affaires expérimenté mais qui a eu la faiblesse de signer trop de billets pour aider son fils (35).

Ainsi acculés, les libraires parisiens se tournent tout naturellement vers les vainqueurs du jour, les Laffitte et les Thiers qu'ils ont de bonnes raisons de connaître. L'écroulement du système bancaire, l'effacement total du crédit, le péril dans lequel se trouve la maison même du Premier ministre, Jacques Laffitte, ont incité le nouveau gouvernement à consentir aux entreprises françaises en difficulté un prêt de 30 millions, gagé sur les stocks et le matériel de fabrication et remboursable en deux ans. Lors de la répartition de cette somme, les libraires et les imprimeurs qui ont joué un rôle important dans le déclenchement de la Révolution se taillent la part du lion : 2 787 822 francs, soit près du dixième du total, dont 12 500 seulement pour les provinciaux. Les Didot reçoivent 200 000 francs, Hector Bossange 105 000 francs plus 50 000 à venir, Bachelier 12 000, Lachevardière, Charles Renouard, Paul Renouard, Testu, Gauthier-Laguionie 60 000, Levrault, Charles Hingray et plusieurs autres 50 000, et Ladvocat et Didier 40 000 francs (36).

Martin Bossange, en faillite, n'a pas pu prendre part à cette distribution consentie en vertu d'une loi du 17 octobre 1830. Mais tout laisse à penser qu'il en est le principal agent. Il intervient à plusieurs reprises auprès de la Chambre pour obtenir que, l'heure des remboursements venue, les ouvrages déposés en gage soient, en partie au moins, conservés par l'État pour être donnés aux bibliothèques communales, fort mal équipées en livres récents et qui auraient pu recevoir ainsi des œuvres complètes de grands auteurs si difficiles désormais à vendre. Les députés repoussent cette solution dont le conseil des ministres a admis le principe, mais rien ne prouve que nos libraires aient pour autant remboursé leurs créances. On peut en revanche estimer que la politique pratiquée par Guizot, et qui consiste à souscrire à des publications nouvelles pour les distribuer aux bibliothèques publiques, prit naissance dans ce contexte (37).

Pendant ce temps, Hector Bossange se voit à son tour en péril en dépit des secours de l'État. Avant tout libraire commissionnaire comme son père, il est victime de l'époque. Son passif, qui s'élève à 750 000 francs environ, se trouve réparti entre les libraires parisiens et des banquiers tels que Laffitte et Meuron ainsi que l'orfèvre Mellerio di Meller. À son actif, outre plus de 300 000 francs de

marchandises plus ou moins gagées ou gelées, 270 000 francs de créances que les malheurs du temps ont réduites à 70 000 francs et qui se trouvent réparties entre les comptoirs et les correspondances que ce grand négociant entretient non seulement en France mais encore à Moscou, Saint-Pétersbourg, Oslo, Uppsala, Stockholm, Berlin, Breslau, Leipzig, Wesel, Francfort, Baden-Baden, Coblence, Rudolstadt, Pest, Vienne, Presbourg, La Haye, Rotterdam, Amsterdam, Turin, Modène, Florence, Naples, Bilbao, Cadix, Madrid, Londres, Boston, Montréal, Rio de Janeiro, Buenos Aires ou Montevideo (38).

Nul rapport de faillite ne ressemble autant à un panégyrique que celui de ce puissant intermédiaire de qui dépend largement la prospérité de la librairie parisienne. Il ne peut être question, selon les syndics des créanciers, de mettre un instant en doute la loyauté et la probité d'un homme qui a toujours mené une vie si rangée et qui a si scrupuleusement tenu ses comptes — et qui, de plus, a préféré « tomber » avec 36 000 francs en caisse plutôt que de payer intégralement les 12 000 francs que le seul créancier poursuivant réclame, et cela afin d'indemniser chacun dans une proportion égale (39).

Que s'est-il donc passé ? Les difficultés d'Hector Bossange ont commencé à se préciser en octobre 1830, la crise faisant peser sur lui des remboursements imprévus. Il a alors envisagé de liquider honorablement et s'est efforcé de réunir pour cela 300 000 francs, soit 150 000 francs correspondant au prêt du gouvernement et 100 000 francs provenant de la banque Laffitte qui viendraient se joindre à d'autres sommes déjà versées. Il a obtenu de plus que certains libraires et imprimeurs acceptent d'être payés en nature, sur son stock. Ces mesures lui ont permis de reprendre ses paiements le 18 novembre. Mais un nouveau coup du sort est venu le frapper dès le lendemain, la banque Meuron à laquelle il doit près de 100 000 francs ayant suspendu ses propres paiements et lui réclamant un remboursement immédiat. Notre libraire ne peut plus penser dès lors rembourser intégralement ses créanciers. Il offre de verser à chacun 40 %

des sommes dues. Mais le refus de quelques-uns l'oblige à déposer son bilan et à se laisser mettre en faillite avec les inconvénients que cela comporte pour les créanciers eux-mêmes, de sorte que chacun ne put être indemnisé en fin de compte qu'à 20 %.

Nous retiendrons surtout du rapport de faillite, qui nous a fourni ces indications, une précision : celle qui mentionne, parmi les malheurs de Bossange, la mort d'un beau-frère, associé de la maison Jacques Laffitte, qui lui facilitait toutes les négociations avec cette seule banque. Cette donnée, qui éclaire singulièrement le rôle joué par Martin Bossange dans la fondation du *National,* atteste les liens existant alors entre les libraires et les milieux de finance. Joseph Michaud, dont le frère doit déposer également son bilan, n'est-il pas, par exemple, le propre gendre d'un autre grand banquier, le Lyonnais Vital Roux qui a été régent de la Banque de France jusqu'en 1828 ?

Mais il est de bonnes et de mauvaises faillites. De quelle nature furent celles des trois Bossange ? Martin, déjà âgé, semble n'avoir pas réussi à se rétablir complètement. Il n'en gagne pas moins Leipzig où il prend la tête de sa succursale et, profitant d'un climat exceptionnel, contribue au lancement d'un magazine à bon marché, le *Pfennig Magazine* qui compte jusqu'à 100 000 souscripteurs. Puis il prend sa retraite en 1837 et meurt presque centenaire, en 1865, regretté de tous. Pendant ce temps, Adolphe fait jouer sur la scène du Théâtre français deux pièces composées avec la collaboration de Frédéric Soulié, *La famille de Lusigny* (15 octobre 1830) et *Clotilde* (11 octobre 1832). Il publie, encore en 1832, un livre intitulé *Des crimes et des peines capitales* et entreprend une carrière de journaliste. Mais il n'en a pas pour autant définitivement renoncé aux affaires puisqu'il dépose la plume, selon Werdet, vers 1850 pour « contribuer à la fondation et à l'établissement des chemins de fer » et devient secrétaire général de la Compagnie de l'Est. Mais c'est assurément Hector qui réussit le mieux à se rétablir, après que sa faillite lui a permis d'apurer sa situation financière. On le retrouve en effet publiant d'énormes catalogues de livres disponibles —

Librairie et politique de 1830 à 1852

Armand Carrel (1800-1836),
portrait lithographié
par Bornemann
d'après Léon Viardot.

Portrait lithographié
du financier Jacques Laffitte.

Le petit monde du livre était, on l'a vu, fort politisé et étroitement lié à celui de la presse sous la Restauration. Aux frères Michaud, fondateurs de la très royaliste *Quotidienne,* s'opposaient par exemple les frères Baudouin, bonapartistes de tradition, grands éditeurs eux aussi et actionnaires du *Constitutionnel.* Comme ces derniers la plupart des libraires se sentaient solidaires des intellectuels libéraux et étaient exaspérés par l'hostilité du pouvoir vis-à-vis de la bourgeoisie montante.

L'histoire d'Armand Carrel est révélatrice de ce climat. Cet ancien saint-cyrien avait échappé de peu au peloton d'exécution lorsque les troupes françaises, venues rétablir l'ordre en Espagne sur l'ordre de Charles X, l'avaient capturé les armes à la main parmi les réfugiés espagnols. Il avait ensuite été le secrétaire d'Augustin Thierry et avait appris à rédiger des compilations historiques. Il avait alors retrouvé le libraire Sautelet, qui venait de s'associer un jeune avocat nommé Paulin et partageait ses convictions, et avait vu son ancien camarade et complice Joubert se faire son propre éditeur. Il avait peu après ouvert une librairie, place Dauphine, avec un ancien condisciple de Saint-Cyr nommé Malher mais avait fait de mauvaises affaires, et son fonds avait été racheté par Louis Hachette, « leader » des jeunes normaliens persécutés par Mgr de Frayssinous. Cependant, comme le *Constitutionnel* paraissait trop timide dans son opposition, Thiers, conseillé par Talleyrand, décida de créer une feuille plus combattive avec Mignet et Carrel. Quatre libraires, Sautelet, Charles Hingray, un ancien militaire, Bossange et Renouard, entrèrent dans la combinaison qui permit au *National,* dont l'imprimeur fut Gauthier-Laguionie, de voir le jour le 3 janvier 1830. Nul doute que, derrière ce groupe, se soient profilés des banquiers, et d'abord Jacques Laffitte dont la banque fournit les trois quarts du cautionnement de 6 000 francs nécessaire à la création d'un nouveau journal, et que les Bossange, liés à la fois à Laffitte et à Talleyrand, aient joué dans l'affaire un rôle important.

Les quatre ordonnances contre la presse parues dans le *Moniteur* le 26 juillet suivant mirent le feu aux poudres. Thiers et le groupe du *National* menèrent le combat, et on retrouve parmi les signataires de la protestation qu'ils rédigèrent alors le nom de Dubochet, libraire et journaliste lui-même lié à Paulin. Les gens du livre furent d'autant plus actifs lors des Trois Glorieuses

que beaucoup d'entre eux étaient menacés de faillite et cherchaient une issue. Louis Hachette participa pour sa part à l'attaque de la prison de l'Abbaye. Il était encore, selon Sainte-Beuve, présent quand son ami Farcy, rédacteur au *Globe,* fut tué devant les Tuileries et conduisit le cortège menant son cadavre au domicile de son ami Littré. Une autre tradition veut cependant qu'il ait participé à l'attaque de la caserne des Suisses où le jeune Vaneau serait tombé à ses côtés.

Beaucoup de libraires retournèrent ensuite à leurs affaires. Mais, tandis que Thiers et Mignet se ralliaient à Louis-Philippe, Armand Carrel devenait le seul rédacteur en chef du *National.* Remplaçant Sautelet qui s'était suicidé en 1830, Paulin devint gérant du journal et se trouvait menacé de prison dès 1831. Puis Carrel mourait en 1837, tué en duel par Émile de Girardin, le créateur de la presse d'argent.

L'heure n'était plus aux idéalistes mais aux bourgeois conquérants, et, en matière de livre, à la révolution industrielle et commerciale dont devait naître l'édition moderne. Pourtant, tandis que le seul Dentu continuait à défendre la légitimité, beaucoup de libraires conservaient leur sympathie à l'opposition. Ainsi Hetzel, l'ami de Paulin, et Hingray, toujours lié au *National,* et surtout Pagnerre, l'éditeur de Lamennais et de Louis Blanc, ainsi que Bixio, un docteur en médecine à la fois journaliste et éditeur de livres d'agronomie.

Au fil des années, l'hostilité de Louis-Philippe et de son gouvernement à l'élargissement du corps électoral ne pouvait que renforcer la position de ces opposants. La plupart des libraires semblent avoir appris sans regret la chute du roi. Bixio s'était certes d'abord opposé à la proclamation de la République. Mais il accepta ensuite d'être envoyé en mission dans son pays d'origine et devint représentant du peuple pour le Doubs. Hingray fut élu colonel de la 10e légion de la garde nationale et représenta ses compatriotes des Vosges à la Constituante. Hetzel devint chef de cabinet du ministre des Affaires étrangères, qui était à la fois son ami et son créancier pour la plus grande indignation de Balzac avec qui il venait de se brouiller, puis fut nommé secrétaire du pouvoir exécutif. Surtout, Pagnerre fut nommé maire adjoint du Xe arrondissement et secrétaire général du gouvernement provisoire avant d'être élu représentant du peuple à l'Assemblée constituante. Du moins sa position lui permit-

La saisie des presses du *National.*
À la suite de la violente protestation des journalistes contre les ordonnances du 26 juillet 1830,
la police envahit les imprimeries, en particulier celle du *National,* casse les presses
et saisit les exemplaires des journaux.
Lithographie de Victor Adam, imprimée par Bichebois.

elle de réaliser, en mars 1848, un vieux rêve des libraires en créant un Comptoir national d'escompte avec la coopération de Hachette, de Bixio et de Langlois.

Très vite cependant, les plus pondérés de ces hommes prirent crainte devant l'inexpérience des républicains. Louis Hachette, irrité par les déclarations démagogiques du nouveau ministre de l'Instruction publique, Hippolyte Carnot, renonça à son titre de libraire de l'Université et fit déconseiller, par son *Manuel,* aux paysans et aux instituteurs de faire acte de candidature à l'Assemblée nationale comme les y encourageait Carnot : leur instruction était insuffisante pour en faire des législateurs du pays. Dès le mois de février d'autre part, apprenant que les ouvriers avaient commencé à détruire les presses mécaniques, en particulier chez Plon, il prit l'engagement de faire travailler trois presses à bras dans chacune des imprimeries de Panckoucke, Renouard, Crapelet et Duvergé.

On possède encore la lettre par laquelle Hetzel demanda, lors des journées de juin, que la troupe vienne protéger son ministère. Et l'on ne sera pas surpris d'apprendre que les frères Plon, Louis Hachette qui vit le commandant Masson, père de l'historien, tué à ses côtés, et Bixio, qui fut blessé, firent tout leur devoir de défenseurs de l'ordre, de même sans doute que beaucoup de leurs confrères qui s'étaient trouvés engagés comme eux dans la Garde nationale, tandis que Poulet-Malassis, qui sympathisait avec les insurgés fut envoyé sur les pontons de Brest.

L'élection de Louis-Napoléon Bonaparte, accueillie avec soulagement, ne fut pas pour autant approuvée sans réserve par tous ces hommes. Bixio, ministre de l'Agriculture dans le premier cabinet du prince-président, s'en alla au bout de huit jours, et Hingray s'opposa constamment à la politique de celui-ci et appuya notamment la proposition tendant à le décréter d'accusation lors du siège de Rome. Surtout, si le coup d'État enthousiasma Furne, pusillanime par nature mais bonapartiste enragé, de même que Charpentier inquiet pour ses affaires, la plupart des libraires n'apprirent pas sans appréhension, inquiétude ou indignation, le départ pour l'exil après le 2 décembre de Victor Hugo, Edgar Quinet, Victor Schoelcher, Émile de Girardin, Jules Hetzel et bien d'autres. Cependant, si Louis Hachette se tint longtemps à l'écart, le nouveau régime, profitant d'un climat économique excellent, sut se concilier bien des libraires et surtout de grands imprimeurs désireux de voir se prolonger l'ère de tranquillité qui semblait s'annoncer.

celui de 1845 comporte plus de 30 000 titres — et il donne encore, en 1855, à l'intention de ses amis et clients américains un choix d'ouvrages, intitulés Ma bibliothèque française, qui témoigne de l'étendue de ses relations d'affaires.

Une interprétation de la crise

Interrogé en 1831 sur les causes de la crise de la librairie, Ambroise Firmin-Didot avait fourni une réponse intéressante aux membres de la chambre de commerce de Paris (40). Pour lui, cette crise était la conséquence logique de la surproduction des années 1820-1826 durant lesquelles on avait produit plus de 50 millions de volumes. Il s'agissait alors de reconquérir un marché mondial, délaissé durant la Révolution et l'Empire, et de garnir les bibliothèques de la nouvelle société française. Mais Firmin-Didot dénonçait en même temps la « funeste facilité » avec laquelle les capitaux s'étaient, selon lui, engouffrés en France. Comme on ne pouvait produire qu'un nombre fixe de livres de classe, de paroissiens et d'almanachs, toute la croissance s'était concentrée sur les autres secteurs qui s'étaient finalement trouvés saturés, en particulier celui des œuvres complètes. Aux difficultés conjoncturelles des années 1826-1831 s'étaient, d'autre part, ajoutées des causes « permanentes ». Il ne fallait pas oublier en effet que l'édition et le commerce du livre étaient traditionnellement — et sont restés — des zones à haut risque où n'auraient dû intervenir, selon notre grand imprimeur, que des « capitalistes » susceptibles de supporter des pertes passagères, alors que la plupart des libraires de l'époque étaient d'anciens commis sans fortune, récemment installés et misant sur un succès immédiat.

Les Français subirent d'autant plus durement le contrecoup de la crise bancaire, qui s'était déclenchée à partir de la place de Londres, qu'ils ne disposaient pas d'une organisation du crédit bien structurée, et beaucoup d'apprentis éditeurs, qui ne voulaient pas s'associer organiquement à un « capitaliste », lançaient des publications sans avoir même de quoi payer le papier et régler les frais d'impression, comptant sur les ventes pour rembour-

ser leurs dettes. D'où une intense circulation de billets à terme, qui prenait périodiquement des proportions inquiétantes et rendait les affaires de la librairie particulièrement sensibles aux fluctuations du marché.

Mais il était encore, selon Didot, d'autres causes au marasme de l'édition. L'Espagne, le Portugal et toute l'Italie, à l'exception de la Toscane, s'étaient totalement fermés à l'importation de livres français tandis que la censure se montrait extrêmement sévère en Russie et en Autriche. À cela s'ajoutait la contrefaçon belge. De plus, les bibliothèques publiques n'achetaient à peu près rien en France, alors que les bibliothèques ecclésiastiques et les grandes collections privées représentaient sous l'Ancien Régime une part importante du marché. Les sociétés bibliques et les congrégations distribuaient gratuitement des Bibles et faisaient colporter au-dessous du prix de fabrique des manuels élémentaires. En outre, la course au bas prix réduisait les bénéfices et rendait aléatoire toute entreprise importante. Dans ces conditions, le célèbre imprimeur insistait pour que le pouvoir fasse un effort en faveur des bibliothèques. Enfin, il dénonçait une fois de plus le monopole de l'Imprimerie royale et réclamait que les impressions administratives soient rendues au secteur privé.

Tout cela permet de pressentir les problèmes auxquels les libraires de cette époque se trouvaient confrontés. Ils s'étaient presque uniquement adressés jusque-là à un public réduit de grands notables auxquels ils avaient proposé des œuvres complètes et des collections de textes. En revanche, la part des nouveautés était restée très réduite par rapport à l'ensemble de la production. Le succès des œuvres de Lamartine ne doit pas faire illusion. *Han d'Islande,* tiré à 1 200 exemplaires, ne s'était écoulé que très lentement en 1823. Et, en 1829 encore, Hector Bossange et Gosselin avaient dû placer la mention « Deuxième édition » au titre des *Orientales,* dont ils n'avaient débité au bout de six mois que 320 exemplaires, afin d'en stimuler la vente.

Le grand problème était donc d'élargir le marché en proposant au public bourgeois des produits de qualité à moindre prix.

Hector Bossange, âgé, vers 1855.

Planches 9 et 10 — *La Mode,* fondée
par Émile de Girardin en 1829,
hebdomadaire aux aspects divers :
politique, littéraire, mondain, avec,
naturellement, à chaque livraison
un « bulletin des modes » illustré
de deux gravures. H. 233 mm.

Planche 11 — Aux lithographies en noir, dont plusieurs sont reproduites
dans ce volume, la *Caricature* a ajouté un grand nombre de lithographies
en couleurs, les unes et les autres cherchant à ridiculiser
le régime et le roi, comme cette planche de 1831, dessinée
par J.-J. Grandville. 209 × 170 mm.

LE PILORI

DEUXIÈME ANNÉE. — N° 85.
Le numéro : 15 centimes.

Paris. — 9, place de la Bourse, 9. — Paris

DIMANCHE 4 DÉCEMBRE 1887
Le numéro : 15 centimes

PAUVRE HOMME !!! PAR BLASS

AH ! QUEL MALHEUR D'AVOIR UN GENDRE !

(Air connu).

Planche 12 — Cette caricature de Jules Grévy par le dessinateur J. Blass a paru dans le *Pilori*, périodique monarchiste de la fin du siècle. H. 518 mm.

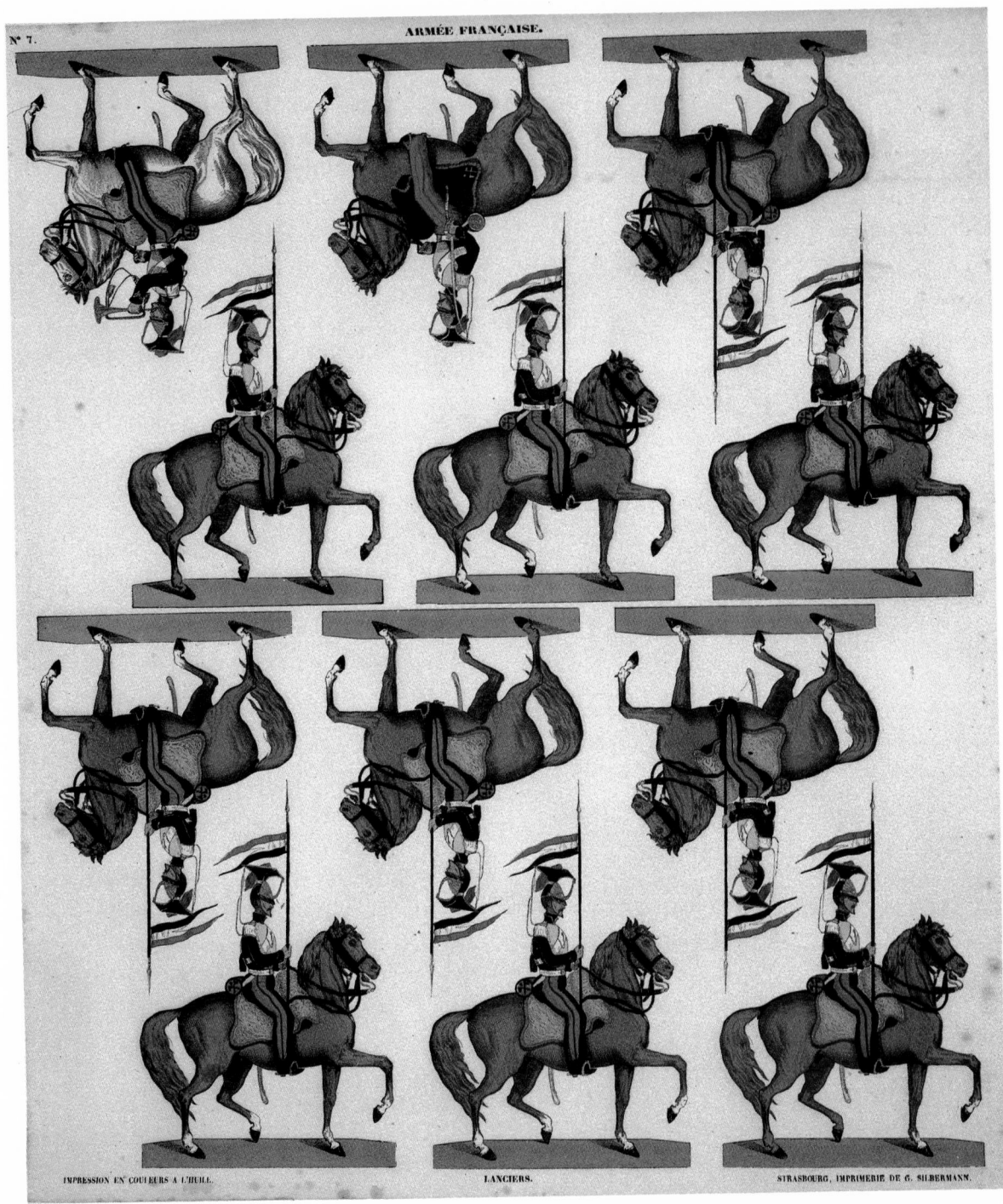

Planche 13 — Une planche des « petits soldats de Strasbourg », lanciers de l'armée française
entre 1850 et 1860. Impression lithographique en couleurs à l'huile
de Gustave Silbermann. 455 × 390 mm.
(collection particulière).

Planche 14 — Une planche d'images d'Épinal pédagogiques
qui fait partie de la série encyclopédique Glucq des
Leçons de choses illustrées, éditée par Pellerin et Cie
à la fin du XIXe siècle. 393 × 284 mm.
(Collection particulière.)

Planche 15 — Affiche de librairie pour *l'Algérie* de
Léon Galibert, publiée à Paris par Furne en 1844 et illustrée
par Raffet. L'affiche reproduit une planche du livre ;
elle a été imprimée par Rouchon au moyen de la technique
spéciale que celui-ci avait mise au point en s'inspirant
du procédé d'impression du papier peint. 1,18 × 0,85 m.

Planche 16 — Affiche de Chéret pour l'édition illustrée de *la Terre*, de Zola.
publiée par Marpon et Flammarion en 1889. Paris, Impr. Chaix. 2,45 × 0,88 m.

Planche 17 — pour les *Œuvres illustrées* de Champfleury,
édition populaire publiée par Poulet-Malassis en 1862.

Petites affiches de librairie destinées à être placardées
à l'intérieur des boutiques, notamment à l'occasion
de souscriptions :

Planche 18 — pour toute l'œuvre de Victor Hugo publiée par
Jules Rouff et Cie à partir de 1890. 239 × 340 mm.

Comment sortir de la crise ?

Longtemps, l'essor de la presse avait été freiné par le prix de l'abonnement. Or voici que, en 1835, Émile de Girardin et Dutacq lançaient simultanément deux quotidiens, *La Presse* et *Le Siècle* à un tarif de moitié moindre que celui pratiqué ordinairement (soit 40 francs au lieu de 80 francs). Pour arriver à cela ils multiplièrent les annonces payantes, en vertu du principe qu'il appartenait aux annonceurs de payer le journal, et insérèrent dans celui-ci des feuilletons destinés à attirer un maximum de lecteurs (41).

Les plus grands auteurs, Chateaubriand, Lamartine et surtout Dumas père succombèrent bientôt aux offres alléchantes qui leur étaient faites. Désormais les romans à succès paraissaient d'abord dans des périodiques, et cette innovation contribua largement à obliger les libraires à sortir de leur routine pour se lancer, à leur tour, à la conquête du vaste public que la presse commençait à atteindre.

Il leur fallut alors bouleverser leur stratégie. Ils recoururent eux aussi à la publicité payante. Déjà Ladvocat avait utilisé l'affiche pour lancer ses nouveautés. Désormais, les petites annonces couvrent une partie de la *Bibliographie de la France,* on en trouve dans les journaux, les catalogues des éditeurs cessent d'être de simples listes et les mérites de chaque ouvrage y sont complaisamment exposés. Bien plus, on offre en prime aux acheteurs de livres des objets de toutes sortes, y compris des pendules ; un groupe de bibliophiles, d'imprimeurs et de libraires, qui comprend Charles Nodier et Quérard, lance en 1841 un *Moniteur de la librairie* contenant avant tout des annonces, et l'imprimeur Hébrard tente en 1846 de créer un *Bulletin de la librairie* constitué d'annonces à 50 centimes la ligne, qu'il s'engage à distribuer à 5 000 exemplaires.

On sait, d'autre part, comment la généralisation de la fabrication du papier en continu et les dimensions accrues de certains ateliers typographiques équipés de presses mécaniques ont suscité toute une machinerie conçue avant tout pour les impressions utilitaires et pour le journal, mais finalement susceptible d'être adaptée à la réalisation des livres de bonne qualité.

Produit en grande série grâce à ces techniques nouvelles, le livre tente sa chance dans tous les secteurs en se voulant de plus en plus séduisant. D'où, en premier lieu, un recours accru à l'illustration. Les nouvelles techniques — gravure sur acier, lithographie, bois de bout — avaient commencé d'être utilisées sous la Restauration. On avait illustré dès cette époque certains succès de la nouvelle école littéraire. Un tel parti ne plaisait pas toujours aux auteurs, et Lamartine arrachait les lithographies qui accompagnaient la neuvième édition de ses *Méditations* lorsqu'il en faisait cadeau. À partir de 1827, cependant, Devéria, puis Henri Monnier et enfin Tony Johannot, Charlet, Grandville et d'autres artistes encore avaient donné des suites d'illustrations pour les éditions successives des *Chansons* de Béranger alors si appréciées, et l'on sait que Delacroix réalisa en 1829 de magnifiques lithographies en hors-texte pour le *Faust* de Goethe.

L'heure approchait où un nouveau livre illustré allait pouvoir s'imposer, d'autant plus que jeunes écrivains et artistes se rencontraient souvent, en particulier à la bibliothèque de l'Arsenal, dans le salon de Charles Nodier. Ce dernier et son ami Tony Johannot exploitèrent les ressources du bois de bout dans l'*Histoire du roi de Bohême et de ses sept châteaux,* une fantaisie quelque peu surréaliste publiée chez Delangle en 1830. Les vignettes de Johannot n'illustraient pas seulement les textes : elles les complétaient en s'y insérant en des emplacements très précis (42).

Accueillie avec enthousiasme par Balzac, cette réalisation ne semble avoir guère attiré l'attention du grand public. Comme de tout temps au reste, l'édition des livres illustrés se heurtait à un problème de coût, les frais fixes engagés pour de tels ouvrages devant être répartis sur un grand nombre d'exemplaires. Le mérite des libraires de la monarchie de Juillet fut d'avoir attaqué le problème de front, en adaptant les nouvelles techniques à la production en série de volumes attirants, en calculant de manière très attentive le rapport qualité-prix et en proposant la vente par livraisons afin d'étaler la dépense dans le temps. Certains libraires jouèrent en cette

affaire un rôle pilote. Ce fut d'abord le cas de Paulin. Après le suicide de Sautelet, l'ami d'Armand Carrel, en 1830, cet ancien avocat avait quitté la rue de Richelieu pour s'établir au 33 de la rue de Seine en compagnie de Jean-Jacques Dubochet, un libraire vaudois, éditeur de Rodolphe Toepffer, qui partageait ses idées libérales et était sans doute son bailleur de fonds. Très occupé par ses activités politiques et journalistiques — il était le gérant du *National* et allait fonder l'*Illustration* — Paulin s'adjoint, vers 1836, le fils d'un ancien chef sellier d'un régiment de la garde impériale et d'une sage-femme de Chartres, Jules Hetzel. Reprenant une idée de Balzac qui avait fait long feu, Paulin, en 1836 précisément, ose ce qui n'a jamais encore été fait : il offre le *Gil Blas* de Lesage imprimé dans une typographie relativement serrée et orné de 600 gravures d'après Gigoux, non point d'un coup, mais en 24 fascicules coûtant seulement 50 centimes chacun. Puis il lance, selon le même principe, un Molière et un Don Quichotte illustrés par Tony Johannot. Le succès de ces ouvrages — le *Gil Blas* fut débité à 15 000 exemplaires en quelques années — fait l'effet d'une révolution (43).

Pendant ce temps, Hetzel commence à travailler pour son compte. Il publie en 1837 les six premiers volumes d'un *Livre des enfants,* un recueil de contes de fées avec des vignettes de Johannot, Séguin, Gigoux et Meissonier, qui semble bien avoir été le premier livre illustré imprimé au moyen d'une presse mécanique. Puis il utilise ses relations avec ses anciens maîtres du collège Stanislas pour se lancer dans l'édition religieuse de luxe, ou plutôt de demi-luxe, et donne un *Livre d'heures* dont certains passages ont été revus par l'abbé Affre et le chanoine Églée. Il a confié le dessin des figures et des ornements au peintre Gérard Séguin et à l'architecte Daniel Ramié, « portés par un goût décidé et une préférence éclairée vers les modèles du XIIIe siècle », et s'est adressé pour la gravure aux meilleurs spécialistes, en particulier Brévière. Les fers de la reliure et les fermoirs ont été dessinés par les mêmes artistes. Et ce petit livre est offert en vingt souscriptions de cinquante centimes, ce qui témoigne, compte tenu des soins apportés à sa réalisation, d'un notable abaissement des frais (44).

Des libraires qui s'engagent sur cette voie, nul cependant ne joue aussi brillamment sa partie que Léon Curmer (45). Ce fils d'un marchand drapier de la rue Saint-Honoré se destinait, paraît-il, au notariat quand il fut saisi par le double démon du romantisme et du saint-simonisme. Il se fait libraire en 1835 sans prendre de brevet et s'installe d'abord au 25 de la rue Sainte-Anne, puis, à partir de 1838, au 47-49 de la rue de Richelieu. Presque aussitôt, il se lance dans une série de publications illustrées. En cette époque où l'Église catholique entreprenait une œuvre de reconquête religieuse, il sent, mieux encore que Hetzel, qu'il y a là une place à occuper. Il donne donc une *Histoire de l'Ancien et du Nouveau Testament,* une somptueuse *Imitation de Jésus-Christ,* des *Saints Évangiles,* des missels magnifiques ainsi qu'une édition de grand luxe du *Discours sur l'histoire universelle.* Il utilise lui aussi toutes les ressources des nouvelles techniques d'illustration mais, surtout, n'hésite pas à faire rehausser certaines de ses planches de peintures à l'aquarelle avant d'utiliser la chromolithographie. Bien entendu, il offre le plus étonnant assortiment de reliures qu'on puisse imaginer, de la « ciselure gothique » et des émaux aux simples cartonnages industriels sur toile décorés à la plaque.

Ses catalogues ont des allures saint-sulpiciennes. Il y propose non seulement des livres, mais encore des « objets de fantaisie » : albums, buvards, christs, reliquaires, lampes d'oratoire, prie-Dieu, copies de tableaux, portraits, miniatures, aquarelles ou gouaches traitant toutes, bien entendu, de sujets sacrés. Il annonce un choix de paroissiens — plus de 1 500 — reliés et garnis de fermoirs, garantit l'orthodoxie de ses éditions, officiellement approuvées par l'archevêque de Paris. Le prix de certaines d'entre elles est parfois effrayant : 1 000 francs pour un *Missel* non relié (sous le Second Empire) ; 800 pour les *Saints Évangiles,* 600 pour l'*Imitation* (celle de 1856 avec ses chromolithographies) annoncée comme « le plus beau livre de tous les temps », sans compter le supplément pour la reliure qui va

jusqu'à doubler ces chiffres. Pensant à tout et à tous, il propose aussi un *Livre du Mariage,* charmant petit in-18 qui ne coûte que 7 francs, mais dont la reliure peut monter jusqu'à 500 francs, de petites Heures in-64, texte encadré avec gravures sur acier, fleurons et titres de pages marquées pour 5 francs seulement, des offices et des paroissiens variant entre 5 et 55 francs, une *Journée du chrétien* à 6 francs (10 francs avec une reliure de chagrin) un Livre de deuil au même prix, et, enfin, moyennant une somme allant, selon la reliure, de 3,50 francs à 20 francs, des livres de première communion. La somptuosité est de règle, en particulier dans les bordures. Curmer n'hésite pas à demander à des artistes tels que Tony Johannot, Meissonier ou Isabey fils de fournir des dessins pour les hors-texte prévus et il veille tout particulièrement à la qualité des vignettes et ornements sur bois de bout, gravés par les meilleurs spécialistes, tel l'illustre Porret, dont il prend bien soin de mentionner les noms dans l'ouvrage.

Pourtant, Curmer fait encore tout autre chose. En 1838, il publie le plus célèbre des livres illustrés romantiques, un *Paul et Virginie.* Là encore, il n'épargne rien pour réaliser un chef-d'œuvre, se livre à une étude attentive du paysage et de la flore de l'Ile-de-France, demande à Tony Johannot, Français, Eugène Isabey, Meissonier, Paul Huet de Laberge et Marville de participer à la réalisation de 400 vignettes et de 30 hors-texte gravés sur bois et sur acier (46).

Curmer ne réussit pas à écouler les 10 000 exemplaires prévus, semble-t-il, au départ. Quel qu'ait été le chiffre total du tirage, il lui reste en tout cas quelques centaines d'exemplaires en magasin en 1845. Il se vante en revanche d'avoir donné plusieurs éditions étrangères de ce même livre, en anglais, en allemand et en espagnol. Il publie encore en 1839 *les Soirées d'hiver* de La Bedollière et *les Traditions de Palestine,* petit in-12 orné de vignettes gravées sur bois, et il multiplie à partir de cette date des livres illustrés de toutes sortes, allant des albums de salon aux gros ouvrages de botanique pour lesquels il a une toute particulière préférence.

Vaste production, donc, au sein de

laquelle certains volumes font date, en particulier sur le plan technique. Tel *la Pléiade, ballades et nouvelles,* un recueil de textes d'Homère, Marie de France, Hoffmann, Dickens, Gavarni et plusieurs autres auteurs, classiques ou récents, illustré notamment par Gavarni, offert en 10 livraisons et au prix de 13 francs. L'éditeur explique que « c'est un ouvrage d'essai et de tentatives diverses ; une des plus notables est l'introduction dans le texte des épreuves d'eau-forte tirées sur papier de Chine... recollées après le tirage. Ce mode d'illustration, employé avec intelligence, pourrait être avantageusement exploité et aurait l'immense résultat de donner l'œuvre originale du dessinateur au lieu d'une reproduction comme cela a lieu dans l'emploi du procédé de la gravure sur bois ».

De tous les ouvrages publiés par Curmer, cependant, aucun n'est peut-être plus connu, et à juste titre, que *les Français peints par eux-mêmes* (1839-1841). Notre libraire, qui venait de sortir les deux volumes des *Anglais peints par eux-mêmes,* a eu l'idée de demander à des auteurs célèbres ou réputés, comme Balzac, Théophile Gautier, Charles Nodier, Léon Gozlan, Jules Janin et bien d'autres, de fournir de courts portraits de types sociaux de l'époque, et il confie l'illustration des huit volumes ainsi composés à Gavarni, Grandville, Tony Johannot, Charlet, Henri Monnier ainsi qu'à quelques autres artistes alors en renom. Il exagère quelque peu quand il déclare qu'il vient de réaliser ainsi une « vaste encyclopédie morale qui résume toute la société contemporaine », mais la lecture de cet ouvrage ne manque pas aujourd'hui encore d'intérêt.

En fait, les éditeurs des années 1840 ne pouvaient pas envisager de commander aux écrivains de la génération romantique, dont la réputation était consacrée, des manuscrits destinés à une publication illustrée, mais il restait toujours possible de leur arracher quelques pages spirituelles et bien écrites assorties d'une signature prestigieuse. Telle fut encore, par exemple, la stratégie adoptée par Jules Hetzel quand il donna les *Scènes de la vie privée et publique des animaux* avec des collaborations de Balzac, Jules Janin, Alfred et Paul de Musset, Charles

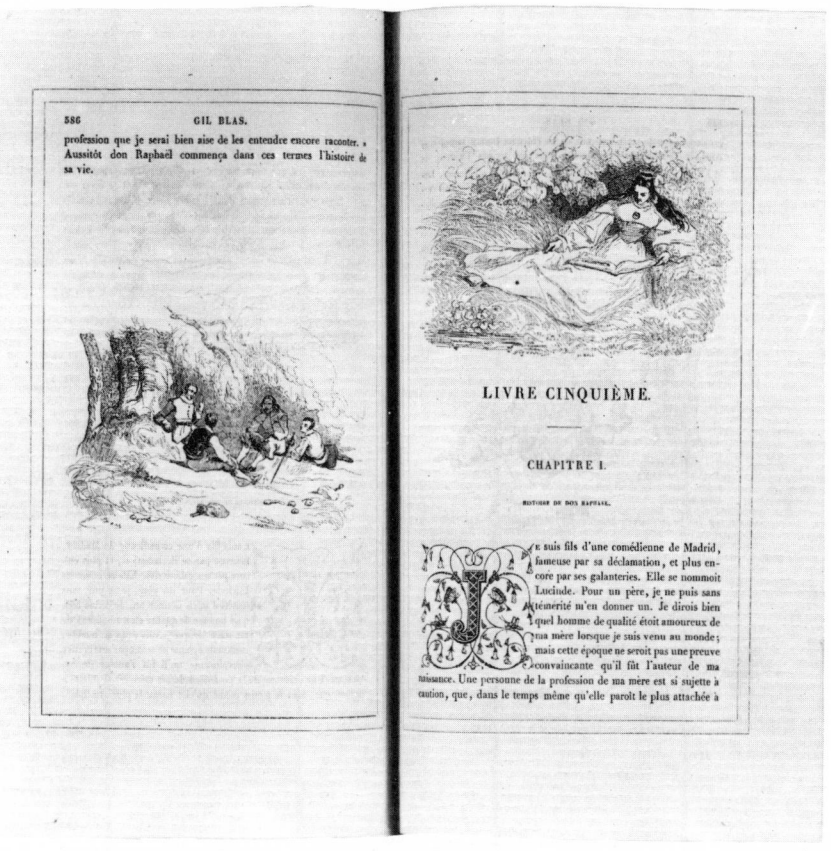

Dans l'*Histoire de Gil Blas de Santillane* de A.-R. Lesage,
600 vignettes, gravées sur bois debout d'après Jean Gigoux,
sont véritablement incorporées au texte. Paris, Paulin, 1836.
H. 252 mm.

Cette nouvelle de Gavarni, illustrée à l'eau-forte
par lui-même, fait partie du recueil intitulé
*La Pléiade, ballades, fabliaux, nouvelles
et légendes,* publié par L. Curmer en 1842.
H. 192 mm.

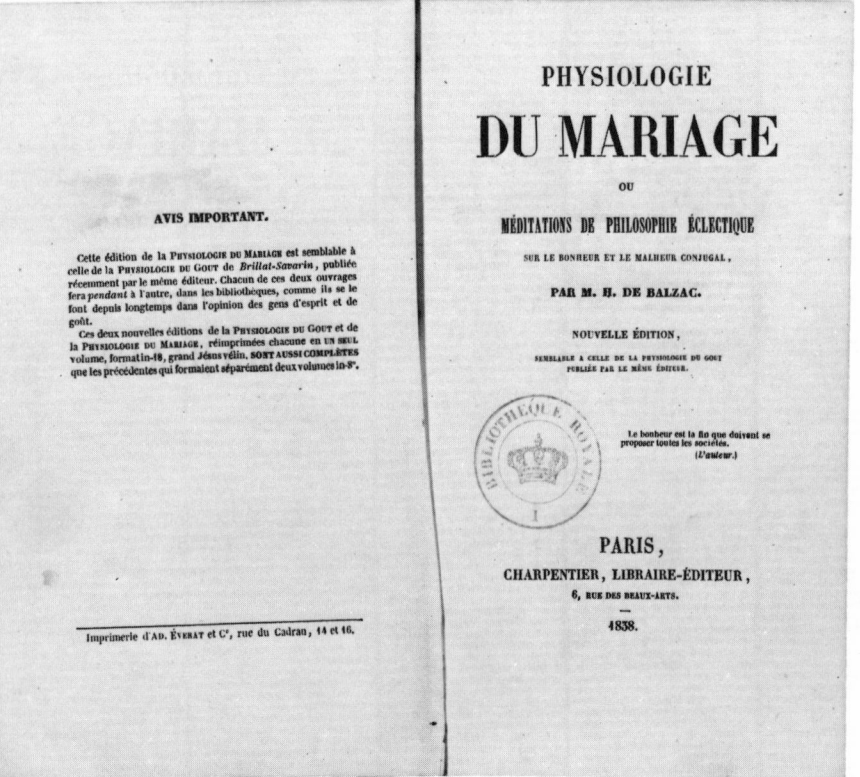

LE COMTE DE MONTE-CHRISTO. 273

— Vous êtes Marseillais et marin, dit-il, et vous me demandez où nous allons ?

— Oui, car, sur mon honneur, je l'ignore.

— Ne vous en doutez-vous pas ?

— Aucunement.

— Ce n'est pas possible ?

— Je vous le jure sur ce que j'ai de plus sacré au monde. Répondez-moi donc, de grâce !

— Mais la consigne ?

— La consigne ne vous défend pas de m'apprendre ce que je saurai dans dix minutes, dans une demi-heure, dans une

I.   18

Exemple de typographie aux lignes
espacées et souvent très courtes
(pour les dialogues) dans l'édition
originale du *Comte de Monte-Cristo*,
d'Alexandre Dumas père, en 12 vol.
Paris, Petion, 1845. H. 222 mm.

Un des deux premiers volumes de la Bibliothèque Charpentier :
format in-18 très économique et permettant d'abaisser
le prix du livre. H. 176 mm.

Nodier et sa femme et de quelques-uns de leurs amis, que Grandville se chargea d'illustrer.

Le recours à l'image et à la publication en livraisons assura aussi le succès de *la Comédie humaine* comme celle de nombreux ouvrages historiques dont certains obtinrent une vogue étonnante : témoin l'*Histoire des Français depuis le temps des Gaulois jusqu'en 1830* de Théophile Lavallée, professeur à Saint-Cyr, qui parut d'abord en livraisons de 32 pages in-8° à 35 centimes, puis dans le nouveau format in-18 et en édition illustrée de grand format, également en livraisons, soit au total 24 200 séries correspondant à 68 000 volumes débités entre 1838 et 1848 (47).

De telles réussites correspondent en fait à une révolution dans les pratiques éditoriales. Jusque-là, les libraires n'avaient rien fait pour réduire le prix et accroître l'audience des nouveautés littéraires. De sorte qu'Émile de Girardin (48) pouvait encore répartir en 1838 les auteurs en cinq catégories. Ceux qui atteignaient les 2 500 exemplaires, soit Victor Hugo et Paul de Kock, ceux qui, tels Balzac, Eugène Sue, Jules Janin ou Frédéric Soulié, arrivaient aux 1 500 ; mais Alfred de Musset, dans la quatrième catégorie, ne « tirait » au départ qu'entre 600 et 900 et Théophile Gautier ne dépassait pas, quant à lui, les 600. Ces chiffres s'expliquent par le fait que les nouveautés devaient le plus souvent être payées 7,50 francs le volume. On comprend que Werdet n'ait écoulé par exemple, en octobre 1836, que 1 200 exemplaires du *Lys dans la vallée* publié en février, alors que les contrefacteurs étrangers, qui vendaient l'ouvrage moitié moins cher, en avaient écoulé 3 000 selon Balzac. Ce système satisfaisait les maîtres des cabinets de lecture, qui n'avaient aucun intérêt à voir les bons romans devenir trop vite accessibles aux particuliers. De sorte que, en 1845 encore, le *Monte-Cristo,* imprimé dans une typographie aux lignes espacées et comportant des dialogues conçus pour occuper une ligne avec une simple interjection selon une technique chère à Dumas, comportait 10 volumes et coûtait 135 francs, ce qui constituait, on en conviendra, un tarif dissuasif pour tout particulier (49).

Désormais cependant, la machine à papier continu avait libéré les formats de la tyrannie imposée par les dimensions de la feuille. Désireux d'atteindre le public toujours plus vaste que représentait la moyenne bourgeoisie montante, des éditeurs s'efforcèrent d'innover en proposant des formats réduits mais d'autant plus « accrocheurs » qu'ils apparaissaient insolites. Ils jouèrent de plus sur les marges pour diminuer l'espace perdu, sans nuire pour autant à l'aspect de la page, et ils eurent la satisfaction de constater que le public admettait fort bien des typographies serrées si celles-ci étaient de bonne qualité et bien encrées. Les techniques de fabrication de l'encre ayant alors progressé et les presses mécaniques étant devenues capables d'exécuter d'aussi bonnes impressions que la meilleure presse à bras, l'heure était arrivée où il devenait possible d'abaisser considérablement le prix de revient des livres.

Dans ces conditions, Gervais Charpentier opère une véritable révolution en lançant sa fameuse Bibliothèque (50). Il est issu d'une famille aisée de l'Ancien Régime mais n'en a pas moins connu une jeunesse difficile. Il a été commis chez Lecointe et Durey, puis chez Ladvocat qui ne lui a envoyé, selon Werdet, aucun secours alors qu'il est tombé malade à Lyon. Il a tenu ensuite un cabinet de lecture au passage du Petit-Saint-Antoine puis est devenu libraire au Palais-Royal. Il a dû déposer son bilan en 1830, avec un actif de 34 885 francs et un passif de 67 019 francs dus à Paulin, Barba et surtout Ladvocat envers qui il est redevable de 42 073,50 francs. Il a, selon ses comptes, perdu 8 000 francs dans l'édition des œuvres de Chateaubriand, mais il obtient finalement que sa faillite soit annulée en août 1831. Il a commencé par réaliser quelques éditions de type traditionnel, mais se lie à des écrivains réputés et inspire confiance à Alfred de Vigny. Surtout, il donne, le 6 août 1838, un petit volume imprimé dans le format nouveau de l'in-18 jésus qu'on va bientôt baptiser format Charpentier. Cette *Physiologie du goût* de Brillat-Savarin contient un texte qui est le double de celui des in-8° classiques pour un prix moitié moindre : 3,50 francs. Il passe un accord avec Delloye pour publier de la même façon un choix des

meilleurs romans de Balzac et sort encore les *Œuvres* d'André Chénier. Bientôt, la Bibliothèque Charpentier comprend des œuvres de Balzac, George Sand, Alfred de Musset, Alfred de Vigny, Victor Hugo en même temps que d'Homère, Goethe, Mahomet, Dante, Shakespeare, Schiller, Cervantes, et, bien entendu, des classiques français des XVIIᵉ et XVIIIᵉ siècles. Soit 400 volumes en quelques années et bien plus encore par la suite, au cours d'une très longue existence.

La publication de la Bibliothèque Charpentier ne marque qu'une étape dans la lutte menée par les libraires au milieu du siècle. Il reste à abaisser encore plus les prix pour mettre de bons textes illustrés à la disposition du très vaste public d'ouvriers d'art, d'artisans et de très modestes bourgeois, qui ne gagnent parfois pas plus de 4 francs par journée de travail.

Là encore, le journal précéda le livre. Très tôt, des périodiques illustrés étaient apparus. Qu'il nous suffise de citer ici *La Silhouette* (1829), *La Caricature* (1830), *Le Charivari* (1832). L'abonnement à ces feuilles était, certes, fort coûteux, mais Girardin avait lancé dès 1832 le *Journal des connaissances utiles,* un mensuel de 32 pages, qui fournissait pour 4 francs par an des indications techniques sur les sujets les plus variés — des semences à l'aciérage du fer — illustrées de gravures et qui compta jusqu'à 140 000 abonnés. Puis était encore apparu le *Magasin pittoresque,* un hebdomadaire de 6 à 8 pages fournissant des articles très illustrés sur les matières les plus diverses, à 2 sous seulement par livraison. À partir de 1836, la mode du feuilleton incita divers journaux à inclure des suppléments littéraires susceptibles d'être détachés et reliés pour former un livre. Le *Figaro,* dirigé par Alphonse Karr, inaugura cette méthode avec des romans de Paul de Kock *(Un homme à marier),* de Balzac *(César Birotteau)* et de Nerval *(le Canard de Vaucanson).* Puis vint le tour du *Constitutionnel* qui donna en particulier de nombreux textes de Balzac (1845-1847), et enfin celui du *Siècle* qui s'assura la constante collaboration d'Alexandre Dumas (51).

Le libraire Gustave Havard publie, le 15 janvier 1848, un *Manon Lescaut* complet illustré de bois, dont le texte est imprimé dans une typographie par-

ticulièrement serrée, sur deux colonnes en un format grand in-4°, qu'il ne vend que 20 centimes. Ainsi naît la première collection de « romans à 4 sous » — celle du Roman illustré. Un mois plus tard, le républicain Bry lance une série concurrente, celle des Veillées littéraires illustrées. Il publie ainsi 150 livraisons, qui comportent l'édition originale du seul roman composé par Baudelaire, *la Fanfarlo,* ainsi que toute l'œuvre de Walter Scott. Puis vient le tour du Roman populaire illustré de Barba qui donne, avant Hachette, la première édition des *Mémoires* de Saint-Simon, et de bien d'autres collections encore. Désormais, les auteurs les plus célèbres, Balzac, Hugo, Sand, Frédéric Soulié, Eugène Scribe, Eugène Sue, Paul Lacroix puis Paul Féval, attendent ce label de popularité. Ainsi 2 500 livraisons de ce type ont vu le jour avant décembre 1852, 4 500 avant 1854, 6 000 avant 1859 (52). Si l'on considère que le tirage moyen de telles publications est de l'ordre des 10 000, on constate qu'il s'agit là d'un phénomène de masse qui ne va pas sans inquiéter le pouvoir et la Commission de colportage, toujours soucieuse d'éviter aux populations laborieuses la tentation des idées subversives !

L'éditeur, baron de la féodalité industrielle

Le terme d'éditeur était depuis longtemps employé en France dans les acceptions les plus diverses. Mais on appelait traditionnellement libraire, sous l'Ancien Régime, l'homme qui assumait les charges simultanées de l'édition et de la diffusion de livres.

Ce n'est que sous la monarchie de Juillet qu'on commence à prendre conscience de l'originalité de la fonction d'éditeur. La réalisation de livres illustrés est pour beaucoup dans cette prise de conscience. Hetzel, par exemple, écrivait dans le prospectus publicitaire de son *Livre d'heures* (1837-1838) :

Les frais et la difficulté jusque-là insurmontable d'un tirage en couleurs qui fait de notre livre un livre vraiment nouveau en typographie, ne nous ont point arrêté. Le choix du papier, le plus beau papier qui se fabrique en France — on peut le croire quand nous nommerons la manufacture de M. Canson —, le caractère d'imprimerie imité des types incomparables rendus célèbres par les Elzevier, et, enfin, pour mettre en œuvre toutes ces ressources, les plus habiles imprimeurs de M. Everat : tels sont les éléments que notre surveillance et nos propres soins ont tâché de faire concourir à cette présentation (53).

Curmer, de son côté, inscrit sur son exemplaire personnel de *Paul et Virginie* (1838) qu'il vient de faire relier par Niédrée :

> Enfin, mon cher livre, te voilà revêtu d'un habit selon mes vœux. Depuis dix ans, j'ai rêvé pour toi cette gloire. Grâce à toi, mon cher livre, j'ai étudié la typographie et j'ai été assez heureux pour lui faire faire quelques progrès. J'ai conduit la fabrication du papier dans une voie nouvelle, j'ai fait une révolution dans la manipulation de l'encre typographique, la gravure sur bois n'avait pas été ce qu'elle a fait pour ce livre... » (54).

Dans ces conditions, le terme d'éditeur vient tout naturellement sous la plume de Jules Janin quand il fait un compte rendu de l'œuvre de Curmer à l'occasion de l'Exposition universelle de 1839 :

> Un *éditeur* tout nouveau, qui dépense l'argent à pleines mains, qui ne doute de rien, le plus beau papier, les plus riches vignettes, les plus grands artistes sont à ses ordres, il est le libraire de luxe à la portée de tout le monde... Comme il ne peut atteindre à ces grandes affaires des Panckoucke, des Didot, des Renouard, il s'acharne à un livre et il parvient d'un seul coup à en faire une grande affaire (55).

Mais c'est Curmer lui-même qui distingue, en quelque sorte officiellement, les professions de libraire et d'éditeur dans son article destiné aux membres du jury de l'Exposition universelle de 1839 :

> Le commerce de la librairie, comme on le comprend en général, ne consiste en rien autre chose qu'en un échange d'argent contre des feuilles imprimées que le brocheur livre ensuite en volumes. La librairie prise de ce point de vue avait perdu le caractère intellectuel que nos devanciers avaient su lui donner... La librairie a acquis aujourd'hui une autre importance, et elle le doit à la profession d'*Éditeur* qui lui est venue s'implanter chez elle depuis l'introduction des livres illustrés : nous croyons donc juste et convenable dans notre intérêt, dans celui de nos confrères, de la librairie elle-même, et pour l'honneur de la France, qui a toujours marché à la tête de l'Europe dans la voie intellectuelle et progressive, de mettre au jour tous les efforts

tentés pour élever la typographie au rang qu'elle doit occuper comme interprète de la pensée, et pour opérer son alliance avec tous les arts susceptibles de se grouper autour d'elle (56).

Curmer, qui ne tient pas boutique et reçoit ses clients dans ses bureaux au premier étage du 47-49 de la rue de Richelieu, souligne dans le même texte qu'il est lui-même le créateur de ses livres puisqu'il en choisit souvent les sujets, prend l'initiative de leur réalisation, organise et coordonne le travail des techniciens appartenant à des professions très diverses et leur suggère des améliorations. D'où cette conclusion :

> En résumé, l'*éditeur*, intermédiaire intelligent entre le public et tous les travailleurs qui concourent à la confection d'un livre, ne doit être étranger à aucun des détails du travail de chacune de ces personnes ; maître d'un goût sûr, attentif aux préférences du public, il doit sacrifier quelquefois son propre sentiment à celui du plus grand nombre, pour arriver insensiblement et par des concessions graduées à faire accepter ce que les vrais artistes d'un goût plus éprouvé approuvent et désirent.
> Cette profession est plus qu'un métier, elle est devenue un art difficile à exercer, mais qui compense largement ses ennuis par des jouissances intellectuelles de chaque instant.

Peu après, il insérait dans *les Français peints par eux-mêmes* un chapitre intitulé *L'éditeur*. Mais il laissait cette fois la plume à un auteur, Regnault, qui décrit précisément les conditions de travail de l'éditeur :

> Au reste, dans ces jours de toute-puissance industrielle, l'*éditeur* sait à merveille comprendre son rôle, et profite habilement de l'influence des écrivains pour agrandir sa propre importance. Et, en effet, si nous devons reconnaître avec un fameux parlementaire l'aristocratie de l'écritoire, il est tout naturel que les agents de cette aristocratie soient comptés parmi les hauts barons de la féodalité industrielle. Aussi l'*éditeur* d'aujourd'hui, déguisant avec soin tout ce qui rappelle la patente, affecte-t-il les dehors brillants d'un protecteur des arts. Il n'a pas de comptoir, mais un cabinet. Ses magasins sont des salons ; ses commis sont des employés ; ses acheteurs sont des clients ; bientôt sans doute son caissier s'appellera un receveur. Dans ses fastueux appartements, toutes les recherches du luxe invitent à la dépense, et chassent les idées de parcimonie. Il n'y a en effet qu'un provincial bien neuf qui soit assez malavisé pour marchander, avec un tapis sous ses pieds et un candélabre sur sa tête. Les savantes dispositions des livres aux reliures étincelantes, aux ornements fantastiques présentent une heureuse harmonie avec la splendeur des ameublements, et l'amateur ébahi semble plutôt apporter son offrande au temple des Muses que passer un marché avec le Dieu du commerce.
> Le cabinet de l'*éditeur* a une autre physionomie. Comme le salon est destiné au public qui achète et paye, le salon doit être riche, c'est un bon exemple. Mais le cabinet étant consacré à la foule qui vend et reçoit, c'est-à-dire aux écrivains et aux artistes, le style en est plus simple et en même temps plus scientifique. Quelques tableaux de choix, des statuettes, des bas-reliefs en plâtre, des gravures avant la lettre, manifestent son goût pour les arts ; des Elzevier, des spécimens Didot, plusieurs médailles de Gutenberg proclament sa vénération pour le typographe, tandis que de beaux exemplaires des classiques rangés côte à côte semblent avertir les écrivains qu'ils ont affaire à un juge capable d'apprécier le mérite de leurs œuvres et d'en disputer le prix (57).

L'éditeur mène désormais le jeu et impose bien souvent ses conditions aux libraires comme aux auteurs. L'exemple de Gervais Charpentier est typique à cet égard et lui valut son exécrable réputation. On a raconté, par exemple, qu'il enfermait Théophile Gautier pour l'obliger à travailler et qu'il détestait George Sand à qui il ne pardonnait pas sa trahison envers Musset et son manque de sens des réalités. Et il était encore plus « raide » avec les libraires. Témoin une circulaire adressée à ses correspondants. Il accepte, certes, de reprendre les ouvrages invendus au bout d'un an, propose des facilités à ceux qui lui feraient des achats importants et offre chaque volume à 2,30 francs seulement, mais il prévoit en même temps avec la plus grande minutie les obligations de ses partenaires qui devront faire figurer sans interruption en bonne place, dans leurs magasins, sa Bibliothèque au grand complet et distribuer chaque année 500 ou 1 000 exemplaires de son catalogue. Il leur demande de plus de retourner, sans aucune observation ni restriction, sa circulaire lue et approuvée et se réserve de leur adresser des inspecteurs afin de s'assurer qu'ils respectent toutes les clauses du contrat, une procédure étant prévue en cas de litige (58).

On conçoit qu'un tel personnage ait été partie en de nombreux procès avec des auteurs, d'autres éditeurs, ou pour des questions de publicité, d'où plusieurs mémoires imprimés par ses soins. Du moins ses manières commi-

natoires semblent-elles avoir été efficaces. Il fit plus que tout autre pour
diffuser largement les meilleurs auteurs
et possédait une fortune évaluée à
600 000 francs lorsque la Police de la
librairie le contraignit à prendre, en
1852, le brevet qu'il avait dédaigné de
solliciter jusque-là. Il fut le précurseur
de toute une école d'éditeurs (59).

Le souci de large diffusion, partagé
par la plupart des éditeurs, rend désormais ceux-ci de plus en plus dépen-
dants des lecteurs. Lorsque Curmer
illustre les deux volumes in-8° de son
Jardin des plantes (1839) de très nombreuses planches en noir et en couleurs, c'est pour élargir sa clientèle :

> La gravure sur bois a fait de très notables
> progrès dus en grande partie à la perfection
> et à la bonne disposition des dessins de MM.
> Steinheil et Freeman. En associant la rigou-
> reuse exactitude scientifique à un effet pitto-
> resque et agréable à voir, l'histoire naturelle
> a été rendue accessible à beaucoup de per-
> sonnes pour lesquelles cette science avait peu
> d'attraits. Nous avons employé dans cet
> ouvrage un procédé qui peut être très utile à
> nos confrères. Au lieu de tirer sur les plan-
> ches de cuivre nos sujets gravés en taille-
> douce, nous avons fait décalquer des épreu-
> ves sur des pierres lithographiques par quatre
> réunies, et nous avons trouvé à la fois netteté
> et économie de temps et d'argent, le coloris
> s'effectuant très facilement sur les épreuves
> imprimées lithographiquement... Pour cin-
> quante francs, nous avons livré en deux volu-
> mes un traité complet d'histoire naturelle,
> avec plus de mille figures de la plus grande
> beauté (60).

Curmer et ses collègues s'intéressent
aux secteurs qui offrent un maximum
de débouchés : la religion, l'histoire,
le roman, le livre à figures, et bientôt
le livre de classe. On voit même Hetzel
se livrer, *a posteriori* il est vrai, à une
étude de marché :

> Du vivant de Balzac, j'avais fait avec
> Dubochet, Furne et Paulin, une édition de
> ses œuvres complètes. C'est elle qui se vend
> encore, à l'heure qu'il est chez M. Hous-
> siaux, à cinq francs le volume — soit
> 100 francs les vingt volumes. J'avais un
> monopole. Notre édition n'allait pas ou
> n'allait guère ; je la cède à M. Houssiaux...
> Balzac meurt : deux éditions complètes se
> font de ses œuvres en concurrence à la
> mienne, l'une à un franc le volume — à
> 45 francs les 45 volumes —, l'autre à
> 20 centimes la livraison. L'édition va être rui-
> née ? Pas du tout. L'œuvre de Balzac pénètre
> dans la classe des lecteurs à bon marché. Les
> livres de Balzac sont remis en discussion, ils
> reprennent faveur, mon édition à 100 francs
> s'épuise, mon concessionnaire la réimprime.

Les salons de la librairie Curmer au 47, rue de Richelieu :
en plus des livres qui garnissent les rayons des « objets de fantaisie »
sont exposés : albums, buvards, christs, reliquaires, etc.

Salons de la librairie Curmer, rue de Richelieu, n° 47.

Léon Curmer,
portrait gravé en taille-douce
paru dans le *Bibliophile français*,
mai 1869.

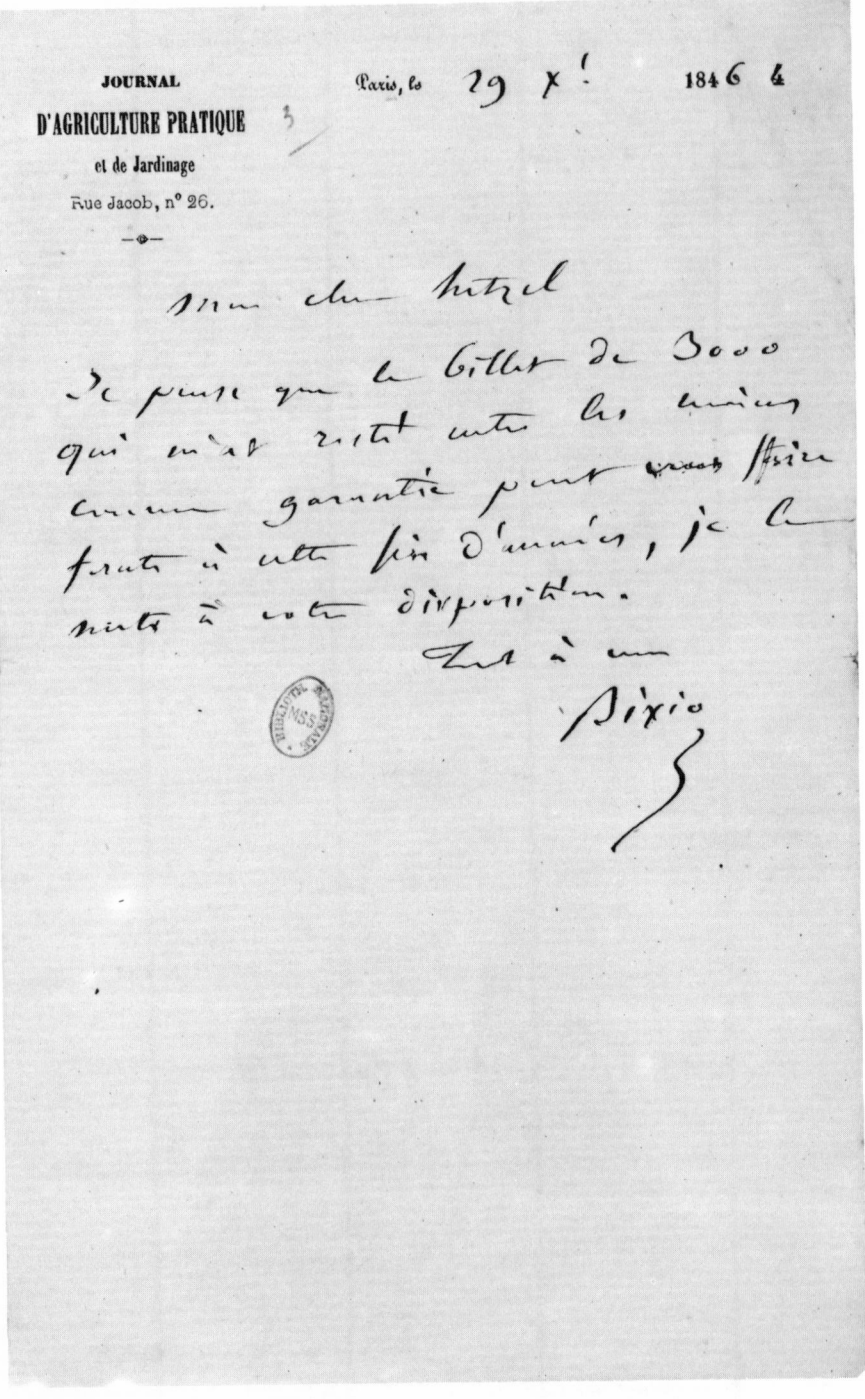

JOURNAL
D'AGRICULTURE PRATIQUE
et de Jardinage
Rue Jacob, n° 26.

Paris, le 29 X¹ 1846

Mon cher Hetzel

Je pense que le billet de 3000
qui m'est resté entre les mains
aucune garantie peut vous être
frais à cette fin d'année, je le
mets à votre disposition.

Tout à vous

Bixio

Au milieu de ses difficultés financières des années 1845 et 1846,
Hetzel bénéficia de solides amitiés, en particulier celle de Bixio,
qui l'aida plusieurs fois par des prêts d'argent effectués
avec une grande délicatesse, comme on en jugera par le billet
ci-dessus.
(Paris, Bibliothèque nationale, Ms. Nouv. acq. fr. 16936.)

L'édition à un franc fait fureur, l'édition à vingt centimes se vend à des nombres considérables ; elle coûte 25 francs au plus. Voilà trois éditions en vente, toutes prospères là où une seule, œuvre du monopole, végétait (61).

La dépendance de l'argent

Il est cependant pour les éditeurs une autre dépendance qu'ils taisent, celle de l'argent. Plus difficile à cerner, elle apparaît pourtant dans certains contrats ou dossiers de faillites. Et c'est elle qui explique comment Louis Hachette (62), bien que sans aucune fortune, put « démarrer » dès la fin de la Restauration en un temps de crise où le crédit était particulièrement rare. Il était resté lié au père d'un de ses élèves, le notaire Fourcault de Pavant, qui lui avait fait connaître un autre notaire, Henri Bréton, député légitimiste de 1815 à 1827. Ce dernier était assez ferme dans ses opinions politiques pour partir en voyage, durant de longs mois, après l'abdication de Charles X. Aida-t-il d'emblée le jeune libraire à s'établir ? Surtout, Louis Hachette avait épousé au début de l'année 1827 la fille d'un avoué demeurant rue de Choiseul, qui lui apportait en dot 40 000 francs en argent comptant. Le 27 août suivant, il passait, par acte sous seing privé, un accord avec la Banque Rousseau et Moisant en vue de la publication d'une série d'ouvrages, dont le *Dictionnaire* d'Alexandre, puis, en 1829, un autre accord du même type avec Alexis Bernard, notaire agissant pour le compte de son frère Auguste, juge à Versailles.

Les termes du contrat passé avec la Banque Rousseau, Moisant et Compagnie permettent de voir comment les libraires de cette époque finançaient leurs entreprises. Les deux parties s'entendent sur une série de titres : le *Tacite* de Burnouf, le *Dictionnaire grec* d'Alexandre, qui ne devait être achevé qu'en 1841, huit à dix volumes de classiques grecs et latins. La Banque Rousseau supportera les deux tiers des frais et Hachette l'autre tiers, mais elle avance à ce dernier les sommes correspondant à ce dernier tiers moyennant un intérêt annuel de 7 %. Les deux tiers des bénéfices de ces opérations reviendront à Louis Hachette et le dernier tiers à ses prêteurs. Tout cela portait sur d'assez fortes sommes puisqu'un acte du 17 septembre 1831 nous

184

apprend que l'avance faite était, à cette date, de 47 090,13 francs tandis que les remboursements déjà effectués montaient à 4 182,83 francs (63).

Le mérite de Louis Hachette, en cette première phase de sa carrière, est assurément d'avoir su inspirer confiance et même amitié à des « capitalistes » en une période de crise. Il est, après d'autres, menacé de faillite vers 1832, mais une « main amie » — celle d'Henri Bréton — vient à son secours en lui prêtant une somme de plus de 100 000 francs, remboursable par mensualités de 1 000 francs. Et il réussit encore à se maintenir lors de la faillite de la Banque Rousseau qui l'oblige à rembourser sa dette en 41 mensualités de 1 000 francs.

Beaucoup de libraires n'ont pas, à cette époque, la même chance ou le même talent que Louis Hachette et se trouvent ruinés parce que réduits à leurs seules forces, étant incapables d'obtenir les concours dont ils ont besoin. Ainsi se trouve posé le problème des rapports entre les éditeurs indépendants et le capital sous la monarchie de Juillet. La déconfiture de Curmer et de Hetzel, en 1845-1847, est à cet égard caractéristique.

Cette histoire est liée au départ à celle de publications particulièrement ambitieuses : d'une part, le *Paul et Virginie* qui n'a pas d'emblée le succès escompté, et, d'autre part, *la Comédie humaine*. Balzac a déjà projeté de regrouper son œuvre en un ensemble cohérent, quand Hetzel vient le contacter. Comme celui-ci ne possède pas les fonds nécessaires, même avec l'aide de Paulin et Dubochet, ses associés ordinaires, il tente lui aussi de faire appel à un « capitaliste », un certain Chantal Sanches. Balzac accepte, dans un projet d'accord, de céder à ses libraires le droit de faire deux ou trois éditions de ses œuvres complètes, dont la première serait tirée à 3 000 exemplaires et les suivantes à 4 000, moyennant seulement 50 centimes par volume tant il est désireux de voir réalisé le monument envisagé. Malheureusement, Sanchez soulève des difficultés et finit par se retirer de l'opération. Les trois libraires se tournent alors vers leur collègue Furne qui a, soulignons-le, élargi les bases de son entreprise en la mettant en société en 1836. Un nouveau traité est passé avec

Balzac. La durée de l'exploitation de son œuvre est fixée à huit ans, les éditeurs pouvant seulement faire deux éditions de 3 000 et 4 000 exemplaires (64).

Le travail peut alors commencer. Le romancier regroupe et revoit ses textes antérieurs, en envisageant de les compléter par d'autres afin de combler les lacunes ; les meilleurs illustrateurs de l'époque — les inévitables Tony Johannot, Gavarni, Meissonier, Henry Monnier et autres Bertall ainsi que Daumier — se mettent au travail tandis que Plon commence à imprimer la première livraison. Balzac est enchanté des premiers résultats :

> Ce livre a cela de curieux qu'il est le premier où l'on ait pu réunir le luxe et la perfection qui distinguent les livres tirés à la presse à bras, tout en l'en (sic) exécutant le tirage à la presse mécanique. Cette espèce de triomphe qui consiste à faire tomber les lignes sur les autres dans la retiration, c'est-à-dire en tirant le second côté de la feuille au revers du côté déjà noirci, s'est entièrement bien accompli. Cela, de même que l'égalité de la couleur et du foulage, n'avait jamais été obtenu ni en Angleterre ni à Paris, et n'a pu s'obtenir à Paris que dans une seule imprimerie où l'on a spécialement étudié la presse mécanique…
>
> Sous le rapport du bas prix, c'est aussi l'un des effets de notre librairie, qui, malgré le défaut de protection, tâche de lutter avec la Belgique, qui n'a pas de droits d'auteurs à payer sur ses publications. Dans tout autre pays qu'en France, le prix du papier de ce livre coûterait ce que coûte tout le livre (65).

Un prospectus rédigé en cette première période rappelle que cette publication constitue « une édition de luxe à bon marché », car « les éditions ordinaires de M. Balzac forment environ 90 volumes à 7,50 francs chacun, que nous donnerons en douze volumes à 5 francs. Chaque volume, orné de huit belles gravures tirées à part de ce texte, se compose de dix livraisons » (66).

Malheureusement, Balzac et son équipe ne parviennent pas à « tenir » le rythme forcené qui a été prévu — une livraison par semaine. L'écrivain ne peut rédiger tous les compléments auxquels il avait rêvé, et Henri Monnier doit réaliser six dessins en six jours. Les volumes cessent de paraître dans leur ordre à partir du tome III et l'absence de l'écrivain, du 18 juillet au 3 novembre 1843, provoque de nouveaux retards. Tout cela a pour effet de nuire à la vente qui était, pourtant,

bien « partie ». Hetzel ressent durement ce manque à gagner. Il doit, en 1845, céder ses droits sur une nouvelle édition à Furne qui reprend finalement toutes les parts de ses associés et devient, avec son premier commis, Houssiaux, le grand bénéficiaire d'une opération en fin de compte rentable moins rapidement qu'il avait été initialement prévu (67).

En 1845 cependant, Hetzel n'est pas le seul libraire à éprouver des difficultés de trésorerie. Curmer lui-même, qui possède pour 1 400 000 francs de livres en magasin, mais en doit 400 000, se trouve obligé de suspendre ses paiements faute de liquidités. Ses créanciers, qui sont peu nombreux — il s'agit avant tout de ses papetiers et des entrepreneurs qui travaillent pour lui — jugent préférable de le soutenir plutôt que de le faire « tomber ». Ils incitent le plus intéressé d'entre eux, l'imprimeur Schneider, à souscrire pour 6 000 francs d'effets de commerce garantis par le stock de l'éditeur. Mais cette mesure se révèle insuffisante et il est décidé de mettre le fonds en société. Malheureusement, Schneider, frappé par tous ces événements, a une attaque au moment où la mise en société va être conclue. Curmer se trouve donc en faillite (68). Il doit abandonner le matériel et la propriété des ouvrages qui ont fait sa réputation. Et Furne, encore lui, tire profit de cette ruine puisque son catalogue propose, en 1847, le *Paul et Virginie* en 40 livraisons à 20 centimes et *les Français peints par eux-mêmes* en une autre série de livraisons à 20 centimes, et qu'on retrouve encore parmi ses sorties les *Fables* de La Fontaine illustrées par Grandville, offertes en 72 livraisons à 50 centimes — soit 18 francs le volume.

Une telle affaire ne pouvait pas rester sans conséquences pour les autres libraires : « Quand Curmer fit faillite, commente Hetzel, la librairie illustrée fut très ébranlée. Ses livres furent mis au rabais. Nos éditions en furent pour la suite dépréciées, et tout ce qui faisait la librairie illustrée se trouva dans la situation d'un actionnaire qui aurait dans les mains des actions qu'un événement fortuit frapperait de cinquante pour cent de pertes. » (69). La situation de Hetzel lui-même ne cesse donc de s'aggraver. Il croit, certes, être sauvé quand Mgr Affre lui concède le privilège des livres d'église à l'usage de Paris. Ce « ballon d'oxygène » lui vaut 100 000 francs et lui procure un nouveau crédit sur la place. Il n'en doit pas moins vendre lui aussi ses meilleurs titres. Il frappe à toutes les portes, est soutenu par ses amis politiques du *National.* Mais rien n'y fait. Il se trouve de plus en plus entre les mains de son principal créancier, Delatouche, directeur des Papeteries du Marais. En 1847, son actif est de 1 200 000 francs négociables dans les trois à cinq ans et son passif de 800 000 francs exigibles dans les deux ou trois ans. Ses créanciers lui proposent alors de mettre sa librairie en actions, de transformer en parts la moitié de ses dettes et de lui accorder des délais pour le reste. Delatouche, qui blâme la légèreté de sa gestion financière, lui adjoint un associé et tuteur, bon comptable, Warnod. Mais l'opération échoue finalement et Hetzel, dont on n'a pas retrouvé la faillite, est en tout cas totalement ruiné à la veille de la révolution de 1848 et ne doit qu'à la fidèle amitié de George Sand de pouvoir faire encore quelques opérations sous différents prête-noms (70).

Ces épisodes sonnent le glas à la fois du livre illustré romantique et d'une forme d'esprit d'entreprise et d'indépendance de personnalités brillantes qui se fiaient à leur seul instinct. La ruine de Curmer et de Hetzel marque en fin de compte une capitulation devant la puissance de l'argent. Les éditeurs devront réserver désormais sa part au capital et préciser leur stratégie.

Les stratégies éditoriales : Louis Hachette

Maintenant l'éditeur occupe clairement une position centrale entre trois pôles : les auteurs et les micromilieux au sein desquels les œuvres nouvelles prennent naissance ; les fabricants qui font de celles-ci des objets de série ; et enfin le public auquel les libraires, ces intermédiaires, proposent ces objets.

En règle générale, cependant, l'éditeur part d'un de ces pôles pour réaliser les adéquations nécessaires au succès de son entreprise.

La révolution industrielle ayant fait apparaître de véritables usines à imprimer et à relier, les maîtres de telles

entreprises s'efforcèrent de développer, à l'instar des Didot et des Levrault, un secteur éditorial autonome. Tel est le cas des Plon (71). De même, Napoléon Chaix, qui met ses presses au service du chemin de fer dont il réalise les circulaires et les impressions utilitaires, obtient l'autorisation de publier et de vendre dans les gares ses fameux indicateurs destinés au public. De même encore, Paul Dupont tente de profiter de la faveur du gouvernement impérial pour supplanter Louis Hachette, jugé trop libéral, dans la fourniture des livres scolaires (72). De même enfin, les fondateurs des premiers « empires » de la reliure industrielle, les Ardant de Limoges ou les Mame de Tours, s'efforcent de mettre sur pied une concentration verticale leur permettant de réaliser eux-mêmes l'impression et la reliure de livres recouverts d'habillements aimables ou solennels, directement fournis aux écoles en vue des distributions de prix ou vendus par l'intermédiaire de libraires correspondants au moment des étrennes (voir planches 24, 26).

Comme toujours cependant, la fortune va au commerce plus qu'à la technique. Et le meilleur calcul est celui qui permet d'occuper de façon stable un secteur du marché en s'adaptant aux goûts du public.

Louis Hachette joue en la matière le rôle d'un véritable maître à penser. Sa personnalité, ses motivations, son idéal et l'ampleur de son œuvre, magistralement étudiés par Jean Mistler, méritent qu'on s'y arrête (73).

Louis Hachette est né avec le siècle (5 mai 1800), d'une famille ardennaise. Son père a été huissier et pharmacien et a servi dans la Grande Armée. Mais il est élevé par sa mère, lingère au lycée Louis-le-Grand, dénommé alors lycée Impérial. Louis fait ses études, comme Hugo et Delacroix, dans le célèbre établissement où il a pour condisciples Littré, Quicherat, Burnouf et Farcy. Il est admis à l'École supérieure en 1819, mais le grand maître de l'Université, Mgr de Frayssinous, supprime cette pépinière de libéraux sous le ministère Villèle (1822) et le pouvoir veille à ce qu'aucun normalien ne soit reçu à l'agrégation cette année-là.

Quicherat et plusieurs autres persévèrent, mais Hachette change d'orientation et choisit de faire son droit. Il vit alors en étant répétiteur à l'Institution

Laneau et en donnant des leçons particulières.

Il décide peu après de se faire libraire et s'installe bientôt au 12, rue Pierre-Sarrazin, dans une maison aujourd'hui détruite, dont l'emplacement est englobé dans les actuels bâtiments de la Librairie Hachette. Il a pris pour devise *Sic quoque docebo* et son programme est clair. Le fonds Bredif qu'il a repris comprend quelques bons titres, la traduction des *Catilinaires,* par Burnouf, et des *Annales des concours généraux.* Il acquiert encore ou crée très rapidement tout un matériau scolaire novateur : pour l'enseignement secondaire, des classiques grecs et latins tels que le *Tacite* de Burnouf, les extraits de Cicéron et de Démosthène de Ragon, le *Traité de la versification* de Quicherat, des dictionnaires dont il commande la réalisation pour le grec à Alexandre et pour le latin à Quicherat, et bien d'autres ouvrages destinés à l'enseignement secondaire. Il accepte en même temps de diffuser l'*Introduction à l'histoire* et l'*Histoire romaine* que le jeune Michelet a fait imprimer à son compte, et passe contrat avec Raspail pour un cours d'agriculture (1831). Surtout, il se lance dans l'édition et la diffusion de volumes destinés à l'enseignement primaire où l'on se contentait le plus souvent des livrets traditionnels de la littérature de colportage. Il reprend à un libraire de Nancy la *Petite Histoire de France* de Mme de Saint-Ouen, rachète des méthodes de lecture et demande encore au calligraphe Werdet, le père du libraire, de réaliser pour lui des tableaux muraux consacrés à l'alphabet.

Tout cela représente des investissements considérables, et l'on est surpris de constater que Louis Hachette développe son action en pleine période de crise. En fait, la loi Guizot sur l'enseignement primaire lui met définitivement le vent en poupe et il reçoit en 1835 une commande étonnante : 500 000 *Alphabet des écoles,* 100 000 *Livret élémentaire de lecture,* 40 000 *Arithmétique* de Vernier et encore 40 000 *Géographie* de Meissas ainsi que 40 000 *Histoire de France* de Mme de Saint-Ouen.

Renvoyons à l'ouvrage de Jean Mistler pour la suite de cette aventure et bornons-nous à souligner ici quelques points essentiels.

Le premier concerne la stratégie de la Librairie Hachette. Louis Hachette et ses successeurs restèrent toujours très proches du milieu universitaire parisien et en particulier de l'École normale supérieure au sein de laquelle ils recrutèrent tant d'auteurs et de directeurs de collections. De même, ils s'efforcèrent très tôt d'établir des liens très étroits avec les inspecteurs généraux. Mais ils s'appuyèrent aussi sur l'ensemble du corps enseignant dont ils cherchèrent à traduire les aspirations. Louis Hachette fonda rapidement, pour maintenir le contact avec les instituteurs et les professeurs, des revues pédagogiques dont les plus importantes furent le *Manuel général ou journal de l'instruction primaire* et la *Revue de l'instruction publique*. Leurs collaborateurs n'hésitaient pas à y donner leur opinion sur le départ ou la nomination des hauts fonctionnaires chargés de l'Université, sur l'organisation des services ministériels et mirent souvent leurs abonnés en campagne au moment du vote du budget. D'où une puissance sur l'opinion qui inquiéta le gouvernement impérial, avec lequel Hachette avait aussitôt marqué ses distances, et les encouragements donnés en haut lieu au *Bulletin de l'instruction publique* de Paul Dupont, qui devint en 1858 le *Journal des instituteurs,* et les pressions exercées sur les instituteurs pour qu'ils s'abonnent plutôt à cette feuille.

Second point : le succès considérable et immense de beaucoup des publications de la Librairie. La *Petite Histoire de France* de Mme de Saint-Ouen, par exemple, vendue à 2 276 708 exemplaires entre 1834 et 1880. De même, le *Dictionnaire latin-français* de Quicherat fut tiré à 445 886 exemplaires durant un siècle, de 1835 à 1934. Ainsi se trouvait fondée d'un seul coup une littérature scolaire d'inspiration libérale, parfaitement novatrice en son temps et parfaitement cohérente parce qu'elle correspondait à une vision globale de la culture, héritée des encyclopédistes.

Une notice, publiée en 1867, quatre ans après la mort de Louis Hachette, montre clairement que celui-ci avait accompli son œuvre pédagogique après un calcul réfléchi traduisant une idéologie soigneusement mûrie. Il s'agit pour Louis Hachette et les siens

Louis Hachette (1800-1864).

Le premier catalogue Hachette, daté du 15 septembre 1833, à l'adresse de la rue Pierre Sarrazin, n° 12, à Paris. (Archives de la Librairie Hachette.)

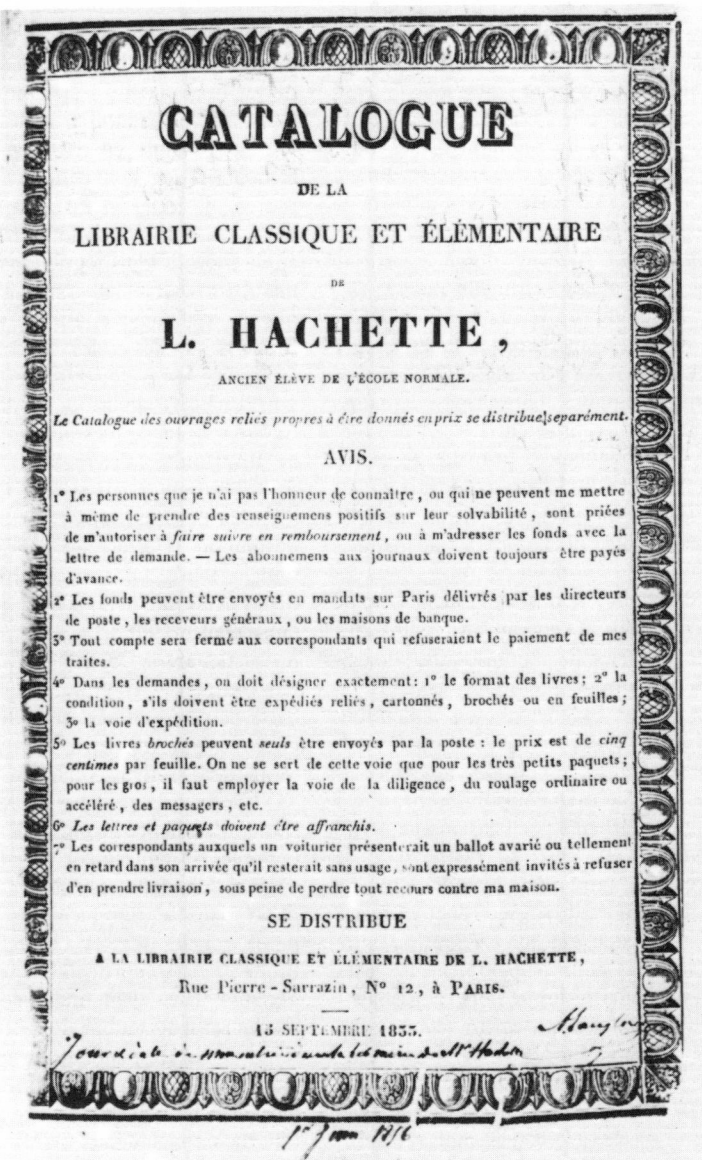

L'histoire à l'école et au lycée : les manuels d'Hachette (1830-1914)

Pour le grand public l'aventure éditoriale scolaire contemporaine s'est longtemps identifiée aux fabuleux succès du *Petit Lavisse* chez Armand Colin et du fameux *Tour de la France par deux enfants* par Mme Alfred Fouillée (alias G. Bruno) chez Eugène Belin (1). Ces deux arbres quelque peu exceptionnels, qui ont poussé avec vigueur sur le terreau républicain ensemencé par Jules Ferry, cachent peut-être le rôle déterminant joué par la maison Hachette (2) dans le développement, depuis 1830, d'une littérature éducative et pédagogique (notamment dans le domaine de l'histoire). Rappelons que sous la Troisième République Hachette est, entre autres, l'éditeur du monumental *Dictionnaire de pédagogie* publié par Ferdinand Buisson de 1882 à 1887, de l'importante revue pédagogique qu'est le *Manuel général de l'Instruction Primaire*, dirigé, à partir de 1897, par le même Ferdinand Buisson (3), et de la somme universitaire qu'est l'*Histoire de France* supervisée par Ernest Lavisse au début du XXᵉ siècle. Mais Hachette s'est également imposé dans trois domaines essentiels, qui constituent l'objet de notre étude : l'enseignement primaire, le secondaire, les livres de lecture et de prix.

À la fin du siècle et même au-delà, Hachette poursuit la liquidation de manuels d'histoire du primaire publiés sous le Second Empire, voire sous la monarchie de Juillet, et dont le contenu est rendu caduc par les changements administratifs, pédagogiques et surtout politiques survenus en France depuis l'avènement de la République « opportuniste » en 1879. Ainsi les derniers exemplaires de l'*Histoire de France* de Madame de Saint-Ouen, publiée chez Colas en 1827 et rachetée par Hachette en 1832, sont vendus en 1892. *La Patrie*, livre de lecture de tendance bonapartiste de T. H. Barrau, paru en 1860 (dont Hachette a diffusé environ 425 000 exemplaires entre 1860 et 1881) poursuit péniblement, après 1880, une carrière jusqu'alors triomphale : 32 000 exemplaires seulement vendus entre 1882 et 1902. La *Petite histoire de France* de Victor Duruy, ministre libéral de Napoléon III, qui avait connu entre 1863 et 1880 un grand succès (275 000 exemplaires diffusés) voit ses chiffres de tirage décliner : 11 000 en 1884, 5 500 en 1891, 3 300 en 1898, 1904 et 1909. Enfin les *Premières leçons d'histoire de France* de Gustave

Ducoudray (1872), contemporaines de la République conservatrice, qui ont bénéficié sous l'Ordre Moral, entre 1873 et 1877, d'un tirage annuel moyen de 35 000 exemplaires et de beaux chiffres de vente (près de 250 000 exemplaires entre 1873 et 1880), subissent naturellement le contrecoup des réformes laïques de Jules Ferry, qui se traduit notamment par la chute du tirage et des ventes (4).

Que la maison Hachette ait progressivement délaissé ces publications qui ne répondaient plus aux besoins politiques du temps présent, il n'y a là après tout rien que de très normal dans un système économique fondé sur la rentabilité et la concurrence. Plus surprenante en revanche est la désaffection — que l'on peut lire à travers les courbes de tirage et de vente — à l'égard des livres d'histoire lancés par Hachette en application des lois républicaines, et qui se manifeste clairement après 1890. Précisons que ce phénomène affecte également la Bibliothèque des écoles et des familles, collection de livres de lecture et de prix qui, sans exclusive politique, célèbrent — à travers les biographies des gloires militaires de l'Antiquité (Vercingétorix), du Moyen Âge (Philippe Auguste, Du Guesclin), de l'Ancien Régime (Bayard, Turenne) et de la Révolution (Hoche, Marceau, Kléber) — tous les héros qui ont contribué à la grandeur et à l'unité nationales et qui, à ce titre, ont « bien mérité de la patrie », et exaltent un nationalisme revanchard et cocardier sans complexes. Pourquoi ces manuels et ces livres de prix destinés au primaire, et dont l'esprit républicain est indéniable, connaissent-ils dans la dernière décennie du XIXᵉ siècle et la première du XXᵉ une égale chute d'audience, comme le révèlent les exemples du tableau ci-contre (5) ?

La raison de ce phénomène réside sans doute dans le glissement du nationalisme de la gauche vers la droite et l'extrême droite à l'occasion du boulangisme (6). La décennie 1890-1900, marquée notamment par les combats autour de l'affaire Dreyfus, sonne la fin de l'époque où le patriotisme était consubstantiel à l'esprit républicain, où la gauche pouvait, dans la grande tradition de Victor Hugo et de Michelet, se proclamer l'héritière exclusive du souvenir mythique des *Soldats de l'An II* et de la *Grande Nation* forgée par Lazare Carnot, Hoche, Kléber et Marceau. La méfiance des

instituteurs laïques à l'égard de toute la littérature républicaine revancharde diffusée entre 1880 et 1889 par Hachette et ses confrères est d'autant plus vive que des voix s'élèvent à l'extrême gauche pour réclamer de plus en plus vigoureusement, au fur et à mesure des progrès du socialisme, l'utilisation à l'école primaire d'ouvrages plus attentifs au progrès social du peuple et capables de substituer chez les petits Français l'amour de l'humanité au chauvinisme.

Dès la fin du siècle paraissent ainsi, chez des concurrents de la maison Hachette, des manuels moins nationalistes de sensibilité « radicale » : celui d'Aulard et Debidour en 1894, de Calvet et de Devinat en 1898. Hachette ne prend la suite qu'en 1904, une fois l'affaire Dreyfus passée.

Hachette lance pour le primaire, en 1904, la collection de manuels Gauthier-Deschamps, dont l'esprit correspond à une orientation nettement plus à gauche que les livres de Ducoudray et de Brouard : négation du divin, exaltation de l'époque contemporaine au détriment de l'Ancien Régime et du Moyen Âge, opposition manichéenne de la condition populaire *avant* et *après* la glorieuse Révolution française, célébration de l'œuvre émancipatrice de la Troisième République placée explicitement dans la filiation de 1789 caractérisent cette série d'ouvrages à l'iconographie plus riche, dont le cours élémentaire et moyen, tirés en 1908 et en 1911 à 165 000 exemplaires, atteignirent des chiffres de vente impressionnants : 1 050 860 exemplaires pour le premier entre 1904 et 1924 et 1 091 700 exemplaires pour le second pour la même période. Ces succès valurent d'ailleurs à cette collection des honneurs dont elle se serait volontiers passée : les foudres épiscopales fulminées *ex cathedra* en septembre 1909 contre une dizaine de manuels d'histoire « impies, sectaires et tendancieux » (Aulard, Calvet, Devinat, Guiot-Mane, Rogié et Despiques, etc.) pour outrages envers le passé religieux de la France catholique la frappèrent également, sans pour autant — on l'a vu — nuire sensiblement à sa carrière (7).

Si l'*aggiornamiento* des manuels du primaire résulte moins de la législation scolaire que de l'évolution politique de la France contemporaine, les modifications apportées, plus tardivement, aux ouvrages du secondaire relèvent d'abord des changements de la doctrine officielle ; celle-ci reflète il est vrai clairement la volonté réformatrice des républicains exprimée par Lavisse dans les *Instructions* de 1890, — « qui assignent à l'enseignement de l'histoire une mission civique (...) : développer le goût de l'action, le sens de la tolérance, le sentiment national » (8) — et surtout par la grande loi de 1902 ; celle-ci, en substituant dans le secondaire deux cycles distincts au cycle unique, traduit l'intention des dreyfusards victorieux de privilégier dans les programmes l'époque contemporaine (et notamment la Révolution française) au détriment du Moyen Âge et de l'Ancien Régime européens. Pour répondre aux exigences du législateur, Hachette lance la collection des manuels d'Albert Malet qui, grâce à ses qualités techniques et pédagogiques, devient d'emblée pour le secondaire ce que le « Petit Lavisse » était au primaire : un *classique*.

Selon Alice Gérard « le Malet réalise cette révolution par l'image appelée par Lavisse. D'emblée la qualité et la densité de l'illustration et des légendes qui l'accompagnent, jointes à une typographie remarquablement aérée et diversifiée, suffisent à le mettre hors de pair. De cette réussite formelle, le mérite doit être partagé entre l'auteur (Malet, passionné de photographie (...) a mené lui-même l'investigation auprès des collections privées et publiques) et l'éditeur Hachette, visiblement décidé à assurer, fût-ce au prix d'un dumping passager, le triomphe commercial de sa nouvelle production. Cela au moment où l'évolution technique permet désormais la reproduction des photos originales ».

Les conséquences morales, politiques et sociales de la Première Guerre mondiale, de nouveaux programmes adaptés aux nouvelles conditions historiques créées par la victoire alliée, et le traité de Versailles, ont nécessité la refonte, plus ou moins profonde, des manuels d'histoire du primaire et du secondaire.

Christian Amalvi

Manuels		Chiffres des ventes
Cours élémentaire	1878-1888	105 780 ex.
	1889-1906	23 980 ex.
Cours moyen	1881-1893	43 260 ex.
	1894-1904	4 515 ex.
G. Ducoudray, *Leçons moyennes d'histoire de France.*	1881-1890	75 000 ex.
	1891-1902	18 790 ex.
	1903-1918	8 945 ex.
G. Ducoudray, *Histoire de France élémentaire, cours moyen.*	1884-1895	180 340 ex.
	1896-1920	47 410 ex.
Livres de lecture et de prix		
Goepp et Ducoudray, *Le Patriotisme en France.*	1879-1889	23 200 ex.
	1890-1905	3 150 ex.
P. Kergomard, *Galerie enfantine des hommes illustres.*	1879-1889	6 050 ex.
	1890-1920	2 840 ex.
P. Lehugeur, *Histoire de l'armée française.*	1881-1894	24 985 ex.
	1895-1914	12 410 ex.
Jost et Lefort, *Récits patriotiques.*	1883-1888	17 980 ex.
	1889-1917	9 455 ex.
A. Luchaire, *Philippe-Auguste.*	1882-1888	7 750 ex.
	1889-1902	3 100 ex.
Debidour, *Du Guesclin.*	1881-1888	14 350 ex.
	1889-1896	7 580 ex.
D'Aubigne, *Bayard.*	1880-1888	44 645 ex.
	1888-1896	4 770 ex.
Zeeler, *Richelieu.*	1881-1888	13 460 ex.
	1889-1896	3 020 ex.
G. Duruy, *Turenne.*	1880-1888	22 575 ex.
	1889-1903	15 875 ex.
Coutret, *Kléber.*	1883-1888	11 900 ex.
	1889-1900	4 585 ex.
Correard, *Desaix.*	1883-1888	11 910 ex.
	1889-1896	2 190 ex.
Desprez, *Ney.*	1881-1888	12 450 ex.
	1889-1896	7 320 ex.

Les manuels d'histoire et leurs succès.

1. Pour en savoir plus sur le *Petit Lavisse* et le *Tour de la France*, voir dans *Les Lieux de mémoire*, ouvrage collectif publié sous la direction de Pierre Nora : tome premier : *la République*, Paris, Gallimard, 1984 :
— Pierre Nora, « Lavisse instituteur national », pp. 247-289 ;
— Jacques et Mona Ozouf, « Le Tour de la France par deux enfants », pp. 292-321.
2. Pour l'histoire générale de Hachette, voir naturellement Jean Mistler, *La Librairie Hachette*, Paris, Hachette, 1964. Je ne saurais trop remercier la maison Hachette, en général, et son archiviste M. Lanthoinette, en particulier, pour la compréhension et l'intérêt qu'ils manifestent envers les recherches relatives à l'histoire de leur librairie, dont j'ai pu, comme beaucoup d'autres chercheurs français et étrangers, bénéficier.
3. Voir notamment : Pierre Nora, « Le Dictionnaire de pédagogie de Ferdinand Buisson », *Les Lieux de mémoire, op. cit.*, pp. 353-378.

4. Sur les 42 livres de prix et de lecture de la collection Bibliothèque des écoles et des familles dont j'ai étudié les chiffres de tirage, 33 voient leur diffusion fléchir sensiblement à partir de 1890 ; pour 5 seulement, il y a augmentation des ventes pendant la même période ; dans un cas la vente est identique, à peu de chose près, avant et après 1890 ; enfin pour 3 ouvrages, les chiffres de vente sont lacunaires.
Voir aussi : Christian Amalvi, « L'Évolution des biographies scolaires (livres de prix et de lecture) dans l'enseignement de l'Histoire » (1879-1914), Actes du colloque « cent ans d'enseignement de l'Histoire (1881-1981) » (Paris, 1981). Numéro hors-série de la *Revue d'histoire moderne et contemporaine*, (1984), pp. 63-72.
5. Voir : *Le nationalisme français*, 1871-1914 : textes choisis et présentés par Raoul Girardet, 2e éd., Paris, A. Colin, 1966 (coll. « U »).
6. Voir Christian Amalvi, « Les guerres de manuels autour de l'école primaire en France :

1899-1914 », *Revue historique*, t. 262, pp. 359-398.
7. Alice Gérard, « Origines et caractéristiques du Malet-Isaac », Actes du colloque Jules Isaac (Rennes, 1977), Paris, Hachette, 1979, p. 53.
Pour la législation de l'enseignement secondaire, voir Henri Dubief, « Les cadres réglementaires dans l'enseignement secondaire sous la Troisième République », Actes du colloque « cent ans d'enseignement de l'Histoire (1881-1981) » (Paris, 1981). Numéro hors-série de la *Revue d'histoire moderne et contemporaine*, (1984), pp. 9-18.
8. Alice Gérard, *op. cit.*, pp. 54-55.
À titre de comparaison avec le Malet, rappelons que, chez Hachette, le cours de Ducoudray en usage dans le secondaire entre 1881 et 1902 est très pauvre sur le plan iconographique : les chapitres consacrés à la Révolution française et à l'Empire, par exemple, ne comportent aucune gravure et seulement 13 cartes géographiques.

LE TOUR DU MONDE

NOUVEAU JOURNAL DES VOYAGES.

Le Gaurisankar (Himalaya), la plus haute montagne du globe connue (8840 mètres). — Dessin de Grandsire d'après H. Schlagintweit.

1

Hebdomadaire publié sous la direction d'Édouard Charton, *le Tour du monde* emmène ses lecteurs dans les pays les plus divers à l'aide de nombreuses gravures sur bois dues à des artistes célèbres. Paris, Librairie Hachette, 1860 et suiv. H. 299 mm.

d'organiser et de vulgariser l'encyclopédie sans cesse renouvelée des connaissances. L'encyclopédie — le mot est écrit — des salles d'asile, autrement dit des écoles maternelles, est faite d'un matériel pédagogique — alphabets de toutes sortes sortes et collections d'images instructives — mais aussi d'une revue, de manuels, guides et recueils de conseils destinés aux maîtres. Même vision dans le primaire : d'abord le *Manuel* (abonnement annuel de dix francs) qui assure l'unité des méthodes et la cohérence des connaissances ; puis les guides pédagogiques pour les maîtres et, pour les écoliers, les manuels, du récent alphabet de Régimbaud et des modèles d'écriture manuscrite aux petits cours d'histoire de Mgr Daniel, ancien évêque de Coutances à ceux de Wallon et surtout de Duruy, un auteur de la maison devenu ministre sous l'Empire libéral, sans compter la grammaire de Sommer et celle de Quicherat, les livres d'arithmétique, d'arpentage et de géométrie, les livres de physique, de chimie, d'histoire naturelle, d'agriculture et, bien sûr, de musique. Et aussi des catéchismes, la *Morale pratique de la Patrie* de Barrau, des livres de lecture, des contes, les biographies de saint Louis, du Guesclin ou Dugay-Trouin et les *Conseils aux ouvriers* de Barrau.

Même cohérence en ce qui concerne l'enseignement secondaire. Et même assurance : « La question de l'enseignement secondaire spécial (l'enseignement technique alors à l'ordre du jour) est aujourd'hui résolue comme l'était il y a trente ans celle de l'enseignement primaire. » Suit la description de soixante ouvrages dus à des connaisseurs éprouvés, déjà rédigés ou en cours d'achèvement. Bien entendu enfin, l'enseignement secondaire classique et l'enseignement supérieur ne sont pas négligés. De sorte que défilent, comme à une parade, derrière l'*Histoire de l'Université* de Jourdain, le *Manuel général* revenu en grâce, les manuels pour examens, les grammaires, les méthodes pour les langues, le *Dictionnaire d'histoire* de Bouillet, le *Dictionnaire de l'histoire de France* de Ludovic Lalanne, professeur à l'École des chartes, les toujours inévitables manuels de Duruy, les classiques de la philosophie avec des textes d'Arnaud, Descartes, Pascal et Nicole (que de jansénistes !) — mais encore les *Mélanges philosophiques* de Jouffroy, le *Manuel de philosophie* de Jules Simon et Saisset, et, comme il le faut toujours, pour terminer une bonne publicité, le *Dictionnaire des sciences philosophiques* de A. Franck, un membre de l'Institut aujourd'hui bien oublié (74).

Au total, Louis Hachette monta d'abord son entreprise avec l'aide d'une poignée d'intellectuels libéraux. Mais il fut vite amené à s'intéresser à la diffusion, afin de faire parvenir ses ouvrages jusque dans les écoles de campagne. Très tôt, il prit l'initiative de déposer ses principaux titres au chef-lieu de chaque département, soit chez le directeur de l'École normale primaire, soit chez un libraire auquel il assurait une surremise et une exclusivité de vente. Dans le même esprit, il ouvrit un comptoir dans Alger à peine conquise, avec l'espoir de voir s'ouvrir un vaste marché franco-arabe. Cet espoir fut, certes, déçu, mais ce bourgeois conquérant s'il en fut, toujours passionné par la nouveauté, acheta au passage de vastes domaines dans la plaine de la Mitidja qu'il revendit ensuite avec un « honnête bénéfice ».

Si, d'autre part, Louis Hachette éprouva une répulsion indiscutable pour l'Empire autoritaire, il n'en profita pas moins de la prospérité de l'époque pour donner une nouvelle impulsion à ses affaires et élargir, en dehors de l'école, le champ de ses activités. Il lança par exemple de 1855 à 1861 toute une série de périodiques, le *Journal pour tous,* magazine à 10 centimes seulement (1855), le *Moniteur des comices* (1855), la *Semaine des enfants* (1857) en compte à demi avec l'imprimeur Lahure, la *Guerre d'Italie* (1859), la *Revue algérienne et coloniale* (1860), et, enfin, le fameux *Tour du monde* (75). S'enthousiasmant pour toutes les idées nouvelles, il entendait atteindre l'ensemble du public potentiel dans une vision optimiste de l'avenir. La révolution des chemins de fer attira son attention. S'inspirant de l'exemple du Britannique Smith, il créa le réseau des bibliothèques de gares. Il s'attira la solide hostilité de Napoléon Chaix, qui n'avait pas vu toutes les possibilités qu'offrait la création du réseau ferroviaire, en développant sans attendre une Bibliothèque des chemins de fer

selon un plan ambitieux : des séries à couverture rouge pour les guides, à couverture verte pour les histoires et les récits de voyage, à couverture crème pour la littérature française, à couverture jaune pour les littératures classiques et étrangères, à couverture bleue pour l'agriculture et l'industrie (voir planche 28). Parmi les livres ainsi publiés, de grands noms : ceux de Guizot, Michelet ou Lamartine. Se lançant ainsi dans la littérature générale, Hachette rachète en 1855, moyennant 104 999,43 francs, le fonds de la Librairie Lecou (76), ce qui lui permet de joindre à son catalogue des titres de George Sand, Victor Hugo, Théophile Gautier, Alphonse Karr, Léon Gozlan, Tœppfer et Nerval. Puis il réussit à devenir par l'intermédiaire de Hetzel l'éditeur de Victor Hugo pour les éditions in-18. Déjà il s'imposa comme le distributeur des auteurs à grand tirage, plus encore que Michel Lévy ou Pagnerre.

On trouve donc désormais de tout chez M. Hachette. En 1867, la littérature « générale » y équilibre presque l'éducation et l'enseignement — et les prolonge parfois (77). D'où la nécessité pour ses successeurs immédiats de procéder à un rééquilibrage et à une diversification des collections. Voici donc la Bibliothèque variée qui se dit celle des « gens du monde ». Elle comporte, outre des œuvres des grands écrivains contemporains français, des traductions des Anciens et, déjà, d'autres des maîtres étrangers : Ossian, Byron, Shakespeare, Goethe ou Schiller ; et, à côté de ces œuvres confirmées, des récits de voyage, des livres d'histoire naturelle, mais aussi des annuaires comme l'*Année littéraire* de Vapereau, l'*Année géographique* de Vivien de Saint-Martin et plusieurs autres publications de ce genre. En conséquence, la Bibliothèque des chemins de fer compte avant tout désormais des livres de délassement, signés Alphonse Karr, Guizot, Lamartine, Théophile Gautier mais aussi Paul Féval, Edmond About, Erckmann-Chatrian. Vient ensuite une Bibliothèque populaire où sont offertes des biographies édifiantes d'enfants du peuple : Jean Bart, le mousse, Lazare-Hoche, l'aide-cuisinier, Jeanne d'Arc, la fille des champs. Voici également les chefs-d'œuvre de Corneille et des

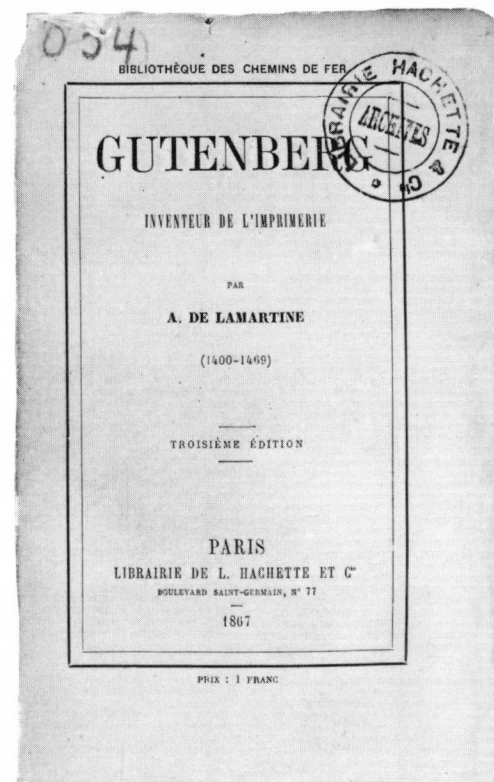

Pour la Bibliothèque des chemins de fer, imprimée chez Lahure et dont chaque volume porte à la 4ᵉ page de couverture la vignette de la locomotive, Louis Hachette s'adressa le plus souvent à des auteurs en vogue. Toutefois le *Gutenberg inventeur de l'imprimerie* qu'il demanda à Lamartine ne fut pour celui-ci que le moyen d'éponger quelque dette et n'ajouta rien à sa gloire littéraire.

Un des premiers titres de la collection des Guides-Joanne. Formule nouvelle du guide touristique, dont le plan suit celui du réseau ferré ; pas d'autres illustrations que des cartes aussi précises que possible. H. 179 mm.

COLLECTION DES GUIDES-JOANNE

ITINÉRAIRE

HISTORIQUE ET DESCRIPTIF

DE L'ALGÉRIE

COMPRENANT

LE TELL ET LE SAHARA

PAR LOUIS PIESSE

OUVRAGE

ACCOMPAGNÉ D'UNE CARTE GÉNÉRALE DE L'ALGÉRIE
D'UNE CARTE SPÉCIALE DE CHACUNE DES TROIS PROVINCES
ET D'UNE CARTE DE LA MITIDJA

PARIS
LIBRAIRIE DE L. HACHETTE ET Cie
BOULEVARD SAINT-GERMAIN, 77
1862
Droit de traduction réservé

Le *Guide pittoresque des voyages en France*, de Girault de Saint-Fargeau (Paris, Firmin-Didot, 1838) contient des notices précises et documentées sur les villes, bourgs et villages de chaque région, avec quelques jolies planches gravées sur acier. H. 203 mm.

PONT EN ROYANS.

ARRONDISSEMENT DE SAINT-MARCELLIN. 19

PONT - EN - ROYANS. Bourg situé à 3 l. 1/2 de Saint-Marcellin. ✉ Pop. 1,250 h. — *Fabriques* de draps pour l'habillement des troupes et d'ouvrages au tour.

Ce bourg est bâti dans une situation pittoresque, au milieu d'une gorge étroite, sur la rive droite de la Bourne. Deux montagnes, dont hérissées de débris de vieilles forteresses, dont l'étonnante construction paraît être aujourd'hui l'œuvre de la puissance infernale, laissent entre elles une étroite vallée que la Bourne, furieuse et resserrée, remplit tout entière de son atmosphère humide et retentissante. Un pont, dont on attribue mal à propos la construction aux Romains, a été jeté entre ces deux montagnes, à 72 pieds au-dessus du niveau des eaux de la rivière, et là où l'aigle trouverait à peine assez de place pour son aire, des hommes suspendirent de fragiles demeures. Tout le bourg est, pour ainsi dire, en relief sur la face des rochers. On ne sait ce qui étonne le plus ou de l'horreur du lieu ou de l'audace de ceux qui en font leur séjour. (*Voy. la gravure.*)

QUENTIN - SUR - ISÈRE (SAINT-). Bourg situé à 8 l. de Saint-Marcellin. Pop. 1,500 hab.

RENAGE. Village situé à 7 l. de Saint-Marcellin. Pop. 1,920 hab. — *Fabriques* d'étoffes de soie à la mécanique.

RIVES. Joli bourg, situé à 7 l. 1/2 de Saint-Marcellin. ✉ ⚒ Pop. 2,100 hab.

Ce bourg est bâti dans une situation fort agréable, au bord d'un riant vallon arrosé par la jolie rivière de la Fure, qui y reçoit le Reaumont, ruisseau dont la source curieuse sort en bouillonnant du pied d'une montagne voisine. Aux environs, on remarque la situation pittoresque du château d'Alivete. — *Manufactures* importantes de toiles, qui occupent un grand nombre de métiers à Rives et dans les villages environnants. Fabriques hydrauliques de crêpes et de foulards. Papeteries renommées. Forges et aciéries : l'acier naturel, connu sous le nom d'acier de Rives, se fabrique dans vingt-trois forges, dont sept sont situées à Rives et les autres dans les environs.

ROYBON. Bourg situé près de la Galaure, à 4 l. de Saint-Marcellin. Pop. 2,000 hab. — *Fabriques* de grosses draperies.

SONE. Village bâti dans une situation très-pittoresque, sur la rive droite de l'Isère, à 1 l. 1/4 de Saint-Marcellin. Pop. 720 hab. — Belle filature de soie, chef-d'œuvre de mécanique de Vaucanson. Aciérie. Papeterie.

TULLINS. Bourg situé à 6 l. de Saint-Marcellin. ✉ Pop. 3,807 hab.

Tullins était autrefois une petite ville assez bien fortifiée, qui a été prise et reprise plusieurs fois pendant les guerres de religion. Il est bâti dans une magnifique vallée, qui offre une diversité de site et de culture ; une immense quantité d'arbres de toute espèce et de toute beauté ; enfin une suite de tableaux qui semblent appeler le pinceau du peintre. Les champs sont décorés de treillages, qui fournissent en abondance du vin d'assez bonne qualité.— *Fabriques* d'eau de cerise. — Aux environs, forges, aciéries, martinets pour le cuivre. Battoirs de chanvre. — *Commerce* de chanvre, fil, et bestiaux.

VINAY. Bourg situé à 2 l. 1/2 de Saint-Marcellin. ✉ Pop. 3,490 hab. — *Fabrique* de taillanderie (à la Laignerie).

VIRIVILLE. Bourg situé à 7 l. de Saint-Marcellin. Pop. 2,600 hab.

VOUREY. Village et beau château, situés à 6 l. 3/4 de Saint-Marcellin.

ARRONDISSEMENT DE LA TOUR-DU-PIN.

ABRETS (les). Bourg situé à 3 l. de la Tour-du-Pin. ✉ Pop. 800 hab.

BALME (la). Village situé à peu de distance de la rive droite du Rhône, à 8 l. de la Tour-du-Pin. Pop. 550 h.

Le village de la Balme est célèbre par une grotte curieuse, qui passait jadis pour une des merveilles du Dauphiné. La grotte de Notre-Dame de la Balme a quelque chose d'imposant ; elle présente une hauteur d'environ 100 pieds sur 80 de large, couronnée, dans la partie supérieure, par une espèce de dôme occupé en partie par une chapelle de la Vierge bizarrement construite. On monte à la grotte par un chemin un peu rapide, mais très-facile. Dès l'entrée, on se trouve dans une salle spacieuse, répondant à l'excavation de la voûte et à celle de la grande arcade qui en forme l'ouverture. Cette salle présente une espèce de vestibule où aboutissent deux galeries, l'une en face, l'autre à droite. On commence ordinairement ce voyage souterrain par la première, nommée la salle du lac : c'est la plus grande et la plus curieuse des deux, et il faut fréquemment monter et descendre pour parvenir à son extrémité. Deux reposoirs, que l'on appelle le grand et le petit bassin, suspendent

Les guides de voyages au XIXe siècle

On peut distinguer trois époques au XIXe siècle dans l'histoire du tourisme en France et de la production corrélative de guides de voyages. Les touristes peu nombreux de la fin du XVIIIe siècle et du début du XIXe, souvent britanniques, ont abondamment écrit, rédigeant ainsi rétrospectivement les guides qui leur avaient fait défaut. À partir de 1840, les éditeurs s'intéressent à ce marché potentiel et font paraître les premiers guides modernes. Après 1870, avec le triomphe de la voie ferrée, la rapidité, l'aisance et le coût réduit des transports, le phénomène touristique se banalise et s'étend à la moyenne bourgeoisie, avec une profusion de guides destinés à satisfaire sa curiosité ou à dissiper son ignorance.

Sous l'Empire, on a utilisé les guides de Reichard à Leipzig, adaptés pour la France et publiés par Hyacinthe Langlois. Vaysse de Villiers rédige, de 1813 à 1835, les vingt volumes de sa *Description routière et géographique de l'Empire français* dont le titre varie suivant les vicissitudes des régimes. Boitard publie en 1823 chez Audot seize volumes de *Guide du voyageur*. Richard, de son vrai nom Audin, est l'auteur-éditeur du *Guide du voyageur en France,* qui a 24 éditions de 1823 à 1854, auquel il ajoute un *Guide du voyageur en Italie* et un *Guide aux Pyrénées* qui a six éditions de 1834 à 1855. Il faut aussi signaler les guides de Limencourt publiés chez M. Ardant, ceux du baron de Baccarat parus chez Delaunay, le *Programme itinéraire des routes de France* en vingt-trois volumes paru chez Paulin en 1833, les *Guides pittoresques* de Girault de Saint-Fargeau en 1838.

C'est l'année 1841 qui marque le début d'une énorme entreprise de publication de guides touristiques. Soucieux d'offrir aux voyageurs de plus en plus nombreux, qui se rendent à Chamonix pour admirer la mer de Glace et le mont Blanc, un guide pratique, Adolphe Joanne publie l'*Itinéraire descriptif et historique de la Suisse, du Jura français... du mont Blanc, de la vallée de Chamonix...* C'est Paulin qui assure la première édition, Louis Maison la deuxième en 1853, Louis Hachette la troisième en 1859. Collaborateur de Maison, Joanne passe chez Hachette en 1855 en même temps que sont rachetés à Maison les droits sur les guides Richard. Entre 1852 et 1855, Hachette a passé des conventions avec les compagnies de chemins de fer et obtenu la concession de points de vente dans les principales gares. Les bibliothèques des chemins de fer, au nombre de 43 en juillet 1853, sont plus de 1 000 à la fin du siècle. Elles constituent le réseau de diffusion idéal pour les guides de voyages publiés par Hachette.

Précédée de quelques volumes publiés dans la Bibliothèque des chemins de fer à partir de 1856, la Collection des Guides-Joanne naît officiellement en 1860. Le plan des volumes est calqué sur le réseau ferré. Les quelque 200 titres parus de 1860 à 1909 constituent l'Itinéraire général de la France. Une sous-collection intitulée Guides-Diamant est formée de volumes au format plus réduit, in-32 au lieu de in-16, se voulant des livres « de poche ». L'étranger est couvert progressivement, à commencer par les pays limitrophes, pour atteindre la Grèce en 1888 et l'Égypte en 1900. Aux 200 titres pour la France s'ajoute ainsi une centaine d'ouvrages pour l'étranger. À Adolphe Joanne (1813-1881) succède son fils Paul puis, en 1911, Marcel Monmarché. En 1910 apparaît, toujours chez Hachette, le Guide bleu destiné à remplacer progressivement les Guides-Joanne.

En dehors de Napoléon Chaix (1807-1865), imprimeur qui comprit lui aussi l'importance du chemin de fer et entreprit en 1852 la publication d'une Bibliothèque du voyageur, mais qui n'eut pas les moyens de concurrencer Hachette et dut se limiter à l'édition de l'*Indicateur des chemins de fer,* les seuls concurrents de Hachette sur le marché des guides de voyages furent des étrangers, Murray pour l'Angleterre et surtout l'Allemand Baedeker.

auteurs classiques pour 1 franc seulement. Puis les guides dont la collection, dirigée par Alfred Joanne, englobe déjà non seulement les principaux pays d'Europe mais encore l'Algérie, l'Égypte, la Palestine ou la Turquie d'Asie. Viennent encore les publications illustrées, réparties en trois sections, les albums, les livres pour enfants et les publications de grand luxe comme *La Fontaine* ou le *Dante* de Gustave Doré. Et enfin la Bibliothèque des merveilles, destinée à former de petites encyclopédies à bon marché et proposant aussi des récits de voyage illustrés provenant souvent des feuilletons du *Tour du monde.*

Au total, un monument d'une singulière cohérence. Le tirage global de certains titres est parfois impressionnant et les succès sont durables. Mais dans tout cela, la recherche de la diffusion maximale ne fait nullement oublier celle du profit maximal. Le prix des mêmes textes s'étage, de collection en collection, de 90 francs à 1 franc. Rien de plus simple, dans ces conditions, que de faire passer un titre dans la série à moindre prix, dès que sa vente fléchit, à l'échelon supérieur. Et plus n'est besoin désormais de négocier au « coup par coup » avec les auteurs selon le format et la qualité de l'édition envisagée. Par voie de conséquence, l'éditeur devient désormais le total maître du jeu. Ainsi s'est constitué le premier empire du livre.

On a souvent discuté des répercussions que pouvait avoir un tel système sur la création. Louis Hachette qui a si souvent mis à son catalogue des noms célèbres n'a fait qu'exploiter, sauf quelques exceptions, les réputations existantes et quelquefois déclinantes : le *Gutenberg* de Lamartine, qu'il réédita, n'ajoute pas grande-chose à la réputation de ce poète. Du moins lança-t-il la comtesse de Ségur, d'abord dans ses périodiques puis dans la Bibliothèque rose. Et Edmond About, cet « auteur maison », ou Hector Malot ne sont pas des valeurs littéraires négligeables. Mais la création littéraire passa dès cette époque, et cela était après tout naturel, par d'autres voies. D'autre part, l'œuvre de Louis Hachette et de ses successeurs dans le domaine des « sciences humaines » ne fut nullement négligeable. Hachette a réalisé le Littré, œuvre d'un de ses

Alfred Fierro

193

anciens camarades, et ses successeurs donnèrent entre autres le grand *Dictionnaire de l'Antiquité classique* de Daremberg et Saglio et l'*Histoire de France* d'Ernest Lavisse qui tiraient la conclusion des travaux d'une génération de savants. Et dès 1867, la Librairie présentait fièrement les premières publications d'une immense entreprise, celle de la collection des Grands écrivains de la France. La réalisation de chaque volume de cette série d'éditions critiques revenait, annonçait-elle fièrement, à 10 000 ou 12 000 francs. Les grands auteurs du XVIIe siècle devaient former à eux seuls une série de cent volumes. Tout cela, était-il souligné, ne pourrait jamais constituer une affaire lucrative : il s'agissait là d'honneur plus que de profit (78). Vint cependant le moment où, dans les années moins fastes de l'entre-deux-guerres, cette forme de mécénat fut abandonnée et où l'affaire fut reprise par une jeune librairie spécialisée dans l'érudition, celle d'Eugénie Droz. Ainsi se trouvait définitivement consacré un partage des tâches sur lequel nous reviendrons plus loin.

Pierre Larousse

L'œuvre de Pierre Larousse apparaît, à plus d'un point de vue, comme un prolongement de celle de Louis Hachette.

Le futur lexicographe naquit en 1817 à Toucy, au nord de la Bourgogne, où son père était charron et sa mère aubergiste (79). La notice qu'il consacra à sa propre personne dans son dictionnaire nous permet d'imaginer ce que put être sa jeunesse, en même temps qu'elle nous propose l'image qu'il souhaitait laisser de lui-même :

« Fils d'un charron-forgeron, il (Pierre Larousse) passa son enfance dans son pays natal et acquit dans une modeste école primaire les premières connaissances qui ouvrent l'esprit de l'enfant à la vie intellectuelle. Doué d'une nature inquiète, curieuse, et d'une grande activité d'esprit, il dévorait tous les livres que le hasard faisait tomber entre ses mains. Un colporteur passait-il par son village, vite il en était instruit par ses camarades, qui connaissaient sa passion, et la balle était aussitôt remuée, fouillée, bouleversée. Le jeune fureteur emportait alors dans sa poche indistinctement Voltaire et Ducray-Duminil, Rousseau et Pigault-Lebrun, *Estelle et Némorin* et les *Quatre fils Aymon*, *Paul et Virginie* et la *Clef des songes* » (80).

Aidé de quelques leçons supplémentaires de son instituteur, le jeune Larousse est reçu en 1834 à l'école normale primaire de Versailles et bénéficie pour continuer ses études d'une bourse du conseil général de l'Yonne. Il y passe quatre ans, obtient son brevet élémentaire puis son brevet supérieur, et retourne enseigner dans son pays natal. Il n'y reste que deux ans. A vingt-deux ans, il arrive à Paris avec quelques économies, suit les cours publics du Collège de France, de la Sorbonne, de l'Observatoire, du Conservatoire des arts et métiers et du Museum, écoute l'abbé Cœur, Michelet, Saint-Marc Girardin et Edgar Quinet, et va travailler tous les soirs à la bibliothèque Sainte-Geneviève. Sensibilisé par le climat de révolte des milieux estudiantins de Paris, il professe une immense admiration pour Béranger et nourrit des convictions républicaines teintées de socialisme. On ne sait rien de son attitude de 1848 à 1852, sinon qu'il assiste — en « observateur » paraît-il — à la mort du député Baudin (3 décembre 1851). Il devait en tout cas nourrir une solide haine contre Napoléon III.

Pierre Larousse vécut assez misérablement durant ces années d'apprentissage. On le retrouve entre 1849 et 1851 répétiteur à l'Institution Jauffret, déjà lié à une jeune femme d'origine aussi modeste que lui, qu'il n'épousera qu'en 1871. Il a déjà engrangé un immense savoir quand il donne en 1849 son premier livre, publié à compte d'auteur, une *Lexicologie des écoles primaires* qui deviendra plus tard sa *Grammaire élémentaire lexicologique*. Dès lors, il publie sans relâche des manuels et des livres du maître auxquels il donne le titre de Lexicologie des écoles. Pédagogue de vocation et esprit singulièrement concret, il préconise une méthode active d'éducation destinée à éveiller l'intelligence et le cœur. Répudiant les exercices de pure mémoire, il proclame que toute expression claire est fondée sur l'assimilation d'un vocabulaire étendu et sur la compréhension des significations précises de chaque mot. Pour lui, l'apprentissage de la langue est donc la base essentielle de tout savoir ultérieur, mais il n'entend pas moins donner à l'enfant des clartés de tout, recourir aux cartes et aux plans pour

élargir son univers et éveiller sa curiosité, et enseigner l'histoire des hommes et non celle des princes. Soit autant de principes dont on retrouvera l'application dans le dictionnaire qu'il médite déjà.

Cet homme, qui publie ses ouvrages à compte d'auteur et table manifestement sur cet investissement pour poursuivre son œuvre, comprend tôt qu'il devra se faire un jour éditeur. Sa chance est de rencontrer en 1851 un autre instituteur bourguignon, de famille simple, qui partage ses vues et a le sens des affaires. Les deux compatriotes obtiennent, en 1852, l'autorisation de vendre ou de louer des livres bien que Larousse ne se soit vu décerner un brevet de libraire qu'en 1862. L'association prend d'abord comme adresse le 89 du boulevard Saint-Germain, puis passe au 12 de la rue Pierre-Sarrazin, tout près de la Librairie Hachette, avant d'aller se fixer au 49, rue Saint-André-des-Arts. Larousse loue d'autre part en 1869 une imprimerie au 49 de la rue Notre-Dame-des-Champs.

Larousse et Boyer organisent, pour financer leurs entreprises, une société par actions. Boyer veille à l'aspect financier et pratique de l'affaire, ce qui permet à Larousse de poursuivre son travail dans les meilleures conditions, et même d'habiter en certaines périodes Billancourt ou Montgeron. Nul doute que, la réussite aidant, le célèbre lexicographe ait pu se faire aider dans son immense labeur : son bureau était, paraît-il, précédé en 1866 d'une « assez longue pièce occupée par une armée d'écrivains silencieux ».

Le succès ne s'est pas fait attendre. Dès 1860, Pierre Larousse peut écrire : « J'ai composé deux grammaires, l'une, grammaire du premier âge, parvenue à sa 16e édition, et dont chaque édition tire actuellement à 44 000 exemplaires ; l'autre, grammaire élémentaire, qui vient d'atteindre sa 14e édition, chaque édition tirée à 22 000. » Un peu plus tard (1868), sa grammaire s'est débitée à 88 000 exemplaires en un an et quelques-uns de ses ouvrages se tirent encore annuellement, en 1878, à 200 000. Et, si ses périodiques, *L'École normale* lancée en 1858 et *L'Émulation* (1862-1864), n'atteignent que des tirages relativement restreints (6 000 à 10 000,

Premier livre de Pierre Larousse, publié
à compte d'auteur en 1849. H. 187 mm.

LA
LEXICOLOGIE
DES ÉCOLES PRIMAIRES
cours complet
DE LANGUE FRANÇAISE
DIVISÉ EN TROIS ANNÉES
ET RÉDIGÉ
SUR UN PLAN ENTIÈREMENT NEUF
PAR M. P. LAROUSSE
Professeur, ancien élève de l'École normale de Versailles.

> On a comparé l'éducation du per-
> roquet à celle de l'enfant ; il y aurait
> souvent plus de raison de comparer
> l'éducation de l'enfant à celle du per-
> roquet. BUFFON.

PREMIÈRE ANNÉE
NATURE ET RAPPORTS DES MOTS.
GUIDE DU MAITRE

PARIS
CHEZ L'AUTEUR
Rue Culture-Sainte-Catherine, 29.
1850
1849

Portrait de Pierre Larousse (1817-1875) à l'âge
de 45 ans environ, dessiné et gravé par
H. J. Dubouchet, sans doute d'après
une photographie.

LAROUSSE ET BOYER, LIBRAIRES-ÉDITEURS
RUE SAINT-ANDRÉ-DES-ARTS, 49, A PARIS

L'ÉCOLE NORMALE
Journal d'Éducation et d'Instruction
RECUEIL
D'EXERCICES ET DE DEVOIRS TOUT PRÉPARÉS ET RÉSOLUS
SUR

LA LANGUE FRANÇAISE	LA NARRATION	LA COSMOGRAPHIE	L'AGRICULTURE
L'ORTHOGRAPHE	L'ARITHMÉTIQUE	LA CHIMIE — LA PHYSIQUE	LA GÉOGRAPHIE
L'ONTOLOGIE	LE DESSIN LINÉAIRE	LA MÉCANIQUE	L'HISTOIRE
LA LEXICOLOGIE	LA GÉOMÉTRIE	L'HISTOIRE NATURELLE	LA MUSIQUE, ETC.

sous la direction de
M. PIERRE LAROUSSE

L'ÉCOLE NORMALE PARAÎT LE 1er ET LE 15 DE CHAQUE MOIS

PRIX DE L'ABONNEMENT

5 fr. par an. — 8 fr. pour la Suisse et la Belgique. — Les abonnements partent du 1er novembre, et sont pour l'année entière.
*On peut s'abonner à toute époque de l'année, et l'on reçoit immédiatement tous les numéros parus
depuis le 1er novembre.*

S'ADRESSER PAR LETTRE AFFRANCHIE, A MM. LAROUSSE ET BOYER, ÉDITEURS
Rue Saint-André-des-Arts, 49, à Paris.

A BRUXELLES, CHEZ M. TARRIDE. — A GENÈVE, CHEZ M. CHAPOUTOT.

L'ÉCOLE NORMALE, qui a commencé à paraître le 1er novembre 1858, compte déjà plus de 3,000 abonnés.
Ce chiffre prouve que, malgré le grand nombre de journaux pédagogiques qui existaient déjà, un journal
d'enseignement vraiment pratique manquait aux instituteurs : il y avait disette au milieu de l'abondance. L'ÉCOLE NORMALE vient avec la volonté fermement arrêtée de combler cette lacune. Ce n'est
plus, comme il y a trois mois, un simple projet dont l'exécution était assujettie à des circonstances plus
ou moins favorables, à des chances plus ou moins heureuses : c'est une réalité. L'ÉCOLE NORMALE a ses
bureaux, ses rédacteurs, son administration. La voie est tracée et la machine fonctionne depuis deux
mois sous les yeux et au grand contentement, nous pouvons le dire, de 10,000 lecteurs. Ce journal
s'adresse à la jeunesse studieuse des deux sexes. Il a pris pour devise ces mots, qui devraient être
écrits sur la porte de toutes les écoles : UTILE DULCI. Rien n'y est négligé pour plaire et pour instruire.
C'est un ami dont les visites sont attendues avec la plus vive impatience, et qui apporte aux enfants, en
guise de bonbons, des historiettes piquantes, des problèmes curieux, des narrations intéressantes et de
délicieuses poésies : voilà pour l'agréable. Quant à l'utile, toutes les matières de l'enseignement y sont
traitées dans un style simple, clair, élégant et débarrassé de toute abstraction.

L'École normale, périodique lancé en 1858
par Pierre Larousse, est un journal d'éducation
permanente des instituteurs et professeurs. Il se veut
essentiellement pratique selon la devise *utile dulci*,
comme l'explique son directeur dans le prospectus
ci-contre. H. 263 mm.

Pierre-Jules Hetzel (1814-1886).
« Sa figure avait de la noblesse
et de la finesse à la fois. Il avait
une jolie barbe d'une nuance
vénitienne, une forêt de cheveux
qu'il rejetait en arrière. Il avait su
mettre du cœur dans son esprit... »
(*Souvenirs littéraires* d'Edmond
Grenier, 1894.)

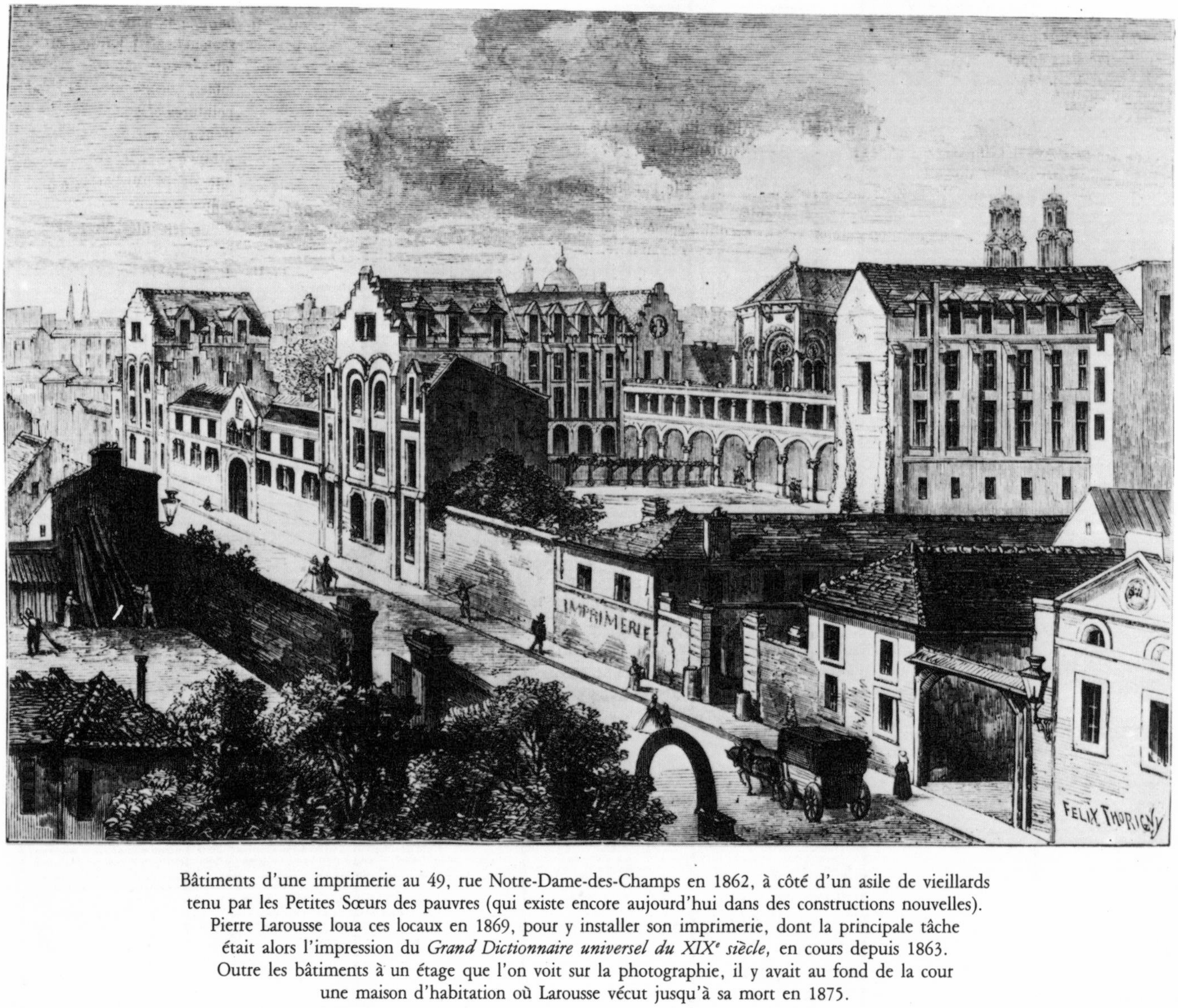

Bâtiments d'une imprimerie au 49, rue Notre-Dame-des-Champs en 1862, à côté d'un asile de vieillards
tenu par les Petites Sœurs des pauvres (qui existe encore aujourd'hui dans des constructions nouvelles).
Pierre Larousse loua ces locaux en 1869, pour y installer son imprimerie, dont la principale tâche
était alors l'impression du *Grand Dictionnaire universel du XIXᵉ siècle,* en cours depuis 1863.
Outre les bâtiments à un étage que l'on voit sur la photographie, il y avait au fond de la cour
une maison d'habitation où Larousse vécut jusqu'à sa mort en 1875.

semble-t-il), son *Nouveau Dictionnaire de la langue française,* ancêtre du *Petit Larousse,* a un succès foudroyant : 44 000 exemplaires vendus par exemple de juin 1859 à juin 1860.

Mais la grande affaire reste toujours pour Larousse le dictionnaire monumental auquel il a pensé très tôt. Le 8 mars 1863, enfin, il peut annoncer, dans *L'École normale,* la publication prochaine de son *Grand Dictionnaire géographique, mythologique, bibliographique, littéraire, artistique, scientifique du XIXᵉ siècle* qui se distinguera de ceux qui l'ont précédé, et surtout du Littré dont les premiers fascicules viennent de paraître, par « une foule de vues nouvelles ». Ce *Panlexique* qui doit renfermer la matière de plus de 200 volumes in-8° est, annonce-t-il, en voie d'achèvement au moment où il écrit. L'ouvrage est mis sous presses peu après. Son promoteur pense le vendre en 15 fascicules de 25 feuilles, à 5 francs chaque fascicule. Il offre de plus une remise de 5 francs et des *Flores latinae* ou des *Fleurs historiques* au choix, d'une valeur de 10 francs aux mille premiers acheteurs. Le lexicographe, sans doute piqué par la concurrence du Littré, semble avoir agi en cette affaire avec précipitation en prévoyant de faire entrer toute la matière prévue en 4 000 pages alors que son ouvrage devait en atteindre 20 700. D'où l'étonnante affaire que firent les premiers souscripteurs. Quoi qu'il en soit, le premier fascicule du *Grand Dictionnaire universel du XIXᵉ siècle* sort des presses le 27 décembre 1863, le premier volume relié en 1866 et le quinzième et dernier en 1876, un an donc après la mort de son promoteur. Après quoi les suppléments se succéderont.

Dès le 2 juillet 1864, Victor Hugo a adressé à Pierre Larousse des compliments publics : « c'est une belle et grande idée. Après tant d'essais et d'ébauches malheureuses, tant de répertoires empreints de l'esprit rétrograde, donner enfin à la magnifique encyclopédie de Diderot un pendant plus complet et plus grandiose encore, voilà une œuvre qui, achevée, sera pour l'éditeur la fortune et pour l'auteur la gloire... » Puis arrive, le 20 août 1869, une lettre de Proudhon : « J'ai lu les deux articles que vous m'avez recommandés, *abstraction*

et *anarchie...* Quant à anarchie, sa rédaction m'en a apparu excellente et meilleure. J'ai voulu, par ce mot, marquer le terme extrême du progrès politique... »

Nous voici arrivés, avec cet ouvrage, à l'extrême limite d'une certaine conception de la culture, selon laquelle toute connaissance peut et doit être mise à la portée de tous et où un seul homme peut concentrer en lui, à travers une seule publication, toutes formes du savoir humain. Et cela précisément en un moment historique où la science entend balayer toutes les formes de foi. Qu'on ne s'étonne donc pas si cet ouvrage qui se veut « de bonne foi » est politiquement orienté en fonction des certitudes de son auteur. Témoins par exemple les articles *Bonaparte* et *Napoléon.*

On sait le reste. Pour engagé qu'il soit, Pierre Larousse, qui salue Proudhon dans sa préface, prit une telle avance sur tous ses concurrents potentiels qu'il jeta les bases d'une entreprise qui bénéficiera durant près de 70 ans d'une forme de monopole. Seule, notre société de la simultanéité peut prétendre détrôner aujourd'hui, grâce aux techniques de la télématique, ce type de livres en l'assimilant et en l'adaptant.

Pierre-Jules Hetzel

Louis Hachette avait créé la librairie scolaire moderne et une certaine forme de littérature générale à grande diffusion, Pierre Larousse avait mis l'encyclopédie des savoirs à la portée de tous. Pierre-Jules Hetzel fut à l'origine, pour sa part, d'un type nouveau de livre pour la jeunesse et de littérature d'anticipation.

Ruiné à la veille de la révolution de 1848, compromis par suite de son action politique sous la Deuxième République, il avait dû se réfugier à Bruxelles à la suite du coup d'État du 2 décembre. Il y était devenu le principal éditeur de Victor Hugo, exilé comme lui (81). Voulant faire pièce aux contrefacteurs belges, il proposa aux auteurs français de ses amis de lui vendre leurs droits pour l'étranger et lança une petite collection in-32 dont il cédait des lots d'exemplaires à des libraires, avec leur adresse imprimée au titre. Tant bien que mal, il survécut et

même réussit à rétablir à peu près sa situation. Dès la proclamation de l'amnistie pour les condamnés politiques (17 août 1859), il prend des mesures pour rentrer en France. Il achète, près de la demeure de son ami Bixio, une étroite maison au 18 de la rue Jacob où les éditions Hetzel demeureront jusqu'en 1914. Il cherche en même temps à donner à ses affaires une assise solide. Il a mis au jour à Bruxelles en 1858 une collection in-18 à 3 francs puis à 3,50 francs le volume, vendue à Paris à l'adresse de Michel Lévy, puis à celle de Dentu. C'est le moment où les générations littéraires se renouvellent. Les négociations qu'il engage avec Barbey d'Aurevilly, Théodore de Banville et Baudelaire échouent. Il réussit en revanche à devenir le principal éditeur pour la France d'Ivan Tourgueniev, mais l'audience de celui-ci demeure restreinte : son meilleur titre, *Fumée,* ne devait être vendu en 10 « éditions » proclamées qu'à 7 200 exemplaires. Il se risque encore à éditer à partir de la Belgique, en 1861, *la Guerre et la Paix* de Proudhon que les frères Garnier n'ont pas jugé sage de publier et cette affaire lui rapporte, comme à l'auteur, 9 000 francs. Mais il est menacé de poursuites l'année suivante à la fois pour les *Mémoires* de Pierre-Louis Canier, un ancien chef de la police, et pour la *Sorcière* de Michelet que Louis Hachette et Pagnerre n'ont pas osé mettre en vente. Ce sont là ses dernières imprudences. Ayant obtenu cette même année un brevet en dépit de ses opinions, ce qui permet au pouvoir de mieux le surveiller, il se trouve définitivement réintégré parmi les éditeurs parisiens et multiplie dès lors les entreprises. Instruit par l'expérience et ayant besoin d'augmenter son capital, il met en 1868 sa librairie en société. Son apport est évalué à cette occasion à 600 000 francs et celui de ses associés — les Papeteries du Marais, l'imprimeur Lahure, des amis parisiens, belges et alsaciens, dont Jean Macé —, à 350 000 francs (82).

Le nouveau départ de Hetzel se situe dans ce contexte en 1863.

Nicolas Petit a spécialement étudié la production de cette année-là, où Hetzel sort 45 nouveautés. Les premiers tirages de la collection in-18 ne dépassent jamais les 2 000 exemplaires.

Albert Lacroix
éditeur des exilés politiques
sous le Second Empire

Est-ce que vous seriez Thomas? (p. 37.)

à peu cette mansuétude jusqu'à la sainteté. La nature n'en avait fait qu'une brebis, la religion en avait fait un ange. Pauvre sainte fille! Doux souvenir disparu!

Mademoiselle Baptistine a depuis raconté tant de fois ce qui s'était passé à l'évêché cette soirée-là, que plusieurs personnes qui vivent encore s'en rappellent les moindres détails.

Au moment où M. l'évêque entra, madame Magloire parlait avec quelque vivacité. Elle entretenait *mademoiselle* d'un sujet qui lui était familier et auquel l'évêque était accoutumé. Il s'agissait du loquet de la porte d'entrée.

Il paraît que, tout en allant faire quelques provisions pour le souper, madame Magloire avait entendu dire des choses en divers lieux. On parlait d'un rôdeur de mauvaise mine; qu'un

vagabond suspect serait arrivé, qu'il devait être quelque part dans la ville, et qu'il se pourrait qu'il y eût de méchantes rencontres pour ceux qui s'aviseraient de rentrer tard chez eux cette nuit-là. Que la police était bien mal faite du reste, attendu que M. le préfet et M. le maire ne s'aimaient pas, et cherchaient à se nuire en faisant arriver des évènements. Que c'était donc aux gens sages à faire la police eux-mêmes et à se bien garder, et qu'il faudrait avoir soin de dûment clore, verrouiller et barricader sa maison, *et de bien fermer ses portes.*

Madame Magloire appuya sur ce dernier mot, mais l'évêque venait de sa chambre où il avait eu assez froid, il s'était assis devant la cheminée et se chauffait, et puis il pensait à autre chose. Il ne releva pas le mot à effet que ma-

Édition populaire des *Misérables,* illustrée de 200 dessins par Brion gravés par Yon et Perrichon, publiée par J. Hetzel et A. Lacroix en 1865. H. 286 mm.

L'afflux à Bruxelles d'hommes politiques, de journalistes et d'écrivains, exilés après le coup d'État du 2 décembre 1851, donna un souffle nouveau à l'édition belge qui s'était déjà singulièrement développée en contrefaisant les succès littéraires français.

Albert Lacroix (1) joua dans cet essor un rôle essentiel. Né à Bruxelles le 9 octobre 1834, docteur en droit de l'université libre de cette ville, il s'était fait connaître dès 1856 par son *Histoire de l'influence de Shakespeare sur le théâtre français jusqu'à nos jours.* Ses attaches familiales, ses relations avec les républicains français l'engagèrent dans le parti libéral belge qui commençait à s'opposer à la droite catholique. Membre de la loge des Amis philanthropes, il devait collaborer en 1860 à la rédaction d'un *Mémoire des loges belges sur l'enseignement obligatoire.* Il s'était d'autre part associé en 1857 à son oncle, l'imprimeur-libraire Van Meenen, pour éditer notamment les œuvres de Marnix de Sainte-Aldegonde, et il constitua à partir de 1860 une société avec le successeur de celui-ci, le fils du peintre Verboeckhoven.

Pendant ce temps, Victor Hugo se préoccupait de vendre au meilleur prix *les Misérables* qu'il achevait. Il s'était, certes, engagé en 1831-1832 à céder aux libraires Gosselin et Renduel les 3 000 premiers exemplaires du premier roman en deux volumes in-8° qu'il publierait moyennant 15 000 francs, mais ses prix avaient monté depuis cette date et le nouvel ouvrage allait comprendre six volumes. Il organisa donc, par l'intermédiaire d'Hetzel qui publiait ses pamphlets politiques et ses œuvres poéti-

ques, une véritable vente aux enchères. Ne pouvant réaliser seul l'opération, Hetzel qui se réinstallait alors à Paris contacta d'abord ses partenaires ordinaires, Michel Lévy et Hachette, qui disposaient d'un excellent réseau de distribution pour la France. Mais Michel Lévy fit une « bévue » — sans doute une indiscrétion — et Louis Hachette n'offrit que 150 000 francs, somme que l'écrivain jugea insuffisante. De sorte que ce dernier finit par annoncer à Hetzel le 4 octobre 1862 : « J'ai vendu aujourd'hui *les Misérables* à MM. Lacroix et Verboeckhoven et Cie pour douze années moyennant 240 000 francs en argent et 60 000 éventuels. Ils acceptent le traité Gosselin-Renduel. Le contrat a été signé ce soir. » Un peu plus tard Lacroix, que le banquier Oppenheim soutenait dans cette opération, passait un accord avec Pagnerre fils, pour la diffusion de l'ouvrage en France, ce qui n'alla pas sans inquiéter Hugo qui trouvait ce libraire distributeur un peu « mou ».

La fabrication de l'ouvrage posa de multiples problèmes, l'auteur ne résidant pas d'ordinaire à Bruxelles, et les frais de publicité furent énormes. Dès la fin de 1862 pourtant, Lacroix, fort bien soutenu par Pagnerre, était rentré dans ses débours. Et bientôt Hetzel réalisa avec Lacroix une édition populaire tirée à plus de 130 000 exemplaires.

Albert Lacroix, cependant, ne fut pas seulement l'éditeur des *Misérables.* Il disposait déjà de « commissionnaires » à travers l'Europe quand il racheta, en 1863, le fonds de contrefaçons belges de Méline et créa à Paris, en association avec Hetzel et Char-

pentier, une succursale, la Librairie internationale. Éditeur des exilés politiques et des républicains — en particulier de Proudhon, Quinet, Louis Blanc ainsi que Michelet — il publia encore en association les plus célèbres « romans nationaux » d'Erckmann-Chatrian et s'engagea dans plusieurs entreprises de presse. Il fut condamné par les tribunaux français à un mois de prison pour l'édition du *Marat* d'Alfred Bougeart (1865), puis, l'année suivante, à un an de prison pour l'*Évangile annoté* de Proudhon. Il continua à faire paraître des œuvres de Victor Hugo mais se brouilla avec celui-ci, en 1869, pour avoir osé offrir *L'homme qui rit* en prime à tout acheteur qui lui commanderait pour cent francs de marchandises au prix fort. Ce fut enfin lui qui fit paraître les premières œuvres de Zola : les *Contes à Ninon, la Confession de Claude, Thérèse Raquin, Madeleine Férat, la Fortune des Rougon* et *la Curée.* En 1870, enfin, il accepta *les Chants de Maldoror* d'Isidore Ducasse, « comte de Lautréamont », qu'il fit imprimer mais ne diffusa pas par crainte du procureur général.

Ruiné par des spéculations malheureuses, Lacroix vendit à Michel Lévy, pour un prix fort modique, les œuvres de Zola qu'il avait éditées et se livra pour vivre à divers travaux d'édition.

1. Zola, *Correspondance,* éd. B. H. Bakker, C. Becker et H. Mitterand, Paris, 1979, p. 550 ; B. Leuilliot, *Victor Hugo publie les Misérables,* t. I, éd. S. Gaudon, Paris, 1979 ; J.-A. Neret, *Histoire illustrée de la librairie française,* Paris, 1962, pp. 205-206.

Hetzel accorde aux auteurs une somme fixe ou un droit proportionnel au nombre d'exemplaires imprimés — 40 centimes pour Tourgueniev — mais opère parfois des retenues pour les frais de publicité et de lancement ; Jules Verne reçoit pour son premier contrat 500 francs pour les 2 000 premiers exemplaires de *Cinq Semaines en ballon,* puis 25 centimes par volume débité en supplément. Parfois encore, Hetzel se rembourse de ses frais sur les premiers exemplaires d'un ouvrage puis partage les bénéfices avec l'auteur. Il s'agit en pareils cas soit d'ouvrages dont l'éditeur redoute qu'ils se vendent mal — mais parfois au contraire de livres à succès comme ceux d'Erckmann-Chatrian (jusqu'en 1884). Parfois encore le volume est réalisé aux frais de l'auteur, l'éditeur retenant une partie de la vente de chaque exemplaire.

Sur les 45 volumes publiés en 1863 en in-18, 27 ne seront pas réimprimés, dont quelques-uns seront finalement envoyés au pilon ; 6 seront réédités chez d'autres éditeurs, 6 réédités à plusieurs reprises chez Hetzel lui-même ; 6 enfin deviendront de véritables succès de librairie : les *Aventures d'un petit Parisien* d'Alfred de Bréhat, *Madame Thérèse ou les volontaires de 92* d'Erckmann-Chatrian, qui atteindra en 1910 sa 110e « édition » au format in-18, ce qui correspond à 120 000 exemplaires vendus, l'*Arithmétique de Grand Papa* et les *Contes du petit château* de Jean Macé, *la Comédie enfantine* de Ratisbonne et bien entendu *Cinq Semaines en ballon.*

Ainsi, tandis que Michel Lévy publie en cette même année la *Vie de Jésus* de Renan, Charpentier, *le Capitaine Fracasse* de Théophile Gautier et Hachette, *Dominique* de Fromentin, Hetzel propose, quant à lui, des livres à succès d'une toute autre nature puisqu'il s'agit de *Cinq Semaines en ballon* et de *Madame Thérèse.* Certes, il édite aussi le premier volume de vers de Catulle Mendès, qui est passé à peu près inaperçu, et il donnera encore par la suite *le Petit Chose* et les *Lettres de mon moulin* d'un nouveau venu nommé Alphonse Daudet (1868 et 1869) ainsi que les *Contes à Ninon* d'Émile Zola (1864). Mais il se tourne désormais de plus en plus vers la publication de livres pour la jeunesse.

MAGASIN D'ÉDUCATION ET DE RÉCRÉATION

ENCYCLOPÉDIE DE L'ENFANCE ET DE LA JEUNESSE

A NOS LECTEURS

En commençant la publication de ce *Magasin d'Éducation et de Récréation,* nous avons la conscience d'entreprendre une œuvre difficile, et si nous ne reculons pas devant la difficulté de l'entreprise, c'est que nous avons en même temps la conscience de son extrême utilité.

Il s'agit pour nous de constituer un enseignement de famille dans le vrai sens du mot, un enseignement sérieux et attrayant à la fois, qui plaise aux parents et profite aux enfants. — Éducation, récréation — sont à nos yeux deux termes qui se rejoignent. L'instructif doit se présenter sous une forme qui provoque l'intérêt : sans cela il rebute et dégoûte de l'instruction ; l'amusant doit cacher une réalité morale, c'est-à-dire utile : sans cela il passe au futile, et vide les têtes au lieu de les remplir.

Là devra être l'unité de notre œuvre, qui pourra, si elle réussit, contribuer à augmenter la masse de connaissances et d'idées saines, la masse de bons sentiments, d'esprit, de raison et de goût qui forme ce qu'on pourrait appeler le capital moral de la jeunesse intellectuelle de la France.

Ajouter à la leçon forcément un peu austère du collège et du pensionnat une leçon plus intime et plus pénétrante, compléter l'éducation publique par la lecture au sein de la famille, devenir les amis de la maison partout où nous pourrons péné-

TOME I.   1

Dans ce premier numéro du *Magasin d'éducation et de récréation,* Jean Macé et Pierre-Jules Hetzel, le 24 mars 1864, définissent leur but sérieux et attrayant à la fois : « constituer un enseignement de famille dans le vrai sens du mot ». H. 274 mm.

Portrait-charge de Jules Verne
dû au crayon d'André Gill.

Nul doute qu'il ait évolué dans cette direction sous l'influence de son ami Jean Macé dont il partage l'idéologie. Ce dernier a fait ses études au collège Stanislas, dans la même classe que lui. Il a été ensuite répétiteur à Louis-le-Grand et maître de conférences à Henri-IV. Mais il a tiré un mauvais numéro et est reparti pour l'armée en 1842. Il y atteint le grade de caporal et y passe trois ans avant d'être racheté par un de ses anciens professeurs qui en fait son secrétaire. Rédacteur au journal *La République* en 1848, il se retire ensuite en Alsace où il enseigne dans un pensionnat de jeunes filles. Il compose à ses heures perdues des récits de vulgarisation scientifique et fonde, en 1863, la Société des bibliothèques communales du Bas-Rhin pour promouvoir la lecture publique. Puis vient le tour de la Ligue de l'enseignement (1866), destinée à développer les écoles et les bibliothèques publiques, qui prend une extension considérable après 1871.

Jean Macé apporte à Hetzel, de retour de Belgique, l'*Histoire d'une bouchée de pain* qui n'a pas trouvé d'éditeur. Ce dernier, qui n'est déjà plus l'homme du *Voyage où il vous plaira* et des fantaisies romantiques, écoute sans nul doute avec le plus vif intérêt les discours de son ancien condisciple sur la nécessité de préparer l'avenir en contribuant à la formation de la jeunesse. D'où le *Magasin illustré d'éducation et de récréation* que tous deux lancent en société. Le premier numéro de ce magazine sort des presses de Claye le 24 mars 1864, selon une disposition qui ne devait plus varier : 32 pages de texte sur 2 colonnes encadrées d'un filet et illustrées au prix de 50 centimes (60 à partir de 1872). On y trouve les *Serviteurs de l'estomac* de Macé, la *Petite Princesse Ilse* adaptée par Stahl de Marie Petersen, des *Petites Tragédies enfantines* « par un papa » — encore Hetzel — et *les Anglais au pôle Nord,* début du *Capitaine Hatteras* de Jules Verne, ainsi que le *Robinson suisse* dans une nouvelle traduction.

Les deux associés s'entendent avec un autre Alsacien, Auguste Nefftzer, qui vient de fonder le *Temps* pour faire, à titre promotionnel, le service gratuit de leur magazine aux nouveaux abonnés de ce quotidien. Dès 1867, ils obtiennent un prix de l'Académie française et leur bimensuel atteint les 10 000 abonnés en 1875. La concurrence est âpre entre leur feuille et la *Semaine des enfants* fondée en 1837 par Louis Hachette qui obtient la collaboration de la comtesse de Ségur. Hachette, pour une fois, perd la partie et Hetzel finit par acquérir son périodique. Le *Magasin illustré d'éducation et de récréation et semaine des enfants réunis, journal de toute la famille* connaît, dès lors, sa plus grande diffusion en dépit des attaques du catholique conservateur Louis Veuillot qui le dénonce dans l'*Univers* comme peu moral.

Hetzel n'a pas renoncé sans regret aux grandes éditions illustrées qui ont marqué ses débuts. Il publie encore en 1861 des *Contes* de Perrault avec des planches de Gustave Doré, qui a demandé 150 francs par dessin. Ce livre, vendu par fascicules de 50 centimes, et coûtant 25 francs, est un succès. Mais l'éditeur, qui grâce à son périodique a déjà commencé à se constituer une réserve d'auteurs et d'illustrateurs, s'oriente désormais vers des publications moins luxueuses, avant tout destinées à la jeunesse et d'une très large diffusion. Soit une Bibliothèque d'éducation et de récréation comprenant une série in-8° raisin à 6 puis à 7 francs, une autre série plus mince et d'un format légèrement inférieur à 5 puis à 4,50 francs, et une série grand in-8° pour les ouvrages les plus marquants auxquelles il joint, en 1871, sa Bibliothèque blanche à l'intention des enfants plus jeunes. Et on lui doit encore 3 séries d'albums illustrés, les fameux albums Stahl, soit 90 pages ou planches à 5 francs, 44 pages ou planches pour 3 francs et 8 pour 1,50 franc puis 1 franc. Si l'on se rappelle qu'il édite aussi des livres populaires par livraisons, on constate qu'il pratique une politique comparable en bien des points à celle de Louis Hachette en échelonnant la vente de ses textes à des prix de plus en plus modiques.

Jules Verne joua dans toutes ces affaires un rôle essentiel (83). Hetzel avait publié pour les étrennes de 1863 *Cinq Semaines en ballon* qui firent la même année encore l'objet d'une édition illustrée grand in-8°. Puis vint le tour du *Capitaine Hatteras* d'abord donné en feuilleton, puis en 2 volu-

Publié dans la série des « Voyages extraordinaires »,
De la Terre à la Lune est un des romans de science-fiction
de Jules Verne qui rencontrèrent le plus de succès à juste titre :
ce train de projectiles en route vers la lune ne préfigure-t-il pas
les engins spatiaux du XXᵉ siècle ? Paris, J. Hetzel (1868).
Fig. grav. sur bois par Pannemaker d'après les dessins de Montaut.
H. 275 mm.

Nº 210   1865   3

Entre les soussignés,

Monsieur Jules Verne, homme de lettres, demeurant à Auteuil, 39 rue de la fontaine, d'une part

Et monsieur Jules Hetzel, éditeur, demeurant à Paris, 18 rue Jacob, d'autre part

Il a été dit ce qui suit :

Art. 1er. Les conventions suivantes ont été établies entre M.M. Hetzel et Verne, qui courront du premier janvier mil huit cent soixante six jusqu'au trente et un décembre mil huit cent soixante douze.

Art. 2. Pendant ces six années, M. Hetzel s'engage à prendre de M. Verne et par chaque année, trois volumes composés dans le genre de ceux qu'il a précédemment édités du même auteur et faits pour le même public et de la même étendue.

Art. 3. M. Hetzel aura pendant dix années un droit exclusif de propriété sur chacun de ces volumes, à partir de la date de sa publication ; il pourra les publier dans tel journal qu'il lui conviendra, et sous quelque forme que ce soit, avec ou sans illustrations.

Art. 4. Quant aux éditions illustrées, les bois et gravures à faire pour ces éditions devant rester des non-valeurs dans les mains de l'éditeur, si le texte pouvait aller d'un côté et les gravures de l'autre, il est dit que M. Hetzel en aura la propriété absolue et sans limites.

[En un mot il est entendu entre M. Hetzel et M. Verne que la propriété absolue et définie des ouvrages faisant l'objet des présentes conventions est cédée par M. Verne pour l'exploitation des dits ouvrages illustrés au dit M. Hetzel.]

Art. 5. Comme prix des ouvrages cédés dans les conditions susdites par M. Verne à M. Hetzel, celui-ci paiera à l'auteur la somme de trois mille francs par volume, ou pour la commodité de M. Verne la somme de sept cent cinquante francs par mois à partir du premier janvier prochain.

Art. 6. M. Verne s'engage également pendant toute la durée des présentes conventions, à ne publier aucun autre ouvrage, soit par lui-même, soit dans un autre journal, soit chez un autre éditeur, sous l'agrément de M. Hetzel.

Art. 7. Il est entendu que ces conditions s'appliquent également

mes illustrés. L'auteur reçut 3 000 francs pour cette publication et devait percevoir, en outre, 6 % du prix de vente de chaque exemplaire au-delà de 10 000. Par la suite, Jules Verne consent à réserver à Hetzel, qui est devenu son ami, l'exclusivité de sa production, soit 3 puis 2 volumes par an, contre des annuités fixes, d'abord de 9 000 francs, puis de 12 000 francs. Son éditeur se réserve en échange la propriété définitive des publications illustrées pour lesquelles il a engagé de gros frais et conserve la propriété des autres pour dix ans seulement. Devant le succès des romans de Jules Verne, Hetzel associe l'auteur au bénéfice de leur vente à partir de 1875. Ce dernier perçoit 50. centimes par volume pour les éditions in-18 à partir de 1882 et, pour les éditions illustrées, 5 % du prix fort pour les vingt premiers mille, puis 10 %. Les bénéfices des feuilletons sont partagés par moitié.

Le succès de ces publications semble avoir dépassé toutes les attentes. Selon Charles-Noël Martin, le *Tour du monde en quatre-vingts jours* a été tiré avant 1904, date du dernier compte fait du vivant de son auteur, à 108 000 exemplaires dans la seule collection in-18 non illustrée, *Cinq Semaines en ballon* à 70 000, *Vingt Mille Lieues sous les mers* à 50 000, *Michel Strogoff* à 49 000, les *Enfants du capitaine Grant* à 38 000 et *De la Terre à la Lune* à 37 000, soit au total un million d'exemplaires. Si nous ne connaissons pas les chiffres de tirages des éditions illustrées, Nicolas Petit a pu retracer l'histoire de l'édition populaire illustrée des Voyages extraordinaires entre 1866 et 1893. Les romans paraissent jusqu'en 1870 par fascicules à 10 centimes, puis par séries dont le prix varie entre 50 centimes et 1,10 franc, et enfin en volumes complets. Soit, par exemple, 1 702 300 exemplaires pour le *Capitaine Hatteras* tiré à 28 855 exemplaires en moyenne, dont 161 279 seulement demeurent invendus en 1871, cinq ans après le début de l'opération — ce qui rapporta 4 500 francs à l'auteur et un bénéfice de 26 525 francs à son éditeur. *Cinq Semaines en ballon* fut tiré par la suite à 22 253 exemplaires, le *Capitaine Grant,* à 19 279 et *De la Terre à la Lune,* à 15 000.

La part de Jules Verne semble dans

toutes ces affaires relativement faible. Charles-Noël Martin a calculé qu'il reçut au total environ un million durant sa vie alors que son œuvre rapporta 30 millions à Hetzel puis à son fils. À cela s'ajoutent pour les éditeurs les droits étrangers. Ceux-ci ménagent pour cette raison tout particulièrement la Russie où chaque volume est aussitôt traduit. L'ancien exilé de Bruxelles fait changer pour cette raison le titre initialement prévu du *Courrier du Tzar* en celui de *Michel Strogoff,* et le *Capitaine Nemo,* qui devait être un comte polonais, devient pour les mêmes raisons un prince hindou... L'ancien militant républicain était, on le voit, devenu homme d'affaires avisé (voir planche 27).

Audaces et érudition

De tout temps, les grandes entreprises d'édition orientées vers la production de masse sont apparues peu désignées pour développer la création littéraire ou savante. Ainsi, au milieu du XIXe siècle apparaît une nouvelle génération d'éditeurs spécialisés travaillant en étroite liaison avec des cercles ou des cénacles.

En cette époque où le succès littéraire a si volontiers un parfum de scandale et où les plus grands poètes sont « maudits », l'éditeur de l'avant-garde poétique se doit d'être lui aussi « maudit ». Tel est le cas d'Auguste Poulet-Malassis (84). Il appartient par les femmes à une dynastie d'imprimeurs et de libraires normands, qui ont conquis depuis le XVIIe siècle leurs titres de noblesse dans le trafic des « mauvais livres ». En 1787 encore, son arrière-grand-père s'était distingué en publiant *le Rideau levé ou l'éducation de Laure...* À sa naissance en 1825, son père, franc-maçon et républicain, dirige à Alençon l'officine familiale et édite la feuille du lieu, le *Journal d'Alençon*. On est surpris par l'effervescence littéraire dont cette petite ville de 15 000 habitants, un peu à l'écart des grandes voies de communication, est alors le théâtre. Elle a, elle aussi, ses journées en août 1830, un mois après celles de Paris. Auguste, après de bonnes études dans sa cité natale, se lance dans la vie locale, puis « monte » dans la capitale. Il y passe le baccalauréat et est reçu peu après à

Projet de contrat d'édition entre Hetzel et Jules Verne, le 11 décembre 1865. Ce texte est de la main de Jules Verne, avec des corrections d'Hetzel (270 × 210 mm). (Paris, Bibliothèque nationale, Ms. Nouv. acq. fr. 17007.)

Le monde des éditeurs

Une planche d'un des « albums Stahl »,
les *Commandements du grand papa*.
Dessins de Lorenz Froelich
gravés par Matthis.
Paris, Bibliothèque d'éducation et
de récréation, J. Hetzel et Cie, 1878.
H. 266 mm.

l'École des chartes. Celle-ci ne s'était pas encore refermée dans cette forme d'art pour l'art que constituent l'érudition et la philologie, et son prestige était immense. On est alors en 1847, et Poulet-Malassis s'initie à la vie de la bohème littéraire et à la politique militante plus qu'à la paléographie. Il accueille, comme ses camarades, la Révolution et la République avec enthousiasme. On ne sait pas s'il fait partie de la délégation dirigée par le jeune Tardif, qui va, l'une des premières, complimenter à l'Hôtel de Ville le nouveau pouvoir et saluer le « couronnement définitif » des efforts déployés, depuis des siècles, par le peuple français pour conquérir la liberté. Poulet-Malassis collabore alors à une feuille éphémère, *L'Aimable faubourien, journal de la canaille*. Il est arrêté lors de la journée du 23 juin. Il jurera ensuite n'être venu là qu'en spectateur, et ce qu'on sait de sa franchise naturelle porte à le croire sur ce point. Il n'en passe pas moins quatre mois sur les pontons du port de Brest avant d'être renvoyé à ses études. Il garde de ces expériences un regret : celui d'avoir perdu la collection de brochures, d'autographes révolutionnaires et de belles affiches, brunes, jaunes ou blanches, qu'il allait décoller le soir afin d'en conserver le souvenir à la postérité, ainsi que deux manuscrits qui ont fait l'essentiel de ses travaux durant les deux années précédentes, intitulés *Théorie de la Révolution* et *Heure de décadence*.

Il a quitté l'École des chartes à la fin de sa deuxième année et, mesurant ce qu'une carrière littéraire a d'aléatoire et comporte de compromissions, il repart pour Alençon se faire imprimeur et libraire comme ses ancêtres. Il s'associe avec son beau-frère, l'honnête De Broise, qui lui servira longtemps de souffre-douleur. Et tous deux, pour élargir leur champ d'activité, prennent pour le *Journal d'Alençon* un rédacteur en chef parisien, en même temps qu'ils ouvrent une boutique dans la capitale.

Ainsi commence la brillante période de l'association. Poulet-Malassis ouvre son périodique, non seulement à l'histoire locale, mais aussi à la critique littéraire et dramatique. Surtout, il demande à ses amis écrivains et historiens des textes inédits et des feuille-

tons. Il publie en même temps leurs œuvres en d'élégants livrets. Il donne ainsi des ouvrages, souvent essentiels, signés d'Asselineau, Monselet, Théodore de Banville, Henri de Lacretelle, Leconte de Lisle, et aussi Théophile Gautier et Champfleury. Surtout, il s'est lié dans la capitale avec Baudelaire. Celui-ci lui envoie pour son journal des traductions de nouvelles d'Edgar Poe et des pièces de vers. De sorte que notre jeune éditeur est tout naturellement amené à déposer le 12 juin 1857 à la préfecture d'Alençon, comme le voulait la loi, deux exemplaires d'un livre nouveau intitulé *les Fleurs du mal*. Mais, peu après, l'ouvrage est dénoncé dans *Le Figaro* pour son immoralité. Baudelaire écrit à Alençon pour annoncer des poursuites imminentes et suggérer de cacher l'édition. Malgré la plaidoirie de l'avocat Chest d'Ange, l'auteur et les éditeurs sont condamnés, le premier à 300 francs d'amende et les seconds à 100 francs, et les pièces incriminées sont lacérées dans le lot de volumes saisis. Baudelaire reprochera amèrement à son ami de n'avoir pas fait à temps la publicité nécessaire pour épuiser le stock avant la saisie, mais il n'en continuera pas moins à lui adresser des textes pour le *Journal d'Alençon* et lui confiera le soin de publier en 1860 les *Paradis artificiels*.

Les ennuis ne font pourtant que commencer pour Poulet-Malassis. Il sort par exemple en 1857 une édition non expurgée des *Mémoires* de Lauzun qu'a préparée son ami le chartiste Léo Lacour (Louis Lacour de La Pijardière). Déposé le 29 mai 1858, le volume est saisi. Un non-lieu suit et le succès est tel qu'il faut donner une deuxième édition. Mais Poulet-Malassis a la malencontreuse idée d'y insérer une préface, intitulée *Tribulations d'un éditeur*, mettant en cause le baron Pichon. D'où de nouvelles poursuites à l'issue desquelles Lacour est condamné à trois mois de prison et 100 francs d'amende, et ses éditeurs à un mois d'emprisonnement et 500 francs d'amende. Puis surviennent de nouveaux tracas à propos de l'*Histoire de Saint-Just* d'Ernest Hamel (1859), de *la France et l'Allemagne* (1859) et de *l'Empereur Napoléon et le roi Guillaume* de François Lacombe (1861). Pratiquant une véritable fuite en avant, Poulet-Malassis réagit en multipliant les publications et en faisant avec Baudelaire, et quelques autres, de ces navettes d'effets commerciaux qu'on dénomme aujourd'hui « cavalerie ». De Broise finit par se lasser. Il garde l'affaire d'Alençon et laisse à son dangereux beau-frère celle de Paris. On ne s'étonnera pas de trouver ce dernier bientôt en difficulté. Son dépôt de bilan fait apparaître, le 2 septembre 1862, un découvert de plus de 33 000 francs. Il peut encore espérer un accord à l'amiable quand il est arrêté sur la plainte d'un de ses créanciers, l'imprimeur Poupart-Davy, et mis en prison pour dettes. Il y reste cinq mois, est jugé et condamné à un mois d'emprisonnement seulement (2 avril 1863). Libéré, il remet un peu d'ordre dans ses affaires puis gagne la Belgique.

Rien ne le retient plus. Il publie des pamphlets contre l'empereur, des œuvres licencieuses, souvent illustrées par le fameux Félicien Rops, et les *Épaves* de Baudelaire, en même temps qu'il est le principal animateur de la *Petite revue* que fait paraître à Paris son successeur Pincebourde. Aussi est-il condamné le 12 mai 1865 par la 6e chambre correctionnelle — toujours elle en de telles affaires — à un an de prison et 500 francs d'amende pour avoir contribué à la diffusion de 86 ouvrages jugés immoraux et de 8 gravures obscènes — soit le Gotha des enfers des bibliothèques — tandis que l'éditeur Jules Gay se voit infliger quatre mois de prison et 500 francs d'amende et que quelques comparses font l'objet de verdicts moins sévères. Puis, trois ans plus tard, encore une autre condamnation, émanant du tribunal de Lille celle-là, aux mêmes peines pour quatre publications dont celle des *Épaves* (6 mai 1868) (85). Marié en 1870, Poulet-Malassis revient en France après la chute de l'Empire pour consacrer les dernières années de sa vie à des travaux d'érudition. Ainsi s'achève en 1878 une carrière libertine conforme aux modèles les plus classiques.

Les malheurs de Poulet-Malassis n'ont cependant nullement freiné l'ascension dans la voie de la consécration et de l'académisme des jeunes poètes qui ont fait leurs premières armes avec lui. On les retrouve formant le noyau des écrivains qui four-

Lettre de félicitations adressée par Victor Hugo
à Charles Baudelaire après la condamnation des *Fleurs du mal*,
le 20 août 1857 : Victor Hugo estime que cette condamnation
équivaut pour son auteur à une décoration ! 30 août 1857
(210 × 135 mm).
(Bibliothèque historique de la Ville de Paris.)

nissent, entre mars et juin 1866, les dix-huit livraisons du *Parnasse contemporain* : on y rencontre les signatures de Théophile Gautier, Théodore de Banville, José-Maria de Hérédia, Baudelaire, Leconte de Lisle, Sully-Prudhomme, François Coppée, André Theuriet, Catulle Mendès, Villiers de l'Isle-Adam, Paul Verlaine, Stéphane Mallarmé ainsi que de quelques autres aujourd'hui totalement oubliés (86).

Louis-Xavier de Ricard a conté comment les « parnassiens » furent mis en rapport, par l'intermédiaire d'Ernest Boutier, avec un jeune libraire qui tenait au 47 du passage Choiseul une boutique à l'enseigne de « Percepied, Alphonse Lemerre éditeur » (87). Nos poètes prirent l'habitude de tenir leurs réunions à l'entresol de cette librairie, devenu « l'entresol du Parnasse » — aujourd'hui remplacée par deux magasins. Le succès des œuvres des poètes qui se réunissaient là et que Lemerre publia en d'élégants petits volumes, rivalisant avec bonheur dans leur présentation avec les Elzevier d'autrefois, étonne aujourd'hui. Éditeur de la poésie de son temps, Lemerre voulut cependant être aussi celui de leurs prédécesseurs. Le catalogue qu'il publie en 1880 (88) annonce ainsi une série sur la pléiade française, préparée par Marty-Lavaux. La « collection Lemerre » proprement dite comprend, d'autre part, les chefs-d'œuvre de la littérature française dont Anatole France, Auguste Molinier, Petit de Julleville et plusieurs autres érudits de mérite ont préparé les textes. Est aussi annoncée une Petite bibliothèque littéraire divisée en Auteurs anciens et Auteurs modernes — d'André Chénier à Hugo, Musset, Barbey d'Aurevilly, Gustave Flaubert, Xavier de Maistre, les Goncourt, Alphonse Daudet, Albert Glatigny, André Theuriet et, bien sûr, aux parnassiens. Sans compter encore une Bibliothèque des curieux, une Bibliothèque illustrée, une Bibliothèque dramatique, une Petite collection pour la jeunesse, des Poèmes nationaux, des eaux-fortes illustrant des textes célèbres, le *Cours historique de la langue française* de Marty-Lavaux et des livres d'enseignement. Soit des séries de petits livres extrêmement soignés grâce auxquels Lemerre, qui comptait au début de sa carrière sur les recettes du salon de

La librairie d'Honoré Champion, quai des Grands-Augustins, une « librairie à chaises » où les habitués avaient leur place, comme à l'Académie leur fauteuil. Toile peinte par Buron. (Paris, musée Carnavalet.)

coiffure pour enfants de sa femme pour boucler ses fins de mois, possède à la fin de sa vie un hôtel particulier, situé rue Chardin (dont Paul Chabas avait décoré l'escalier et où l'on pouvait voir des Corot) ainsi qu'une maison de campagne à Ville-d'Avray.

On retrouve le même esprit de cénacle dans la boutique d'Honoré Champion, rue de Seine, où se réunissaient les érudits (89). Fils d'un marchand de vin de Bercy d'origine bourguignonne, le futur libraire a fait au collège Turgot des études « courtes », au cours desquelles il n'a appris ni le grec ni le latin. Il est ensuite entré à quatorze ans, vers 1860, chez Dumoulin, libraire de la Société impériale des chartes et de la Société des antiquaires de France, qui tenait boutique quai des Grands-Augustins et vendait des livres et des documents concernant l'histoire des villes et des provinces, l'archéologie, la numismatique, la linguistique et surtout la généalogie. Il y rencontre Sainte-Beuve, dont il va ranger la bibliothèque le dimanche, et Paul Meyer, l'austère philologue. Manipulant sans cesse des livres anciens ou récents, rédigeant des notices de catalogues, il se constitue alors une culture historique. En contact incessant avec des érudits férus d'Ancien Régime, s'estimant suffisamment formé, il monte en 1874 une Librairie spéciale pour l'histoire de France, d'abord installée au 15 du quai Malaquais dans les locaux auparavant occupés par le père d'Anatole France.

Le moment était bien choisi. Depuis 1860, un certain nombre d'universitaires et d'érudits, influencés par la science allemande, se préoccupaient d'introduire en France des méthodes de travail plus strictes dans le domaine de la recherche et de l'édition des anciens textes. Deux chartistes, Gaston Paris et Paul Meyer, ainsi que deux universitaires, Charles Morel et Herman Zotenberg, avaient fondé en 1866 la *Revue d'histoire et de littérature* qui se livrait à une critique rigoureuse des publications nouvelles ; l'École pratique des hautes études avait été créée en 1868 et trois revues savantes commençaient à paraître : la *Revue des questions historiques* (1866), la *Romania* (1872) et, un peu plus tard, la *Revue historique*. Comme l'a rappelé

son fils Pierre, il fallut pourtant à Honoré Champion un certain courage pour se lancer dans l'aventure :

Honoré, sans aucun capital, court son aventure. Mais il a la foi, comme ceux qui regardent seulement devant eux. Il crée parce qu'il travaille, et suivant son instinct. Honoré a fait sortir de la vente des vieux livres qu'il aime sans rechercher les affaires lucratives, mais celles qui répondent à ses goûts. Imprimer Léopold Delisle, Siméon Luce, Longnon est pour ce libraire une satisfaction d'auteur. Il relit toutes les épreuves des beaux livres qu'il imprime à 500 exemplaires, et qui sont tirés sur du papier inaltérable. Que de sacrifices il a dû s'imposer ! Ma mère vivait parfois dans les transes, car la facture de Daupeley qui imprime si bien, peut coïncider avec le terme d'un loyer... Mais l'optimisme d'Honoré, sa jeunesse désarmaient tout le monde... Longtemps, il ignora la comptabilité, mais toujours il sortait d'embarras, ayant la foi (90).

Le sort d'une telle entreprise reposait évidemment sur la confiance et la cohésion d'un petit groupe d'hommes qui aimaient se retrouver. Comme celle du père d'Anatole France, la librairie d'Honoré Champion fut donc une « librairie à chaises » où les habitués avaient leur place, comme à l'Académie leur fauteuil.

Quelques-uns d'entre eux participaient à la vie de notre librairie. Louis Teste, rédacteur du *Gaulois* qui savait tant de choses de Stendhal à une époque où un culte hermétique était seulement rendu à l'écrivain, discutait avec Riou de Maillous disciple d'Auguste Comte. Arbois de Jubainville dissertait de la famille celte ou de la langue des Francs, des druides, des dieux à formes d'animaux. Courajod, sorti frémissant d'une des célèbres leçons de l'École du Louvre, vitupérait l'architecture d'alors, ses pâtisseries et ses fadaises ; Auguste Longnon, caustique et précis, disait la formation de la France. M. de Pimodan, ancien officier et poète, fils du zouave pontifical, frileux et distingué, y représentait le faubourg Saint-Germain ; Anatole France allait y respirer l'odeur de la maison paternelle ; des jeunes comme Funck-Brentano, qui venait de soutenir sa thèse à l'École des chartes ; des anciens comme Siméon Luce, Tourneux et Biré ; des nouveaux venus à la vie littéraire comme Charles Maurras, Marcel Schwob, Lenôtre y accompagnaient Victorien Sardou, Hérédia...
La librairie du quai Voltaire demeurait enfin, pour les vieilles familles provinciales de France, un centre de réunion et d'études généalogiques. Il me souvient des frères de Barthélemy, du duc de la Trémoille, pure figure de gentilhomme français, élégant et désinvolte, des deux Vogüé, de MM. de Mange. Dans la « collection bleue », dont Honoré Champion était fier, il eut pour auteurs le duc d'Aumale, le duc de Broglie,

le duc de la Trémoille, le marquis de Vogüé. Chaque année, il publiait l'*Annuaire de la noblesse* du vicomte Révérend, lequel n'était pas vicomte, mais fort honnête homme, et critique (91).

Ainsi s'organisent à la fin du XIXᵉ siècle, en une société où la culture générale ne peut plus être universelle ou encyclopédique, ce que les sociologues appellent des micromilieux.

Durant cette même époque, la lutte pour obtenir la primauté dans le domaine des œuvres littéraires à grand tirage était toujours âpre.

Gervais Charpentier n'avait conquis la première place pour sa Bibliothèque qu'au prix d'une âpre compétition. En ce temps de baisse généralisée, ses concurrents avaient proposé de petits livres illustrés au prix de deux francs et Paulin avait été loué pour la petite Bibliothèque Cazin, inspirée d'impressions célèbres du XVIIIᵉ siècle. Mais le combat prend une allure nouvelle avec l'entrée en lice des frères Lévy.

Originaires de Phalsbourg, ceux-ci ouvrent dès 1836 une librairie et un salon de lecture à Paris. Paradoxalement, ils choisissent pour raison sociale le nom de Michel Lévy frères alors que Michel n'a encore que quinze ans (92). Prodigieusement lucide, peu expansif, le jeune homme se révèle très vite organisateur né. Il se fait d'abord une spécialité des publications théâtrales, édite des pièces nouvelles, crée une Bibliothèque dramatique de format in-18 anglais, puis une collection de Théâtre contemporain illustré in-4°. Veillant de très près à ses relations avec les libraires de province, il diffuse les œuvres d'auteurs confirmés comme George Sand, Balzac, Stendhal, Eugène Sue, Nerval, Alexandre Dumas, Guizot, Macaulay, Henri Heine et Tocqueville, mais s'efforce aussi de lancer des talents nouveaux. Comme Hachette et Hetzel, il crée des collections échelonnées à des prix différents, de trois francs à vingt centimes, et publie toute une série de périodiques comme l'*Entracte*, le *Journal du Dimanche*, l'*Univers illustré*, le *Journal du Jeudi* ou les *Bons romans*.

Michel Lévy ne vient pas à bout de Charpentier et il est au contraire durement « accroché » par Jacottet, directeur de la Librairie nouvelle qui vend ses livres à un franc seulement. Il

L'Imprimerie royale en 1840 à l'hôtel de Rohan, gravure par H. Berthoud d'après A. Testard.

Publications
et collections
de
l'Imprimerie nationale

LES

PORTES DE FER.

E 15 octobre, un ordre
du jour annonça à l'ar-
mée d'Afrique la forma-
tion d'un corps expédi-
tionnaire composé de
deux divisions et destiné
à opérer dans l'ouest de la
province de Constantine.
Le 16, à neuf heures du matin, nous quittons
Constantine par un temps magnifique; S. A. R. est

Typographie et illustration (bois d'après Raffet, Decamps
et Dauzats) sont très soignées dans le *Journal de l'expédition
des Portes de fer* ; cette publication officielle de 1844
ne fut pas mise dans le commerce mais fut distribuée
aux compagnons du duc d'Aumale, dont les succès en Algérie
étaient glorifiés dans cet ouvrage, rédigé par Nodier
d'après les notes du prince.

L'établissement d'État qui se nomma successivement Imprimerie royale (1815-1848), du gouvernement (en 1830 et en 1848), nationale (1848-1852), impériale (1852-1870) et nationale (depuis 1870) prit une part importante dans l'érudition française du XIXe siècle. La Révolution et l'Empire lui ont donné son cadre juridique, et principalement ce rôle d'instrument du pouvoir, responsable de la publication des documents administratifs. Installée depuis 1809 dans l'ancien hôtel de Rohan, rue Vieille-du-Temple, l'Imprimerie royale dépendait du ministère de la Justice et fonctionnait en régie.

Les impressions administratives augmentèrent rapidement pour se stabiliser durant la seconde moitié du siècle. Les nombreuses presses (plus de 160) de l'Imprimerie nationale servaient à publier les bulletins officiels, les annuaires, les instructions, les tarifs, les tableaux, les statistiques et les brevets qui émanaient des différents ministères. Elle était devenue rapidement la première imprimerie française de labeur, ce qui suscita de nombreuses réactions de la part des imprimeurs privés.

L'Imprimerie impériale, devenue l'un des centres de l'insurrection de la Commune de 1870, publia de nombreuses affiches. Son directeur durant ces quelques mois fut Debock, typographe, l'un des fondateurs de l'Internationale. Grâce à son entremise, les Archives et l'Imprimerie nationale évitèrent l'incendie et les actes de vandalisme.

Les expositions universelles donnèrent lieu à la publication des catalogues généraux et des rapports de jury. Ces derniers rassemblent en de gros volumes in-quarto l'état des techniques et des arts, avec pour chaque section des prix couronnant les meilleures inventions et réalisations. En 1855, l'Imprimerie impériale présenta une *Imitation de Jésus-Christ* in-folio, avec une ornementation en or et en couleurs et un frontispice qui nécessita cent vingt passages, et qui obtint une médaille d'honneur. En 1867, renouant avec la tradition des rapports napoléoniens, le comité de l'Exposition universelle fait paraître un *Recueil de rapports sur les progrès des lettres et des sciences en France,* écrit par de grands savants (Claude Bernard, Silvestre de Sacy, Delafosse...), en 29 volumes in-quarto. Ces publications sont à mi-chemin entre les actes administratifs et les éditions littéraires et scientifiques d'intérêt public que l'Imprimerie nationale doit assurer.

Depuis François Ier en 1538 donnant les lettres patentes d'imprimeur du roi jusqu'au décret de 1813 instituant quatre élèves typographes orientalistes à l'Imprimerie impériale, la mission première de l'établissement d'État était la publication des manuscrits de la Bibliothèque royale. S'il en fut bien ainsi pour les textes grecs, il en allait tout autrement pour les autres. Il fallut attendre que soient gravés les caractè-res étrangers du Cabinet des poinçons. Entre 1824 et 1890, plus de quarante types dans divers corps furent gravés sous l'autorité des plus illustres spécialistes, parmi lesquels Abel Rémusat et Klaproth pour le chinois (1817-1834), Emmanuel de Rougé d'après les dessins de Champollion le Jeune pour les hiéroglyphes (1842-1852), Bopp et Burnouf pour le nagari (1833-1840). Les études philologiques et la linguistique, en plein essor, profitèrent largement de ce travail qui rendait possible la publication des textes orientaux. Deux rapports au roi, en 1824 (suivis d'un arrêté du 10 septembre 1825) et en 1833, établissaient à l'Imprimerie royale une commission chargée du choix des livres orientaux à publier dans ce qui allait être la Collection orientale. Cette commission eut parmi ses membres Rémusat, Quatremère, Saint-Martin, Chézy, Silvestre de Sacy, Rochette, Renan et Maspero pour les plus connus. Cinq titres furent retenus, dont trois seulement parurent. Devant être tiré à 500 exemplaires in-folio dont 100 pour une distribution gratuite (essentiellement pour les bibliothèques), seule l'*Histoire des Mongols* de Raschid Eddin et le tome Ier du *Shah-Nâmeh* ou *Livre des Rois* de Firdousi furent imprimés respectivement à 534 et à 531 exemplaires. Richement orné d'un frontispice et d'encadrements dessinés et gravés sur bois par Chenavard et Brévière, chaque volume était tiré en moyenne à 10 exemplaires avec or et couleurs, 50 avec couleurs et 200 en noir.

L'ordonnance du 12 janvier 1820 indique que « le directeur de l'Imprimerie royale sera tenu d'imprimer gratuitement les mémoires de l'Institut et les ouvrages de littérature, sciences et arts, ou tous autres, dont nous jugerons à propos, sur la proposition de notre garde des Sceaux, d'ordonner la publication à titre de récompense ou d'encouragement. La valeur de ces impressions ne pourra pas s'élever annuellement à plus de 40 000 francs. Cependant, cette somme, l'excédent non employé viendra accroître le fonds destiné aux impressions gratuites pour les années subséquentes ». De 1823 à 1891, une commission fut chargée de répartir cette somme entre les ouvrages choisis, dont quatre étaient fixes, savoir : les *Mémoires de l'Académie des sciences* pour 4 000 francs, les *Mémoires de l'Académie des inscriptions et belles-lettres* pour 2 400 francs, le *Journal asiatique* pour 3 000 francs et le *Journal des savants* pour 6 000 francs. Ajouté à cela les 4 600 francs de la Collection orientale, il ne restait en fait que 20 000 francs à pourvoir. En dehors des livres déjà cités, 135 titres furent publiés par la commission des impressions gratuites. Nous retiendrons, parmi eux : le *Précis du système hiéroglyphique* de Champollion le Jeune (in-8°, 1828), le *Journal d'un voyage à Tombouctou* de Caillié (4 vol. in-8°, 1830), le *Lotus de la bonne loi* par Burnouf (in-4°, 1852), l'*Histoire générale et système comparé des langues sémitiques* par Renan (in-8°, 1855), l'*Inventaire des sceaux de Flandre* par Demay (2 vol. in-f°, 1873), les *Œuvres d'Oribase* (6 vol. in-8°, 1851-1876) et les *Œuvres de Rufus d'Éphèse* (in-8°, 1879) par Daremberg, sans oublier les traductions du *Rgya tch'er rol pa* (1847), du *Tcheou-li* (1851), du *Mantic Uttaïr* (1857) et du *Mahâvastu* (1882). Plus de la moitié des impressions gratuites ont rapport aux langues orientales (traductions, grammaires, dictionnaires).

La renommée de ces publications rejaillit sur l'autre versant de l'érudition et principalement sur la Collection des documents inédits sur l'histoire de France, publiée par ordre du roi et par les soins du ministère de l'Instruction publique. Le premier volume parut en 1835, et, à la fin du siècle, plus de trois cents volumes étaient déjà imprimés pour l'ensemble des sept séries que comporte cette collection. D'autres publications importantes furent entreprises à l'Imprimerie impériale : le *Recueil des historiens des croisades* (17 vol., 1841-1906), les *Lettres, instructions et mémoires de Colbert,* par P. Clément (9 vol., 1861-1882), la *Correspondance de Napoléon* (32 vol., 1857-1869) et les *Archives des missions scientifiques et littéraires* (26 vol., 1850-1887) qui rassemblent des rapports sur les activités françaises à l'étranger dans le passé. C'est à l'activité coloniale que nous devons la publication des trois rapports de missions scientifiques en Algérie (16 vol. in-8° et 13 vol. in-f°, 1844-1853), en Tunisie (26 vol. in-f°, 1883-1904) et au Mexique et en Amérique (14 vol. in-f° et 3 vol. in-8°, 1850-1887). Ce sont surtout les aspects géographiques, botaniques et zoologiques qui y sont étudiés, largement illustrés de planches en noir et en couleurs.

En 1866 est commencée, sous les auspices de l'édilité parisienne, l'*Histoire générale de Paris,* qui comptait déjà 37 volumes in-folio en 1895. L'un de ses plus beaux titres est l'ouvrage de Léopold Delisle sur le *Cabinet des manuscrits de la Bibliothèque impériale et nationale* (4 vol.).

Quant aux éditions proprement dites de l'Imprimerie nationale, outre celles déjà mentionnées, la plus réussie est sans nul doute le *Journal de l'expédition des Portes de Fer,* rédigé par Charles Nodier d'après les notes du duc d'Orléans, orné de bois par Raffet, Decamps et Dauzats (in-4°, 1844). Chacun des compagnons du duc reçut son exemplaire avec son nom imprimé au faux-titre. Les expositions universelles ainsi que les commémorations donnèrent lieu à des impressions de luxe ou de circonstance, comme les *Saints Évangiles* illustrés de nombreux bois (1862), les *Œuvres de Molière* (5 vol. in-4°, 1878), l'*Histoire de la Révolution française* de Michelet et *la Révolution* de Quinet en 1889. Ajoutons à cela les œuvres de Lavoisier, deux ouvrages du physicien Chevreul et le livre de Berthelot sur *la Chimie au Moyen Âge.*

P.-M. Grinevald

Élisabeth Félix dite Mlle Rachel (1820-1858),
portrait lithographié par Lacauchie.

Du théâtre à l'édition

C'est le goût du théâtre qui amena
Michel Lévy à l'édition. Comme le raconte
J.-Y. Mollier, à quatorze ans, en 1836,
il avait été reçu au concours d'entrée
du Conservatoire, à peu près en même
temps que la future grande tragédienne,
Rachel, dont il devait être toute la vie l'ami
fidèle.

Pendant plusieurs années, il hésita entre
le métier d'acteur et celui d'éditeur, et c'est
en publiant des livrets d'opéra, en association avec la veuve Jonas, qu'il fit ses premières armes dans la librairie. Puis il racheta
des journaux d'annonces et parvint à avoir
sous contrat les auteurs les plus en vue de
l'Opéra, de l'Opéra-Comique et aussi du
boulevard.

« Tout ce que compte le théâtre en général connaît désormais le jeune éditeur. Sa
silhouette est familière, son sourire enjô-
leur, son œil bleu et sa facilité à nouer des
contacts séduisent ou irritent. Hôte des
foyers, des restaurants à la mode, revêtu de
son frac les soirs de « générale », en gilet
blanc aux autres représentations, assidu aux
bals masqués de l'Opéra, l'hiver, il entend
ne rien négliger des servitudes de son
métier. Plus entreprenant, plus répandu
surtout que ses concurrents directs qui peuvent, eux, attendre la venue de leurs
auteurs dans leur boutique, il poursuit toujours son rêve secret : posséder sa collection
théâtrale. C'est chose faite en mai 1846 et,
le 16, la *Bibliographie de la France* ajoute à
l'annonce du *Lait d'ânesse,* vaudeville de
Gabriel et Dupeuty représenté au Palais-
Royal : Bibliothèque dramatique » (1).

1. Mollier, Jean-Yves, *Michel et Calmann
Lévy ou la naissance de l'édition moderne 1836-
1891* (Calmann-Lévy, 1984).

l'emporte en 1861 et va occuper sa
boutique sur le boulevard des Italiens.
Il a sur son concurrent malheureux une
indéniable supériorité : son flair pour
déceler les succès du lendemain.
Quand par exemple Baudelaire vient
lui proposer de traduire les *Histoires
extraordinaires* d'un Américain encore
inconnu qui s'appelait Edgar Poe, il
accepte sur le champ et paye d'avance
les deux volumes prévus. Il encourage
même en certains cas des publications
qui risquent de faire scandale. Ainsi en
témoigne l'histoire de *Madame
Bovary.* Frappé par les mérites de cet
ouvrage qui paraissait, expurgé, en
feuilleton dans la *Revue de Paris,* il va
pressentir le romancier alors que Jacottet a refusé d'éditer son livre. Flaubert,
qui vient de recevoir 2 000 francs de la
Revue de Paris, marque d'abord quelques hésitations. Mais il accepte finalement, à l'instigation de Maxime Du
Camp et de Bouilhet qui ont déjà
traité avec Lévy, et autorise finalement
ce dernier à publier le roman « comme
il le jugerait préférable » (24 décembre
1856) (93).

Notre éditeur avait-il prévu le scandale alors qu'il négociait ce contrat ?
Toujours est-il que Flaubert, accusé
d'avoir offensé la morale, lui demande
de lui procurer quelques lettres, si possible d'académiciens, à verser à son
dossier. L'acquittement final et le
grand bruit fait autour de cette affaire
poussent les deux hommes à lancer le
livre sans retard. Il paraît le 15 avril
1858, en deux volumes in-18 jésus à
un franc pièce : Michel Lévy joue
d'emblée, on le voit, le bas prix et le
grand nombre avec un tirage de
6 750 exemplaires aussitôt épuisé.
Deux autres tirages suivent et l'auteur
reçoit un supplément de 500 francs.
Madame Bovary sera vendu au bout
de cinq ans, en 1862, à 29 150 exemplaires.

Michel Lévy, devenu l'éditeur de
Flaubert, consent à donner 1 600 francs
pour *Salammbô* dont le sujet risque
de ne guère séduire le public — et cela
sans avoir obtenu d'en lire le manuscrit. L'ouvrage est apprécié par les critiques, la princesse Mathilde et l'impératrice, pour une fois d'accord, chantent ses louanges et les éditions se succèdent rapidement. Mais il n'en va
plus de même pour *l'Éducation sentimentale* qui paraît, il est vrai, à la

210

veille de la guerre de 1870. Et la rupture se produit peu après le traité de Francfort entre les deux hommes dont la sensibilité a été exacerbée par le drame qu'ils viennent de vivre.

Michel Lévy n'avait pas hésité à aller rendre visite, de la même façon, à Ernest Renan qui demeurait dans une mansarde et n'avait encore publié que des articles. Ce fut donc lui qui édita la *Vie de Jésus*. Mais cet éditeur, qui acceptait de prendre des risques quand il estimait se trouver face à un auteur de génie, savait aussi mesurer ses audaces. Lorsque le jeune Hector Malot par exemple vient le voir sur la recommandation de Sainte-Beuve (1858), il l'écoute lire *Un amour de Jacques* et l'interroge sur ses projets. Mais lui expliquant qu'il ne veut pas être puni, au lendemain de la publication de *Madame Bovary*, en apparaissant comme l'éditeur du monde orléaniste, il réclame des coupes. Hector Malot refuse d'abord, propose son livre ailleurs, puis cède. L'ouvrage ayant suscité néanmoins des réserves de la part de la Commission de colportage, Lévy évite de prendre ensuite *Un fils d'excellence*, paru en 1867 en feuilleton dans le *Journal des Débats*, parce que le sujet lui paraît trop dangereux. Hetzel et Dentu se partageront finalement l'édition de la suite de l'œuvre d'Hector Malot — et en particulier *Romain Kalbris* et *Sans famille* dont le succès sera immense au lendemain de la guerre de 1870 (94).

Michel Lévy laisse à sa mort (1875) une entreprise florissante à son frère Calmann qui produit, en 1878, 1 724 000 volumes correspondant à 184 nouveautés (soit 455 000 volumes) et à 845 réimpressions (soit 1 269 000 volumes) sans compter 2 500 000 numéros de périodiques divers (95). Il peut mettre à son catalogue les œuvres de Renan, le théâtre d'Émile Augier, de Dumas fils et de Labiche, l'œuvre complète de Baudelaire et d'Alexandre Dumas, les romans d'Octave Feuillet, d'Anatole France, de Gyp et des livres de Michelet, Mérimée, et Pierre Loti que le succès de *Pêcheur d'Islande* consacre comme auteur à très grand tirage. La maison Calmann-Lévy, qui possède à la fin du XIXe siècle la *Revue de Paris* et la *Revue des deux mondes*, orchestre en ces occasions de véritables campagnes promotionnelles.

Mais Paul Calmann-Lévy refuse le *Serge Panine* de Georges Ohnet, qui sera tiré à 300 000 exemplaires par Ollendorff — ce dernier deviendra encore l'éditeur de Maupassant (96).

Georges Charpentier

Gervais Charpentier avait traversé le Second Empire. Toujours autoritaire et colérique, il avait chassé son fils Georges après que de mauvaises langues lui eurent expliqué qu'il n'en était pas réellement le père. Le jeune homme mena alors la vie de bohème, tint la chronique des faits divers du *Journal des débats* et fit représenter le 21 juin 1870 au théâtre de Cluny la *Folie persécutée*, comédie en un acte (97). Réconcilié avec Gervais à cette occasion, il prend l'année suivante la direction de l'entreprise fondée par son père. S'associant avec son ami Dreyfous, il décide d'en faire une maison d'avant-garde qui entretiendrait avec les auteurs un nouveau type de relations. Dreyfous a raconté dans ses souvenirs comment, ignorant l'adresse de Zola, il réussit à le rencontrer à la Chambre des députés que celui-ci fréquentait pour ses chroniques parlementaires de *La Cloche* et du *Sémaphore de Marseille*. Georges Charpentier propose au romancier de lui prendre désormais ses romans, la Librairie de Lacroix qui le publiait jusque-là venant de tomber en déconfiture. Il rachète peu après à cette dernière les droits des deux premiers volumes des *Rougon-Macquart* moyennant 800 francs, assure à leur auteur des mensualités de 500 francs pour qu'il puisse poursuivre tranquillement son œuvre et remplace, en 1877, ce premier contrat par un second plus avantageux (98).

Peu après encore, en septembre 1872, Gustave Flaubert peut écrire à sa nièce : « Charpentier... est venu en personne me faire une visite. Procédé inouï de la part de ses pareils. Il veut racheter toute mon œuvre à Lévy et me faire des rentes » (99). Ainsi notre jeune éditeur peut bientôt compter parmi « ses » auteurs, outre Zola et Flaubert, Duranty, Hennique, Daudet et Céard.

« Jamais aucun nuage n'a obscurci nos vingt-cinq ans de rapports d'affaires, et, de ces rapports, est née une affection qui ne sera pas interrompue par ma retraite », écrira Georges Charpentier à Zola le 4 juillet 1896, au moment où il vient de prendre sa retraite. Fidèle en amitié, se piquant de mécénat, mondain et homme de goût, l'éditeur est aidé dans ses activités par sa femme, fille d'un ancien joaillier de la couronne impériale ruiné par la chute de Napoléon III. Celle-ci tient un salon fort en vogue au début de la Troisième République où se retrouvent, outre les auteurs de la maison, des hommes politiques tels que Jules Grévy, Jules Ferry, Rochefort, Georges Clemenceau et Gambetta ainsi que les peintres impressionnistes groupés autour de Renoir pour lesquels Charpentier, mécène éclairé, ouvre la galerie qui porte toujours son patronyme.

Avisé mais nonchalant, ne répondant pas toujours aux lettres d'affaires, l'éditeur s'en remet très largement à Émile Zola pour ce qu'on appellerait aujourd'hui la direction littéraire et les relations publiques de l'entreprise. Le romancier a débuté, ne l'oublions pas, comme directeur des services de publicité de la Librairie Hachette. Il a de plus une âme de chef d'école et invite souvent ses amis à travailler encore plus. Resté journaliste afin de promouvoir son œuvre et ses idées, il connaît la puissance de la presse. D'où les articles critiques qu'il rédige contre les écrivains qui ne partagent pas ses vues littéraires, son amour du scandale, des professions de foi et des déclarations fracassantes en faveur de l'École naturaliste.

À Flaubert qui critiquait ces méthodes, Zola répondit selon Goncourt :

Vous, vous avez eu une petite fortune qui vous a permis de vous affranchir de beaucoup de choses. Moi qui ai gagné ma vie absolument avec ma plume, qui ai été obligé de passer par toutes sortes d'écritures honteuses, par le journalisme, j'en ai conservé, comment vous dire cela ? un peu de *banquisme...* Oui, c'est vrai que je me moque comme vous de ce mot *Naturalisme :* et cependant, je le répéterai sans cesse parce qu'il faut un baptême aux choses pour que le public les croie neuves. Voyez-vous, je fais deux parts dans ce que j'écris. Car il y a mes œuvres avec lesquelles on me jugera et sur lesquelles je désire être jugé ; puis il y a mon feuilleton du *Bien public*, mes articles de Russie, ma correspondance de Marseille, qui ne me sont de rien, que je rejette, qui ne sont que la *banque* pour faire mousser mes livres... J'ai d'abord posé un clou et d'un coup de marteau, je l'ai fait entrer d'un centimètre dans la cervelle du public ; puis d'un second coup, je l'ai fait entrer de deux centimètres... Eh bien, mon marteau c'est le journalisme que je fais moi-même autour de mes œuvres (100).

La publication de *l'Assommoir* en 1876 vient conforter la position que Zola s'est ainsi acquise. Dès la parution des premiers feuilletons, les réactions sont vives. Le *Bien public* en arrête la publication le 7 juin, mais la *République des lettres* la reprend peu après. L'auteur multiplie les explications, les lettres virulentes. La bataille repart de plus belle quand l'ouvrage paraît en librairie le 24 janvier 1877. Mais le succès en est favorisé : 13 000 exemplaires enlevés en quinze jours, 16 000 en un mois, la 38e édition mise en vente en novembre (101). S'il n'atteint pas la fortune, Zola connaît dès lors une aisance bourgeoise. Ses échecs au théâtre le déçoivent, mais voici qu'il lance à la fois, en 1879, *Nana* dans le *Voltaire* et son essai sur le « roman expérimental ». Aussitôt la critique se déchaîne et les hommes de science expriment leur méfiance. Mais Charpentier, qui sort le 14 février 1880 en volume une version révisée de l'ouvrage, en met 55 000 exemplaires en vente (102). Talent, contestation et succès se déclinent fort bien ensemble, on le voit, au crépuscule de l'ordre moral et de la République des Ducs.

Spécialisations

Il suffit d'examiner les statistiques établies par Frédéric Barbier pour comprendre qu'il serait vain de prétendre dresser ici un palmarès des éditeurs du XIXe siècle. Disons simplement que, à côté des éditeurs d'avant-garde ou des géants évoqués ci-dessus, beaucoup d'hommes entreprenants, mais raisonnables, réussirent alors à créer ou à développer des maisons solides et à établir leur prospérité sur des bases assez stables pour que leurs noms soient parvenus jusqu'à nous.

Tel est par exemple le cas des Belin. Tel est aussi celui de Pierre-Paul Didier qui a eu l'idée de faire prendre en sténographie les cours de Villemain, Guizot et Cousin. La « Librairie académique » ainsi créée donne des œuvres de Barante, Mignet, Casimir Delavigne, Augustin Thierry, Rémusat, Salvandy, Falloux et bien d'autres. Bientôt encore, elle lance une Bibliothèque d'éducation morale où l'on trouve des livres de Mme de Genlis, Guizot ou Edgeworth, publie une *Revue archéologique* et édite un Trésor de numismatique monumental. Dès 1842 encore, Klincksieck se spécialise dans l'archéologie et les langues. Peu à peu, d'autre part, Henri Plon, qui a mis au jour le *Jules César* du prince Bonaparte et s'est vu nommé imprimeur de l'empereur, s'engage dans l'édition. Mais ce sont surtout son fils Eugène et son gendre Nourrit qui prennent le virage décisif en donnant des œuvres de Gobineau, Fromentin, Delacroix, Huysmans, Paul Bourget et en créant une grande collection historique comprenant des mémoires sur la Révolution, l'Empire et les périodes plus récentes, ainsi que la correspondance générale de Napoléon Ier (103).

Il en va de même dans des secteurs plus spécialisés. Tandis que Victor Masson, ancien employé de Louis Hachette, s'intéresse à l'édition médicale et engage une longue lutte pour en arracher le monopole à la Librairie Baillière, on voit apparaître dans le secteur juridique, à côté de la Librairie Dalloz, la Librairie générale de droit et la Librairie Sirey qui ont repris respectivement les librairies juridiques de Marescq et de Cotillon. En province, de nombreuses firmes connaissent une prospérité durable grâce au livre religieux et, à Paris, la maison Lethielleux est fondée en 1864. Puis deux beaux-frères, Letouzey et Ané, bien conseillés par un oncle supérieur du séminaire de Saint-Sulpice, abordent la publication d'ouvrages de sciences religieuses (1885). Mais c'est surtout, bien sûr, dans le domaine de l'enseignement que les places à prendre sont les plus nombreuses. Charles Dunod s'engage en 1858 dans l'édition technique, Gauthier-Villars reprend en 1864 la librairie de sciences mathématiques de Mallet et Bachelier. Et, cette même année, Charles Delagrave rachète le stock de Dezobry et entreprend de publier des livres de classe et de vendre du mobilier ainsi que du matériel scolaire. Puis deux de ses anciens employés, Armand Colin — qui a été son commis voyageur — et Le Corbellier, créent leur propre entreprise (1868). Ils ont l'idée d'adresser des spécimens de leurs livres de classe aux instituteurs, obtiennent un vif succès avec le fameux *Cours de grammaire* de Larive et Fleury, puis s'intéressent aussi au secondaire et publient enfin, coup sur coup, dans la dernière décennie du siècle l'*Histoire générale* de Lavisse et Rambaud, l'*Histoire de la langue et de la littérature française* de Petit de Julleville et l'*Atlas historique et géographique* de Vidal de Lablache. Et c'est encore en 1881 que Nathan crée sa librairie spécialisée dans l'éducation.

Ce mouvement est perceptible presque partout. Alcan par exemple, qui remplace Germer Baillière en 1866, va s'engager dans la publication de livres de philosophie. Mais c'est surtout sans doute dans le domaine de la vulgarisation et du livre à bas prix que le mouvement se poursuit le plus nettement. Installé sous les galeries de l'Odéon, Ernest Flammarion, qui s'est cantonné jusqu'en 1878 dans son métier de libraire, commence réellement sa carrière.

Ainsi se préparent d'autres renouvellements, semblables à ceux que nous avons si souvent observés de génération en génération. Un jeune Auvergnat, fils de notaire et neveu de curé, qui était venu tenter fortune à Paris vers 1857 et avait trouvé un emploi au ministère des Finances, Arthème Fayard, s'étonne par exemple de ne trouver nulle part à bas prix les *Chansons* de Béranger qui vient de mourir. Il fait alors imprimer celles-ci en fascicules de 5 centimes et devient éditeur. Il publie des *Mémoires authentiques sur Garibaldi* et une *Italie contemporaine* à un moment où l'attention du public est tournée vers les affaires de la péninsule. Puis viennent une *Histoire de la famille Bonaparte de 1050 à 1842*, une *Histoire de Napoléon Ier*, une *Histoire de la révolution polonaise*, une *Histoire illustrée des sociétés secrètes*, un *Manuel de police*, *Les grands procès de la Cour d'Assise*, ou encore *Un Million de recettes, encyclopédie économique et rurale* de Jules Troisset ainsi que des classiques — soit autant d'ouvrages destinés à atteindre le plus vaste public possible. Puis sont édités, sous la Troisième République, d'autres livres de vulgarisation et des romans populaires par livraisons de 5 ou 10 centimes dont *la Porteuse de pain* de Xavier de Montépin. Une nouvelle étape commence dans la course au bas prix, qui aboutira à la création

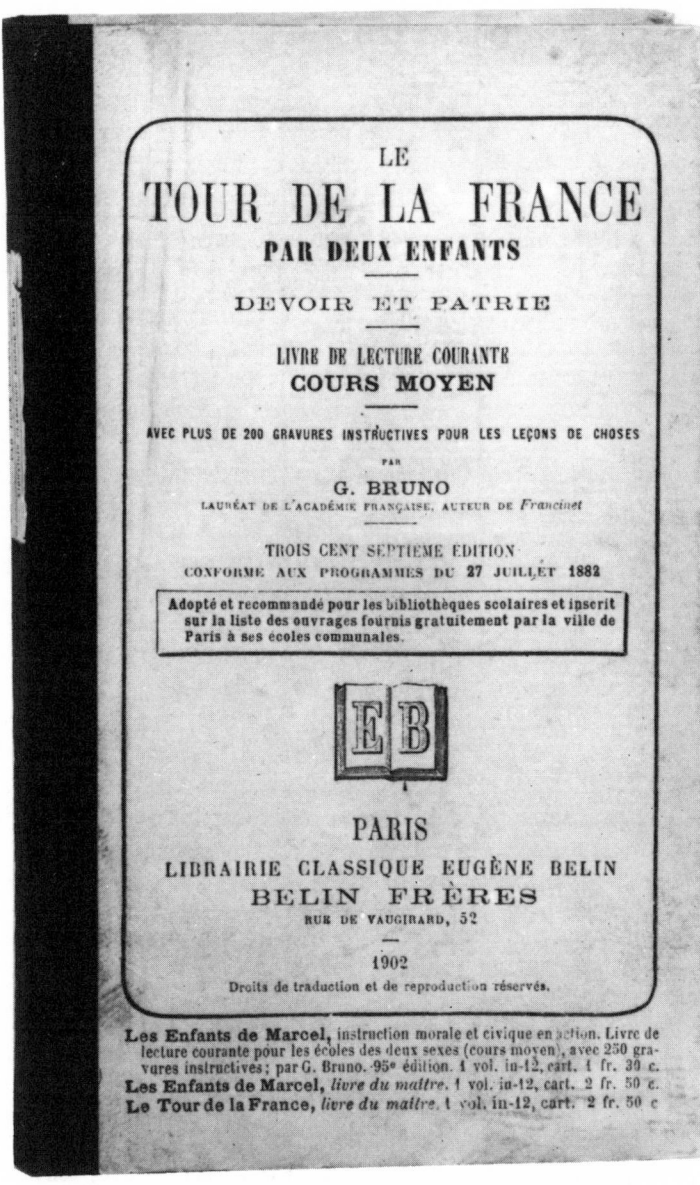

LE
TOUR DE LA FRANCE
PAR DEUX ENFANTS

DEVOIR ET PATRIE

LIVRE DE LECTURE COURANTE
COURS MOYEN

AVEC PLUS DE 200 GRAVURES INSTRUCTIVES POUR LES LEÇONS DE CHOSES

PAR

G. BRUNO
LAURÉAT DE L'ACADÉMIE FRANÇAISE, AUTEUR DE *Francinet*

TROIS CENT SEPTIÈME ÉDITION
CONFORME AUX PROGRAMMES DU 27 JUILLET 1882

Adopté et recommandé pour les bibliothèques scolaires et inscrit
sur la liste des ouvrages fournis gratuitement par la ville de
Paris à ses écoles communales.

PARIS
LIBRAIRIE CLASSIQUE EUGÈNE BELIN
BELIN FRÈRES
RUE DE VAUGIRARD, 52

1902

Droits de traduction et de reproduction réservés.

Les Enfants de Marcel, instruction morale et civique en action. Livre de lecture courante pour les écoles des deux sexes (cours moyen), avec 250 gravures instructives; par G. Bruno. 95e édition. 1 vol. in-12, cart. 1 fr. 30 c.
Les Enfants de Marcel, *livre du maître*. 1 vol. in-12, cart. 2 fr. 50 c.
Le Tour de la France, *livre du maître*. 1 vol. in-12, cart. 2 fr. 50 c

Le Tour de la France par deux enfants de Mme Alfred Fouillée,
sous le pseudonyme de G. Bruno, a été lu par tous les petits Français
du dernier quart du XIXᵉ siècle et du premier quart du XXᵉ siècle ;
en 1902 il en était à sa 307ᵉ édition. (H. 180 mm).

La librairie classique Belin

La dynastie des Belin (1) remonte à l'Ancien Régime puisque François Belin, fils d'un recteur de la région de Langres, se fit libraire en 1777. Sous-lieutenant dans la garde nationale, il fit figure de patriote au début de la Révolution mais dut se cacher pendant la Terreur. Puis il orienta sous l'Empire son entreprise vers l'édition classique et scolaire.

Son fils aîné, Belin-Le Prieur, lança en souscription le fameux *Recueil général des ordonnances, édits... depuis Hugues Capet jusqu'aux premiers travaux de l'Assemblée nationale* d'Isambert, Jourdan et Decrusy (30 volumes de 1822 à 1835), multiplia, surtout au temps de Guizot, les ouvrages scolaires — la *Grammaire française* de Letellier fit l'objet de 53 éditions tirées chacune à 6 000 exemplaires avant 1839 —, se lança dans les publications illustrées et confia encore à Charles Nodier la direction d'une Nouvelle Bibliothèque bleue à 3,50 francs le volume.

Cependant le cadet, Auguste-Jean Belin-Mandar, publie en 1824 le premier numéro de la revue *Le Mémorial catholique* dont les collaborateurs, Bonald et Lamennais entre autres, veulent combattre les philosophes sur leur terrain. En 1827, le catalogue de sa Librairie classique élémentaire et catholique comporte essentiellement des ouvrages scolaires et des livres de piété et d'office. Cette même année, avec un associé, Devaux, il achète en commandite une librairie dont Lamennais était entré en possession à la suite de la faillite de ses propriétaires, et

c'est à cette Librairie classique élémentaire que le prêtre breton confie l'édition de son pamphlet *Des progrès de la Révolution et de la guerre contre l'Église,* puis celle de ses deux lettres à Mgr de Quelen, archevêque de Paris qui l'avait condamné dans un de ses mandements. Mais en octobre 1830, Belin-Mandar et Devaux sont déclarés en faillite — d'après les syndics, les clichés de la librairie de Lamennais, surestimés au moment de la vente, ne valaient en réalité que le poids du métal et Devaux vendait à trop bas prix, créant un mouvement d'affaires factice. En juin 1831, les créanciers font remise de 70 % du capital dû, et l'association des deux libraires est rompue.

Belin-Mandar rétablit rapidement sa situation. De 1832 à 1839, il donne un *Dictionnaire de la conversation et de la lecture* en 5 volumes pour lequel il fait appel aux grands noms de l'époque — Chateaubriand, Champollion, Geoffroy Saint-Hilaire, Guizot, Victor Hugo, Prosper Mérimée, la duchesse d'Abrantès — et adopte un parti pris d'impartialité en décidant de « toujours confier la rédaction d'un mot représentant un principe à un écrivain qui ait foi en ce principe... du choc d'opinions inévitablement divergentes, il... résultera... l'avantage de pouvoir... décider en toute connaissance de cause ».

En 1834, il achète une imprimerie à Saint-Cloud et, en raison de l'obligation de résidence imposée aux libraires comme aux imprimeurs, il se fait remplacer à Paris par sa femme qui obtient son brevet de librairie, compte tenu de sa connaissance du métier, mais aussi du « dévouement au gouvernement de juillet et du zèle de son mari comme garde national à l'époque des émeutes qu'il contribua à dissiper en formant des détachements de ses employés ». Le ménage vend en 1846 la librairie à son fils Marie-Eugène qui meurt prématurément en 1868. La veuve de celui-ci, Hortense, prend d'abord seule les affaires en main, puis s'associe ses enfants et se retire en 1889, laissant la maison à ses trois fils, Henry, Tony et Paul. Mais, de génération en génération, on publie toujours, surtout des ouvrages scolaires, et on reste fidèle pendant des décennies aux mêmes auteurs, aux mêmes manuels : de 1844 à 1897, l'abbé Dubois, professeur au séminaire de Langres, donne 96 titres qui connaissent de multiples rééditions — sa *Mythologie* ne sera retirée de la vente qu'en 1967 ; en 1859, le polyglotte Leclair commence une série de grammaires française, latine, grecque, anglaise, allemande ; en 1869 paraissent *Francinet,* un manuel de lecture courante publié sous pseudonyme par Mme Alfred Fouillée dont le succès annonce celui du *Tour de France par deux enfants,* et le *Dictionnaire latin-français* de Charles Lebaigue qui figure encore aujourd'hui au catalogue de la Librairie classique Eugène Belin.

Odile Martin

1. J. Hubert, *la Librairie Belin 1777-1977,* Paris, 1977.

par Arthème II Fayard, successeur de son père en 1894, de la Moderne Bibliothèque qui offre, dans des volumes à 95 centimes, les œuvres complètes des grands auteurs tirées d'emblée à 100 000 exemplaires (1904). Puis il inaugure en 1905 une grande collection de Livres populaires avec *Chaste et flétrie* de Charles Mérouvel, un roman de 700 pages vendu 65 centimes et tiré, avant la guerre de 1914, à plus de 300 000 exemplaires. Mais déjà l'édition française, qui a connu dans les dernières années du siècle précédent une crise très grave, donne des signes d'essoufflement évidents. Ainsi se prépare un autre monde (104).

Notes

1. E. Werdet, *De la librairie française. Son passé, son présent, son avenir...*, Paris, 1860, pp. 200-210 (= Werdet) ; E. Werdet, *Histoire du livre en France...*, t. II, 3ᵉ partie, Paris, 1864, pp. 250-293.

2. G. Vapereau, *Dictionnaire universel des contemporains...*, 3ᵉ éd., Paris, 1865, pp. 528-529 ; 5ᵉ éd., Paris, 1880, pp. 573-574 ; *Bibliographie de la France. Numéro du Cent-cinquantenaire*, Paris, 1961, pp. 97-100.

3. Werdet, pp. 263-270 ; S. Tucoo-Chala, *Charles-Joseph Panckoucke et la librairie française, 1736-1798*, Paris et Pau, 1975.

4. Vapereau, 5ᵉ éd., p. 535 ; *Bibliographie de la France... Cent-cinquantenaire*, ouvr. cit., pp. 186-188.

5. Voir la préface de P. Marot à Ph. Renouard, *Imprimeurs et libraires parisiens du XVIᵉ siècle...*, t. I, Paris, 1964, pp. XXV-XXXVI et Vapereau, 5ᵉ éd., pp. 1525-1526.

6. Werdet, pp. 83, 80-91, 239-145 ; voir aussi tome II, p. 568.

7. F. Barbier, *Histoire d'un imprimeur, Berger-Levrault, 1676-1976*, Paris, 1976 ; F. Barbier, *Trois cents ans de librairie et d'imprimerie, Berger-Levrault, 1676-1976*, Genève, 1979.

8. *Biographie des imprimeurs et des libraires de Paris* (attribuée à Imbert), 1826.

9. Balzac, « L'état actuel de la librairie », *Le Feuilleton*, 3-10 mars 1830 ; *cf.* Balzac, *Œuvres diverses*, éd. M. Bouteron et J. Longnon, t. I (1824-1830), Paris, 1935, pp. 360-365.

10. J.-N. Barba, *Souvenirs...*, Paris, 1846 ; C. de Bartillat, A. de Gourcuff et M. Prigent, *La librairie Stock, 1708-1981*, Paris, 1981 ; Imbert, p. XI ; F. Drujon, *Catalogue des ouvrages poursuivis... 21 octobre 1814-31 juillet 1877...*, Paris, 1879, nᵒˢ 9, 10, 94, 142, 166, 237, 266, 389, etc. (= Drujon). Pour la faillite de Perrin dans la Société des bons livres, voir Arch. Seine, $D^{10}U^318$ (14 janvier 1839) et $D^{11}U^1161$ (16 janvier 1839).

11. *Bibliographie de la France... Cent-cinquantenaire*, ouvr. cit., pp. 127-128 ; Vapereau, 5ᵉ éd., p. 778 ; H. Champion, *Portraits de libraires. Les frères Garnier*, Paris, 1913 ; M. Hamel, « Éditeurs d'autrefois : les Garnier », *La voix de l'édition*, nᵒ 65 ; C. Flammarion, *Souvenirs d'un éditeur*, Paris, 1867.

12. Arch. nat., $F^{18}1766$ (dossiers des frères Garnier et rapports de police).

13. Drujon, nᵒ 215.

14. Imbert, pp. 55-57 ; Werdet, pp. 93-96, 100-104 ; J. Janin, « Histoire d'un libraire (Ladvocat) », *Critique, portraits et caractères contemporains*, Paris, pp. 223-235 ; Arch. Seine, $D^{10}U^313$ (18 février 1834) et $D^{10}U^319$ (6 août 1840).

15. Werdet, pp. 221-222 ; N. Felkay, « Sur un éditeur de Balzac : Charles Gosselin (1793-1859) », *Année balzacienne*, 1976, pp. 245-260.

16. N. Felkay, « Urbain Canel, ami et éditeur de Balzac », *Année balzacienne*, 1971, pp. 83-99 ; « Les libraires de Balzac. Urbain Canel (1789-1867) », *Courrier balzacien*, 8 (1979), pp. 21-24.

17. A. Jullien, *Le Romantisme et l'éditeur Renduel*, Paris, 1897 ; M. Gerin, *Renduel (1798-1873), éditeur romantique*, Nevers, 1929.

18. Imbert, p. 72 ; Werdet, pp. 257-260 ; *Nouvelle biographie française... publiée par MM. Firmin-Didot frères sous la direction de M. le Dr Hoeffer*, t. XXXV, Paris, 1865, col. 330-335 ; Arch. Seine, $U^{10}D^317$ (28 juin 1838) : faillite de L. G. Michoud.

19. Werdet, pp. 178-179 ; Vapereau, 3ᵉ éd., 1865, pp. 430-431.

20. Imbert, pp. 104-105.

21. Alkan aîné, *Notice sur L.-C. Silvestre, ancien libraire-éditeur*, Paris, 1868.

22. Imbert, pp. 27-28 ; Drujon, ouvr. cit., pp. 272-273.

23. Werdet, pp. 175-176.

24. N. Felkay, « Grandeur et décadence d'un libraire-éditeur : Antoine dit Edmond Werdet (1793-1870) », *L'année balzacienne*, 1974, pp. 153-186.

25. Werdet, pp. 216-217 (Lemaire), 174-175 (Brière) et 162-163 (Bailly de Merlieux).

26. Vapereau, 3ᵉ éd., p. 525 ; 5ᵉ éd., p. 571 ; *Bibliographie de la France... Cent-cinquantenaire*, ouvr. cit., pp. 69-70.

27. Vapereau, 3ᵉ éd., pp. 460-461 ; 5ᵉ éd., p. 502 ; Papillard, *Une vie de labeur surhumain, Désiré Dalloz, 1795-1869*, Paris, 1964.

28. Tableau de ces publications dans *Bibliographie de la France... Cent-cinquantenaire*, pp. 66-68.

29. N. Felkay, « Les libraires à l'époque romantique d'après des documents inédits », *Revue française d'histoire du livre* (1975), pp. 31-86.

30. Voir note 14.

31. Werdet, pp. 213-214 ; voir aussi Arch. Seine, $D^{10}U^38$ (20 février 1829) et $D^{10}U$ 151.

32. Werdet, pp. 189-190 ; Arch. Seine $D^{10}U^318$ (1839, 30 avril et 23 mai).

33. Werdet, pp. 169-170 ; H. Lanzac, *Martin Bossange*, Paris, 1865 ; J.-M. Querard, *Quelques mots sur Martin Bossange Père, doyen des imprimeurs et des libraires de Paris*, Paris, 1863 ; Vapereau, 3ᵉ éd., p. 235.

34. Rapport des syndics de faillite du 9 septembre 1837, Arch. Seine, $D^{11}U^368$.

35. Arch. Seine $D^{11}U^379$.

36. Arch. nat. F^{12} (non coté).

37. M. Bossange, *A MM. de la Chambre des députés*, s.l.n.d. (Bibl. nat., Impr., Q. 1483) ; *Courtes observations...*, s.l.n.d. (Bibl. nat., Impr., 8ᵒ Lb³⁷ 1811 A) ; *Nouvelles observations...*, Paris, 1833 (Bibl. nat., Impr., Q. 1484).

38. Liste des créanciers et débiteurs d'Hector Bossange au 9 mars 1831, Arch. Seine, $D^{11}U^386$.

39. Rapport du syndic de faillite d'Hector Bossange au 9 mars 1831, Arch. Seine, $D^{11}U^386$.

40. A. Firmin-Didot, *Réponses aux questions soumises par MM. les membres de la Chambre de commerce de Paris à M. Ambroise Firmin-Didot...* (mars 1831), s.l.n.d.

41. M. Reclus, *Émile de Girardin*, Paris, 1934 ; *Histoire générale de la presse française. 2.*

De 1815 à 1871, Paris, 1969, pp. 124-132 (par C. Ledré).

42. S. Jeune, « Plus jeune qu'à sa naissance. Le *Roi de Bohême* a cent-cinquante ans », *Revue française d'histoire du livre*, 28 (1980), pp. 499-514 ; « Le *Roi de Bohême et ses sept châteaux*, livre-objet et livre ferment », *Actes du colloque Charles Nodier*, Besançon, mai 1980, publié par les *Annales littéraires de l'université de Besançon*, 1981 (numéro spécial).

43. Werdet, pp. 271-272 ; Balzac, *Correspondance*, éd. R. Pierrot, IV, p. 843 ; A. Parmenie et C. Bonnier de La Chapelle, *Histoire d'un éditeur et de ses auteurs ; P.-J. Hetzel (Stahl)*, Paris, 1953, pp. 17-23 ; N. Petit, *Un éditeur au XIXᵉ siècle ; Pierre-Jules Hetzel et les éditions Hetzel (1839-1914)*, pp. 17-29, thèse d'École des chartes, *cf.* École nationale des chartes. *Positions des thèses soutenues par les élèves de la promotion de 1980*, Paris, 1980, pp. 129-134.

44. Bibliothèque nationale. *De Balzac à Jules Verne. Un grand éditeur du XIXᵉ siècle P.-J. Hetzel*, Paris, 1966 (catalogue d'exposition), pp. 4-5 ; Petit, thèse cit., pp. 39-40.

45. M. Cloche, « Un grand éditeur du XIXᵉ siècle, Léon Curmer », *Arts et métiers graphiques*, 31 (1931-1932), pp. 27-32 ; G. Blanchard, « Léon Curmer », *Courrier graphique*, 1962, pp. 42-51 ; voir surtout les catalogues de la Librairie Curmer à la Bibliothèque nationale (Imprimés, Série Q¹⁰).

46. Longue notice sur cet ouvrage et son histoire dans G. Vicaire, *Manuel de l'amateur de livres au XIXᵉ siècle*, tome VII, Paris, 1910, pp. 40-69 (nombreux documents).

47. Petit, thèse cit., pp. 44-58.

48. E. de Girardin, « De l'invention des ouvrages de littérature, de science et d'art », *Études politiques*, Paris, 1842.

49. Tableau d'ensemble de ces questions dans J. Adhemar et J.-P. Seguin, *Le livre romantique*, Paris, 1968, en particulier pp. 24-31.

50. Werdet, pp. 177-178 ; « Le cinquantenaire de la Bibliothèque Charpentier », *Le livre*, IX (1888), pp. 233-249 ; sur la famille Charpentier et en particulier Georges, M. Robida, *Le salon Charpentier et l'impressionnisme*, Paris, 1958 ; pour les difficultés de Gervais Charpentier en 1830-1831, Arch. de la Seine D¹⁰U³9, D¹¹U³72 et D²U¹161.

51. C. Witkowski, « Le supplément littéraire détachable ». 1. *Le Figaro*, 1836-1837. 2. *Le Constitutionnel*, 1845-1848. 3. *Le Siècle*, 1845-1877, *Revue de la Bibliothèque nationale*, 9 (septembre 1983), pp. 2-11.

52. C. Witkowski, *Monographie des éditions populaires : les publications illustrées à 20 centimes, les romans à 4 sous*, Paris, 1981.

53. Parmenie et Bonnier de La Chapelle, ouvr. cit., p. 17.

54. Vicaire, ouvr. cit., t. VII, pp. 58-59.

55. *L'Artiste*, 1839, pp. 28-29 ; voir aussi Cloche, art. cit., p. 29.

56. *A MM. les membres du Jury central de l'Exposition des produits de l'industrie française pour l'année 1839*, Paris, 1839 (Bibl. nat., Impr., Vp. 5821).

57. E. Regnault, « L'éditeur », *Les Français*

peints par eux-mêmes, t. IV, Paris, 1844, pp. 105-123.

58. « Le cinquantenaire de la Bibliothèque Charpentier… », art. cit., pp. 217-219 ; on trouve dans la série des factums modernes de la Bibliothèque nationale, non classée, des mémoires de Gervais Charpentier (indication fournie par Mlle M.-L. Chastang).

59. Voir à ce sujet le dossier constitué sur Gervais Charpentier quand il sollicita tardivement son brevet ; Arch. nat. F¹⁸1745.

60. Cloche, art. cit., p. 30.

61. P.-J. Hetzel, *La propriété littéraire et le domaine public payant*, 2ᵉ éd., Paris, 1860, pp. 54-55.

62. J. Mistler, *La Librairie Hachette de 1826 à nos jours*, Paris, 1964.

63. *Ibid.*, p. 40.

64. Voir pour ce qui suit la *Correspondance* de Balzac, éd. R. Pierrot, t. III-V, Paris, 1965-1969 et les *Lettres à Mme Hanska* de Balzac, éd. R. Pierrot, t. I-II, Paris, 1967-1969 ; voir aussi Bibliothèque nationale, *Pierre-Jules Hetzel…*, cat. cit. et Petit, thèse cit., pp. 76-86.

65. Balzac, *Correspondance*, éd. R. Pierrot, t. IV, p. 482 (lettre du 17 août au cte Appolyi).

66. Catalogue de Hetzel, de 1843, voir Petit, p. 81.

67. Balzac, *Correspondance*, éd. R. Pierrot, t. IV, pp. 509-510, 540, 598-601 et t. V, pp. 139-141 ; Parmenie et Bonnier de La Chapelle, ouvr. cit., pp. 59-61 ; Petit, thèse cit., pp. 81-83. — Voir aussi sur Furne l'article documenté de E.F.A. Rosseeuw Saint-Hilaire, *Notice sur Charles Furne*, Paris, 1860.

68. Dossier Curmer dans la série des brevets de la Direction de la Librairie, Arch. nat. F¹⁸1749.

69. Lettre du 8 janvier 1855 de Hetzel à Émile Augier, Bibl. nat., ms. fr., n.a.f., 16932 (dossier Augier).

70. Petit, pp. 121-128.

71. E. Plon, *Notre livre intime de famille*, Paris, 1893. Nombreuses précisions sur l'Imprimerie Plon au XIXᵉ siècle et sur les rapports des Plon avec Balzac.

72. Mistler, ouvr. cit., pp. 111-113.

73. *Ibid.* Se référer pour l'essentiel en ce qui concerne la Librairie Hachette au livre de M. J. Mistler.

74. *Notice sur la librairie de MM. Hachette et Cie*, 1867, Paris, 1867.

75. *Ibid.* Mistler, ouvr. cit., pp. 121-136.

76. *Ibid.*, p. 141.

77. *Ibid.*

78. *Ibid.*

79. A. Rétif, *Pierre Larousse et son œuvre (1817-1875)*, Paris, 1975 ; Vapereau, 5ᵉ éd., p. 1086.

80. Rétif, ouvr. cit., p. 30.

81. *Correspondance entre Victor Hugo et Pierre-Jules Hetzel. Tome I, 1852-1863. Napoléon le Petit et les Châtiments*, éd. S. Gaudon, Paris, 1979.

82. Voir pour ce qui suit Parmenie et Bonnier

de La Chapelle, ouvr. cit. et surtout Petit, thèse cit., pp. 292-342, et pp. 438-445.

83. C.-N. Martin, *Jules Verne, sa vie, son œuvre*, Lausanne, 1971 ; *La vie et l'œuvre de Jules Verne*, Paris, 1979 ; P. Gondolo Della Riva, *Bibliographie analytique de toutes les œuvres de Jules Verne. I. Œuvres romanesques publiées*, Paris, 1977.

84. Voir sur Poulet-Malassis les travaux de A. Jouanne et en particulier « L'archiviste départemental et l'histoire littéraire », *Les chartistes et la vie moderne…*, Paris, 1938, pp. 81-89 (Poulet-Malassis à Alençon et la saisie des *Fleurs du Mal*) ; *Baudelaire et Poulet-Malassis. Le procès des Fleurs du Mal* ; Baudelaire, *Correspondance*, éd. C. Pichois, 1966, 2 vol., *passim* et t. II, pp. 1027-1028 ; J.-J. Launay, « Le charme discret de la bibliophilie (Auguste Poulet-Malassis) », *Bulletin du bibliophile*, 1979, pp. 378-386 ; « Impressions, publications, écrits d'Auguste Poulet-Malassis », *Bulletin du bibliophile*, 1979, pp. 388-397, 520-531, 1980, pp. 185-219, 487-502 ; voir aussi les dossiers Poulet-Malassis et De Broise à la Direction de la librairie, Arch. nat. F 18, 1814 (Poulet-Malassis) et 2027 (De Broise).

85. Drujon, ouvr. cit., pp. 49 et 298-299.

86. Voir l'article *Parnasse contemporain* de P. Moreau dans le *Dictionnaire des Lettres françaises. XIXᵉ siècle*, Paris, 1972, t. II, pp. 235-236 et M. Souriau, *Histoire du Parnasse*, Paris, 1929.

87. L.-X. de Ricard, *Petits mémoires d'un Parnassien (1898-1900)*, Paris, 1967.

88. Bibl. nat., Impr. Q. 10 (Lemerre).

89. J. Monfrin, *Honoré Champion et sa librairie, 1874-1978*, Paris, 1978.

90. *Ibid.*, p. 30.

91. *Ibid.*, p. 33.

92. Vapereau, 3ᵉ éd., pp. 1118-1119 ; 5ᵉ éd., p. 1163. Voir surtout l'ouvrage désormais essentiel qui est paru quand notre texte était déjà sous presse : Y.-Y. Mollier, *Michel et Calman Lévy ou la naissance de l'édition moderne 1836-1891*, Paris, 1984.

93. Flaubert, *Lettres inédites… à son éditeur Michel Lévy*, éd. J. Suffel, Paris, 1965.

94. H. Malot, *Le roman de mes romans*, Paris, 1896.

95. Catalogue Calmann-Lévy, 1880, Bibl. nat., Imprimés, Q. 10.

96. Voir plus loin.

97. Voir pour ce qui suit l'excellente *Correspondance* d'Émile Zola, éd. B. H. Bakker, C. Becker et H. Mitterand, t. I-IV, Montréal et Paris, 1979-1983, en particulier notice sur Georges Charpentier, t. II, p. 582 ; voir aussi sur la famille Charpentier la note 50.

98. Zola, *Correspondance*, ouvr. cit., pp. 51-55.

99. *Ibid.*, t. II, p. 323.

100. Zola, *Correspondance*, ouvr. cit., t. III, p. 23.

101. *Ibid.*, t. II, pp. 59-60.

102. *Ibid.*, t. III, pp. 40-44.

103. Voir note 71.

104. *Histoire de la librairie Arthème Fayard…*, s. l., 1953.

Auguste Pedone (1860-1931)
fils du fondateur de la librairie
Pedone dont l'activité s'étendait
à diverses branches littéraires
puis qui se spécialisa dans le domaine
juridique à partir de 1880.

Vue de la librairie Pedone en 1837, alors qu'elle était située
rue des Grès (actuellement rue Cujas) avant d'être installée
en 1880 rue Soufflot.

L'édition universitaire

par Valérie Tesnière

L'édition scientifique suit l'évolution des structures de l'enseignement supérieur : jusqu'à la période charnière des années 1860-1880, elle se confine, d'une part, dans la production de manuels à l'intention des disciplines traditionnelles (droit et médecine) remises en ordre sous le Consulat et, d'autre part, dans un commerce qui se confond avec celui de la librairie d'érudition. La mise en place progressive de l'université actuelle sous la Troisième République fait éclater ce marché qui sort de son cadre confidentiel pour atteindre un public plus large. C'est à ce moment que se conforte (Masson) ou se créent (Gauthier-Villars, Leroux, Alcan, Colin) des « empires » qui dominent peu à peu la vie intellectuelle du tournant du siècle. Après 1918, le jeu ne sera plus mené par les mêmes acteurs.

Les grandes maisons de la première moitié du XIXe siècle ont été fondées, pour la médecine, par J.-B. Baillière en 1818 et par V. Masson en 1846, pour le droit, par Dalloz en 1825, par A. Pédone en 1837, par la Librairie générale de droit et de jurisprudence, issue du fonds Marescq, en 1838. A l'origine de la librairie Dalloz se trouve une dynastie d'avocats. Victor-Alexis-Désiré (1795-1869) est associé, dès 1814, à la rédaction du *Journal des audiences de la Cour de cassation* et il collabore à Thémis, bibliothèque du jurisconsulte. Son expérience le conduit à rédiger en 1824 une somme, le *Répertoire de jurisprudence générale,* poursuivi, à partir de 1845, en collaboration avec son frère Armand, lui-même avocat, sous forme de recueil périodique. Désiré, député conservateur depuis 1838, se retire de la vie politique en 1848, son fils Édouard, qui collabore aussi à son œuvre, lui succédant comme élu du Jura en 1852. Il se consacre désormais à ses propres publications, tout en continuant à donner par ailleurs des articles au *Moniteur universel,* dont le propriétaire et directeur n'est autre que son neveu Paul Dalloz.

Installé près de la faculté de droit, rue Soufflot, Auguste Pédone fait ses premières armes comme libraire de la cour d'appel et de l'Ordre des avocats. Spécialiste d'histoire du droit, il est l'éditeur de la *Revue historique de droit français et étranger* (1855), en liaison avec les sociétés savantes, et il publie le *Recueil des anciennes lois françaises,* d'Isambert. Il s'oriente résolument ensuite vers le droit international (série de codes étrangers, *Revue générale de droit international public),* après avoir tenté de diversifier son activité en publiant notamment des ouvrages comme la grammaire grecque de Bailly, secteur non négligeable de sa production.

Rue de l'École-de-Médecine se trouve la Librairie médicale et scientifique de Nicolas Crochard (1804), qui prendra son véritable essor lors de son rachat en 1846 par Victor Masson (1807-1879). Né à Beaune dans une famille de négociants, il se lie au cours de ses études à Paris avec Louis Hachette et entre en contact avec les milieux de l'enseignement supérieur. Il se lance lui aussi dans le commerce des livres et impose sa librairie médicale en privilégiant la présentation, jusqu'alors négligée, des ouvrages scientifiques (illustrations). A partir de 1850, il développe avec succès son commerce vers l'étranger. Son réseau de relations déborde le monde savant : il figure en effet parmi les notables les

Désiré Dalloz (1795-1869), avocat et jurisconsulte distingué, fondateur du *Répertoire de jurisprudence générale* et du *Recueil périodique et critique* dont le succès fit la réputation des éditions Dalloz.

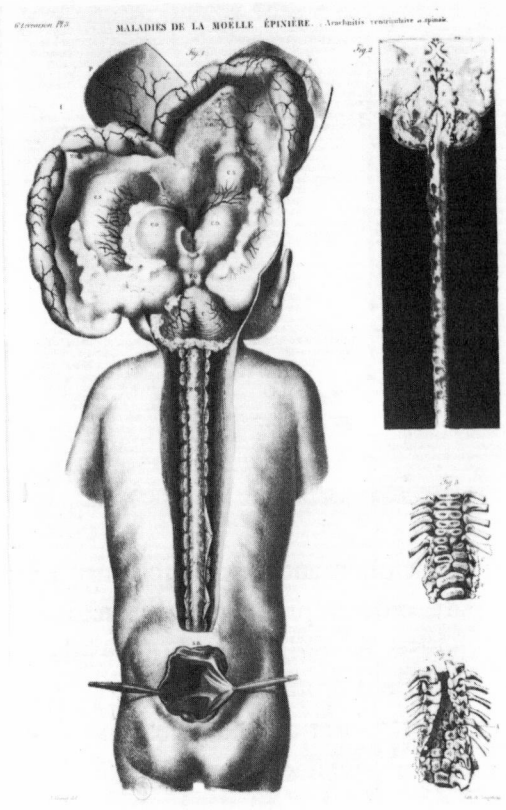

L'*Anatomie pathologique du corps humain*, de J. Cruveilhier (Paris et Londres, 1829-1835) compte 253 planches lithographiées et coloriées par Langlumé, d'après A. Chazal. (H. 458 mm).

Baillière

C'est Jean-Baptiste-Marie Baillière (1797-1885) qui créa la librairie et maison d'édition Baillière. Entré à quinze ans comme commis chez Méquignon aîné, libraire de la faculté de médecine de Paris, il ouvre dès 1818 sa propre librairie au 14 de la rue de l'École-de-Médecine et publie l'année suivante son premier livre, un recueil de quatre thèses de médecine légale intitulé *Médecine légale*. En 1823, son catalogue compte déjà quarante titres dont un *Code pharmaceutique*, un *Dictionnaire des termes de médecine*, la *Topographie médicale de Paris* par C. Lachaise. Sa réputation est assurée avec la parution des *Nouveaux Éléments de pathologie médico-chirurgicale* de Roche et Sanson et du *Dictionnaire de médecine, de chirurgie et d'hygiène vétérinaires* de Hurtrel d'Arboval, ce qui lui permet d'obtenir le titre de libraire de l'Académie de médecine, de 1827 à 1871, et le privilège coûteux d'en faire paraître les *Mémoires* et le *Bulletin des séances*. Il publie une foule d'ouvrages importants sur la médecine, tels que le *Dictionnaire universel de matière médicale et de thérapeutique* de Mérat et Delens, en sept volumes, le *Traité de pathologie externe et de médecine opératoire* de Vidal en cinq volumes, le *Nouveau Dictionnaire de médecine et de chirurgie pratiques* sous la direction de Jaccoud en trente-neuf volumes. Ses publications en médecine, chirurgie, anatomie, physiologie, obstétrique,

zoologie, botanique, physique et chimie se comptent par centaines. À ces travaux s'ajoutent des éditions et des traductions érudites d'Hippocrate, de Galien, d'Oribase, d'Ambroise Paré.

Dès que sa maison a acquis une certaine importance, Jean-Baptiste Baillière crée des filiales à l'étranger. Un de ses frères, Pierre-François-Philippe, s'établit à Londres en 1831 et les deux fils de ce dernier, Hippolyte-Émile et Ferdinand-François, s'installent à New York et à Melbourne. Un neveu se fixe à Madrid en 1848 et y crée la maison Bailly-Baillière. Jean-Baptiste Baillière préside le comité d'organisation d'où naquit le Cercle de la librairie et en fut longtemps vice-président. Il s'associe ses fils, Émile-Jean-Baptiste (1831-1921), en 1856 et Henri-Paul-Charles (1840-1905), en 1862. Exproprié lorsque s'agrandit la faculté de médecine, Baillière s'installe au 19 de la rue Hautefeuille. Il est aujourd'hui au 10, rue Thénard.

Le frère cadet de Jean-Baptiste, Germer-Jules-Mathieu (1807-1859), s'établit libraire en 1829 au 17 de la rue de l'École-de-Médecine et se spécialise aussi dans les publications médicales. Son fils, Gustave-Germer, né en 1837, docteur en médecine, élargit les orientations de la maison vers la philosophie, l'histoire et les lettres et finit par la céder en 1883 à Félix Alcan.

Alfred Fierro

plus influents tant au sein du Cercle de la librairie qu'auprès du tribunal de commerce de Paris. Ses grands succès d'éditeur sont l'*Atlas d'anatomie descriptive* de Bonamy, Beau et Broca (1841), poursuivi par Duplay et, surtout, le *Dictionnaire encyclopédique des sciences médicales* de Dechambre, publié à partir de 1864, consécration de sa carrière d'éditeur. Il s'est associé en 1859 son fils Georges, qui lui succède en 1865.

Si les facultés de médecine, de pharmacie et de droit sont solidement implantées, en revanche le véritable enseignement supérieur en sciences et en lettres se délivre jusqu'en 1870 à l'École polytechnique, au Museum ou au Collège de France. À l'université, le nombre d'étudiants est infime et d'ailleurs peu assidu. Les cours de Guizot s'adressent au grand public. L'essor de la science allemande fait prendre conscience du retard français. Une nouvelle génération d'universitaires prend brillamment le relais. En 1868, à l'initiative de Victor Duruy est créée l'École des hautes études qui, dans un cadre plus souple, forme à la recherche critique de haut niveau. Mais la réforme propre de l'université (1877 : bourses de licence ; 1880 : corps des maîtres de conférences et organisation de la licence ; 1885 : réorganisation des facultés) entraîne une nette augmentation du nombre des étudiants (en 1888 : 2 350 en lettres et 1 350 en sciences ; en 1914 : 6 000 à 7 000 dans chaque discipline) et draine vers cette nouvelle clientèle un nombre accru d'éditeurs spécialisés.

Du marché de droit et de médecine, en progression continue, se saisissent de nouvelles librairies : par exemple, celles de Doin, de Maloine et de Vigot que la réussite des Masson fait rêver. Cette maison, sous l'impulsion de Georges, puis à partir de 1900 de son fils Pierre, confirme sa suprématie dans son domaine : plus de 4 000 titres publiés, 40 périodiques en 1900. Les grands progrès de la science médicale lui profitent (Pasteur, Charcot, Broca...). Une de ses meilleures ventes est le *Manuel de pathologie interne* de Dieulafoy qui, publié en 1880-1884, compte 70 000 exemplaires vendus en 1911. La vulgarisation est abordée avec la revue *La Nature*, créée par Gaston Tissandier en 1873, au fort tirage. Georges Masson, au sommet de la prospérité, fait construire au 120, boulevard Saint-Germain l'immeuble où s'installe son entreprise ; il est président du Cercle de la librairie et même, en 1898, de la chambre de commerce. Consécration honorifique : il a réussi en 1872 à devenir le libraire de l'Académie de médecine, dont il publie le bulletin.

Octave Doin (1848-1919) ouvre sa librairie scientifique et médicale en 1871. En 1900, son catalogue compte 1 500 titres et plus de 15 périodiques. Si le *Traité d'anatomie humaine* de Testut est son plus gros succès, les meilleurs chiffres de vente sont réalisés par les petites collections destinées aux étudiants, comme la Bibliothèque nouvelle de l'étudiant en médecine, dite collection... Testut, série de précis sur les matières des cinq examens du doctorat. Il publie beaucoup d'ouvrages de gynécologie et d'obstétrique, quelques-uns de botanique. Lui aussi a été président du Cercle et du Syndicat des éditeurs. En son château de Semon, près de Dourdan, il goûte les fruits de la prospérité : son fils Gaston, médecin, est prêt à lui succéder. Alexandre Maloine n'arrive dans la profession qu'en 1881. Son activité suit le même registre que celle de Masson et de Doin. Sa librairie médicale et pharmaceutique est surtout connue par la publication de la revue *La France médicale* et de manuels d'étudiants. Il s'associe également son fils Norbert. Vigot, ancien commis chez Flammarion, se met à son compte en 1890 et choisit lui aussi le secteur presque saturé de la médecine. Toutes ces librairies se font face autour du carrefour de l'Odéon. À cette taille d'entreprise se rattachent d'autres librairies très spécialisées. Pierre-Charles Dunod a, par exemple, repris en 1860 le fonds de Victor Dalmont, libraire des corps des Ponts et Chaussées et des Mines, auquel il était associé depuis 1857. Fils d'un ancien maître de pension établi à Paris, lui-même pharmacien, il développe un fonds de mathématiques et de physique lié aux techniques de l'ingénieur (300 titres environ en 1900). Le marché est moins saturé que celui des ouvrages de droit dont la Librairie Sirey, après avoir racheté le fonds Cotillon, s'est fait une spécialité. Comme les étudiants des écoles d'ingénieurs, les futurs architectes fré-

Une machine agricole à vapeur reproduite dans le premier volume (1873) de *La Nature*. H. 228 mm.

Masson

La librairie Masson fut fondée en 1837 par Victor Masson (1807-1879) lorsqu'il acheta la librairie Crochard, elle-même créée en 1804. Sise à l'origine rue et place de l'École-de-Médecine, expropriée en 1876 à l'occasion de l'agrandissement de la clinique de la faculté de médecine et installée provisoirement au 10 de la rue Hautefeuille, elle trouva son siège définitif au 120 du boulevard Saint-Germain, avec des ateliers annexes à partir de 1883 au 147, rue de Vaugirard.

Associé à son fils Georges (1839-1900) à partir de 1859, retiré des affaires en 1871, Victor Masson donna une vigoureuse impulsion à son entreprise. L'édition scientifique lui doit notamment les vingt volumes du *Règne animal* de Cuvier, l'*Atlas d'anatomie descriptive* de Duplay, Broca et Bonamy, les *Éléments de zoologie* de Milne-Edwards, les ouvrages de Delaunay, Jussieu, Payer, Pelouze et Fremy, Regnault... En 1840 avait commencé la publication d'une Bibliothèque d'enseignement secondaire.

À Georges Masson l'on doit une impressionnante série de manuels et de traités de médecine, de chirurgie et de pathologie générale, ainsi que l'achèvement du *Dictionnaire encyclopédique des sciences médicales* en cent volumes. Évinçant Baillière, Masson fut à partir de 1872 le libraire de l'Académie de médecine. Le catalogue de la maison d'édition Masson comportait plus de cent pages au début de ce siècle, dont plus de la moitié consacrées à la médecine et aux sciences naturelles, le reste à l'anthropologie, la physique, la chimie, l'agronomie et la technologie.

La force et l'originalité de Masson résident notamment dans la publication d'un nombre impressionnant de revues, cinquante-deux en 1900. À côté de revues scientifiques prestigieuses telles que les *Annales de chimie et de physique*, les *Annales de dermatologie et de syphiligraphie*, les *Annales médico-psychologiques*, les *Annales des sciences naturelles*, les *Archives du Muséum d'histoire naturelle*, la *Gazette hebdomadaire de médecine et de chirurgie*, le *Journal de pharmacie et de chimie*, la *Revue d'anthropologie*, ... il faut mentionner la remarquable et très fructueuse réussite d'une publication de vulgarisation unique à cette époque, *la Nature*, fondée en 1873 par Gaston Tissandier. Débordant très largement le domaine médical, Masson éditait aussi l'*Anthropologie*, les *Archives d'anthropologie criminelle*, le *Journal de l'agriculture*, la *Revue de l'aéronautique*.

Le prestige de la maison Masson valut à Georges Masson de présider le Cercle de la librairie de 1872 à 1874 et d'être élu président du Ier Congrès international des éditeurs, qui se tint à Paris en 1896. Son fils, Pierre-Victor (1865-1928), lui succéda à sa mort en 1900.

Alfred Fierro

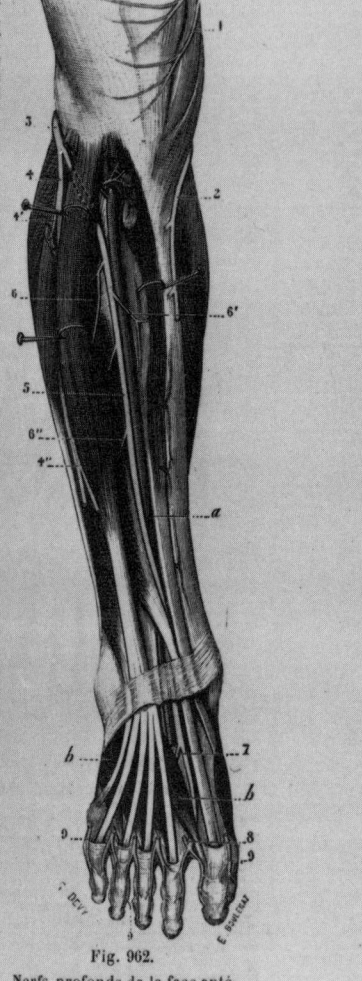

Le plus gros succès d'Octave Doin : *Traité d'anatomie humaine,*
de Testut, illustré de très nombreuses figures en noir et deux couleurs.

quentent la librairie de Charles Schmid qui, rue des Écoles, édite la revue *L'Architecture*.

L'érudition

Les nouvelles exigences de l'édition érudite, défendue non plus seulement par des amateurs éclectiques mais par des professionnels, professeurs ou étudiants, trouvent satisfaction avec des maisons comme celle de Friedrich Klincksieck. En 1842, succédant rue de Lille à la firme Treuttel et Würtz, il vend des ouvrages scientifiques en langues étrangères, surtout en allemand. Ses héritiers se séparent en 1883 : le fonds d'érudition propre (histoire, archéologie) reste rue de Lille tout en s'orientant progressivement vers la philosophie (esthétique) ; Paul Klincksieck garde le fonds d'histoire naturelle.

Mais les éditeurs qui se disputent la clientèle du monde savant de l'érudition historique sont Alphonse Picard, Honoré Champion et Ernest Leroux, Adrien Maisonneuve, bien qu'éditeur de la *Revue des langues romanes,* s'étant surtout fait une spécialité du folklore. Le premier, ancien employé chez Durand, puis associé de Charles Porquet, quai Voltaire, est à son compte depuis 1869 rue Bonaparte. Archéologie et histoire toujours : il publie les *Annales du Midi*, la *Bibliothèque de l'École des chartes* depuis 1870 et le *Bulletin monumental* d'Arcisse de Caumont jusqu'en 1899. En 1900, il compte plus de 700 titres à son catalogue.

Son rival, Honoré Champion, est un autodidacte. D'origine bourguignonne, son père travaille à la halle aux vins de Bercy. Il fait son apprentissage chez le libraire Dumoulin et ouvre sa propre officine en 1874, quai Malaquais d'abord, dans l'ancienne librairie du père d'Anatole France, Noël Thibault. Comme Picard, Franck ou Vieweg, il débute par le commerce des livres d'occasion. Ce marché demeure vivant : des restes des bibliothèques de l'Ancien Régime continuent à être dispersés ; les liquidations de bibliothèques de savants ou de bibliophiles décédés le complètent. Il édite ensuite lui-même des publications à compte d'auteur et de grandes séries en souscription en liaison avec les sociétés savantes, ainsi que les catalogues de la Bibliothèque nationale, que lui octroie L. Delisle. Il assure aussi la diffusion d'éditeurs provinciaux confidentiels. Dans sa boutique se cotoie une clientèle composite, faite de généalogistes et d'universitaires ; chacun y a sa place attitrée, comme à l'Institut voisin. En 1905, il rachète le fonds Bouillon-Vieweg, développant son catalogue romaniste, et s'associe l'un de ses deux fils, Édouard.

En 1871, Ernest Leroux choisit la même orientation que la Librairie Larose, fondée en 1860 et spécialisée dans les publications orientalistes. Il s'annonce comme expert pour les livres anciens d'Extrême-Orient, et notamment pour les estampes japonaises. Toutefois, son activité reflète vite un grand éclectisme. S'il marque une prédilection pour les beaux-arts et l'archéologie, son catalogue couvre aussi les domaines de la philosophie, de l'histoire des religions, de l'ethnologie et de l'anthropologie. En 1876, il arrache à des confrères pourtant plus spécialistes la *Revue critique d'histoire et de littérature,* fondée par P. Meyer et G. Paris, dont il assainit la gestion et dont il réussit même à rémunérer les collaborateurs. En 1900, il est le plus important éditeur de revues savantes (plus de 25 titres). Hertzberg et Renouvier mais aussi Ch. Diehl, S. Reinach, E. Mâle, P. Pelliot sont édités chez lui. Sa maison possède une envergure que n'ont pas ses concurrents immédiats.

Les sciences et les lettres

Mais ce sont surtout quatre éditeurs qui s'imposent sur le marché des sciences et des lettres universitaires jusquelà délaissé. Si A. Gauthier-Villars et A. Hermann s'en tiennent à une clientèle composée strictement d'étudiants et de professeurs, F. Alcan et A. Colin touchent un public élargi, faisant preuve d'une perméabilité plus grande aux courants forts de la pensée contemporaine. Leur production s'adresse aux universitaires mais aussi à l'homme cultivé, qui ne se confond pas avec l'amateur d'érudition.

Jean-Albert Gauthier-Villars, issu d'une famille d'imprimeurs, polytechnicien, ingénieur des télégraphes, quitte l'administration et rachète en

Charles Dunod dont l'activité s'exerça avec succès dans l'édition scientifique et technique de 1858 à 1884.

Librairie Orientale de MAISONNEUVE et Cⁱᵉ, 15, quai Voltaire.

BULLETIN de l'École française d'Athènes. Numismatique, Archéologie, Linguistique, Philologie.

Abonnements : un an, Paris, **10** fr.; — Départements, **12** fr.

Contenu des numéros V et IV : Numismatique, par P. V. LABLACHE. — De la valeur de quelques monnaies byzantines de Maurice Tibère et Constantine, par P. LAMPROS. — Faunes du Théâtre de Bacchus à Athènes, par E. PIOT. — Linguistique, par E. BURNOUF. — Philologie : Chants populaires du Rhodope (analyse), par A. DOZON.

FEER, Textes tirés du Kandjour, IXᵉ livraison. **La Sutra de l'Enfan** en Tibétain et en Pali. In-8, br .... 1 fr. 50

MORIN (E.), professeur à la Faculté des lettres de Rennes. **Esquisse comparative des dialectes néoceltiques.** Première partie : *Dialectes britanniques.* In-8 .... 3 fr.

— **L'Armorique au Vᵉ siècle.** In-8, br .... 4 fr.

Cet ouvrage a obtenu la première mention honorable au concours de l'Académie des inscriptions et belles-lettres en novembre dernier.

ZEUSS. Grammatica celtica. Editio secunda. Pars I. Grand in-8, br .... 15 fr.
(543)

Publicité de la librairie Maisonneuve parue en 1869 dans la *Bibliographie de la France* : archéologie, linguistique, philologie, orientalisme.

1864 la Librairie Mallet-Bachelier, qui publiait depuis 1835 les comptes rendus hebdomadaires de l'Académie des sciences. Il y avait aussi une importante imprimerie. Sa femme l'introduit dans les milieux universitaires parisiens. L'entreprise prend alors un grand essor et devient la première maison d'édition pour les travaux scientifiques. Il reprend un catalogue où figurent Fermat, Lagrange, Laplace et y ajoute Ch. Cros, C. Flammarion, H. Poincaré, M. Berthelot, H. Becquerel, P. et M. Curie... En 1900, il édite plus de 35 périodiques relatifs aux mathématiques mais aussi à la physique, à la médecine, à la photographie, tirant pour la plupart à 500 mais pouvant aller jusqu'à 5 000 exemplaires. À cette même date, il compte 3 000 ouvrages à son catalogue. Le tirage de base, par exemple, de *Thermochimie* de M. Berthelot (1897) est de 1 000 exemplaires ; les rééditions sont nombreuses mais n'atteignent pas les chiffres des manuels de médecine de Masson. Chaque tirage va de 1 000 à 2 000 exemplaires en sciences pures ; il varie de 2 000 à 4 000 exemplaires en médecine. En 1888, Jean-Albert s'associe ses deux fils, Albert, polytechnicien, pour la direction technique de l'imprimerie, et Henry pour la partie commerciale. Mais ce dernier quitte l'entreprise en 1893, année de son mariage avec Sidonie Colette, et choisit de vivre de leur plume commune. Face à cet empire, la librairie d'A. Hermann, fondée en 1870, rue de la Sorbonne, reste modeste. Son activité couvre l'édition et la librairie d'occasion. Il publie exclusivement des ouvrages de mathématiques et de physique ou de chimie. Son catalogue, en 1900, ne comporte qu'une centaine d'ouvrages mais, parmi eux, compte les œuvres de Duhem et de Painlevé.

Félix Alcan (1841-1925), normalien, mathématicien, travaille d'abord avec son père Moyse, éditeur à Metz, mais revient assez rapidement à Paris où, en 1872, il s'associe avec Gustave Germer-Baillière, éditeur spécialisé dans la sociologie, la biologie et l'anthropologie et fondateur de grandes collections (1863 : Bibliothèque de philosophie contemporaine ; 1866 : Bibliothèque d'histoire contemporaine). Tous deux créent la Bibliothèque scientifique internationale (1874) et deux revues, la

(suite page 227)

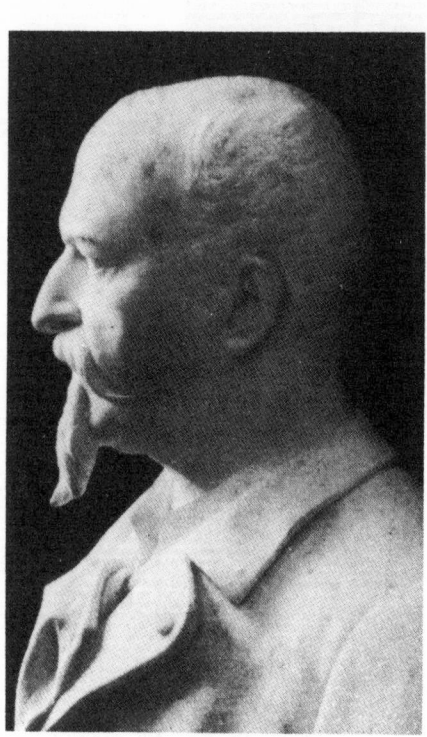

Jean-Albert Gauthier-Villars (1830-1898), fondateur de la très importante entreprise qui porta son nom et réussit à tenir la première place dans l'édition des travaux scientifiques.

Les livres de géographie

Pendant la majeure partie du XIXe siècle, la géographie n'a en France qu'une importance médiocre. Elle est à peine enseignée à l'école, professée dans une unique chaire à l'université sous forme de géographie historique. La défaite de 1870 marque son essor, l'une des causes du désastre militaire ayant été imputée à l'ignorance des officiers français qui auraient été incapables de lire une carte d'état-major. Dès lors, la géographie figure à part entière dans les programmes scolaires, tandis qu'une école féconde se développe à l'université sous l'impulsion notamment de Vidal de La Blache. Unique société en 1870, la Société de géographie siégeant à Paris a une trentaine d'émules à la fin du siècle.

Aussi la première moitié du XIXe siècle est-elle très médiocrement représentée dans l'édition géographique française. Aucun éditeur n'apparaît spécialisé dans ce domaine. L'essentiel de la production réside dans des manuels et atlas scolaires. C'est Louis Hachette qui s'assure l'essentiel du marché, à partir de 1834, avec son *Petit Atlas national des départements de la France* et l'*Atlas général* de Meissas et Michelot. Lui font concurrence, pour les atlas Dufour, Delalain, Delamarche, Hocquart, Andriveau-Goujon et surtout Migeon qui tient tête jusqu'à la fin du siècle.

À partir de 1853, avec le timide coup de pouce donné par Fortoul à l'enseignement de la géographie, Hachette doit subir la concurrence de Didier, Belin, Garnier, rejoints à la fin du Second Empire par Delagrave et, timidement, par Larousse, auteur d'atlas pour les lycées. La Troisième République naissante voit l'apparition de Fayard et Colin, Masson et Gauthier-Villars. Mais Hachette s'assure une hégémonie incontestable avec l'*Atlas universel de géographie* entrepris à partir de 1880 par Vivien de Saint-Martin et continué par Schrader qui donne en plus un *Atlas de géographie historique*.

La littérature de récits de voyages, d'abord publiée dans les *Nouvelles Annales des voyages*, la *Bibliothèque universelle des voyages* en quarante-huit volumes d'Albert Montémont, l'*Histoire générale des voyages* de Walckenaer (21 volumes parus sur 60 prévus), se développe très largement à partir *lacus Velinus,* dont il reste actuellement quelques petits bassins et des marécages épars çà et là, au milieu des riches cultures du Champ des Roses. Une brèche ouverte à travers les roches de sédiment calcaire, et plusieurs fois recreusée depuis les Romains, a livré passage en amont de Terni aux

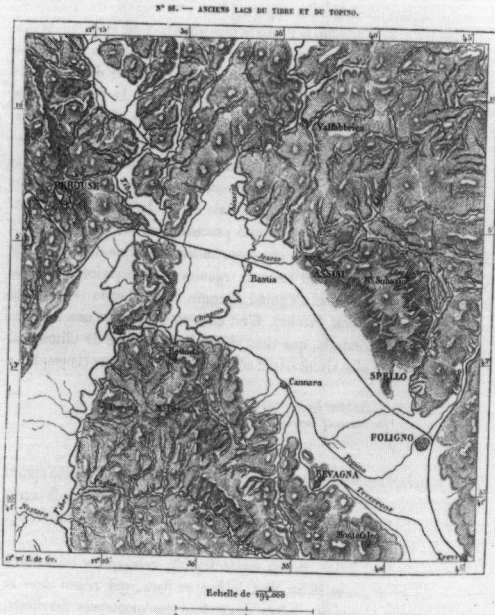

N° 86. — ANCIENS LACS DU TIBRE ET DU TOPINO.

Echelle de 1/1.000.000

CASCADE DE TERNI
Dessin de Taylor, d'après une photographie.

eaux du Velino et formé cette admirable cascade *delle Marmore,* que les peintres et les poëtes ont célébrée à l'envi. La rivière tombe d'abord en une seule nappe d'une hauteur verticale de 165 mètres, puis descend en bouillonnant à travers les blocs amoncelés pour se joindre à l'eau plus paisible de la Nera. Beaucoup moins grandioses, mais plus charmantes peut-être,

La *Nouvelle géographie universelle* d'Élisée Reclus, publiée chez Hachette en 20 volumes à partir de 1876, ajoute à un texte très documenté de nombreuses illustrations et cartes dans ce premier volume, consacré à l'Europe méridionale, 73 gravures, 4 cartes en couleurs h.-t. et 174 cartes en noir. H. 268 mm.

de 1850 et est accaparée par Didier, qui publie de modestes in-16, et surtout par Hachette qui fait paraître une série de volumes, grands in-8° richement illustrés, doublée de textes abrégés au format in-16 où se retrouvent les textes de tous les grands explorateurs de la fin du XIXᵉ siècle. Ces récits ont souvent déjà paru, au moins partiellement, dans le *Tour du monde,* revue hebdomadaire fondée en 1860 par Édouard Charton, gendre de Louis Hachette. Le succès de cette revue luxueuse fut immense et, comme l'écrit J. Mistler, « le journal rapporta des sommes considérables par les traductions dont ses articles furent l'objet et par la cession des gravures sur bois qui l'illustraient ».

Les grands traités de géographie universelle se limitent à deux pour la France du XIXᵉ siècle. Malte-Brun et ses successeurs font paraître, à partir de 1810, le *Précis de la géographie universelle* en huit volumes qui connaît six éditions successives chez divers éditeurs et est refondu en *Géographie universelle* en 1855. À partir de 1876 est publiée chez Hachette la *Nouvelle Géographie universelle,* en vingt volumes, d'Élisée Reclus. À la même époque commence la publication du *Nouveau Dictionnaire de géographie universelle* de Vivien de Saint-

Martin, toujours chez Hachette, qui remplace le *Dictionnaire géographique universel* de Vosgien, dont les multiples éditions s'étalent de 1747 à 1855, et supplante les dictionnaires de Bouillet et Dezobry.

Le Second Empire a vu l'apparition et le succès considérable des multiples éditions du *Dictionnaire des communes de France,* lancé par Garnier en 1863 à qui Joanne et Hachette emboîtent le pas en 1864, puis Oberthur avec le *Dictionnaire des postes* de 1876, tandis qu'Albin Michel et Berger-Levrault se lancent plus tard sur le marché. C'est toujours Joanne qui reprend à la fin du Second Empire l'idée, mise en pratique en 1847, pour quelques fascicules seulement, par Dubochet, de monographies géographiques départementales qui, sous le titre de *Géographie du département de...,* ont eu un énorme succès et souvent une dizaine d'éditions entre 1874 et 1914. Il sera traité des guides touristiques dans une note particulière.

L'édition scientifique proprement dite n'apparaît guère avant la fin du XIXᵉ siècle. Hachette a recours aux services de Vidal de La Blache pour le *Tableau de la géographie de la France,* premier volume de l'*Histoire de France* de Lavisse, mais le maître de la géographie française donne son *Atlas géné-*

ral à Armand Colin en 1894 ainsi que ses *Cours de géographie à l'usage de l'enseignement secondaire.* En effet, Colin a su s'attacher les services de la plupart des universitaires français par le biais de la publication de leur revue, les *Annales de géographie* créées en 1891. C'est pour disposer d'une assise identique que Georges Masson conclut, en 1899, un accord avec la Société de géographie pour s'assurer la publication de la revue de cette société et accroître ainsi sa part du marché de l'édition scientifique en l'élargissant à la géographie.

En résumé, l'édition géographique française se caractérise par sa très faible importance jusqu'en 1850, son réveil sous le Second Empire et un développement soutenu après 1870. La Librairie Hachette domine le marché dès 1835 et participe, de façon écrasante, à toutes les innovations grâce, notamment, à Édouard Charton et à Adolphe Joanne, qu'il s'agisse de périodiques pour le grand public, de dictionnaires de communes, de manuels scolaires, d'atlas, de traités généraux, de géographies départementales ou de guides touristiques. Elle subit vers la fin du siècle la concurrence de plus en plus vive d'Armand Colin et de Georges Masson.

Alfred Fierro

Charles-Augustin de Sainte-Beuve
(1804-1869) par Démery, 1844.

Jules Michelet (1798-1874),
portrait par T. Toullien.

Le Comité des travaux historiques et scientifiques

L'histoire, mal vue sous la Restauration, reprend tous ses droits dès l'avènement de Louis-Philippe. Tandis que Daunou, révoqué à la chute de l'Empire, redevient garde général des Archives et que Michelet prend la direction de la section historique des Archives du royaume, tandis que se fondent des sociétés savantes comme celle des antiquaires de l'Ouest et qu'Arcisse de Caumont réunit pour la première fois des représentants des sociétés savantes des départements, voici qu'en juillet 1832 Guizot est nommé ministre de l'Instruction publique. Dès juin 1833, il commence par être de ceux qui fondent une société de droit privé, la Société de l'histoire de France qui se propose l'édition de textes et documents historiques inédits : une série impressionnante de publications documentaires commence, qui continue jusqu'à nos jours. Mais Guizot estime que seul l'État a la possibilité de financer de façon permanente la recherche et l'édition des trésors inexplorés qui gisent dans les archives — encore inorganisées — et dans les collections de manuscrits — encore non cataloguées — des bibliothèques. Il pense que l'Académie des inscriptions s'englue dans de vains efforts pour poursuivre le *Recueil des historiens des Gaules et de la France,* hérité de l'Ancien Régime, et pour tenter un insensé corpus chronologique général de toutes les chartes de la France. Il prend donc l'initiative de présenter au roi, le 31 décembre 1833, un rapport où il expose qu'« au gouvernement seul il appartient de pouvoir accomplir le grand travail d'une publication générale de tous les matériaux importants et encore iné-

dits de l'histoire de notre patrie..., œuvre toute libérale... pour la propagation de l'instruction publique et la diffusion des lumières ». Cette phrase marque bien comment cet effort va s'insérer dans l'immense mouvement qui secoue alors l'Europe entière : recherche des racines de la patrie en ce temps où les « nationalités » revendiquent leurs droits, poussée des sentiments libéraux de la bourgeoisie parvenue au pouvoir et d'une « démocratie » qui vise à étendre à tous les bienfaits de l'instruction, le tout se conjuguant avec la fièvre du romantisme qui saisit de proche en proche tous les pays.

Pour cette entreprise Guizot livre une terrible bataille budgétaire et réussit à arracher à la Chambre des députés, en mai 1834, un crédit de 120 000 francs-or — l'équivalent d'environ 3 millions de nos nouveaux francs — à une époque où le budget national était encore très faible. Soutenu par le roi, il institue sous sa présidence, dès le 18 juillet, un « Comité chargé de la recherche et de l'édition des documents inédits de l'histoire de France », formé de 11 membres (dont Villemain, Daunou, Naudet, Guérard et Mignet, de l'Institut, Champollion-Figeac, Fauriel, Naudet...), et le 10 janvier 1835 un second comité chargé, toujours sous sa présidence, de la publication des « monuments inédits de la littérature, de la philosophie, des sciences et des arts », formé de 8 membres (dont Victor Cousin, Victor Hugo, Vitet, Albert Lenoir...) auxquels fut ensuite adjoint Sainte-Beuve.

Les comités se mettent à l'œuvre immédiatement. Des circulaires envoyées à toutes

les sociétés savantes demandent la collaboration de leurs membres ; des correspondants (plus de 150) sont désignés à travers les départements et des instructions précises leur sont données. Augustin Thierry constitue une équipe qui collectivement prépare les *Monuments de l'histoire du Tiers État.* Michelet réunit les pièces du *Procès des Templiers.* Edgar Quinet décide de prospecter les archives étrangères pour y rechercher les sources de l'histoire française. Eugène Sue publie les papiers de Sourdis sur la guerre navale sous Louis XIII. Le comte Beugnot se lance dans l'édition des plus anciens registres du Parlement de Paris, du temps de Saint Louis. Benjamin Guérard transcrit les plus importants cartulaires français. Les archives départementales s'organisent et on place à leur tête de jeunes « archivistes paléographes » qui sortent de l'École des chartes, précédemment conçue pour être la pépinière des « auxiliaires » de l'Académie des inscriptions. On organise des missions pour établir des catalogues des manuscrits des bibliothèques publiques et des fonds des archives.

La création de ces comités a été véritablement le point de départ en France d'une histoire fondée sur les documents, et donc proprement scientifique, et elle a donné le jour à la plus vaste collection d'ouvrages jamais publiés dans ce domaine : en vingt-cinq ans, près de 120 gros volumes in-4° sortent des presses de l'Imprimerie royale. Dès le 2 décembre 1835, Guizot pouvait énumérer dans un rapport au roi toutes les entreprises lancées : la publication des œuvres d'Abélard aussi bien que du *Journal*

François Guizot (1787-1874)
portrait gravé par A. Tardieu.

Augustin Thierry (1795-1856)
par E. Lassalle, 1840.

des états généraux de 1484, celle de la *Chronique rimée des ducs de Normandie* comme des documents sur la guerre de Succession d'Espagne sous Louis XIV, ou encore le panorama de l'histoire littéraire de la France dont s'était chargé Sainte-Beuve tout comme les tournées de Mérimée à travers les départements pour dresser un inventaire monumental de la France romane et gothique. Le succès de ce dernier incitait le ministre à instituer un nouveau comité pour l'histoire des arts et des monuments.

Une réforme profonde intervenait toutefois le 18 décembre 1837 : le nouveau ministre, Salvandy, réorganisait l'entreprise en constituant cinq comités distincts, chargés respectivement de la langue et de la littérature, des chroniques, chartes et inscriptions, des sciences, des arts et des monuments et des sciences morales et politiques. Chacun était rattaché à chacune des cinq Académies qui constitue l'Institut de France, dont ils devenaient en quelque sorte les centres de recherche et de publication ; leurs liens avec les sociétés savantes de province étaient encore renforcés. Mais dès 1840, pour donner plus de cohésion à leurs activités, quatre d'entre eux étaient regroupés en un comité unique « pour la publication des documents écrits de l'histoire de France » — désormais en dehors de l'Institut (avec lequel il gardera toujours des liens étroits) — ; seul le Comité des arts et monuments demeurait à part de ce regroupement. C'est par leur intermédiaire qu'étaient accordées les subventions de l'État aux sociétés savantes.

En 1852, le comité prit le nom de Comité de la langue, de l'histoire et des arts de la France ; il était divisé en trois sections : philologie, histoire et archéologie. Une bibliothèque des sociétés savantes, alimentée par les publications de chacune d'elles, était formée et un bulletin commença à rendre compte de leurs travaux ; il devait s'étoffer en 1857 en une *Revue des sociétés savantes*. Cela amena en 1858 le ministre Rouland à réorganiser une nouvelle fois le comité, qui devenait Comité des travaux historiques et des sociétés savantes, avec trois sections (histoire et philologie, archéologie et sciences) et était chargé de donner toute l'impulsion nécessaire aux travaux des sociétés savantes. C'est à cette fin qu'en 1861 fut organisée la grande réunion des délégués de toutes les sociétés savantes (plus de 500 représentants), à la Sorbonne, le premier de ces Congrès nationaux des sociétés savantes qui, depuis lors, se tiennent chaque année et constituent, avec les diverses séries de publication de leurs *Actes,* la collection périodique la plus considérable que possède la France dans le domaine des sciences humaines. En 1885, au moment du cinquantenaire du comité, celui-ci avait déjà édité 357 volumes dans la Collection des documents inédits, 124 volumes de périodiques et avait 25 ouvrages sous presses ou en attente d'impression, soit environ 500 volumes.

C'est alors que Jules Ferry décida en 1883 une nouvelle réorganisation du comité : il ne suffisait plus que celui-ci publiât les œuvres complètes de Lavoisier, de Lagrange ou de Fresnel ; il fallait qu'il devînt aussi un élément moteur du domaine proprement scientifique alors en plein essor. De nouvelles sections sont créées pour les sciences, la géographie et les sciences économiques et politiques. Le comité prend alors son titre définitif : Comité des travaux historiques et scientifiques. Si l'on met une sourdine à certaines des grandes collections antérieures, comme les Dictionnaires topographiques des départements, les Répertoires archéologiques, les volumes de Statistique monumentale de la France, le recueil des Inscriptions de la France, on voit au contraire diverses autres initiatives issues du même Bureau du ministère dont dépendait le comité et qui gérait les Missions scientifiques et littéraires, en venir à graviter autour de lui : recherches concernant le Mexique, l'Indochine, et surtout en décembre 1884, à l'initiative du ministre Fallières, une commission d'archéologie de la Tunisie présidée par Ernest Renan. Celle-ci devait donner naissance à la Commission pour la publication des documents archéologiques de l'Afrique du Nord, qui demeure toujours attachée au comité et qui tient des colloques au sein des Congrès nationaux des sociétés savantes. De même, au lendemain de la Seconde Guerre mondiale, on a rattaché au comité la Commission de recherche et de publication des documents relatifs à l'histoire économique et sociale de la Révolution française avec tous ses comités départementaux, jadis fondée par Jean Jaurès, puis reprise par Edouard Herriot, organisme devenu aujourd'hui la Commission d'histoire de la Révolution française.

R.-H. Bautier

Jean-Baptiste Sirey (1762-1845).
Dans un secteur voisin de celui
des éditions Dalloz et même
antérieurement à celles-ci,
il fonda une maison d'éditions
juridiques en reprenant en 1790
le fonds de la maison Cotillon.

Armand Colin à vingt ans,
à son arrivée à Paris :
né à Tonnerre en 1842,
il aborde la capitale plein
d'ambition ; quelques années
plus tard il fondera la maison
d'édition dont les réalisations
sont bien connues pour leur
qualité.

CATALOGUE

DES

LIVRES DE FONDS

DE

FORTIN, MASSON ET Cⁱᵉ,

SUCCESSEURS DE CROCHARD.

LIBRAIRIE MÉDICALE ET SCIENTIFIQUE.

PARIS,

PLACE DE L'ÉCOLE DE MÉDECINE, N° 1,

MÊME MAISON, CHEZ L. MICHELSEN, A LEIPZIG.

Mars 1845.

Sur cette page de titre du *Catalogue des livres de fonds
de Fortin, Masson et Cie,* la librairie, située place de l'École-
de-Médecine, porte encore, en 1845, le nom de Crochard,
en attendant que Victor Masson la rachète en 1846
et qu'elle prenne son essor dans le domaine
de l'édition médicale et scientifique.

(suite de la page 222)

Revue historique et la *Revue philosophique* (1866). En 1883, F. Alcan devient seul propriétaire de l'entreprise. Il développe son fonds au sein de collections vite prestigieuses en raison des auteurs qui y sont publiés : V. Bérard, A. Aulard, A. Mathiez, E. Borel, P. Janet, A. Binet, L. Brunschvicg, H. Bergson, E. Durkheim, L. Lévy-Bruhl... F. Alcan réussit à éditer tous ceux qui contribuent au renouveau de la pensée française au tournant du siècle, c'est-à-dire l'université. En 1900, en ne comptant que les ouvrages universitaires, on recense plus de 1 200 titres publiés chez lui. Car il a su se constituer un tel catalogue — chaque tirage de base n'excède pas 3 000 exemplaires pour la philosophie, 4 000 à 5 000 exemplaires pour l'histoire, par exemple — en diversifiant judicieusement sa production, en particulier grâce à l'édition de manuels scolaires du secondaire et par de petites collections de vulgarisation.

À l'inverse, c'est après avoir édité des manuels de l'enseignement primaire et secondaire qu'Armand Colin se lance dans le domaine de l'édition universitaire. Ce fils de libraire, aussitôt après le secondaire, est entré chez Firmin-Didot, puis chez Delagrave et en 1871, avec Louis Lecorbeiller, se met à son compte. En 1900, sur les quelque 1 100 titres de son catalogue, une centaine seulement sont des publications scientifiques. La maison Colin est toutefois très liée aux noms qui réformèrent l'université : elle édite la *Revue internationale de l'enseignement* (1881), qui à cet égard eut une influence très importante, et la somme de L. Liard, l'*Enseignement supérieur en France*. Grâce à ce jeu de relations, ses publications bénéficient d'une bonne rampe de lancement : l'*Histoire de la langue et de la littérature française*, de Petit de Julleville, l'*Histoire générale* de Lavisse, et l'*Atlas général* de Vidal de La Blache sont des coups de maîtres, ces publications scientifiques s'adressant à un très large public. Parmi les revues, il faut encore citer la *Revue de métaphysique et de morale*, de X. Léon et la *Revue d'histoire littéraire de la France*.

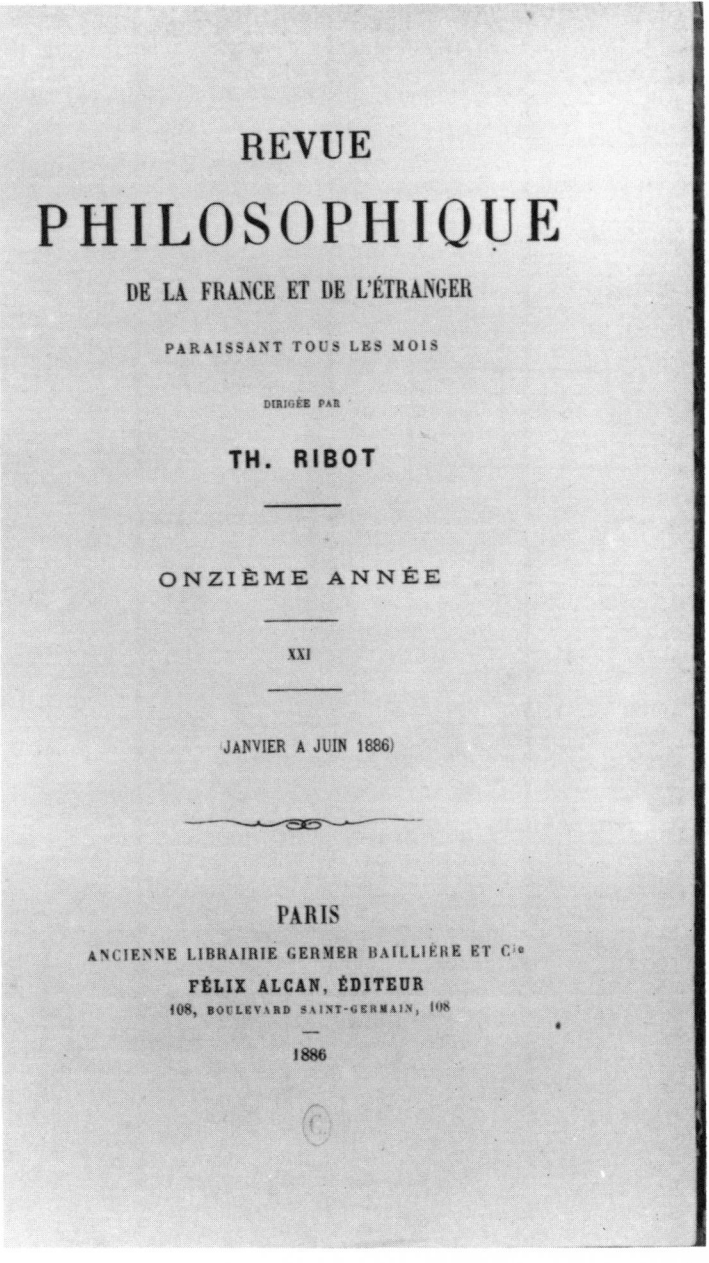

La *Revue philosophique* créée par Germer Baillière et Félix Alcan
et éditée par ce dernier seul à partir de 1883.
H. 236 mm.

À la gare de Lyon, une « bibliothèque de gare », sous le second Empire.
Gravure sur bois de Walton. (Photo, Vie du Rail.)

Libraires et colporteurs

par Frédéric Barbier

Augmentation du public des lecteurs, possibilités techniques différentes, nouvelles fonctions de l'imprimé au sein de la société industrielle, accroissement général de la production et réorganisation de l'« économie interne » du livre, notamment par l'augmentation des chiffres de tirages : autant d'éléments indissociables les uns des autres qui constituent la « seconde révolution du livre ». Deux faits sont à l'origine de ce processus : l'élargissement du marché du livre et l'organisation de celui-ci à l'échelle nationale, puis internationale.

 ## Les conditions matérielles de la diffusion

Dans la librairie traditionnelle, le départ n'existe pas entre le libraire de fonds et le libraire d'assortiment, la plupart du temps confondus en une seule et même personne (1) car il ne peut pas toucher directement un public assez large. Le libraire qui vient de publier un titre nouveau se trouve devant la nécessité de disposer d'un certain nombre de « relais » lui permettant d'étendre géographiquement son marché. Dans la pratique, ces « relais » sont constitués par un réseau de confrères, avec lesquels il est en relations d'affaires, qui ont un compte ouvert dans ses propres livres et auprès desquels lui-même a un compte.

À ces libraires correspondants, il adresse donc son catalogue de « livres de fonds », parmi lesquels ceux-ci sélectionnent un certain nombre de titres, dont ils seront dépositaires, et qui sont incorporés dans leurs propres catalogues d'assortiment. L'avantage est double : il permet de toucher des clientèles qui sinon seraient demeurées hors de sa portée, et de simplifier commandes et règlements — qui sont pris en charge par les correspondants (2).

Le système se trouve donc particulièrement bien adapté à un commerce d'objets à la valeur ajoutée forte, circu-lant sur des distances parfois longues et en petites quantités — voire à l'unité. Trois points sont à souligner. D'une part, le correspondant prend directe-ment en charge la publicité des ouvra-ges qu'il a reçus, notamment par des annonces dans les périodiques régio-naux et locaux. D'autre part, c'est lui qui contrôle les paiements — le plus souvent à terme — de la clientèle locale, avec laquelle il est lui-même en affaires régulières et dont il est évi-demment mieux à même de juger l'éventuelle solvabilité.

Enfin, la relation peut dans son principe être réciproque entre libraires, chacun reprenant une partie du fonds de ses confrères. Dans la pratique tou-tefois, et notamment en France, le cas reste exceptionnel dans la mesure où la réciprocité suppose que les maisons en relations d'affaires soient d'importance comparable — ce que la concentration parisienne de l'activité éditoriale signi-ficative rend finalement difficile. Cela explique que, lorsqu'il le peut, l'édi-teur a tendance à prendre en charge le problème fondamental de la diffusion de son fonds.

Les commis voyageurs

Dans les années de la Restauration, les grands libraires éditeurs parisiens commencent à employer des commis itinérants, qui ont à charge de présen-ter les nouveautés de la maison à leurs collègues. Le premier à s'engager dans cette voie nouvelle est probablement Lefèvre qui, en 1816, envoie son prin-cipal commis, Hautcœur, en tournée. Ce type de personnage devient rapide-ment une silhouette connue, nous le retrouvons comme tel bientôt mis en scène par Balzac dans le magasin du grand libraire Porchon, à Paris (les *Illusions perdues*). Porchon se tourne vers son commis, qui lui sert occasion-nellement de « voyageur » :

> « — Vidal !
> Un gros homme quitta la caisse et vint, une plume passée entre son oreille et sa tête.
> — Dans ton dernier voyage, combien as-tu placé de Ducange ? lui demanda Porchon.
> — J'ai fait deux cents *Petit Vieillard de Calais* ; mais il a fallu, pour les placer, déprécier deux autres ouvrages sur lesquels on ne nous faisait pas de si fortes remises, et qui sont devenus de forts jolis *rossignols* » (3).

Bientôt pourtant, certains commis voyageurs deviennent indépendants, travaillant « à la commission » en même temps pour plusieurs maisons dont ils présentent les catalogues de fonds : en octobre 1837, les petites annonces du *Journal de la librairie* signalent ainsi qu'un « … voyageur en papeterie pour une des meilleures mai-sons de Paris désire être chargé à la commission d'un catalogue de livres classiques. Il se dirige vers la Touraine, la Bretagne et la Normandie, et part le 20 de ce mois » (4).

Les grandes maisons parisiennes,

dont le débit est suffisant, continuent cependant à employer des « voyageurs » exclusifs, qui sont des personnes connues de leurs clients, et dont les frais de voyage sont balancés par ceux-ci dans leurs comptes avec l'éditeur parisien. Ainsi, en 1854, à Strasbourg, la librairie Berger-Levrault porte au débit du compte de la maison Bottin, de Paris, 35 francs pris sur la caisse, et « ... payés à leur voyageur B. Lévy, à titre d'avance, contre son reçu et sur la recommandation de Baquol jeune ici, qui nous en garantit le remboursement par sa lettre d'hier ». Le remboursement sera bien effectué. Signalons au passage que Berger-Levrault, dont le fonds est susceptible de la même diffusion que celui de Bottin, n'emploie pas de commis voyageurs, mais qu'un compte spécial de « voyages » apparaît dans les écritures pour permettre au chef de la maison de faire un certain nombre de déplacements à Paris, où il « visite » les confrères avec lesquels il est en relations d'affaires. Ces voyages sont en général d'une durée d'environ dix jours, et coûtent entre 100 et 150 francs (5).

La commission indépendante est donc souvent une activité temporaire. Aussi les commis voyageurs indépendants sont-ils souvent difficiles à distinguer des colporteurs de librairie, surtout lorsqu'ils ne se bornent pas à la présentation d'un catalogue de fonds auprès de libraires d'assortiment mais diffusent eux-mêmes des ouvrages et des plaquettes auprès du public. Ils sont dès lors suspects aux yeux de l'administration, notamment sous le Second Empire, à une époque où les développements du réseau ferré permettent une extension de leurs activités, mais où, en contrepartie, la multiplication des « voyageurs » fait qu'un certain nombre d'entre eux ne peuvent trouver de quoi vivre et risquent donc de se livrer à des commerces interdits. Bon nombre d'entre eux pratiquent de fait concurremment les deux formes d'activité, et nous retrouvons fréquemment des traces de leurs démêlés avec les autorités.

Voici Charles-Marie Drouhin, alors âgé de 54 ans, et qui avait déjà été arrêté en 1832 pour un vol au Cabinet des médailles de la Bibliothèque royale. À nouveau interrogé, en 1858, comme suspect de profiter de ses déplacements pour diffuser des brochures politiques autour de Paris, il déclare habiter Versailles (6) : « ... Je vais souvent à Paris pour l'exercice de ma profession. Je ne m'occupe que de placer de grands ouvrages : les *Œuvres* de Chateaubriand, l'*Histoire* de M. Thiers, Buffon et autres de même nature (7). Je ne m'occupe nullement de placer des brochures politiques ou autres, ou des almanachs... »

Toujours en 1858, et dans le département voisin de l'Oise, le préfet signale (8) « ... un nommé Hervieux (...), commis voyageur (...) demeurant à Amiens, se disant le représentant de MM. Baudouin et de Mazincourt de Paris, [qui] parcourt en ce moment les départements voisins de la capitale, colportant et vendant sans autorisation au prix de 3,50 francs, un certain nombre d'exemplaires d'un ouvrage intitulé *le Bon conseiller en affaires* ».

L'habitude nouvelle d'employer des « voyageurs » se trouve regardée parfois comme dangereuse par les libraires traditionnels : le libraire Ledoux emploie à la fin de la Restauration « deux voyageurs, pour faire seulement 80 000 francs par an, et quoiqu'il fût souvent lui-même pour plus d'économie l'un des deux voyageurs (...). Vinrent ensuite des faillites et des pertes de toutes natures, qui multiplièrent (...) au point qu'il fut obligé d'atermoyer avec ses principaux créanciers (...). Ce fut, comme on dit, une « affaire plâtrée » (9).

Dès lors qu'il se livre à un commerce de librairie de détail, le commis voyageur doit être assimilé à un colporteur et se trouve soumis à la réglementation très tatillonne qui régit ce type d'activités. De fait, la représentation en librairie ne peut être, pour les plus brillants de nos « voyageurs », qu'une activité temporaire, et nous retrouvons, après quelques années, certains d'entre eux établis comme libraires en province, le plus souvent dans une petite ville qu'ils avaient l'habitude de visiter au cours de leurs années d'errance, où ils ont pu nouer les relations leur permettant de reprendre une ancienne librairie, et où parfois ils se marient. C'est ainsi que, en 1838 « ... M. Adolphe Nuret, voyageur de MM. Legrand et Descauriet, prévient MM. les libraires qu'il vient d'acheter le fonds de commerce de M. Saintone, libraire à Châteauroux » (10).

Les autres, et particulièrement les voyageurs indépendants, continuent à vivre au jour le jour, plutôt mal que bien, dans des difficultés d'autant plus grandes que les réseaux de diffusion des livres se diversifient et que la baisse de leur prix moyen les prive d'une partie importante de leurs revenus puisqu'ils travaillent à la commission. Seul avantage : la suppression du contrôle de la librairie sous la Troisième République qui leur permet de se livrer plus facilement au démarchage de clients privés. On connaît, à la fin du siècle, le personnage de Cocozz, courtier en librairie présenté par Anatole France comme ne disposant que de revenus très modestes, et qui vient à plusieurs reprises proposer à Silvestre Bonnard l'*Histoire de la tour de Nesle*, les *Amours d'Héloïse et d'Abélard*, la *Règle des jeux de société*, la *Clef des songes*, l'*Histoire d'Estelle et de Némorin*, les *Crimes des papes*... (11).

La publicité

Innovation plus intéressante : l'amélioration des moyens de communication va permettre à l'éditeur de s'adresser directement au public qu'il souhaite atteindre. Tout d'abord, à partir de la Restauration, par l'affiche : « ... l'affiche, création neuve et originale du fameux Ladvocat, florissait alors pour la première fois sur les murs. Paris fut bientôt bariolé par les imitateurs de ce procédé d'annonce, la source d'un des revenus publics » (12). Bien évidemment, le débit que l'on attend de toutes les nouveautés ne permet pas que l'affiche soit systématiquement utilisée : pour l'*Enfant des tours de Notre-Dame,* l'éditeur fait imprimer et coller dans Paris 300 affiches, pour un prix d'ensemble de 44 francs, ce qui correspond à quelque 3,5 % de son devis total — pour un tirage de seulement 600 exemplaires. Il ne fait réaliser d'affiches ni pour son *Petit Neveu* de Berquin, à 1 500 exemplaires, ni pour son *Berquin en miniature,* à 2 000 exemplaires (13).

La colonne Morris, voire le kiosque à journaux, qui ne tardent pas à s'intégrer au mobilier urbain, deviennent les supports d'élection de ce type de publicité (14).

Seconde voie ouverte à l'éditeur,

celle des annonces et des comptes rendus littéraires dans les périodiques. Le XVIIIᵉ siècle avait vu naître ces derniers mais, ce qui est nouveau, c'est désormais l'emploi systématique de l'annonce publicitaire dans les journaux et les périodiques non spécialisés. L'affiche demeurant un phénomène d'abord parisien, l'annonce publicitaire constitue le premier mode de publicité pour les principaux éditeurs provinciaux et entre comme telle dans le budget normal d'une édition.

Ainsi à Strasbourg, en 1853, l'éditeur Berger-Levrault prévoie 5,60 francs pour une double insertion sur sa nouvelle « Carte de la Turquie » dans le *Courrier du Bas-Rhin,* de même que 2,50 francs pour faire annoncer le nouvel *Annuaire* départemental, toujours dans le *Courrier.* Lorsqu'il s'agit d'un titre plus particulier, on fait passer l'annonce dans un périodique spécialisé comme le *Bulletin académique* — 150 francs d'annonces diverses y sont faites au cours du seul troisième trimestre 1853 pour des ouvrages pédagogiques (15). Notons d'ailleurs que la publicité tend de la sorte à constituer désormais une source importante de revenus pour les imprimeurs provinciaux qui publient ces périodiques ; dans les deux cas que nous venons de citer, les versements sont effectués auprès d'un confrère strasbourgeois, Gustave Silbermann (16).

À certaines dates où le débit est traditionnellement plus important, particulièrement à la veille des fêtes de fin d'année, les annonces de librairie se multiplient dans les principaux périodiques parisiens. L'*Illustration* se fait une spécialité de ces annonces, tarifées au prix de 90 centimes la ligne, dont elle confie la gestion à la Compagnie de publicité, rue Vivienne. Certaines annonces jouent sur une présentation déjà moderne : opposition de caractères typographiques, présentation originale (*le Bâtard de Mauléon,* par M. Alexandre Dumas) (17). D'autres, qui présentent plutôt des fonds, adoptent un style fleuri qui aujourd'hui prête à sourir. C'est ainsi que chez Dessesserts, passage des Panoramas et rue Feydeau, nous trouvons surtout des « livres illustrés pour la jeunesse » :

« ... cet habile éditeur s'est voué avec tant d'intelligence à cette intéressante spécialité qu'il l'a élevée à un degré de vogue et de renommée européenne. Nous avons parcouru les principales publications que M. Dessesserts vient d'éditer à l'occasion du jour de l'an, et, quelque variées qu'elles soient dans leurs genres et dans leurs prix, nous pouvons garantir à nos lecteurs qu'à un mérite incontestable elles joignent toutes une élégance et une richesse de formes des plus attrayantes (...). Enfin, tous ces nombreux articles, dont l'énumération serait trop longue à donner, représentent, dans leur ensemble encyclopédique, presque toutes les branches de l'enseignement élémentaire, mis à la portée des enfants sous la forme la plus propre à les instruire en les amusant » (18).

Le compte rendu ne se trouve plus cantonné dans l'édition spécialisée. Désormais, un succès d'édition doit être « lancé » auprès du public parisien, et la diffusion croissante du périodique fait du compte rendu un support privilégié à cet effet. En contrepartie, la dictature de la presse et des critiques ne tarde pas à être brocardée par les auteurs eux-mêmes, qui l'accusent de dissimuler une infinité de trafics peu avouables, tant d'influence que d'argent. Balzac met en scène le personnage peu scrupuleux du journaliste qui passe chez l'éditeur se mettre au courant des ouvrages à soutenir et de ceux que l'on peut négliger :

« ... Ah ! Il est convenu que nous pousserons Paul de Kock, Dauriat en a pris deux cents exemplaires et Victor Ducange lui refuse un roman. Dauriat veut, dit-il, *faire un nouvel auteur* dans le même genre. Tu mettras Paul de Kock au-dessus de Ducange.
— Mais j'ai une pièce de Ducange à la Gaieté, dit Lousteau.
— Eh bien ! tu lui diras que l'article est de moi, je serai censé l'avoir fait atroce, tu l'auras adouci, il te devra des remerciements » (19).

Si le prospectus relève davantage de la stratégie éditoriale que de la diffusion elle-même, il n'en va pas de même du catalogue d'assortiment — qui, le cas échéant, est publié conjointement avec un catalogue de fonds. L'investissement est évidemment coûteux, mais de l'importance, de la périodicité plus ou moins serrée, de la diffusion de ces catalogues dépend directement le développement de la maison. Cependant, au fur et à mesure que le prix du livre tend à diminuer, le bénéfice du libraire d'assortiment diminue en proportion, de sorte que, pour rentabiliser l'investissement que constituent les frais d'impression de son catalogue, il doit élargir d'autant sa diffusion — ce qui n'est évidemment pas toujours possible. Le libraire d'assortiment va donc s'efforcer de réduire ses frais, notamment en joignant à ses envois réguliers — à titre de réciprocité — les catalogues et documents publicitaires (prospectus, bulletins de souscription, etc.) que lui font parvenir à cet effet certains de ses confrères, ce qui diminue les coûts de port. Des emplacements tels que les pages de garde, ou le cahier final d'un volume, deviennent des supports intéressants pour faire connaître les autres œuvres de l'auteur, le fonds de l'éditeur, ou l'assortiment du libraire.

De fait, le catalogue d'assortiment tend à ne plus se justifier que pour les éditions à prix élevé et pour certains secteurs particuliers de la librairie d'assortiment tels que la librairie étrangère ou la librairie très spécialisée. On connaît les grands catalogues d'assortiment étranger d'une maison comme Treuttel et Würtz (20) : le commerce avec l'Allemagne reste concentré entre les mains d'hommes comme Bossange, plus tard Le Soudier, qui ont leurs commissionnaires à Leipzig et à Berlin et sont souvent membres du *Boersenverein des deutschen Buchhandels* (21). À la veille de la Première Guerre mondiale, Le Soudier continue à faire paraître son *Bulletin mensuel des principales publications de la librairie allemande* (en réalité, 13 numéros par an), qui a une présentation systématique, des prix « marqués en marks », et forme en fin d'année un volume de plus de 200 pages. L'abonnement au *Bulletin* est désormais payant (22).

En fait, si au cours du XIXᵉ siècle le catalogue reste employé, il semble bien que, de plus en plus, son utilisation concerne les fonds d'éditions. Dans ce cas d'ailleurs, la diffusion peut être très large (23) : l'imprimerie Larousse sort, en 1880, à 11 000 exemplaires, le *Catalogue général de la librairie Marpon et Flammarion,* par exemple (24). Dans d'autres cas, les éditeurs s'associent les uns aux autres pour répartir les frais. C'est, on le sait, un des rôles du Cercle de la librairie, qui, fondé l'en 1847, reprend en 1856 la *Bibliographie de la France* à la famille du libraire Pillet (25), et fait paraître, à partir de 1856, un catalogue

PETIT LEVER D'UN GRAND FEUILLETONISTE.

C'est un si beau sceptre que celui de la critique dramatique !

C'est la dictature de la presse et en particulier celle de la critique
littéraire et dramatique que Grandville a voulu dénoncer de façon
humoristique dans cette gravure tirée de
Jérôme Paturot à la recherche d'une position sociale, de Louis Reybaud.
Paris, 1846. H. 264 mm.

commun des *Livres d'étrennes* puis, à partir de 1861, un catalogue des *Livres de rentrée* — davantage cette fois destinés aux professionnels de la librairie.

D'autres procédés publicitaires sont encore pratiqués. Le Cercle de la librairie organise ainsi la participation de libraires et d'éditeurs français aux grandes expositions internationales (26), mais il arrive que certaines maisons importantes entreprennent d'elles-mêmes une action publicitaire particulière et ne se bornent plus à la circulation de leurs catalogues de fonds ou d'assortiment, dont la « nomenclature ne parle pas suffisamment aux yeux et ne détermine pas assez le choix de l'acheteur. MM. Firmin-Didot et Compagnie (…) ont essayé [en 1890] de remédier à cet inconvénient, en organisant une exposition ambulante de librairie (…). Grâce à un ingénieux système de vitrines mobiles, dont l'emballage est très aisé et très rapide, les livres pourront être exposés à Genève, à Lausanne, à Stuttgart, à Leipzig, à Petersbourg... » (27).

À la fin du XIXe siècle, les développements de ces procédés publicitaires permettent, à celui qui en a les moyens financiers, d'« occuper la rue » pour imposer un ouvrage parfois médiocre. Ainsi dans un roman de Georges Darien, l'éditeur d'un pamphlet, *la Gaule sémitique*, met en œuvre tous les procédés publicitaires alors existant, et fondera ainsi sa fortune (28) : « Brusquement, *la Gaule sémitique* s'écrasa sur Paris. Les affiches qui l'annonçaient maculèrent les murailles ; la presse trompette la gloire de l'auteur. » Sur sa lancée, Rapine crée alors la *Bibliothèque anti-juive*, dont il adresse des exemplaires gratuits aux ecclésiastiques de province : « Des affiches multicolores étaient étalées, qui reproduisaient en lettres énormes, pour l'édification des passants, les titres des volumes qui composaient la *Bibliothèque anti-juive.* .. » (29).

Les pratiques des prix et des revenus

Contrairement à la librairie allemande (30), les structures d'organisation de la librairie française, même après la fondation du Cercle de la librairie (31), ne sont pas suffisamment homogènes pour résoudre tous les problèmes de relations entre libraires de fonds et libraires d'assortiment. De multiples pratiques coexistent parallèlement les unes aux autres. Le problème pour le détaillant est cependant d'autant plus important qu'il débouche sur la question de la fixation du prix des livres — donc des marges bénéficiaires.

Il n'existe pas *une* mais *des* pratiques de prix régissant les relations entre éditeurs et détaillants. D'une manière générale, les prix portés sur les catalogues de fonds sont des prix nets, sur lesquels les différents éditeurs accordent par la suite une remise plus ou moins importante à leurs collègues (32).

La fixation du taux de remise constitue donc un problème essentiel, d'autant plus complexe que le prix d'éditeur lui-même n'est pas définitif. En effet, il arrive fréquemment que le libraire vende la propriété des exemplaires restant d'une certaine édition qu'il a faite, ou encore que, par manque de disponibilités, il les donne en nantissement — dans les deux cas, une mutation de fonds ne se conçoit qu'à un prix évidemment inférieur à celui d'origine. Une fois connu le prix fixé par l'éditeur, donné par le *Journal de la librairie,* le prix de vente au libraire se calcule avec un certain rabais, qui sera donc la marge bénéficiaire du détaillant.

D'une façon générale, le « prix libraire » correspond à un rabais de 20 % sur les prix indiqués — pouvant parfois descendre à 16 % ou 17 % pour certaines catégories d'ouvrages. Ces rabais ne sont cependant accordés qu'à partir d'un nombre minimal d'exemplaires pris par le détaillant, souvent égal à 5, mais qui varie en fonction de la nature de l'ouvrage, de l'importance du tirage réalisé et des échéances prévues pour le paiement. À l'inverse, lorsque l'opération s'effectue avec un correspondant privilégié, par exemple un libraire qui reçoit les publications de la maison en dépôt, un rabais extraordinaire de 10 % est encore calculé sur le « prix libraire » — soit, dans le meilleur des cas, une différence pouvant atteindre 28 % du prix de vente.

S'y ajoute cependant l'habitude des exemplaires gratuits, généralement le treizième pour chaque douzaine achetée, taux qui peut parfois être augmenté : lorsque Charpentier lance sa Bibliothèque avec la *Physiologie du goût* et la *Physiologie du mariage* (33), il propose ainsi les « septièmes gratuits », et non plus les « treizièmes », avec il est vrai un prix libraire de 3 francs (au lieu, rappelons-le, de 3,50 francs, soit moins de 15 % de remise) (34). Certains libraires comme Delalain indiquent leur taux d'escompte, en l'occurrence 10 %... Au total, si nous regroupons les informations à notre disposition, nous aboutissons à une fourchette théorique variant de 44,7 % à 23,3 % de remise par rapport au prix de vente marqué par l'éditeur. Le plus souvent, elle est de l'ordre du tiers de celui-ci (35).

Les frais accessoires, et notamment le port des paquets, sont pris en charge par le libraire qui passe la commande, en dessous du moins d'un certain seuil, variable selon les maisons (36) : dans son *Catalogue corrigé et augmenté [des] principales publications de Firmin-Didot frères, Fils et Cie,* en 1864, l'éditeur fait savoir que :

> « Les demandes peuvent être adressées à tous les libraires de France et de l'étranger. Les personnes qui préféreront s'adresser directement à notre maison, et qui nous feront une demande de 25 francs au moins, recevront l'envoi *franc de port* pour la France seulement, si elles nous adressent, inclus dans leur lettre, le montant de leur demande, soit en un bon sur la poste, soit en un mandat à vue sur Paris » (37).

À la même époque, Baillière fait savoir au contraire que

> « Tous les ouvrages portés dans (son) catalogue sont expédiés par la poste, dans les départements et en Algérie, *franco* et sans augmentation sur les prix désignés. Prière de joindre à la demande des timbres-poste, ou un mandat sur Paris » (38).

Est-il possible d'évaluer le profit de la librairie de détail, ainsi que son évolution ? Une première remarque : pour une fraction notable des libraires, la baisse du prix moyen des livres est une difficulté, car l'évolution démographique négative d'un certain nombre de départements français à partir des années 1840 ne permet pas de compenser la baisse du prix unitaire des livres par un accroissement de la diffusion.

La plupart des chiffres que nous rencontrons au hasard des rapports de faillites, des propositions de vente, etc. donnent, pour les livres d'assortiment, un bénéfice net équivalent à 5 % ou 6 % du chiffre des ventes — contre 50 % à 60 %, voire davantage, pour les livres de fonds. En 1854, une bonne librairie provinciale, par exemple à Châtillon-sur-Seine, rapporte un bénéfice annuel de 3 000 francs, tandis qu'une grande librairie, « dans le quartier le plus commerçant de Paris », pour un chiffre d'affaires annuel de 150 000 à 200 000 francs, produit un bénéfice brut de 10 % pour des frais généraux de 6 000 francs — donc, dans le meilleur des cas, un produit net de l'ordre de 6 %... Même si les chiffres concernant l'assortiment sont sous-évalués, parce que nous nous trouvons généralement en situation de crise, il est probable que les libraires ne pratiquant que l'assortiment ne dépassent guère un taux de bénéfices correspondant à 10 % de leur chiffre de ventes.

Étant donné que les libraires doivent acquitter les intérêts de dettes, contractées lorsqu'ils se sont établis, le bénéfice attendu de 5 % à 10 % des ventes est bien souvent aussitôt engagé. Sous la Restauration, Lebrun, rue Caumartin, emprunte pour s'établir 36 000 francs au comte de Falloux du Coudray, qui se porte garant pour le solde du prix de 80 000 francs demandé par le libraire précédent : au total, un intérêt annuel de 4 000 francs, auquel s'ajoutent le montant du loyer (4 000 francs), les frais généraux (9 350 francs), l'entretien annuel du cabinet de lecture (2 000 francs), soit 20 000 francs à déduire des bénéfices avant même d'envisager le remboursement du capital et d'assurer au libraire un minimum de revenu personnel. Même au taux le plus favorable, comme ci-dessus, ces revenus supposeraient un chiffre d'affaires dépassant 200 000 francs par an, ce qui est impossible pour la plupart des libraires détaillants — même possédant un petit fonds. La faillite est déclarée après deux ans.

Par la suite, le libraire peut devenir une sorte de salarié de sa propre société : Honoré Champion s'établit en 1874 en rachetant le fonds de la veuve Suzanne, à laquelle il fait un premier versement de 10 000 francs, que paie son commanditaire Jean-Marie Passier.

233

Les comptes sont arrêtés annuellement : on prélèvera les frais généraux, parmi lesquels les intérêts à 5 % de la commandite, après quoi, les bénéfices seront répartis par moitié, le libraire ayant cependant droit prioritairement à un minimum annuel de 1 800 francs (39).

En général, le libraire d'assortiment doit faire flèche de tout bois pour accroître quelque peu ses revenus et se trouve presque toujours à la merci d'une période — même brève — plus difficile.

Face à ces difficultés, et en l'absence d'un code de la librairie analogue à celui imposé par le *Boersenverein* aux libraires allemands, les éditeurs sont longtemps maîtres du jeu : chaque maison fixe ses propres conditions de vente, le montant des remises qu'elle accorde, ainsi que l'époque où les comptes sont soldés. À l'inverse, les libraires détaillants s'efforcent, face à la baisse du prix moyen des livres et à la concurrence de nouveaux canaux de diffusion, d'augmenter le volume de leurs ventes en réduisant leur marge bénéficiaire et en vendant au-dessous du prix indiqué par l'éditeur — parfois simplement pour se procurer au plus vite de l'argent frais.

En 1889, le Cercle de la librairie entreprend de codifier l'essentiel des relations d'affaires entre ses membres en faisant préparer, par une commission, un véritable code des usages de la librairie française (40). La date tardive ne doit pas faire illusion, car la plupart des mesures édictées par ce code correspondent en fait à des usages rencontrés tout au long du siècle. Reprenons-en les principales. Et d'abord, le prix du livre, fixé par l'éditeur lors de la mise en vente, est diminué pour le détaillant de la remise « habituelle » de l'éditeur. Le terme normal du crédit est de trois mois.

Les détaillants peuvent, sur entente préalable, recevoir d'une maison d'édition des « envois d'office », c'est-à-dire, de manière automatique, la suite des nouvelles parutions. Leur compte ne sera cependant débité des seuls ouvrages effectivement vendus qu'après un certain délai, au terme duquel les « retours » des invendus doivent être effectués à l'éditeur. Le détaillant peut aussi, s'il ne reçoit pas toujours les « offices », demander à l'éditeur des envois « à condition » — suivant le même principe que ci-dessus, mais pour des ouvrages isolés et non plus pour l'ensemble d'un fonds. Dans les deux cas, il s'agit donc de dépôts de l'éditeur, qui s'opposent aux ouvrages pris « à compte ferme » par le libraire, et dont celui-ci est immédiatement débité. Chez un même libraire, on pourra donc rencontrer des ouvrages de cinq catégories différentes : outre les livres de fonds et ceux d'assortiment, voici le « fonds en participation » — le libraire s'est associé pour l'édition avec certains confrères —, les livres « en dépôt », enfin, les « vieux livres », maculés, incomplets, dépareillés, etc.

On comprend que, tant pour simplifier les écritures que pour avoir eux-mêmes un minimum d'assurance, les éditeurs ne font le service de leurs « offices » qu'avec les principaux libraires détaillants de province ou les libraires avec lesquels ils sont usuellement en affaires. On comprend aussi que, pour le libraire, la réception du dépôt d'un important éditeur parisien est essentielle, et que sa suppression serait un moyen de pression et de contrôle aux mains des éditeurs parisiens : « Le prix est fixé par l'éditeur à la mise en vente. Si le détaillant adopte un autre prix, l'éditeur peut refuser les retours et considérer comme à compte ferme les livres simplement en dépôt. » Contrairement à ce qui se passe en Allemagne, les libraires d'assortiment français n'ont, au XIXᵉ siècle, pas su s'organiser en un groupe de pression qui leur permette de mieux résister à la domination exercée par les grands libraires-éditeurs sur les structures professionnelles — et d'abord sur le Cercle de la librairie (41).

■ Les libraires

Pour évaluer l'évolution des réseaux de diffusion des livres, nous avons retenu le principe d'une suite de sondages à échéance d'une vingtaine d'années les uns des autres, entre 1840 et 1914. Les années extrêmes, 1840 et 1911, sont fondées sur l'annuaire commercial *Bottin* (42), dépouillé pour tous les départements. A l'inverse, les résultats des années centrales, 1851, 1861 et 1879 ont été établis à partir des archives du contrôle des brevets au ministère de l'Intérieur (43).

Les résultats ne sont donc pas vraiment comparables d'un sondage à l'autre : on doit s'attendre à ce que les séries établies par la police de la librairie, visant expressément à l'exhaustivité, soient plus complètes que celles des annuaires commerciaux, qui font au moins implicitement intervenir une notion de qualité. Dans plusieurs cas, le préfet demande si telle ou telle personne, dont l'activité de libraire n'est que très épisodique, doit ou non être recensée comme tel par l'administration. La réponse du ministère est régulièrement positive, comme dans le cas de Marius Castagne, à Fréjus, dont le préfet déclare pourtant, en 1877, qu'il « est un quincailler qui vend toutes sortes d'objets (mercerie, bimbeloterie, gibier, crayons, plumes, etc.). Il possède quelques bouquins insignifiants ; il ne peut être considéré comme libraire... » (44). Même scénario dans l'Aveyron : à Camarès, voici le « libraire » Jean Pradès, qui « exerce la profession d'épicier et ne vend que quelques livres de piété » (en 1852) (45).

À Decazeville, François Frayssinet « ne tient guère que quelques journaux et certaines brochures de peu d'importance (...). Il n'a pas de magasin de librairie proprement dit, ni d'étalage de livres. On ne voit dans ses vitrines que quelques journaux mêlés à des articles de mercerie et de parfumerie » (46). À Saint-Sernin, la librairie n'est pour la veuve Malaval qu'un commerce d'appoint : elle « fait surtout le commerce de l'épicerie et ne vend que quelques livres religieux » (47). Même à Villefranche-de-Rouergue, le préfet n'hésite pas à présenter François Duclos comme « plutôt coiffeur que libraire » (48).

Autant de personnes qui seront donc décomptées dans les statistiques officielles, mais qui n'apparaîtront pas comme libraires dans le *Bottin*.

On le devine, le livre dépasse le seul cadre étroit des librairies proprement dites : le magasin spécialisé de librairie suppose en effet un minimum de population rassemblée et ne se conçoit guère en deçà du niveau de la sous-préfecture ou du gros bourg — or, parmi les nations européennes comparables, la France est, au XIXᵉ siècle, celle où l'urbanisation est la plus lente. Sans revenir sur le problème du colportage, le livre pénètre pourtant le semis des communes rurales par le biais des

La Librairie nouvelle après son rachat par Michel Lévy en 1861. Bois gravé.

commerçants non spécialisés qui se trouvent établis dans la plupart d'entre elles : dans le département de la Haute-Marne, en 1851, « indépendamment des commerçants en librairie, beaucoup de petits marchands des chefs-lieux de canton et des communes rurales un peu importantes tiennent quelques livres classiques à l'usage des écoles primaires, des catéchismes et des almanachs. Ils se fournissent en partie près des libraires des villes, et la mise en vente des ouvrages qu'ils ont est autorisée par moi [le préfet] sur la production d'un catalogue... » (49).

Il arrive que des personnes n'ayant pas la qualité de commerçant fassent pour leur propre compte la diffusion des livres, ce dont les libraires établis se plaignent, notamment lorsqu'il s'agit d'enseignants se procurant les manuels auprès des éditeurs et les revendant à leurs élèves : à Sancerre, en 1851, « il existe cet abus que des chefs d'institution, des maîtres d'école, s'approvisionnent au dehors et cèdent à bénéfice aux élèves les livres de classe qui leur sont nécessaires. Ils font de cette manière concurrence aux libraires de l'arrondissement sans payer patente... » (50).

De même, presque une génération plus tard, à Sartène, et cette fois dans un établissement public, le sous-préfet « fait connaître que M. le principal du collège vend aux élèves les livres destinés à l'enseignement classique, et il me demande [au préfet de Corse] si ce fonctionnaire doit faire la déclaration légale. Je ne pense pas... » (51).

Ainsi, non seulement les séries statistiques sont difficilement comparables l'une à l'autre, mais encore elles se révèlent incomplètes même au niveau préfectoral.

Enfin, la présentation des sources fait problème. Le département constitue en effet un ensemble global, dont les résultats statistiques masquent, sous des valeurs moyennes, certaines oppositions internes souvent très significatives.

L'exemple du Puy-de-Dôme en 1840 nous éclairera, car il s'agit d'un département de forte opposition entre une zone de plaine rassemblant toutes les librairies et un espace de montagnes — les monts d'Auvergne, du Livradois et du Forez — entièrement dépourvu. En 1911, le phénomène s'est accentué :

alors que certains bourgs de la plaine sont équipés (Aigueperse, Maringues, Lezoux, Billom) (52), seules les deux stations thermales de la Bourboule et du Mont-d'Or marquent la pénétration du livre dans le haut pays (53).

L'évolution et le semis des librairies

Les résultats auxquels nous aboutissons traduisent une pénétration certaine du réseau des libraires au cours de notre période d'étude.

Entre 1840 et 1910, la population de la France s'accroît de quelque 18 %, le nombre de librairies, dans le même temps, a presque triplé. Il est capital de mettre en évidence les phases successives et les composantes de ce bouleversement. Précisons cependant d'emblée que les chiffres de 1851 et 1860 sont sensiblement sous-évalués par suite de l'absence de la Seine, et que ceux de 1879 ne reprennent pas l'essentiel du département de la Côte-d'Or.

En ce qui concerne la périodisation, l'analyse met en évidence une succession de trois temps. Au cours de la phase d'introduction, nous nous situons toujours dans le système traditionnel très contrôlé mis en place sous le Premier Empire, de sorte que, jusqu'aux années 1850, la progression moyenne annuelle reste limitée (1,5 %). Au cours des années 1850-1880, le développement est très rapide, avec un taux de progression annuel de plus de 4 % ; deux éléments interviennent ici : le développement certain du marché du livre, puis les effets de la liberté de s'établir, après 1871. Une foule de nouveaux venus deviennent en effet libraires sur une simple déclaration à la préfecture (54).

Dernière phase, d'analyse plus complexe : la période de 1880 à 1910 est en effet celle d'un reflux face à la multiplication des nouveaux établissements dans les années antérieures. Encore faut-il ici tenir compte du fait que notre dernière série est tirée d'une source différente — a priori davantage sélective, le Bottin commercial et industriel —, ces résultats, même s'ils doivent être plus ou moins nuancés, corroborent ceux obtenus par M. Savart, qui note que, « à partir des années, 1875-1880, (...) le nombre des libraires

se met à diminuer » (55). Ajoutons que si nous reprenons les deux séries extrêmes, toutes deux établies d'après le Bottin, nous obtenons un taux de croissance moyen annuel de 1,2 % entre 1840 et 1910.

Davantage qu'avec la courbe des imprimeries, ces chiffres doivent être logiquement comparés avec l'évolution de la production imprimée qu'il s'agit d'écouler, comparaison qui nous amène aussitôt à faire plusieurs observations. En fait, il y a concordance entre les deux séries jusqu'aux années 1870. À un moment de replat dans la production imprimée correspond, jusqu'en 1850, une progression modérée de la librairie ; à un moment d'expansion rapide de la production (1850-1867) répond un développement spectaculaire des réseaux de diffusion. Postérieurement à 1870, une rupture se produit : la décennie 1870-1880 est une nouvelle phase de répit dans le développement de la production imprimée, alors que la libéralisation des professions du livre attire de nombreux candidats à l'exercice de la librairie. Il est certain qu'un taux moyen inférieur à 5 000 habitants par libraire, tel que celui de la France autour de 1880, est sensiblement trop bas, s'agissant d'un pays de densité très moyenne et demeuré majoritairement rural.

Les difficultés des nouveaux venus sont d'autant plus grandes, le reflux d'autant plus sensible. Enfin, au cours du dernier temps de notre périodisation, la baisse du prix moyen du livre et les nouvelles structures de la diffusion imposent une rationalisation de notre structure, chaque libraire proprement dit devant disposer d'une part du marché qui lui permette non seulement de vivre, mais également de couvrir des frais généraux dont le poids semble s'accroître — loyers, correspondance, salaires des commis, etc.

Dans la mesure où le revenu moyen par habitant est multiplié par 2,3 entre 1840 et 1910, et où corrélativement les structures de la consommation se trouvent modifiées pour faire une place plus importante aux biens « culturels », le poids de la part potentielle de marché dont dispose théoriquement chaque libraire augmente proportionnellement durant notre période d'étude. Le calcul montre cependant que cet accroissement découle des nouvelles structures internes de consommation, les effets de l'enrichissement se trouvant pratiquement annulés par la diminution du nombre moyen de personnes par librairie (56).

Sur le plan géographique, les deux caractéristiques les plus évidentes de notre ensemble de départements restent leur profonde hétérogénéité et une tendance générale au regroupement des valeurs. Hétérogénéité : en 1840, un groupe de 5 départements (Seine, Seine-et-Oise, Seine-Inférieure, Nord et Pas-de-Calais) rassemble 21 % des librairies recensées (57) ; en 1910, ces mêmes départements, plus de 23 % (58). À l'inverse, le groupe des 17 départements les plus démunis ne rassemble en 1840 que quelque 6 % de l'ensemble des libraires ; en 1910, ce même ensemble — qui ne correspond d'ailleurs plus exactement au bas du tableau — compte désormais 387 librairies, soit environ 7,7 % de l'ensemble (59). Un indicateur significatif de la concentration nous est donné par le rapport des poids relatifs.

Si les poids relatifs étaient les mêmes, ce qui serait le cas dans une distribution parfaitement homogène, leur rapport serait égal à l'unité. Toute valeur inférieure à 1 désigne donc un espace de dépression ; toute valeur supérieure, au contraire, une concentration croissante. Ainsi, en 1840, moins de 6 % des départements regroupent plus du cinquième des librairies, soit une concentration de l'ordre de 3,5. En 1910, celle-ci s'est accrue, et le rapport est passé à 3,8. Vers le bas du tableau à l'inverse, le rapport est en 1840 égal à 0,30, il est de 0,40 en 1910 : dépression persistante, mais tendance lente au rattrapage (60). L'écart type de la distribution diminue, de même que le coefficient de variation (61).

Étant donnée la disparité certaine de nos séries statistiques, nous sommes amenés à privilégier l'analyse synchronique et la distribution relative de nos populations de départements répartis en quartiles en fonction de la densité des libraires. Les résultats sont présentés dans le jeu de quatre paires de cartes ci-après.

Le quartile supérieur. — L'opposition est immédiate, à nouveau, entre les deux France traditionnellement définies par Maggiolo : du côté du

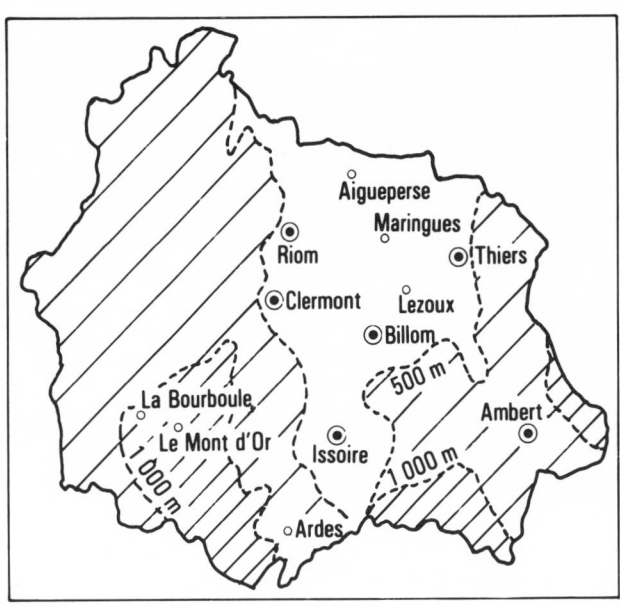

Les librairies dans le Puy-de-Dôme

● en 1840.
○ en 1910.
La localisation se fait exclusivement dans les zones de moins de 500 m d'altitude ; les seules exceptions sont Ambert (sous-préfecture) et les villes d'eaux des Monts d'Auvergne.

	Population	Libraires	Hab./libr.	Indice	Taux progr.
1840	33,5 M.	1 836	18 246	100	
1851	35,9 M.	2 315	15 508	118	+ 1,5 %
1860	37,4 M.	3 538	10 571	173	+ 4,3 %
1879	36,9 M.	7 477	4 935	370	+ 4,1 %
1910	39,6 M.	5 025	7 881	232	− 1,5 %

Statistique des libraires, France, 1840-1910

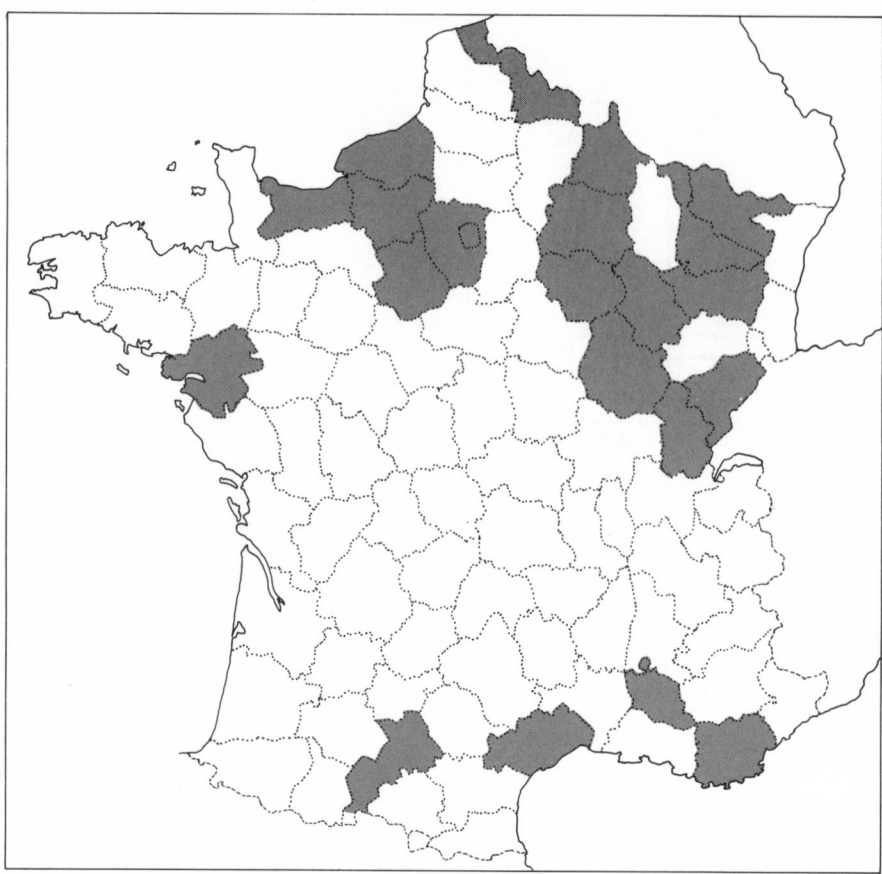

Densité de librairies en 1840 dans les départements français du quartile supérieur.

Densité de librairies en 1860 dans les départements français du quartile supérieur.

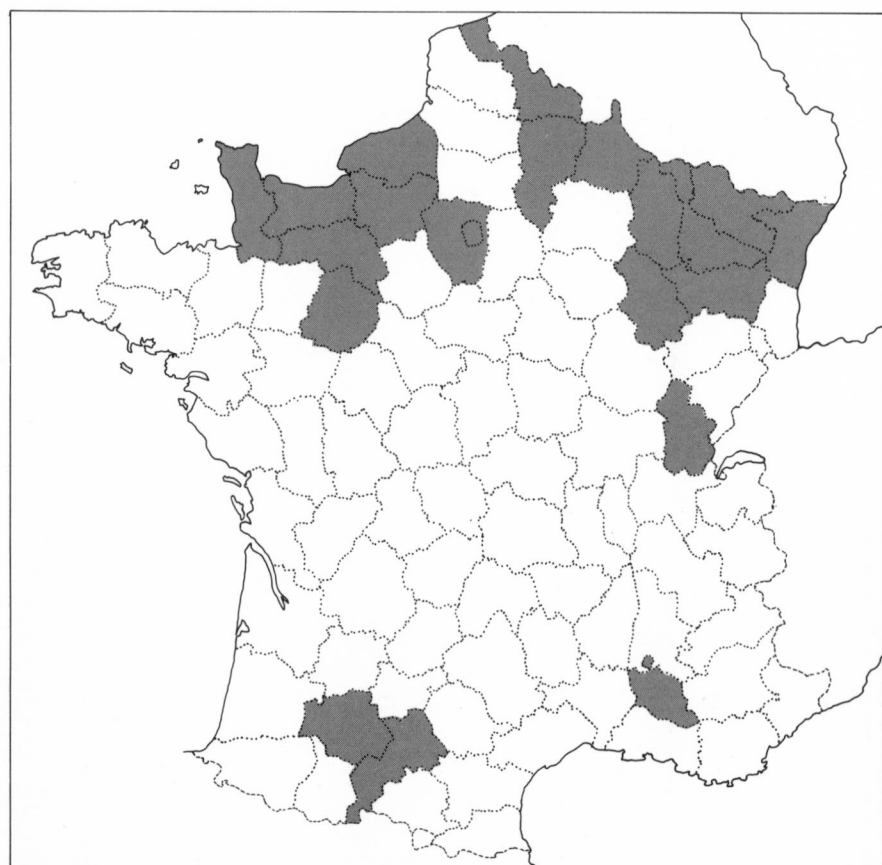

quartile supérieur, 17 départements sur 21 sont situés en 1840 au nord de la ligne Saint-Malo-Genève et dessinent deux masses principales, l'une en Normandie et sur la vallée de la Seine, l'autre le long de la frontière du Nord et de l'Est — voyez la carte de 1860, véritable modèle de la distribution. La juxtaposition de départements aux structures internes profondément différentes suggère que nous nous trouvons ici devant une composante originale d'un système global de civilisation, qui correspond à l'espace du pays « ouvert » (par opposition au pays « enclos »), de l'habitat groupé, et de la préférence fréquemment donnée à la famille nucléaire (62).

Autant d'éléments qui favorisent la pénétration de l'écrit. Le rassemblement des hommes permet la spécialisation des fonctions, donc l'installation éventuelle de librairies, la famille étroite s'accompagne d'une valorisation plus grande de l'individu, qui peut se traduire dans les domaines de la lecture et de l'enseignement. Enfin, avant de réunir éventuellement, la lecture est un choix individuel, qui isole chacun face à lui-même. La France des libraires recouvre également la France des suicides.

Ce groupe de départements ne forme d'ailleurs nullement un bloc homogène, et l'on peut opposer les départements à forte croissance démographique, mais où l'acculturation est rapidement réussie, aux départements que leur croissance même met en difficultés : autour de Paris, les départements de la Basse-Seine forment un groupe toujours présent sur nos cartes. Au contraire, les deux départements du Nord se trouvent devant des difficultés plus grandes : l'afflux de migrants défavorisés n'y est que lentement absorbé, notamment dans le Pas-de-Calais où le développement rapide du bassin minier conduit à une désorganisation profonde du réseau urbain. Ajoutons qu'un certain particularisme régional joue sans doute encore, qui se traduit par un poids proportionnellement plus important du modèle familial communautaire — et *a contrario* une chute du taux de suicides — voire la tradition religieuse (63).

Les départements du quartile supérieur que nous rencontrons vers le Midi ne relèvent en revanche que de destins individuels : le poids d'un centre urbain important explique la présence de la Gironde et de la Haute-Garonne, une tradition intellectuelle ancienne, celle de l'Hérault et du Vaucluse. En revanche le Rhône n'apparaît qu'une fois et les Bouches-du-Rhône, jamais. Le développement du tourisme sur la Côte d'Azur place cependant les Alpes-Maritimes dans cet ensemble.

Le quartile inférieur. — La carte de 1840 trace le décor : les départements du retard sont, à nouveau, ceux du Centre et du Sud-Ouest. Pays d'enclos, majoritairement rural, à l'habitat dispersé, à l'évolution démographique généralement négative, au revenu moyen inférieur, pays enfin où domine le modèle de la famille large. Cette « France du retard » cumule réellement les déficits, parmi lesquels l'absence fréquente de toute structure urbaine proprement dite semble jouer le rôle principal — à l'exception cependant du modèle que nous rencontrons dans certains départements rhodaniens ou de la côte méditerranéenne.

Une évolution, enfin, se fait jour quand nous juxtaposons notre série de cartes : le désenclavement ferroviaire en même temps qu'un rééquilibrage démographique par suite de l'émigration disloquent le bloc massif qui barrait l'ensemble du Sud-Ouest en 1840. Les départements du nord du Massif central tendent progressivement à échapper au groupe le plus défavorisé, de même que la périphérie toulousaine et le groupe alpin. Du coup, la « frontière » — au sens géographique du terme — se déplace vers la périphérie, l'extrême Ouest, les côtes aquitaine et languedocienne, ainsi qu'une masse de 6 départements entre la Charente et l'Ardèche (64). La cartographie de nos réseaux du livre débouche ainsi sur l'image même du désenclavement et de l'intégration nationale, et sur leurs limites.

Une typologie

L'installation d'un magasin de librairie ne demande *a priori* que peu d'investissements en matériel : un local donnant sur la rue, dont les vitres permettent de présenter les nouveautés ou de coller des affiches, une arrière-boutique où le libraire traite les affaires les plus importantes, éventuelle-

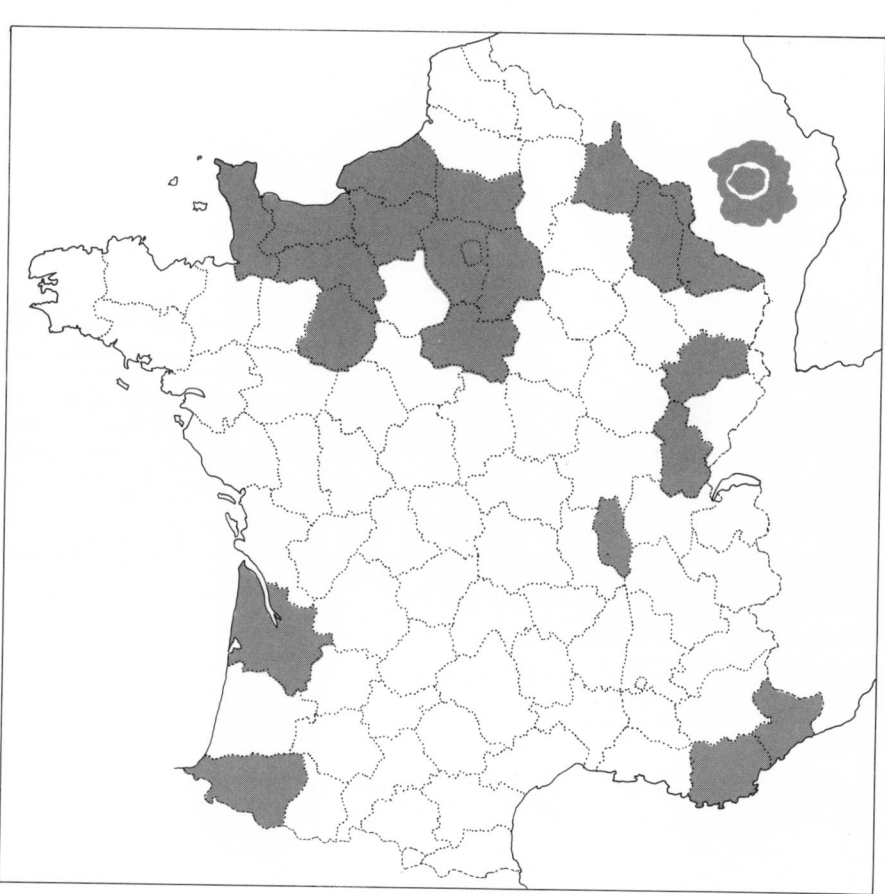

Densité de librairies en 1879 dans les départements français du quartile supérieur.

Densité de librairies en 1910 dans les départements français du quartile supérieur.

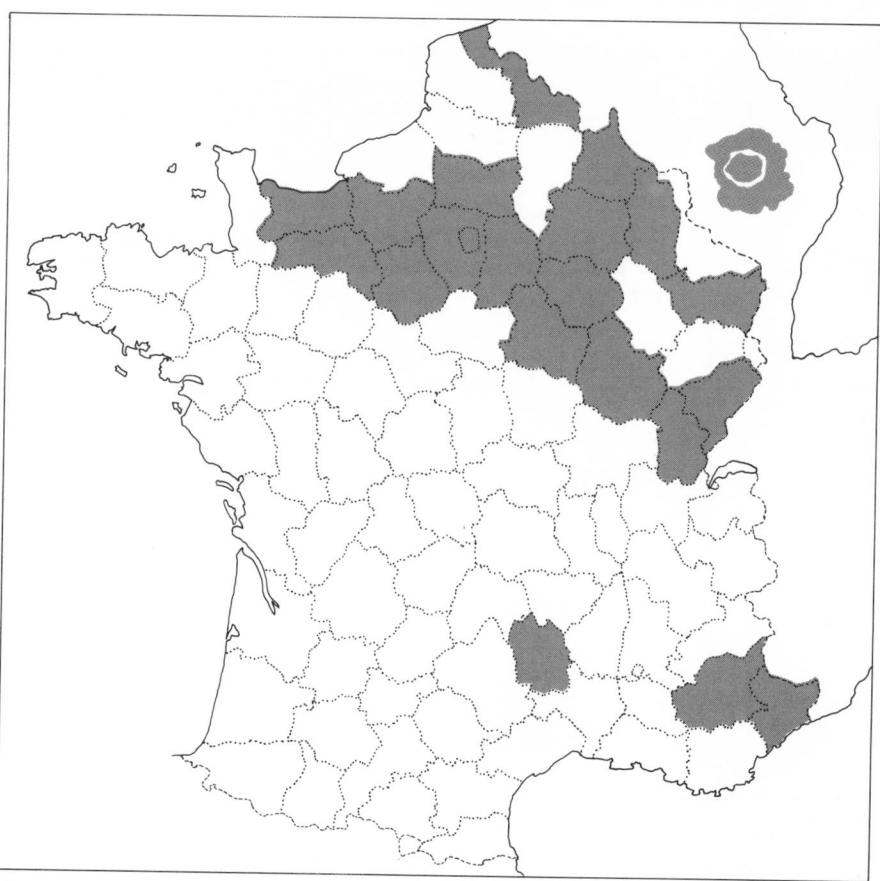

ment un magasin pour les ouvrages encore en feuilles — il arrive cependant souvent que les libraires s'associent pour louer ensemble un local qui leur servira d'entrepôt. Le libraire peut habiter lui-même dans l'immeuble, au-dessus de son magasin. Quant au mobilier, il est des plus simples :

> « ... dans la boutique, 2 comptoirs en bois de chêne, un poêle en cuivre forme carrée, tuyaux aussi en cuivre, 2 montres de devanture vitrée, une autre montre forme d'armoire vitrée, les rayons garnissant toute la boutique moins le lieu où est placée l'armoire, 2 tabourets foncés de paille, 8 chaises (...), un petit cazier à registre, une mane en osier, une planche en sapin, un globe à deux becs de gaz, un égouttoir à parapluie, une glace et 2 petites armoires placées de chaque côté... (65) »

Lebrun, déjà cité, est domicilié 12, rue Caumartin, où il a son appartement privé (salle à manger, chambre, cuisine et cave), sa boutique de librairie en 2 pièces principales, un petit cabinet de lecture contigu aux précédentes, et un magasin à livres, dans l'immeuble voisin. Nous y trouvons « 158 ballots de ville contenant romans, histoires et autres livres de différents formats, un poêle en fayence (...), 2 échelles, un vieux comptoir... » (66). L'ensemble du mobilier n'est estimé qu'à 1 000 francs, alors que bon nombre des loyers de libraires parisiens s'élèvent annuellement à plusieurs milliers de francs — 5 000 francs, par exemple, pour une boutique passage des Panoramas. Certains de ces magasins sont loués entièrement meublés « de rayons, casiers ayant servi et servant encore à l'exploitation de la librairie » (67).

À la fin du siècle, l'image de la librairie traditionnelle est demeurée la même, comme le montre l'exemple de la librairie Champion dans les années 1880 : petit local encombré, mobilier peu coûteux, rayonnages et échelles le long des murs, bureau, quelques tables et chaises pour la clientèle, une vitrine et quelques meubles présentoirs. C'est certainement ce décalage entre la faiblesse des premiers investissements et l'importance des fonds de roulement nécessaire pour faire « marcher la machine » qui explique bon nombre des déconvenues rencontrées dans la librairie parisienne du XIXᵉ siècle (68).

On est d'autant plus surpris de la masse d'exemplaires imprimés proposés dans un espace aussi étroit : à la librai-

rie Lebrun, nous trouvons, outre un cabinet de lecture de 40 000 volumes, un assortiment de 6 000 volumes, dont 5 000 de « nouveautés, littérature, romans et éducation » et 1 000 volumes reliés, enfin, 55 000 volumes de livres de fonds — au total, plus de 100 000 volumes chez un « petit libraire » (69). Entrons chez un des grands libraires parisiens de la monarchie de Juillet, Brunot-Labbé, en 1836, et nous trouvons cette fois 153 000 volumes d'ouvrages d'éducation, 47 000 de piété, 64 000 de littérature, 66 000 de classiques, et environ 10 000 reliures — près de 340 000 exemplaires (70). Le quai des Augustins, où réside Brunot-Labbé, est bien une « citadelle de livres », dont la plupart des magasins sont ouverts de 8 à 18 heures (en été, certains ouvrent dès 7 heures).

Tout cela explique les difficultés rencontrées par certains libraires plus ou moins solvables : leur mobilier ne vaut pratiquement rien, tandis que les livres imprimés, qui constituent toute leur fortune, sont un objet spéculatif dont la valeur peut en temps de crise tomber à 10 % de l'estimation d'origine. En revanche, l'habitude se répand, chez les libraires et éditeurs parisiens, de souscrire à une assurance contre l'incendie.

Nous changeons radicalement de monde selon l'importance de la librairie dans laquelle nous pénétrons, la spécialisation ou la non-spécialisation des ouvrages qu'elle diffuse, la nature du public qui est ordinairement le sien, etc. L'élément déterminant, dans un premier temps, est bien celui du marché disponible. La librairie est un commerce spécialisé, demandant certaines capacités financières, et ne donnant finalement qu'un bénéfice modeste — à moyen ou à long terme. Le travail même est radicalement différent selon la nature des entreprises.

En province, le reproche le plus souvent exprimé est celui de la multiplicité des librairies dont, dans certains départements, une ou deux à peine peuvent subsister par les seules activités commerciales liées au livre. Dès que le marché se rétrécit trop face au nombre de concurrents, le problème de la survie est posé, et peut recevoir plusieurs types de réponses : en premier lieu, les libraires peuvent étendre leurs affaires à la papeterie, aux cabi-

Les réseaux du livre
dans le Sud-Ouest de la France
1840-1910.

× Imprimerie en 1910. BG Bibl. de gare en 1870.
• Librairie en 1840. ⊔⊔⊔ Réseau ferré en 1885.
○ Librairie en 1910. — Préfecture.

Évolutions relatives des populations
et des librairies, 1840-1910.
La flèche est orientée vers 1910.

A : Corrèze   C : Lot
B : Aveyron   D : Cantal

nets de lecture, etc., ou bien se spécialiser chacun dans un certain type d'ouvrages diffusés — ou se borner aux seuls périodiques ; c'est le cas en Ille-et-Vilaine, par exemple, où

> « ... le nombre des libraires établis dans les principales villes du département est trop considérable pour qu'il soit permis à chacun d'eux de faire des affaires. Aussi, quelques-uns ont cessé de tenir la partie des livres, et quelques autres n'ont pu se soutenir qu'en joignant à leur industrie la reliure, les fournitures de bureau, l'abonnement des journaux, la location des livres et un cabinet de lecture. Ce n'est en outre qu'en tenant une partie distincte de la librairie, les uns des livres religieux, les autres des livres d'histoire ou des romans, qu'ils ont pu se maintenir en activité » (1851) (71).

Mais, dans le « désert français », qui est sur le déclin démographique, les conditions ne se trouvent déjà plus réunies pour des activités de ce type. À Castellane, « ... le peu d'importance de l'arrondissement ne permettrait pas à un libraire de n'exercer aucune autre profession sans s'exposer volontairement à faire de très mauvaises affaires. Aussi les deux seuls qui existent dans l'arrondissement sont-ils en même temps marchands d'une foule d'autres objets, et ce n'est qu'accidentellement qu'ils vendent quelques livres (...). Le commerce de la librairie a quelque importance seulement au chef-lieu du département. Mais, si les libraires n'avaient d'autres industries, il leur serait impossible de se soutenir dans cette ingrate profession » (72). Dans le petit bourg d'Entrevaux, en 1877, le libraire Alexandre Granier, établi depuis 1839, « n'a plus que dix paroissiens dans son magasin. Il cessera son commerce dès qu'il les aura vendus » (73).

Au nord de la ligne Maggiolo, la situation peut d'ailleurs se trouver aussi médiocre. Ainsi de la Haute-Marne, où la faiblesse et la dispersion de la demande interdisent une quelconque spécialisation : « ... le commerce de la librairie dans le département est presque insignifiant (...). Leur fonds de magasin n'est guère composé en général que de livres classiques et religieux, de papeterie, etc. » (74).

En revanche, dans chacune de ces petites villes anciennes, aux multiples fonctions et qui commandent un plat

pays plus ou moins étendu, on trouve un libraire principal, bien achalandé, dont la famille exerce souvent cette profession depuis plusieurs générations, et auprès duquel la petite société locale des lecteurs s'approvisionne : lorsque, à Saumur, Eugénie Grandet reste seule après le départ du cousin dont elle est amoureuse, « en revenant de la messe (...), elle prit *chez le libraire de la ville* une mappemonde, qu'elle cloua près de son miroir, afin de suivre son cousin dans sa route vers les Indes » (75).

Dans les « capitales » provinciales, la situation est toute différente, en ce sens que le marché s'y trouve suffisamment étendu pour permettre à plusieurs maisons de librairie relativement importantes de coexister, même si une certaine spécialisation n'est pas à exclure. Comme dans le cas de Vidart, à Nancy, qui, sous la monarchie de Juillet, cherche à se procurer des capitaux pour développer son affaire (76), une maison importante juxtapose cabinet de lecture, salon littéraire, librairie d'assortiment (« classique et d'éducation »), publication d'un ou de plusieurs périodiques (« journal pour l'instruction primaire, rédigé sous les auspices de l'académie de Nancy »), et librairie de fonds (« 30 ouvrages classiques, qui sont tous à leur 3e ou 4e édition, tirée à 6 000 exemplaires ; sept de ces ouvrages ont été adoptés par le Conseil royal de l'Instruction publique »).

Du fait même de cette indispensable spécialisation, les principaux libraires-imprimeurs de la ville deviennent souvent les porte-parole d'un groupe de pression politique, dont ils publient l'organe : c'est, par exemple, le cas à Strasbourg, d'un Gustave Silbermann, né en 1804, et qui succède à son père en 1833. Le personnage est attachant, ancien élève du Gymnase protestant, très intéressé par les innovations techniques dans le domaine de l'impression en couleurs (il sera chevalier de la Légion d'honneur, et recevra plusieurs récompenses dans les expositions universelles), et, à ses heures, amateur distingué en entomologie (77).

Mais surtout d'opinions libérales et propriétaire, il faut le souligner, du *Courrier du Bas-Rhin*, il ne tarde pas à faire de son atelier et de sa librairie, place Saint-Thomas, un des lieux privi-

légiés de rencontre de l'opposition libérale alsacienne, surtout après que, en 1826, le préfet eut refusé l'ouverture d'une société littéraire dont Silbermann était parmi les fondateurs (78). Silbermann se présente en vain aux élections de 1832 et aura à plusieurs reprises maille à partir avec la justice : en 1834, alors qu'il vient d'être acquitté contre l'administration par le jury d'assises, des cortèges de manifestants se forment spontanément pour venir chanter *la Carmagnole, la Marseillaise* et *Ça ira* devant sa maison. La librairie, lieu traditionnel de rencontre, se charge, comme à la même époque les multiples sociétés et cercles, d'une signification politique.

Paris rassemble tous les modèles, avec cependant certaines particularités. C'est à Paris, tout d'abord, que nous rencontrons les plus importantes librairies françaises, pouvant compter plusieurs dizaines d'employés, voire plus de 100 (79) : il s'agit cependant toujours de maisons dont l'essentiel de l'activité porte sur l'édition, accessoirement sur l'assortiment. Mais, surtout, le marché parisien ou commandé par Paris, un des principaux du monde dans le domaine de la librairie, est suffisant pour permettre une large spécialisation. Les librairies parisiennes moins importantes deviennent également des lieux où l'on se retrouve, à l'image de celle du libraire Petit, sous les galeries du Palais-Royal, royaliste auquel le retour des Bourbons « causa (...) une joie délirante (...). Son magasin devint bientôt, et resta pendant assez longtemps, une sorte de demi-salon de réception où se réunissaient, surtout à certaines heures, d'ardents royalistes » (80).

En fait, la montée de la presse périodique, jointe à la libéralisation progressive de la vie politique française, font que ce rôle de lieu de rencontres politiques passe aux salles de rédaction des grands périodiques parisiens. Les librairies parisiennes de la Troisième République se diversifient par leur spécialisation, et par ce que l'on pourrait appeler, faute de mieux, le « genre » de chacune, mêlant subtilement la nature des ouvrages que l'on y cherche, les gens que l'on sait pouvoir y rencontrer et l'atmosphère d'ensemble de la maison — voire du quartier même où elles se trouvent.

Dans cet ensemble, les libraires spécialisés dans le livre ancien tiennent une place particulière.

Les transformations de l'image du libraire

Toutefois, la librairie n'est plus, même dans les villes principales, seule à assurer la diffusion des ouvrages ; elle se trouve en concurrence avec de nouveaux canaux de diffusion, souvent non spécialisés — que l'on songe, par exemple, aux rayons « librairie » des grands magasins. Reprenant un thème déjà développé par les anciennes maisons face aux nouveaux venus de la période révolutionnaire, il est de bon ton de railler la non-compétence, voire l'ignorance, de ces personnages qui vendent des livres comme n'importe quelle autre marchandise et ne recherchent que le profit immédiat :

« ... Messieurs et dames, y aurait-il dans cette aimable localité quelqu'un qui voudrait se faire un fort joli revenu, sans peine et sans travail ? S'il en est un, qu'il prenne en dépôt mes abécédaires, c'est une spécialité pour laquelle il n'est pas besoin d'être libraire, pas besoin d'être connaisseur, pas besoin de savoir lire, au contraire ! Il suffit de me verser un cautionnement. Les plus gros sont les meilleurs, comme dit la chanson » (81).

En réaction, le libraire « traditionnel » sert de signe de ralliement aux véritables « amateurs », face à la double poussée des nouveaux libraires qui veulent seulement « faire de l'argent » « toutes les puissances de son imagination se concentrent dans une balance de comptes » (82), et des nouveaux bourgeois pour qui le livre n'est que le signe de leur établissement social. Le bibliophile Tenan de La Tour, apprenant que son libraire veut diminuer d'un demi-volume une édition complète à laquelle il a souscrit, se précipite chez lui (83) :

« ... Monsieur [s'entend-il répondre], je comprends que je dois vous contrarier beaucoup. Vous êtes amateur, je crois, (...), mais je m'en vais vous dire : cela diminuera énormément mes frais ; je suis même convaincu qu'il y aura pas mal de souscripteurs qui seront aussi bien aises d'avoir un demi-volume de moins à payer (...). Je m'en vais vous dire : mon prédécesseur est un libraire, lui, un très ancien, un très respectable libraire ; ces gens-là ont leurs idées. Moi, je ne suis pas un libraire proprement dit, voyez-vous ; je suis un marchand de livres.

À toutes les époques, les cafés ont été des lieux privilégiés pour la lecture des nouvelles ; c'est le cas du Café de la Rotonde au Palais-Royal en 1856 (160 × 220 mm).

242

Mon seul et unique objet, c'est de gagner beaucoup d'argent, et la preuve que je conduis bien mon affaire, c'est que je n'en gagne pas mal ; voilà tout. »

Saisi d'horreur, notre amateur se précipite, à la recherche d'un traité historique rare de l'abbé Vertot, chez un « libraire de vieille roche », Merlin, qui, « ... déjà vieux, prend une grande échelle, et causant toujours de l'abbé Vertot, et il en causait très bien, pendant que j'étais tout préoccupé de la crainte que les longues basques de son habit gris-blanc ne lui embarassent les jambes, [il] monte jusqu'au plafond de son magasin, se met à chercher mon livre, puis redescend et me met dans les mains un vieil in-12 en très bon état » (84).

La librairie « traditionnelle » devient ainsi un espace choisi, un lieu de reconnaissance, où se retrouve avec une certaine régularité une petite société d'élus aux préoccupations érudites ou artistiques semblables. On connaît le rôle d'un Honoré Champion dans le développement de l'édition historique et philologique en France sous la Troisième République (85). Dans la librairie ancienne, voici, vers 1870, la librairie Henri Leclerc, rue du Faubourg-Saint-Honoré, spécialisée dans les livres anciens et éditeur du *Bulletin du bibliophile* (86). L'image rappelle celle du club, une pièce tapissée de livres reliés, des gravures anciennes encadrées, posées sur les appuis des rayonnages, des estampes dans des présentoirs, et, au centre, une grande table permettant d'examiner les volumes. Les clients sont des érudits, qui savent pouvoir s'y retrouver quotidiennement — parmi eux le bibliographe Vicaire.

Mais un phénomène du même ordre s'observe, dès la première moitié du siècle, à travers les pérégrinations quotidiennes d'un Charles Nodier ; celui-ci, après avoir travaillé le matin, sort de chez lui (la bibliothèque de l'Arsenal) et erre « à l'aventure » — mais une aventure d'un déroulement tout logique, qui trace à travers Paris le réseau serré des reconnaissances entre amateurs et reconstruit un espace spécifique du « livre-objet » dans la ville :

« ... Qu'il fit cette route-ci ou celle-là, trois choses le préoccupaient : les étalages de bouquiniste, les boutiques de libraire, les magasins des relieurs : car Nodier était presque

aussi friand de fines reliures que de livres rares, et je ne jugerais pas que, dans son esprit, il n'eût mis au même rang Deneuil, Derome, Thouvenin, et les trois Elzévir (...). Cette course aventureuse de Nodier, retardée par les trouvailles de livres ou les rencontres d'amis, commençait d'ordinaire sur le midi, et aboutissait presque toujours entre 3 et 4 heures chez Crozet ou chez Techener. Là se réunissait, vers cette heure, le congrès des bibliophiles de Paris : le marquis de Ganay, le marquis de Châteaugiron, le marquis de Chalabre, Bérard, l'homme des Elzévir, qui dans ses moments perdus fit la charte de 1830 ; enfin, le bibliophile Jacob, roi de la science bibliographique tant que Nodier n'était pas là, vice-roi quand Nodier arrivait. Là, on s'asseyait et l'on causait (...) jusqu'à 5 heures » (87).

 ## Autres canaux de diffusion

À l'élargissement des publics répondent les fonctions nouvelles de l'imprimé et, par suite, la diversification de ses canaux de diffusion.

Le livre dans la rue

La librairie demeure, à bien des égards, un espace mystérieux, intimidant, où l'acheteur populaire potentiel ne se risque pas. L'élargissement du public passe donc par une diversification des canaux de diffusion, et une des caractéristiques de la ville à cet égard est que le livre pénètre réellement tous les moments de la vie quotidienne et de la rue. L'acheteur éventuel doit trouver le livre sur son chemin, il n'a plus besoin d'accomplir cette démarche volontaire qui consiste à se rendre chez le libraire, les périodiques et les livres de large diffusion étant désormais disponibles partout. Trois espaces particuliers peuvent être retenus, qui sont la rue, avec ses colporteurs, chanteurs, crieurs etc., les kiosques, et, enfin, les bibliothèques de gares. Ajoutons que, pour ce qui regarde les périodiques, un certain nombre de cafés prennent l'habitude de s'y abonner pour leurs clients, qui viennent nombreux les parcourir. Le phénomène est particulièrement important dans le nord de la France (88), mais on le rencontre aussi, dans la périphérie grenobloise (89).

Le colportage urbain reste une activité traditionnelle, dont le volume, s'il nous est inconnu, attire cependant régulièrement l'attention inquiète des

autorités. Il est le mode privilégié de diffusion des principaux quotidiens locaux, mais nous le retrouvons également dans le domaine spécifique de la feuille volante, de la caricature et, plus généralement, du « canard ».

À la veille de la révolution de 1830, les ouvriers maçons parisiens achètent les journaux dans la rue, et l'un d'eux lit aux autres, dans la salle d'un débit de vin, le *Populaire* de Cabet, tandis que, sous la monarchie de Juillet, on ne fait pas

« un pas sans être arrêté par les crieurs de journaux. D'autres crieurs (...) présentaient à chaque instant des caricatures drolatiques de Louis-Philippe ; on s'arrachait des mains celles qui le présentaient à genoux, les mains jointes, devant le bourreau de la Pologne (...). D'autres, seulement risibles, nous le montraient comme une grosse poire molle ». À la même époque, dans les ateliers d'imprimerie, passaient régulièrement des « porteurs de librairie, [qui] vendaient en brochures l'histoire de la Bastille et une foule d'autres écrits » (90).

Vers 1855, le « bonhomme Roger », âgé de 70 ans, quitte les ateliers typographiques parisiens, et, « peu propre à tout autre labeur, [devient] colporteur d'écrits imprimés ». Il se lance dans l'édition de petits opuscules éducatifs ou moralisants, qu'il a écrits lui-même, et qu'il vend ensuite dans les rues au prix de 10 centimes l'un (91).

Pourtant, tous ces personnages n'exercent pratiquement jamais à leur propre compte mais sont engagés par des libraires-éditeurs, qui sollicitent pour eux des autorisations de colportage auprès de la préfecture : toujours à Strasbourg, le « sieur Joseph Béguin » est employé par Silbermann pour vendre le *Courrier du Bas-Rhin* sur la place du Broglie (92). Au lendemain du Second Empire, l'importance de ce canal pour les ouvrages non périodiques semble décroître, dans les villes comme en zone rurale, encore que le type particulier du chanteur patriotique brodant sur la défaite de 1870 lui porte un temps un regain de succès, sans doute davantage sensible dans les localités moins importante. Dans le petit bourg d'Origny-Sainte-Benoîte, en 1876, Stevenson rencontre ainsi

« ... un marchand ambulant et sa femme descendant la rue à pas comptés, chantant sur un air d'une lenteur lamentable *O France, mes amours*. Chacun courut à sa porte et lors-

La salle de lecture de l'Automobile-Club de France en 1900.

Les bibliothèques des Cercles bourgeois

Les catalogues des bibliothèques des Cercles bourgeois du XIXᵉ siècle — dont la classification s'inspire maintes fois de celle de J.-C. Brunet — renvoient l'image de collections point trop indigentes (de 2 000 volumes pour les plus modestes jusqu'à 17 000 pour la plus prestigieuse), rarement spécialisées et souvent bien gérées. En un moment où la carence des bibliothèques publiques, réservées aux érudits, et le déclin des cabinets de lecture, dû à la baisse du prix du livre, laissent ouverte la voie aux initiatives privées de toutes sortes, les bibliothèques que constituent les Cercles de la bonne, moyenne et haute bourgeoisie apparaissent vite aux classes aisées comme un relais nécessaire. Ambition avouée, au reste : le Cercle de l'Union se targue de faire de sa bibliothèque « un sérieux intermédiaire entre les bibliothèques de l'État et celles des riches particuliers ». Attractives, confortables, variées, accessibles gratuitement à tout membre du Cercle, ouvertes la journée entière et même le soir, autorisant toujours le prêt à domicile, elles échappent au pamphlet d'un Eugène Morel contre l'organisation des bibliothèques publiques et aux critiques d'un Abel Chevalley à l'égard des bibliothèques populaires.

Qu'achètent nos *clubmen* ? Essentiellement des romans récents et des ouvrages historiques, si l'on en croit des statistiques concordantes (entre 35 et 40 % pour les premiers, 30 et 35 % pour les seconds). Les « Sciences et Arts » attirent moins, qui ne réunissent le plus souvent que 15 %. Loin d'être un vain mobilier, ces livres semblent avoir été fréquemment empruntés. En témoignent les semonces des comités qui tonnent contre l'usure des reliures et l'absence prolongée des livres prêtés ; et Charles Yriarte, l'historien des Cercles au XIXᵉ siècle, note qu'en 1855 les membres du Cercle agricole ont emprunté à la bibliothèque 5 618 ouvrages dont 3 341 romans et revues et 1 326 livres historiques. Le rythme de croissance des acquisitions faites par les Cercles, presque toujours soutenu, est un indice supplémentaire de l'intérêt des lecteurs : en quatre ans, de 1893 à 1897, le Cercle de l'Union artistique achète 1 200 ouvrages, des nouveautés pour la plupart (*la Mêlée sociale*, de Georges Clemenceau ; *le Triomphe de la mort*, de Gabriel d'Annunzio). Il est vrai que la bibliothèque est un élément de prestige social : objet de fierté, elle auréole le Cercle tout entier.

Des raisons plus secrètes poussent le *clubman* à devenir un lecteur assidu : la presse est bon marché, certes, mais au Cercle on trouvera non pas un journal, mais la quasi-totalité des journaux, de toutes tendances et de tous genres. Le Cercle de Lausanne reçoit, en 1843, 60 périodiques, parmi lesquels 34 quotidiens ; la *Gazette de France* et l'*Univers* y font bon ménage avec le *National* et la *Réforme*. Au Cercle agricole on s'abonne à la très légère *Vie parisienne* mais également à la très spécialisée *Bibliothèque de l'École des chartes*. Même éclectisme, même ouverture d'esprit dans l'acquisition des ouvrages : Joseph de Maistre, Louis Veuillot, Hippolyte Fortoul côtoient Proudhon, Cabet, Louis Blanc, Philippe Buchez, Auguste Blanqui. Et en littérature Jules Sandeau voisine avec Baudelaire. Irait-on lire au Cercle pour s'encanailler ? La présence d'un journal comme l'*Anarchie,* dans un Cercle dominé par une légion de conservateurs, et celle de tel ou tel ouvrage licencieux dans un Cercle fort respectable le suggèrent. En réalité, on fait souvent acheter au Cercle ce que l'on n'aurait pas eu l'idée — ou l'audace — d'acquérir pour sa bibliothèque personnelle. La bibliothèque du Cercle ne concurrence pas, mais complète la bibliothèque particulière.

Gardons-nous cependant de généraliser. La bibliothèque des Cercles les plus modestes se réduit parfois à quelques *Albums de l'industrie*. Il reste que le « temps des sociétés » est bien celui de l'initiative privée qui permet, en certains cas, de soutenir les efforts de l'État.

Benoît Lecoq

que notre hôtesse appela du seuil l'homme pour lui acheter le texte, il ne lui restait plus un seul exemplaire des paroles (...). Il y a quelque chose de bien pathétique dans l'amour des gens de France, depuis la guerre, pour les sombres chants patriotiques mis en musique » (93).

Il ne s'agit pourtant là que d'un sursis. Le « colportage » dans les villes s'apparente de plus en plus à la vente de quotidiens sur la voie publique. À la veille de 1914, le gamin chargé de sa pile de journaux et se glissant dans la foule fait partie intégrante du spectacle ordinaire de la rue. Ne possédant pas leurs propres boutiques, voici les concessionnaires de kiosques qui s'installent dans le paysage urbain à partir du Second Empire. Le kiosque, couvert d'affiches bariolées et de périodiques, est omniprésent sur les principales voies de circulation de la ville haussmannienne — notamment sur les « boulevards » — et repris comme tel dans de nombreux tableaux impressionnistes (94). Il s'agit pourtant d'un espace réservé aux périodiques davantage qu'au livre proprement dit.

D'autres circuits relèvent de cette géographie du « livre dans la rue ». Les « étalages », par exemple : l'habitude était, dans les grandes librairies parisiennes, de laisser entrer librement chacun dans le magasin et y feuilleter des volumes à sa guise — Lucien ne reste-t-il pas deux heures dans la boutique de Porchon « à regarder les titres, à ouvrir les livres, à lire des pages çà et là » (95) ?

Cependant, autour du Palais-Royal, une nouvelle pratique se fait jour, qui consiste pour le libraire à sortir de l'espace spécialisé où il s'était jusqu'alors cantonné et à exposer sur la voie publique les marchandises qu'il juge les plus susceptibles d'attirer l'attention des badauds :

« ... Le matin, jusqu'à deux heures après-midi, les Galeries de bois étaient muettes, sombres et désertes. Les marchands y causaient comme chez eux. Le rendez-vous que s'y était donné la population parisienne ne commençait que vers trois heures, à l'heure de la Bourse. Dès que la foule venait, il se pratiquait des lectures gratuites à l'étalage des libraires, par les jeunes gens affamés de littérature et dénués d'argent. Les commis chargés de veiller sur les livres exposés laissaient charitablement les pauvres gens tourner les pages. Quand il s'agissait d'un in-12 de 200 pages comme Smarra, Pierre Schlémilh, Jean Sbogar, Jocko (96), en deux séances il était dévoré » (97).

ACTUALITÉS   45.

-Il me semble que vous pourriez me donner mon journal plus poliment que ça !
- Ah dam ! je ne puis pas vous donner un journal à un sou comme je vous donnerais un journal à trois sous ! faut des nuances.

Un kiosque qui assure la vente des journaux du soir, lithographie de Cham.

L'étalagiste, figure gravée sur bois d'après Gavarni dans *les Français peints par eux-mêmes,* tome IV. Paris, Curmer, 1841.

245

Rappelons d'ailleurs que l'un des frères Garnier sera un très modeste étalagiste au Palais-Royal, et qu'il aura maille à partir avec la police pour avoir diffusé des ouvrages pornographiques (98).

Il nous paraît très significatif que la pratique de l'étalage sous les yeux du public intervienne précisément à une époque où la conjoncture de la librairie se trouve fondamentalement modifiée. On sent que de nouveaux marchés sont apparus dont on cherche à capter la clientèle. Quelques années plus tard, du côté des éditeurs, Gervais Charpentier proposera à cette poussée du marché un premier type de réponse : la production de masse, qui est précisément fondée sur l'idée que l'ouvrage se trouve désormais aussi souvent que possible directement proposé à l'attention du public — dans les vitrines, sur les étalages, plus tard dans les « bibliothèques de gares », etc. De même, le succès des *Bibliothèques* d'Arthème Fayard est-il largement fondé, au début du XXᵉ siècle, sur cette image d'une couverture toujours semblable, répétée à toutes les devantures, et que l'on sait pouvoir trouver à la première occasion.

Les bibliothèques de gares

Avec l'apparition du chemin de fer, le livre et le périodique s'ouvrent un nouvel espace, presque immédiatement tombé sous le contrôle de la Librairie Hachette. Les « débarcadères » des premiers chemins de fer — ceux de la banlieue ouest de Paris — deviennent un des points d'attraction des vendeurs ambulants de périodiques, ce qui inquiète l'administration. En 1850, le jeune professeur Louis Meyer, qui enseigne l'allemand au lycée de Versailles, dépose dans une affaire de librairie clandestine par devant le tribunal de grande instance : « ... j'ai reçu jusqu'au 15 décembre dernier le journal *la Voix du peuple* par la voie de la poste. Depuis cette époque, je ne le reçois pas. Quand je désire en avoir un numéro, je l'achète au chemin de fer de la rive droite, où l'on vend tous les journaux » (99).

Avec l'avènement d'un régime politique autoritaire, toutes les conditions sont réunies pour que se développent les bibliothèques de gares : l'administration, qui les assimile à des librairies

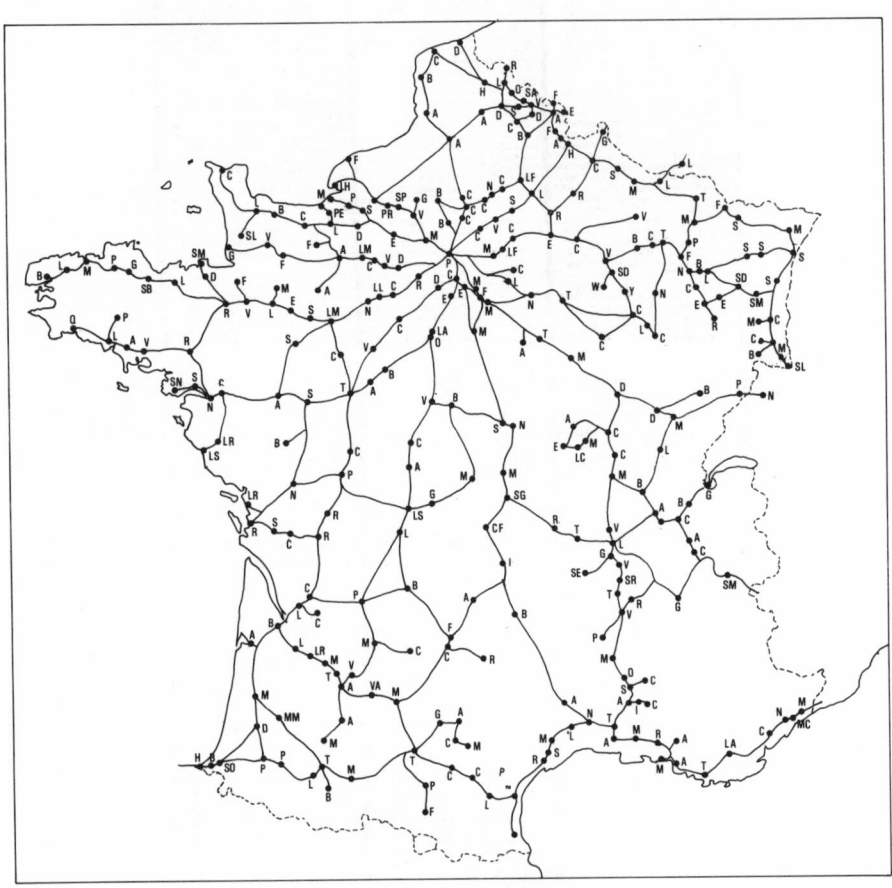

Le réseau des bibliothèques de gares à la fin du Second Empire.

de colportage, cherche à contrôler par ce biais un canal de diffusion qui lui échappe. Les compagnies de chemin de fer pensent en tirer profit en louant les emplacements, tout en rendant les voyages plus plaisants, et l'éditeur concessionnaire trouve évidemment là l'occasion d'un développement considérable de ses affaires, dans une situation de monopole qui n'est pas sans irriter ses confrères (100).

Le premier contrat signé par Louis Hachette est passé avec la Compagnie du Nord en 1853 pour une durée de cinq ans, mais les autres grands réseaux ne tardent pas à suivre cet exemple — et notamment le Paris-Orléans, qui a déjà participé au financement de l'imprimerie Chaix (101). Les premières bibliothèques de gares apparaissent, prises à bail par le libraire-éditeur avec l'autorisation des préfets. Leurs tenanciers — souvent les femmes d'employés des chemins de fer — sont assimilés aux colporteurs (102). La vente des journaux par des crieurs à l'arrivée des trains est interdite dans l'enceinte du chemin de fer. Le succès est rapide : dans les nouvelles gares, des emplacements spéciaux sont prévus pour la « bibliothèque », tandis que Hachette, qui n'y vendait jusqu'en 1859 que ses propres publications de la collection qu'il avait créée à cet effet, la Bibliothèque des chemins de fer (103), y diffuse les éditions de ses confrères (104). Cependant, les bibliothèques de gares sont pour Hachette l'occasion de développer un secteur éditorial particulier, celui du guide touristique pour lequel la maison s'attache en 1885 la collaboration d'Adolphe Joanne (105). D'autres productions, notamment les cartes postales, seront par la suite progressivement intégrées à l'assortiment des bibliothèques de gares, dont un catalogue annuel est publié.

On compte quelque 500 établissements de ce type dans la France de la Troisième République, qui s'établissent au fur et à mesure de la construction des lignes : ainsi, dans la Sarthe, la première bibliothèque est installée en 1872 à la gare du Mans, la suivante en 1873, à Sillé-le-Guillaume, premier gros bourg au-delà du Mans sur la ligne de Bretagne ; puis, sur la ligne de Nantes, une bibliothèque est installée en 1875 à Sablé. Les années 1877-1878 voient l'achèvement du réseau,

sur les lignes principales, avec les bibliothèques des gares de Connerré (Paris-Le Mans) et d'Aubigné (transversale Le Mans-Tours), puis sur les lignes secondaires, avec celles de Mamers et de La Flèche.

Dans un département à la population plus importante et au réseau ferroviaire plus dense, les créations sont plus nombreuses : dans l'Oise, nous trouvons ainsi des bibliothèques dans les gares de Méru, Beauvais, Saint-Omer-en-Chaussée et Abancourt, sur la ligne de Paris au Tréport ; dans celles de Chantilly, Creil et Clermont-de-l'Oise, sur la ligne Paris-Amiens ; enfin, dans celle de Crépy-en-Valois, sur la ligne de Laon, outre la bibliothèque de la gare de Senlis, sur un embranchement de la section Paris-Creil. Enfin, par le biais des bibliothèques de gares, le livre et le périodique apparaissent dans des localités jusqu'alors sans importance, et dont le développement est étroitement lié au chemin de fer : Eygurande, Saint-Germain-des-Fossés, Capdenac, Puyoô, etc.

Nous ignorons, dans l'état actuel de nos connaissances, l'importance de la production diffusée par le canal des bibliothèques de gares, sauf dans certains cas particuliers. Soulignons cependant qu'une grande partie des ventes porte sur des périodiques : à Corbeil, dans la future banlieue parisienne, la gare reçoit régulièrement en 1873 quelque 28 périodiques, dont elle vend environ 80 exemplaires — sur plus de 1 500 écoulés dans l'ensemble de la ville (106).

Pour ce qui regarde les livres, nous en sommes davantage réduits aux suppositions : la disposition et l'importance de l'espace réservé à la bibliothèque suggère ainsi l'importance de l'assortiment proposé. À Tours, en 1899, la Librairie Hachette prend à bail

« ... un petit édicule construit en bois avec socle en pierre de taille formant deux pièces parquetées en chêne (...). Sur la façade principale, et sur celle formant pan coupé : à l'intérieur et sur toute la longueur, étagère de six tablettes en chêne verni avec fond en sapin, trois lampes électriques. À l'extérieur, deux tablettes articulées, en chêne verni, avec charnières et crochets, le tout fermant au moyen d'un rideau métallique en tôle d'acier ondulée (...). Sur la façade transversale (...), vitrine (formée d'une glace de 1,60 m sur 1,10 m) fermant à clef, étagère intérieure de six tablettes en chêne verni

(...). À la suite de cette première pièce, petit débarras (...), le tout établi dans le grand vestibule de la gare de Tours (...) et occupant une surface de 9,75 m² ».

Il est possible d'exposer ainsi au choix du public environ 600 volumes, outre les périodiques, cartes postales, etc. éventuellement disposés sur des présentoirs amovibles (107).

Bouquinistes, libraires spécialisés

On pourrait dire qu'il se trouve autant de modèles de réseaux que de types d'ouvrages à diffuser. La Révolution française, en jetant sur le marché une multitude de livres anciens, alimente pendant l'ensemble de la période cette forme particulière de librairie qu'est la « librairie d'occasion ». On y rencontre deux catégories bien différentes, le « bouquiniste », sorte de brocanteur plus ou moins spécialisé, et le « libraire ancien », branche de la librairie dont la désignation allemande, l'*Antiquariat,* souligne l'éminente dignité (108).

Le livre ancien, massivement mis en circulation après la Révolution, n'est plus une marchandise particulière, d'autant que la suppression des corporations permet à chacun de pratiquer occasionnellement la vente de livres anciens : rue des Vieux-Pigeons, Nicolas Bricolet, mis en scène par Maupassant (109), est tout à la fois costumier (c'est-à-dire fripier), marchand de meubles antiques, bouquiniste et savetier. Des intérieurs entiers peuvent être mis en vente, et nous retrouvons alors les livres avec l'ensemble du mobilier sur le marché aux puces : certains personnages ont comme spécialité de faire la tournée des brocanteurs, chez lesquels ils reprennent les livres d'occasion, pour les proposer ensuite à un relieur. Celui-ci, après les avoir recouverts et quelque peu restaurés, les revend soit à ses propres clients, soit, lorsque la nature du texte convient, à des cabinets de lecture (110).

Une catégorie spécifiquement parisienne de ces libraires est constituée par les bouquinistes des quais, qui peuvent avoir une compétence reconnue des amateurs. On rencontre parmi eux d'anciens libraires ayant fait de mauvaises affaires. Deleau, en face du Louvre, avait été professeur de mathé-

Une « boîte des quais » en 1840, avec un amateur bibliophile,
insensible à l'agitation qui l'entoure, gravure sur bois
d'après Lavielle pour le tome III des *Français peints par eux-mêmes*,
au chapitre de l'amateur de livres. Paris, Curmer, 1841.

Une « boîte des quais », avec le bouquiniste et ses clients, en 1896,
gravure à l'eau-forte par Heidbrinck pour Octave Uzanne,
*les Quais de Paris, études physiologistes sur les bouquinistes et
bouquineurs*. Paris, Libr. Impr. réunies, 1896 (75 × 110 mm).

matiques ; Archaintre, près du pont des Arts, est un remarquable latiniste. Le bouquiniste, au demeurant, n'est pas regardé comme un libraire par l'administration et ne se trouve donc pas assujetti à l'obligation du brevet ; il doit simplement se pourvoir d'une autorisation temporaire et se conformer à la police de la voirie (111).

L'origine des volumes que l'on feuillette dans leurs boîtes est, elle aussi, des plus variées, mêlant *Antiquariat* proprement dit et *moderne Antiquariat* — c'est-à-dire « queues d'éditions » que l'éditeur autorise à vendre avec un rabais très supérieur à la normale. C'est auprès d'un bouquiniste plus ou moins scrupuleux que les « jeunes collégiens, trop propres » de Daumier viennent « laver jusqu'à leur dictionnaire latin » (112), et

> « ... assigner les mille origines de ces livres de toutes sortes, de tous formats et de toutes valeurs, c'est ce que nul ne saurait faire. L'on ne pourrait, tout au plus, en indiquer que quelques-unes. C'était autrefois, selon toute apparence, le simple rebus de ventes après décès ou d'autres ventes accidentelles ; c'était aussi (...) des livres nouveaux qui n'avaient pas trouvé de débit suffisant chez les libraires (...). Dans les temps qui suivirent 1793, les livres enlevés aux maisons des émigrés, aux bibliothèques des châteaux, surtout à celles des couvents, et enfin le trop-plein des dépôts qu'avait fait faire le gouvernement de l'époque, en attendant qu'il leur fût donné une destination définitive, vinrent porter dans les étalages étonnés une splendeur inconnue jusqu'alors » (113).

Comme ses collègues tenant boutique, le bouquiniste vient sur les quais vers 8 heures et ouvre ses boîtes, dans lesquelles il « met en tête » les ouvrages qu'il a achetés la veille : « C'est ce moment que ce qui est bon est rapidement enlevé. En moins de trois quarts d'heure, plus de vingt libraires ont passé et se sont approvisionnés. » Le bouquiniste prend ainsi sa place dans la circulation des livres par le canal des librairies (114).

Les « boîtes des quais » constituent de la sorte une géographie particulière à la ville, où se côtoient à la fois intellectuels, amateurs bibliophiles, simples curieux et badauds. Dans les années 1860, son espace privilégié reste la rive gauche. Le circuit commence à la Concorde ; par le quai d'Orsay, on gagne le cœur de la librairie parisienne, le quai Voltaire, le quai Malaquais et le quai Conti, regroupant, face à l'Institut et à la Monnaie, plus de la moitié des boîtes.

Au-delà, les bouquinistes anciennement établis sur le pont Saint-Michel se sont repliés, lors de la reconstruction de ce dernier, sur les quais des Augustins et Saint-Michel et jusqu'au quai de Montebello. Prenant appui sur l'île de la Cité, dont ils occupent le quai des Orfèvres et le quai aux Fleurs, ils lancent une tête de pont sur la rive droite, où nous en retrouvons devant le quai de la Mégisserie et face à l'Hôtel de Ville. Vers l'Est, la concentration est bien inférieure, un seul bouquiniste sur le quai de Montebello, un seul sur le quai de la Tournelle. Témoignage d'un espace que les travaux haussmanniens ont renvoyé au passé, six d'entre eux continuent à occuper le pont au Change, un seul le pont Marie. Quelques années auparavant, la reconstruction du pont Notre-Dame a déjà chassé un certain nombre de bouquinistes qui en occupaient les parapets (115).

Est-il possible d'évaluer le volume d'ouvrages mis et remis en circulation par les bouquinistes ? Fontaine de Resbecq, en 1857, dénombre 68 bouquinistes, dont chacun tient 12 à 15 boîtes de 1 m chacune : comme chaque boîte est supposée pouvoir contenir de 75 à 80 volumes, il se trouve quelque 70 000 volumes exposés sur les parapets de la Seine, dont environ 1 200 à 1 500 sont vendus quotidiennement. Le bouquiniste le plus important est cependant Laîné, entre les mains duquel quelque 150 000 volumes passent chaque année (116).

Les bouquinistes connaissent alors leur âge d'or. Une multitude d'éditions rares ont envahi le marché : on trouve dans les boîtes non seulement des éditions comme le Clément Marot de 1539, mais aussi des pièces originales de Molière, des incunables — un *Doctrinal* lyonnais de 1496 —, voire des manuscrits médiévaux :

« ... j'ai une *Bible* en latin, petit in-8°, charmant manuscrit du XIIIᵉ siècle, sur vélin. Je l'ai trouvée sous une reliure de grand mérite, car le bouquiniste qui me l'a vendue m'a affirmé qu'elle était restée dans sa boîte depuis huit mois (...). Je l'ai payé 5 francs (...). Elle est ornée de lettres initiales en or et en couleur » (117).

À côté des bouquinistes, un certain nombre de libraires parisiens se spécialisent dans le livre ancien.

Les ventes publiques constituent un autre mode privilégié pour la remise en circulation des ouvrages d'occasion. Tant à Paris qu'en province, la plupart des grands libraires d'assortiment se font un devoir d'assister ou de se faire représenter à ces ventes, par lesquelles ils alimentent une partie de leur propre catalogue. Certains — surtout à Paris — se sont spécialisés : France, le père de l'écrivain, est connu pour proposer les « pièces les plus rares sur la Révolution française » (118), Caillot est le libraire des reliures anciennes, Tilliard « a fait les ventes Libri » (119). La *Bibliographie de la France* annonce désormais régulièrement les grandes collections passant en vente.

Dans les grandes villes de province, on s'intéresse davantage aux collections d'amateurs riches en éditions régionales. À Valenciennes, sous la monarchie de Juillet, le libraire Lemaître est lui-même chargé des principales ventes, ou y participe activement, et l'essentiel des collections est presque aussitôt revendu aux amateurs de la ville : 10 095 francs d'achats en 1839 à la vente de la bibliothèque Evrad Rhone, dont une partie est cédée à des membres de la famille ; puis à nouveau 835,85 francs pour la bibliothèque Hamoir ; le 24 mars 1840, le bibliophile Bénézech lui achète pour 92 francs d'anciens ouvrages de l'ancienne collection de Hécart (120). À Strasbourg, en 1854, Berger-Levrault enchérira pour un total de 355,45 francs à la vente de la bibliothèque de Willm. Un an plus tard, le préfet du Bas-Rhin, répondant à une demande d'enquête du ministère, fait savoir qu'Édouard Piton est un « libraire-expert, [qui] s'occupe de vente de bibliothèques » (121), et Sophie Freisleben une « bouquiniste » (122).

Cabinet de lecture et salon littéraire

Le maintien de prix élevés dans la librairie parisienne ne permet pas de répondre à la demande nouvelle qui se développe à partir de la Restauration. La même conjoncture, qui a fait la fortune des contrefacteurs étrangers et des presses périphériques, fait prospérer les pratiques de location, au mois, au

livre... qui permettent de se procurer à volonté les ouvrages les plus récents. Le plus souvent, le cabinet de lecture constitue une activité annexe de la librairie de détail, par laquelle le libraire réinjecte le cas échéant dans le circuit de la consommation des « queues d'éditions » qui n'auraient pas trouvé d'acquéreurs.

Il peut arriver que le cabinet lui-même se spécialise en fonction des domaines principaux d'activité du libraire. Un exemple : celui du libraire d'origine anglaise William Galignani, qui s'oriente à partir de 1815 vers l'importation d'ouvrages anglais en France. Il crée dès 1816 un cabinet de lecture à Cambrai, destiné à la garnison anglaise de cette ville, et possède, accolé à son magasin parisien de la rue Vivienne, un « cabinet littéraire » dans lequel les libéraux se rendent volontiers pour parcourir les journaux londoniens interdits par la censure (dont le *Morning Chronicle*) que Galignani reçoit de l'ambassade (123).

De fait, la grande époque du cabinet de lecture est celle de la Restauration et de la monarchie de Juillet. L'installation est souvent sommaire, ne demandant qu'un investissement de départ assez faible. Charles Mary achète en 1824 un fonds de cabinet de lecture pour seulement 3 000 francs, le libraire Louis Johanneau tient, en 1830, un cabinet de lecture accolé à son magasin : « une table carrée, les rayons garnissant la pièce, un marchepied, une vieille armoire, une fontaine en pierre, quatre chandeliers, un sceau en faïence, un panier à bouteilles... » (124). Le fonds de livres est lui-même souvent médiocre : 5 000 volumes en 1837 dans un « cabinet de lecture avec salon littéraire, situé dans un des meilleurs quartiers de Paris (...), assuré pour 35 000 francs. La recette est de 12 000 à 13 000 francs par année, donnant un bénéfice net de 3 000 à 4 000 francs » — soit 10 % par rapport au capital fixe (125).

Pourtant, ce fonds peut devenir important : en 1840, le cabinet de Dumont fils, sous la galerie de la Rotonde au Palais-Royal, propose 25 000 volumes (126), et le cabinet de lecture de Herhan, rue Caumartin, compte environ 40 000 volumes, classés par formats et rangés autour des murs dans des « cases » (127).

Une vente de livres à l'hôtel Drouot dans la seconde moitié
du XIXᵉ siècle. Gravure en taille-douce
parue dans le *Bibliophile français*, mars 1869 (170 × 121 mm).

Quarante ans après la Restauration,
époque de leur plus grande animation, les jardins du Palais-Royal
abritaient encore des kiosques à lecture qui louaient journaux
et livres, comme le montre cette gravure de 1864 (155 × 222 mm).

À l'image des « cercles », les principaux cabinets de lecture et salons littéraires deviennent bientôt, surtout à Paris, des lieux de sociabilité où l'on vient autant pour se rencontrer selon les affinités de chaque groupe, que pour parcourir des journaux ou emprunter des ouvrages. Le cabinet de lecture s'adapte au public spécifique du quartier où il est établi : Louis Leclerc, rue de la Sorbonne, propose à une clientèle d'étudiants et d'intellectuels, outre ses « salons littéraires », un « cabinet d'anatomie » et un « amphithéâtre pour cours et salle de conférences ». Au carrefour de l'Odéon, l'éditeur Blosse propose également un « grand salon de lecture, d'étude et de conférences », et une « bibliothèque » davantage spécialisée, « nombreuse en droit, littérature, histoire, etc. » (128).

Comme on s'y attend, les principaux cabinets sont établis au Palais-Royal, la « ville dans la ville » décrite sous la monarchie de Juillet par le voyageur allemand Charles de Forster :

> « Aux quatre coins du jardin, vous trouverez quatre petits pavillons, cabinets de lecture en plein air. Dans toutes les saisons, vous verrez, dans le jardin, des curieux qui, pour un sou, font (...) une provision journalière des opinions à soutenir dans le cercle de leurs amis ou connaissances (...). Le cabinet de lecture principal est celui de la Tente, qui a un salon au premier étage, dans la galerie Montpensier » (129).

En province, c'est par le cabinet de lecture, qui entretient des relations commerciales suivies avec les éditeurs, que l'on peut d'abord se procurer les nouveautés parisiennes : on sait que c'est par un abonnement chez un « loueur de livres » de Rouen qu'Emma Bovary obtient rapidement les romans qu'elle désire lire (130).

À partir des années 1850, à Paris et dans les principaux centres de province, le nombre des cabinets de lecture diminue régulièrement. La baisse du prix du livre rend de moins en moins intéressant le recours à un système de location, mais elle aboutit, même si nous conservons les chiffres obtenus ci-dessus en 1837, à une diminution de moitié des revenus annuels du libraire, pour un fonds d'importance constante en nombre de titres (131). À Strasbourg, le libraire Piton constate, vers 1860 : « la transformation complète du mode des publications nouvelles par la librairie parisienne et le grand nombre d'illustrations à bon marché ont tué l'industrie des cabinets de lecture, jadis d'un rapport avantageux, et m'ont décidé à la vente de mon fonds de commerce » (132). Le développement du roman-feuilleton et le triomphe de la presse périodique, puis l'achèvement du réseau ferré et l'établissement de services postaux désormais efficaces porteront le coup de grâce à l'économie du cabinet de lecture. Dans le département de l'Indre, en 1851, « la librairie a beaucoup perdu depuis 1848, le bénéfice qui provenait de l'achat des livres de luxe et de la location des romans-feuilletons ayant presque cessé » (133).

Dès lors vont coexister deux modèles radicalement différents de cabinets de lecture, correspondant eux-mêmes à des publics opposés. En province, et surtout dans les centres les moins importants, les systèmes de location de livres résisteront davantage, étant susceptibles de fournir un complément de ressources à un libraire aux revenus très modestes. À Paris au contraire, le cabinet de lecture ne subsiste que comme activité très spécialisée, et à la clientèle relativement traditionnelle : 129 cabinets de lecture en 1875, seulement 36 en 1910, sur lesquels les 1er, 6e et 9e arrondissements en possèdent 14 ; les arrondissements de l'ouest bourgeois, 7e, 8e et 16e comptent 6 cabinets de lecture, mais les 5 arrondissements les plus « populaires » (13e à 15e, 19e et 20e) n'en possèdent aucun (134). La baisse de la marge bénéficiaire par prêt impose, à ceux qui subsistent, de se spécialiser dans cette seule activité et de s'orienter, eux aussi, vers une forme de « lecture de masse ». Le principal cabinet parisien, à la veille de la guerre de 1914, est celui de la « Lecture universelle », installé derrière l'avenue de l'Opéra. Il compte « 100 000 volumes. Abonnements de lecture, France et étranger, depuis 10 francs par an et 2 francs par mois. Location au volume. Rayon spécial d'ouvrages pour jeunes filles. 2 000 volumes en langue anglaise. Vente, achat, échange. Service à domicile. La maison n'a pas de succursale »…

Les dernières années du XIXe siècle voient le développement d'une tentative originale apparentée à ce système de location de livres : le Livre-annonce. Le principe en est simple : une collec-

tion d'ouvrages est constituée, sous l'appellation de Bibliothèques de Livres-annonce, au tirage de 4 000 exemplaires. Ces ouvrages se trouvent en dépôt auprès d'établissements répertoriés, pour la plupart des hôtels de France et d'Algérie, mais aussi certains salons de coiffure, etc. Il suffit dès lors d'acheter un premier volume, au prix de 3,50 francs : « le porteur de ce volume peut ensuite l'échanger gratuitement et indéfiniment dans chacune de nos bibliothèques, qui sont toutes composées d'au moins 50 ouvrages ; aucune ne comportant la même collection, il en résulte un très grand choix pour le lecteur ». Un complément de ressources est assuré par la publicité accueillie dans chaque volume (135).

En revanche, le développement des bibliothèques publiques, qui aurait été susceptible de concurrencer les cabinets de lecture, semble, surtout avant 1870 (136), être demeuré par trop confidentiel pour avoir un réel effet. Ce que dans ce domaine nous rencontrons le plus souvent, par exemple dans les monographies de Le Play, relève presque exclusivement de ce que nous appellerions aujourd'hui la bibliothèque d'entreprise, comme celle du familistère de Guise, ou de l'activité d'associations pieuses entretenant des « bibliothèques populaires » (137). C'est, par exemple, le cas à Morlaix en 1854, avec la « bibliothèque » de Mlle Le Noan :

« … les livres sont la propriété personnelle de Mlle Le Noan, qui les loue par abonnement à raison de 5 francs par an, et les prête sans rétribution aux membres de la Société de secours mutuels. Le produit des abonnements est employé à acheter des livres nouveaux et à l'entretien de la bibliothèque » (138).

Enfin, notons l'apparition et le développement des canaux de diffusion non spécialisés, comme les rayons de papeterie, puis de librairie dans les grands magasins.

Le colportage

La diffusion de l'imprimé doit d'abord être regardée comme une activité spécifiquement urbaine. Certains libraires assurent eux-mêmes des « tournées » autour de la ville où ils travaillent. En 1836 par exemple, Étienne Dupuy, libraire au Mans,

« a l'honneur de prévenir MM. les libraires et éditeurs de nouvelles publications que, chargé par plusieurs maisons de Paris de voyager dans toutes les communes du département de la Sarthe pour propager divers ouvrages, il est encore prêt à répandre ceux que l'on voudrait bien lui adresser » (139).

Mais la diffusion en milieu rural relève pour l'essentiel du colportage de librairie (140). Et, de même que pour les systèmes de location de livres, la conjoncture des deux premiers tiers du XIXe siècle explique que cette période soit celle de l'apogée du colportage : dans un premier temps, la poussée de la demande est sensible de la part d'un public rural, qui ne suffirait cependant pas à assurer l'existence d'une librairie traditionnelle ; dans un second temps en revanche, l'amélioration constante des systèmes de communication et le triomphe de la presse périodique, à laquelle la poste permet désormais à chacun de s'abonner, provoquent la disparition progressive d'un mode de diffusion qui avait correspondu à un moment particulier de la conjoncture du livre.

Très fréquemment, le colportage de librairie doit être regardé comme une activité saisonnière que l'on pratique pour s'assurer un complément de ressources. Deux modèles différents de colportage peuvent cependant être distingués, notamment sous le Second Empire, correspondant à des types différents d'imprimés diffusés.

En premier lieu, voici le circuit du colportage local ou régional, que nous connaissons bien dans les départements rhénans (141). Il s'agit de personnages qui quittent chaque année leur petite ville ou leur village pour diffuser, à travers le plat pays, certains imprimés « populaires » de la région, et particulièrement des almanachs. À partir de 1816, l'imprimeur lithographe Edler, à Hagueneau, publie le *Calendrier de Marienthal*, qu'il fait ainsi diffuser chaque année par des colporteurs temporaires. Dans les années 1865, le Bas-Rhin compte une quarantaine de personnes s'adonnant régulièrement à cette activité de complément.

Lorsque la densité de population est suffisante, ce réseau local assure aussi la diffusion d'autres ouvrages, qui sont alors commandés par des libraires proprement dits, et placés auprès des colporteurs : le libraire Garell, de Séles-

Un colporteur d'estampes à sujets religieux en milieu rural.
Lithographie de Lepan.

tat, demande l'estampillage de livres provenant de l'atelier des frères Bentzinger à Einsiedeln (Suisse), mais aussi de chez Derivaux et Le Roux à Strasbourg, Deckherr à Montbéliard, Mame à Tours, Belin à Paris, Maître et Popelin à Dijon, Cornillon à Châtillon-sur-Seine, etc. Dans les Vosges, la plupart des colporteurs de Bazoilles travaillent à diffuser des ouvrages que fait venir le libraire Guiot, à Liffol-le-Grand (142). Enfin, on connaît également le cas, entre 1860 et 1877, de Bonaventure Blanc, « marchand quincailler » à Béziers, qui « tient (aussi) la librairie ordinaire pour les colporteurs. Vente en gros » (143).

Il peut d'ailleurs arriver, lorsque le volume des affaires est suffisant, que le colporteur cesse d'être un libraire occasionnel pour devenir associé ou commis (pour une ou plusieurs saisons) d'un libraire sédentaire : dans ce dernier cas, la nuance est des plus difficiles à saisir (144).

Le grand colportage constitue souvent une activité spécifique pratiquée par les populations de certains villages du haut Comminges. En deux vagues successives, au printemps et à l'automne, les colporteurs quittent leurs villages pour entreprendre un vaste périple qui les conduit parfois (en hiver) jusqu'aux frontières du Nord et de l'Est. Travaillant régulièrement dans les mêmes départements, ils y établissent de véritables réseaux de solidarité entre gens du même pays, aubergistes, libraires, etc. (145). Certains, installés à Paris depuis plus longtemps, font office de « libraires intermédiaires » et emploient leurs compatriotes nouveaux venus à diffuser en Seine-et-Oise les volumes qu'eux-mêmes ont fait venir (146).

Suivant des itinéraires souvent constants, ils peuvent se procurer la marchandise auprès de grandes imprimeries spécialisées dans ce type de production et échelonnées le long du trajet. Certaines maisons parisiennes estiment qu'il est intéressant pour elles de disposer d'un dépôt sur les routes habituellement fréquentées par les colporteurs. Ce qu'ont fait Bès et Dubreuil, imprimeurs et marchands d'estampes quai des Grands-Augustins, qui établissent sous le Second Empire à Saint-Gaudens, au débouché immédiat de la haute vallée de la Garonne, un magasin présentant 1 500 modèles de gravures (147). Plus loin, les colporteurs s'arrêtent chez les grands imprimeurs limousins (Ardant), chez Mame (Tours), Garnier (Chartres), Mégard (Rouen), Lefort (Lille), puis, vers l'Est, chez Popelin (Dijon), Pellerin (Épinal), Berger-Levrault (Strasbourg), enfin à la lithographie Wentzel (Wissembourg).

Voici donc nos « voyageurs » sur les routes, le plus souvent transportant leur marchandise dans une balle qu'ils déroulent sur la place, ou dans une boîte qu'ils portent ouverte accrochée sur la poitrine. Les plus fortunés disposent d'un chariot, et ces « commerçants ambulants » font alors figure de grands seigneurs dans les modestes auberges où ils descendent — que l'on songe au personnage truculent qu'est cet Hector Gilliard, « marchand ambulant de Maubeuge » et rencontré par Stevenson à Pont-sur-Sambre (148).

Les rares informations que nous en avons montrent que les colporteurs peuvent parcourir une moyenne de quelque 20 kilomètres par jour, mais il arrivera de plus en plus qu'ils fassent appel au chemin de fer pour se rendre directement dans leurs départements de travail ou pour accélérer leur tournée ordinaire : « Tu peux aller de Calais à Boulogne pour 3 francs (...), il y a quatre stations intermédiaires. Tu descends à chacune d'elles, et (...) tu explores les villages alentours (...). Foi de Dieu ! Ça allège joliment la balle ! » (149).

L'enregistrement des autorisations ainsi que les *Catalogues* de la Commission du colportage permettent d'avoir une idée assez précise de la nature des ouvrages diffusés et de l'importance des affaires. Le premier domaine est évidemment celui des livres et des estampes à sujets religieux, qui constituent d'ailleurs l'essentiel de la production des imprimeurs-éditeurs cités plus haut : la *Bible* d'Ostervald (150), le *Nouveau Testament* de Lemaistre de Sacy (151), les petits livres de piété, enfin, de multiples historiettes édifiantes « de récréation », sortant souvent des presses de chez Mame. Certaines de ces productions sont réalisées par de petits imprimeurs locaux, notamment lorsqu'il s'agit d'imagerie pieuse : à Grenoble, Charles Prudhomme, imprimeur lithographe, présente à l'estampille, en 1858 et 1859, 200 exemplaires d'un *Oratoire à Marie* et d'un *Chemin de croix*, auxquels il joint des images d'actualité, 1 000 exemplaires d'une *Carte (...) de la guerre d'Italie,* etc. (152).

Le second domaine de cette diffusion est représenté par des pièces d'actualité (une lithographie qui sera interdite, *le Roi de Bavière aux pieds de Lola Montes,* une « chanson » sur telle ou telle affaire passée devant les assises), ou, du côté des livres, par de petits manuels pratiques auxquels les autorités accordent toute leur attention. « Il est indispensable, déclare en 1853 le préfet du Bas-Rhin, que des livres à bon marché puissent être le plus possible à la disposition des masses » (153). Et d'autoriser le colportage d'un *Art vétérinaire,* d'un *Calendrier séculaire,* des *Proverbes du charpentier...* De plus en plus, cette tendance se trouvera cependant balancée par la diffusion des livres d'enseignement, qui constituent souvent l'essentiel des bibliothèques privées décrites par Le Play (154). La lecture de délassement se rencontre rarement, en dehors de la lecture moralisante des bibliothèques, et pratiquement jamais la politique.

Deux remarques encore, le succès de l'almanach vient de ce qu'il combine sous un volume réduit et pour un prix modique les différents types d'ouvrages que nous avons évoqués : le lecteur rural trouvera dans son almanach, outre le calendrier, les fêtes de l'Église, les proverbes et conseils pour les travaux des champs et la vie à la ferme — y compris des conseils d'hygiène, de courtes narrations des événements marquants des mois écoulés et quelques brèves historiettes. D'autre part, si le développement du colportage constitue un premier facteur d'acculturation des sociétés rurales traditionnelles, la facilité croissante des communications et l'obligation scolaire le rendent progressivement inadéquat : le colportage tend à disparaître sous la Troisième République, concurrencé par l'école rurale, le feuilleton et la presse périodique à un sou, voire par les collections populaires à bon marché.

La librairie intermédiaire

La librairie française est une librairie déséquilibrée : en province, pour l'essentiel, l'édition « d'intérêt local », ou régional, et la diffusion ; à Paris, la majorité des principaux éditeurs français, outre bien entendu les libraires de détail. Ce déséquilibre est à l'origine du développement d'un domaine particulier de la diffusion, que nous appellerons, en traduisant littéralement le terme allemand correspondant, la « librairie intermédiaire » *(Zwischenbuchhandlung).*

Le premier modèle est ici celui de la commission. L'idée est simple : certains libraires parisiens représenteront dans la capitale leurs principaux correspondants de province, dont ils passeront les commandes auprès de leurs confrères éditeurs, au nom de qui ils traiteront, pour qui ils avanceront le montant des paiements. Les avantages sont évidents, tant pour la rapidité de circulation des volumes que pour l'économie — le prix de revient diminuant en fonction de la réduction du délai d'attente entre l'édition et la vente.

Les deux parties — commissionnaire et commettant — passent un contrat, qui peut n'être qu'une convention verbale. Le commissionnaire, étant un libraire, obtient de l'éditeur les volumes avec un certain rabais, sur lequel il calcule sa marge bénéficiaire, établie à un taux fixe : en 1831,

« L. Guillemin aîné, commissionnaire en librairie, Palais-Royal, (...) se chargera des commissions (...) au prix modique de 5 % sur les achats de livres cotés au plus bas prix tels qu'il les aura obtenus. Il (...) fera la remise entière sur les abonnements. Les ports de lettres, emballages et frais de remboursement seront à leur charge [des commettants]. Comme il paie tout au comptant, il désire être tenu au courant de ses débours, soit en papier sur Paris, ou en remboursement... » (155).

Les fonctions du commissionnaire sont multiples : il passe chez l'éditeur retirer les souscriptions d'ouvrages pour ses commettants, fait les commandes de ceux-ci, en prend livraison, les groupe par expéditions, tient la comptabilité correspondante, reçoit et transmet tous les documents commerciaux, bulletins de souscription, affiches, etc. que les éditeurs parisiens souhaitent faire distribuer en province. De manière générale, lorsqu'il s'agit de correspondants réguliers, les comptes sont réglés une fois par an, le commissionnaire encaissant le montant de ses interventions successives, augmenté

Dès avant la fin du siècle et la création des Messageries Hachette,
la librairie Hachette s'était donné les moyens de diffuser largement
ses publications, comme en témoigne cette photographie du hall
de la librairie à l'heure de ses expéditions.
(D'après Marius Vachon, *les Arts et industries du papier en France*,
1871-1894. Paris, Libr. impr. réunies [1894].)

des intérêts de l'argent qu'il a avancé
pour régler les commandes.

Ajoutons que les échanges ne se font
pas à sens unique. Un éditeur de province, s'il est suffisamment important,
a généralement intérêt à avoir lui-
même un magasin à Paris. Le commissionnaire peut lui éviter ces frais,
comme le fait Lefort sous le Second
Empire :

> « Dupuy, libraire et commissionnaire, a
> l'honneur de donner avis (...) que, représen-
> tant et dépositaire de la maison Lefort de
> Lille pour les volumes de distribution de
> prix, on trouvera chez lui (...) tous les ouvra-
> ges de cette nombreuse et belle collection,
> aux conditions et prix ordinaires. Seulement,
> on ne fera qu'au comptant, avec escompte
> de 2 % pour toute demande au-dessus de
> 100 francs... » (156).

On compte 40 libraires commissionnaires recensés par Bottin à Paris en
1840 (157). Rares se trouvent cependant les libraires qui ne travaillent que
pour la commission car la plupart du
temps, ce sont des libraires-éditeurs et
détaillants, plus ou moins spécialisés.
Ainsi Baillière, rue de l'École-de-
Médecine, fait la commission pour la
France et l'étranger et « se charge de
toutes les commissions de librairie
anglaise » — n'a-t-il pas un magasin
219 Regent Street à Londres ? (158).

De même Hector Bossange, libraire
à Paris et à Leipzig, fait la commission
allemande (159). De son côté, Berger-
Levrault, libraire-éditeur, détaillant et
commissionnaire à Paris et à Strasbourg, dispose de ses propres commissionnaires en Allemagne (Steinacker à
Leipzig, Jaeger à Francfort et Neff à
Stuttgart) par lesquels il entre directement en rapport avec la librairie
d'outre-Rhin. En 1854, les frais de ces
trois commissionnaires, qui gèrent également dans les trois villes des dépôts
du fonds de Berger-Levrault, s'élèvent
à 900 francs (160).

Mais les libraires proprement dits
peuvent voir dans leurs commissionnaires des concurrents que leurs vastes
relations d'affaires rendent plus dangereux : les fonctions des commissionnaires

> « ne seraient pas sans quelque analogie avec
> celles des agents de change dans les opéra-
> tions de Bourse, s'ils se bornaient strictement
> à faire le détail moyennant un droit de
> vente, ou bien à recevoir des livres en dépôt

à condition de les vendre ou de les restituer dans un temps donné à l'éditeur dépositaire (...). Malheureusement, ce n'est que bien rarement qu'ils se renferment dans cette prudente réserve » (161).

À l'inverse, certains libraires se spécialisent dans cette seule « librairie intermédiaire », y compris entre libraires et éditeurs parisiens : « un commissionnaire hardi, Aniéré, eut l'idée d'établir un dépôt des éditeurs dans un magasin, rue Dupuytren, où il offrait les volumes au prix net, avec une ristourne de 10 % par volume, partageant ainsi la moitié des treizièmes gratuits. Les coureurs en librairie en profitaient et économisaient de nombreuses courses. Ce fut un grand succès, continué par les successeurs d'Aniéré, Broussois et Victorion » (162).

La librairie de gros s'est développée sensiblement moins vite que la commission. Le principe en est connu, le grossiste s'adressant directement au fabricant, dont il obtient, par ses commandes plus importantes, des rabais supérieurs à ceux consentis au seul détaillant. Au niveau national, la commission traditionnelle perd de son intérêt au fur et à mesure que les facilités de communication et de paiement permettent aux libraires et aux éditeurs d'entrer directement en relations d'affaires.

Dès lors, la fin de la période sera l'époque où se développe le phénomène, nouveau en France, de la librairie de gros. Nous en avons déjà rencontré des exemples, à petite échelle, avec certains libraires de province, qui font sous le Second Empire office de grossistes pour les colporteurs régionaux venant s'approvisionner chez eux. Nous changeons d'échelle lorsque Hachette reprend en 1897 la maison Périnet et Faivre, et entre massivement par ce biais dans le domaine de la distribution : c'est l'origine des futures Messageries Hachette (163).

La librairie française a globalement réussi sa mutation industrielle. Augmentation importante du nombre des libraires, individualisation et spécialisation de la fonction éditoriale, élargissement du réseau de diffusion et développement de canaux spécifiques adaptés à un type de produit comme à une certaine conjoncture géographique ou chronologique : les résultats sont d'autant plus remarquables qu'ils se trouvent acquis à une époque où l'évolution d'ensemble — notamment démographique — devient médiocre, et où la « grande nation » se trouve face à des concurrents nouveaux aux résultats plus brillants.

Plus remarquable encore, le rattrapage de l'alphabétisation et du développement des réseaux du livre, de sorte que le désenclavement économique, qui peut être tragique, s'accompagne d'un désenclavement culturel aux effets beaucoup plus positifs. À terme, c'est ce dernier qui permettra aux régions défavorisées d'échapper au déclin absolu. À l'extérieur, la France désormais contestée et apparaissant comme une zone d'affaissement démographique, fait, du côté de la librairie, jeu égal avec la nouvelle Allemagne wilhelminienne (164). La densité moyenne plus faible implique, pour un résultat analogue, un effort plus grand, et le taux de 5 000 habitants par libraire que l'on observe en France en 1879 est à mettre en parallèle avec les 12 000 habitants par libraire de l'Empire en 1875. À la veille de la Première Guerre mondiale, la logique économique et démographique l'a emporté, et les chiffres se sont — mais de peu — inversés : 7 900 habitants par libraire en France, 6 900 dans une Allemagne désormais plus riche et massivement urbanisée (165).

Les facteurs positifs que constitue une position toujours prédominante sur les marchés étrangers (166), plus tard relayés par l'empire colonial, ne contrebalancent pas les effets négatifs d'une conjoncture intérieure souvent moins bonne. Il faut donc qu'il y ait eu en faveur du livre un choix, pour ainsi dire conscient, qu'il convient de rattacher au développement, à la même époque, de l'alphabétisation, puis de l'école publique. La société française s'assimile à la logique politique née à la fin du XVIIIe siècle, l'imprimé sera le support privilégié du rattrapage, en même temps que la généralisation de la « culture gutenbergienne » permettra, dans une optique demeurée jacobine, d'abord de gommer, puis d'occulter de la mémoire collective l'essentiel des oppositions entre régions (167). Même si le réseau est moins densément maillé, l'image de la librairie renvoie implicitement à celle de l'école que l'on va ouvrir dans les plus petites communes. Ce n'est que très progressivement que le contre-effet se fera sentir, en ce sens que la massification même de l'imprimé implique en fait à terme un éclatement interne d'une société de liseurs dont le caractère minoritaire avait jusque-là davantage préservé l'unité (168).

Notes

1. La bibliographie est immense, mais très dispersée : outre les études d'ensemble, au premier rang desquelles Néret, on trouve une masse d'informations ponctuelles dans les parties « Chronique » et « Feuilleton » de la *Bibliographie de la France* ; la statistique est fournie par les différents annuaires à caractère commercial, annuaires généraux (le *Bottin*) ou spécialisés (*Annuaire de la librairie,* entre autres). Joignons-y les monographies d'entreprises, et, plus nombreuses, les sources à caractère littéraire, mémoi-

res, souvenirs (de Barba...), correspondances, etc. La bibliographie historique récente porte davantage sur des points particuliers et sera donnée au fil de l'exposé.

2. Fondamental, le problème de la poste et de l'acheminement du courrier : en 1854 est mis en place le système de la taxe des lettres par l'expéditeur. À l'image de Louis Hachette, les éditeurs parisiens avertissent sans tarder leurs correspondants provinciaux qu'ils n'accepteront plus le courrier en port dû.

Les imprimés font bientôt l'objet d'une tarification postale préférentielle, calculée soit au poids, soit à la feuille : le tarif, en 1856, varie de 2 centimes — pour le Royaume-Uni — à 7 centimes — pour les duchés d'Anhalt — pour 10 grammes, soit, pour un ouvrage courant, un prix d'expédition de 40 à 50 centimes. Pour la France, le tarif est de 1 centime par poids ou fraction de 5 grammes, suivant un barème dégressif, de telle sorte que le port est de 10 centimes pour 100 grammes, puis pour chaque hectogramme en excédent. L'expédition d'un livre de 250 grammes revient donc à 25 centimes, ce qui peut correspondre à une demi-heure de travail d'un bon ouvrier. Au-delà de 3 kg, on doit faire appel à l'expédition par les compagnies ferroviaires, ou les transporteurs spécialisés (loi du 25 juin 1856).

3. H. de Balzac, les *Illusions perdues*, le Livre de poche, p. 174. La citation éclaire également sur l'organisation même du marché et la fixation des prix du livre : Porchon est donc le libraire commissionnaire, il prend à l'éditeur de Ducange des exemplaires « en nombre », que ce dernier lui « passe alors à cinq francs » en lui donnant « double treizième ». Puis Porchon assure lui-même, par ses commis itinérants, la diffusion en province. Cependant, les acheteurs — dont les libraires détaillants — de province ne sont pas toujours intéressés, de sorte que pour faire accepter le *Petit Vieillard de Calais*, le commissionnaire doit vendre à perte d'autres ouvrages, sur lesquels il n'a pas eu de remise aussi importante et que leur prix trop élevé empêchait d'écouler normalement.

4. *Bibliographie de la France*, Feuilleton, 1837, p. 2.

5. A.D. Bas-Rhin, fonds Berger-Levrault, *Journal* n° 18, p. 25 (en date du 10 janvier 1854).

6. A.D. Yvelines, gde instance, U-0490, affaire Veret.

7. A. Thiers, *Histoire de la Révolution française de 1789 jusqu'au 18 brumaire*, Paris, 1823-1830 (10 volumes).

8. A.D. Yvelines, 49-T 2.

9. A.V.P., D11-U3 73.

10. *Bibliographie de la France*, chronique de 1838.

11. A. France, *Le Crime de Silvestre Bonnard*, le Livre de poche, pp. 9 à 13.

12. H. de Balzac, *Illusions perdues, ouvr. cité*, p. 173.

13. A.V.P., D4-U1 438.

14. Comme l'a montré F. Parent, le « kiosk » apparaît sous la Restauration au Palais-Royal et sur les Champs-Élysées, où il est d'abord destiné à la location de journaux auprès des promeneurs.

15. A.D. Bas-Rhin, fonds Berger-Levrault, *Journal* n° 18, p. 25. Ces dépenses sont portées en débit du compte « Marchandises » lorsqu'il s'agit d'ouvrages d'assortiment, du compte « Imprimerie » lorsqu'il s'agit d'ouvrages de fonds.

16. *Ibidem*. Il s'agit en l'occurrence d'un mouvement en débit du compte des « ouvrages de fonds » au profit de celui des « débiteurs divers », lequel est à son tour débiteur des mêmes sommes au compte de « caisse » — ce qui signifie que l'argent a été versé en liquide.

17. *L'Illustration* constitue d'ailleurs à cet égard (et notamment à l'approche des fêtes) un excellent observatoire pour l'historien, complémentaires de celui de la *Bibliographie de la France*, en ce sens qu'il permet de détailler les conditions de vente au public lui-même, et non plus les pratiques des relations d'affaires entre professionnels de la librairie.

18. *Ibidem*.

19. *Ouvr. cité*, pp. 230-231.

20. F. Barbier, « Une librairie internationale, Treuttel et Würtz », *Revue d'Alsace*, 1985.

21. *Adressbuch der deutschen Buchhaendler*, Leipzig, 1838.

22. *Bulletin mensuel des principales publications de la librairie allemande*, Paris, H. Le Soudier, librairie étrangère, 1911. Notons cependant que ce *Bulletin* a un éditeur allemand, le grand libraire Hinrichs, de Leipzig, et qu'il est imprimé à Osterwieck dans le Harz.

23. De nombreux exemples de chiffres de tirages dans la sous-série F18 des Archives nationales.

24. A.N., F18*-II-176 et suiv., dépôt légal de 1880.

25. Dès lors, le « Feuilleton » commercial, qui constitue pour l'historien du livre une source documentaire de première importance, se trouve institutionnalisé.

26. Voir les *Rapports* successifs de celles-ci.

27. Soulignons ici le choix des villes retenues : Genève et Lausanne visent évidemment le marché suisse francophone, Stuttgart est le principal centre de la librairie en Allemagne méridionale et se trouve en outre, comme capitale du royaume de Wurtemberg, dans une phase exceptionnelle d'expansion, Leipzig est le pôle incontesté de la librairie allemande, Saint-Pétersbourg enfin comme centre de la « Russie des grands ducs », aux disponibilités financières considérables et où la francophonie demeure vivace.

28. G. Darien, *Les Pharisiens*, Paris, 1891. L'ouvrage donne par ailleurs un exemple intéressant de circuits parallèles de diffusion : pour lancer *la Gaule sémitique*, on en adresse des exemplaires — véritables spécimens — aux « ecclésiastiques de province », que l'on estime bien placés pour assurer la promotion de l'ouvrage.

29. L'idée de la « bibliothèque », collection suivie, possédant une certaine unité intellectuelle (la nature des textes publiés) et matérielle (la présentation uniforme de volumes, leur prix généralement constant), doit également être regardée d'abord comme une idée publicitaire.

30. Sur ces problèmes, voir notamment J. Goldfriedrich et F. Kapp, *Geschichte des deutschen Buchhandels*, Leipzig, 1886-1903.

31. Voir p. 52.

32. *Répertoire général de droit français*, article « libraire » ; « les libraires peuvent actuellement (depuis 1881) vendre les livres au prix qu'ils jugent convenable, pourvu, d'ailleurs, qu'en le faisant ils évitent de commettre des actes tombant sous l'application des règles de la concurrence déloyale (...) ; sous l'empire du décret du 14 octobre 1811, depuis longtemps virtuellement abrogé par la charte des 4-10 juin 1814, il était interdit d'annoncer aucun ouvrage (...) si ce n'est après qu'il avait été annoncé par le *Journal de la librairie*, en se conformant pour le prix de l'ouvrage à celui qui avait été indiqué dans ce *Journal*, à peine de 200 francs d'amende ». Sur ces problèmes, voir également ci-dessous note 41.

En 1898, les éditeurs et les détaillants décident que la remise maximale sera de 20 %, mais la majorité des libraires, non syndiqués, n'appliquent pas cet accord, supprimé dès la même année.

33. Voir *Bibliographie de la France*, Feuilleton, 1838, n° 40, p. 5 : « M. Charpentier (...) publie cette semaine une nouvelle édition de la *Physiologie du mariage*, par M. de Balzac, en un seul volume in-18 grand jésus vélin [et de la *Physiologie du goût*] (...). Ces deux ouvrages sont imprimés avec beaucoup de soin, sur très beau papier vélin. Le prix de chacun d'eux est de 3 francs pour 3,50 francs, et 7/6 exemplaires... » De même, pour les *Œuvres complètes* de Byron publiées également par Charpentier en 1837, avec une gravure sur acier, au prix de 8 francs pour 10 francs, et toujours 7/6 exemplaires (*Ibid.*, 1837, n° 8, p. 2).

34. Autre exemple, moins célèbre, pour le cas d'Auguste Bobée, libraire de la rue des Petits-Augustins, et qui prévoit en 1835 de publier « une nouvelle collection des Mémoires pour servir à l'histoire de France, avec des notices pour caractériser l'auteur de chaque mémoire, le mémoire et l'époque (...). Cette collection formera 25 à 30 volumes in-8° sur papier jésus à 2 colonnes, de 40 feuilles chacun ». Une société est créée pour ce travail, et le prix de vente sera de 10 francs par volume, enfin, on aura les « septièmes gratuits » :

« Monsieur Bobée tiendra compte à la société de chaque volume au prix de 9,50 francs, déduction faite des septièmes et des exemplaires donnés, c'est-à-dire qu'il payera 7/6 vingt volumes 57 francs. S'il est fait des demandes en nombre en dessous de ce dernier prix, le gérant pourra les accepter, pourvu qu'elles donnent 15 % de bénéfice net (...). Il supportera seul les frais de gestion et de magasinage, moyennant 125 francs par mois » (A.V.P., D32-U3/16, n° 1090, et D31-U3/65, n° 1090).

35. Estimation inférieure : pour 100 francs prix éditeur, 15 % de remise, « treizièmes gratuits » (soit une surremise de 8,3 %). Pour l'estimation supérieure, 28 % de remise, et les « septièmes gratuits », soit une surremise de 16,7 %.

36. Pour des exemples, voir la collection de catalogues de libraires conservée par la Bibliothèque nationale dans la série 8°-Q/10 (A et B).

37. *Catalogue corrigé et augmenté...*, Paris, 1864.

38. *Ouvr. cité*.

39. A.V.P., D32-U3/64, n° 501, et D31-U3/342, n° 501. Rappelons que les archives de cette librairie ont été déposées aux Archives nationales et largement exploitées par Jacques Monfrin, *Honoré Champion et sa librairie, 1874-1978* (Paris, 1978).

40. Le détail de cette négociation dans la *Chronique* de la *Bibliographie de la France*, 1891, notamment n° 2, pp. 5 à 7.

41. Les imprimeurs typographes possédaient de longue date une chambre syndicale (à Paris, depuis 1837). En 1892, les libraires créent la chambre syndicale des libraires, qui publiera notamment le *Bulletin des libraires,* et dont l'un des principaux objectifs sera d'obtenir une réglementation des rapports entre éditeurs et détaillants. Cette même année, les éditeurs créent également leur chambre syndicale : ils « s'engagent à ne favoriser aucun correspondant au détriment des autres, à traiter de préférence avec les libraires établis. Ils ne feront que des remises uniformes à tous les libraires de France et d'Algérie, pour des demandes de même importance, faites dans les mêmes conditions d'expédition ».

42. A.N., F18-2296 à 2309.

43. Sous-série F18 des Archives nationales.

44. A.N., F18-2309.

45. A.N., F18-2297.

46. *Ibidem.*

47. *Ibidem.*

48. *Ibidem.*

49. A.N., F18-2303. « Les établissements qui ne sont pas situés dans les villes chefs-lieux d'arrondissement sont de très peu d'importance. Le commerce de la librairie dans le département est presque insignifiant. »

50. A.N., F18-2998.

51. *Ibidem.* Soulignons la différence des traitements : le principal ne sera pas inquiété, quoiqu'il lèse les libraires établis et l'État (en ne payant aucune patente). Au contraire, aucune indulgence n'est manifestée à l'égard des petits libraires, des colporteurs, etc. pour une infraction même minime.

52. Cependant, Ardes-sur-Couze, chef-lieu de canton du sud du département, fait fonction de centre de redistribution entre la Limagne et les monts du Cézallier.

53. Il s'agit ici d'une opposition entre les fonctions des différentes villes : dans les Vosges, une localité comme Plombières n'a évidemment pas la population intrinsèque qui justifierait son équipement en librairies. Le phénomène inverse est observable dans le cas des banlieues, dont les villes les plus importantes n'ont absolument pas l'équipement culturel — y compris la densité de réseaux de distribution des livres — que justifierait leur seul poids démographique.

54. Déclarations déposées dans A.N., F18.

55. *Art. cité,* note 68.

56. Autrement dit, la densité plus grande du réseau des libraires annule les effets positifs qui auraient découlé de la hausse du revenu moyen : ce qui subsiste, c'est le fait que la masse disponible pour ces biens de « seconde nécessité » dont font partie les livres augmente, au-delà d'un certain seuil, plus vite que le revenu.

57.

Départements	Population	Librairies
Seine	1,107 M.	170
Seine-et-Oise	0,450 M.	30
Seine Inf.	0,721 M.	57
Nord	1,026 M.	92
Pas-de-Calais	0,665 M.	30

58.

Départements	Population	Librairies
Seine	4,154 M.	1 160
Seine-et-Oise	0,818 M.	182
Seine Inf.	0,877 M.	106
Nord	1,962 M.	273
Pas-de-Calais	0,906 M.	111

59. Voir ci-après le jeu de cartes établies par quartiles.

60. Voir sur ces problèmes de géographie historique : H. Le Bras, E. Todd, *L'Invention de la France : atlas anthropologique et politique,* Paris, 1981. Notamment pp. 39 et 201.

61. Ce qu'il faut surtout souligner, c'est l'hétérogénéité beaucoup plus grande des départements du midi de la France : l'analyse régionale conduit de fait à distinguer plusieurs « Midis », le sillon rhodanien, une partie des départements alpins et la Côte d'Azur en plein processus de rattrapage, un groupe de départements « tirés » vers le haut par des villes importantes (Bordeaux, Toulouse) ou par un semis urbain plus dense (le Languedoc), enfin, le Midi que les hommes désertent de plus en plus, et où l'établissement et la marche d'un commerce aussi spécialisé que celui de la librairie demandent proportionnellement un investissement plus important.

62. La concentration de l'habitat est le vecteur obligé de toute spécialisation au sein de la communauté prise dans son ensemble, en même temps que, par l'éclatement des familles anciennes, de la valorisation individuelle : deux éléments éminemment favorables à une diffusion en profondeur de l'écrit.

63. Élément à mettre en relation avec la spécificité d'un Nord, terre de reconquête radicale du catholicisme post-tridentin. Voir Le Bras et Todd, *ouvr. cité,* p. 294.

64. Charente, Haute-Vienne, Corrèze, Puy-de-Dôme, Haute-Loire, Ardèche.

65. A.V.P., D11-U3/64, n° 6134.

66. A.V.P., D11-U3/70, n° 6390. *A posteriori,* cette rusticité de l'installation entre dans la légende des « grands libraires ». Quicherat, aux obsèques de Louis Hachette : « je l'ai vue, cette modeste librairie de Brédif, dont Hachette fit l'acquisition en 1826 : une simple chambre, entourée de rayons presque entièrement vides ; un seul ouvrage de fonds, les *Catilinaires,* traduites par Burnouf, et quelques ouvrages d'assortiment... » (*Bibliographie de la France, Chronique,* 1864, p. 128).

67. *Bibliographie de la France,* Feuilleton, 22 avril 1837, p. 3.

68. A.V.P., D11-U3/72, n° 6478.

69. De même Lecureux et Lacoste, successeurs de Cordier dans sa librairie du 16, rue Poupée, annoncent-ils, en 1840, 100 000 volumes dépareillés, anciens et modernes (*Bottin,* Paris, 1840).

70. Le fonds est vendu aux enchères publiques le 30 mai 1836, par l'intermédiaire du notaire Me Debière, sur poursuite de Me Camaret, avoué.

71. A.N., F18-2300.

72. A.N., F18-2296 (1851).

73. *Ibidem.*

74. A.N., F18-2303.

75. H. de Balzac, *Eugénie Grandet,* Pléiade, p. 598.

76. *Bibliographie de la France,* Feuilleton, 24 juin 1837, p. 1.

77. Voir : F. Barbier, *Le Monde du livre à Strasbourg, de la fin de l'Ancien Régime à la chute de l'Alsace française,* Paris, 1981 (Thèse dactyl.). Silbermann participe à ce titre à la fondation de la *Revue entomologique* et publie lui-même un certain nombre de monographies dans ce domaine, comme l'*Aperçu des coléoptères d'Alsace* (Mulhouse, 1833), et surtout le *Catalogue des coléoptères d'Alsace et des Vosges* (Strasbourg, 1866).

78. Sur ces problèmes, voir l'étude de F. Leuilliot, *L'Alsace au début du XIXe siècle,* Paris, 1959-1960 (3 volumes). Importante bibliographie au tome III, pp. 341-479.

79. D'une manière générale cependant, ce type d'appréciation demeure très difficile à faire : les librairies les plus importantes sont d'abord des maisons d'édition, et il n'est pas possible de ventiler les employés selon la nature de leur activité.

80. Tenan de La Tour, *Mémoires d'un bibliophile, ouvr. cité* note 83, p. 31.

81. M. Alhoy, L. Huart, *Robert Macaire, libraire,* Paris, 1839-1840.

82. *Les Français peints par eux-mêmes, ouvr. cité.*

83. Tenan de La Tour, *Mémoires d'un bibliophile,* Paris, E. Dentu, 1861 (impr. Bonaventure et Ducessois), pp. 325 et suiv. Et plus loin : « je m'étais senti gagné insensiblement par une assez vive impatience, (...) mais jamais, assurément, je ne serais allé jusqu'à me servir de cette expression *marchand de livres,* expression que les libraires les moins fanatiques de leur état ont toujours considérée comme la plus mortelle injure... »

84. *Ibidem,* p. 327.

85. *Ouvr. cité,* note 51.

86. À propos du cent-cinquantenaire du *Bulletin du bibliophile,* voir : *Bulletin du bibliophile,* 1984, n° 4, notamment le catalogue de l'exposition organisée à cette occasion par la bibliothèque de l'Arsenal.

87. A. Dumas père, *Mémoires,* Paris, 1927, pp. 102-103.

88. Voir par exemple A.D. Nord, I-T-216/4. L'administration souhaite faire parvenir dans les cercles et cafés le *Journal officiel* et le *Moniteur des communes* et demande une liste de ces établissements par ordre d'importance. La liste est impressionnante : dans l'arrondissement d'Hazebrouck, à Bailleul, le Cercle de l'Union, cinq estaminets ; à Steenwerck, l'estaminet Saint-Georges ; à Nieppe, l'estaminet du Cerf ; à Cassel, le Cercle de l'Union, et 2 hôtels ; à Hazebrouck, 7 cafés, 2 cercles de lecture, 3 estaminets ; à Caestre, un cabaret ; à Morbecque, 2 cafés ; à Merville, un hôtel ; à Estaires, 2 estaminets ; à La Gorgue, un estaminet ; à Steenworde, un hôtel ; à Boeschèpe, un estaminet. À la même date, Lille compte 13 cercles possédant au moins des périodiques, le cabinet de

lecture de la vve Laurent, et 59 cafés abonnés à différents journaux.

89. Le gantier de Biviers, décrit par Le Play *(ouvr. cité)* « parcourt plutôt qu'il ne les lit les deux journaux de la localités, qu'il trouve à l'auberge du village et chez un voisin... ».

90. Nadaud (Martin), *Léonard, maçon de la Creuse,* Paris, 1982, p. 85. Plus loin (p. 96), un exemple tout à la fois de la géographie spécifique des librairies parisiennes et de la présence de certains canaux de diffusion nous demeurant dans la majeure partie des cas inaccessibles : « C'est (...) à cette époque de 1838 à 1848 que l'on vit naître des journaux socialistes, et publier beaucoup de brochures. Je ne manquais pas de me procurer chez le libraire Rouannet, rue Joquelet, les plus révolutionnaires et d'en faire la lecture à mes élèves » (des cours qu'il donne le soir à d'autres ouvriers).

91. *Quelques mots du bonhomme (Roger, ancien typographe de Paris) aux gens sensés, studieux, équitables,* Paris, impr. Beaulé et Cie, 1 f. (A.N., F18-552).

92. F. Barbier, *ouvr. cité,* note 96.

93. R. L. Stevenson, *La France que j'aime...,* Nelle édition, Paris, 1978, pp. 74 et suiv. Stevenson achète d'ailleurs le petit volume, qui « formait un curieux mélange (...). Dans le cahier de l'ambulant, il y avait un numéro intitulé *Conscrits français* qui peut prendre rang parmi le lyrisme de guerre le plus démoralisant dont on ait gardé mémoire (...) ».

94. Apparaissant aussi au détour d'une description dans maint roman de la seconde moitié du siècle : « elle s'arrêta aux annonces d'un kiosque, crûment coloriées comme des images d'Épinal... » (É. Zola, *La Curée,* la Pléiade, p. 206).

95. H. de Balzac, les *Illusions perdues, ouvr. cité,* p. 174.

96. « Sic ».

97. *Ibidem,* p. 228.

98. A.N., F18-1766.

99. A.D. Yvelines, gde instance, U-0490.

100. Voir par exemple : M. de Janze, ancien député, *Le Monopole Hachette,* Paris, 1887. « Dès qu'un homme, muni de son billet, qui devient alors une sorte de billet de *confession,* a franchi le seuil des salles d'attente, il ne peut plus se procurer que les livres et journaux spéciaux qu'il convient à la maison Hachette de lui fournir... » Hachette opère une sorte de censure dont l'étude serait intéressante : en 1882, il met en vente dans ses kiosques 3 949 titres différents et en refuse 18 à ses confrères, dont *la France juive* de Drumont, mais aussi *Une vie* de Maupassant, *La Prostitution* d'Yves Guyot, etc. Le 16 mai, il exclut des gares tous les journaux républicains. On connaît la doctrine de Louis Hachette, exprimée dès 1852 : il bannit de sa *Bibliothèque des chemins de fer* « toutes les publications qui pourraient exciter ou entretenir les passions politiques, ainsi que tous les écrits contraires à la morale (...) ; car on sait que dans un pays voisin du nôtre, les mauvais livres se sont vendus par milliers dans les stations, achetés par des jeunes gens et par des jeunes femmes qui voyageaient dans le seul but de dévorer des romans qu'elles eussent rougi de laisser pénétrer dans le foyer domestique... » (Cité dans : *Hachette, année*

150, ouvr. cité, pp. 18 à 21. On appréciera le changement involontaire de genre : « des jeunes gens et des jeunes filles »... « qu'elles eussent rougi »...

101. A.V.P. D31-U3/25, n° 1351.

102. Ce qui permet d'éviter l'obligation de créer de trop nombreux nouveaux brevets de libraires à travers toute la France.

103. *Bibliographie de la France,* Feuilleton, 1854, n° 7, pp. 70-71 : « Bibliothèque des chemins de fer. Environ 500 volumes au format de poche (plus de 100 volumes ont paru, 200 volumes sont en cours de rédaction). Volumes en vente au 1er février 1854 dans les principales gares des chemins de fer et chez tous les libraires : 1) Guide des voyageurs (couvertures rouges) (...) ; 2) Histoire et voyages (couvertures vertes) ; 3) Littérature française (couvertures cuir) (...) ; 4) Littératures anciennes et étrangères (couvertures jaunes) (...) ; 5) Agriculture et industrie (couvertures bleues) (...) ; 6) Livres illustrés pour les enfants (couvertures roses) ; 7) Ouvrages divers (couvertures saumon)... » Les prix varient de 0,75 franc à 2,50 francs par volume.

104. Le taux de prélèvement de Hachette sur les ventes de ses confrères est de 40 % de la marge bénéficiaire.

105. Rappelons qu'Adolphe-Laurent Joanne est notamment le fondateur de l'*Illustration,* avant de devenir un spécialiste des guides de voyages.

106. A.D. Yvelines, 49-T/2.

107. Reprod. dans *Hachette, années 150, ouvr. cité.*

108. À titre comparatif, voir : F. Barbier, « La librairie ancienne en Allemagne au XIXe siècle », *Bulletin du bibliophile,* 1984, n° 4, pp. 542-560. Donne en notes une bibliographie d'orientation.

109. G. de Maupassant, *Le Docteur Héraclius Gloss,* la Pléiade, pp. 9 et suiv. Voir l'étude de ce conte faite par Ch. Castella, *Structures romanesques et vision sociale chez G. de Maupassant,* Paris, 1973.

110. J. Romains, *Le Six octobre,* Nelle éd., Paris, 1981.

111. Dossier intéressant sur ces personnages que l'historien a du mal à saisir, dans A.N., F18-551 : c'est l'ordonnance de petite voirie en date du 21 août 1822, sur les étalages sur la voie publique, qui règle les rapports des bouquinistes avec l'autorité. Dans un rapport non daté, postérieur de quelques années à ce texte, on peut lire : « Les bouquinistes sont une classe de libraires en quelque sorte particulière à la capitale. On leur accordait des permissions provisoires (...). On compte environ 300 bouquinistes étalagistes (...). Les autorisations doivent (...) être renouvelées une fois par an. Quelques bouquinistes ont plusieurs étalages ; d'autres sont des jeunes gens à peine sortis de l'enfance ; d'autres exercent sans permission, particulièrement les marchands de tableaux et certains épiciers qui achètent des lots dans les ventes publiques et revendent en détail des livres qu'ils ne connaissent nullement selon leur propre aveu. Plusieurs enfin sont aux gages de libraires brevetés et vendent des livres neufs... » Et, dans un autre rapport contemporain :

« Il y a des ventes après décès où il se trouve 100 ou 200 volumes d'une petite valeur. Les commissaires-priseurs ne les annoncent pas. Il ne se trouve donc à ces ventes que des fripiers ou des chaudronniers, et ce sont eux qui achètent ces livres. Pour s'en défaire, ils sont obligés de les étaler devant leurs boutiques » *(ibidem)*. C'est évidemment ce côté incontrôlable qui inquiète les autorités.

112. Daumier, 883, lithographie parue dans *le Charivari* du 14 mai 1846. Voir *Catalogue* de Hazard et Delteil, n° 2436.

113. Tenant de La Tour, *ouvr. cité,* pp. 343-344.

114. A. Fontaine de Resbecq, *Voyages littéraires sur les quais de Paris : lettres à un bibliophile de province,* Paris, A. Durand, libr.-éd. (impr. et lithog. de Renou et Maulde), 1857, pp. 39-41.

115. *Ouvr. cité* note 114, notamment p. 111.

116. *Ibidem,* notamment p. 43.

117. *Ibidem,* notamment pp. 71 et 123.

118. Fontaine de Resbecq, *ouvr. cité* note 114, notamment pp. 183 et suiv.

119. *Ibidem.*

120. Archives municipales de Valenciennes, fonds Lemaître.

121. A.D. Bas-Rhin, fonds Berger-Levrault, *Journal* n° 18, p. 73 (3 mai 1853).

122. A.N., F18-2306.

123. A.N., F18-1766. Signalons que Galignani est d'origine anglaise et s'établit en France en 1801. Il se marie vers 1825 et achète une propriété à Étiolles, dont il devient maire quelques années plus tard.

Les Galignani joignent à leur cabinet de lecture une librairie internationale travaillant également pour les libraires d'assortiment.

124. A.V.P., D11-U3/64, n° 6134.

125. *Bibliographie de la France,* Feuilleton, 1837, n° 12, p. 2.

126. *Bottin commercial* de 1840.

127. A.V.P. D11-U3/70.

128. *Ouvr. cité,* note 126.

129. Et, avant lui, par Balzac. Le Palais-Royal est notamment le rendez-vous des étalagistes et des libraires « à la mode » : « en place de la froide, haute et large galerie d'Orléans (...) se trouvaient des baraques, ou, pour être plus exact, des huttes en planches, assez mal couvertes, petites, mal éclairées sur la cour et sur le jardin par des jours de souffrance appelés croisées, mais qui ressemblaient aux plus sales ouvertures des guinguettes hors barrière. Une triple rangée de boutiques y formait deux galeries, hautes d'environ 12 pieds. Les boutiques sises au milieu donnaient sur les deux galeries, dont l'atmosphère leur livrait un air méphitique, et dont la toiture laissait passer peu de jour à travers des vitres toujours sales. Ces alvéoles avaient acquis un tel prix par suite de l'affluence du monde, que malgré l'étroitesse de certaines, à peine larges de 6 pieds et longues de 8 à 10, leur location coûtait mille écus. Les boutiques, éclairées sur le jardin et sur la cour, étaient protégées par de petits treillages verts, peut-être pour empêcher la foule de démolir, par son contact, les murs en mauvais plâtras

qui formaient le derrière des magasins » *(Illusions perdues).*

130. G. Flaubert, *ouvr. cité,* p. 173. On peut parfaitement s'abonner à distance, comme le montre également Flaubert dans *Bouvard et Pécuchet :* lorsque les deux héros, dans leur château de Normandie, se passionnent pour l'histoire, le libraire parisien Dumonchel « prit en leur nom un abonnement à un cabinet de lecture, et leur expédia les *Lettres* d'Augustin Thierry, avec deux volumes de M. de Genoude... »

131. L'élément déterminant reste cependant la baisse radicale des prix de vente, dans la mesure où le propriétaire du cabinet de lecture ne peut pas la suivre s'il veut conserver un minimum de ressources. Nous en sommes cependant, pour cette approche, réduits à l'extrapolation à partir d'éléments extérieurs, aucun fonds d'archives privées provenant d'un cabinet de lecture n'étant, à notre connaissance, repéré.

132. A.D. Bas-Rhin, T-213.

133. A.N., F18-2300.

134. *Bottin commercial* de 1910.

135. Le *Livre annonce* fonctionne à partir des fonds d'autres éditeurs, dont la société s'est procuré des ouvrages en nombre. Elle les fait relier à en-tête du *Livre annonce* il y ajoute sa publicité. C'est le cas avec le roman de Jules Sandeau, *Le Docteur Herbeau,* publié par Charpentier en 1889.

136. C'est notamment le cas à Paris : d'après la *Chronique* de la *Bibliographie de la France,* 1891, n° 37, pp. 207-208, les bibliothèques de la Ville ont effectué 29 339 prêts en 1878, 57 840 en 1879 (pour 11 bibliothèques), et 1,4 million en 1890 (pour 64 bibliothèques).

137. De nombreux exemples, encore une fois, dans les monographies de Le Play, *ouvr. cité :* à Hérimoncourt (Doubs), en 1858, Georges B., monteur d'outils en acier, « aime la lecture ; le dimanche, lorsque le temps est mauvais, et le soir, il se plaît quelquefois à lire à sa femme des passages de divers ouvrages prêtés par la bibliothèque populaire établie à Hérimoncourt pour les ouvriers de la maison P., ou par des camarades... ».

138. A.N., F18-2999.

139. *Bibliographie de la France,* Feuilleton, 1836, n° 13.

140. Sur le colportage de librairie, voir : J. P Darmon, *Le Colportage de librairie en France sous le Second Empire,* Paris, 1972. Bibliographie complémentaire dans : F. Barbier, « Le colportage de librairie dans le Bas-Rhin sous le Second Empire », *105ᵉ Congrès national des sociétés savantes,* Hist. mod. et cont., I, pp. 283-299. F. Barbier, « Un exemple d'émigration temporaire : les colporteurs de librairie pyrénéens (1840-1880) », *Annales du Midi,* tome VC, n° 163 (juil.-sept. 1983), pp. 291-307.

141. F. Barbier, *art. cité.*

142. *Ibidem.* Un exemple de colporteur « chantant » : dans les Vosges, en 1865, Pierre-Louis Collignon, domicilié à Bazoilles-sur-Meuse, demande « à colporter et à vendre dans le département (...) le petit livre de dévotion intitulé *Petit Paroissien des enfants,* suivi de plusieurs cantiques que je chante pour obtenir le débit de ce livre » (A.D. Vosges, 17M-10). Mais nous retrouvons les colporteurs dans le village normand de Bouvard et Pécuchet, autour sans doute de 1848 : un jour que l'un des deux amis se rendait chez le forgeron, « il fut accosté par un homme portant sur le dos un sac de toile, et qui lui proposa des almanachs, des livres pieux, des médailles bénites, enfin le *Manuel de la santé* par François Raspail... ».

143. A.N., F18-2300.

144. Des exemples dans Barbier (F.), *art. cité.*

145. « L'itinéraire suivi par les colporteurs est toujours le même (...). Les colporteurs descendent toujours aux mêmes endroits et dans les mêmes localités. » C. Noblet, *Enquête sur les questions relatives au régime de l'imprimerie, de la librairie et du colportage, 1868-1869,* B.H.V.P., ms. Assertion à ne pas prendre au pied de la lettre.

146. A.D. Yvelines, 49 T-2, en 1854, cite le cas de « Jean-Marie Saboulard, âgé de 17 ans, né à Landorthe (Hte-Garonne), se disant domicilié actuellement chez un sieur Jean, son maître et son compatriote, (...) à Paris ». En 1856, le commissaire de police de Marines (Seine-et-Oise) arrête « le nommé Soubié Bertrand, âgé de 16 ans, né et demeurant à Gourdan (Hte-Garonne), que j'ai rencontré avec un ballot de colporteur sans être muni de l'autorisation (...). Ce jeune homme a déclaré colporter pour le compte du sieur Gointis Bernard, âgé de 27 ans, né et domicilié à Mazères (Htes-Pyrénées)... ».

147. A.D. Hautes-Pyrénées, T313.

148. *Ouvr. cité* note 113, pp. 47 et suiv. : « Il s'agissait d'un colporteur infiniment plus considéré que l'espèce de hères indigents pour lesquels on nous prenait : un lion parmi les souris, un vaisseau de guerre accablant deux chaloupes. Au vrai, l'appellation de colporteur ne pouvait s'appliquer à lui. C'était un commerçant ambulant... »

149. C. Amero, *Le Tour de France d'un petit Parisien,* Paris, (s.d.), pp. 443-444.

150. A.D. Isère, IX-T/75.

151. *Ibidem.*

152. *Ibidem.*

153. A.D. Bas-Rhin, X-T/17.

154. F. Barbier, « La lecture ouvrière d'après les monographies de l'école de Le Play », à paraître.

155. *Bibliographie de la France,* Feuilleton, 1831, n° 26, *non pag.*

156. *Ibidem,* 1854, n° 26, p. 335.

157. *Bottin commercial,* 1840.

158. Voir aussi A.V.P., D11-U3/306, n° 7 en 1871, la Société de librairie Baillière possède entre autres le « droit à la vente des livres reçus en dépôt ou en commission. Étant fait observer que ces livres ne figurent pas parmi les valeurs de la société et restent la propriété des déposants. »

159. Hector Bossange, Paris, 1795, Meung-sur-Loire, 1884. Son père, Martin Bossange, cède en 1837 sa librairie du 61, rue de Richelieu aux grands libraires allemands Brockhaus et Avenarius (*Bibliographie de la France,* Feuilleton, 1837, n° 50, p. 2).

160. A.D. Bas-Rhin, fonds Berger-Levrault, *Journal* n° 18, p. 106 (en date du 30 juin 1854, époque où sont soldés les comptes annuels avec l'Allemagne).

161. J. Hébrard, *De la librairie, son ancienne prospérité, son état actuel, causes de sa décadence, moyens de sa régénération,* Paris, J. Hébrard, 1847.

162. E. Flammarion, *Quelques types de libraires..., ouvr. cité.* Lorsque les éditeurs parisiens n'utilisent pas les services d'un « libraire intermédiaire », ils doivent employer des « placiers » pour assurer leurs livraisons : « les frères Lévy avaient un placier, Charles, qui transportait dans sa grande toile les ouvrages de cette maison et en recevait le montant. Le représentant de Dentu, Norbert, en faisait autant... » *(ibidem).*

163. Voir aussi ci-dessus note 143.

164. Rappelons ici que l'Allemagne wilhelminienne devient à l'époque la seconde puissance économique mondiale, et qu'elle est d'autre part engagée dans un processus rapide de développement sur le plan culturel, au service d'un projet nationaliste dont le triomphe paraît assuré : le livre imprimé y joue un rôle capital, son développement est regardé comme inséparable du développement de la science et de la culture allemandes.

165. En réalité, les chiffres ne sont à juxtaposer qu'avec précautions, dans la mesure où ils ne recouvrent pas les mêmes réalités : la majorité de l'Allemagne est plus anciennement alphabétisée, l'urbanisation y est également plus poussée ; les librairies que nous y décomptons, qui plus est dans les annuaires professionnels, sont généralement des librairies proprement dites, dont le titulaire a reçu une formation spécialisée.

166. F. Barbier, « Le commerce international de la librairie française au XIXᵉ siècle (1815-1913) », *R.H.M.C.,* XXVIII (1981), pp. 94-117.

167. Voir par exemple les cartes de *l'Invention de la France, ouvr. cité.*

168. Deux observations sur le développement de cette logique : en premier lieu, le lien entre l'école et le livre est bien marqué par l'idée de se servir du réseau des écoles primaires pour développer un réseau de bibliothèques populaires à travers la France. En 1884, un *Avis* est adressé dans ce sens aux communes :

« Les bibliothèques populaires des écoles publiques répondent à un intérêt de premier ordre. Elles sont la librairie gratuite de l'écolier et de l'adulte ; elles font pénétrer dans les campagnes des livres dont l'ouvrier et le cultivateur ne peuvent faire la dépense. Elles ont suscité et suscitent chaque jour une nouvelle catégorie de lecteurs ; (...) c'est le livre qui sort de l'école pour aller au foyer... » En second lieu, cette extension radicale du public aboutit, comme cela était prévisible, à un éclatement des lectures : il y a bien désormais plusieurs « littératures », dont la valeur relative est implicitement reconnue, de la « grande littérature » à la « littérature de l'escalier de service ». Par suite, il ne tarde guère à se développer des modèles différents d'écrivains, spécialisés dans un « genre » dont ils ne peuvent par la suite que difficilement se défaire. À nos yeux, le dernier écrivain œcuménique serait Victor Hugo — voir la citation d'Ernest Flammarion, ci-dessus, note 118, sur le succès de Hugo dans un quartier *a priori* populaire.

Le Livre « ouvert à tous », un des panneaux peints par Paul Baudouin, élève de Puvis de Chavannes,
pour la décoration du hall de la bibliothèque municipale de Rouen en 1895. Cette allégorie traduit
le besoin de développement de la lecture publique qui s'est fait sentir en France au XIXᵉ siècle,
mais qui n'aboutit qu'à un petit nombre de réalisations.

Bibliothèques publiques et bibliothèques populaires

par Henri-Jean Martin

La Révolution avait proclamé biens nationaux les bibliothèques ecclésiastiques et saisi les collections des émigrés et des condamnés politiques. Elle rejeta ainsi les élites liseuses qui avaient permis par leurs souscriptions et leurs achats la publication de l'*Encyclopédie* et de l'*Histoire naturelle* de Buffon. Son rêve était de rendre le livre accessible à tous, mais elle légua son héritage à une société de notables mêlés. Voyons comment ceux-ci exécutèrent son testament.

La Bibliothèque royale

Les révolutionnaires avaient conçu une noble ambition : dresser à partir des saisies qu'ils avaient effectuées une *Bibliographie de la France* exhaustive. Ainsi naquit naturellement l'idée de regrouper au sein de la Bibliothèque royale, devenue nationale puis impériale et à nouveau royale entre 1815 et 1848, un exemplaire de chaque publication. Van Praet, ancien commis du libraire Debure, qui avait échappé à la guillotine sous la Terreur et était devenu l'homme fort de l'établissement, prit sagement soin de mettre d'abord de côté les pièces les plus rares et les plus belles. 300 000 volumes vinrent ainsi s'adjoindre au fonds d'Ancien Régime. D'autres furent encore prélevés en province, puis des rabatteurs, parmi lesquels on compte Stendhal, firent leur choix en pays conquis. Les documents enlevés à l'étranger durent être restitués en 1815. Mais Van Praet, toujours lui, réussit à en cacher une bonne partie jusque sous les poutres des toits.

Ainsi gavée, la Bibliothèque fut prise du sommeil des digestions lourdes. Durant la Restauration et la monarchie de Juillet, elle se trouva dirigée par un collectif de conservateurs dont chacun se souvenait que la confraternité est une haine vigilante et faisait régulièrement appel aux hommes politiques de ses amis dès qu'un collègue prenait trop d'importance. Il était au reste recommandé d'être membre de l'Institut pour devenir conservateur et obtenir ainsi un appartement de fonction alors que les livres s'entassaient dans des magasins trop exigus. Qu'on ne s'étonne donc pas si les lecteurs de cette époque, qui ne voyaient pas arriver les volumes demandés, fomentaient déjà de petites révoltes dont l'administration arrivait facilement à bout grâce à sa puissance d'inertie.

Pendant ce temps, Charles Nodier, ancien bibliothécaire de Laybach dans les provinces illyriennes lors de l'occupation française, qui, grand « flambeur », avait sans cesse besoin d'argent, avait été nommé bibliothécaire du comte d'Artois auquel la bibliothèque de l'Arsenal avait été théoriquement restituée. Il régna sur les précieuses collections abritées là par les soins d'Ameilhon et se plut à réunir autour de sa fille Marie les jeunes gloires de l'école romantique. Amateur éclairé, il conçut dans ce cadre, avec son ami Tony Johannot, l'*Histoire du roi de Bohême et de ses sept châteaux* et fonda en 1834 le *Bulletin du Bibliophile*. On rencontrait dans son salon Achille Devéria, lui-même conservateur adjoint au cabinet des Estampes de la Bibliothèque royale ainsi que Sainte-Beuve qui devait être nommé à son tour bibliothécaire à la Mazarine où il accueillait les lecteurs avec affabilité et accumulait les notes pour son *Port-Royal*. Cependant, de si brillants littérateurs ne se préoccupaient guère de recenser les richesses dont la garde leur était confiée. Il continua d'en aller ainsi après eux, de sorte qu'il n'existe encore aucun catalogue digne de ce nom des collections de l'Arsenal et que celui de la Mazarine reste bien incomplet.

Comme toujours, l'accumulation des livres posait des problèmes de place. Les maîtres de la Bibliothèque royale avaient bien réussi à récupérer sur le Trésor une partie de l'ancien hôtel de Mazarin et s'étaient établis dans les galeries Mazarine et Mansard lors du transfert de la Bourse qui les occupait, au Palais Brongniart. Mais cela ne suffisait pas. Aussi l'architecte Visconti élabora-t-il un splendide projet de bibliothèque-musée à construire au Louvre. Le pouvoir jugea cela trop coûteux mais fit aménager dans le Palais-Bourbon une bibliothèque de prestige de conception traditionnelle dont la décoration fut confiée sous Louis-Philippe à Delacroix. Puis, comme il fallait fournir aux gens de lettres un lieu de travail, on reconstruisit la bibliothèque Sainte-Geneviève. L'actuel bâtiment, conçu en 1838 par Henri Labrouste (1801-1875), l'un des promoteurs de la nouvelle architecture de fer, fut réalisé entre 1843 et 1850. Il permit de mettre presque à la portée de 700 lecteurs plus de 100 000 « semi-usuels ».

La Bibliothèque royale, redevenue nationale puis promue à nouveau impériale, se réveilla enfin lorsque Napoléon III mit à sa tête Jules Taschereau (1852). On fit alors appel à Labrouste pour résoudre les problèmes de place. Les anciennes constructions de Le Muet furent sacrifiées pour faire

Salle de lecture de la bibliothèque Sainte-Geneviève.

La nouvelle salle de lecture de la bibliothèque Sainte-Geneviève,
dont l'architecte Henri Labrouste réalisa la construction entre 1843 et 1850
en mettant en pratique sa conception de l'architecture de fer.

Inauguration de la nouvelle salle de lecture de la Bibliothèque impériale
le 15 juin 1868. L'architecture de fer est employée là aussi : colonnes de fonte
de 11 mètres de haut et neuf coupoles de fer forgé aux vitres cernées
d'émail blanc.

PARIS. — Inauguration de la nouvelle salle de lecture de la Bibliothèque impériale, le 15 juin. (M. Labrouste, architecte.)

place en bordure de la rue de Richelieu à des bâtiments fonctionnels présentant une façade homogène et l'on édifia derrière ceux-ci de vastes magasins à planchers métalliques ainsi que l'actuelle salle de lecture.

La réalisation d'un catalogue général commode était alors devenue — heureux temps ! — une affaire d'État. Taschereau simplifia le système de classement des livres dans les magasins qui requérait d'incessantes intercalations et engendrait ainsi le désordre. Il encouragea la publication rapide de catalogues méthodiques mais ceux-ci avancèrent trop lentement au gré du public et des ministres. Or, on voyait peu à peu arriver là de véritables professionnels souvent issus de l'École des chartes. L'un d'eux, Léopold Delisle, joua un rôle de premier plan. Nommé Administrateur général en 1875, il s'entoura d'une petite équipe de personnalités de premier plan. Il veilla à ce que chaque livre soit catalogué dès son entrée et obtint pour l'achat d'ouvrages étrangers des crédits supérieurs à tout ce que l'on devait connaître après lui. Surtout, il traça le plan d'un catalogue alphabétique, ce qui était une nouveauté pour l'époque. L'affaire était bien lancée quand il apprit en 1906 sa mise à la retraite en ouvrant un matin le *Journal officiel.* Il ne peut être tenu pour responsable du retard que prit dès lors la réalisation du programme qu'il avait tracé. De sorte que la *Bibliographie de la France,* cette utopie révolutionnaire, reste encore le chef-d'œuvre inconnu en dépit du récent achèvement de la série auteurs du catalogue général des imprimés de la Bibliothèque nationale.

Le grand problème resta, comme à Paris, de nommer des bibliothécaires compétents : Vallet de Viriville, professeur à l'École des chartes, dénonçait encore à la fin du Second Empire le cas d'une grande bibliothèque dirigée par un professeur de danse sachant à peine lire et écrire assisté d'un conducteur de diligence parfaitement illettré. En fait, les établissements de province furent alors avant tout animés par les membres des sociétés locales alors très actives et par les bibliophiles ou les érudits qui léguaient volontiers leurs précieuses collections à leurs villes. À Nantes et à Rouen, le fonds primitif fut ainsi enrichi de 75 000 et de 140 000 volumes dont une forte proportion de manuscrits, de plaquettes rares et de volumes somptueusement reliés.

L'œuvre réalisée durant le XIXe siècle mérite au total considération. On construisit souvent des bâtiments nouveaux. On s'efforça de classer les livres méthodiquement sur les rayons mais on cassa du même coup les restes des fonds saisis et on dut renoncer définitivement à en utiliser les catalogues. On dressa de nouveaux répertoires dont certains furent imprimés. Mais tout cela resta anarchique et parcellaire et les collégiens qui fréquentaient en assez grand nombre les salles de lecture utilisèrent trop souvent des éditions originales et des exemplaires précieux pour étudier les œuvres célèbres. De sorte que notre patrimoine imprimé provincial reste aujourd'hui encore *terra incognita* et que l'absence de soins à l'égard d'ouvrages, qui apparaissent aujourd'hui d'une extrême valeur, a réduit une bonne partie des saisies révolutionnaires au statut de princes en guenilles.

Les révolutionnaires avaient prévu de créer en province un réseau de bibliothèques qu'ils envisagèrent un temps de rattacher aux écoles centrales. L'Empire se débarrassa finalement de ce qui restait des fonds saisis en les mettant à la disposition des communes (1803). Celles qui possédaient déjà des bibliothèques furent heureuses de les enrichir ainsi. D'autres saisirent l'occasion pour en créer une, mais beaucoup se refusèrent par la suite à accorder les crédits nécessaires à l'entretien de collections qui leur étaient apparues en fin de compte d'un autre âge. Nombre de villes et de bourgs, enfin, se désintéressèrent simplement de l'affaire et se contentèrent d'entreposer, dans des greniers ou des caves, les livres qui leur avaient été confiés.

Guizot entreprit de sauver à partir de 1832 ce qui pouvait l'être. Ayant réussi à faire rattacher au ministère de l'Instruction publique les bibliothèques qui relevaient jusque-là de l'Intérieur, il tenta de faire réserver à l'État le soin de nommer les bibliothécaires communaux et voulut créer auprès de chaque établissement un Comité d'inspection et d'achat des livres (Ordonnance de 1839). Il se heurta à une levée de boucliers mais fit attribuer désormais les ouvrages achetés en

Léopold Delisle (1826-1910), lorsqu'il fêta son cinquantenaire de services à la Bibliothèque nationale en 1902. Ce très grand savant, dont le *Cabinet des manuscrits de la Bibliothèque nationale* est resté un classique, fut l'un des premiers à proclamer la spécificité du métier de bibliothécaire.

grande quantité par souscription (environ 200 000 francs par an) aux établissements possédant un catalogue et ouvrant leur salle de lecture jusqu'à dix heures du soir. Véritable créateur de l'Inspection des bibliothèques, il chargea enfin Félix Ravaisson-Mollien de lancer un grand catalogue des manuscrits des bibliothèques publiques de France dont les volumes parurent désormais régulièrement.

Les bibliothèques universitaires

Les révolutionnaires avaient saisi les bibliothèques universitaires, et en particulier celle de la Sorbonne. Leurs volumes furent répartis à Paris entre la Bibliothèque royale et les autres établissements parisiens et échouèrent en province dans les bibliothèques municipales, sauf en quelques cas.

Créée de toutes pièces, l'Université impériale fut donc à l'origine une université sans livres. Napoléon se contenta de baptiser en 1812 bibliothèque de l'Université la collection du Prytanée (ancien collège Louis-le-Grand). On se préoccupa par ailleurs de doter les facultés de médecine de Paris et de Montpellier de livres provenant de diverses institutions d'Ancien Régime. Mais on ne créa de véritables bibliothèques de facultés qu'en 1855. Financées par un droit de bibliothèque versé par les étudiants à partir de 1873, celles-ci constituèrent l'embryon des actuelles bibliothèques universitaires, instituées de 1878 à 1886.

Nos bibliothèques universitaires ne disposent donc pas, comme celles d'Oxford ou de Cambridge, de fonds anciens importants, témoignages d'un enracinement dans le passé et instrument de travail pour les maîtres et les étudiants. On construisit certes des salles de lecture et quelques magasins en même temps que des bâtiments nouveaux au cours du XIXᵉ siècle. Essentiellement rhétorique, l'Université semble n'avoir guère souffert de l'absence de livres d'étude. Ne disposant pas d'éditions originales et de livres anciens à portée de la main, ses professeurs concentrèrent leur attention sur les œuvres célèbres. D'où leur force en matière d'explication de textes et leur faiblesse en matière d'édition et de recherche bibliographique. Là encore, la rupture révolution-

Catalogue d'une bibliothèque patronnée par le clergé catholique, celle de l'Œuvre Saint-Michel à Besançon. H. 225 mm.

Le bureau de prêt de la bibliothèque municipale du VIᵉ arrondissement de Paris en 1891. À travers les panneaux vitrés, on aperçoit aussi des lecteurs dans la partie de la salle réservée à la lecture sur place.

CONSEIL D'ADMINISTRATION DE LA SOCIÉTÉ FRANKLIN.

MM. **Général Favé**, membre de l'Institut, ancien Commandant de l'École polytechnique, *Président.*
A. d'Eichthal, ancien Député, ancien Régent de la Banque de France, Président de la Compagnie des chemins de fer du Midi, *Président honoraire.*
Ed. Charton, membre de l'Institut, Sénateur, *Vice-Président.*
Ducrey, Conseiller maître à la Cour des comptes, *Vice-Président.*
H. Faré, ancien Directeur général des forêts, *Vice-Président honoraire.*
Henry Mirabaud, de la maison Mirabaud-Paccard, Puerari et Cⁱᵉ, banquiers, *Trésorier.*
Charles Robert, ancien Secrétaire général du ministère de l'Instruction publique, Directeur de *l'Union*, compagnie d'assurances contre l'incendie, *Secrétaire général.*
R. Toulmouche, *Secrétaire adjoint.*
Paul Laffitte, *Secrétaire adjoint.*
Alicot, Député, Avocat à la Cour d'appel.
Aubry Vitet.
Ed. Borel.
Boussingault, membre de l'Institut.
Michel Bréal, membre de l'Institut, Professeur au Collège de France.
Ch. de Comberousse, Professeur à l'École centrale des arts et manufactures, et au Collège Chaptal.
A. Darmsteter, Professeur à la Sorbonne.
Ch. Defodon, Rédacteur en chef du *Manuel général de l'Instruction publique*, Professeur à l'École normale d'Auteuil.
Deltour, Inspecteur général de l'Instruction publique.
Jean Dollfus, ancien Maire de Mulhouse.
Victor Duruy, membre de l'Institut, ancien Ministre de l'Instruction publique.
Georges Duruy, Professeur d'histoire au Lycée Henri IV.
Ph. Passaud, Avocat, Docteur en droit.
Galley, Délégué cantonal, ancien Adjoint au maire du huitième arrondissement.
J.-B. Girard, Agent général de l'Association polytechnique.
Albert Gigot.
Jules Simon, de l'Académie française, Sénateur.
Ham (comte de), ancien Maître des requêtes au Conseil d'État.
E. Legouvé, de l'Académie française.
Leviez, Directeur de *l'Urbaine*, compagnie d'assurances contre l'incendie.
Jean Macé, Sénateur.
Paul Melon.
Adolphe Michel, Publiciste.
Dʳ Édouard Michel, ancien Vice-Président de l'Association polytechnique.
Jules Nègre.
Olleris, ancien Recteur.
Albert Piche.
Poméry (de), Publiciste.
Francis de Pressensé, ancien Secrétaire d'ambassade.
Franck Puaux.
Comte P. de Salvandy, ancien Député.
Baron Fernand de Schickler.
Jules Siegfried, Maire du Havre.
Ch. Thierry-Mieg, de Mulhouse.
Gaston Tissandier, Directeur de *la Nature.*
Ch. Tranchant, ancien Conseiller d'État.
Varigny (C. de), Homme de lettres.
E. Yung, Homme de lettres, Directeur de la *Revue politique et littéraire.*

JOURNAL
DES
BIBLIOTHÈQUES POPULAIRES
PUBLIÉ PAR LA SOCIÉTÉ FRANKLIN

Nº 236. — Avril 1886

LA SOCIÉTÉ FRANKLIN
ET SON ŒUVRE [1]

Rapport présenté à l'Assemblée générale au nom du Conseil d'administration.

La Société Franklin va entrer bientôt dans la vingt-cinquième année de son existence. Votre Conseil d'administration a pensé que le moment était propice pour présenter un tableau d'ensemble de l'œuvre poursuivie pendant ce quart de siècle, rechercher sincèrement ce qui avait été accompli de la tâche entrevue, ce qui restait encore à faire ; pour se poser, en un mot, la dernière de ces vingt-quatre questions dont notre patron Franklin recommandait pour chaque vendredi la lecture attentive et la méditation : « Y a-t-il quelque chose que nous puissions faire et qui

[1] Ce rapport a été présenté au nom du Conseil d'administration, à l'Assemblée générale de la Société Franklin, tenue le 13 avril 1886 à l'hôtel de la Société de Géographie, sous la présidence de M. H. Faré, vice-président honoraire.

3

La Société Franklin : en tête du rapport présenté à son assemblée générale de 1886 et publié dans le *Journal des bibliothèques populaires,* se trouve la composition du conseil d'administration de la Société ; sur cette liste on relève bien des noms célèbres : Victor Duruy, Jules Simon, Ernest Legouvé, Jean Macé, Edouard Charton, Gaston Tissandier, etc. H. 235 mm.

À Cernay, dans le Haut-Rhin en 1897 : quelques lecteurs, adultes et enfants, sont rassemblés devant la bibliothèque communale, une des bibliothèques créées par la Société des bibliothèques communales du Haut-Rhin. (Cliché Bibliothèque de la Société industrielle de Mulhouse.)

Bibliothèques publiques et bibliothèques populaires

naire avait provoqué au sein de la nation une forme de divorce avec le passé.

La France prit un retard considérable en matière publique durant cette période, notamment par rapport aux pays anglo-saxons.

Très tôt, les associations avaient favorisé en Angleterre et en Amérique l'essor de bibliothèques de prêt, ensuite prises en charge par les municipalités. Orientées vers l'actualité et la technique, elles s'étaient montrées très actives et le libre-accès y était devenu de règle dès la fin du XVIIIe siècle.

À mesure cependant que la scolarisation se développait en France, on éprouva le besoin de soutenir l'œuvre engagée par la création de bibliothèques « populaires », souvent avec une arrière-pensée moralisatrice. On créa ainsi à Lyon une bibliothèque orientée vers les arts et les techniques, mais on y déposa surtout des ouvrages anciens (1835). L'œuvre des Bons livres patronnée par le clergé de Toulouse se montra plus efficace. Après quoi le pouvoir s'efforça de constituer de petits dépôts dans les écoles et l'on put compter, en 1869, 15 000 bibliothèques scolaires totalisant 1 239 165 volumes. Mais le mouvement ne se développa vraiment que lorsque la classe ouvrière eut trouvé ses leaders parmi les artisans et les ouvriers d'art. Persuadés que l'instruction libérerait leurs frères, ceux-ci créèrent par exemple en 1861 une société des amis de l'Instruction qui établit un réseau de prêt à Paris. Par ailleurs, les municipalités de Lyon et de Paris organisaient des bibliothèques dans leurs mairies d'arrondissement (1860 et 1870) et la bibliothèque Forney, essentiellement technique, s'organisait à Paris en 1886.

En même temps, les bonnes volontés se rassemblaient au sein de la Société Franklin, apparue en 1862 grâce à l'action du typographe Girard, dont le but principal était de fournir un bulletin de documentation technique et d'information bibliographique. Celle-ci se trouvait liée en 1870 à 817 institutions publiques ou privées : soit 111 sociétés, 40 cercles de la Ligue de l'enseignement, 90 sociétés mutuelles, 23 bibliothèques de fabriques, 28 bibliothèques paroissiales, 190 privées et 341 municipales. Pourtant, ce faisceau d'efforts ne porta pas

ses fruits. Les bibliothèques d'arrondissement effectuèrent par exemple 1 609 754 prêts en 1895 mais tendirent ensuite à s'endormir, et celles de Lyon ne prêtèrent guère plus de 70 000 ouvrages en 1905 alors que l'on effectuait en 1908 à Leeds, cité britannique de population légèrement moindre (400 000 habitants contre 450 000), 1 300 000 prêts. Or il s'agit là de cas extrêmement favorables pour la France en un temps où les bibliothèques municipales britanniques prêtent 2,5 livres par habitant et les américaines 2 livres dans les grandes villes.

Dès lors, les jeux sont donc faits. Directeur des Archives de France et professeur à la Sorbonne, Charles-Victor Langlois plaida encore en vain en 1906 en faveur des bibliothèques scolaires en pleine liquéfaction. De même, Eugène Morel multiplie les cris d'alarme : personne ne les écoute. Et l'Association des bibliothécaires français créée en 1910 se révèle moins lucide et moins active même dans le domaine des bibliothèques d'étude que ses homologues anglo-saxons.

Ainsi, le programme esquissé par la Révolution débouchait sur un double échec : sur le plan du patrimoine puisque les collections d'Ancien Régime s'étaient trouvées en grande partie dilapidées, et aussi sur celui de la lecture publique. Mais cet échec n'était-il pas celui d'une nation tout entière ? De formation protestante, habitués à se sentir liés à Dieu par la lecture de la Bible, les Anglo-Saxons avaient appris, de même que beaucoup de peuples germaniques, à vénérer le Livre. Ils possédaient de plus le sens de l'initiative personnelle et de l'esprit d'association. Clairement séparées des bibliothèques d'étude, créées par de petits groupes de liseurs aisés, leurs bibliothèques s'étaient élargies peu à peu dans le sens de l'utilité publique et du plus grand nombre. Faits caractéristiques, les seules régions où la lecture publique se développa véritablement en France — le Haut-Rhin et le pays de Montbéliard — furent celles dominées par les protestants. Les pays latins restés catholiques et plus tardivement alphabétisés n'eurent pas la même attitude. Selon la tradition catholique, en effet, le Livre doit être expliqué par les Détenteurs du Savoir, les clercs en soutane puis en toge.

Jean Macé, portrait gravé sur acier, signé T. O. Regnault. Ce républicain, fort lié à Hetzel et qui devait fonder la Ligue de l'Enseignement, s'était retiré sous le Second Empire à Beblenheim, où il était devenu professeur dans un pensionnat de jeunes filles. Il créa en 1863 la Société des bibliothèques communales du Haut-Rhin, avec l'aide des milieux protestants.

Charles-Victor Langlois (1863-1929), directeur des Archives de France et professeur à la Sorbonne, fut l'un des défenseurs de la Lecture publique et des bibliothèques scolaires.

LE COMMERCE

Figure allégorique du Commerce international,
gravée au XIXe siècle par H. Valentin
d'après A. Magaud.

Les marchés étrangers de la librairie française

par Frédéric Barbier

Le XVIIIe siècle avait été le siècle de « l'Europe française » (1). Dans une large mesure, le XIXe siècle poursuit cette tradition, notamment en Europe centrale : les nobles russes parlent parfois mieux le français que leur propre langue, les souverains et grands seigneurs allemands font appel à des précepteurs français pour l'éducation de leurs enfants, bon nombre de catalogues de libraires « d'occasion » sont toujours rédigés en français...

La connaissance du français fait partie de l'éducation obligée de la noblesse et des classes dirigeantes traditionnelles, même si elle tend à perdre du terrain au sein de la bourgeoisie du commerce et de l'industrie. Les nobles qui, dans *Guerre et paix,* fréquentent le salon d'Anna Pavlovna s'expriment usuellement en français ; plus tard, Elisabeth Nikolaïevna, mise en scène par Lermontov, a reçu une éducation typiquement pétersbourgeoise, elle « apprit le français par sa maman, et surtout par les gens qu'on recevait, car dès son enfance elle passa ses journées au salon (...) écoutant toutes sortes de choses. Quand elle eut treize ans, on lui prit un précepteur à l'heure : elle acheva en un an un cours de langue française et son éducation mondaine commença » (2).

Même pratique du français chez les élites de l'Europe germanophone : l'*Almanach de Gotha* possède une édition annuelle en français et, au début du XXe siècle, le futur roi de Saxe fait appel à un précepteur français pour compléter l'éducation de ses enfants (3) ; celui-ci pénètre rapidement la bonne société de Dresde, dont il décrit non sans finesse la vie quotidienne.

Ainsi de la « comtesse X », très fière de son intérieur, et dont le rêve est d'avoir un salon : « Elle lit Rod, Balzac, Gyp, mais elle ignore nos classiques ; elle n'aime ni M. Paul Bourget, ni Barrès, ni Stendhal ; les croyant de la même école, elle s'en console en se souvenant que Gyp conseille de se

méfier de celles qui déclarent « aimer M. Paul Bourget » ; cette disciple du libre arbitre est satisfaite d'avoir découvert une preuve de santé morale dans l'auteur de *Jacquette et Zouzou* » (4).

Et Ernest Lavisse, visitant Berlin en 1886, trouve partout, « aux étalages des libraires (...), à côté de l'*Œuvre* de M. Zola, le *Avant la bataille* avec la préface de M. Déroulède. Sur ce dernier ouvrage, une étiquette porte le mot *Sensationnell* avec trois points d'exclamation » (5).

La connaissance du français peut également, phénomène nouveau, entrer dans les compétences commerciales : voici Louis-Auguste Thomas, à Munich, à la veille de la guerre : « j'entre dans un magasin (...) ; je prononce lentement, avec difficulté, une phrase allemande que je viens de composer dans la rue, pour demander un crayon avec protège-pointe. Le marchand de papier, flegmatique, rose et souriant, me répond en français qu'il a des crayons de toutes sortes » (6).

Dans le même temps, pourtant, se fait jour une conjoncture nouvelle. En premier lieu, le développement du romantisme, qui s'accompagne du souci nouveau des « nationalités », tend à privilégier la langue de culture nationale face aux langues « importées ». Il est probable, comme dans le cas de l'Allemagne de Friedrich Perthes (7) ou de la Russie décrite *a posteriori* par Tolstoï (8), que les conquêtes napoléoniennes, l'impérialisme militaire succédant à l'impérialisme culturel, aient favorisé cette prise de conscience.

En second lieu, dans les pays les plus développés d'Europe occidentale, le XIXe siècle est le siècle d'une démocratisation rapide de la culture écrite, qui trouve son aboutissement dans le succès de la presse périodique « populaire » : une frange croissante de la population participe désormais à ce qui n'était jusque-là que le privilège d'une élite internationale.

Le guide Baedeker doit convenir de ces difficultés éventuelles : « En Allemagne, comme ailleurs, une certaine connaissance de la langue du pays est une condition désirable pour jouir d'un voyage, nécessaire même pour visiter les contrées écartées. Néanmoins, ceux qui ne s'éloignent pas des grands centres ni des routes ordinaires trouveront presque toujours, dans les hôtels et en bon nombre d'endroits, des gens comprenant le français et le parlant suffisamment. Mais, si on ne sait pas l'allemand, il faut s'attendre à quelques désagréments inévitables... »

Double poussée, donc, de développement des nationalismes culturels et de démocratisation de la chose écrite, double poussée à laquelle le français — et par contrecoup le livre français — résistera relativement mal : face à lui s'élève une nouvelle concurrence internationale, celle de l'anglais. Nous reprendrons rapidement ici l'évolution de la législation douanière dans le domaine du livre, avant de passer à une analyse quantitative globale des échanges de librairie.

269

La législation
des échanges internationaux

Sur l'ensemble du XIXe siècle, la législation douanière française connaît trois phases successives : protectionnisme de la Restauration et de la monarchie de Juillet, libéralisation progressive des années 1846-1879, puis retour au protectionnisme sous la Troisième République (9). Pour ce qui regarde l'histoire du livre en particulier, à ces grandes directions de la politique économique se superposent d'autres éléments, relevant directement de la surveillance policière comme du souci nouveau de protéger les intérêts des auteurs. Les deux éléments, libéralisation du commerce international de la librairie et protection accrue des droits des auteurs, apparaissent indissociables, car le premier ne peut pleinement se développer tant que le problème de la contrefaçon littéraire n'est pas réglé.

On a vu que la législation impériale dans le domaine de la librairie reprenait pour l'essentiel le « système » prérévolutionnaire, alors qu'un premier et important développement du marché rend celui-ci de moins en moins pertinent (10). Ce décalage fait la fortune des presses périphériques, nées au XVIIIe siècle, mais qui connaissent leur âge d'or dans la première moitié du XIXe.

Suivons un instant l'Européen Stendhal dans ses pérégrinations italiennes des années 1830 : « Les négociants de Lyon qui vont à Genève recevront de vingt amis la commission d'importer un Béranger. Le volume de ce grand poète, qui, grâce à M. Domat, honnête imprimeur de Bruxelles, coûte 3 francs à Genève, se paie 24 francs à Lyon ». Et quelques années plus tard, en Italie, de constater : « Rome et moi, nous ne connaissons la littérature française que par l'édition belge. »

Trois facteurs vont progressivement conjuguer leurs effets pour conduire à une quasi-disparition des pôles traditionnels de la contrefaçon européenne dans la décennie 1850-1860. Le premier, et selon toute probabilité le plus important, est que la contrefaçon porte avant tout sur des productions françaises et correspond donc aux besoins d'une forme de culture internationale, qui est au XIXe siècle en recul cons-

tant. Le XIXe siècle est le siècle des nationalités, dont l'identité culturelle s'affirmera par opposition à une culture jusque-là dominante, et une des voies privilégiées de cette affirmation réside dans l'usage linguistique. Un rapport nouveau s'instaure comme on l'observe dans les provinces autrichiennes du premier XIXe siècle, et notamment à Prague (11).

En Allemagne, le phénomène est encore plus sensible, sans doute parce que celle-ci est précisément engagée dans un processus accéléré de quête d'une identité politique nationale à laquelle la suprématie culturelle doit fournir un de ses justificatifs. Comme l'avait vu Frédéric Perthes, une littérature allemande ne pourra se développer que si les conditions économiques de ce développement sont réunies, c'est-à-dire si, transcendant les oppositions nationales (et, souvent, culturelles) (12) et les égoïsmes des différents États, la librairie allemande réussit à organiser un marché national que l'extension du réseau ferré rend désormais possible. Rien d'étonnant donc si le mouvement européen de lutte contre la contrefaçon trouve ses deux premiers appuis en France et en Prusse.

Revenons en France. Ne pouvant parvenir à un règlement d'ensemble du problème, les gouvernements français successifs, sous la poussée de groupes de pression constitués par les professionnels et désormais mieux organisés (13), vont chercher à passer des accords bilatéraux ponctuels. Dans chaque cas, les formalités à remplir, tout comme la nature et les modalités de la garantie dès lors accordée, sont différentes, d'où la création d'un bureau du Cercle de la librairie, spécialisé dans le conseil aux auteurs et aux éditeurs. Les premières conventions de ce type sont passées avec le royaume de Piémont-Sardaigne les 28 août 1843 et 22 avril 1846, puis complétées le 5 novembre 1850 : elles garantissent réciproquement la propriété des œuvres de l'esprit. La présence de provinces francophones cisalpines dans le royaume de Piémont rend ces conventions rapidement très utiles pour les éditeurs français, en mettant un terme aux activités de contrefaçon auxquelles se livraient les libraires-éditeurs de Chambéry et d'Annecy.

Les conventions, assorties de baisses

importantes des tarifs douaniers, sont tacitement renouvelables tous les six ans, comme le sont les conventions bientôt passées en 1851 avec le royaume du Portugal. Cette même année sont passées les conventions franco-hanovrienne et, en 1852, franco-anglaise. Puis le 28 mars 1852, le gouvernement du prince-président accorde par décret la réciprocité pour leur propre production à toutes les nations ayant pris des mesures pour la protection des œuvres littéraires étrangères (14). Enfin un accord est conclu avec le royaume de Belgique le 22 août 1852, et complété en 1854, accord qui assure à court terme la disparition du principal centre européen de contrefaçon de la librairie française (15). Des accords complémentaires seront bientôt passés avec bon nombre d'États allemands (16), puis, à l'image du canton de Genève, avec l'ensemble de la Confédération helvétique. La contrefaçon d'ouvrages français va dès lors pour l'essentiel se cantonner dans le duché de Brunswick et en Bavière (17).

À la fin du Second Empire, la quasi-totalité des États européens est concernée par cette politique persévérante (18). Le mouvement va alors toucher à son terme logique : la signature d'une véritable convention internationale, qui assurerait l'universalité des garanties tout en unifiant les formalités à remplir par les éditeurs. Dans ce mouvement vers une solution globale du problème, les groupes de pression jouent un rôle fondamental. Le Congrès littéraire international de Bruxelles, en 1858, avait demandé « la reconnaissance internationale de la propriété des œuvres littéraires et artistiques » ; en 1878, Victor Hugo préside le Congrès de Paris, à la suite duquel est fondée l'Association littéraire et artistique internationale ; en 1881, le Cercle de la librairie suscite la création d'un syndicat des auteurs, « qui devait s'occuper, au nom des intéressés, de toutes les formalités exigées dans les conventions diplomatiques ». Un précédent et un modèle pour une future convention littéraire internationale est donné par la Convention sur la propriété industrielle signée à Paris en 1883.

Le 9 octobre 1886, enfin, est conclue à Berne la première Convention internationale de la propriété littéraire et

artistique. Les signataires (les « unio-
nistes », ou membres de l'Union de
Berne) établissent le principe fondamental de l'assimilation des ressortis-
sants de leurs différents pays à leurs
nationaux (19), et une liste très large
des œuvres protégées (traductions, articles de presse, etc.). La Convention
apparaît là comme un outil de la
vieille Europe pour conserver sa séculaire suprématie dans le domaine de
l'édition, et elle se heurte à des oppositions de plus en plus marquées de la
part des États-Unis — qui refusent de
la contresigner — et de bon nombre
de pays extra-européens. La Convention de Berne est à plusieurs reprises
modifiée ou complétée, ainsi à Berlin
en 1908, tandis que des traités bilatéraux continuent à être passés avec certains États non membres de l'Union —
particulièrement en Amérique du Sud.

Les réalités
du commerce international

Le XIXᵉ siècle apparaît comme celui
d'un bouleversement de l'espace : les
changements techniques donnent aux
nations occidentales les moyens d'une
maîtrise spatiale jusque-là inconnue, et
les conditions mêmes du commerce
international du livre s'en trouvent
fondamentalement modifiées.

La géographie du livre dans la première moitié du siècle était encore fondée sur des structures traditionnelles
adaptées à un marché dispersé. Pas
d'unification juridique, et un espace,
l'espace pré-industriel, qui s'oppose à
la pénétration commerciale : « L'espace
résistait de toute sa masse, un espace
qui demeure immense, difficilement
saisissable, et qui continue (...) à se
distinguer par sa médiocre unification,
par son émiettement et par toutes sortes de distorsions (...) qui venaient
faire obstacle à des relations régulières
et uniformes... » (20).

Dans ces conditions, la typologie de
l'ouvrage *a priori* destiné au marché
européen reste particulière, qu'il
s'agisse du livre de luxe à la spécificité
matérielle suffisamment marquée pour
interdire tout essai de contrefaçon,
mais pour lequel le public non français
demeure limité à quelques centaines
d'acheteurs (21), ou que l'on utilise au
contraire la technique de la livraison
pour occuper le marché dès l'origine,

CONVENTION

CONCERNANT

LA CRÉATION D'UNE UNION INTERNATIONALE

POUR LA

PROTECTION DES ŒUVRES LITTÉRAIRES ET ARTISTIQUES.

Sa Majesté l'EMPEREUR d'ALLEMAGNE, ROI de PRUSSE, Sa Majesté le ROI
des BELGES, Sa Majesté CATHOLIQUE le ROI d'ESPAGNE, en Son nom Sa Majesté
la REINE RÉGENTE du Royaume, le PRÉSIDENT de la RÉPUBLIQUE FRANÇAISE,
Sa Majesté la REINE du ROYAUME-UNI de la GRANDE-BRETAGNE et d'IRLANDE,
IMPÉRATRICE des INDES, le PRÉSIDENT de la RÉPUBLIQUE d'HAÏTI, Sa Majesté
le ROI d'ITALIE, le PRÉSIDENT de la RÉPUBLIQUE de LIBÉRIA, le CONSEIL
FÉDÉRAL de la CONFÉDÉRATION SUISSE, Son Altesse le BEY de TUNIS,

Également animés du désir de protéger d'une manière efficace et aussi uniforme
que possible les droits des auteurs sur leurs œuvres littéraires et artistiques,

Ont résolu de conclure une Convention à cet effet, et ont nommé pour leurs
Plénipotentiaires, savoir :

En tête du texte de la Convention concernant la création
d'une Union internationale pour la protection des œuvres
littéraires et artistiques dite *Convention de Berne*, figure
la liste des chefs d'État qui ont envoyé des délégués
à la conférence tenue à Berne du 6 au 9 septembre 1886.
(Actes de la 3ᵉ Conférence internationale pour la protection
des œuvres littéraires et artistiques... Berne, 1886.)

Les contrefaçons
belges

BÉATRIX

OU

LES AMOURS FORCÉS,

— Scènes de la vie privée. —

PAR

H. DE BALZAC.

PARIS,

HIPPOLYTE SOUVERAIN, ÉDITEUR

de H. de Balzac, Frédéric Soulié, Jules Lecomte, Alphonse Brot, etc.

Rue des Beaux-Arts, 5.

1839

Ce roman de Balzac parut d'abord dans le *Siècle* en avril et mai 1839.
La même année sortaient deux éditions en Belgique, respectivement
chez Méline et Cans (ci-contre. H. 147 mm) et chez Jamar,
et une édition à Paris, chez Souverain (ci-dessus. H. 212 mm).
Selon les spécialistes, les « préfaçons belges » sont
les véritables originales.

Au lieu de produire des romans dans des séries de trois ou quatre volumes, comme c'était l'habitude en France, les éditeurs belges comprimaient les caractères et éliminaient les espaces blancs pour pouvoir publier leurs romans dans un seul volume de petit format, pour le prix de 3 francs ou moins au lieu de 7,50 francs ou plus. Les années 1830 et 1840 furent l'âge d'or de l'édition pirate belge. Des compagnies énormes furent fondées, comme la Société Typographique Belge, et la Société Belge de Librairie, avec un capital d'un ou deux millions de francs chacune, vouées surtout à la reproduction des œuvres des principaux auteurs français (1). Pendant les années 1830, la valeur des exportations de livres belges tripla, selon les chiffres officiels belges, et ces exportations dépassèrent celles de la France pour les marchés hollandais et du nord de l'Allemagne. Il devenait courant pour les feuilletons parisiens de paraître sous forme de livre à Bruxelles avant qu'une édition complète ait été produite à Paris. Cela s'appelait une « préfaçon ». L'éditeur belge Méline, par exemple (il était en réalité un Italien de Leipzig), publia *le Curé de village* de Balzac, qui paraissait en feuilleton dans *La Presse* en 1839, au moins dix-huit mois avant l'édition parisienne sous forme de livre (2). Beaucoup d'œuvres de George Sand sortaient à Bruxelles avant d'être mises en circulation à Paris. Balzac était furieux de ces procédés, et il s'était persuadé que les Belges l'avaient escroqué de centaines et de milliers de francs de droits d'auteur. Il exagérait : ses romans les plus populaires, *le Père Goriot* et *Eugénie Grandet*, ont paru en quatre éditions belges pendant la première moitié du siècle, représentant un total de seulement 5 000 exemplaires chacun, et ses autres romans furent imprimés dans des éditions tirées à environ 3 000 exemplaires en Belgique (3). Tout le monde n'était pas aussi inquiet que Balzac : Dumas félicita Méline pour la publication de ses mémoires parce que l'édition belge avait rétabli quelques-unes des coupures imposées dans le feuilleton original paru dans *La Presse* (4).

Étant donné que les droits d'auteur ne franchissaient pas les frontières, les éditeurs belges ne transgressaient aucune loi (sauf s'ils essayaient d'échapper aux droits de douane) et il aurait été difficile de les convaincre qu'ils s'étaient engagés dans des activités malhonnêtes. D'après eux, la reproduction d'un texte sur un papier différent, avec des caractères différents et un format différent ne signifiait pas qu'ils copiaient l'original, mais qu'ils fabriquaient un produit complètement neuf. Leurs éditions, en plus, n'ont jamais tenté de dissimuler le fait qu'elles étaient imprimées en Belgique (5). Ils n'étaient pas les seuls pirates dans le métier : les éditeurs français faisaient de même à l'égard des livres anglais, allemands et italiens. Pour sa défense, l'édition belge pouvait aussi bien avancer qu'elle répandait la culture littéraire française plus vite que les Français eux-mêmes

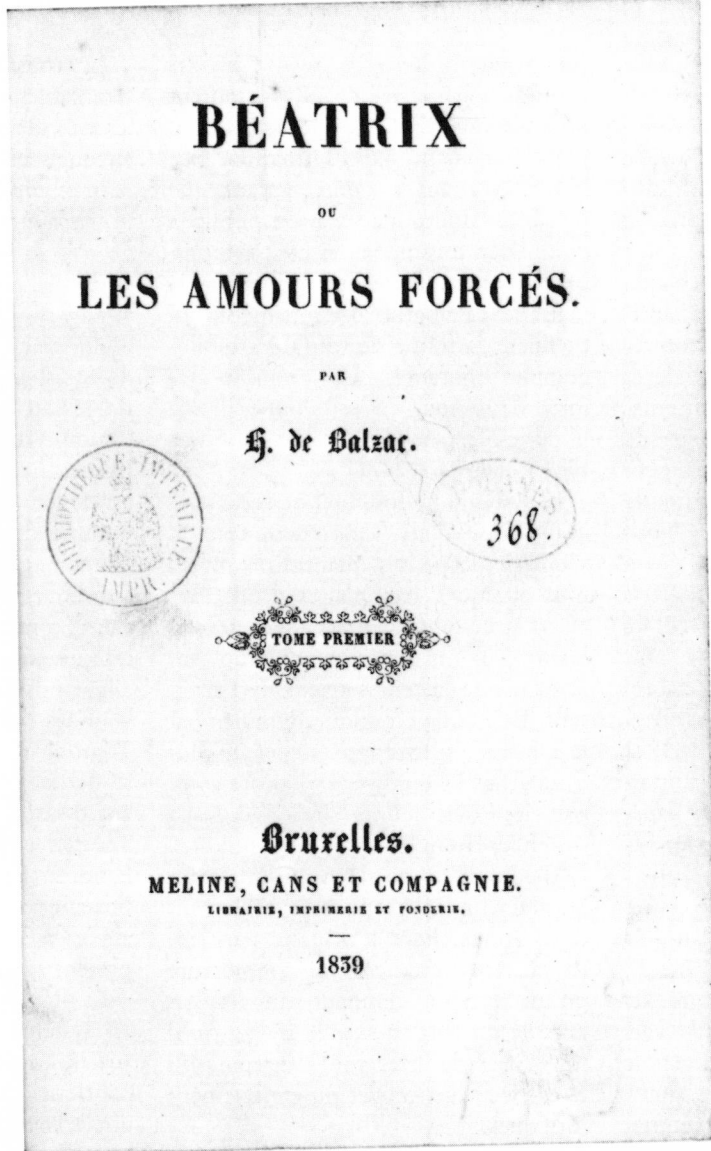

BÉATRIX

OU

LES AMOURS FORCÉS.

PAR

H. de Balzac.

368

TOME PREMIER

Bruxelles.
MELINE, CANS ET COMPAGNIE.
LIBRAIRIE, IMPRIMERIE ET FONDERIE.

1839

n'étaient capables de le faire, et que l'exportation française des livres continuait à augmenter malgré la compétition belge.

Pendant les années 1830, à peu près un livre sur trois édité en Belgique était destiné à l'exportation, et les Français n'y pouvaient pas grand-chose (6). Les Belges possédaient l'industrie nécessaire à la production de tout le papier dont ils avaient besoin, leur gouvernement fournissait une aide financière aux exportateurs, à leur porte se trouvait une littérature d'une importance mondiale, que l'édition française produisait sur place mais trop cher et, en outre, la censure du gouvernement des Bourbons rendait obligeamment inaccessibles au public français les succès les plus populaires de cette littérature. Les chansons de Béranger, par exemple, furent interdites par le gouvernement de la Restauration, mais les éditeurs belges en distribuèrent environ 30 000 exemplaires, et quand Pigault-Lebrun figura sur l'index de la police dans les années 1820, son œuvre fut également éditée impunément en Belgique (7).

Toute bonne chose a pourtant une fin et, à partir des années 1840, de telles occasions devinrent beaucoup plus rares. Tout d'abord, la guerre des rabais que se livraient sans merci les éditeurs bruxellois était en train d'avoir des effets catastrophiques sur leur profession. Les sociétés belges les plus importantes avaient peut-être surinvesti et, en 1846, la Société Typographique Belge de Wahlen fut la première à s'effondrer. La Société Belge de Librairie, incapable de soutenir la concurrence sans pitié de cette période, disparut à son tour la même année (8). L'industrie française en avait tiré enseignment, usait de représailles, et l'opinion belge prenait peut-être lentement conscience que le piratage était du vol. Résultat : dans les années 1840, les éditeurs belges, déjà affaiblis, eurent à faire face à la diminution de leurs bénéfices, ce qui amena des banqueroutes spectaculaires. Pour couronner le tout, le clergé belge se dressa contre eux. L'épiscopat belge tout entier signa une lettre pastorale condamnant le piratage des livres, après le succès des *Mystères de Paris* d'Eugène Sue, qui avait pris parti contre les Jésuites (9). Accusés alors d'entretenir la corruption et l'immoralité, les éditeurs belges étaient prêts à brandir le drapeau blanc, et à s'occuper un peu plus de l'épanouissement de leur propre littérature nationale. En 1852, un accord franco-belge fut signé comprenant la reconnaissance mutuelle des droits d'auteur.

Martyn Lyons

1. Herman Dopp, *La Contrefaçon des livres français en Belgique, 1815-1832,* Louvain, 1932, pp. 60-65.

2. *Ibid.,* pp. 116-117.

3. Charles Hen, *La Réimpression : étude de cette question au point de vue des intérêts belges et français,* Bruxelles, 1851, p. 28.

4. Dopp, *op. cit.,* pp. 137-138.

5. *Ibid.,* pp. 11-12.

6. *Ibid.,* p. 78.

7. *Ibid.,* pp. 23-25.

8. *Ibid.,* pp. 160 ff.

9. Eugène Robin, « De la contrefaçon belge », *Revue des Deux Mondes,* nouvelle série, vol. 5, janv.-mars 1844, pp. 204-239. Voir pp. 225-226.

les contrefaçons possibles ne pouvant alors se faire qu'une fois l'ouvrage terminé (22).

Dans les deux cas, le type d'ouvrage destiné au marché international suppose un tirage médiocre et un prix de vente à l'unité très élevé, de manière que la valeur ajoutée pour chaque exemplaire soit presque aussitôt suffisante pour rendre sans objet la contrefaçon et pour justifier des coûts élevés de transport (23). La librairie internationale demeure donc un commerce de luxe, très minoritaire, et qui ne peut se concevoir que selon une structure éditoriale traditionnelle (24). Nous nous trouvons devant des échanges à dose homéopathique, dont les effets sont sans commune mesure avec les quantités mises en œuvre.

Aussi ce commerce très spécialisé, qui suppose des réseaux fixes de correspondants à travers le continent (25) et des investissements au départ importants — dans lesquels on ne peut espérer entrer que dans le long terme — reste l'apanage de librairies elles-mêmes spécialisées. Les nécessités financières imposent d'ailleurs, au-delà du commerce international en général, une spécialisation au second degré, tel libraire s'orientant surtout vers l'Europe germanique, tel autre vers le monde anglo-saxon, etc.

De plus, il ne suffit pas de vendre, encore faut-il pouvoir être payé. Or, dans le système traditionnel qui est celui de la librairie, les rapports sont organisés de manière à éviter le plus possible les transferts matériels de fonds (26) : les rapports entre libraires (y compris à l'intérieur d'un même pays) se font d'abord par des échanges partiels de leurs fonds propres de titres, ce qui suppose que ceux-ci soient relativement complémentaires — condition d'autant plus difficile à remplir que les productions de chacun sont conçues pour des marchés nationaux différents...

L'imperfection, la cherté et l'irrégularité des moyens de communication et de transport de l'ère pré-industrielle sont finalement générateurs de frais généraux très lourds, pour un résultat des plus aléatoires.

La création et l'entretien de réseaux de correspondants suffisamment étendus ne devient rentable qu'à moyen ou long terme, ce qui suppose une concentration relative des échanges réalisés par chacun. S'y ajoutent d'importants frais de publicité, ou, plus largement, d'information. Le libraire « étranger » doit, autant que possible, faire connaître à son public la production imprimée des pays avec lesquels il travaille, ce qui se fera par le biais de catalogues d'assortiment qui prennent la forme de véritables bibliographies courantes. Un exemple très intéressant nous en est donné par la librairie Treuttel et Würtz, à Strasbourg et à Paris (27).

Le système traditionnel des échanges avait ainsi deux caractéristiques : il s'agissait de petites quantités, tout au plus quelques exemplaires d'un titre, et, d'autre part, les échanges se faisaient toujours au coup par coup, sur la demande le plus souvent de l'acheteur. Dans une économie dominée par le principe du livre rare et cher, le coût d'un achat à l'étranger est encore accru par les très lourds frais généraux qu'engendrent la correspondance, l'expédition du ou des volumes, enfin les frais financiers pour le règlement des factures. Pour le libraire parisien, le marché étranger ne représente qu'un appoint donnant un résultat hors de proportion avec le travail qu'il exige. Ces données vont, au cours du XIXᵉ siècle, se trouver progressivement infléchies.

Il convient d'abord que le libraire et, par son intermédiaire, la clientèle étrangère soient avertis de la parution de l'ouvrage et des conditions de vente. Deux méthodes peuvent être employées. Pour un ouvrage, dont on attend une certaine diffusion sur le marché européen et que ses caractéristiques rendent difficile à contrefaire, l'éditeur français — parisien le plus souvent — met sur pied un réseau de correspondants associés, qui recevront des exemplaires en dépôt et en assureront la vente moyennant une commission. Ce procédé permet de couvrir un espace aussi étendu qu'on le juge utile, et de simplifier tous les problèmes législatifs et financiers : dans chaque ville ou chaque région, le correspondant contrôle qu'aucune contrefaçon n'est faite ni diffusée, engage les éventuelles actions en justice, reçoit les règlements des acheteurs. Après un certain délai, les exemplaires non vendus sont retournés, et les comptes balancés.

La constitution et l'entretien de semblables réseaux se justifient quand les flux de marchandises et de fonds, auxquels ils doivent servir de support, permettent de les rentabiliser. La librairie étrangère devient le domaine de certaines maisons auxquelles on s'adresse pour traiter avec les pays étrangers. Un exemple de ce type est donné par l'ancienne maison Levrault, de Strasbourg, qui avait su constituer un réseau de correspondants à travers l'Europe centrale à l'occasion des campagnes napoléoniennes, et qui reçoit en dépôt, à partir de la Restauration, nombre de titres que lui envoient les éditeurs parisiens (28). C'est donc à Strasbourg, ville avec laquelle les relations commerciales sont usuelles et rapides, que s'adresseront les libraires allemands désirant se procurer ces volumes. D'autres libraires, tels que Treuttel et Würtz ou les Bossange, s'orientent davantage vers le monde anglo-saxon ou hispano-américain... Treuttel et Würtz ont des magasins à Londres, Paris et Strasbourg, les frères Bossange sont installés à Paris, à Leipzig et à Rio de Janeiro, Baillière est présent à Paris, Londres et en Australie.

La librairie allemande a mis en place un système particulier pour remédier aux inconvénients nés de la dispersion politique : le système de la commission. Tout libraire-éditeur ou détaillant désirant travailler avec la « librairie allemande » doit avoir un commissionnaire dans la ou les villes commandant l'espace géographique avec lequel il réalise l'essentiel de ses affaires. Les commissionnaires *(Zwischenbuchhaendler)* disposent de livres en dépôt, assurent les expéditions, préparent et encaissent les factures, balancent les comptes. À l'inverse, tout détaillant désirant se procurer un ouvrage étranger s'adresse à son commissionnaire. C'est un gain de temps et d'efficacité pour tous. Les libraires-éditeurs français importants du XIXᵉ siècle ont un commissionnaire dans les grands centres de la librairie allemande, parmi lesquels Berlin et, surtout, Leipzig jouent un rôle toujours plus dominant (29).

Les modes d'échanges sont bouleversés par l'irruption de la vapeur : dès 1848, Paris est directement relié par chemin de fer à Leipzig, à Berlin et à Vienne, les expéditions peuvent se faire

CATALOGUE GENERAL

DES LIVRES DE FONDS

ET EN NOMBRE

DE LA LIBRAIRIE DE TREUTTEL ET WÜRTZ

A PARIS, RUE DE LILLE, Nº 17

A STRASBOURG, MÊME RAISON DE COMMERCE, GRAND'RUE, Nº 15

NOTA. Les frais de reliure se paient en sus des prix de ce Catalogue.

OUVRAGES RÉCEMMENT TERMINÉS OU RÉIMPRIMÉS.

ENCYCLOPÉDIE DES GENS DU MONDE, répertoire universel de toutes les connaissances nécessaires, utiles ou agréables dans la vie sociale, et relatives aux sciences, aux lettres, aux arts, à l'histoire, à la géographie, etc., avec des notices sur les principales familles historiques et sur les personnages les plus célèbres, morts et vivants, composé par une société de savants, de littérateurs et d'artistes français et étrangers. 44 vol. grand in-8, petit texte, à deux colonnes, contenant chacun la matière de 3 volumes ordinaires. Prix de chaque volume.   5 fr.

Les journaux français et étrangers ont assez fait connaître l'esprit, le conteuu, la portée de cet ouvrage, pour nous dispenser d'en établir longuement le mérite. Ce qui a particulièrement fixé l'attention des critiques, c'est son unité de plan et d'exécution, la manière dont les articles s'enchaînent les uns aux autres et se complètent réciproquement, la clarté avec laquelle les matières, même abstraites, sont mises à la portée de tous les lecteurs, l'impartialité des jugements sur les personnes et les contemporains en particulier, enfin la sobriété dont les auteurs ont fait preuve dans le choix comme dans la rédaction des articles. Ces articles sont généralement substantiels et concis, admettant parfois les ornements du style, mais sans longueurs et sans superfluités.

Aucun autre ouvrage français ne présente au même degré le caractère d'universalité qui distingue celui-ci. Plus de 20,000 articles, dout un grand nombre méritent encore d'être consultés après les ouvrages spéciaux sur les matières dont ils traitent, y sont renfermés; tout le monde comprend à quel point une nomenclature aussi riche doit rendre les recherches faciles et fructueuses.

Malgré le nombre prodigieux d'articles, les principaux, notamment ceux sur les parties du monde, sur les grandes puissances, sur la littérature de tous les peuples, ceux qui traitent des religions (par exemple *Christianisme, Mosaïsme, Koran, Bouddhisme, Brahmanisme, Mythologie*), ou d'une des époques fondamentales de l'histoire (*Moyen-âge, Ligue, Réformation*, Assemblée *Constituante*, révolution de *Juillet* 1830); enfin, ceux qui résument toute une science (*Botanique, Chimie, Physique, Géologie, Histoire, Economie politique, Philosophie, Philologie*, etc.), ont une étendue proportionnée à leur importance. L'article *France*, à lui seul (géogr. et statistique, histoire, langue, littérature et arts, philosophie), formerait un gros volume in-8.

La galerie biographique est des plus riches : nous nous bornerons à citer quelques contemporains, tels que LOUIS-PHILIPPE, C. PÉRIER, GUIZOT, SOULT, sir Robert PEEL, O'CONNEL, NICOLAS Ier, POZZO DI BORGO. METTERNICH, MARIE-CHRISTINE, MOHAMMED-ALI,

1848   1

Le télégraphe, agent de liaison rapide d'un continent à l'autre ;
la Société du câble transatlantique français entreprend en 1869,
avec le navire anglais *Great Eastern* (ci-dessus)
la pose de câbles sous-marins.

Les services de navigation à vapeur utilisés pour les envois de livres
à travers le monde : ci-dessous, publicité de la Compagnie des Messageries
maritimes, parue dans la revue *le Télégraphe* en 1895.

COMPAGNIE

DES

MESSAGERIES MARITIMES

——

PAQUEBOTS-POSTE FRANÇAIS

Services dans la **Méditerranée** desservant **Alexandrie, Athènes, Smyrne, Constantinople** et les principaux ports du **Levant** et de la **mer Noire**.

Services sur l'**Inde**, la **Cochinchine**, le **Tonkin**, la **Chine** et le **Japon**.

Services sur l'**Espagne**, le **Portugal**, le **Sénégal**, le **Brésil** et **La Plata**.

Services sur la **Côte orientale d'Afrique**, **Madagascar**, **La Réunion** et **Maurice**.

Services sur les **Seychelles**, l'**Australie**, et la **Nouvelle Calédonie**.

BUREAUX

Paris, 1, rue Vignon (boulevard de la Madeleine).
Marseille, 16, rue Canebière.
Bordeaux, 20, Allées d'Orléans.
Havre, 14, rue Edouard Larue.

avec une régularité et une rapidité jusque-là inconnues, et à un prix très inférieur, même si les réglementations des compagnies de chemin de fer défavorisent les libraires français face à leurs concurrents étrangers, notamment allemands (30). À ce désenclavement européen succède un désenclavement mondial : en 1840, la Cunard crée sa ligne de *steamers* entre Liverpool et les États-Unis, en 1869, l'Atlantique est traversé en une huitaine de jours, tandis que l'achèvement du canal de Suez ouvre les portes de l'Inde et de l'Extrême-Orient. Au-delà de l'Europe continentale, en effet, la majeure partie des exportations de librairie emprunte la voie d'eau, y compris vers la Russie, par Saint-Pétersbourg ou Odessa (31).

Le développement des services postaux joue aussi un rôle important, dès lors qu'il s'agit d'envois isolés et qui représentent un volume et un poids limités. L'importance de ces données nouvelles et, plus largement, du commerce international est mise en évidence, dans la seconde moitié du XIXe siècle, dans l'*Annuaire de la librairie allemande* (32), qui s'augmente d'une partie de renseignements pratiques, donnant les cours internationaux des monnaies ainsi que les tarifs pour l'expédition d'un paquet de librairie jusque dans les pays du monde les plus reculés.

Un dernier ensemble d'innovations facilite et accélère encore le travail du libraire en permettant des communications infiniment plus rapides : il s'agit du télégraphe, puis du téléphone — les annuaires professionnels ne tardent pas à indiquer, pour chaque maison, son adresse télégraphique et son ou ses numéros de téléphone. Ces possibilités nouvelles ont un effet particulièrement important dans le domaine de la librairie ancienne, car les principaux libraires spécialisés européens peuvent passer très rapidement, et directement, leurs ordres lors de grandes ventes de livres anciens dans les villes étrangères. Il se constitue ainsi en quelques décennies un véritable marché mondial du livre rare, facilité par un public et des professionnels spécialisés. Et il s'agit d'un commerce portant sur de petites quantités d'objets particulièrement précieux (33).

Enfin, la mise sur pied de réseaux bancaires nationaux et internationaux

Le téléphone, moyen de communication instantanée, très utilisé désormais, spécialement dans le commerce du livre ancien lors des grandes ventes. Vue du poste central du Merchant's telephone exchange à New York, parue dans *l'Illustration* du 27 novembre 1880.

CATALOGUE

OF

BOOKS

IN THE

GERMAN, GREEK, AND LATIN

LANGUAGES,

Published in Germany,

From January to June,

1830,

FOR WHICH ORDERS ARE RECEIVED BY

TREUTTEL AND **WÜRTZ, TREUTTEL, JUN.**
AND **RICHTER,**

Foreign Booksellers to the King,

No. 30, *SOHO SQUARE,*

LONDON.

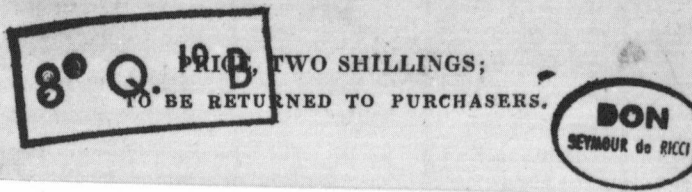

PRICE, TWO SHILLINGS;
TO BE RETURNED TO PURCHASERS.

8º Q. B.

DON
SEYMOUR de RICCI

Ce catalogue de Treuttel et Würtz montre
l'aspect international de la maison, dont on a présenté
plus haut un catalogue à caractère bibliographique.
Comme on le voit, il s'agit ici d'un catalogue en anglais,
diffusé par la succursale de Londres en 1830, indiquant
des ouvrages en allemand, grec et latin publiés en Allemagne.
H. 172 mm.

permet de résoudre le problème du paiement par un simple jeu de virements entre partenaires bancaires. Les grands libraires indiquent leurs références bancaires sur leur papier à en-tête, ainsi que dans les documents commerciaux les concernant.

Le développement des échanges internationaux de la librairie implique un développement concomitant des moyens d'information bibliographique ; chacun doit, s'il veut écouler sa production, la faire connaître auprès de ses collègues, et il dispose pour cela de plusieurs canaux. Le premier, et le plus simple, consiste à utiliser les périodiques spécialisés pour l'information professionnelle et bibliographique (34). Les grands libraires et éditeurs européens sont abonnés aux principaux d'entre eux, le *Journal de la librairie* et le *Boersenblatt fuer den deutschen Buchhandel,* dans lesquels ils passent régulièrement des annonces publicitaires. Les grands commissionnaires internationaux, tels les Bossange, font également passer des annonces pour offrir leurs services.

Les libraires spécialisés vont plus loin en publiant des catalogues ou des répertoires que leur importance matérielle transforme en bibliographies courantes. Ainsi Treuttel et Würtz, à partir de 1817, commencent à publier régulièrement les catalogues des nouveautés dont ils disposent, classées par pays :

« MM. Treuttel et Würtz forment depuis peu à Londres une nouvelle maison de commerce. Ils se sont principalement proposés de servir les intérêts des sciences et des arts des divers pays. En publiant à Londres des notices mensuelles, les savants et littérateurs anglais ont applaudi de se voir ainsi familiarisés promptement avec les nouvelles productions littéraires de France et de l'étranger. Quelques amateurs de littérature anglaise sur le continent ayant désiré qu'ils adoptassent le même mode pour ce qui se publie en Angleterre, ils s'empressent de déférer à cette invitation, en donnant ci-après une notice abrégée des principaux ouvrages anglais en tous genres publiés depuis le début de cette année, dont ils se proposent d'offrir de temps en temps la continuation. Les amateurs de géographie trouveront à la fin de la présente notice les titres des meilleures cartes publiées depuis cette époque. »

Treuttel et Würtz publieront ainsi régulièrement des catalogues des productions anglo-américaine et allemande.

Les exportations de la librairie

Le XIXᵉ siècle est, d'abord, marqué par une tendance globale d'augmentation rapide des exportations françaises : les dernières années de l'Empire ne pouvant servir de base de comparaison, on passe d'un niveau annuel de 500 à 600 tonnes exportées (livres et périodiques confondus) sous la Restauration, à 1 000 tonnes en 1841, à 2 000 tonnes en 1860, et à 2 517 tonnes à la fin du Second Empire. Dès 1880, les 3 500 tonnes sont dépassées, et le chiffre le plus élevé est atteint en 1890, avec plus de 4 700 tonnes exportées. Ce niveau ne sera pas dépassé avant la Première Guerre mondiale, alors que les années 1912-1913 s'inscrivent cependant à des valeurs de plus de 4 500 tonnes. Au total, donc, une véritable explosion de ce commerce, dont les valeurs sont multipliées par 9 en un siècle.

Mais les statistiques douanières sur lesquelles nous nous fondons ne permettent pas d'analyser la qualité des ouvrages exportés (types de textes, etc.), tandis que leur valeur doit être pondérée en fonction de la baisse du prix moyen du livre qui caractérise la période. D'autre part, la librairie française a bénéficié de la construction d'un ordre législatif international pour la protection des œuvres de l'esprit, et la signature de la convention franco-belge en 1854 est particulièrement importante. Dans les années qui la suivent, les exportations dépassent pour la première fois les 2 000 tonnes.

L'analyse statistique permet de distinguer six phases successives dans cette conjoncture de croissance. La première, en même temps la plus longue, va de 1824 à 1854 : deux années creuses, celles des crises politiques de 1830 et 1848, une période plus favorisée dans les dernières années de la monarchie de Juillet (1844-1847), mais, dans l'ensemble, une progression sensiblement moins rapide que celle de la tendance séculaire.

Soulignons ici que le tracé même de la courbe, faisant alterner des années de fort développement des exportations avec, ensuite, une période de ressac, semble caractériser une activité à la fois secondaire par rapport au commerce intérieur, et spéculative — comme s'il s'agissait de chercher à écouler vers le marché étranger un

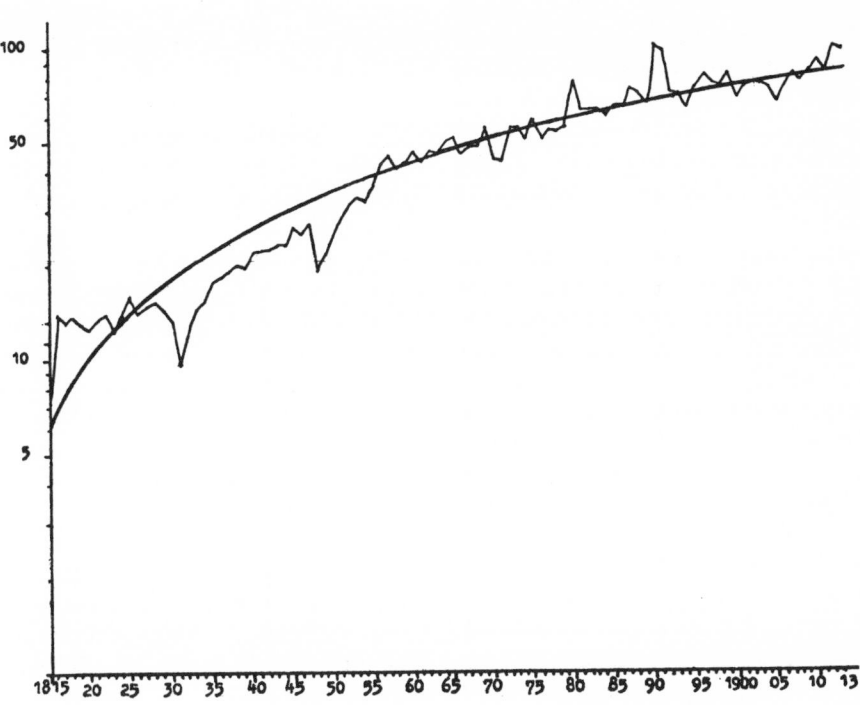

Exportations de la librairie française (1815-1910). Valeurs relatives,
pour 100 kg en 1913 ; position du trend.
Source : *Revue d'histoire moderne et contemporaine.*

trop-plein de la production intérieure, avant d'attendre que les stocks disponibles soient épuisés. Un livre exporté ne saurait être assimilé à un livre effectivement lu, voire à un livre acheté, et l'importance des retours nous demeure inconnue.

Le Second Empire et les débuts de la Troisième République voient se succéder deux temps forts, dans une conjoncture globalement très favorable (exception faite des années 1870-1871) : d'abord la hausse est plus rapide que celle du *trend* séculaire, mais le mouvement s'inverse dès 1860, et la courbe tombe sous la courbe moyenne à partir de 1865 pour une décennie. Une nouvelle double phase s'ouvre alors, de hausse proportionnellement très rapide jusqu'en 1887, plus mesurée ensuite. Les valeurs les plus élevées de la période sont atteintes au cours de ces années, suivies d'une chute brutale ; par rapport à l'indice 100 en 1913, nous sommes à 104 en 1890, et à 65 seulement en 1894.

La dernière décennie du XIXe siècle est celle du prétendu « krach » de la librairie : faut-il voir dans le développement des exportations françaises la recherche de débouchés qui permettraient de doubler un marché national quelque peu saturé ? Quoi qu'il en soit, les années 1900 s'inscrivent dans une conjoncture de ressac d'autant plus sensible que la hausse avait été plus importante, une reprise rapide se faisant cependant jour à partir de 1904 jusqu'à la Première Guerre mondiale.

Analysons maintenant les grandes directions du commerce international français.

La mondialisation du marché est mise en évidence par le déclin relatif des exportations vers l'Europe elle-même, face à la montée de ce que nous appellerions aujourd'hui le « tiers monde ». L'ouverture des lignes transatlantiques de navigation s'accompagne d'un développement rapide du commerce avec les États-Unis autour de 1850 — et, corrélativement, d'une baisse proportionnelle des exportations européennes. Il semble également que le marché sud-américain, traditionnellement très favorable à la librairie française, s'en détourne peu à peu, entre autre sous l'effet psychologique désastreux de l'expédition du Mexique et sous la pression croissante des influen-

	Europe	Amérique	Reste du monde
1821	80 %	12 %	8 %
1850	64 %	27 %	9 %
1860	66 %	18 %	16 %
1880	68 %	12 %	20 %
1900	58 %	15 %	27 %

Grandes directions des exportations françaises de librairie

ces anglo-saxonnes. La constitution du marché européen du livre, à la fois par unification des législations et achèvement du réseau ferré, entraîne un maintien, voire une légère augmentation de la part de l'Europe dans ce commerce (1850-1880). Enfin, il se forme véritablement une « économie-monde », et la part des continents asiatique et africain tend à s'accroître à la fin du XIXe siècle : dans le cas de la France, il faut au cours de la seconde moitié du XIXe siècle faire intervenir le poids de plus en plus net d'un empire colonial qui achève de se constituer. Dans les dernières années du siècle, cependant, près des deux tiers du commerce extérieur de la librairie française continuent à se faire avec le continent européen.

La distribution par pays se concentre de plus en plus dans le monde francophone. En Belgique, les exportations françaises passent de moins de 2 % du total en 1821 à quelque 23 % en 1880, ce pays devenant dans le même temps le premier exportateur de livres en France. Puis vient la Suisse, où les exportations françaises y décuplent en soixante-dix ans. Le troisième grand marché francophone, celui du Canada, n'intervient qu'épisodiquement, pour un total de 40 tonnes annuellement exportées à partir du Second Empire.

Dans les pays non francophones, le premier rang est traditionnellement tenu par le Royaume-Uni, et cette position se conserve au cours de l'ensemble de la période, notamment parce que Londres demeure le point de transit des exportations non seulement vers les États-Unis, mais aussi vers l'Empire anglais — Inde, Afrique du Sud, Australie, Nouvelle-Zélande, etc. Mais ici aussi, les termes de l'échange tendent à se dégrader, avec une couverture passant de plus de 400 % en 1850 à 213 % en 1890.

Les exportations vers l'Allemagne connaissent une évolution plus difficile à saisir : environ 9 % du total au début de la période, une hausse sensible au lendemain de la fondation de l'Empire allemand — plus de 15 % des exportations françaises en 1880, soit davantage que vers la Grande-Bretagne —, mais une baisse de plus de moitié jusqu'à la Première Guerre mondiale (moins de 8 % en 1913). La conjoncture politique semble ici déterminante, comme elle l'est d'ailleurs dans le cas de l'Italie vers laquelle les exportations françaises s'effondrent sous le Second Empire. Enfin, la Russie voit tout au long du siècle un affaissement constant des exportations françaises de librairie.

La culture française perd, au cours du XIXe siècle, le rôle de première culture internationale qui était le sien depuis les Lumières. La balance de notre commerce international de librairie met le phénomène en évidence, avec une couverture des importations par les exportations toujours largement positive, mais qui ne cesse de se dégrader, passant de 754 % en 1850, à 376 % en 1880 et à 292 % en 1890 : lorsque les importations sont multipliées par 11, les exportations le sont seulement par 4. Cependant, la culture française s'affirme sans partage sur le vaste marché créé par l'empire colonial : l'Algérie, qui absorbera 1 % de nos exportations en 1840, est à 9 % dans la décennie 1880-1890. L'ensemble du commerce vers les colonies regroupe 2,4 % de nos exportations vers 1820, et près de 10 % à la fin du XIXe siècle. Face à l'anglais, le français a cessé au cours du XIXe siècle d'être la première langue internationale, et c'est désormais le monde francophone qui absorbera l'essentiel des exportations françaises de librairie du premier XXe siècle.

Notes

1. F. Barbier, « Le commerce international de la librairie française au XIXe siècle (1815-1913) », *Revue d'histoire moderne et contemporaine*, 1981, pp. 94-117.

2. Lermontov, *La Princesse Ligovskoï*, Paris, 1973, p. 59.

3. G. Balignac, *Quatre Ans à la cour de Saxe*, Paris, Perrin et Cie, 1913.

4. *Ouvr. cité*, p. 187. Gyp, pseudonyme de Marie-Antoinette de Riquetti de Mirabeau (1850-1932), auteur de romans « féministes ».

5. E. Lavisse, « Notes prises dans une excursion en Allemagne », *Revue des deux mondes*, 15 juin 1886, pp. 903 et suiv.

6. *Croquis d'Allemagne*, Paris : « Les marches de l'Est », 1914, p. 114.

7. F. Perthes, *Der Deutsche Buchhandel als Bedingung des Daseins einer deutschen Literatur*, Hamburg.

8. Voir *Guerre et paix*.

9. P. Bairoch, *Commerce extérieur et développement économique de l'Europe au XIXe siècle*, Paris, La Haye, 1976. Soulignons ici que le rapport entre plus ou moindre ouverture des frontières et plus ou moindre développement de l'économie intérieure n'est nullement démontré pour ce qui regarde l'économie de l'imprimé : comme on l'a vu d'autre part, la période 1890-1913 est, selon toute probabilité, une phase de développement global de la production imprimée, alors qu'elle se caractérise dans le même temps par une politique d'échanges davantage restrictive. Ce point appelle trois observations : en premier lieu, il est probable que les effets d'une réglementation plus protectionniste (si tant est qu'ils existent) sont contrebalancés, dans le domaine particulier de la librairie, par l'adoption de la législation libérale de 1881. En second lieu, il est certain que le marché de l'imprimé est alors devenu un marché à dominante nationale, et que par conséquent le plus ou moins grand développement des exportations y joue un rôle économique finalement assez marginal. Enfin, la même observation a été faite sur le plan des courbes économiques d'ensemble, qui toutes connaissent une accélération importante autour des années 1900. Pour une discussion du rapport entre politique douanière et développement économique d'ensemble, voir par exemple F. Crouzet « Encore la croissance économique française au XIXe siècle », dans *Revue du Nord,* 1972, pp. 271 et suiv.

10. Disons que, globalement, la législation d'Ancien Régime était adaptée à une économie du livre presque exclusivement parisienne, et travaillant pour une juxtaposition de micro-milieux étroitement minoritaires.

11. Redécouverte de la langue et de la littérature tchèques (voir l'œuvre historique de F. Palacky), etc., jusqu'à la création de l'université tchèque de Prague en 1882. Il convient cependant de souligner le fait que, fréquemment, cette prise de conscience n'est pas systématiquement celle d'une majorité de la population, mais bien plutôt de certains milieux aristocratiques éclairés et aux tendances souvent libérales : c'est le cas, par exemple, dans la province prussienne de Posnanie.

12. Que l'on songe à la disparité culturelle entre une ville libre hanséatique, à tradition démocratique, libérale et réformée, telle que Lubeck, et le royaume de Bavière, disparité mise en scène par Thomas Mann dans les *Buddenbrock*.

13. Les deux principaux organismes sont ici la Société des gens de lettres et le Cercle de la librairie.

14. « Il serait vivement à souhaiter que les Etats qui, jusqu'à ce jour, n'ont pas pu ou n'ont pas voulu se décider à respecter la propriété des œuvres d'art et d'esprit étrangères, imitassent le généreux exemple qui vient de leur être donné par le gouvernement du prince-président, lequel, par un décret récent, accorde la réciprocité à toutes les nations qui, ayant une littérature nationale, voudront concourir à l'abolition de cette lèpre du XIXe siècle qu'on appelle la contrefaçon littéraire. Que les auteurs et les éditeurs s'entendent donc une fois pour protéger partout leurs droits et poursuivre la contrefaçon comme on poursuit un vol ordinaire... » (*Boersenblatt*, Leipzig, 6 septembre 1852).

15. Dans le cas de la Belgique, l'argument nationaliste n'a pas été sans importance : tant que la protection internationale des œuvres littéraires ne serait pas assurée, les libraires-éditeurs bruxellois trouveraient tout avantage à se borner à contrefaire directement les productions parisiennes, et la possibilité d'apparaître et de se développer réellement pour une littérature nationale d'expression française ne pourrait avoir de justification économique.

16. Accords passés avec les duchés de Hesse-Hombourg et de Nassau, les deux principautés de Reuss, les grands-duchés de Bade, Hesse-Darmstadt, Hesse-Cassel, Saxe-Weimar-Eisenach et Oldenbourg, les deux principautés de Schwarzbourg et celle de Waldeck et Pyrmont, les villes libres hanséatiques. Les conventions les plus importantes, étant donné le poids de ces Etats dans l'économie allemande de l'édition, sont celles passées avec le royaume de Saxe en 1856 et le royaume de Prusse en 1862.

17. En 1866, une convention est passée avec l'empire d'Autriche, haut lieu des exploits du chevalier von Trattner.

18. Les années postérieures à 1870 sont simplement marquées par des « régularisations » : signature d'une convention entre la France et l'Empire allemand, et entre la France et le royaume d'Italie.

19. Article 5 : « Les auteurs jouissent, pour ce qui concerne les œuvres pour lesquelles ils sont protégés en vertu de la Convention, dans les pays de l'Union autres que le pays d'origine de l'œuvre, des droits que les lois respectives accordent actuellement ou accorderont par la suite aux nationaux, ainsi que des droits spécialement accordés par la Convention. »

20. P. Léon, *Histoire économique et sociale de la France,* III, p. 243.

21. Un exemple bien connu nous en est donné par le *Dictionnaire des sciences naturelles.*

22. Ce type d'ouvrage est toujours financé par souscription, ce qui suppose que soit mis en place tout un réseau de libraires correspondants, résidant dans les principales villes européennes, et auprès desquels le public puisse éventuellement s'inscrire pour des exemplaires. Nous avons donné ailleurs un exemple de ce type avec les *Victoires, conquêtes, désastres, revers et guerres civiles des Français de 1792 à 1815*, Paris, Panckoucke, 1817, 27 volumes in 8°.

23. Dans l'exemple ci-dessus, la vente de tous les exemplaires des *Victoires... des Français* rapporterait à l'éditeur parisien la somme considérable de 1,6 million de francs.

24. D'autant plus commerce de luxe qu'il s'agit d'ouvrages en français, c'est-à-dire d'ouvrages destinés presque seulement à l'élite éclairée des autres pays européens.

25. Correspondants dont le rôle sera aussi de prendre sur place les mesures de protection et de répression contre les piratages et la contrefaçon. Voir ci-après.

26. Transferts que l'inexistence de réseaux bancaires suffisamment bien constitués rend d'ailleurs impossible à l'échelle de plusieurs pays.

27. F. Barbier, « Une librairie internationale, Treuttel et Würtz », *Revue d'Alsace*, 1985.

28. F. Barbier, *Trois Cents Ans de librairie et d'imprimerie Berger-Levrault...*, Genève, 1979.

29. Les effets de l'unification progressive du marché sont mesurables par le biais de la concentration croissante des villes et des maisons de commission : les centres à vocation régionale, tels que Augsbourg, tendent à disparaître à partir du moment où les relations ferroviaires améliorées rendent leur maintien pratiquement sans objet, tandis que les principaux commissionnaires se spécialisent, représentant parfois plusieurs centaines de commettants, et ne pratiquant plus que cette forme d'activité.

30. On sait que, rapidement, les libraires et éditeurs des principaux centres allemands d'édition s'associent pour organiser des services réguliers (quotidiens, hebdomadaires, etc.) de wagons spéciaux entre leurs différentes villes, voire vers certaines villes étrangères, offrant ainsi des tarifs d'expédition bien inférieurs.

31. L'utilisation du nouveau mode de transport suppose la maîtrise de la chose imprimée — fascicule horaire, panneaux dans les gares, plaques de destination, etc.

32. *Adressbuch fuer den deutschen Buchhandel*, Leipzig, 1838.

33. Sur ces problèmes, voir par exemple Barbier (Frédéric), « La librairie ancienne en Allemagne au XIXe siècle », *Bulletin du bibliophile*, 1984.

34. L'origine des périodiques bibliographiques remonte aux XVIIe et XVIIIe siècles (*Journal des savants, Acta eruditorum*, etc.), le XIXe étant en fait marqué davantage par l'apparition et l'institutionnalisation de périodiques davantage professionnels.

III. Le culte de l'image

Le culte de l'image

En 1839, *Léon Curmer, spécialiste des publications illustrées, écrivait : « La librairie avait perdu le caractère intellectuel que nos devanciers avaient su lui donner (...) La librairie a acquis aujourd'hui une autre importance, et elle le doit à la profession d'éditeur qui est venue s'implanter chez elle depuis l'introduction des livres illustrés. » Tout en prêchant pour son sein, Curmer indique clairement le lien fondamental noué au XIXᵉ siècle entre, d'une part, l'émergence d'un rôle nouveau, à la fois profession et art, celui de l'éditeur, maître d'œuvre du livre, et, d'autre part, la place inédite de l'image dans l'imprimé. À partir des années 1830, en effet, sa présence est multipliée : elle s'installe dans le périodique, qu'il soit satirique ou instructif, voué à la littérature ou à l'actualité ; elle envahit les genres les plus populaires, des keepsakes aux physiologies, des guides de voyage aux manuels scolaires ; elle fonde le projet romantique du livre de luxe, à grand spectacle, et néanmoins mis à la portée du plus grand nombre.*

Différentes évolutions peuvent expliquer cette affirmation de l'image. Les premières sont techniques et ouvrent la gamme des possibilités. Au couple ancien du bois gravé et de la gravure sur cuivre, le XIXᵉ siècle substitue un éventail de techniques d'illustration beaucoup plus large qui comprend une forme nouvelle de gravure sur bois, le bois de bout, la gravure sur acier, la lithographie, la photographie puis la photogravure. Chaque procédé a ses avantages et ses contraintes, chacun convient mieux à certains usages et moins bien à d'autres. Toutefois, un partage fondamental organise les différences entre ces diverses techniques. D'un premier côté se rangent celles qui autorisent l'inscription de l'image dans le texte lui-même, sans contrainte d'emplacement : ainsi, au début du siècle, le bois de bout puisque l'illustration peut être mise dans la forme de caractères et imprimée avec la même presse, ainsi après 1880 la photogravure tramée qui permet l'impression aisée et massive de photographies mises sur la page du livre ou du journal. D'un autre côté sont les techniques qui, comme la gravure sur acier ou la lithographie, obligent l'image au hors-texte puisqu'elle ne peut être imprimée en même temps que la composition typographique. De là, deux relations fort contrastées entre le texte et son illustration : l'une fondée sur la contiguïté, l'interpénétration, le dialogue immédiat, l'autre mar-quée par la séparation, la distance, l'écart. De là, deux possibilités fort différentes pour l'organisation du livre et sa mise en page : la première libre, susceptible d'innovations et d'audaces, la seconde contrainte, dépendante des formes de la tradition. C'est sans doute ce partage essentiel qui règle les choix faits en faveur de tel ou tel procédé, des choix qui reflètent les désirs de l'auteur, les préférences des illustrateurs sollicités, les attentes et les compétences du public visé, les décisions prises quant au tirage et aux délais d'édition. À la domination ancienne de la gravure sur cuivre, entamée seulement par la fidélité au bois des livres de colportage, succède donc une multiplicité de techniques, employées en même temps dans des genres ou des livres différents, mais aussi conjointement dans le même ouvrage. Le livre du XIXᵉ siècle gagne sans conteste en variété du fait de la multiplicité et de la concurrence des techniques mobilisées pour le parer d'images.

Le rôle et la place de l'illustration dans l'imprimé se trouvent modifiés aussi par les rapports neufs instaurés entre le périodique et le livre. Entre l'un et l'autre, les césures s'effacent, puisque nombre d'ouvrages paraissent sous forme de livraisons qui font séries, puisque les suppléments littéraires de certains journaux peuvent être détachés et reliés, puisque les romans d'abord publiés comme feuilletons le sont ensuite comme livres, avec ou sans corrections, contrôlés ou non par leur auteur. Cette proximité accrue entre les différents types d'imprimés crée des possibilités nouvelles pour l'image, qui accompagne le feuilleton, orne les livraisons, illustre les couvertures des fascicules. Avec le journal et le kiosque, le livre broché et l'étalage, la couverture illustrée et la vitrine de librairie, la culture de l'imprimé devient, plus qu'auparavant, une culture de l'immédiatement visible où le trait et la couleur incitent à l'achat, anticipent la lecture, permettent l'identification au premier regard des genres et des maisons.

Ce sont enfin les relations redéfinies entre les fonctions de l'illustration et celles du texte qui rendent compte du véritable culte de l'image qui est celui du livre du XIXᵉ siècle. Contre une dévalorisation ancienne de l'image, tenue pour trompeuse et illusoire, contre son long assujettissement aux règles de composition du discours écrit, contre son infériorité proclamée par rapport au texte qui l'explique ou qu'elle figure, l'image de l'âge romantique revendique indépendance et puissance. Irréductible à l'écrit, elle promet, de manière unique, émotion et connaissance, description et poésie. Elle donne à voir et à comprendre ce que l'écriture est impuissante à peindre, et par là elle démontre, rapporte, authentifie. Mais aussi elle mobilise l'imagination, touche les sens, excite le sentiment, et par là surpasse les seuls effets du texte. À la fois substitut d'une réalité absente et brandon de l'émotion poétique, l'image gagne de toutes les façons. Sa relation avec le texte s'en trouve inversée. La lettre, souvent, se fait image, et sur les couvertures à vignette ou les pages de titre, les caractères typographiques prennent des formes inédites et fantaisistes, mélangent leur différence, retrouvent la tradition des initiales ornées. L'image contamine la lettre mais également contraint le texte qui fréquemment devient simplement commentaire d'album ou, plus souvent encore, doit être écrit de manière à supporter l'illustration. Une soumission pluriséculaire est donc abolie, et l'image toute-puissante se trouve désormais en position de dicter ses exigences à l'écriture comme à l'édition.

Pourtant, ce succès ne va pas sans tension. Le projet romantique consistait en l'impossible union de deux contraires : la production de beaux livres, superbement illustrés, usant des techniques les plus neuves, et leur diffusion dans un large public, voire le peuple tout entier qui lui aussi a droit à la poésie et à la connaissance. Sur les débris de ce rêve généreux, qui ne survit guère à la mi-XIXᵉ siècle, s'établit un partage sans compromis : d'un côté, des images pour le plus grand nombre — mais des images bon marché, produites en série, « industrielles » —, de l'autre, de beaux livres, artisanaux, jouant des richesses de la typographie autant que de celles de l'illustration — mais des livres que leur prix et leur tirage réservent à une élite restreinte et choisie. Les années 1860-1880 voient ainsi, à la fois, l'invasion de l'imprimé populaire par l'image (à preuve les énormes succès des hebdomadaires à sensation, des périodiques destinés aux familles, de la presse de feuilleton) et l'apparition des livres d'art, conçus et publiés pour une clientèle de connaisseurs. Livres de peintres, tirés à peu d'exemplaires, imprimant soit des œuvres classiques soit des nouveautés littéraires, ces livres pour amateurs fortunés sont précieux avant tout du fait de la présence des bois, des eaux-fortes, des lithographies en couleurs dus aux plus grands artistes du temps, de Derain à Bonnard, de Toulouse-Lautrec à Picasso.

Signifiée par la faveur donnée aux éditions de luxe, la distance prise vis-à-vis du livre industriel peut l'être aussi par la collection des livres anciens et rares. En ce domaine également, le siècle invente. La bibliophilie, qui a profité, malgré les acheteurs étrangers, des livres mis en nombre sur le marché après les confiscations révolutionnaires, élargit son assiette, affermit son savoir (totalisé dans les sept éditions du Brunet, échelonnées entre 1802 et 1860-1865), multiplie les instruments capables d'informer et d'éclairer les acheteurs, que ce soit le Bulletin du bibliophile, né en 1834, ou les catalogues à prix marqués des libraires d'ancien. Mais cet affermissement n'est pas immobilité. De nouvelles pratiques apparaissent, qui infléchissent les habitudes des collectionneurs : d'abord, l'attention désormais portée aux exemplaires, jugés et hiérarchisés selon leur condition, leur état, leur provenance ; ensuite l'essor des collections spécialisées qui rompent définitivement avec le modèle ancien de la bibliothèque encyclopédique (en faisant élection d'un domaine particulier) et se distinguent de la bibliothèque de travail (en privilégiant les raretés de ce domaine) ; enfin l'élargissement de la « sphère bibliophilique », c'est-à-dire des textes et des éditions dignes d'être recherchés et collectionnés. Préférant souvent les livres de luxe (par exemple les grands livres illustrés), fortement attirée par les titres les plus rares, habituée à habiller les livres anciens avec des reliures modernes, fastueuses et pastiches, la bibliophilie française du XIXᵉ siècle a également donné leur place à des livres plus humbles, rares parce que autrefois populaires, disparus parce que d'usage, menacés parce que apparemment insignifiants. Nodier fut le défenseur passionné d'un tel déplacement — Nodier qui révolutionna le livre illustré avec le Roi de Bohême et porta l'une des plus populaires des séries lithographiques, les Voyages pittoresques et romantiques dans l'ancienne France, Nodier qui incarne parfaitement la tension du siècle, déchiré entre le désir de l'image imprimée donnée à tous et la passion pour le livre beau, curieux, rare, promis à quelques-uns seulement.

Couverture à encadrement gravé sur bois, signé Lacoste et Guillaumot pour le *Balzac illustré*
édité par Delloye et Lecou en 1838. *La Peau de chagrin* fut, du reste, le seul volume
qui parut de ces œuvres illustrées de Balzac annoncées par les éditeurs. H. 261 mm.

Le texte et l'image

par Michel Melot

L'importance grandissante du rôle de l'image dans l'acquisition des connaissances, l'entrée du livre parmi les biens de consommation industrialisés : ces deux phénomènes conjugués amenèrent le changement non seulement des systèmes de production et de distribution, mais des formes mêmes du livre dans sa composition, sa présentation, sa mise en pages. Ces deux phénomènes ne sont pas par hasard contemporains.

Le monde capitaliste industriel fonde son pouvoir sur l'empirisme, qui fait de la réalité une référence absolue, et sur les connaissances expérimentales qui permettent la maîtrise de la nature. L'image : le schéma, la figure, l'empreinte, la photographie sont les images de cet empirisme, nécessaires à l'acquisition et à la reproduction du savoir expérimental. A la fin de la période considérée ici, vers 1880, les manuels de leçons de choses des écoles et les cours de dessin technique, développés pour former les ingénieurs, institutionnaliseront ce rôle fondamental de l'image dans le système de production industrielle. En attendant, il faut désormais que l'image prenne sa place dans le livre, le manuel, le guide, le périodique, alors que toute l'imprimerie, de la composition des formes aux machines à imprimer, a été conçue pour le texte dans une civilisation post-médiévale où l'écrit conservait sa prééminence et son autorité absolue. Jusqu'en 1830, l'illustration est totalement astreinte par le texte. Le schéma classique s'ordonne en figures bien encadrées : frontispice, bandeau, lettrine, cul-de-lampe, hors-texte. Certes on peut montrer les progrès de l'illustration depuis le XVIe siècle, les tentatives passionnées de Comenius, premier pédagogue de l'image au milieu du XVIIe siècle, les recherches sur les signes du père Athanase Kircher et, au XVIIIe siècle, les grandes encyclopédies par l'image, depuis Bernard Picart à Grasset de Saint-Sauveur. Mais 1830 est l'époque où tout ce mouvement,

jusqu'alors marginal ou minoritaire, prend décidément le pouvoir à tel point qu'un érudit fort sérieux, Georges Duplessis, n'a pas hésité à écrire : « On n'avait guère songé, avant 1830, à illustrer les livres » (1).

En suivant la courbe ascendante de cette évolution, il est clair que l'image, qui excite la méfiance des idéologies dogmatiques, devient nécessaire à l'idéologie sur laquelle se fonde le système de production capitaliste : elle aide à la conquête du monde, à la connaissance des phénomènes naturels, à la fabrication des objets. Comme le dit Roland Barthes à propos des planches de l'*Encyclopédie* : « L'illustration suppose une certaine philosophie de l'objet » (2).

Ainsi l'illustration, en général, et l'enseignement par l'image, en particulier, parce qu'ils débordent les codes de l'écriture et échappent plus aisément au contrôle des clercs ont été suspects de frivolité et d'inconséquence dans les milieux lettrés jusqu'au XIXe siècle. Anatole France se souvenait encore que son maître d'école avait arraché le frontispice du *Jardin des racines grecques,* unique ornement de ce manuel célèbre dans les écoles. L'image représentait un enfant en toge ouvrant le portail d'un jardin à la française (3).

A la fin du siècle, la partie est perdue, et pourtant les premières bandes dessinées importées d'Amérique, avec le texte inclus dans des bulles, furent soigneusement recomposées par les éditeurs avec un texte typographié sous

l'image, comme cela semblait convenable. Bien que les milieux scolaire et religieux fussent largement méfiants à l'égard de l'image, la maison Mame, à Tours, modernisait au milieu du siècle la production enfantine et sortait des centaines de livres illustrés, très colorés dont, comme le dit Jean Adhémar : « c'est l'extérieur des cartonnages qui plaît à l'enfant et non l'histoire même, souvent peu illustrée » (4), citant à l'appui ce passage de Georges Darien (*l'Épaulette,* 1879) où l'enfant reçoit des « livres verts comme des lézards, jaunes comme des omelettes, rouges comme des homards... brillants et chargés d'or. Ils sont pleins d'images et débordent de beaux sentiments ».

En fait, à partir du XIXe siècle, on ne peut plus se passer d'images. D'une part, nous l'avons dit, elles sont un outil indispensable au progrès des sciences et des techniques, mais d'autre part, elles sont aussi le langage universel des gens peu lettrés, que le texte seul rebute. Or, c'est bien ce nouveau public que doit gagner l'édition pour entrer dans le jeu de l'industrie, allonger ses tirages et faire des profits. Le bourgeois enrichi, mais peu instruit, ouvrira plus aisément *le Magasin pittoresque,* où il trouvera, en images, la glorification et l'explication du monde qu'il est en train de construire. Le notable de province doit s'instruire pour prendre la relève des aristocrates et contemplera avec fierté le monument de son pays dans les *Voyages Pittoresques.* Le peuple même, qui ne lit pas ou fort peu mais

Le *Magasin pittoresque* est en quelque sorte une encyclopédie populaire abondamment illustrée de gravures sur bois dues à des artistes célèbres ; ici Grandville traite de façon humoristique de la vie des vers à soie. H. 283 mm.

s'éveille à la conscience politique, cherche une nourriture intellectuelle à sa portée et la trouve dans l'imagerie fabriquée à son intention à Épinal ou à Alençon (voir planche 14). Ce consensus aura raison des résistances des milieux conservateurs : l'idéologie de la modernité sera libérale, empiriste et illustrée. Ainsi sera le livre : considérablement diversifié dans ses formes pour atteindre de nouvelles couches de lecteurs et plus ou moins truffé d'images selon leur appétit et leur compétence. Cela n'ira pas sans poser d'énormes problèmes techniques. D'autant plus que, si toute la culture, y compris celle des images, a été jusqu'alors modelée sur un système de reproduction de l'écriture mis au point par Gutenberg, l'invention de Niepce et Daguerre, connue en 1839, inversera le problème et posera la première pierre d'un système de reproduction universelle qui n'est plus cohérent avec l'écriture.

Les nouvelles formes du livre

Le premier effet de l'essor du marché du livre fut d'en diversifier les formes. Avant même que de se plier aux nouvelles contraintes techniques que supposait son industrialisation, il lui fallait se transformer en une gamme d'objets capables d'atteindre d'autres publics qui en étaient séparés, soit par le niveau d'instruction, soit par l'éloignement des grands centres de production. La forme la mieux adaptée et la plus riche d'avenir était le périodique et, bien que nous ne nous engageons pas à réécrire ici l'histoire de la presse (5), il faut souligner d'une part qu'entre le livre et le journal la séparation fut souvent, particulièrement à cette époque, indécise, d'autre part que l'influence de la forme journalistique sur le livre fut sans doute un des événements majeurs de la littérature et de l'édition du XIXe siècle. Pas de séparation bien nette puisque les grands ouvrages étaient proposés en livraisons périodiques. Dès que ces livraisons ne traitent plus d'un seul sujet, on invente le périodique éducatif, qui fit d'abord la fortune de Charles Knight en Angleterre avec le *Penny Magazine* et la *Penny Encyclopaedia*

(1833), puis celle d'Édouard Charton qui lance la même année en France *le Magasin Pittoresque,* véritable encyclopédie populaire, hebdomadaire, de 8 pages, à 2 sous, tiré, grâce à 2 presses à vapeur et aux stéréotypes, à 100 000 exemplaires. Il est doublé la même année par le mensuel *le Musée des familles, lectures du soir,* à 10 sous. Dans la préface du premier numéro, Jules Janin annonce d'ailleurs : « Il est temps que le peuple ait un livre à deux sous. » Les journaux de mode, plus chers, qui abordent des sujets divers, se multiplient dans les années 1830 ; cinquante titres nouveaux sous la monarchie de Juillet (6), et tandis qu'Émile de Girardin relance *la Presse* à 10 francs par an en 1840, *l'Illustration,* premier grand journal d'actualité illustré, paraît en 1843 (à l'imitation de l'*Illustrated London News* de 1842) (7). Cela ne pouvait laisser intact le contenu du livre. De nouveaux genres littéraires, propices à la série, sont favorisés : la critique d'art, le récit de voyage. Par le feuilleton, la littérature est publiée tant par la presse que par le livre. Victor Hugo s'y refuse, malgré le ~~~~~~~~~ *nal* et *l'Événement* (un demi-million !) pour publier en avant-première *les Travailleurs de la mer* en 1866, malgré les arguments « sociaux » qu'on lui présente : « Chacun pourra le lire, et la mère de famille, le bon ouvrier des vil~~~~, le bon laboureur des campagnes ~~~~~~~, ~~~~ de pain à leurs enfants, ou un tison au foyer de leurs vieillards, répandre autour d'eux la lumière, la consolation et la récréation par la lecture de votre éminent ouvrage... » Hugo répond : « Mes raisons sont toutes puisées dans ma conscience littéraire... C'est sous la forme livre que *les Travailleurs de la mer* doivent paraître » (8). Lamartine, au contraire, y a recours systématiquement, par besoin d'argent, mais aussi parce qu'il s'efforce de « regarder en bas vers les classes inférieures d'illettrés » et entend leur faire « la charité d'un livre ». Ainsi, il éditera lui-même, sous forme de livraisons mensuelles, de 1856 jusqu'à sa mort son *Cours familier de littérature* (28 volumes), comme il avait publié ses *Confidences* à la demande de Mme de Girardin dans *la Presse* en 1850 (9).

On passe aussi aisément du journal

Le passage du torrent, une des planches hors-texte d'après Tony Johannot de la célèbre édition de *Paul et Virginie,* de Bernardin de Saint-Pierre, publiée par Curmer en 1838. H. 266 mm.

A Nantua, il fait trois fois le tour du lac à la poursuite d'un *manteau royal.*

A Avignon, il manque une phalène et attrape un chat-huant.

A Arles, il manque un Apollon et n'attrape pas un sphinx.

Mais, à Marseille, il attrape une dame et ne manque pas un factionnaire.

Une des premières bandes dessinées, telle est bien l'*Histoire de M. Cryptogame*
de Rodolphe Toepffer, gravée sur bois par Cham. Paris, Dubochet, 1846. H. 153 mm.

Dans la revue *Le Prisme* publiée par Curmer, l'ironie
du texte est soulignée par les illustrations humoristiques
dues aux plus célèbres caricaturistes de l'époque,
Daumier, Gavarni, Grandville... Paris, 1841. H. 254 mm.

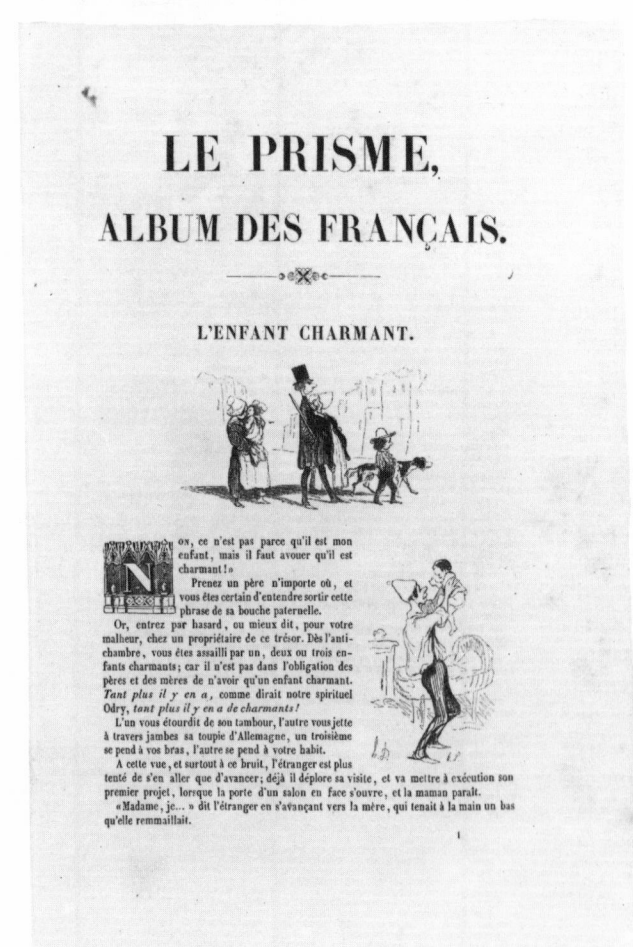

illustré à l'album, et, comme de nos jours, les meilleures séries de satires publiées par *le Charivari* sont rééditées en recueils, l'éditeur de presse, comme Charles Philipon, devient aussitôt éditeur de livres, reprenant ses succès en volumes. Ainsi il publie avec Aubert, l'éditeur de Daumier, de nombreux albums de mélanges comme ces *Historiettes et images*, texte par A. de Savigny, illustré de plus de sept cents dessins gravés d'après MM. Grandville, Daumier, Johannot, E. Forest, Watier, et d'autres... (1840). En 1848, dans *le Journal pour rire* paraît le premier feuilleton en images : une parodie des romans d'Eugène Sue. Dans ce même journal, Henry Émy publie une bande dessinée à la manière de Toepffer : *le Contrebandier grotesque*. Cham, qui avait transcrit sur bois pour une édition française les lithographies de *l'Histoire de Monsieur Cryptogame*, 1845, de Rodolphe Toepffer, à la demande de l'éditeur Dubochet, publiée en petits recueils oblongs, exécuta ensuite ses propres bandes dessinées en 1859. Le genre et le format plaisent beaucoup, Gustave Doré y sacrifiera, lui aussi, avec ses *Travaux d'Hercule* (1847). Martial en 1862, dans le *Journal amusant (le Fusillé Pacot, élève de l'École normale de gymnastique)*, Stop, la même année *(les Aventures de la belle Aurore et du chevalier de Pincebourde)*, Léonce Petit, en 1867, dans *le Hanneton (Monsieur Béton)* et Crafty, qui dans *la Lune* inaugure le genre de l'histoire dessinée « sans légende » *(Un drame sous un parapluie)* sont les promoteurs d'un genre qui fait aujourd'hui fureur. À vrai dire la « grande » bande dessinée en France ne commence qu'avec les célèbres aventures de la famille Fenouillard de Christophe, publiées en 1889 dans le *Petit Illustré français,* puis chez Armand Colin. De même que la livraison est un livre publié sous forme de périodique, certains périodiques, dont chaque numéro ne traite que d'un seul sujet, s'assimilent à des livres, ainsi les biographies illustrées, genre inauguré par le *Diogène,* d'Amédée Rolland et Étienne Carjat en 1856. Enfin, pour clore le chapitre, des rapports du livre et des périodiques, il faut citer la naissance en 1863 de la *Vie parisienne,* revue de l'illustrateur Marcelin, premier titre mêlant mondanités et curiosités, grivoi-

serie et actualité, dans un mélange qui fera fortune, comme la bande dessinée, autant en albums qu'en feuilles. Le livre, altéré par d'autres formes de publications, se banalise, même dans des formes qui se voulaient sophistiquées. *Le Prisme,* revue publiée par Curmer et sous-titrée ironiquement « Encyclopédie morale », raconte ainsi l'évolution des « albums », ces livres d'or très à la mode que toute femme du monde se constituait en invitant ses hôtes à y laisser quelques vers ou un croquis : « Naguère cet objet de luxe ne se rencontrait que dans les hautes régions aristocratiques, dans les salons du monde élégant, sur la console de la femme à la mode ; aujourd'hui, il est tombé de chute en chute dans la classe bourgeoise : la femme du sous-chef de bureau a son album, la fille du concierge, jeune prodige porté par vocation à suivre les cours de l'école gratuite, se prépare à composer son album » (10). Le livre cherche à déborder de son public traditionnel : par le bas, il se fait modeste, en format comme en prix ; par le haut, il multiplie les effets techniques et les tomes. Dans les catégories modestes, il faut citer la vogue des *keepsakes* à l'anglaise (11), baptisés ainsi d'après le titre du plus célèbre d'entre eux, publié en 1828, et qui succédaient aux petits almanachs du XVIIIᵉ siècle. Ces petits livres frivoles, in-16 joliment reliés ou illustrés, étaient plus des petits cadeaux ou des bibelots que des livres. Ils eurent moins de succès en France qu'en Angleterre ou en Allemagne (Taschenbücher). En revanche, il faut citer en France la vogue des « Physiologies », tout petits livres dont la *Physiologie des physiologies* donne cette définition : « volume in-18 de 124 pages et d'une vignette contenant des bavardages (logos) pour des gens niais de nature (phusis) », et cette profession de foi : « grâce à ces petits livres, pétris de science et d'esprit, l'homme sera mieux classé, mieux divisé, mieux subdivisé que les animaux, ses confrères, chacun connaîtra : son origine, son espèce, sa famille, son genre ; chaque homme aura ainsi sa case dans l'humanité » (12). Il s'agissait en fait de parodier Buffon et Cuvier à l'époque de *la Comédie humaine* où les catégories sociales prennent conscience d'elles-mêmes dans les grandes cités. Ces

albums d'images, ces petits livres faciles, alimentent les nouvelles presses à grand tirage, les représentants de commerce, et un public friand ; ce sont eux qui font dire à l'auteur de la *Physiologie des physiologies :* « Nous faisons aujourd'hui un livre comme on faisait naguère une pirouette. »

La librairie, et particulièrement le livre illustré s'enrichissent de nouveaux produits : le guide touristique, dont les premiers modèles, en plusieurs épais volumes (*Guide des voyageurs en Europe,* de Reichard, 1793) remontent à la fin du XVIIIᵉ siècle, se répandent en même temps que les chemins de fer. Joanne publie son premier guide chez Paulin (*la Suisse, le Jura et la Forêt-Noire,* 1841), puis ses Itinéraires illustrés chez Hachette, après 1856 dans la Bibliothèque des chemins de fer (13). De l'Exposition universelle de Londres en 1851, Hachette ramène l'idée des bibliothèques de gares et en prend le monopole en France : on y vend entre autre les petits guides itinéraires, de Paris au Havre ou de Paris à Orléans, illustrés de petites vignettes gravées sur bois. Le livre scolaire s'illustre lui aussi, de plus en plus, depuis que certains philosophes et pédagogues, John Locke, le premier (1693), puis Pestalozzi (*Comment Gertrude instruit ses enfants,* 1801), ont prôné l'enseignement par le livre illustré. Les « abécédaires » ont commencé de fleurir en France sous la Révolution et l'Empire (14). À l'époque romantique, c'est le tour de la géographie avec la *Géographie vivante* de Mme H. (1823) et de l'histoire avec *l'Histoire de France* représentée par des tableaux synoptiques et par 70 gravures de L. S. Colart (1825), qui sont les ancêtres de nos manuels illustrés. En 1833, Henri Martin publie chez Mame sa première *Histoire de France* avec des figures. De nouvelles éditions illustrées, chez Furne (1838, 1844, 1855, 1857), feront de cet ouvrage une étape importante du livre illustré. De même que *l'Histoire des peintres de toutes les écoles,* de Charles Blanc, chez Renouard en 1861-1876 (14 volumes), peut être considérée comme la première grande histoire de l'art illustré. Mais c'est essentiellement avec l'œuvre de Victor Duruy, ministre de l'Instruction publique de 1863 à 1869 (qui avait déjà publié en 1840 un atlas de géographie et en 1851 une *His-*

Projet de frontispice pour *la Légende des siècles*,
dessiné par Victor Hugo.

toire grecque illustrée) que le matériel
scolaire se développe dans la librairie.
Il fut suivi par Mme Pape-Carpantier
(1815-1878), auteur de leçons de choses (1857) et d'un *Enseignement par
les yeux...* (Hachette, 1868). L'imagerie scolaire, avec les premiers tableaux
muraux en toile cirée, les images
d'Épinal pédagogiques et la librairie
scolaire seront vulgarisées sous le
ministère de Jules Ferry et les grandes
lois de 1881-1882.

À l'autre bout de l'échelle se développe une production de luxe, qui
cherche à mettre à profit tous les perfectionnements techniques modernes,
pour leur donner des lettres de
noblesse. L'éditeur Curmer (1801-
1870) se rendit célèbre pour ces glorieuses entreprises, qui ne furent pas
toujours des succès. La plus connue est
sans doute *Paul et Virginie,* de 1836-
1838, qui lui coûta plus de 120 000
francs, où différentes techniques
d'illustration sont employées côte à
côte : gravure sur bois dans le texte,
gravure sur acier en hors-texte, afin
qu'aucune page ne soit sans image ;
mais il faut situer dans cet esprit
l'entreprise de reproduction en couleurs des miniatures de Fouquet, pour
les *Antiquités judaïques* (voir planche
5), ou son *Histoire de l'Ancien et
du Nouveau Testament* (1853) qu'il
baptise un « monument à la gloire de
la gravure sur bois » (700 vignettes) ou
les neuf volumes des *Français peints
par eux-mêmes,* sorte de « Physiologie » de luxe illustrée par les meilleurs
dessinateurs : Daumier, Gavarni,
Delacroix, Grandville, Monnier, Lami,
Meissonier, Johannot, Gigoux, Vernet,
Charlet, Isabey, Daubigny, Français,
Trimolet, Steinheil, etc... Curmer,
avec la même ambition, lança en 1843,
un périodique de luxe : *les Beaux
Arts, illustrations des arts et de la littérature,* de 24 pages, couverture en
chromolithographie, avec deux estampes hors-texte. Vingt-neuf livraisons
parurent en 1843, vingt-six étaient
prévues en 1844 mais treize seulement
parurent : l'expérience était trop audacieuse, ou prématurée ; le public
d'amateurs qui fit le succès, en 1859,
de la *Gazette des Beaux-Arts* n'existait pas encore sous Louis-Philippe.

Ainsi le livre, sous des formes opposées, étend son répertoire, du petit
almanach, pas plus grand qu'une

main, aux lourds volumes imprimés en couleurs par Curmer, il peut être proposé, sinon à toutes les catégories sociales de la société, du moins dans toutes celles de la bourgeoisie, jusqu'aux plus modestes ; grâce à ces formes nouvelles, comme l'écrit Jean-Pierre Seguin : « Toutes accèdent largement aux livres, mais chacune a ses livres, différents par la typographie, les papiers et les illustrations » (15).

Les nouvelles formes de l'écriture

La diversification de la production éditoriale n'eut pas que des répercussions sur les formes graphiques, mais sur la forme littéraire même, en déterminant de nouveaux genres et en instituant, pour qui voulait être écrivain, de nouvelles pratiques de l'écriture. L'écrivain est directement contaminé par la proximité de l'image, qui l'oblige à infléchir son texte. Depuis la philosophie sensualiste du XVIIIe siècle, qui fait de tout signe un véhicule de connaissance, l'écrit ne jouit plus de son superbe isolement, de son rôle de dépositaire exclusif du sens. L'effet de connaissance peut venir aussi bien de l'image ou du geste : Condillac (16), en étudiant le costume ou la danse comme des systèmes de signes, fondait en quelque sorte la sémiologie moderne et les « idéologues », pour qui tous ces signes sont la matière même de notre pensée, ont frayé le chemin à la théorie romantique de la correspondance des arts. L'artiste romantique, démiurge d'un simulacre de création, est maître des signes, et non seulement de l'écriture. Image et texte sont en état de perpétuelle osmose : Victor Hugo en est le plus extraordinaire exemple, avec sa force graphique qui s'exprima aussi bien dans quatre mille dessins. Mais il faudrait aussi citer parmi beaucoup d'autres Goethe et Thackeray, écrivains et grands dessinateurs. La préface de *Cromwell* (1827) proclame les vertus du mélange des genres, mais ce mélange des genres s'applique aussi bien à l'inspiration mêlée que l'auteur doit trouver tant dans les œuvres picturales que dans la littérature. Le drame romantique est fils de Michel-Ange et de Callot, de l'architecture médiévale,

LA CONSCIENCE DEVANT UNE MAUVAISE ACTION

Deux des 4 000 dessins laissés par Victor Hugo et dans lesquels transparaît sa force d'expression tout comme dans ses poèmes. (Paris, Maison de Victor Hugo.)

293

Ce titre original correspond bien à la fantaisie
de l'ouvrage prétendu de Taxile Delord, publié par Grandville,
Un autre monde. Paris, H. Fournier, 1843. H. 263 mm.

de la couleur locale, aussi bien que de
Corneille et de Shakespeare.

Jean Adhémar nous rappelle, dans
un article foisonnant (17), les innombrables références que les écrivains du
XIXᵉ siècle — contrairement à leurs
prédécesseurs — puisaient dans les
images : les caricatures citées par Chateaubriand, les estampes de reproductions admirées par Stendhal, l'imagerie
où Balzac, Dumas, Hugo trouvent des
sources de décor et des sujets pittoresques à décrire. Contrairement aux usages du siècle précédent, tout montre
alors que la sensibilité particulière que
les écrivains romantiques et réalistes
(Champfleury, les Goncourt, écrivains
et historiens de l'image) portent aux
documents figurés.

À supposer que l'écrivain se défiât
de l'illustration, celle-ci l'interpellait
de différentes façons, si bien qu'il y
était, qu'il le veuille ou non, confronté
un jour ou l'autre. Alfred de Musset,
qui voyait dans l'illustration « une fantaisie pour ouvrages de luxe », ne
dédaignait pas de dessiner lui-même,
ni de voir les affiches illustrées par
Tony Johannot pour vanter ses ouvrages. Le cas le plus fameux fut celui de
Walter Scott qui résista longtemps, par
souci de pureté, à la tentation de
l'illustration mais céda finalement aux
instances pressantes et aux offres alléchantes de ses éditeurs... (18). Généralement, les auteurs furent moins délicats et s'entendirent d'emblée avec de
bons illustrateurs avec qui ils formè-
rent comme des équipes indissociables
(Dickens et Georges Cruikshank, par
exemple). Les salons et cénacles
romantiques mêlaient artistes et écrivains : les Johannot et les Devéria
autour de Nodier, Célestin Nanteuil et
Louis Boulanger autour de Hugo, plus
tard l'hôtel de Pimodan où se rencontraient Baudelaire et Daumier. Jamais
l'art n'avait été moins cloisonné qu'à
cette période de libéralisme créateur.
S'il était inspiré, l'artiste devait être
capable de faire jaillir l'art sous quelque forme que ce soit, comme une
force irrépressible et prodigue. C'est
cette prodigalité que la forme graphique des publications des années 1830
devait restituer, quoiqu'il en coûtât
aux techniques de mise en pages et
d'impressions, qui étaient loin de
satisfaire à une telle richesse.

Souvent, à partir de cette époque,

illustrateur et écrivain forment un couple. Le mariage peut être d'affinité : Delacroix ne gagna rien à publier les meilleures illustrations de Goethe, fasciné qu'il avait été par une représentation « diabolique » de *Faust* à Londres. Mais c'est en général un mariage de raison. Parce qu'un roman se vend pour ses vignettes, parce que « nous voulons des vignettes, le libraire veut des vignettes, le public veut des vignettes » (Édouard Thierry, préface de *Sous les rideaux,* 1834) ; parce que « un livre et une romance s'achètent aujourd'hui non pour le texte mais pour les vignettes » (Régnier Destourbet, *Un bal sous Louis-Philippe,* 1832) (19). L'éditeur fait se rencontrer l'écrivain et le dessinateur. La publication de feuilletons en livraisons, puis dans les périodiques, suscita un genre littéraire nouveau, déjà fort étudié et connu à l'époque sous le nom de « littérature à vapeur ». Mais il faut dire aussi que cette littérature avait non seulement des contraintes de fond — choix du sujet, déroulement dramatique, style, etc. — mais également des contraintes de formes — remise du manuscrit selon un rythme accéléré, calibrages des chapitres et même des paragraphes, et surtout nécessité de « chutes » à des endroits précis, choisis par l'éditeur pour tomber en fin de livraison. Enfin, il fallait que l'auteur trouve place dans chaque livraison pour au moins une scène particulièrement spectaculaire, capable d'inspirer à l'illustrateur un beau hors-texte ; de même, le pittoresque des personnages ou le détail des descriptions ne répond pas seulement à un souci littéraire, mais bien aussi à la nécessité où se trouvait l'écrivain de fournir à l'illustrateur matière à des vignettes.

L'image avant le texte

De plus en plus, il arrive que l'image, à son tour, commande le texte. Dans les grands albums de voyages, ou dans les revues de mode, c'est la planche qui constitue le corps de l'ouvrage et l'éditeur commande à un écrivain un commentaire de circonstance. Une foule d'ouvrages sont désormais dépourvus d'auteurs. *Les Français peints par eux-mêmes* 1841-1842, ou *le Jardin des plantes* 1842-

1843 de Curmer (2 volumes avec 14 portraits, 600 vignettes, 50 hors-texte sur acier, et 116 hors-texte sur bois) demeureront célèbres pour leurs illustrations. Lorsque Grandville publie *Un autre monde,* en 1843, l'ouvrage se présente comme un texte de Taxile Delord enveloppant les extraordinaires dessins, mais de façon si artificielle que l'ouvrage a bien été conçu par l'éditeur et reçu par le public comme une œuvre de Grandville. Le bruit court alors que Taxile Delord n'existait pas. Lorsque furent publiées *les Métamorphoses du jour,* 1854, avec des textes d'Albéric Second, Clément Caraguel et Louis Lurine, l'éditeur Havard prend ses précautions et assure que « en accompagnant d'un texte chaque dessin, nous avons cherché à suivre Grandville scrupuleusement partout où il pouvait être suivi, à traduire fidèlement sa pensée en espérant qu'en faveur de cet humble servage la parole trouverait grâce devant le dessin » (20). Enfin, avec la photographie, l'écrivain se sent devenir inutile, le commentaire paraît redondant tant est grande la force de persuasion de « l'instrument miroir » (Théophile Gautier). Dans son ouvrage sur Jérusalem (1856), Auguste Salzmann prend ses propres photographies à témoin : « Ces photographies ne sont pas des récits mais bien des faits doués d'une brutalité concluante. » Le texte se tait : « il est plus facile de renvoyer à la photographie représentant ce bas-relief que d'en faire la description », ou encore : « une description de cette porte est une chose impossible, je suis donc forcé de renvoyer à mes photographies pour en donner une juste idée » (21).

La disposition typographique même rompt les pratiques uniformes de l'écriture. L'écrivain écrit des « légendes », à tel point qu'on a parfois classé comme écrivain le dessinateur Gavarni, non parce qu'il a commis quelques pièces de théâtre, mais parce que ses légendes, très bavardes, se transforment parfois en véritables saynètes. C'est une semblable aventure qui est survenue à Henri Monnier, écrivain et chansonnier, créateur à la scène du célèbre monsieur Prudhomme, qu'il transposa en séries dessinées dont les légendes, souvent, font penser à des répliques de théâtre. De même l'auteur est saisi par le titre qui doit

exploiter, entre 1820 et 1840 surtout, le maximum de richesses typographiques, parfois monstrueusement assemblées en des compositions monumentales ou vertigineuses où les caractères de fantaisie fleurissent et se bousculent.

Enfin, il est piégé par l'image au cœur de son texte même. Avec le goût pour la vignette et la possibilité de revenir, par la gravure sur bois, aux caprices du manuscrit, revint aussi celui pour l'initiale ornée. Il s'agit souvent d'une fantaisie décorative en accord avec le texte ou formant un calembour graphique (la tête d'un âne avec ses deux oreilles pour former un V initial de *l'Âne mort* de Jules Janin, par exemple). On ne s'étonne pas alors de voir que, dans cette mythologie du génie où se situe l'auteur romantique, pratiquant l'écriture comme exaltation de l'individu, son manuscrit se transforme en composition spectaculaire, qu'il s'orne de dessins marginaux comme chez Hugo ou Baudelaire, ou qu'il exprime la force de sa création, comme chez Flaubert ou Balzac, par celle de son graphisme même (22).

Les nouvelles formes de l'image

Afin de pourvoir le public en images, plusieurs techniques furent inventées ou développées : la gravure sur bois de bout, la lithographie, la gravure sur acier. Chacune apporte de nouveaux avantages, aucune n'est idéale. La photographie même, répondant parfaitement à la recherche idéologique du signe empirique, reflet exact de la réalité, ne satisfaisait nullement à la demande de la production industrielle, de la reproduction mécanique, et ce ne fut que très lentement, dans la seconde moitié du siècle, que le compromis techniquement acceptable de la trame permit enfin de concilier la demande idéologique et les exigences économiques directes des producteurs. Il fallait un procédé inusable aux longs tirages, facile à exécuter, facile à imprimer. La gravure sur bois de bout possédait essentiellement ce troisième avantage, la lithographie le deuxième, la gravure sur acier le premier. En fait, ils se partagèrent le marché de l'illustration sans qu'aucun ne le conquière entièrement.

Le Roi
de Bohême
et ses sept
châteaux

Utilisation de la typographie pour dessiner une figure dans le *Roi de Bohême*, comme Apollinaire le fera dans ses *Calligrammes*.

Publié en janvier 1830, *le Roi de Bohême et ses sept châteaux* surprit et déconcerta les lecteurs, à l'exception de quelques écrivains et artistes intéressés (Hugo, Nerval), voire enthousiastes (Delacroix, Balzac). Railleur inquiet à l'imprévisible fantaisie, Nodier mettait à mal le genre narratif. Prétendant pasticher le *Tristram Shandy* de Sterne dont l'un des personnages ne parvenait pas à raconter l'histoire du *Roi de Bohême,* aussitôt interrompue que recommencée, Nodier déçoit de la même façon l'attente de son lecteur. Pis ! Il n'y a dans son récit ni histoire suivie (sinon deux contes interpolés), ni personnages : seulement des abstractions caricaturales, des ombres ou des voix. Cette fantasmagorie ironique prend parfois une profondeur soudaine : lorsque l'auteur aborde le monde de la rêverie, du rêve, de l'inconscient. Certaines pages annoncent Freud. Mais surtout Nodier, amoureux fou de la langue en tant que matière sonore, se livre à la pure incantation musicale des mots, s'enchante de longues listes de termes rares ou archaïques, crée des vocables à l'expressive familiarité qui, groupés en laisses, préfigurent les poèmes d'un Henri Michaux.

Mais cette mise en pièces des genres et des formes littéraires traditionnels s'accompagne d'une remise en question du livre lui-même dans son organisation comme dans son rapport avec l'image. Bibliomane, Nodier fait de son livre un mémorial allègrement ironique de sa passion. Il commence par glisser au cœur même du texte tout ce qui précède ou accompagne d'ordinaire sa publication. Ainsi on découvre (p. 69) une notice descriptive : « un volume in-8° cartonné à l'anglaise et orné de cinquante vignettes, gravées sur bois par Porret, d'après les dessins de Tony Johannot », avec indication du libraire (Delangle) et des prix (de quinze à cent vingt francs selon la qualité du papier), suivie d'un feuilleton critique d'une éloquence ampoulée extrêmement sévère pour l'auteur : « N'est-ce pas une singulière ambition à un écrivain morose, que paraissent ulcérer d'incurables douleurs, que de se jouer avec une marotte ? »

L'ouvrage lui-même s'arrête brusquement en vue du premier château de Bohême sur l'injonction d'un « doigt fatidique », « celui de mon libraire qui ne m'a donné, dit l'auteur, que trois cent quatre-vingt-sept pages de *cavalier vélin* blanc à remplir, et qu'un encrier de vingt centilitres à vider », lequel doigt « traça en initiales ombrées de *vingt-deux* [...] le monosyllabe suivant : FIN ». Il est vrai que viennent ensuite une table des matières ou plus exactement une « Récapitulation », avec mention de l'« Introduction » et des cinquante-sept chapitres, tous en -tion, un *erratum* ou plutôt une « Correction », et une « Approbation » du censeur. Livre ironique donc, muni de deux pages de titres, la première, toute classique, en caractère didot, avec une vignette reproduisant le profil emperruqué du roi Popocambou auquel le libraire

Delangle avait prêté ses traits, la deuxième (p. 35 !), ultraromantique, en gothique mêlé de caractères de fantaisie, la vignette représentant un petit château médiéval enveloppé par un monstre ailé et griffu, la tête en bas. Avec cela mainte anomalie typographique : caractères devenant plus gros d'une ligne à l'autre, alignements décalés et décroissants dessinant, par exemple, une flûte de Pan (souvenir de *la Syrinx,* poème figuré de Théocrite), présentation en une colonne, sur huit pages et demie, d'une liste de noms d'insectes, multiplication envahissante des points d'exclamation, un chapitre entier composé d'onomatopées. Tel chapitre, « Distraction », a trois lignes composées à l'envers. Tel autre, « Position », n'a que deux lignes — et une vignette.

Mais il n'y a pas là que fantaisie divertissante, à la limite de la provocation. Ce texte libéré apparaît comme extrêmement moderne. Il l'est d'abord par le rapport souple et intime qu'il établit avec la surface blanche de la page. Si la tradition typographique est bousculée, c'est au bénéfice d'une meilleure « respiration » de ce texte, et de l'expressivité qui jaillit de telle disposition imprévue dans la page, de tel type de caractère insolite, de telle relation spatiale qui s'instaure entre deux mots ou groupes de mots plus ou moins distants. Nodier est ici le précurseur de Mallarmé et de son poème le *Coup de dés* (1897) ou d'Apollinaire avec ses *Calligrames* (1919).

Surtout, *le Roi de Bohême* ouvre une période capitale de l'histoire du livre illustré. Une autre grande originalité de cet ouvrage est, en effet, la perfection expressive des cinquante gravures qui n'ornent pas simplement le texte mais le complètent et le parachèvent de la façon la plus suggestive et la plus spirituelle. Il ne s'agit pas de ces éditions de cérémonie qui présentent en « hors-texte » (un mot qui dit bien ce qu'il veut dire !) une série de gravures sur cuivre ou sur acier. Le dessinateur Tony Johannot et son graveur Porret utilisent la nouvelle technique de gravure burinée sur un bois de bout à grain très serré. Cette pratique, introduite d'Angleterre en France vers 1820, donne des vignettes plus précises et plus fines que les gravures taillées jadis au canif selon le fil du bois. Le dessin saillant en relief, comme les caractères typographiques, pouvait donc être incorporé à la page de texte. Mais alors que les premiers adeptes de ce procédé s'en tenaient timidement à des frontispices, à des têtes de pages ou à des culs-de-lampe (c'est-à-dire encore à des sortes de « hors-texte »), Johannot, d'un seul coup, va revendiquer la plus extrême liberté pour placer son dessin dans la page aux endroits les plus inattendus, mais toujours dans l'intention de mieux servir le texte, et jamais pour lui faire concurrence et détourner de lui. Et cela, il le faisait en totale connivence avec l'auteur, Nodier.

Voici deux exemples caractéristiques :
Don Pic de Fanferluchio est « l'homme le plus long, le plus mince, le plus étroit »,

physionomie symbolique qui dénote l'abs-
tracteur de quintessence coupé des réalités
de la vie (d'ailleurs Nodier, l'érudit, le
bibliomane, avait un corps dégingandé et
des membres semblables à des pattes d'arai-
gnée). Le dessin, tout en longueur et placé
au milieu de la page, divise le texte en deux
minces colonnes, de part et d'autre, et
coupe les mots de façon étrange. Ce personnage austère pointe un doigt doctoral vers
un nain sautillant et goguenard, Breloque,
qui, sur la page d'en face, mais bien plus
bas, lui adresse de la main un salut ironique
(pp. 12-13).

Telle autre page marie de la façon la plus
heureuse la fantaisie typographique qui
dessine « les sept rampes de l'escalier » en
lignes brisées à la mobilité du dessin. La
vignette va en effet se blottir dans l'angle
inférieur gauche de la page, car elle figure
« la tête grotesque » du portier encadrée
dans son vasistas, au pied de l'escalier. Ici le
texte, relativement dénué d'intérêt, se
trouve valorisé par la complicité concertée
du dessinateur et du typographe (p. 107).

Ainsi cet ouvrage eut un curieux destin :
comme texte acharné à contester l'illusion
réaliste dont se nourrissait alors la littérature
narrative, il fut incompris et vite oublié.
Seuls furent sauvés du naufrage et recueillis
dans les *Contes de la veillée* les deux récits
rapportés : *les Aveugles de Chamouny*,
dans le genre sentimental, et *le Chien de
Brisquet*, conte rustique, sobre et vigoureux. Il dut attendre les années 1950 et la
nouvelle critique pour ressortir du néant.
Mais comme ouvrage illustré selon une nouvelle technique, à la fois économique et
souple, et mise en œuvre avec un brio
éblouissant, « l'*Histoire du roi de Bohême*
[...] consacre un événement de première
importance dans l'histoire du livre d'art au
siècle dernier : la substitution à la taille-
douce de la gravure sur bois comme procédé
d'illustration » (1). En effet *le Roi de
Bohême* est à la source de ce flot de productions, abondamment et spirituellement
illustrées, qui vont déferler de 1830 à 1850 :
les grands classiques (le *Molière* illustré par
Tony Johannot, le *Gil Blas* par Jean Gigoux,
les *Fables* de La Fontaine par Grandville),
mais aussi les « modernes » (*la Comédie
humaine* de Balzac, avec toute une équipe
d'artistes dont Bertall, le préféré du romancier) et ces publications qui saisissent d'un
trait preste les silhouettes, les attitudes et
les modes dans une étroite union du verbe
et du dessin et dont les plus caractéristiques
sont les *Physiologies* qui font fureur entre
1840 et 1842.

Si *le Roi de Bohême* reste un
chef-d'œuvre isolé dans son étrangeté, il
n'en a pas moins agi comme un stimulant
actif d'effet immédiat dans le domaine de
l'édition illustrée et comme un ferment à
longue échéance dans la conception de
l'écriture proprement dite.

Simon Jeune

1. Frantz Calot, L.-M. Michon et P.-J. Angoulvent, *l'Art du livre en France,* 1931, pp. 164-165.

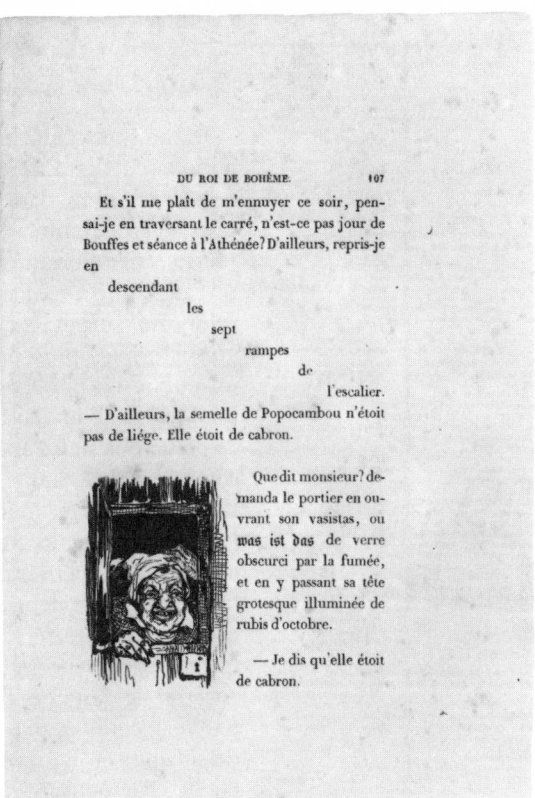

Action concertée du typographe
et du dessinateur pour donner à cette page
sa fantaisie amusante.

L'image sert particulièrement bien le texte dans ces deux pages avec
la longue figure de Don Pic de Fanferluchio et la courte silhouette du nain
sautillant qui le salue ironiquement. H. 234 mm.

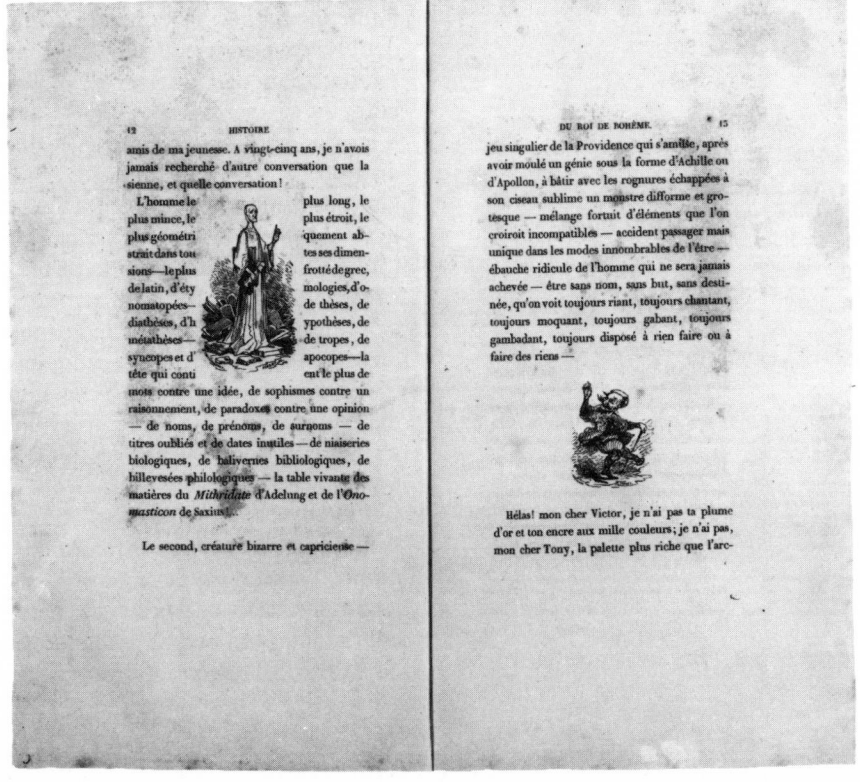

Le texte et l'image

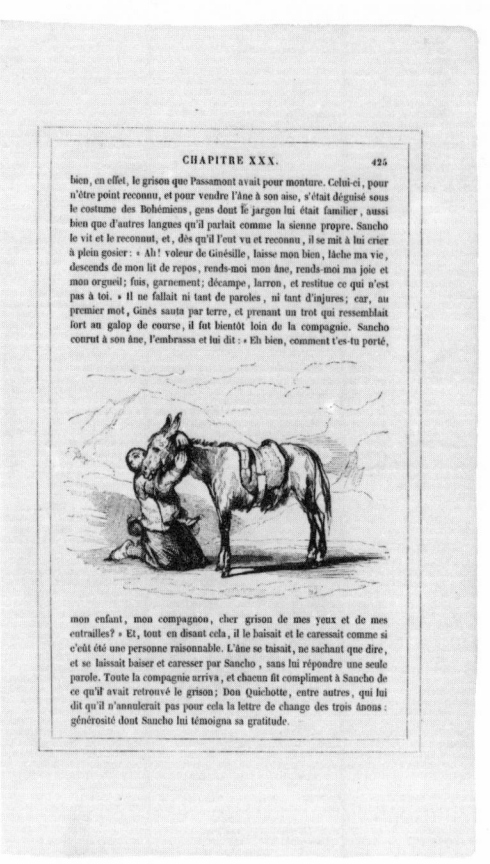

Une des 800 vignettes gravées sur bois d'après Tony Johannot pour le *Don Quichotte* de Cervantès édité en 2 vol. par J.-J. Dubochet en 1836.

Calembour graphique, ce V formé par les oreilles de l'âne au début du 1er chapitre de l'*Âne mort* de Jules Janin, illustré de gravures sur bois, d'après Tony Johannot. Paris, E. Bourdin, 1842.

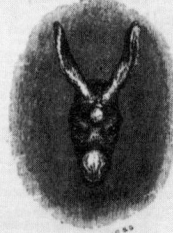

La gravure sur bois de bout

Le bois envahit le marché le plus populaire, car l'avantage qu'il avait d'être imprimé dans la même forme que la typographie, sur les nouvelles presses, l'emportait sur tout autre au niveau du coût. Par ailleurs, c'était celui qui offrait les images les plus grossières, les plus propres à satisfaire un public un peu exigeant. Le bois de bout était solide mais pouvait se fendre et présentait sous cet aspect des risques coûteux que seul le « cliché », l'empreinte de métal qui était à l'image ce que le stéréotype fut à la typographie, permettait d'éviter. Son inconvénient majeur provenait de son exécution lente et fastidieuse, bien qu'il fût là encore supérieur à son ancêtre, le bois de fil. Il n'épargnait pas le recours à deux spécialistes : le dessinateur et le graveur qui l'interprétaient. Ne pouvant être mécanisé, ce travail fut parcellisé, ce qui était la seule alternative qu'offrait l'industrie, et l'on vit des armées de graveurs se partager la même planche et se relayer jour et nuit dans des ateliers bien surveillés pour fournir des vignettes, des pleines pages ou des dépliants géants formés de petits cubes de bois assemblés et sertis dans la typographie. Car, une fois gravé, le bois de bout se traitait comme le bloc typographique, formant une mosaïque avec lui, ce qui autorisa les premières mises en pages journalistiques où texte et image, intimement liés, jouent un curieux double langage, se renforçant l'un l'autre, mais parfois aussi se contredisant, ou se rectifiant, lorsque l'image n'en dit pas assez ou que le texte en dit trop. Un nouveau langage, celui de nos magazines, naissait (23). Dans le livre, le bois de bout permettait à l'image de s'infiltrer dans le texte, d'y pousser des racines ou des rameaux et de transformer l'espace de la lecture en un espace de spectacle, un cadre imagé qui donnait au texte son écho immédiat. C'est ce que voulurent exploiter les éditeurs romantiques les plus hardis. Embauchant à grand frais des graveurs anglais, les éditeurs Curmer, Paulin ou Delangle entreprirent ce qu'on pourrait appeler des livres à grand spectacle où, grâce au bois de bout, l'image abondait à chaque page du texte. L'invention anglaise se

répandit en France au cours des années 1820. C'est en particulier grâce au bois de bout que fleurissent les vignettes, les frontispices et les initiales ornées, qui s'inséraient facilement dans le texte, qui faisaient corps avec lui. Champfleury, qui écrivit l'histoire des vignettes romantiques, date de 1828 l'année où l'illustration « planta son drapeau » dans la librairie (24) (voir planche 2).

Jamais encore l'influence des techniques employées pour les nouveaux périodiques à deux sous, la presse didactique et encyclopédique populaire, ne s'était autant fait sentir dans le livre même, dont on cherchait également à abaisser le coût par l'allongement des tirages. Mais une chose est de tirer à 100 000 un périodique familial vendu par abonnement dans les foyers, autre chose est d'arriver au même tirage pour un livre auquel on persiste à donner une allure opulente. Le premier du genre en France, *l'Histoire du roi de Bohême et de ses sept châteaux*, écrit par Nodier, illustré par Tony Johannot, gravé par Porret, conduisit son éditeur Delangle à la faillite. L'enthousiasme des éditeurs pour ces éclatantes productions entraîna une véritable surenchère d'images : au *Gil Blas*, paru chez Paulin, en 1835 avec six cents gravures de Jean Gigoux, répondit le *Don Quichotte* de Tony Johannot chez Dubochet, en 1836, qui en comportait huit cents. Là encore l'appétit des éditeurs précédait celui du public : aucun ne fut un succès commercial.

En fait, la gravure sur bois s'égarait dans ces super-productions de demi-luxe. Elle était fondamentalement une technique bon marché et fruste, propre à étonner les enfants et les illettrés par sa pauvreté même. C'était bien dans cet esprit que son inventeur Thomas Bewick l'avait conçue : une nouvelle façon de mettre la Bible des pauvres à l'heure de l'industrie ; elle était, pour lui, indissociable de l'idée d'apostolat pédagogique ; il s'agissait de montrer à tous les merveilles de Dieu à travers la nature et ses ouvrages, *L'Histoire des quadrupèdes* (1790, suivi de *l'Histoire des oiseaux*) sont parfaitement conformes à ces desseins, chaque page s'ornant, avec la plus grande simplicité, d'une vignette un peu naïve sous-titrée d'un texte qui ne l'est pas moins (25). Le succès des livres de Bewick s'explique par l'adéquation du produit à son public, alors que le public des ouvrages plus sophistiqués dans leur illustration avaient été en France surestimé. Bracquemond expliquera plus tard que « les éditeurs de 1840 emploient le bois comme moyen d'illustrations mais ils n'y croient pas ; ils n'y ont pas confiance, même ils le méprisent un peu comme un procédé bon pour les livres d'étrennes. Pour eux c'est la vignette sur acier, la « magnifique » vignette sur acier, comme ils l'annoncent sur les titres » (26). Malgré les superbes compositions de Gustave Doré, pour des livres ambitieux, c'est dans les journaux qu'il faut voir le territoire de la gravure sur bois, *le Magasin pittoresque* et *le Musée des familles* d'abord, en 1833 puis *l'Illustration* en 1842 puis *l'Univers illustré* de 1851, *le Monde illustré* de 1857, et tous les grands magazines qui allaient, autour de 1900, basculer vers le reportage photographique et le roman-photo.

La gravure sur acier

La « magnifique » gravure sur acier, elle aussi venue d'Angleterre (27) et utilisée depuis 1810 pour graver les billets de banque américains, avait pour elle l'avantage de la solidité, sans renoncer pour autant aux finesses habituelles de l'eau-forte. Grâce à elle, la taille-douce peut supporter les longs tirages que recherchent les libraires. Mais la taille-douce, on en connaît la contrainte : une impression à part, un encrage lent, qui s'apparente toujours au monde de l'artisanat de luxe et inapte à l'industrialisation. C'est pourquoi la gravure sur acier est utilisée pour illustrer les ouvrages de demi-luxe, dont on espère aussi accroître le public en allongeant les tirages : c'est le procédé convenable pour illustrer de beaux hors-texte les grands classiques de littérature, et les célébrités modernes, Byron, Fenimore Cooper. C'est aussi le procédé qui permet les belles planches des ouvrages de voyages, dont la vogue est grande avec le réveil des provinces, la naissance du tourisme, l'intérêt pour les pays exotiques ou le goût pour l'archéologie. En fait, la gravure sur acier offre un trait sec et monocorde par rapport à l'eau-forte.

sur cuivre, et ses finesses restent grises, mais qu'importe si elle permet de tirer à plusieurs milliers d'exemplaires ! L'éditeur en fait sa publicité en expliquant qu'il s'agit bien d'eaux-fortes, comme le prospectus des *Chants et Chansons populaires de la France*, publication élégante de l'éditeur Delloye (première livraison en 1842) où le texte lui-même est gravé comme les décors champêtres dont il est orné, ces décors étant dus à des artistes de la nouvelle école française de gravure (Trimolet, Steinheil, Daubigny : « Aucun recueil, en effet ne pouvait mieux se prêter au goût actuel de l'illustration et au mode de publication par livraison... Dans beaucoup de livres, la vignette est un hors-d'œuvre souvent déplacé ; ici, elle est un complément heureux et presque obligé ») (28)...

La lithographie

C'était également le cas de la lithographie, avec une nuance importante : sa réalisation, son impression même étaient faciles, rapides, donc meilleur marché. Elle combinait deux avantages : la rapidité d'exécution et la solidité de la pierre, avec les mêmes inconvénients que l'acier ; elle est contrainte à demeurer hors-texte (voir planche 3). On peut donc la voir dans des journaux, elle y permet même de traiter l'actualité, avec moins de personnel que la gravure sur bois, et l'on sait que c'est grâce à la lithographie que put paraître, en décembre 1832, le premier quotidien illustré : *le Charivari* (qui tirait à 3 000 exemplaires). Mais dans *le Charivari*, l'illustration unique occupe une pleine page, à l'intérieur, bien distincte des trois autres pages imprimées typographiquement. C'est pourquoi elle ne connut dans le domaine de l'illustration populaire que des développements limités, les grands journaux illustrés des années 1840 lui préférant le bois, plus souple dans la mise en pages. En revanche, elle fut le procédé idéal pour tirer des estampes populaires en feuille, dont s'ornaient les murs des chaumières, remplaçant peu à peu la gravure sur bois des images d'Épinal. On pourrait croire alors que ses qualités de dessins pouvaient en faire une mode d'illus-

tration pour ouvrages de luxe, et ce fut en effet le cas dans de nombreux albums de voyages, dont la plus célèbre série est évidemment *les Voyages pittoresques et romantiques dans l'ancienne France* d'Isidore Taylor, Charles Nodier, et Alphonse de Cailleux. L'intérêt de tels grands ouvrages (3 000 lithographies furent publiées en 22 volumes entre 1820 et 1878) résidait dans les planches, que des textes ne font que commenter, et parce qu'ils s'adressaient à un public de notables provinciaux qui y retrouvait des monuments connus (29).

Dans ce domaine aussi, cependant, la lithographie ne fit pas sa percée et ne rivalisa pas avec la gravure sur acier, plus appréciée des amateurs. D'une part, elle était encore coûteuse et, dans un manuel de 1835, un imprimeur lithographe se plaint de n'être pas compétitif : « la lithographie, bien que répandue depuis quelques années, n'est pas une branche d'industrie d'un intérêt assez général pour promettre à l'éditeur un débit capable de satisfaire, sous le rapport du profit, l'ambition la plus modeste » (30). Là encore, un procédé prometteur se heurte à l'obstacle de l'industrialisation impossible. Les efforts furent pourtant nombreux, dans les années 1840, pour adapter la lithographie à la presse typographique en la transformant en clichés trait. Mais il y avait un second obstacle, la lithographie, qui s'était répandue en milliers de feuilles légères ou grivoises, ou au contraire pieuses et moralisantes, était devenue le symbole de l'imagerie moderne de mauvais goût. Les caricatures de *Charivari* n'avaient pas peu contribué à cette appréciation. Un collectionneur aurait rougi d'en posséder, les critiques s'offusquaient des reproductions d'œuvres d'art par la lithographie : « La lithographie, rivale de la gravure, arrivera-t-elle aussi à reproduire la peinture de haut style ? Nous ne le pensons pas », dit un critique du conservateur *Journal des artistes* en 1830.

La lithographie, par sa facilité d'impression, autorisait l'espoir d'utiliser plusieurs passages pour obtenir des couleurs. Dès 1837, les principaux imprimeurs lithographes publièrent des essais : Godefroy Engelmann ses « lithocolores », et Lemercier ses « chromolithographies » (31) dont Curmer

L'ORAGE.

Il pleut, il pleut, bergère,
Presse tes blancs moutons ;
Allons sous ma chaumière,
Bergère, vite, allons ;
J'entends sur le feuillage
L'eau qui tombe à grand bruit ;
Voici, voici l'orage,
Voilà l'éclair qui luit.

Entends-tu le tonnerre ?
Il roule en approchant ;
Prends un abri, bergère,
A ma droite, en marchant ;
Je vois notre cabane....
Et, tiens, voici venir
Ma mère et ma sœur anne,
Qui vont l'étable ouvrir.

Bonsoir, bonsoir, ma mère ;
Ma sœur anne, bonsoir ;
J'amène ma bergère
Près de vous pour ce soir.
Va te sécher ma mie,
Auprès de nos tisons ;
Sœur, fais-lui compagnie.
Entrez, petits moutons.

Dans les *Chants et chansons populaires de la France,* édités par Delloye en 1842-1843,
le texte et son décor champêtre ont été gravés sur acier par divers artistes
de la nouvelle école. H. 274 mm.

allait faire l'expérience pour ses plus luxueux ouvrages. En Angleterre, Thomas de La Ruie avait mis au point un procédé en 1832 et Hullmandel produisait des « lithotints ». C'est à cette même époque qu'apparurent les premières couvertures de livres en couleurs, ce qui était un puissant atout pour la vente. Néanmoins la couleur, d'un maniement lourd et délicat, demeura rare dans le livre et même dans l'estampe et ne se manifesta guère, avant 1850 au moins, que sous la forme discrète du camaïeu (ton sur ton). De même, alors que la photographie en couleurs fut mise au point par Ducos du Hauron en 1869-1870, ce n'est pas avant 1882 (procédé de Charles Cros utilisé pour reproduire un tableau de Manet en couverture des *Promenades au Salon de 1882* d'Ernest Hoschedé) (32) et 1883 (procédé de Charles Gillot utilisé pour *l'Histoire des quatre fils Aymon* paru chez H. Cannette) que l'on vit apparaître timidement les premiers essais de photogravure en quadrichromie (voir planches 7, 8).

La photographie

Pas plus que les techniques précédentes, la photographie ne résolvait le problème de l'illustration des livres. Le daguerréotype était un objet unique, sans rapport avec l'édition. Ce fut d'ailleurs le grand handicap que rencontraient ceux qui en entreprenaient le développement industriel et commercial (33). Le calotype, inventé simultanément par l'Anglais William Fox-Talbot, avec ses épreuves sur papier et son système négatif-positif, se montrait au contraire apte à la reproduction, mais à quel prix ! De même son inclusion dans le livre n'était pas du tout naturelle. La seule solution envisageable était le tirage d'épreuves en grand nombre — ce qui déjà n'allait pas de soi, exigeait une main-d'œuvre et des délais importants — et leur collage, feuille à feuille, à des endroits réservés dans le livre au préalable imprimé. Le désir de voir des photographies illustrer des livres fut tel que des éditeurs entreprenants, et principalement Blanquard-Évrard, à Lille, en 1851, constituèrent des ateliers importants capables de produire des éditions de ce type (34). Fox-

Talbot, pour montrer les ressources de son procédé, et sa supériorité sur le daguerréotype français, avait déjà publié en livraison un ouvrage de ce type, *The Pencil of Nature* en 1844, sorte de recueil d'échantillons du savoir-faire photographique (natures mortes, paysages, œuvres d'art) où chaque planche est accompagnée d'un texte en vis-à-vis. Devant les difficultés et l'ampleur du travail, Talbot réduisit de 50 à 24 le nombre des planches publiées. C'est pourquoi Blanquard-Évrard organisa une véritable chaîne de fabrication et de montage, qui lui permit de publier une vingtaine de titres sous cette forme entre 1851 et 1855. Mais il était clair que ce procédé manuel, qui consistait à coller des photographies dans les livres, n'avait guère d'avenir.

D'abord, il faut savoir que les tirages obtenus n'étaient pas toujours stables à la lumière et risquaient de pâlir à la longue. Ils étaient coûteux, plus coûteux que les estampes en taille-douce, *a fortiori* plus que les lithographies. Quel client aurait accepté de payer fort cher un objet éphémère ? Ensuite, le processus de fabrication, quoi qu'on fît, ne serait jamais industrialisable, les opérations de tirage, de séchage, de collage étant incompressibles. Enfin, la mise en pages de la photographie, ainsi insérée dans une place réservée du texte, tournait le dos à toute l'évolution de l'illustration, qui cherchait au contraire à déborder des cadres rigides des hors-texte pour s'immiscer dans la typographie. Il faut bien constater que, par rapport aux prouesses de la gravure sur bois des livres de 1830, l'illustration photographique marquait un retour radical aux rigueurs de l'illustration classique, imperméable au texte, dûment « encadrée » et sagement sous-titrée. Toutes ces raisons condamnaient la formule adoptée par Blanquard-Évrard et quelques autres.

Ce qu'il fallait trouver c'était la photogravure et non la photographie, et tel avait bien été, à l'origine, vers 1817, le but de Niepce qui pensait que la lumière pourrait mordre sa plaque, comme une eau-forte. Les développements ultérieurs de l'invention par Daguerre et Talbot l'avaient déviée de cette route, mais les éditeurs n'oubliaient pas que l'invention atten-

due était bien l'impression du daguerréotype ou du calotype, qui seule en permettrait la diffusion industrielle et justifierait l'investissement de gros capitaux. C'est pourquoi le premier, et longtemps presque le seul, usage des photographies dans le livre fut sous la forme de gravures sur bois de bout redessinées d'après des daguerréotypes. Avant la célèbre publication de Maxime Du Camp, avec un texte de Flaubert et des photographies collées (35), l'architecte Hector Horeau avait pu déjà ainsi publier un *Panorama d'Égypte* (1841) illustré de superbes aquatintes reproduisant presque à s'y méprendre les daguerréotypes originaux pris pendant le voyage (voir planche 6). Ainsi on bénéficiait de l'extraordinaire vogue du daguerréotype. Dès 1840, les ouvrages, qui prétendaient reproduire des daguerréotypes et n'en reproduisaient en fait que la reproduction manuelle exécutée par un habile graveur, se multiplièrent comme *l'Album du daguerréotype* de Bruneau (1840) ou *Paris et ses environs au daguerréotype* sous la direction de Charles Philipon chez Aubert, la même année. La gravure manuelle permettait ainsi d'ajouter du mouvement (personnages, feuillages, nuages) là où la photographie — condamnée encore à la pose — était impuissante.

C'est dans l'un d'eux, les *Excursions daguériennes,* dont le premier volume parut en 1842 chez Rittner et Goupil, que l'on peut voir, au milieu des imitations de photographies à l'aquatinte sur acier, les deux premières photographies imprimées « par des moyens purement chimiques et sans aucune retouche de l'artiste ». Il s'agissait de deux plaques photographiques représentant l'une un des bas-reliefs de Notre-Dame et l'autre l'Hôtel de Ville, gravées par le procédé d'Hippolyte Fizeau : la plaque d'argent, insolée, était mordue par un acide aux seuls endroits sombres, les blancs étant protégés par du mercure. Une autre invention récente — peut-être aussi importante pour l'avenir de l'édition que la photographie — avait permis cet exploit : la galvanoplastie, inventée par Spencer et Jacobi en 1836, introduite en France par Bocquillon en 1840, permettait de recouvrir par électrolyse une plaque de métal — en certaines de ses parties — par une couche

Planche appartenant aux premières livraisons des *Voyages pittoresques et romantiques dans l'ancienne France* consacrées à la Normandie, parues de 1820 à 1825 et traitées dans le style romantique : dans ces lithographies l'imagination complète le paysage en en soulignant le caractère mystérieux.

Voyages pittoresques et romantiques dans l'ancienne France

Monument incomparable de l'époque romantique, les *Voyages pittoresques et romantiques dans l'ancienne France* sont nés de la volonté du baron Isidore-Justin-Séverin Taylor (1789-1879) de faire connaître et de sauver de la destruction les monuments du passé de la France. Ayant conçu son projet dès 1808 lors d'un voyage en Bretagne, Taylor persuade en 1818 Charles Nodier et le peintre Alphonse de Cailleux de se joindre à lui. Il s'agit de parcourir la France, province par province, « d'y rechercher tous les monuments dignes d'intérêt, de les dessiner, de les décrire, d'en raconter

l'histoire, en un mot d'attirer sur eux l'attention ». L'œuvre est dans l'air du temps : c'est l'époque où l'intérêt pour le Moyen Âge s'éveille, où l'on traduit en français les romans historiques de Walter Scott, où le tourisme commence à se développer.

Paraissant en livraisons au prix, fort élevé pour l'époque, de 12,50 francs l'une, l'ouvrage connaît cependant un succès foudroyant. Les premières livraisons, consacrées à la Haute-Normandie, publiées en 1820, sont saluées avec enthousiasme. C'est « le plus beau livre peut-être que possède

l'Europe amie des arts », est-il écrit dans le *Miroir des Théâtres* du 10 mai 1823. Chaque livraison compte quatre à cinq planches illustrées, accompagnées d'une ou deux feuilles de textes.

Si Nodier abandonne assez vite une tâche trop austère à son goût, Cailleux collabore aux volumes consacrés à la Normandie et à la Bretagne. Mais le maître d'œuvre de cette entreprise, qui devient rapidement gigantesque, est incontestablement le baron Taylor qui rédige une grande partie du texte et collabore à l'illustration. Une centaine d'écrivains et d'artistes travaillent en liaison avec lui. Les *Voyages pittoresques et romantiques* donnent ses lettres de noblesse à la technique nouvelle de la lithographie. On lit sur les planches les signatures d'Athalin, Chambon, Chapuy, Cicéri, Dauzats, Fragonard fils, Géricault, Haghe, Harding, Ingres, Isabey, Lassus, Michalon, Questel, Renou, Sabatier, Séchamps, Truchot, Horace Vernet, Villeneuve, Viollet-le-Duc. Il y a même quelques excellentes photographies dans les derniers volumes.

L'œuvre reste inachevée à la mort du baron Taylor. Elle représente 685 livraisons, plus de 3 000 planches, environ 400 kilos « de matière reliée, imprimée et dessinée ».

Provinces décrites	Volumes	Livraisons	Planches	Dates de publication
Haute-Normandie	2	39	280	1820-1825
Franche-Comté	1	28	179	1825-1829
Auvergne	2	55	274	1829-1833
Languedoc	4	146	760	1833-1838
Picardie	3	136	477	1836-1847
Bretagne	3	91	378	1843-1846
Dauphiné	1	47	174	1843-1854
Champagne	3	105	417	1844-1857
Bourgogne	1	38	180	1863
Basse-Normandie	1	paru en volume	163	1878

Alfred Fierro

Planche tirée du tome III de l'Ancienne Normandie publié tardivement (1878). Obtenue par photogravure, elle contraste avec la planche de la page précédente par sa précision et son souci de l'exactitude.

infime d'un autre métal (plus résistant ou inattaquable). Désormais, l'histoire de la galvanoplastie — qui perfectionnait définitivement l'idée des stéréotypes — serait indissociable de celle de l'imprimerie photographique. Le manuel Roret de photographie, publié en 1845 par E. de Valicourt, s'intitulait d'ailleurs *Galvanoplastie, Daguerréotypie* (36).

Cependant le procédé Fizeau ne résolvait guère que le problème de la fixation inaltérable des photographies grâce à l'encre d'imprimerie. Car il n'autorisait ni la souplesse de mise en pages, ni une reproductibilité à l'échelle industrielle. Il ouvrait cependant une époque nouvelle qui allait durer une trentaine d'années, pendant laquelle tous les espoirs étaient permis mais aucun n'était confirmé. En effet, bien d'autres procédés allaient suivre, mêlant la photographie avec la taille-douce (les héliogravures de Charles Nègre, en 1851) ou avec la lithographie (les photolithographies de Le Gray), tandis que le Viennois Paul Pretsch expérimentait sa « photogalvanographie » en 1854.

Dès avril 1839, l'Écossais Andrew Tyle avait tenté de rendre photosensible une pierre lithographique. Mais le premier procédé réussi de photolithographie fut mis au point par Lemercier, Lerebours, Barreswill et Davanne en 1852. À cette date un inventeur prolifique, Alphonse Poitevin, exécutait les photolithographies du livre *Voyage au Soudan oriental*. Ce sont les recherches multiples de Poitevin qui se révélèrent les plus fructueuses, mais dans les années 1850, les résultats escomptés de ces tentatives étaient trop peu fiables, trop complexes ou trop mal maîtrisées pour qu'on pût raisonnablement, malgré des réussites isolées, fonder sur eux de solides projets d'imprimerie photographique.

Clichage et photomécanique

L'incertitude était telle que la plupart des éditeurs voyaient plutôt l'avenir de l'illustration du côté des procédés de galvanoplastie associée aux méthodes traditionnelles de dessin à la main, sans aucun recours à la photographie. En effet, dès que l'électrolyse permettait de remplir les creux des tailles-douces jusqu'à les transformer

303

« Un des bas-reliefs de Notre-Dame de Paris »,
une des deux planches des *Excursions daguerriennes*
(Paris, Rittner et Goupil, 1840) pour lesquelles fut utilisé
le procédé Fizeau, expliqué dans le texte de Challamel
reproduit ci-dessous.

« Le problème consiste à traiter les images daguerriennes par un agent qui creuse les parties noires sans altérer les parties blanches du dessin ; en d'autres termes, qui attaque l'argent en présence du mercure sans altérer ce dernier. Un acide mixte, composé avec les acides nitrique, nitreux et chlorhydrique, jouit précisément de cette propriété ; il en est à peu près de même d'une dissolution de bi-chlorure de cuivre. L'attaque doit se faire préférablement à chaud. La formation du chlorure d'argent, sel insoluble, arrêterait bientôt l'action de l'acide, si on ne l'enlevait par une dissolution d'ammoniaque.

« Après cette première opération, la planche est gravée trop peu profondément pour que les épreuves imprimées sur papier aient la vigueur convenable ; alors on graisse la planche avec de l'huile de lin, et on l'essuie de telle sorte que l'huile ne reste que dans les creux. On dore ensuite les parties saillantes par les procédés galvaniques, et, à cause de la protection des reliefs par l'or, on peut attaquer les creux aussi profondément que l'on veut. » (*Démocratie pacifique*, compte-rendu de la séance du 22 juillet, de l'Académie des sciences.)

M. Fizeau a appliqué son procédé à la reproduction d'un bas-relief de Notre-Dame de Paris. De pieux personnages portent le tombeau de la Vierge ; deux Juifs qui ont voulu y porter la main tombent frappés de mort et leurs mains restent attachées au sépulcre sacré. La gravure photographique rend parfaitement tous les détails et jusqu'aux moindres traces de vétusté imprimées par les siècles sur la pierre du vieux monument.

Cette gravure obtenue sans aucune retouche et seulement par un procédé chimique, atteste la réalité de la découverte, et nous sommes heureux d'applaudir un des premiers au succès complet des efforts persévérants de M. Fizeau.

CHALLAMEL.

en relief, ou de partir d'une lithographie pour obtenir un cliché trait, susceptible donc de s'intégrer parfaitement dans la forme typographique, l'obstacle majeur de l'illustration — sa réduction au relief de la typographie — disparaissait. Le malheur, c'est que, au cours de cette opération de clichage, disparaissait aussi toute la finesse des gris, qui faisait l'originalité de la taille-douce ou de la lithographie. Le dessin était réduit aux noirs et aux blancs, laissant dans les gris des lacunes ou des macules difficilement acceptables. Seul le dessin linéaire — et c'est vers lui que les dessinateurs de presse, tel Cham succédant à Daumier, orientèrent leur style — supportait le transfert. De très nombreux procédés de clichage virent le jour entre 1840 et 1860, depuis celui de Tissier (tissierographie, 1841) à ceux de Heims, Plon, Lavieille, Comte (utilisé dans *le Monde illustré*), Coblencz, Dulos, Didot, Smée, Piaud (utilisé pour les *Contes drôlatiques* de Gustave Doré), etc. Le plus répandu fut le procédé « paniconographique » de Charles Gillot, 1850, dit aussi « gillotage », réputé économique et sûr mais fatal aux œuvres d'art dont seul le fantôme ou le squelette était reproduit (37).

Pour faciliter le passage des modelés au noir et blanc, on commença d'utiliser des papiers tramés par gaufrage ou grattage. Les résultats n'étaient guère plus satisfaisants et, pourtant, c'était bien de ce subterfuge assez grossier qu'allait naître la solution : l'association des procédés traditionnels de gravure et de la photographie avec une trame, sur laquelle est aujourd'hui encore fondée pratiquement toute l'industrie de la photogravure. Tandis que les procédés issus de la lithographie s'y essayaient en tramant les papiers report (sur lequel l'artiste dessinait avec une encre grasse ensuite transférée sur la pierre), les photographes expérimentaient les voiles de tulle (Talbot) ou les projections de poudre (Niepce de Saint-Victor).

En 1856, désespérant de voir la photographie offrir ses richesses à l'édition de livres, un amateur-mécène, le duc de Luynes, ouvrit un concours pour stimuler les inventions. À sa clôture, le 1er juillet 1859, aucun résultat satisfaisant ne fut proposé et celle-ci fut repoussée jusqu'en 1864. Firmin-Didot écrivait encore en 1863, dans son *Essai typographique et bibliographique sur l'histoire de la gravure sur bois,* que les difficultés techniques, rencontrées dans la fabrication des planches chimiquement photogravées permettant l'impression directe des photographies, lui semble encore « un obstacle insurmontable tout au moins sous le rapport de l'économie » (38) à l'illustration photographique des livres. C'est en 1862 qu'Alphonse Poitevin mit au point le très beau procédé d'impression (sans trame) qu'est la phototypie. Encore utilisé, de plus en plus rarement à cause de son coût, de nos jours, il permet la reproduction des modelés les plus délicats et est indiqué pour cette raison dans les fac-similés de haute qualité de dessins, d'aquarelles ou de photographies. Il enleva le prix, avec des médailles pour Lemercier, Pretsch et Placet. Le duc de Luynes confia à Charles Nègre la réalisation en héliogravure (autre procédé non tramé, longtemps utilisé, basé sur une taille-douce dont les talus ont été rehaussés par galvanoplastie) de son grand ouvrage archéologique *Voyage d'exploration à la mer Morte* 1871-1875 (5 volumes). Dans les années 1860, de plus nombreux ouvrages furent illustrés de photogravures ou de photolithographies souvent mêlées à des procédés traditionnels. On voit ainsi apparaître, à côté des lithographies, des photographies collées, des lithographies dessinées d'après des photographies et des photolithographies dans l'album du baron Taylor *Dijon et ses monuments* (1864). De même que l'éditeur de photographies, Alfred Cadart, publiait en 1862 un album du peintre Chifflart où se côtoient eaux-fortes, lithographies, photographies d'œuvres et reproductions photomécaniques (39).

Il faut retenir de cette période difficile mais essentielle dans l'histoire du livre illustré que, malgré les enthousiasmes qu'elle suscita, la photographie mit plus de trente ans à intégrer le livre, et qu'il fut une période, au début du Second Empire, où la partie sembla même compromise. Seules l'importance des intérêts mis en jeu et la confiance dans l'idée du progrès technique permirent d'aboutir, vers 1880, au compromis acceptable de la photogravure tramée. Après le concours du duc de Luynes, et de plus en plus dans les années 1870, il apparaissait que

la solution était proche et que l'imprimerie allait pouvoir définitivement utiliser le formidable atout de la photographie. C'était l'industrie de l'image qui s'ouvrait ainsi, et au-delà une nouvelle naissance de l'imprimerie et de l'édition. La demande pour les albums proliférait : la paniconographie avait permis de publier *l'Autographe au Salon* (1863-1865) ; les catalogues de Durand Ruel, illustrés d'eaux-fortes en 1845, étaient passés à la photographie collée en 1860 ; on voyait paraître de gros recueils destinés aux amateurs enrichis du Second Empire, *l'Art à Paris* (1867), *le Musée universel* d'Édouard Lièvre, chez Goupil (1868), *le Panthéon des illustrations françaises au XIXᵉ siècle,* de Victor Frond (1869, 17 volumes), *l'Art pour tous,* encyclopédie de l'art industriel et décoratif (1860-1871), et les grands fac-similés en héliogravure d'Amand-Durand à partir de 1880. L'usage de la trame fut mis au point par Charles de Berchtold dès 1859 et perfectionné par divers savants, Barret en 1868, Charles Petit, Ives (1885), Morgan, Meisembach, Levyer, pour aboutir à un usage fiable vers 1880. En France, la première reproduction de photographie publiée dans un journal quotidien grâce à la trame fut le reportage sur le centenaire de Chevreul par Nadar, dans *le Journal illustré,* le 5 septembre 1886, et le premier livre illustré de photographies tramées fut peut-être la *Civilisation des arabes* du Dr Gustave Lebon, publié en 1884 par Firmin-Didot. Dans le premier éditorial de la *Gazette des Beaux-Arts,* revue fondée en 1859, le rédacteur en chef Charles Blanc explique clairement la nouvelle conjoncture où s'annonce la nouvelle demande : « La *Gazette des Beaux-Arts,* que nous fondons aujourd'hui, n'eut pas été possible il y a quinze ans ; elle n'aurait pas eu alors huit cents souscripteurs : maintenant, si elle est faite comme nous la comprenons, elle en peut avoir facilement dix mille. » La raison en est simple, selon Charles Blanc « ce n'est pas sans doute, que nos organes aient acquis une délicatesse, imprévue, que notre esprit se soit tout à coup raffiné » ; mais, plus prosaïquement il estime que « la France a vu surgir de toutes parts des fortunes subites comme au temps de Law ».

Les réactions aux nouvelles formes du livre

C'est pendant les années 1860, en effet, que furent prises les grandes directions de la production éditoriale, correspondant à l'établissement solide du grand capitalisme français. D'une part fut sonné le glas des tentatives romantiques des livres de luxe pour le peuple, d'autre part s'éveilla la recherche de la rareté, par réaction et par opposition à la grande production en séries. C'est bien dans ce sens que Focillon a raison de baptiser Gustave Doré la « dernière baguette magique du romantisme » (40). Ses grands livres sont en effet tardifs par rapport aux essais de Curmer. Sur la forme, ils n'innovent pas : vignettes et grandes planches hors-texte ; sur la technique non plus : dessins sur bois gravés par une armée de techniciens habiles, parfois moulés en métal pour plus de résistance. C'était bien, pour lui, un programme délibéré que de publier en « grandes éditions in-folio... tous les chefs-d'œuvre de la littérature », programme qu'il mena entre 1853 (*Œuvres complètes* de Byron) et 1879 (*l'Arioste*). Les ouvrages illustrés par Doré apparaissent ainsi comme le point culminant d'une conception romantique du livre : l'adaptation au nouveau public des techniques manuelles pour la réalisation de « monuments ». Cette synthèse de l'abondance et de la qualité, qui est toujours l'équation que doit résoudre l'édition d'art, ne fut pourtant pas résolue par le progrès des techniques. Au lieu de cette harmonie souhaitée par les éditeurs romantiques dont Doré est effectivement l'accomplissement, ce fut le dilemme et parfois la querelle la plus violente entre le luxe et l'industrie, le discours de la « qualité » contre celui de la « démocratisation ». Aussi l'idée d'un grand livre somptueux et populaire, que permettait la gravure sur bois ou sur acier, adaptée à la production de masse, était-elle sur le point d'être remplacée par un système tout différent : la dissociation radicale entre un marché de luxe, fondé sur la rareté et la limitation des tirages, et la production industrielle des livres bon marché à grand tirage, et par ailleurs

Animaux en costumes de ville
dans les *Fables* illustrées par
J.-J. Grandville. Paris,
H. Fournier, 1838-1840.
H. 227 mm.

La Fontaine en pays romantique

Les *Fables* sont sans doute, dans l'histoire du livre, l'un des ouvrages les plus fréquemment illustrés. Toutefois, la période qui court de 1830 à 1890, de l'aube du romantisme au crépuscule du symbolisme, paraît d'une fécondité exceptionnelle. Tous les vignettistes romantiques ont porté leur tribut à la fable : Devéria (Baudouin frères, 1826), Henri Monnier (Urbain Canel, 1828-1830), Tony Johannot (Lefèvre et Ledentu, 1836), Grandville (Fournier aîné, 1838, 1840), Jules David (Aubrée, 1839), Cham (Havard, 1850), et Doré (Hachette, 1867). Les peintres sont aussi de la partie : le très académique Seurre aîné (Bance, 1849), le peintre de chiens Auguste Delierre (Quantin, 1883), enfin Gustave Moreau dont l'illustration — soixante-trois aquarelles — échappe à l'histoire du livre imprimé puisqu'elle n'orna que l'exemplaire unique d'un amateur (exemplaire d'Antoni Roux, 1882-1886). Surprenant paradoxe : le plus spirituel des classiques trouve dans les passions romantiques sa plus grande gloire éditoriale. Réponse au paradoxe : l'œuvre du fabuliste est présente, dès 1830, à tous les rendez-vous de l'histoire et du goût.

Premier rendez-vous : celui de l'enfance, de son innocence, de sa naïveté, de sa curiosité aussi. Bon public que celui des enfants. Le XVIIIᵉ siècle l'avait négligé. La littérature romantique redécouvre l'enfant. Les éditeurs aussi, par bénéfice d'inventaire. Ils multiplient à son intention les petites éditions bon marché, où l'illustration fourmille, servie le plus souvent par la nouvelle technique de gravure sur bois de bout. La minuscule édition en deux volumes in-32 publiée par Crapelet en 1830 fait vivre sous le crayon de Constant Viguier un monde naïf et maladroit d'animaux complices et de paysans souriants, qui paraissent sortis d'une crèche provençale. Quatre ans plus tard, Gouget dirige pour Lecointe et Pougin (deux volumes grand in-4°) une édition gravée en taille-douce où La Fontaine est rhabillé à la mode de 1830. Gouget porte une attention extrême à la représentation des animaux. Sa ménagerie paraît sortie des planches d'une encyclopédie pour la jeunesse. Ici règne l'esprit du zoo, l'esprit du cirque. Gouget ne cache pas son attirance pour les représentations foraines, et, portant sur ses épaules sa curiosité d'enfant, il suit La Fontaine dans les « magasins pittoresques » et les galeries d'animaux. Le livre des *Fables* retrouve sa vocation : celle d'un ouvrage d'éducation. En faux-titre de l'édition Aubrée de 1839, Jules David représente une jeune bourgeoise faisant la lecture des *Fables* à ses enfants attentifs. Tout au long du siècle, les éditions à bon marché se multiplient. Les *Fables* constituent l'archétype du « livre de prix ». À la fin du siècle (1888), l'élégante et délicate édition Plon-Nourrit (in-4°, oblong) des *Fables* choisies et illustrées, en couleurs, par Maurice Boutet de Monvel consacre l'installation de l'ouvrage dans l'univers de l'enfance. Dans cette bande dessinée avant la lettre, Boutet de Monvel découpe chacune des vingt-deux fables représentées en une série de « séquences », d'« unités visuelles ». D'une séquence à l'autre, seule une variation du geste ou de la posture du personnage rend compte de l'anecdote, de l'histoire nouée gracieusement en forme de fable.

La Fontaine prend l'allure d'un habile bateleur qui confie à l'animal l'interprétation de ses pétillantes mises en scène. Dans le même temps, les personnages humains prennent un singulier relief. Ils se chargent d'une truculence jusque-là inhabituelle. Les *Fables* sont présentes au second rendez-vous de l'époque : celui de la caricature. Les libertés nouvelles conquises par la presse, la multiplication des feuilles satiriques ouvrent un large champ au talent des caricaturistes. Les *Fables* de La Fontaine se prêtent aisément à la transposition. Dès 1828, et pendant deux années, Henri Monnier, l'homme-Protée du romantisme, confiera au graveur Thompson — l'introducteur en France de la gravure sur bois de bout — une série de vignettes satiriques sur le sujet des *Fables* (*La morale en action des Fables de La Fontaine,* 3 livraisons, Urbain Canel, 1828, 1830). Sous son trait vigoureux, le corbeau se change en politicien, et le renard en

affairiste. Amédée de Noé, plus connu sous le nom de Cham, se livrera à des travestissements plus innocents dans l'« interprétation » des *Fables* qu'il donne en 1850 chez Gustave Havard (in-f°).

Renouveau d'une curiosité naturelle pour l'animal, montée progressive de la caricature : c'est au carrefour de ces deux tendances confluentes qu'il faut situer les éditions de Grandville et de Doré.

J.-J. Grandville avait rencontré le succès, après l'avoir longtemps poursuivi, avec ses *Métamorphoses du jour* (1829) : première apparition des hommes à tête d'animaux ou des animaux en costume de ville. L'illustration des *Fables* devenait pour Grandville un exercice obligé. C'est chose faite pour cent vingt sujets de fables publiés en deux tomes par Fournier aîné en 1838. « À la demande du public », Grandville ajoute, deux ans plus tard, cent vingt illustrations supplémentaires. L'édition, imprimée sur vélin, est désormais complète. Grandville devait être le premier illustrateur à habiller les animaux de La Fontaine avec des costumes humains ou, plus précisément, à mettre des têtes d'animaux sur des corps d'hommes. Renouant ainsi avec la vieille tradition des illustrations de Hollar et Stoop pour la paraphrase anglaise des *Fables* d'Ésope par Ogilby (Londres, Thomas Roycroft, 1651), il semblait poser les bases d'une réflexion, jusqu'ici repoussée, sur l'ambiguïté entretenue par la fable entre la nature humaine et la nature animale. Mais l'illustration de Grandville, qui connaîtra un large succès et sera maintes fois reproduite au XIXᵉ et au XXᵉ siècle, reste en deçà du fantasme. Elle cède trop aisément au « truquage ». L'attitude ou l'aspect de l'animal qu'a mis en scène le fabuliste entraîne spontanément dans l'esprit de Grandville le passage à une représentation humaine. Ayant franchi ce gué qui sépare l'homme de la bête, Grandville rebrousse chemin, le repasse à nouveau et restitue à ses personnages travestis leurs gueules d'animaux. Par décalages successifs, il fait ainsi jouer des « scènes morales » par des animaux déguisés. Ce n'est plus de la caricature. Ce n'est pas encore du fantastique.

Gustave Doré sera, lui, au rendez-vous du fantastique véritable. Dans le même temps, il parvient à animaliser la figure humaine, tandis qu'il rend l'animal à sa gloire primitive. Dans les quatre-vingt-quatre planches et les deux cent quarante vignettes gravées sur bois par les meilleurs artistes du temps (Pannemaker, Pisan, Bertrand...) pour cette monumentale édition (Hachette, 1867, in-f°), Doré ne nous montre pas « des hommes prenant des masques de bête, mais le contraire ». Il nous découvre, « au-dessous du masque humain... la bête véritable » (1). Le fantastique pour Doré ne consiste pas à faire terriblement peur, mais à faire terriblement vrai. Simplement, un changement de point de vue introduit dans ce monde une dimension inhabituelle : il nous dépayse. Doré se place à hauteur d'animal. Il nous jette au visage ses rats, ses grenouilles, ses oiseaux : grouillement incessant d'une vie décuplée, d'une vie « poilue » ou « visqueuse » dont le flot soudain nous submerge. Les ombres, les contrastes des noirs et des blancs dus à une gravure attentive font de cette édition inspirée la plus prestigieuse du siècle, même si l'on peut penser que le talent de Doré s'exprime plus pleinement encore dans d'autres ouvrages illustrés — telle *la Divine Comédie*.

Alors que les illustrateurs du début du siècle — Percier (1802), Moreau le Jeune (1814), Desenne (1817), Bergeret (1818) — avaient systématiquement privilégié les fables à sujets humains, ou n'avaient fait de l'animal que l'ornement d'une nature soumise à l'homme, tels Carle Vernet, Horace Vernet et Hippolyte Lecomte (1818), les trois courants qui portent l'illustration romantique, l'enfance, la caricature, le fantastique, conduisent peu à peu les artistes à inverser les rôles. Dans la seconde moitié du siècle, l'animal règne en maître dans l'illustration des *Fables*. Il s'est substitué à l'homme, écrasé par une nature qui échappe désormais à son règne. Lorsqu'en 1883 Auguste Delierre fait graver à l'eau-forte, dans le goût du XVIIIe siècle, pour le libraire Quantin (deux volumes in-f°) soixante-dix sujets de fables, onze planches seulement laissent apparaître une figure humaine. Encore l'homme n'a-t-il pour rôle, comme l'animal autrefois, que d'animer un décor, lui prêter un certain relief, une certaine vie.

La fascination pour le règne animal trouve son apothéose dans une étrange édition apparue à la fin du siècle. Cette édition, réalisée à la demande et sur le conseil d'un Français japonisant, Pierre Barbouteau, regroupe vingt-huit fables illustrées d'estampes par des maîtres japonais. Imprimée par Tsoukidji à Tokyo sur chiffon de soie, elle fut distribuée par Flammarion en 1894 (deux volumes in-8°). Les vingt-huit fables retenues ont pour héros des animaux. À peine aperçoit-on par trois fois la silhouette de l'homme. L'animal éclôt, superbe, dans un monde dont il est le maître, comme le produit obligé de ce décor, et dans cette dimension nouvelle, de silence et de beauté, que les artistes japonais ont su donner à l'univers des *Fables*.

Au total, de Monnier à Delierre, de Constant Viguier à Kawa Nabe Kiyo Soui ou Kadji Ta Han Ko, soixante années de « tentations » multiples pour l'illustration — naïveté, fantastique, naturalisme, symbolisme, esthétisme. Soixante années au cours desquelles les *Fables* auront fait la preuve de leur étonnante vitalité et de leur capacité d'inspiration. Soixante années aussi de constitution progressive, par les illustrateurs, d'une image et d'une légende : celle du fabuliste.

Alain-M. Bassy

1. J. Giraudoux, *les Cinq Tentations de La Fontaine*, Paris, Grasset, 1938, in-16, pp. 229-230.

Esprit du zoo ou du cirque dans les gravures en taille-douce de Gouget pour les *Fables* de La Fontaine éditées chez Lecointe et Pougin en 1834. H. 312 mm.

Le réalisme fantastique dans les *Fables* illustrées par Gustave Doré. Paris, Hachette, 1868. H. 367 mm.

entre des techniques entièrement mécanisées pour celle-ci et le retour aux méthodes artisanales volontairement archaïsantes pour celui-là. Ainsi l'histoire de l'édition participait évidemment, et parmi les secteurs les plus concernés (mais non le seul : l'architecture, la décoration, le costume l'étaient autant), à la grande polémique de l'alliance de l'art et de l'industrie, idéal des saints-simoniens et des hommes de progrès entre 1830 et 1860. Pour situer cette guerre idéologique d'où allait sortir le paysage de la production des « biens culturels », on peut citer quelques positions extrêmes (41). Le 3 novembre 1833, voilà comment Raoul de Croy dans le *Journal des artistes* stigmatisait la parution du *Magasin pittoresque* : « Grande révolution ! Conquête immense ! les Beaux-Arts vont devenir *populaires* comme le journal qui porte ce nom. Les expositions publiques ne seront plus annuelles, elles seront quotidiennes ; il y aura musée tous les jours, non pas au palais du Louvre... mais chez vous, chez moi, à Pontoise, à Quimper, à Brive-la-Gaillarde comme à Paris. Le *Musée pittoresque*, l'*Encyclopédie pittoresque*, le *Magasin pittoresque*, le *Dictionnaire pittoresque*, l'*Histoire pittoresque*, l'*Univers pittoresque*, etc. nous offrent leurs colonnes et leur publicité... et si vous parvenez à réunir cinq ou six souscriptions, au nom des publications à bon marché... je vous décore d'une médaille à deux sous... Où donc le bon goût trouvera-t-il un refuge si l'on inonde ainsi le pauvre public ?... Mais que deviendront les produits de la gravure, de cet art si parfait, si difficile et si digne d'encouragement ?... On va vite sur les chemins de fer ; mais s'ils ne devaient avoir d'autre résultat, chez nous, que d'amener dans nos provinces trois « penny magazines » par jour, je n'en donnerais pas deux sous ! »

À l'opposé de ces diatribes réactionnaires, les publications sociales prônaient l'avenir radieux des « industries culturelles » à bon marché. En 1825, un périodique saint-simonien s'intitule *le Producteur, journal de l'industrie des sciences et des Beaux-Arts,* et de nombreux ouvrages concernent la « destination sociale » de l'art, selon l'expression de Proudhon. Hippolyte Castille, dans *Les hommes et les*

mœurs en France sous le règne de Louis-Philippe (1853), n'hésite pas à intituler un chapitre « De l'industrie intellectuelle ». On y lit des phrases éloquentes comme « Une image du Juif errant peinte en rouge et en bleu exerce une plus grande influence sur les mœurs et les affaires de ce monde que tel chef-d'œuvre enfoui dans le cabinet d'un avare amateur » ou encore « Daguerre, dont la découverte perfectionnée est devenue la photographie, est plus grand aux yeux du penseur que Michel-Ange et Raphaël... La photographie [est] le plus puissant levier que la science ait mis à la disposition de l'idée puisqu'elle lui permet de s'industrialiser » (42). La grande illustration de ces théories fut apportée par les expositions universelles. Dans son rapport *De l'union des arts et de l'industrie* (2 volumes, 1856), Léon de Laborde plaide contre l'art réservé aux élites, fait l'éloge des nouvelles techniques d'impression et de reproduction :

> L'intervention des machines a été, dans cette propagande de l'art, une époque et l'équivalent d'une révolution ; les moyens reproducteurs sont l'auxiliaire démocratique par excellence. Contester cette action est d'un aveugle ; dédaigner cette influence serait d'un insensé ; ne pas prévoir l'avenir de cette association du génie des arts avec la puissance des nouveaux moyens de reproduction à bon marché, c'est d'un esprit borné (p. 481).
> La littérature et la science se sont bien trouvées de leur popularité ; les deux bonnes muses n'ont pas écouté les fausses prédictions de leurs adorateurs cachottiers ; elles ont relevé leurs robes, elles sont bravement descendues dans la rue, et bien leur en a pris ; elles échangent quelques hommages intéressés contre l'adoration généreuse de la foule, et au lieu d'être reléguées au fond du cabinet noir de l'érudition, au lieu d'être réservées au harem ennuyeux de quelque théoricien impuissant, elles sont portées en triomphe par le monde entier et passent de main en main... (pp. 475-476).

Certes, ces prophéties se sont largement réalisées et, comme l'avait souhaité de Laborde, grâce à l'industrialisation du livre « Lamartine, Hugo, Musset... rencontrent des échos dans le monde entier » (p. 476). Mais cette extension suscitait, en proportion exactement inverse, un mouvement contraire de l'élite vers les livres rares ou précieux, ceux que l'industrie ne menaçait pas de ses normalisations anonymes et de ses « vulgarités ». C'est

en effet de façon très contemporaine que naît le goût moderne pour la bibliophilie. Mais il faut soigneusement distinguer : il y eut certes de tout temps des bibliophiles, et ce que la civilisation industrielle va paradoxalement inventer c'est *l'édition* bibliophilique, c'est-à-dire une édition spécialement conçue pour se distinguer des éditions de séries. En fait, l'édition bibliophilique, telle que nous la connaissons aujourd'hui, avec sa rhétorique de papiers à la forme, de typographie soignée et de reliure originale, s'est développée après la période dont nous traitons, avec le mouvement des *private presses* anglaises et les ouvrages superlatifs publiés par William Morris de 1889 à 1896. Mais nous voyons ce goût pour le livre précieux se développer dès le Second Empire, de plusieurs façons. D'abord, comme l'a remarquablement montré Jean-Paul Bouillon (43), il s'exprime, faute de produits spécifiques, par la recherche de livres anciens par des amateurs enrichis du Second Empire. Et il est significatif que cette recherche soit d'abord dirigée vers des ouvrages du XVIIIe siècle. Pour J.-P. Bouillon le livre à gravures du XVIIIe siècle « ne vient vraiment à l'existence qu'entre 1860 et 1880 environ... Avant le Second Empire en effet, le livre illustré du XVIIIe siècle n'a qu'une existence secrète et pour ainsi dire accidentelle dans la bibliothèque d'un amateur ou d'un libraire par exemple, où il figure non pas comme un tout mais soit pour son texte, soit pour sa reliure, soit en raison de sa provenance ou d'une inscription précieuse ». Cette mode du livre à vignettes du XVIIIe siècle, dont les Goncourt, entre autres, furent les zélés propagateurs, marque clairement le souci de ces nouveaux collectionneurs de retrouver dans les époques révolues, pré-industrielles, un type de livre à la fois proche des conceptions récentes (surtout par l'agrément des illustrations), mais néanmoins non suspect de cette banalisation des techniques et des usages dont les esprits conservateurs s'effrayaient tant. Par ailleurs, il est aussi clair que cet engouement bibliophilique précède et annonce la prochaine mise en place d'une production spécifique de livres illustrés, qui réponde à cette demande de « distinction ». À notre connaissance, *Sonnets*

Gustave Doré avait rêvé de commenter par ses dessins tous les chefs-d'œuvre de la littérature ;
il ne réalisa cette immense tâche que partiellement, mais il le fit avec une puissante originalité et une
fougueuse imagination. Le *Roland furieux* de l'Arioste, paru chez Hachette en 1879, est le dernier ouvrage
qu'il illustra. H. 430 mm.

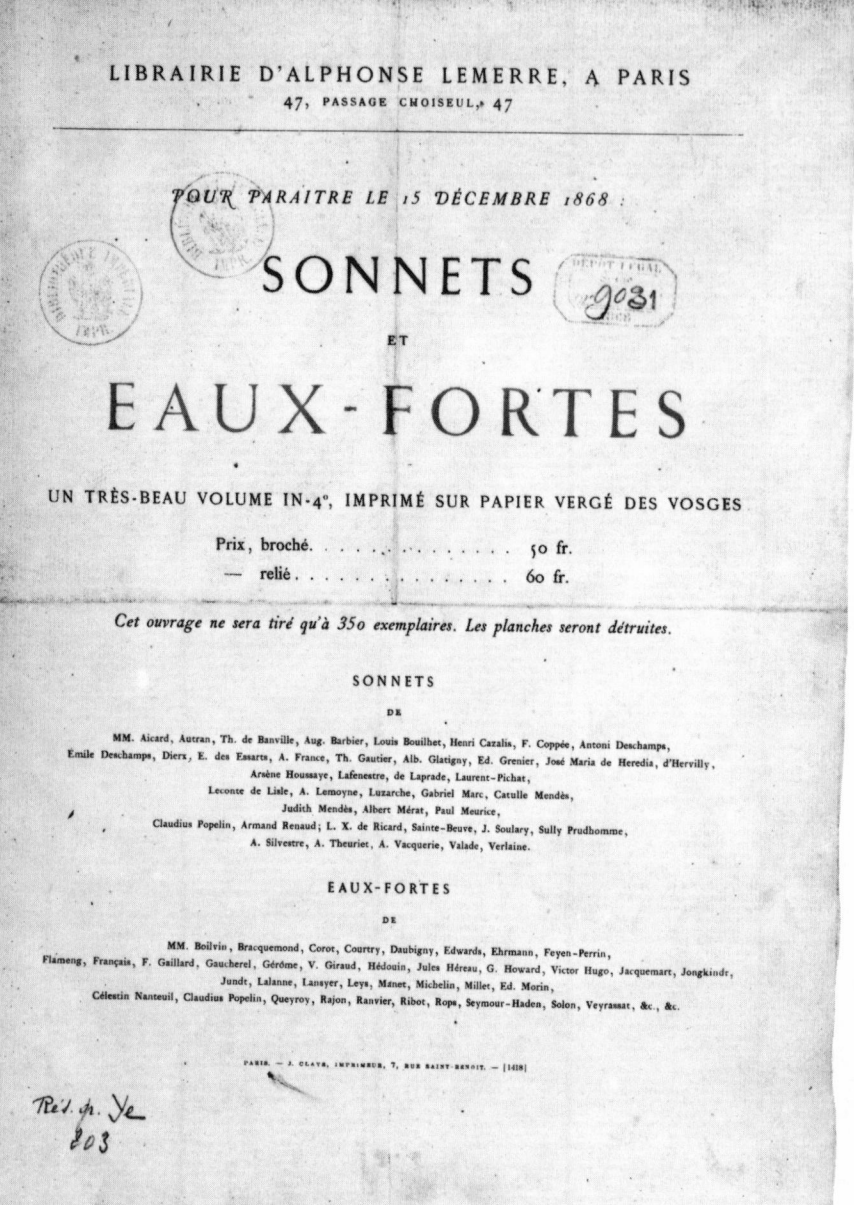

Les Sonnets et eaux-fortes, publiés par Alphonse Lemerre en 1869,
peuvent être considérés comme le premier « livre de peintres ».
Le prospectus ci-dessus indique que de grands artistes
ont été sollicités pour illustrer des textes d'écrivains célèbres ;
le caractère bibliophilique de cet ouvrage est accusé par le tirage
limité à 350 exemplaires et la destruction des planches. H. 352 mm.

et eaux-fortes, petit ouvrage paru chez Lemerre en 1869 grâce aux soins du critique d'art Philippe Burty, fut le premier « livre de peintres » publié en France, dans l'esprit de ce qui allait devenir une riche tradition, d'Ambroise Vollard à Aimé Maeght. De même que « l'estampe originale » naissait en réaction à « l'imprimerie de l'image », de même ce livre fut conçu par Burty comme une œuvre d'art « originale ». Appliquant au livre les formules qui commençaient alors de réussir dans l'estampe, il chercha d'abord des artistes modernes assez connus (il convainquit entre autres Bracquemond, Daubigny, Manet, Millet et Jongkind), pour exécuter des eaux-fortes à la main qu'on imprimerait traditionnellement une à une d'après le cuivre original pour illustrer, en hors-texte, des poèmes également commandés à divers auteurs contemporains. Pour éviter toute ambiguïté avec les ouvrages communs et rassurer la clientèle soucieuse de rareté, on indiqua clairement que le tirage serait limité à 350 exemplaires sur vergé plus quelques exemplaires « de tête » sur chine fixé et même deux ou trois sur parchemin. De plus, les cuivres originaux seraient détruits. Ce procédé scandalisa Millet qui écrivit : « J'ai donné mon consentement pour la destruction de la planche malgré mon désir de la garder. Entre nous, je trouve cette destruction de planches tout ce qu'il y a de plus brutal et de plus barbare. Je ne suis pas assez fort en combinaisons commerciales pour comprendre à quoi cela aboutit mais je sais bien que, si Rembrandt et Ostade avaient fait chacun une de ces planches-là, elles seraient anéanties. Assez là-dessus » (44).

Ainsi naissait une filière du livre qui allait connaître une grande fortune puisque, comme l'écrivait Jean-Pierre Seguin : « Certains bibliophiles ne lui ont pas pardonné cette conversion. Ils jugent que la démocratisation fut pour le livre un péril, pour le « beau » livre du moins qui, selon eux, perdrait de son éclat et de son prix pour être devenu accessible à tous. Après 1850, les « initiés » ont vite refermé leur cercle étroit et restreint, les tirages soigneusement numérotés, aux limites convenables des gens de bonne société. On n'est pas encore revenu de ces errements » (45).

310

Notes

1. Georges Duplessis, *Les Graveurs sur bois contemporains*, dans « L'Artiste », 1857.

2. Roland Barthes, préface à *L'Univers de l'Encyclopédie*, par Roland Barthes, Robert Mauzi et Jean-Pierre Seguin, Paris, 1964.

3. Anatole France, *La Vie Littéraire*, tome II, Paris, 1924, pp. 281-283.

4. Jean Adhémar, *L'Enseignement par l'image*, dans « Gazette des Beaux-Arts », septembre 1981, p. 52.

5. Nous avons développé l'analyse de ces rapports dans le chapitre : « Les Journaux illustrés » de notre livre *L'Illustration*, Genève, 1984.

6. Raymond Gaudriault, *La Gravure de mode féminine en France*, Paris, 1983.

7. David Kunzle, *L'Illustration, premier magazine illustré en France*, dans « Nouvelles de l'estampe », n° 43, janvier-février 1979. Sur les illustrateurs de journaux satiriques on consultera les ouvrages de Philippe Roberts-Jones dont la thèse sur *La Presse satirique illustrée entre 1860 et 1890* (1956) est hélas demeurée inédite.

8. Cité par André Maurois dans *Olympio ou la Vie de Victor Hugo*, Paris, 1954, p. 474.

9. Bibliothèque nationale, exposition Lamartine, Paris, 1969, p. 257.

10. *Les Albums* dans « Le Prisme, encyclopédie morale... », Paris, 1841, p. 51.

11. Bernard-Henri Gausseron, *Les Keepsakes et annuaires illustrés de l'époque romantique en Angleterre et en France*, Paris, 1890.

12. Andrée Lhéritier, *Les Physiologies, 1840-1845*, édition sur microfilm ; bibliographie descriptive par Andrée Lhéritier, introduction par William Hawkins, Paris, 1966.

13. Bibliothèque nationale, exposition Le livre dans la vie quotidienne, Paris, 1975, chapitre sur « Les Guides de voyage », p. 126.

14. Ségolène Sanson-Le Men, *Les Abécédaires d'histoire naturelle et leurs illustrations au XIXᵉ siècle*, dans « Écritures », Actes du colloque international de l'Université de Paris VII, Paris, 1982.

15. Jean-Pierre Seguin et Jean Adhémar, *Le Livre romantique*, Paris, 1968, p. 44.

16. On consultera la préface de Jacques Derrida à la récente édition de l'*Essai sur l'origine des connaissances humaines*, Paris, 1973.

17. Jean Adhémar, *L'Imagerie vue par l'écrivain au siècle dernier*, dans *Bulletin de la Société archéologique...* « Le Vieux Papier », t. XXVIII, fascicule 270, octobre 1978, pp. 407-419.

18. John Harvey, *Victorian novelists and their illustrators*, Londres, 1970.

19. Cités par Pierre Gusman, *La Gravure sur bois en France au XIXᵉ siècle*, Paris, 1929, p. 26.

20. Philippe Kaenel, *Autour de J.-J. Grandville : les conditions de production socio-professionnelles du livre illustré romantique*, dans « Romantisme », n° 43, 1984, pp. 45-61.

21. Michel Wiedemann, *Les Espaces Photographiques : Le Livre*, dans « Cahiers de la Photographie » n° 6, 2ᵉ trimestre 1982.

22. Nombreux exemples dans *Les Écrivains dessinateurs*, numéro spécial de la « Revue de l'Art », n° 44, 2ᵉ trimestre 1979.

23. On trouvera de nombreuses analyses de ce double langage dans les contributions au colloque *Daumier et les débuts du dessin de presse* dont les Actes forment le n° 13-14 de « Histoire et Critique des Arts », 1ᵉʳ semestre 1980.

24. Champfleury, *Les Vignettes romantiques*, 1825-1840, Paris, 1883.

25. Thomas Bewick, *A Memoir of Thomas Bewick written by himself* (1843), nouvelle édition avec une introduction de Iain Bain, Oxford, 1975.

26. Félix Bracquemond, *Études sur la gravure sur bois et la lithographie*, Paris, 1897, p. 42.

27. Basil Hunnisett, *Steel-engraved book illustration in England*, Londres, 1980.

28. Michel Melot, *L'Œuvre gravé de Boudin, Corot, Daubigny, Dupré, Jongkind, Millet, Rousseau*, Paris, 1978, pp. 270-271.

29. Michael Twyman, *Lithography, 1800-1850*, Londres, 1970, pp. 226-256 (chapitre sur « Les Voyages Pittoresques »).

30. *Manuel de l'imprimeur lithographe*, Paris, 1835.

31. Léon Lang, *Godefroy Engelmann, imprimeur lithographe*, Colmar, 1977.

32. Ariane Isler de Jonghe, *Manet, Charles Cros et la photogravure en couleurs*, dans « Nouvelles de l'estampe », n° 68, mars-avril 1983, p. 6.

33. André Rouillé, *L'Empire de la photographie 1839-1870*, Paris, 1982.

34. Isabelle Jammes, *Blanquard-Évrard et les origines de l'édition photographique française*, Genève, 1981.

35. Maxime du Camp, *Égypte, Nubie, Palestine et Syrie*, Paris, chez Gide et Baudry, 1852.

36. *Galvanoplastie, Daguerréotypie. Nouveau manuel complet de galvanoplastie... suivi d'un traité de Daguerréotypie...*, par E. de Valicourt, Paris, 1845. Ce manuel Roret est formé de deux ouvrages, pp. 1 à 382 et pp. 383 à 566, en un seul volume (réimpression chez Laget, Paris, 1976).

37. Il n'existe pas encore une grande étude d'ensemble sur l'histoire des techniques industrielles d'impression des images au XIXᵉ siècle. On consultera : Jules Adeline, *Les Arts de reproduction vulgarisés*, Paris, 1894 ; et du même : *L'Illustration photographique*, Paris, 1896 ; Eugène Ostroff, *History of photomechanical reproduction*, dans Journal of Photographic Science, 1969, n° 3, pp. 65-80 et n° 4, pp. 101-115 ; Otto M. Lilien, *History of industrial gravure printing up to 1900*, Londres, 1972 ; et le catalogue de l'exposition *De Niepce à Stieglitz, la photographie en taille-douce*, Musée de l'Élysée, Lausanne, 1982.

38. Cité par André Rouillé.

39. Cette « crise » technique entraîne une crise esthétique que nous avons essayé d'analyser dans *Manet et l'estampe*, préface au catalogue de l'exposition *Manet*, Grand Palais, Paris, 1983.

40. Les analyses sur Gustave Doré ont été récemment renouvelées par le catalogue de l'exposition *Gustave Doré*, Musée des Beaux-Arts de Strasbourg, 1983.

41. Sur le contexte des philosophies sociales dans lequel s'inscrivent les stratégies éditoriales, voir, entre autres les différents ouvrages de Léon Rosenthal et son article, *Les Destinées de l'art social d'après P.-J. Proudhon*, dans « Revue Internationale de Sociologie » n° 10, octobre 1894 ; H. A. Needham, *Le Développement de l'esthétique sociologique en France et en Angleterre au XIXᵉ siècle*, Paris, 1926 ; Marguerite Thibert, *Le Rôle social de l'art d'après les Saint-Simoniens*, Paris, 1926.

42. Pp. 336-337.

43. Jean-Paul Bouillon, *La Vogue des livres à gravures du XVIIIᵉ siècle sous le Second Empire et au début de la IIIᵉ République*, dans *L'Illustration du livre et la littérature au XVIIIᵉ siècle en France et en Pologne*, « Cahiers de Varsovie », vol. 9, Varsovie, 1982, pp. 247-288.

44. Sur le phénomène de la raréfaction comme critère d'originalité, voir : Raymonde Moulin, *Champ artistique et société industrielle capitaliste*, dans « Mélanges Raymond Aron », Paris, 1971, t. II, pp. 183-203 ; et *Introduction au catalogue*, dans Michel Melot, *L'Œuvre gravé de Boudin, Corot...*, Paris, 1978, p. 14 (citations de Millet).

45. Jean-Pierre Seguin, dans *Le Livre romantique*, p. 45.

CONTES BRUNS.

PAR UNE

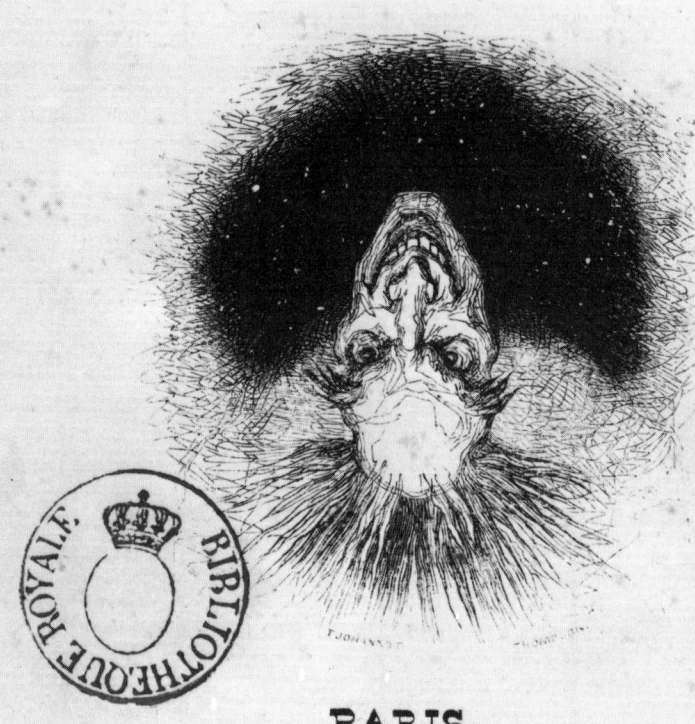

BIBLIOTHÈQUE ROYALE.

PARIS.

URBAIN CANEL, ADOLPHE GUYOT,

RUE DU BAC, Nº 104.   PLACE DU LOUVRE, Nº 18.

—

M. DCCCXXXII.

La vignette gravée sur bois d'après Tony Johannot au titre des *Contes bruns,* qui représente
« une tête à l'envers », se substitue au nom de l'auteur de façon comique et surprenante.
Paris, U. Canel, 1832. H. 209 mm.

La vignette et la lettre

par Ségolène Le Men

Le « culte des images » est l'une des composantes principales du livre romantique, qui se constitue en deux étapes : l'illustration unique de la vignette de titre tire sa charge émotionnelle de son unicité ; l'illustration plurielle se manifeste de trois manières différentes, par le frontispice à compartiments, par la suite d'illustrations et par les vignettes dans le texte.

Pour un même livre, les éditions illustrées qui se succèdent, depuis l'unique vignette de titre souvent dessinée par Johannot, se trouvent en quelque sorte contraintes à un accroissement indéfini du nombre des images puisque chaque nouvelle édition absorbe les précédentes en y ajoutant quelques nouvelles illustrations. Cette irréversible inflation culmine dans la grande décade qu'inaugure en 1838 le célèbre *Paul et Virginie* de Curmer.

■ | **L'illustration unique**

L'histoire du livre illustré romantique se confond avec celle du retour de la gravure sur bois, délaissée depuis la Renaissance, sauf dans l'imagerie provinciale du colportage, et rénovée par la taille sur bois « de bout ». Cette manière de graver au burin sur une plaque de buis ou de poirier taillée perpendiculairement aux fibres du bois assurait au graveur la possibilité d'une reproduction plus fidèle du dessin, à la fois plus souple dans le tracé des courbes, et plus menue dans les tailles, qui pouvaient être aussi rapprochées que le permettaient sa virtuosité : en effet, cette technique supposait un grand art de faire, de sorte que le bois de bout, expérimenté au XVIIIᵉ siècle par Papillon et, par la suite, par Godard d'Alençon (1), ne s'imposa en France qu'avec la venue d'excellents praticiens formés à l'école de Bewick (2), notamment Thompson. Le bois de bout reparut lentement sous la Restauration avant de s'imposer autour de 1830

(*Rabelais* de Desoer en 1820, *Fables* de La Fontaine, avec des gravures de Thompson d'après Devéria en 1826, *Histoire du roi de Bohême* illustrée par Tony Johannot et gravée par Porret en 1830) et de triompher à partir de 1835 (3).

Alors que le livre à vignettes en taille-douce dominait l'ensemble de la production, c'est Desenne (4), son principal représentant sous la Restauration, « curieux de choses imprévues et inédites », qui eut l'idée de « confier à Thompson de très fines vignettes à tailler dans le buis » pour certaines éditions des « ermites » de Jouy. Quelques années plus tard, le même Thompson avait acquis la pleine maîtrise de son art dans les minuscules vignettes d'après Henri Monnier pour les *Métamorphoses du jour* de Desmares : « à première vue, ces figurines paraissent de très fines esquisses à la plume » (5). Cet illusionnisme de la gravure sur bois de bout, qui reproduit en fac-similé le « griffonnis » du dessinateur romantique, est une caractéristique qui témoigne de la virtuosité technique des graveurs, et en premier lieu de Brévière qui, dès 1815, avait taillé la marque de l'imprimeur rouennais Frédéric Baudry sur bois de bout, et qui devait être un exécutant fidèle pour Grandville ou Monnier.

De la marque à la vignette de titre

C'est en effet par la marque, emplacement traditionnellement réservé à une image, que le bois de bout

s'introduit dans le livre ; cette image se distingue d'une illustration en ce qu'elle ne se rapporte pas à un texte en particulier, mais permet de prévenir la contrefaçon et d'identifier les publications d'un éditeur, comme un redoublement publicitaire et mnémotechnique de l'adresse bibliographique ; elle était apparentée aux ornements typographiques plutôt qu'aux vignettes du livre à figures. Alors qu'elle avait été longtemps conçue comme une devise, les libraires romantiques ont commencé à la considérer comme une image qui symbolisait leurs choix esthétiques et les genres littéraires représentés dans leur fonds ; depuis le XVIIᵉ siècle, il est vrai, les éditeurs qui n'avaient pas de marque la remplaçaient par un fleuron ou un panier, ornements passe-partout.

Pendant cette période de transition s'amorce une spécialisation de la marque adaptée au genre littéraire ou au contenu du livre : ainsi, *la Couronne poétique de Béranger, recueillie par Gérard* (Paris, Chaumerot jeune, 1829) comporte à l'emplacement de la vignette de titre ou de la marque un cliché typographique, répandu dans l'édition contemporaine, mais adapté au titre du livre : une couronne de laurier enrubannée.

La révolution de la vignette romantique a été d'utiliser cet emplacement d'ores et déjà réservé à l'image pour l'illustration proprement dite. Elle vient alors remplacer ou compléter le frontispice, souvent gravé sur acier à cette date, seule image admise dans le livre où l'illustration, en décadence ou

Vignette de titre pour *l'Artiste*, gravure sur bois d'après Tony Johannot, symbolisant la Littérature et les Arts. H. 83 mm.

Vignette d'en-tête du journal *la Caricature*, gravée sur bois d'après Grandville et associée à la devise « castigat ridendo mores ».

en désuétude, n'est pas encore revenue à la mode. L'image initiale, frontispice gravé à l'eau-forte de Nanteuil et vignette de titre de Tony Johannot gravée sur bois de bout par Porret, caractérise la première époque du livre illustré romantique, de 1829 à 1835, que prend seule en considération Champfleury dans son célèbre ouvrage *les Vignettes romantiques,* de 1883 (6).

D'autres illustrateurs, comme Monnier ou Gigoux, firent des vignettes de titre, mais les plus nombreuses et les plus réussies sont dues à Tony Johannot auquel Béraldi en attribue cent vingt, « admirablement gravées sur bois, la plupart par Porret, quelques autres par Cherrier, Thompson, etc. ».

L'un des premiers témoignages du succès et de la vogue de Tony Johannot est exprimé par Théophile Gautier en 1845, qui le présente comme « le roi de l'illustration » : « Il y a quelques années, un roman, un poème ne pouvait paraître sans une vignette sur bois signée de lui : que d'héroïnes à la taille frêle, au col de cygne, aux cheveux ruisselants, au pied imperceptible, il a confiées au papier de Chine ! Combien de truands en guenilles, de chevaliers armés de pied en cap, de tarasques écaillées et griffues, il a semés sur les couvertures beurre frais ou jaune serin des romans du Moyen Âge ! Toute la poésie et toute la littérature ancienne et moderne lui ont passé par les mains. » Ce texte indique les tonalités romantiques de ces vignettes, spirituelles, pathétiques ou fantastiques, considérées comme un équivalent figuré du titre, à tel point que le journal *L'Artiste* (ainsi que d'autres publications comme *Le Petit Poucet, La Revue de Paris, Bagatelle* ou *Le Ménestrel*) les reproduisait en tête de ses comptes rendus des nouveautés littéraires romantiques ; l'excès et le paroxysme en définissent le style, qui contrevient à toutes les règles, non seulement de la bienséance, mais aussi de la distinction entre littérature et peinture énoncée en 1763 par Lessing dans son *Laokoon*. Ce dernier attribuait à l'image, dans la lignée de Winckelmann, l'immobilité, la sérénité, la modération des passions, et au texte l'action, le mouvement et la passion qu'expriment la grimace et le cri ; dans la perspective de Lessing, « l'instant fécond » pour l'imagination n'est

jamais celui du paroxysme (7), qui peut être décrit par le texte mais non représenté par l'image ; or, Johannot transgresse continuellement cet interdit en attribuant à l'image des effets réservés au texte et en contribuant ainsi à la confusion entre les genres et les modes d'expression.

Dans la vignette des *Contes bruns par une tête à l'envers* (8), il prend au pied de la lettre l'expression « tête à l'envers » en ironisant sur l'usage du portrait-frontispice. Il faut retourner le livre pour voir « à l'endroit » la tête stupéfaite, qui semble tombée comme un aérolithe au milieu de la page de titre, et dont les cheveux hérissés vers le haut, et les traits renversés, composent un masque fantasque ; le chef-d'œuvre du genre, ce sont les quatre vignettes de titre pour l'édition Gosselin de *Notre-Dame de Paris,* en mai 1831, et la vignette de couverture à la grimace de Quasimodo, gravées par Porret d'après Tony Johannot.

Le passage de la marque à la vignette fut peut-être favorisé par l'exemple des vignettes d'en-tête dont les journaux contemporains s'ornaient en recourant aux mêmes réalisateurs pour le dessin et pour la gravure. Équivalent pictural du titre, l'en-tête indique les options esthétiques ou politiques du journal : ainsi la vignette de titre de Tony Johannot pour *L'Artiste* (1831) : ce journal « porte-parole du romantisme », que Béraldi décrit « symbolisant la Littérature et les Arts, mais les symbolisant sans aucune espèce d'allégorie antique, avec des Messieurs en veston de velours et pantalons à sous-pieds, et des dames au chignon du plus pur 1830, qui peignent, sculptent, écrivent des vers ou chantent des romances en s'accompagnant sur la guitare. Cette vignette est comme une devise à laquelle le journal a été éternellement fidèle : *Pour les Modernes* ». Ou la vignette de Grandville pour la *Caricature* (1830), associée à la devise « castigat ridendo mores », qui représente sur le seuil du « passage Véro-Dodat » (où se trouve le magasin de l'éditeur Aubert), la personnification de la caricature en fou du roi, coiffé d'un bonnet à longues plumes, décochant une flèche à côté du spectateur. Ce costume, fixé par l'en-tête, devait se retrouver dans les caricatures lithographiées chaque fois que le journal y était représenté, personnifié par son rédacteur en chef Philipon, en muse de la caricature. Définition permanente du journal, l'en-tête s'apparente à la marque par la récurrence (9), à la vignette du titre par son caractère d'illustration spécifique.

La couverture illustrée

L'entrée de la vignette romantique sur la page de titre accompagne l'avènement d'un nouveau mode de présentation du livre, la couverture illustrée, dont l'apparition est liée à la diversification des modalités de vente du livre, grâce à la livraison notamment, qui rend nécessaire une enveloppe protectrice éphémère pour le livre en alternative provisoire à la reliure : les « chemises » des livraisons, les couvertures des volumes sont apparentées à la page de titre, qu'elles reproduisent souvent, mais servent également au lancement publicitaire de l'ouvrage et de la maison d'édition. Sur l'exemple probable des couvertures de « papier à sucre » des ouvrages de colportage, elles-mêmes dérivées du papier d'emballage des denrées alimentaires, le papier, très peu épais, de ces couvertures est teinté ; les coloris pastel, roses, bleus ou jaunes se retrouvent en effet dans les couvertures contemporaines des livrets de colportage ; elles sont encore fréquemment bleues, alors que les nouveautés littéraires adoptent de préférence la couleur « jaune serin », « beurre frais » qui fut la risée de certains journalistes. Cette innovation est attribuée à la couverture paillasse de l'*Histoire de Debureau* de J. Janin (Champfleury, p. 409), où le choix du coloris était une allusion au costume de Pierrot. La conception de la couverture imprimée ne peut être séparée de celle de la page de titre et du faux-titre ; à l'extérieur du livre, la couverture directement visible à l'acheteur est l'espace le plus complexe et le plus étendu avec plats, contreplats et dos éventuel : le papier teinté, l'encadrement typographique, parfois l'iconographie de la vignette distinguent le premier plat de la page de titre, alors que le dernier plat est réservé aux annonces d'éditeur. La couverture possède une double fonction commerciale et unificatrice puisqu'elle doit d'une part attirer l'œil du passant, transfor-

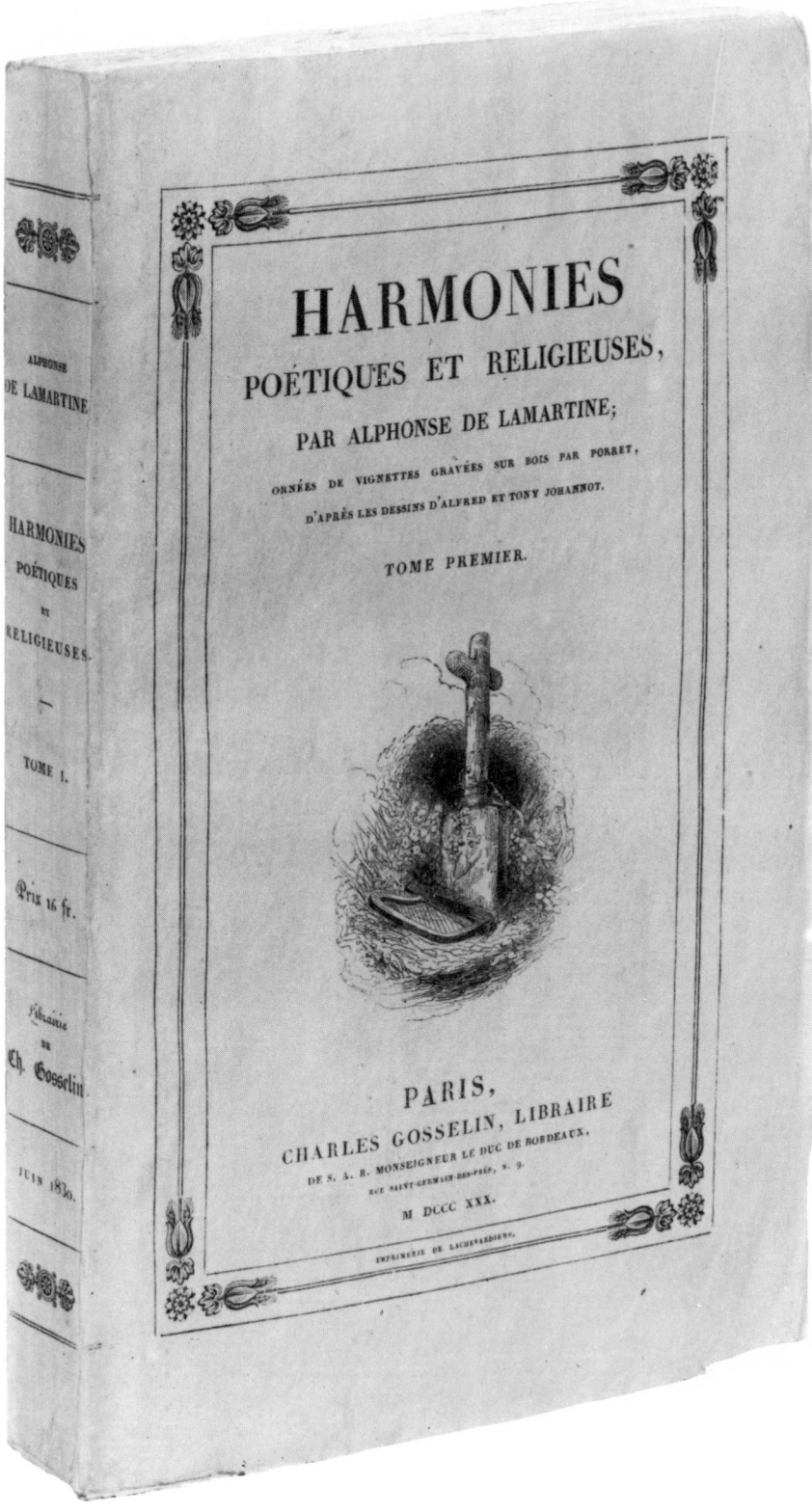

Couverture des *Harmonies poétiques et religieuses* de Lamartine, parues chez Gosselin en 1830 : papier de couleur jaune, encadrement typographique et vignette gravée sur bois. H. 219 mm.

LE ROI S'AMVSE

PUBLIÉ PAR EUGÈNE RENDUEL.

M DCCC XXXII.

C'est la scène finale du *Roi s'amuse* de Victor Hugo qui est représentée au titre du volume. Gravure sur bois d'après Tony Johannot. Paris, Renduel, 1832. H. 209 mm.

mer le badaud en acheteur, et d'autre part établir un lien immédiat de similarité entre les volumes successifs d'un même ouvrage. Son développement est sans nul doute lié à l'essor des vitrines et au nouvel art d'étalagiste qui a tant frappé les contemporains. À l'intérieur du livre, le faux-titre sert de transition entre la page de garde et la page de titre (10), dont il est une forme cursive réduisant l'appareil de la page de titre au « vrai titre » qui désigne le livre dans la conversation. Quant à la page de titre, elle doit persuader le détenteur du livre de se mettre à lire : c'est ainsi que chaque volume d'un ouvrage comporte une vignette différente, chargée de piquer la curiosité du lecteur tout en marquant d'emblée le moment le plus attendu de la lecture ; c'est-à-dire l'instant du paroxysme pour un lecteur romantique, celui des extrémités de la passion ou de la dérision. L'épisode ainsi marqué est généralement prélevé dans la seconde partie du roman ; il s'agit parfois de son dénouement : ainsi la vignette, par Tony Johannot, du *Roi s'amuse,* qui représente Triboulet découvrant le corps de Blanche, scène finale de la pièce (éd. Renduel, 1832). De manière significative, la scène de la grimace, parfait emblème du livre et de son héros, n'a pas été retenue pour la page de titre mais pour la page de couverture de *Notre-Dame de Paris,* car il s'agissait là d'un épisode presque inaugural dans le déroulement du texte.

Le mélange typographique

Le mélange typographique et l'avènement des caractères de fantaisie remettent en cause la conception séculaire de l'unité typographique de la page de titre au grand dam des bibliophiles et des imprimeurs. Il est possible que la multiplication des pièces liminaires aussi bien typographiques (couverture, faux-titre et page de titre) qu'iconiques (vignette de couverture, frontispice, vignette de titre) et textuelles (épigraphe, dédicace, préface) ait déterminé un souci de variation et d'alternance rythmique. La couverture est un duplicata typographique de la page de titre dont elle se distingue par son papier coloré, son filet d'encadrement et parfois sa vignette différente de la vignette de titre. Intercalé entre

316

couverture et page de titre, le faux-titre comporte des caractères différents. Ainsi l'édition Gosselin de *Notre-Dame de Paris* contient un faux-titre gothique et une page de titre en lettres romaines. Le mélange des caractères interviendra lorsque, au lieu de se succéder, les caractères différents se trouveront réunis. Quant à l'avènement des caractères de fantaisie, il peut s'interpréter comme une contamination du visible sur le lisible, dans lequel l'inscription du titre dans l'espace gravé ou lithographié du frontispice a pu jouer son rôle : en effet, bien souvent la lettre des frontispices n'est pas abandonnée à un praticien spécialisé, mais elle est incluse dans l'image et relève de la création artistique ; tel est le cas des frontispices de Nanteuil pour les tomes I et II de *Venezia la bella* d'Alphonse Royer (Renduel, 1834).

Bâties sur le modèle du frontispice, pages de titre et couvertures à vignettes se présentent comme un espace visuel et, dans la mesure du possible, symbolique : le choix du caractère typographique comme celui de la couleur du papier, la présence d'un filet d'encadrement, le recours aux ornements typographiques devront être non pas arbitraires mais motivés ; Champfleury (p. 308) donne l'exemple du titre de la *Danse macabre* du bibliophile Jacob qui, dit-il, « avant que le lecteur ouvre la première page, le fait frissonner et le prépare à d'étranges événements ». Dès 1825, la couverture imprimée de *Racine et Shakespeare n° II, ou Réponse au manifeste contre le romantisme...* (Paris, chez les marchands de nouveautés, mars 1825) se présente comme un manifeste de typographie romantique, réunissant le didot en grandes et petites capitales et en plusieurs graisses aux caractères de fantaisie, avec des lettres ombrées et des lettres gothiques, dans une page dotée d'un encadrement composé d'ornements typographiques. Le balancement du titre, qui oppose l'écrivain classique à l'écrivain romantique, est respecté par les choix des caractères en lettres romaines ombrées, puis en lettres gothiques ; et l'enjeu polémique du texte s'exprime par la même opposition entre le romain didot, adopté pour la référence au manifeste d'Auger, et le caractère gothique pour

Frontispice « à la cathédrale », gravé à l'eau-forte par Célestin Nanteuil pour *Notre-Dame de Paris* de Victor Hugo : décor architectural gothique présentant plusieurs scènes du roman en une disposition synoptique. Paris, Renduel, 1833. H. 156 mm.

317

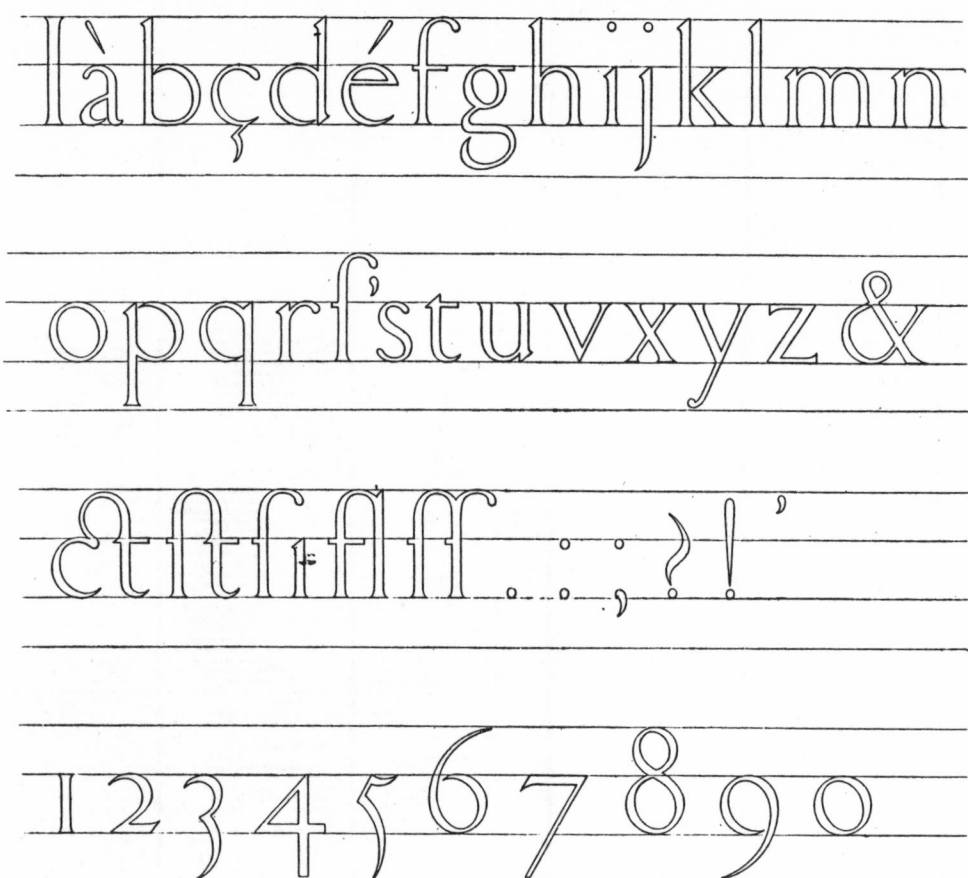

Essai des Augustaux, d'après un dessin original de L. Perrin.

La typographie française de 1830 à 1885

Le règne des Didot

Charles Peignot, le dernier grand fondeur-typographe français, aimait à attirer l'attention sur ce qu'il appelait les « typographies de génération » : les « garamonds » pour le XVIᵉ siècle, les « romains du Roi » pour le XVIIᵉ, les « fourniers » pour le XVIIIᵉ et les « didots » pour le XIXᵉ. Cela simplifie les tentatives de classification en renvoyant à des sortes de prototypes marquant chacune de ces étapes séculaires. Il s'agit de la lente métamorphose des formes des « romains » jusqu'à ce que le contraste plein/délié soit porté à un maximum (au-delà duquel il semble difficile de faire mieux) avec pour corollaire le redressement de l'axe de la lettre, ce qui tend à éliminer toute incidence de « cursivité ». Ce sont les Didot qui mettront au point ce que l'on peut considérer comme le suprême raffinement de toute l'évolution des formes de lettre depuis leur origine humaniste. Tout le XIXᵉ siècle vivra sur cet acquis.

Les fonderies de caractères typographiques vont en multiplier les variantes dont la plus expressive, pour les besoins de la publicité naissante, sera le didot gras (gras Vibert français), le gras étroit (les « classiques » de Deberny et Peignot) ou le gras large. De ces variations spectaculaires naîtront des séries typiquement publicitaires appelées « égyptiennes » ou « mécanes », ces égyptiennes grasses et didones grasses supportant sans peine d'être « décorées » de multiples façons.

Le musée imaginaire de la typographie

La révolution industrielle du XIXᵉ siècle touche aussi la production typographique. Non seulement la publicité des produits apporte une création de lettres spécifiques (lettres bâtons, mécanes, didones grasses) mais aussi une multiplication et une diversification des dessins correspondant au goût romantique pour le « gothique », la fantaisie, voire le fantastique et le grotesque. Le contraste se joue, dans le livre, entre le néoclassicisme des textes composés en didot et des titres en caractères gothiques (comme dans *le Roi de Bohême...* de Charles Nodier, en 1830). Dans le même texte, le choix d'italienne, d'égyptienne grasse ou de didot gras, éclairé et ombré fait accéder le jeu de mot au rôle d'illustration typographique.

C'est également un problème d'illustration qui va amener le Lyonnais Louis Perrin, en 1846, à dessiner et à faire graver, d'après les « inscriptions antiques de Lyon », des capitales romaines pour typographier les « citations » faites dans son

CARACTERES AVGVSTAVX

Louis Perrin, imprimeur à Lyon, rue d'Amboiſe, 6. — Franciſque Rey, graveur & fondeur à Lyon, place Saint-Jean, 4.

Corps Sept trois quarts.

Noſtre très chière dame & tante, dame Marguerite, archiducheſſe d'Auſtrice, duceſſe & conteſſe de Bourgoingne, dame doua-
rière de Savoye, &c., Nous a preſentement expoſé comme toſt
après le treſpas de feu de très noble mémoire l'empereur Maximilien, monſeigneur & ayeul, père d'icelle dame, dont Dieu ait l'âme,
elle euſt envoyé ſes commis & députez devers Nous en nos royaulmes d'Eſpaigne, pour Nous remonſtrer & donner à cognoiſtre
comme par le treſpas de mondit feu ſeigneur & ayeul ſon père lui
eſtoit ſuccédé & eſcheu, par droit de ſucceſſion paternelle, comme
à la fille unique, part & porcion à l'encôtre de Nous & de noſtre

LVGDVNVM CARACALLA CLAVDE NERON

1 2 3 4 5 6 7 8 9 0

très chier & très amé frère domp Fernand, en pluſieurs duchez, contez,
terres, ſeigneuries & biens meubles délaiſſez par iceluy feu noſtre
ayeul, dont au jour de ſondit treſpas eſtoit heritier & poſſeſſeur comme
de ſon vray patrimoine; laquelle part & porcion ainſi eſcheue & ſuc-
cédée à icelle noſtre dame & tante, y compris les biens meubles,

ATHENES EPAMIXONDAS PITTACVS

Corps Neuf.

Noſtre très chière dame & tante, dame Marguerite,
archiducheſſe d'Auſtrice, duceſſe & conteſſe de Bourgoingne, dame douairière de Savoye, &c., Nous a préſentement expoſé comme toſt après le treſpas de feu de
très noble mémoire l'empereur Maximilien, môſeigneur
& ayeul, père d'icelle dame, dôt Dieu ait l'âme, elle euſt
envoyé ſes commis & députez devers Nous en noz
royaulmes d'Eſpaigne, pour Nous remonſtrer & donner
à cognoiſtre comme par le treſpas de mondit feu ſeigneur & ayeul ſon père lui eſtoit ſuccédé & eſcheu, par

PLVTARQUE LYCVRGVE THEMISTOCLE

1 2 3 4 5 6 7 8 9 0

droit de ſucceſſiõ paternelle, comme à ſa fille unique, part &
porcion, à l'encontre de Nous & de noſtre très chier & très
amé frère domp Fernand, en pluſieurs duchez, contez, terres,
ſeigneuries & biens meubles délaiſſez par iceluy feu noſtre
ayeul, dont au jour de ſondit treſpas eſtoit heritier & poſſeſ-

ROMVLVS VERCINGETORIX CATILINA

Corps Onze.

Noſtre très chière dame & tante, dame Marguerite, archiducheſſe d'Auſtrice, duceſſe & conteſſe de Bourgoingne, dame douairière de Savoye, &c., Nous a préſentement expoſé comme
toſt après le treſpas de feu de très noble mémoire
l'empereur Maximilien, monſeigneur & ayeul,
père d'icelle dame, dont Dieu ait l'âme, elle euſt
envoyé ſes cõmis & députez devers Nous en nos
royaulmes d'Eſpaigne, pour Nous remonſtrer &
donner à cõgnoiſtre comme par le treſpas de mon-

SPARTE BABYLONE MACEDOINE

Corps Onze.

dit feu ſeigneur & ayeul ſon père lui eſtoit ſuccédé &
eſcheu, par droit de ſucceſſion paternelle, comme à ſa
fille unique, part & porcion, à l'encontre de Nous &
de noſtre très chier & très amé frère domp Fernand, en
pluſieurs duchez, contez, terres, ſeigneuries & biens

CONSTANTINOPLE JERVSALEM

Corps Quatorze n° 1.

Noſtre très chière dame & tante, dame
Marguerite, archiducheſſe d'Auſtrice,
duceſſe & conteſſe de Bourgoingne,
dame douairière de Savoye, &c., Nous
a préſentemét expoſé comme toſt après
le treſpas de feu de très noble mémoire
l'empereur Maximilien, monſeigneur &
ayeul, père d'icelle dame, dont Dieu ait
l'âme, elle euſt envoyé ſes commis &
députez devers Nous en nos royaulmes

LACEDEMONE ANTIOCHE

1 2 3 4 5 6 7 8 9 0

Corps Quatorze n° 2.

Noſtre très chière dame & tante,
dame Marguerite, archiducheſſe d'Auſtrice, duceſſe & côteſſe de Bourgoingne, dame douairière de Savoye, &c.,
Nous a préſentement expoſé comme
toſt après le treſpas de feu de très noble mémoire l'empereur Maximilien,
monſeigneur & ayeul, père d'icelle
dame, dont Dieu ait l'âme, elle euſt
envoyé ſes commis & députez devers

ANNIBAL POMPEE CESAR

Nous en nos royaulmes d'Eſpaigne,
pour Nous remonſtrer & donner à cognoiſtre comme par le treſpas de mondit
feu ſeigneur & ayeul ſon père lui eſtoit
ſuccédé & eſcheu, par droit de ſucceſſion

Corps Sept trois quarts.

LE CVLTE DE LA MERE DES DIEVX EST ORIGINAIRE DE L'ASIE, C'EST A PESSINONTE AV PIED

Corps Sept trois quarts.

JVPITER MINERVE APOLLON DIANE NEPTVNE VENVS LES CENTAVRES

Corps Neuf.

BARCELONE MADRID CORDOVE VALENCE GRENADE ESTRAMADVRE

Corps Dix.

L'ART GREC PEVT ETRE CHOISI COMME TYPE ET MODELE

Corps Quatorze.

SVR LES ANTIQVITES DE LA VILLE DE LYON

Corps Vingt.

GAVLOIS GERMAIN FRANC

Corps Vingt-Huit.

ROIS MACEDONIENS

Corps Trente-Six.

SYRACVSE ROME

Corps Quarante-Huit.

CINQVIEMES

Corps Cinquante-Six.

HONNEVR

Corps Soixante-Douze.

ANCIEN

---

livre par le comte de Boiſſieu. Perrin ſe refuse à composer le relevé des textes lapidaires avec les capitales du didot qui compose le texte courant. Ses gravures à l'eauforte l'ont amené à faire des « fac-similés » aussi fidèles que possible. Les inscriptions typographiées avec ses « augustaux » lui permettent de se rapprocher des originaux.

L'idée de musée qui, après avoir rassemblé des œuvres éparses, les compare et les classe, exerce aussi son emprise sur l'art des fondeurs. Les « reconstitutions » permettent d'accéder à de bons modèles (à de moins bons également) et de mettre sur le marché des formes dont la publicité et le livre usent rapidement l'effet de nouveauté.

À la fin du siècle, la notion de style se sera implantée solidement et le défilé des modes relancera périodiquement, de plus en plus fréquemment, ces formes issues du passé et remises au goût du jour, réadaptées. C'est un problème économique autant qu'esthétique. L'histoire du livre doit prendre en compte ces « exercices de style » et ces « divertissements typographiques » qui jouent des effets de connotation dérivés de la reconnaissance des formes et des contextes socioculturels qu'elle suggère.

La mode elzévirienne

Graver le contour des lettres romaines incisées dans la pierre, les Jenson, les Tory ne firent rien d'autre avec la sensibilité d'un temps qui valorisait de tels modèles. L'œuvre de Louis Perrin, reprise en 1857 par Théophile Beaudoire, prend alors le nom d'Elzévir et consacre le retour aux romains de forme ancienne. Le problème qu'a posé d'abord ce néoromain, c'est l'appareillage des bas de casse aux capitales. L'histoire de cette élaboration n'est pas encore certaine. Ce qu'on peut cependant remarquer, c'est l'indécision de Perrin devant ce problème. Certains corps de son catalogue nous font penser à ceux de Jenson, un peu « dégraissé ». En revanche, certains dessins originaux nous montrent des formes plus « modernes » qui anticipent sur ce que seront les modernes « incises » de Mendoza (le « Pascal », 1960), de Zapf (l'« Optima », 1958) ou de Gauthier (le « Gauthier » de l'Imprimerie nationale).

La mode elzévirienne avec l'éditeur Alphonse Lemerre — qui racheta les « augustaux » de Perrin en 1880 — devint caractéristique de la poésie parnassienne que défendait cet éditeur. La nouvelle typographie valorise alors des mises en pages simples et raffinées et la mise en valeur des « blancs » ainsi qu'en témoigne la revue de Mallarmé *la Dernière Mode* en 1874.

Gérard Blanchard

le nom de Stendhal dont les choix esthétiques sont indiqués ainsi.

■| L'illustration plurielle

La fragmentation du récit en une succession d'épisodes, qui définit le livre illustré, connaît à l'époque romantique deux variantes : celle de l'image unique composée de scènes multiples dont le frontispice à compartiments de Nanteuil offre l'archétype ; celle de la suite de planches insérées dans le cours du livre en hors-texte, dès le début des années 1830.

Le frontispice « à la cathédrale »

Nanteuil a reconnu avoir été influencé par le vitrail, dont la disposition à compartiments avait survécu dans l'art populaire et dans l'imagerie, sans être admise dans le grand art, au nom de l'unité d'action qui régit la rhétorique de l'image comme celle du texte. Cette disposition fut adoptée par Nanteuil dans ses premiers frontispices, « à la cathédrale », dont le plus significatif est celui de *Notre-Dame de Paris* (Renduel, 1833), construit, selon la formule mise au point par le graveur, à la manière d'un retable flamboyant réunissant autour d'une scène centrale, surmontée de pinacles et placée au-dessus d'une prédelle, une série de compartiments latéraux (11).

Le frontispice « à la cathédrale » peut apparaître comme l'une des manifestations d'un style du décor intérieur qui existe également dans le mobilier, les sièges ou les reliures, mais la formule n'est pas simple concession à une mode, elle répond à une sollicitation du texte de Hugo, dès son titre, et se justifie par référence à une tradition interne à l'histoire du livre illustré, celle des encadrements ornés inspirés des manuscrits médiévaux dans les *Voyages pittoresques* de Taylor et Nodier auxquels Nanteuil collabore, ou dans d'autres livres comme le curieux *Historial du jongleur* imprimé en gothiques par Didot et Bossange en 1829. La composition architecturale est enfin une figure obsédante de l'histoire du frontispice, représenté sur tous les modes du seuil, funéraire comme le mausolée, glorieux comme l'arc de

Frontispice du tome I de *Venezia la Bella* gravé à l'eau-forte par Célestin Nanteuil, y compris les lettres des mentions bibliographiques, titre, auteur, éditeur. Paris, Renduel, 1834.

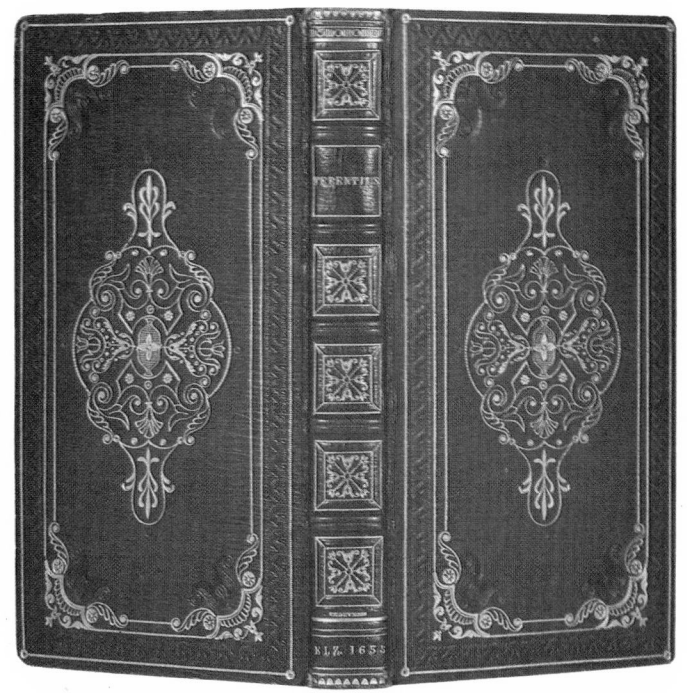

Planches 19 et 20 — Reliure de Joseph Thouvenin l'aîné
en maroquin brun ; décor de motifs, palettes et
filets dorés. Doublures et gardes de maroquin vert
décorées de motifs dorés et à froid. Signature Thouvenin
dorée en queue. Petit in-12.
Sur : Térence, *Comediae sex.* Leyde, Elzevier, 1635.
(Collection particulière.)

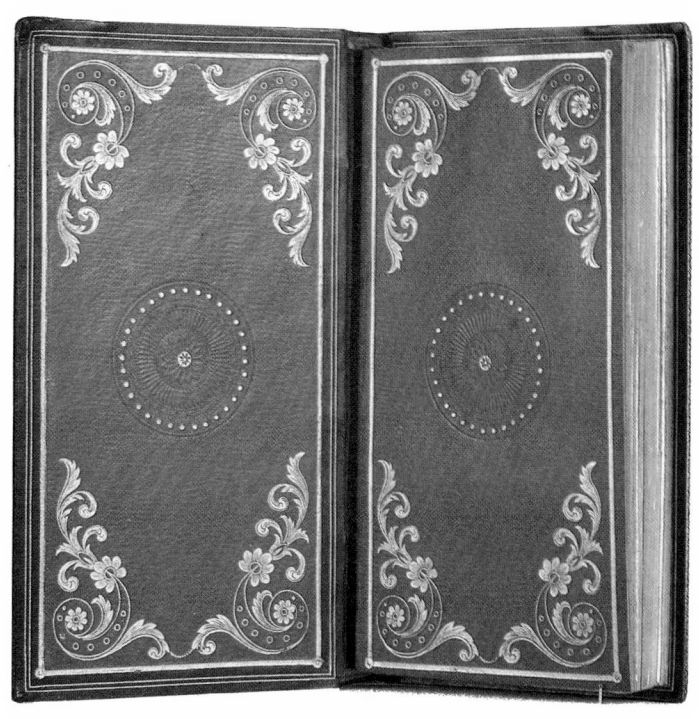

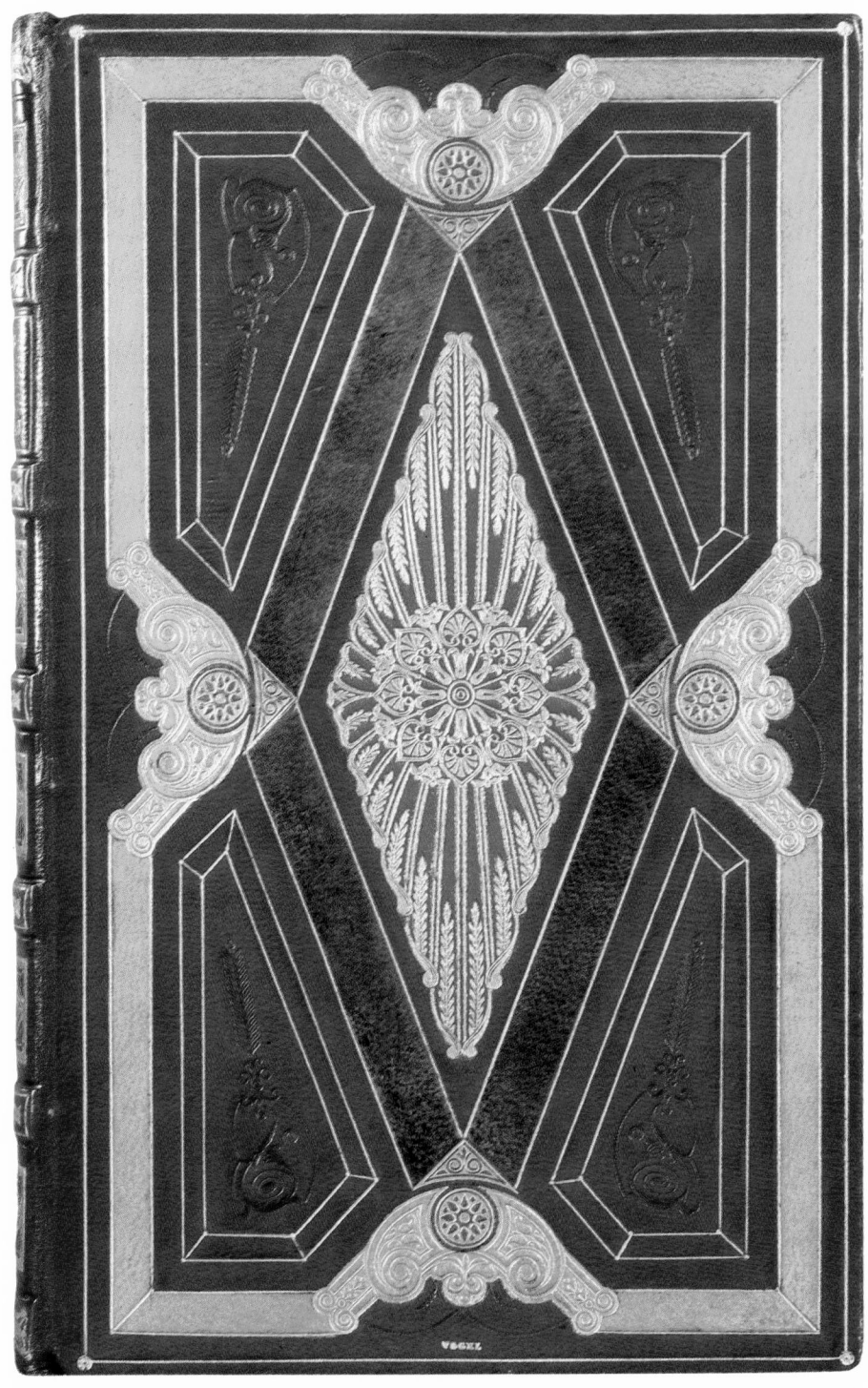

Planche 21 — Reliure de E. Vogel en maroquin à grain long ;
décor mosaïqué polychrome formant un losange central et une bordure
et rehaussé de fers dorés et à froid. H. 240 mm.
Sur : Colardeau, *Œuvres choisies*. Paris, 1825.
(Bibliothèque nationale, Impr. Rés. p. Ye. 2254.)

Planche 22 — Reliure de A. Bauzonnet, exécutée par Trautz, en maroquin, à décor
rétrospectif à l'imitation du XVIe siècle : entrelacs géométriques mosaïqués. H. 278 mm.
Sur : Brant, *la Nef des folz du monde*, Paris, J. P. Manstener et G. de Marnef, 1497,
exemplaire sur vélin, enluminé.
(Bibliothèque nationale, Impr. Rés. Velins 608.)

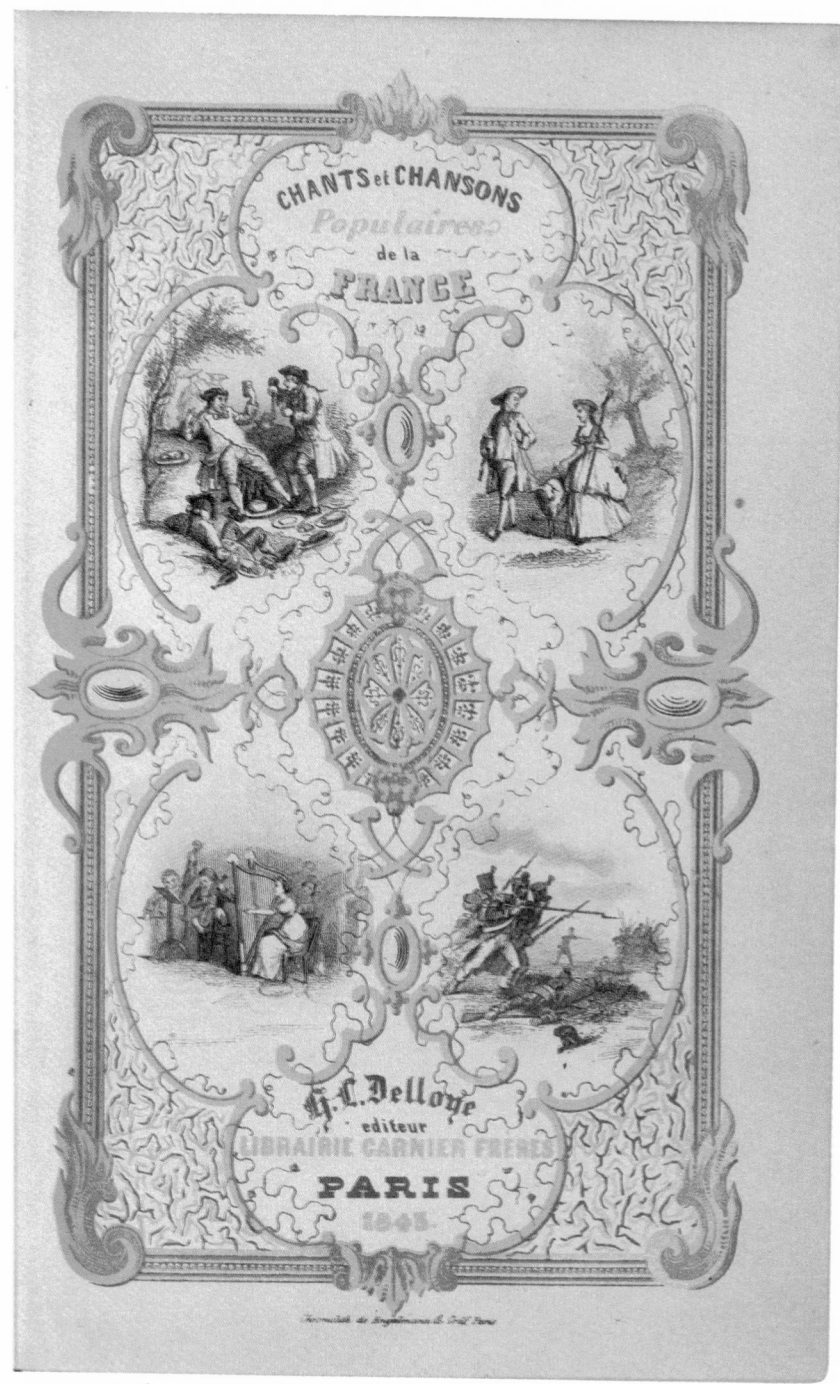

Planche 23 — Couverture du 2ᵉ volume des *Chants et chansons populaires de la France*, un des plus célèbres livres de la première moitié du XIXᵉ siècle.
Papier décoré ; une des quatre vignettes en noir est signée C. Kolb, la chromolithographie du décor est d'Engelmann et Graf.
(Paris, Bibliothèque nationale, Impr. Rés. Ye 945.)

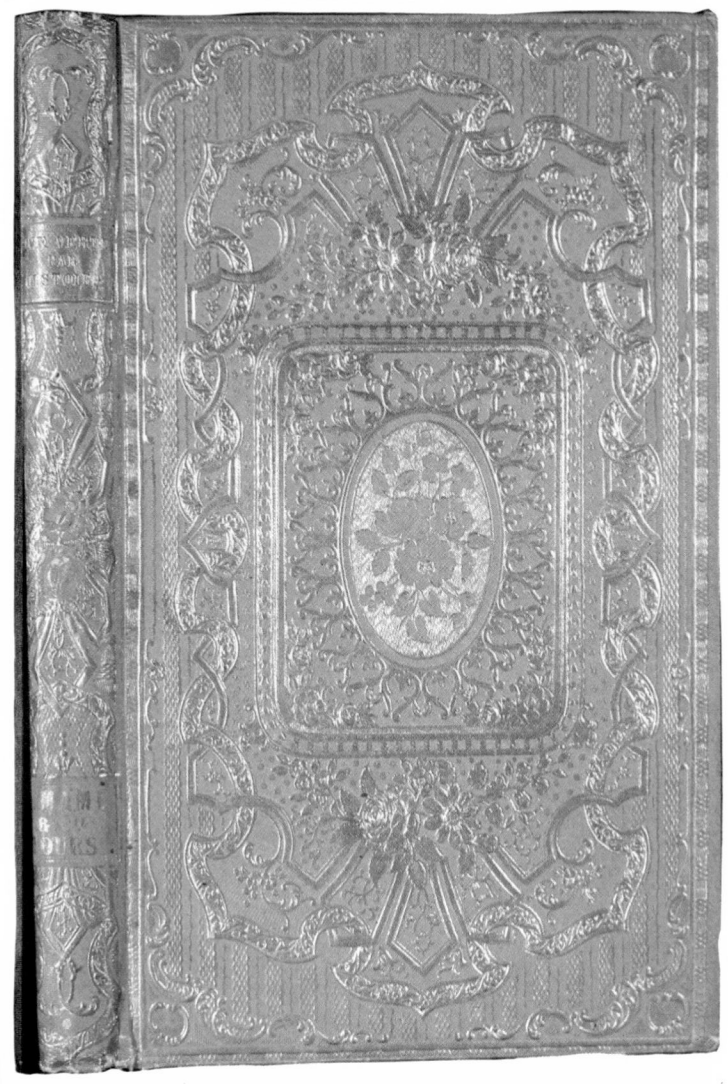

Planche 24 — Cartonnage d'éditeur de Mame en papier doré et gaufré. H. 187 mm.
Sur : *Une vertu par histoire*, de Th. Midy, nouv. éd. Tours, Mame, 1857. (Bibliothèque de l'I.N.R.P.)

Planche 25 — Cartonnage d'éditeur de Mégard en papier doré et gaufré, encadrant
une lithographie coloriée. H. 132 mm.
Sur : *Les contes de ma nourrice,* par C. B. Rouen, Mégard (vers 1855). (Bibliothèque de l'I.N.R.P.)

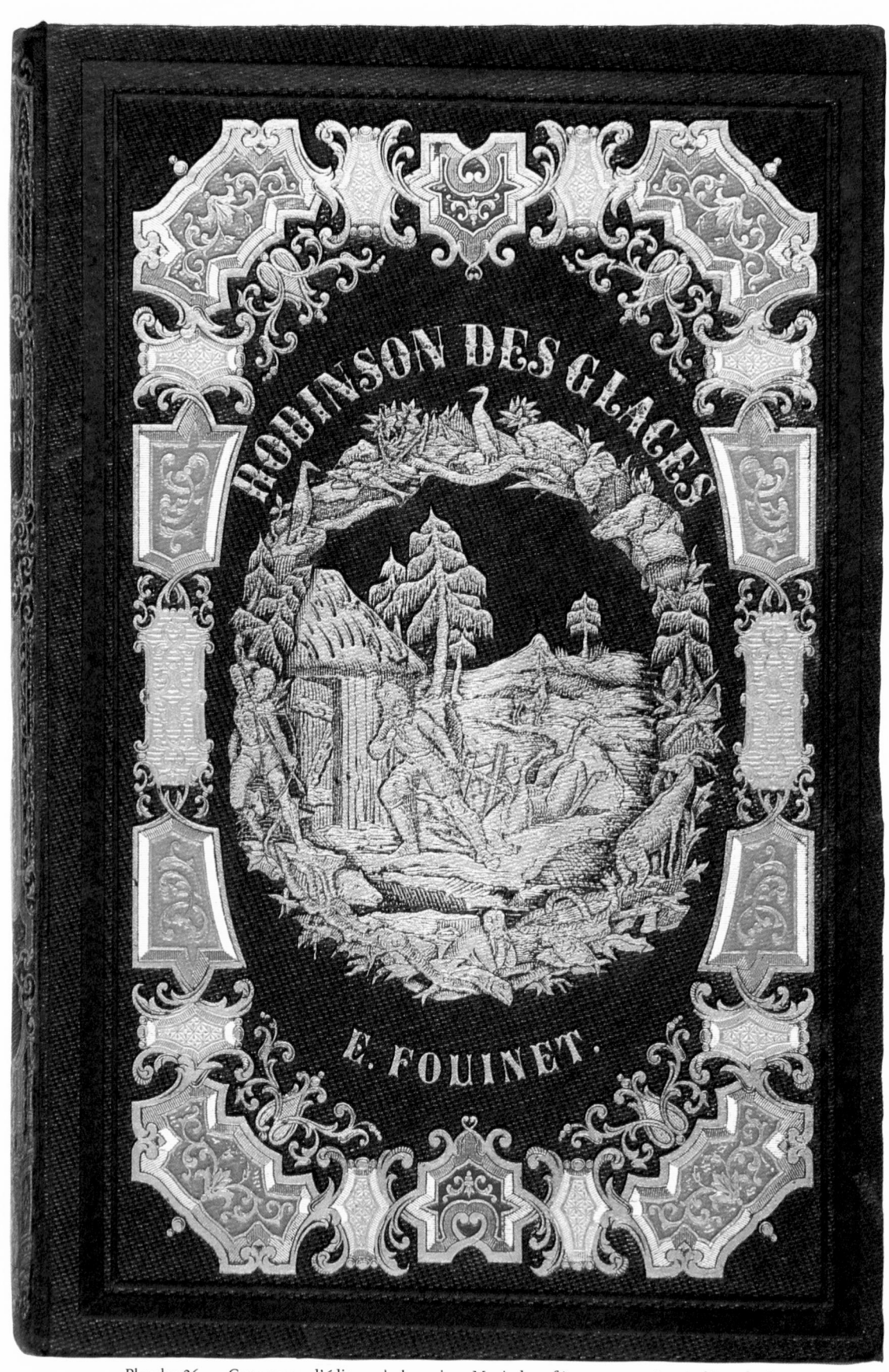

Planche 26 — Cartonnage d'éditeur de la maison M. Ardant frères en percaline à décor doré
et mosaïqué polychrome. Plaque spéciale d'après une illustration de l'ouvrage. H. 285 mm.
Sur : *le Robinson des glaces,* de E. Fouinet. Paris, M. Ardant fr., 1855.
(Collection J. Bouvier.)

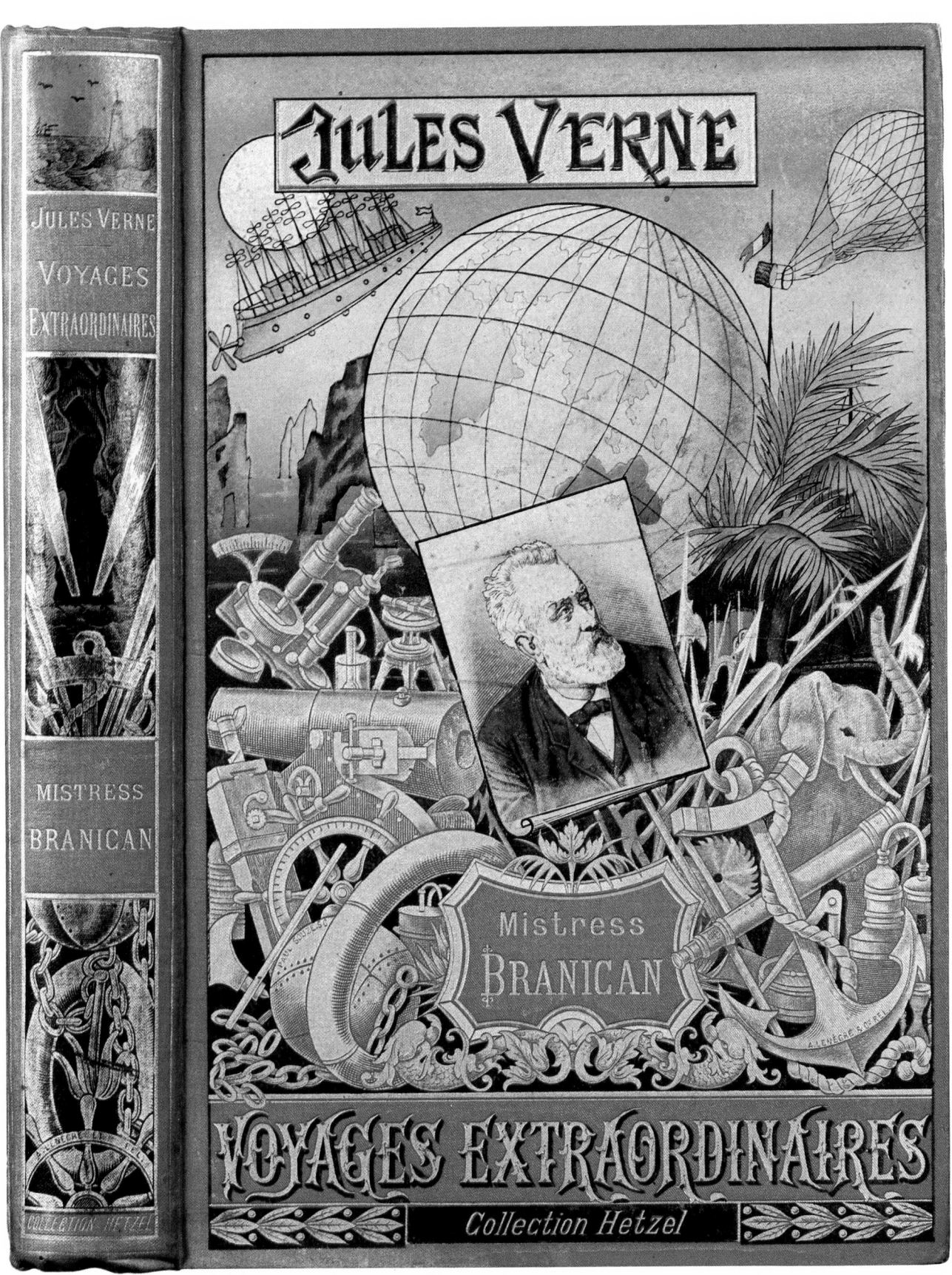

Planche 27 — Cartonnage d'éditeur de Jules Hetzel en toile à décor doré et polychrome
« au portrait sans rosette », avec dos « au phare », gravé par Paul Souze et relié par A. Lenègre et Cie.
H. 282 mm.
Sur : un volume des « Voyages extraordinaires », *Mistress Branican,* de Jules Verne. Paris, Hetzel (1891).
(Paris, Bibliothèque nationale, Impr. Rés. m. Y² 1009.)

Planche 28 — Volumes de diverses séries de la « Bibliothèque des chemins de fer » publiée par la Librairie Hachette : les couleurs des couvertures correspondent à la nature des sujets traités dans les livres, le rouge étant par exemple réservé aux guides de voyage, le jaune à la littérature étrangère, etc.
(Paris, Archives Hachette.)

Planche 29 — Quelques volumes appartenant à des collections de livres pour enfants à cartonnages décorés : « Collection J. Hetzel » pour l'*Histoire d'un âne et de deux jeunes filles* de P. J. Stahl, avec plaque spéciale signée A. Souze ; « Bibliothèque de l'éducation maternelle », Maison A. Quantin (plaque de P. Souze) ; « Bibliothèque des petits enfants », « Bibliothèque rose illustrée », « Nouvelle collection pour la jeunesse », publiées par Hachette ; « Fenimore Cooper illustré », publiée par Firmin-Didot. (Collection particulière.)

triomphe, spectaculaire comme la scène de théâtre, ici sacré comme le portail d'une cathédrale. La planche de Nanteuil tient à la fois en effet du retable, qui combine des panneaux peints et des éléments en ronde-bosse, et de l'élévation de la façade principale de la cathédrale, celle que l'on nomme justement dans le dictionnaire d'architecture de Viollet-Le-Duc son « frontispice ». Intégrées au décor architectural sacré, les scènes du roman évoquent la mise en scène des mystères médiévaux. Plusieurs traditions de l'art sacré médiéval sont ainsi sollicitées pour ce frontispice, où Nanteuil fait d'Esméralda la figure principale, sur le mode un peu sacrilège du roman noir ou du « gothic novel » à la manière du *Moine* de Lewis, dès la scène centrale qui représente l'entrée de Frollo dans la cellule noyée d'obscurité où gît Esméralda.

Mais quelle est la fonction de ce retable comme frontispice, pour le « liseur de romans » ? La disposition tabulaire propre au retable, au lieu de présenter une scène unique, fait intervenir plusieurs scènes simultanées, non pas dans l'ordre du récit, mais dans celui, pourrait-on dire, de l'image, en opposant le centre à la périphérie, en confrontant les éléments en pendants, en présentant sur un axe vertical médian les scènes concernant Esméralda ; de la sorte, l'interprétation des relations de scène à scène, de personnage à personnage, est enrichie. Les scènes et les personnages du frontispice aux sujets multiples ont été successivement élucidés au fil de sa lecture par le lecteur, qui peu à peu donne à chaque fragment, actualisé à un moment de sa lecture, son explication et son titre. Série de scènes successives, le frontispice à la cathédrale apparaît surtout comme une disposition synoptique analogue aux images de mémoire des vieux traités de rhétorique, qui associent des lieux et des objets à des fins mnémotechniques.

Les suites de planches en hors-texte

Les suites d'estampes ont existé depuis les origines de la gravure, qu'elles aient été conçues comme des variations sur un thème *(les Misères de la guerre)* ou comme séries closes

LE TAILLEUR ET LA FÉE

Perrotin, Éditeur

Une des planches gravées sur acier par divers artistes de l'édition des *Œuvres complètes* de Béranger parue chez Perrotin en 1847. Chacune des planches de cette suite présente un effet de « narration rotative », avec scène centrale et scènes secondaires. H. 235 mm.

(suite page 326)

Reliure exécutée entre 1830 et 1832 par François Thouvenin. Maroquin vert à grain long, dos long orné de filets et petits fers romantiques, titre et tomaison dorés, signature *F. Thouvenin* dorée en queue du dos du tome I, encadrement de filets et fers romantiques sur les plats, panneau rectangulaire de bois de différentes essences assemblées en diagonale, encastré au centre et orné en noir de motifs d'inspiration typographique en encadrement et d'un rectangle central avec semé. (Catalogue Esmérian.)

Sur : Homère, *l'Illiade*, Paris, 1830, 2 volumes in-8°.

François Thouvenin, mort en 1832, était le frère des deux Joseph Thouvenin.

La reliure romantique

Période de maîtrise technique et d'invention en matière de décors, la période romantique replace la France à un rang que la Révolution lui avait fait perdre dans un domaine où les artisans de luxe jouent un rôle déterminant.

Parmi eux, trois figures méritent une mention particulière : Simier, « relieur du roi », Purgold, et Thouvenin (voir aussi planches 19 et 20).

Vogel (voir planche 21) est réputé pour ses reliures mosaïquées.

Les décors « à la cathédrale », très souvent employés pendant la période romantique, trouvaient leur inspiration dans une mode néogothique répandue en littérature ou dans les arts graphiques. René Simier et Joseph Thouvenin l'Aîné étaient maîtres de ce style de reliure.

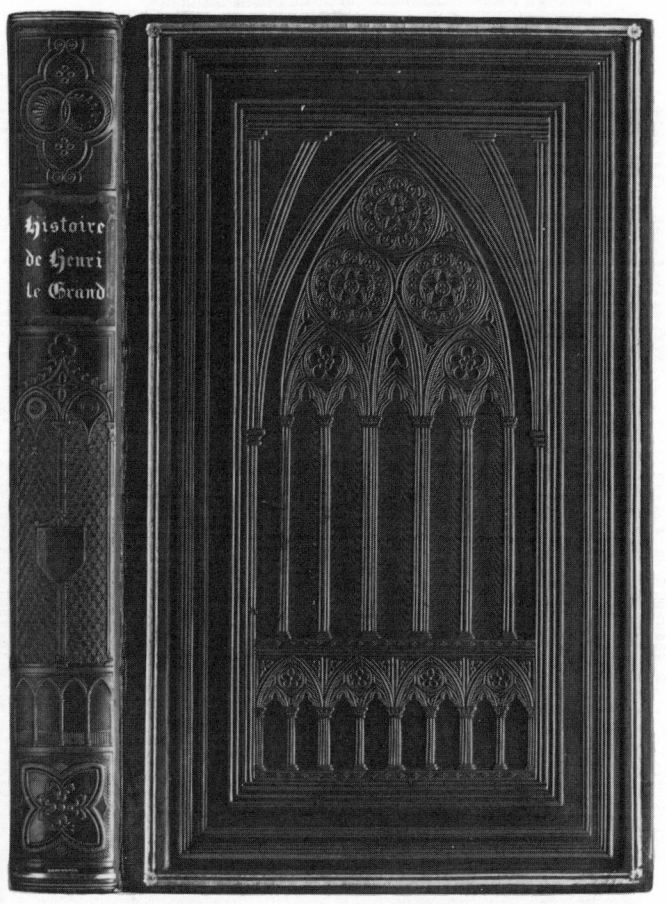

Reliure exécutée vers 1825 par Joseph Thouvenin l'Aîné (actif de 1802 à 1834). Veau rouge, plaques frappées à froid sur le dos et les plats, signature *Thouvenin* dorée en queue du dos (211 × 135 mm). (Collection P. et O. Ract-Madoux.)

Sur : Perefixe, *Histoire du roi Henri le Grand,* Paris, 1822.

Reliure de Purgold exécutée entre 1825 et 1830. Maroquin à grain long rose, encadrement de filets et roulettes dorées et à froid, losange composé de filets dorés et d'une roulette à froid, dos à nerfs plats orné, signature dorée *Purgold* en queue (208 × 130 mm).

Sur : Tasse, *La Gerusalemme liberata,* Paris, 1812. (Collection P. et O. Ract-Madoux.)

Installé comme relieur à partir de 1816, Purgold était peut-être le meilleur technicien de son temps.

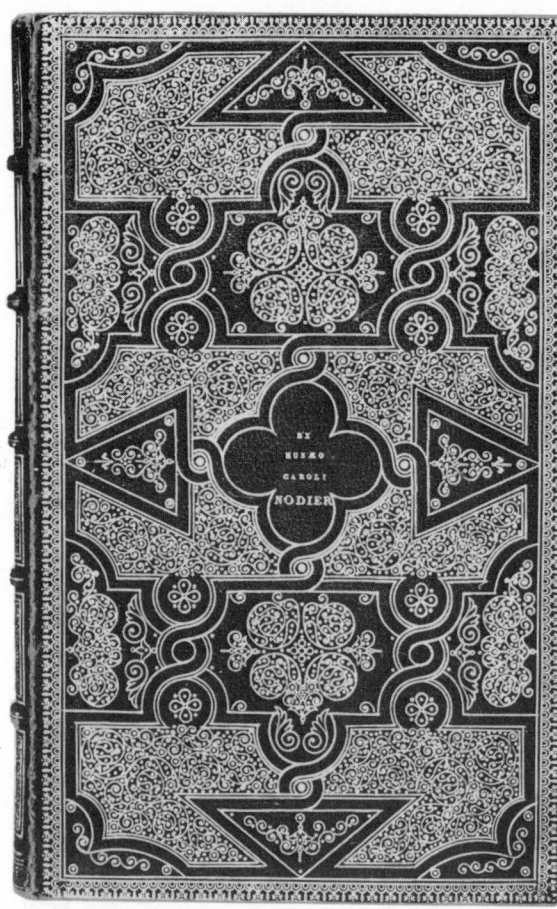

Reliure exécutée par Joseph Thouvenin l'Aîné, entre 1830 et 1834, pour Charles Nodier. Maroquin rouge, décor à l'imitation du XVIIᵉ siècle, reliure abondamment ornée de filets et de fers courbes (« à mille points »), avec au centre, en lettres d'or, sur le premier plat : *Ex museo Caroli Nodier ;* sur le deuxième plat : *Ex opificina Jos. Thouvenin.* (Collection particulière.)

Sur : Longus, *Les amours pastorales de Daphnis et Chloé,* Paris, 1718, in-8°.

Reliure doublée de A. Bauzonnet. Maroquin violet, dos orné de filets et petits fers, plats ornés d'un jeu de filets dorés entrecroisés, signature *Bauzonnet, relieur, maison Purgold.*

Sur : Montreuil, *Roman de la Violette,* Paris, 1834. (Catalogue Descamps-Scrive.)

D'abord associé avec Purgold, Bauzonnet fut un des grands relieurs de la période 1830-1848, surnommé « le maître des filets ». Ses décors, tout de même influencés par l'inspiration rétrospective, constituent le dernier style original du début du siècle.

La reliure « rétrospective »

La mode des livres anciens chez les collectionneurs (« bibliophilie rétrospective ») provoqua celle de la copie de décors anciens sur les reliures exécutées à partir de 1830.

Thouvenin, encouragé par Charles Nodier, fut un précurseur de cette tendance.

Associé, puis successeur de Bauzonnet, Trautz (voir planche 22) connut une vogue

extraordinaire parmi les amateurs de livres anciens qui appréciaient particulièrement sa manière de traiter les maroquins (on a parlé de « Trautzolâtrie »).

Reliure de Cuzin. Maroquin La Vallière, entrelacs en or et mosaïqués sur le dos et les plats, doublé de vélin blanc décoré.

Sur : Vésale, *Vivae imagines partium corporis humani aereis formis expressae,* Anvers, Plantin, 1566, in-4°. (Bibliothèque Édouard Rahir.)

Cette reliure est à l'imitation des reliures italiennes du XVIe siècle.

La vignette et la lettre

(suite de la page 321)

ordonnées ou non (les cinq sens, les saisons, les âges de la vie, les mois de l'année). Flaxman les traita comme des séquences ordonnées par un récit présent dans la mémoire du destinataire, sans être matérialisé par un texte imprimé. Toutes ces possibilités ont été exploitées par les imagiers et par les marchands d'estampes romantiques afin de faciliter l'écoulement solidaire de plusieurs images vendues à la feuille. *Paul et Virginie* était ainsi découpé en épisodes par les imagiers. Delacroix avait pensé son *Faust* comme une suite lithographiée, qui ne devint livre que sur l'expresse volonté de l'éditeur.

À la suite de *L'Artiste* (qui débute en 1831), la presse illustrée publie, encore en dehors des livres, des illustrations des textes littéraires contemporains. Le lecteur est alors libre de laisser la lithographie dans sa livraison de journal, de la détacher comme une estampe autonome ou de la glisser entre les pages de son livre qu'il pourrait ainsi « truffer » d'illustrations. L'éditeur conçoit la possibilité d'une suite d'illustrations publiée en dehors du livre, mais l'existence d'un livre illustré est rarement envisagée pour des textes continus. Cette formule des suites d'épisodes, généralement gravées sur acier, reprend la tradition graphique des albums et des livres illustrés d'époques antérieures ; elle a pu être favorisée par l'existence des *keepsakes* qui se présentaient comme un potpourri de textes, de temps à autre ponctués par une gravure sur acier.

L'édition Perrotin des *Chansons* de Béranger en 1847 (12) réunit l'effet de suite gravée à celui de la narration rotative (13) propre aux frontispices « à la cathédrale » de Nanteuil. Dans ces planches gravées sur acier, on voit, comme le dit J. Touchard, « une scène centrale, des guirlandes de feuillages, beaucoup de guirlandes et de festons, beaucoup d'azur, et, autour de la scène centrale, de petits emplacements réservés pour illustrer les thèmes secondaires ou les couplets de la chanson ».

Les vignettes romantiques

Le livre illustré romantique se définit avant tout par l'invasion de la vignette dans le texte, à partir de 1835 surtout (bien que l'*Histoire du roi de*

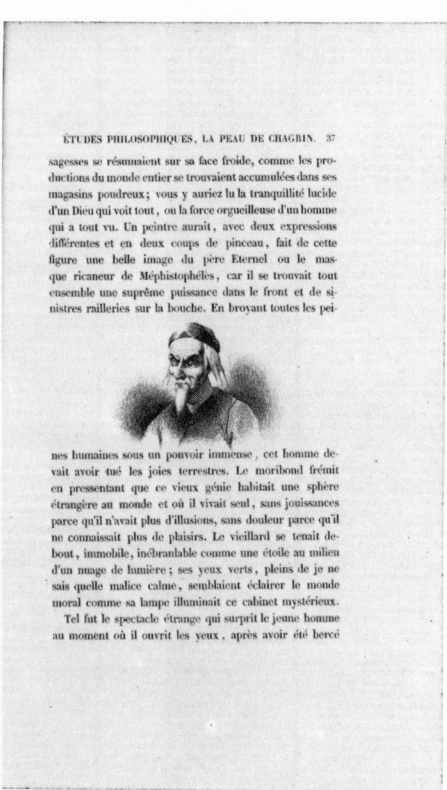

Effet de choc produit par la figure du vieil antiquaire, gravée sur acier d'après Janet-Lange, apparaissant seule au milieu d'une page de texte de *la Peau de chagrin*, de Balzac. Paris, Delloye et Lecou, 1838. H. 261 mm.

Bohême et de ses sept châteaux de Nodier, illustrée par T. Johannot, ait été publiée dès 1830).

Pour cet ouvrage clé, tous les caractères propres à ce qu'il est convenu d'appeler le livre illustré romantique sont d'ores et déjà donnés : il s'agit d'intégrer à la texture du livre, jusqu'alors restée indemne, les innovations qui concernaient sa présentation extérieure et qui étaient liées à l'empire d'un nouveau personnage dans l'édition, l'éditeur dans l'étape précédente du livre à vignette unique : la vignette, la fantaisie typographique, le « puff », c'est-à-dire la réclame et les annonces. Cette métamorphose, que l'on peut rattacher à des sources littéraires comme le *Tristram Shandy* de Sterne ou au goût romantique de l'ironie, implique une révolution dans les façons de lire puisque, dès lors, le livre n'est plus seulement le support d'une lecture mentale désincarnée mais également un objet visible, fait pour être regardé autant que pour être vu. L'empire de la vignette dans cette perspective ne saurait être disjoint des jeux typographiques et des jeux de mise en abîme d'une forme d'écrit dans une autre, ou de réverbération de l'écriture dans la vignette, auxquels se prêtera constamment le livre illustré romantique.

Henri Zerner a, dans une pénétrante analyse, montré comment la vignette, gravée sur bois de bout, introduite dans la justification, s'intercale comme un fantasme dans le cours de la lecture. Son emplacement et sa configuration y concourent : son emplacement dans le déroulement narratif est destiné à répondre à une sollicitation visuelle du texte ou à relever le défi de la référence artistique (par exemple dans l'illustration du vieil antiquaire d'après Janet-Lange pour l'édition Delloye et Lecou de *la Peau de chagrin* en 1838) ; sa configuration la distingue du tableau-fenêtre puisqu'elle est dépourvue de contours rectilignes et que ses bords s'effilochent sur le blanc de la page.

Deux options esthétiques contraires alternent dans les mises en pages des livres illustrés romantiques : d'un côté, les « livres-macédoines » (14) qui mélangent les modes d'illustrations (*le Diable à Paris*, Hetzel, 1846), et souvent les techniques (*Notre-Dame de*

Paris, Perrotin, 1844) ; de l'autre, les livres « ordonnés » où chaque emplacement, déterminé par l'histoire du livre, est solidaire d'un genre pictural et peut être confié à un collaborateur différent. Le meilleur exemple de ces mises en pages est constitué par *les Français peints par eux-mêmes* (Curmer, 1840-1842) : hors-texte réservés aux « types », lettrines souvent consacrées à des natures mortes, bandeaux se référant à des scènes.

Curieusement, le seul passage des *Français peints par eux-mêmes* consacré à l'illustration se trouve dans l'article d'Elias Regnault sur l'éditeur (tome IV, p. 330) : « Depuis quelques années, écrit-il, une classe nouvelle a surgi parmi les éditeurs, c'est celle des illustrateurs. »

L'illustration est un appel fait aux sens, et en même temps une production nouvelle de la pensée, une séduction qui a peut-être quelque chose de matériel, et en même temps une alliance heureuse entre l'artiste et l'écrivain. Ornement et auxiliaire de la typographie, hiéroglyphe lumineux qui s'explique de lui-même, l'illustration fait goûter aux esprits frivoles les sévérités de la pensée, et offre aux esprits sérieux une distraction qui ne sort pas du domaine de l'intelligence. » Cette analyse met en valeur la fonction séductrice d'appât pour le lecteur qui est celle du livre illustré romantique, et dont les éditions populaires, agrémentant de vignettes nouvelles les vignettes de remplois dans leur mise en page sur deux colonnes sous le Second Empire, vont user afin d'attirer vers le livre un public peu habitué à lire.

Les éditions de bibliophiles, à partir de 1860 environ, semblent se définir comme une réaction contre le livre illustré romantique perpétué par l'édition populaire. Les livres des bibliophiles lettrés, d'un côté, refusent les effets pittoresques de l'image au profit d'effets visuels typographiques : la marque, constituée par un monogramme d'éditeur, se substitue à la vignette de titre ; les ornements typographiques purement décoratifs remplacent les vignettes d'illustration dans le texte ; le caractère elzevir enfin est préféré pour son élégance au didot qui dominait depuis le début du siècle ; la Petite bibliothèque littéraire de l'édi-

tion elzévirienne Lemerre en est un exemple. Les livres des bibliophiles amateurs d'estampes, d'un autre côté, répondent aux sollicitations d'un nouveau public, collectionneur de livres anciens, et restaurent les valeurs des éditions rares du XVIIIᵉ siècle recherchées par ce public, comme l'ont montré les travaux de J. P. Bouillon : exemplaires à grandes marges, gravures en plusieurs états et en suites, effets de « remarques », tirages limités, papiers recherchés, illustrations de peintres... Entre ces livres de bibliophiles et les éditions populaires, Gustave Doré demeure un cas isolé d'illustrateur revendiquant sa toute-puissance dans le livre où il introduit la gravure sur bois de teinte.

Notes

1. H. Zerner « La gravure sur bois romantique », *Médecine de France,* n° 150, pp. 17-32.

2. Bewick lui-même n'avait pas été l'inventeur d'un procédé qu'utilisaient ses contemporains graveurs de *chapbooks,* mais il fut celui qui imposa la technique du bois de bout dans le livre illustré en général et qui sut faire école, ainsi que l'a indiqué Henri Zerner.

3. Sur la technique du cliché destinée à rendre une gravure sur bois pratiquement inusable, voir l'article de Michel Melot.

4. Alors que Béraldi et Marie ont vilipendé Desenne comme représentant d'un art de la vignette en décadence, Bouchot prit sa défense en montrant son rôle à l'égard de Thompson (p. 21).

5. Bouchot, p. 22.

6. Béraldi, dans son article sur Johannot, reconnaît également que ces vignettes « ne vont pas plus loin que 1835 » : il s'agit des livres qu'on appelle spécialement en bibliographie « les romantiques » (p. 250). Champfleury en reproduit un bon nombre.

7. « Cela seul est fécond qui laisse un champ libre à l'imagination ; et, dans le cours d'une passion, l'instant du paroxysme est celui qui jouit le moins de ce privilège. Au-delà il n'y a plus rien, et présenter aux yeux le degré extrême, c'est lier les ailes à l'imagination. »

8. *Contes bruns par une tête à l'envers,* Clément le Turc, 1835.

9. Dans le *Charivari,* Philipon conçut l'en-tête comme un bandeau périodiquement renouvelé, et rompit alors avec la permanence d'usage. Sur Philipon en muse de la caricature, voir *Cahiers de l'Institut d'histoire de la presse et de l'opinion,* université de Tours, n° 6, 1983, *Presse et caricature.*

10. Sur ce point, voir dans *Romantisme* n° 43 (1984), l'article de R. Laufer.

11. Ce passage est extrait d'une communication sur les « Frontispices des éditions illustrées » au colloque de Dijon *Victor Hugo et les images* (oct. 1984).

12. Voir à ce sujet J. Touchard, *la Gloire de Béranger,* Tome II, p. 560 (Paris, Armand Colin, 1968).

13. Suivant la formule introduite par B. Bucher dans *la Sauvage aux seins pendants* (Paris, Hermann, 1977, p. 33).

14. Sur ce terme, je me permets de renvoyer à mon article « Balzac, Gavarni, Bertall et les *Petites Misères de la vie conjugale* », dans *Romantisme,* 43 (1984).

Planche publicitaire parue le 1ᵉʳ décembre 1832 dans le premier numéro du *Charivari*,
en vente chez Aubert. Premier quotidien satirique lancé par Philipon ; les 365 lithographies
qu'il publiera par an, signées d'artistes tels que Gavarni et Daumier, feront sa célébrité. H. 286 mm.

La presse illustrée

par Jean Watelet

On ne peut guère parler de l'existence d'une presse illustrée avant le début du XIXe siècle, bien que les « canards », apparus presque avec l'imprimerie, aient pu en quelque sorte en tenir lieu. Mais ces feuilles, comportant des gravures sur bois et plus rarement sur cuivre, ne paraissaient qu'épisodiquement à l'occasion d'un fait divers souvent horrible, d'un événement politique ou surtout militaire pouvant se prêter à une représentation graphique, enfin lors de la mort d'un personnage célèbre.

Dès le XVIIe siècle, certains journaux portaient en bandeau des gravures sur bois : armoiries, devises, allégories, sans rapport avec le contenu du texte. Les illustrations d'actualité étaient alors vendues sous forme de ce que nous appelons des « planches libres ». Libraires et colporteurs procuraient, ouvertement voire clandestinement, des caricatures traitant de la politique, des mœurs, et quelques planches d'actualité. Des raisons d'ordre technique se sont longtemps opposées à la parution d'illustrations dans la presse : ni le bois ni le cuivre ne pouvaient supporter des tirages de plusieurs centaines, puis de quelques milliers d'exemplaires sans être écrasés par les presses, ce qui aboutissait à des images de mauvaise qualité. Aussi les premières images parues dans la presse périodique se sont-elles trouvées dans des publications de luxe à faible tirage, destinées à un public féminin : la reproduction de gravures de modes.

Le 15 novembre 1785, avec la naissance du *Cabinet des modes* chez le libraire-éditeur parisien Buisson, était mis en vente ce qui peut être considéré comme le premier journal illustré français, un bimensuel comportant des gravures sur cuivre en couleurs.

La presse satirique

Sous la Révolution, les quelques gravures sur bois, de petit format, plutôt des vignettes, qui ornent la première et la dernière page du *Père Duchêne* ne peuvent être retenues comme témoignage de la presse illustrée, et il faudra attendre la Restauration pour que les gravures et caricatures d'événements ou d'homme politiques paraissent dans la presse.

Le Nain jaune, un mensuel de tendances libérales et de sympathies bonapartistes, fondé en 1815 par le publiciste Louis Cauchois-Lemaire, est probablement le premier à pouvoir être qualifié de journal illustré en raison de la régularité avec laquelle paraissent des caricatures politiques en couleurs : une par numéro.

Auparavant, Cauchois-Lemaire avait repris le vieux *Journal des arts, de la littérature et du commerce,* qui remontait au 8 thermidor an VII et donnait rarement des images satiriques. Dans son dernier numéro, celui du 15 décembre 1814, le *Journal des arts...* avait publié sous le titre de *Les Journaux* une caricature évoquant la censure.

Le Nain jaune — dont le prix est très élevé : 40 francs par an — annonce qu'il offrira dans chaque livraison une gravure « sur les mœurs et ridicules du jour ». En fait, il tournera en dérision les hommes politiques et les institutions de la première Restauration.

Ses caricatures, anonymes comme elles le sont toujours à l'époque, rencontrent un immense succès : il suffit de citer celles qui raillent l'ordre de l'Éteignoir ou celui de la Girouette, et surtout la plus virulente, celle de Talleyrand « l'homme aux six têtes ».

Il est immédiatement concurrencé par les *Annales du ridicule ou Scènes et caricatures parisiennes,* moins engagées dans le combat politique, qui publieront en juillet 1815 une charge contre le régime des Cent-Jours : *Ménagerie impériale à vendre après départ.*

Les rédacteurs du *Nain jaune* sont contraints de s'enfuir à Bruxelles, d'où ils introduisent clandestinement en France des exemplaires du *Nain jaune réfugié,* ce qui suscite un bon nombre d'imitateurs, les *Nains* (blanc, tricolore, vert), d'opinions politiques parfois opposées, mais surtout *Le Nain couleur de rose.*

Celui-ci inaugure une formule qui sera utilisée pendant tout le XIXe siècle : la reprise d'illustrations déjà parues dans un autre périodique, en modifiant éventuellement la légende. Les imprimeurs des vieux *Canards* avaient jadis utilisé ce même procédé.

Les *Nains* n'ont qu'une existence éphémère. Tenus en suspicion par le pouvoir, ils disparaissent au bout de quelques mois. *Le Nain couleur de rose* abandonne l'illustration après la parution d'une dernière caricature en couleurs de grand format : « Les Cosaques littéraires en action », et la presse politique et satirique illustrée va cesser d'exister pendant une quinzaine d'années.

Une innovation technique, l'apparition de la lithographie, et un bouleversement politique, la révolution de 1830, contribuent au développement de cette résurrection.

Connue depuis le début du siècle, la lithographie, d'une exécution plus aisée que la gravure sur bois, l'eau-forte ou la gravure sur acier, n'était utilisée que dans les journaux de modes, où elle prenait peu à peu la place de la gravure sur acier. En janvier 1830, *La Mode,* fondée l'année précédente par le jeune Émile de Girardin, qui, sous un titre anodin, allait devenir le grand organe d'opposition légitimiste à la monarchie de Juillet, publie, due au dessinateur Valmont, la première lithographie : *Traîneau attelé à la Moscovite.* L'année suivante, la lithographie va passer à la couleur, et la presse illustrée proposera parfois à ses lecteurs deux états d'une même image, l'un en noir et l'autre en couleurs (pl. 9 et 10).

La lithographie est au point, dans la presse, au moment même où va reparaître la presse illustrée satirique. Dès le mois de novembre 1830, elle renaît avec *La Caricature morale, politique et littéraire* de Charles Philipon, jadis élève du baron Gros. Pour la première fois dans l'histoire de la presse, les images vont être signées, et elles le seront par les meilleurs artistes travaillant pour le livre illustré : Grandville, qui sera connu par ses *Fleurs animées* et par ses *Fables de La Fontaine,* Charlet et Raffet, chantres des gloires impériales, puis C.-J. Traviès, Gavarni, Honoré Daumier, le plus féroce et le plus implacable des satiriques, enfin le jeune Cham, qui y fera ses débuts.

Philipon avait salué dans les Trois Glorieuses — la grande révolution romantique — une nouvelle aube de la liberté, et il espérait que la presse pourrait s'exprimer avec plus de facilité que sous le régime précédent, moins oppressant mais plus tatillon qu'on ne l'a dit (voir planche 1).

Le 11 novembre 1830 est paru, avec des dessins de Grandville, le premier numéro de *La Caricature ;* dès le 25 novembre, le journal prend un tour politique avec *C'est lui* [Napoléon], une lithographie de Raffet. Le 27 janvier 1831, Decamps dessine une *Condamnation de la liberté* exprimant la désillusion des écrivains, des journalistes et des artistes de *La Caricature,* puis les attaques contre Louis-Philippe se

précisent : le 25 août 1831, le roi est représenté en perroquet, le 24 novembre, Philipon dessine *La presse est parfaitement libre ;* enfin, en janvier 1831, il va transformer la physionomie du roi — qu'il appelle « Monsieur Chose » — et lui donner l'aspect d'une poire, ce qui lui vaudra procès, condamnations, suspensions, et finalement le contraindra, en 1835, à cesser provisoirement de paraître (voir aussi pl. 11).

Auparavant il a fondé *Le Charivari,* le plus grand quotidien satirique et aussi le premier, dont l'existence va se poursuivre pendant un siècle.

Le journal est lancé avec un grand sens de la publicité. Après plusieurs numéros d'essai, il est offert au public le 1er décembre 1832 au siège du libraire-éditeur Aubert, passage Véro-Dodat, une de ces galeries du quartier de la Bourse qui ont succédé au Palais-Royal dans le commerce des estampes et des livres illustrés. « Suivez la foule », indique la légende de l'image qui montre les souscripteurs se pressant pour s'abonner. Avant Girardin, qui lancera *La Presse* en 1836 à grand renfort d'affiches, Philipon peut être considéré comme l'inventeur de cette forme de « réclame ».

Le succès est immédiat : dès le premier jour de parution, Philipon recueille 1 900 abonnements, à 60 francs par an ; toutefois les tirages ne seront jamais très élevés et ne dépasseront guère les 3 000 exemplaires.

Paraissant à l'origine sur quatre pages, comprenant des lithographies et des gravures sur bois, *Le Charivari* fait preuve d'un républicanisme si violent que Daumier n'osera pas publier dans le journal la fameuse gravure représentant le massacre de la rue Transnonain (1834) : il en fera une planche libre, distribuée aux abonnés du journal. Ceux-ci sont souvent sollicités : il s'agit de payer les nombreuses amendes infligées par les tribunaux sur plainte du gouvernement. Philipon a alors l'idée de fonder une « Association mensuelle » pour recueillir les sommes destinées à payer les amendes. En remerciement, les souscripteurs reçoivent des gravures provenant soit du *Charivari* soit du fonds constitué par la librairie Aubert.

L'attentat de Fieschi en juillet 1835 inspire au gouvernement des mesures restreignant la liberté de la presse et

visant surtout les dessins. Il est vrai que Louis-Philippe pouvait difficilement laisser passer des informations semblables à celle parue le 26 juillet 1835, juste avant l'attentat : « Le roi citoyen est venu à Paris avec sa famille sans être aucunement assassiné ».

Contraint d'adopter un ton plus modéré, Philipon accentue le caractère artistique de son journal. Gavarni et Daumier produisent des « séries » qui reviennent chaque année : la chasse et la pêche, la vie des artistes et des grisettes, le carnaval, les théâtres, les chemins de fer, les gens de justice. En 1836, Daumier et Philipon lancent les *Robert Macaire,* puis Daumier va créer le personnage qui l'immortalisera, celui de Ratapoil, avant de travailler avec Cham à reproduire, sous forme de vignettes humoristiques, les principaux tableaux exposés aux Salons, formule qui sera reprise par de nombreux journaux illustrés (voir planche 4).

C'est également par *Le Charivari* que le public est avisé de la parution des plus beaux livres illustrés, dont beaucoup sont dus, nous l'avons vu, à ses collaborateurs.

En 1836 paraît un article publicitaire pour *Don Quichotte* illustré par T. Johannot ; en 1838 est proposée l'édition du *Génie du christianisme* illustrée par Fragonard fils, puis, l'année suivante, celle des *Français peints par eux-mêmes* et celle des *Français, mœurs contemporaines ;* en 1840, *Faust* traduit par Nerval ; en 1842, *L'Âne mort* de J. Janin illustré par T. Johannot ; en 1843, *Un autre monde* par Grandville et les *Contes d'Hoffmann* par Gavarni.

Les auteurs anonymes — les articles ne sont signés qu'à partir de 1850 — sont à l'affût de toutes les nouveautés littéraires et théâtrales. Ils signalent la parution de *La Chartreuse de Parme* chez le libraire Dupont en 1839, rendent compte de *Les Rayons et les ombres* en 1840, du *Mémorial de Sainte-Hélène* illustré par Charlet en 1841, consacrent une série d'articles illustrés à *La Comédie humaine* en 1846 et annoncent, en 1851, les *Œuvres complètes* de George Sand. En 1852, la parution chez Giraud et Dagneau de *Lorely* de Gérard de Nerval n'échappe par à l'attention de Taxile Delord, un des polygraphes les plus féconds de l'époque.

Le coup d'État du 2 décembre contraint *Le Charivari* à ne plus exercer sa verve aux dépens de la politique intérieure. Daumier s'est affirmé comme le plus important des dessinateurs du journal. Il poursuivra sa collaboration jusqu'à sa mort en 1879, mais il réservera ses traits aux personnalités étrangères : au tsar, à François-Joseph Ier, au sultan de Turquie, au roi de Naples, mais surtout à Guillaume Ier et à Bismarck. La guerre de 1870 lui permettra de réaliser des compositions qui, de la satire, atteindront parfois au pathétique.

La révolution de 1848 a entraîné une floraison de nouveaux titres, tout au moins entre février et juin 1848 mais, chose singulière, alors que les moyens techniques permettraient l'existence d'une presse d'opinion illustrée, aucun journal illustré, à l'exception de l'éphémère *Pamphlet* d'Auguste Vitu, ne naît sous la Deuxième République, bien qu'estampes et canards soient aussi nombreux que ceux parus sous la Révolution française.

La presse satirique va renaître sous l'Empire libéral. En octobre 1865, D. Lévy et F. Polo, avec Eugène Vermeersch et surtout André Gill, lancent *La Lune,* dont la plupart des caricatures sont en couleurs. *La Lune* inaugure un nouveau genre, celui des « portraits-charges » de personnalités artistiques, littéraires et politiques. En 1868, *La Lune* disparaît, pour devenir *L'Éclipse,* et donner naissance à toute une « famille » de publications tantôt concurrentes et tantôt alliées, un peu comme l'avaient été les *Nains* de 1815. Citons, entre autres, *Le Hanneton, La Lune rousse, La Nouvelle lune,* puis les séries des *Hommes du jour* et des *Contemporains,* ces dernières à la limite du périodique et de la publication par livraisons.

Mensuelle, devenue hebdomadaire en avril 1866, *La Lune* présente en première page une caricature en couleurs. Offenbach, Strauss, Rossini, Paul Féval, Victorien Sardou, Alexandre Dumas fils, Jules Vallès mais aussi Thiers, Jules Favre, Bismarck et Garibaldi ont les honneurs du crayon d'André Gill. Certaines des personnalités ainsi « croquées » se feront le malin plaisir d'envoyer quelques lignes de leur propre main, reproduites en fac-similé au-dessous de leur portrait.

« Le passé, le présent, l'avenir », lithographie de Daumier, parue dans la *Caricature morale, politique et littéraire,* n° 166 du 9 janvier 1834. Une des nombreuses caricatures du visage de Louis-Philippe en forme de poire présentées par Ch. Philipon dans son journal. H. 350 mm.

Septième année. — N° 299.   Un numéro 10 centimes.   DIMANCHE 19 JUILLET 1874.

FONDATEUR
F. POLO
—o—
ABONNEMENTS
DÉPARTEMENTS
52 numéros .... 8 fr.
26 numéros .... 5 —
—o—
ANNONCES
Fermage exclusif de la publicité
ADOLPHE EWIG
10, rue Taitbout, 10

L'ÉCLIPSE

FONDATEUR
F. POLO
—o—
ABONNEMENTS
PARIS
52 numéros .... 6 fr.
26 numéros .... 3 —
—o—
Les abonnements partent du
1er de chaque mois
—o—
BUREAUX
46, rue du Croissant, 46

ADRESSER LES ABONNEMENTS ET RÉCLAMATIONS A L'ADMINISTRATEUR DU JOURNAL

MADAME ANASTASIE, par GILL.

La censure représentée sous les traits de « Madame Anastasie »
par André Gill, dans *l'Éclipse* du 19 juillet 1874. H. 478 mm.

L'*Éclipse* a un caractère plus politique. Le 22 janvier 1870, André Gill dessine le portrait de Victor Noir qui vient d'être assassiné ; le 17 avril, il « charge » Gambetta. Interrompue par la guerre, la publication reprend en juillet 1871 : elle va désormais livrer combat à la censure, représentée le 19 juillet 1874 sous les traits de « Madame Anastasie ». La même année, André Gill publie trois caricatures appelées à la célébrité : « L'homme qui rit » (Thiers), « L'homme qui parle » (Gambetta), « L'homme qui pense » (Victor Hugo). La maladie et la mort d'André Gill en 1885 ne mettront pas fin au genre. Cet humour grinçant avait été repris à Bordeaux, en 1874, par un dessinateur de grand talent, injustement oublié, Charles Gilbert-Martin, éditeur du *Don Quichotte* dont il allait transporter la rédaction à Paris. Républicain de gauche, voire d'extrême-gauche, menant campagne en faveur de l'amnistie des Communards, violemment anticlérical, Gilbert-Martin veut se placer dans la grande lignée de la presse satirique et politique, et il emploie parfois les mêmes rédacteurs que L'*Éclipse*. C'est dire que dans tous ces journaux satiriques, alors qualifiés de « petits journaux », les préoccupations littéraires sont loin d'être absentes. En 1866 paraissaient *Les Travailleurs de la mer,* et André Gill publiait dans *La Lune* un article illustré : « Les Travailleurs de le mer travaillés par Gill » ; en 1869, Émile Blondet rendait compte, dans L'*Éclipse* des *OEuvres complètes* de Baudelaire ; en 1872, il allait commenter la reprise triomphale de *Ruy Blas* à l'Odéon, ornée d'une caricature par Gill.

Cette presse satirique de gauche ne pouvait rester sans concurrents de droite, le principal d'entre eux étant *Le Pilori* dont le fondateur Armand Mariotte se définissait comme « Ennemi irréconciliable de la République aujourd'hui, demain et toujours... » et prenait comme principal rédacteur le polémiste Édouard Drumont.

La violence du *Pilori* ne le cède en rien à celle du *Don Quichotte*. Le dessinateur qui signe Gibet représente, le 26 septembre 1886, la République sous les traits d'une femme ivre-morte, et J. Blass, le 4 décembre 1887, caricature Jules Grévy en l'appelant tout simplement « Pauvre homme ! » (pl. 12).

Pour l'équipe du *Pilori*, le général Boulanger est l'homme de l'avenir lorsque J. Blass lui consacre deux caricatures, les 11 et 25 mars 1888 : « Résurrection » et « Il reviendra » ; au contraire, sur le radeau de la « Méduse », *Ferry le Tonkinois sauve les radicaux.*

Encore plus violente sera, au début du XXᵉ siècle, la polémique de *L'Assiette au beurre,* il ne sera plus question de sympathies pour tel ou tel parti politique, ni les hommes, ni les institutions, ni les partis, ni les États ne seront respectés.

La presse d'informations

La presse d'informations illustrée, le magazine disons-nous actuellement, est une innovation britannique qui va devenir rapidement européenne puis mondiale.

The Illustrated London news, dont la publication se poursuit de nos jours, naît en 1842. Le 4 mars 1843, à Paris, Alexandre Paulin lance *L'Illustration* « journal universel », qui sera suivi en juillet par *Illustrierte Zeitung* de Leipzig. À Lisbonne paraît, en avril 1845, *A Illustraçao ;* à Stuttgart, en 1853, *Illustrierte Welt ;* à Madrid, en 1857, *El Museo universal* devenu *La Ilustracion española.* En 1858, *L'Illustration de Bade et d'Alsace* paraît simultanément à Strasbourg et à Bade, constituant un des premiers exemples de publication internationale. En 1864 on trouve *The Illustrated Sydney news* et *Illustrazione italiana,* en 1880, *L'Illustration belge* suivie, en 1888 par *L'Illustration nationale suisse.* Tous forment une sorte de famille, mais la publication française est celle qui aura le plus vaste rayonnement.

Alexandre Paulin s'est entouré d'Adolphe Joanne, futur fondateur des Guides Joanne ancêtres des Guides bleus, et surtout d'Édouard Charton, le créateur du *Magasin pittoresque.*

L'Illustration est l'hebdomadaire de trois dynasties de presse, les Paulin, les Marc, enfin les Baschet, toujours propriétaires du fonds iconographique. Paulin et ses associés publient d'abord des textes anonymes, une des premières signatures étant celle de la poétesse Louise Colet, en 1843, au bas d'un article sur le monument élevé à la mémoire de Molière. La première grande œuvre littéraire signée est une nouvelle de Gogol : *Un ménage d'autrefois,* le 4 octobre 1845.

Les collaborateurs littéraires sont parmi les plus grands écrivains de l'époque. Être publié dans les colonnes de *L'Illustration* devient la consécration d'un talent. La formule définitive — elle ne variera guère qu'en fonction des découvertes scientifiques et de la diversification des centres d'intérêt, l'apparition des grands reportages, les comptes rendus de manifestations artistiques puis sportives et les expositions — est mise en place dès les années 1850.

Elle comprend un résumé de l'actualité, une ou plusieurs chroniques parisiennes, des critiques et des comptes rendus littéraires, artistiques, théâtraux, musicaux, des feuilletons et des nouvelles, parfois des poésies et des partitions musicales, des mondanités, des modes, celles-ci peu développées, une chronique boursière, enfin la publicité, dont le volume ne cessera de s'accroître.

Les idées politiques du journal, qui s'abstient de toute polémique, sont celles d'un organe attaché à la monarchie de Juillet, réservé à l'égard de la République de 1848, discrètement républicain à la fin de l'Empire, hostile à la Commune, puis républicain modéré, toujours profondément patriote, et attaché à l'idée de la « Revanche ».

On parle beaucoup de littérature, d'art, de réceptions académiques, de livres nouveaux et surtout de spectacles. Les plus importants parmi ces derniers ont droit à des gravures puis à des photographies représentant les décors. Certaines pièces, celles d'Edmond Rostand notamment, saluées comme des événements nationaux, feront l'objet de numéros spéciaux.

L'Illustration est un des tout premiers journaux à s'intéresser à la littérature russe ; une place est faite aux littératures anglo-saxonnes, en particulier aux écrivains américains ; quant à la littérature allemande elle est, de même que dans toute la presse, systématiquement ignorée après 1870.

Les goûts artistiques de l'hebdomadaire sont des plus classiques, voire des plus académiques. Les Salons, longuement analysés, sont décrits à travers des numéros spéciaux largement illustrés, et complétés par les dessins humoristiques de Bertall. Les reproductions par la gravure, la photographie, le hors-texte en couleurs nous font connaître les œuvres des peintres de batailles : Yvon, Berne-Bellecour, Chaperon, Detaille, Aimé Morot, Alphonse de Neuville. Les peintres de la vie quotidienne les plus souvent reproduits, Brispot, Chocarne-Moreau, Dagnan-Bouveret, Marie Baskirtseff, voisinent avec Bonnat et plus tard avec Marcel Baschet. Ces deux derniers sont les portraitistes officiels des présidents de la République.

La préférence des critiques d'art, A.-J. Du Pays, Paul Mantz, Théophile Gautier fils, Al. de Lostalot, va aux grandes « machines » historiques de J.-P. Laurens, de Luminais, de Roll, de Cormon, pour déboucher sur les « compositions » de deux artistes attachés au journal, Devambez et surtout Georges Scott. Les noms de ceux qui font aujourd'hui la gloire de l'École française n'apparaissent que très rarement. En 1905, à l'occasion du Salon des Indépendants, sont cités Henri Rousseau, Cézanne, Manguin, Rouault, Derain. Le 16 décembre de cette même année est reproduit le *Jardin de Paris* de Toulouse-Lautrec mais uniquement parce que la toile a été refusée par le musée du Luxembourg, alors que *Le Figaro illustré* lui avait demandé des aquarelles dès 1894. Enfin, le 2 avril 1910, le journal consacre un article et une reproduction à la mystification de Roland Dorgelès et des peintres montmartrois à propos du pseudo-Boronali.

L'iconographie est la raison d'être de l'hebdomadaire. Jusque vers 1850, l'unique procédé employé était la gravure sur bois, bois de fil puis bois de bout, ce dernier procédé étant perfectionné par le graveur Pannemaker. L'atelier de gravure est décrit dans *L'Illustration* le 2 mars 1844.

L'iconographie comporte alors des portraits, des scènes de mœurs par Bertall, Cham, Daumier, Gavarni, Tony Johannot, Marcelin, des plans tel celui de la « Machine à vapeur aérienne de M. Henson » paru le 8 avril 1843, enfin de nombreuses cartes, souvent de grand format. Les caricatures sont peu nombreuses, *L'Illustration* ne voulant pas être un journal satirique.

Comme son titre l'indique, *l'Illustration* est une revue qui donne
la plus large place à l'iconographie ; en 1844 elle emploie
des équipes de graveurs sur bois qui travaillent jour et nuit.
Les deux figures ci-dessus sont extraites du numéro du 2 mars. H. 371 mm.

Le 14 mars 1851, à propos de l'Exposition de Londres, est réalisée la première gravure en double page ; le 22 octobre 1853, un article est consacré au procédé « paniconographique » de Gillot qui conduira bien plus tard à la photogravure. Le 19 avril 1856, la photographie est traduite sur bois avec le portrait du Prince impérial dans son berceau.

La photographie d'actualité apparaît le 31 mai 1890 : elle rend compte d'un voyage du président de la République à Montpellier. À partir de 1907, paraissent les premières photographies en couleurs.

Cette recherche de la qualité, de la perfection typographique coûte cher, une planche commandée au graveur Émile Bayard revenant à 750 francs et une planche d'actualité à 350 francs, mais les moyens dont dispose le journal lui permettent d'envoyer à travers le monde des reporters, des dessinateurs puis des photographes. À partir du 28 janvier 1911 paraît un grand reportage de Clemenceau en Amérique du Sud, qui lui est payé 40 000 francs. Il arrive aussi que des officiers, des explorateurs, des marins fassent parvenir des documents. Pierre Loti rapporte les premiers dessins effectués à l'île de Pâques, reproduits le 17 août 1872.

Les événements importants : guerres, catastrophes de toute sorte, sont une source d'accroissement des tirages. Ceux-ci atteindront 280 000 exemplaires en 1914.

Le 4 décembre 1886, à l'imitation des publications anglaises qui offraient chaque année un luxueux numéro de Noël, le premier numéro de Noël est mis en vente ; il avait été précédé, en 1883, par ceux du *Figaro,* qui allait devenir *Le Figaro illustré* en 1890 en utilisant les mêmes méthodes : une publication littéraire et poétique dont tous les articles étaient illustrés en couleurs.

Désormais, toujours plus volumineux, paraîtront en fin d'année des numéros de *L'Illustration* agrémentés de planches hors-texte en couleurs.

En dépit de son prix élevé — qui varie entre 75 centimes et 1 franc — le journal conserve un public si fidèle que beaucoup de lecteurs font relier leurs collections : *L'Illustration* devient ainsi non plus un périodique mais un livre illustré, prenant sa place parmi les plus belles réalisations du livre français.

Un tel succès n'allait pas tarder à susciter des concurrents, les deux plus importants étant *Le Monde illustré* à partir de 1856, propriété de la Société anonyme des publications périodiques dirigée par Paul Dalloz, et *L'Univers illustré*, un hebdomadaire catholique.

Le titre même est largement utilisé. Citons *L'Illustration algérienne, tunisienne et marocaine*, *L'Illustration commerciale et industrielle* et surtout *L'Illustration contemporaine*, qui s'inspire du sous-titre pour s'intituler « Revue internationale ». Lors de chaque parution effectuée sans son accord, *L'Illustration* intente un procès et oblige le nouveau venu à modifier son titre, éventuellement à cesser sa publication.

Remarquablement géré, *L'Illustration* dispose, en 1914, des moyens qui vont lui permettre de devenir le plus important hebdomadaire des années de guerre et la source la plus complète pour l'étude iconographique du conflit. Après la guerre, son directeur René Baschet montera l'imprimerie de Bobigny, la plus moderne d'Europe.

La presse populaire

Parallèlement à cette presse illustrée de luxe, il s'est développé dès le Second Empire une presse populaire à cinq ou à dix centimes, d'abord sous la forme d'hebdomadaires appartenant aux grands quotidiens de Paris ou de province, puis sous celle de suppléments à ces mêmes journaux.

Le public auquel elle s'adresse est intéressé par l'image plus que par le texte. L'équilibre réalisé entre l'écrit et le visuel dans les premiers grands hebdomadaires fondés à la suite et à l'imitation de *L'Illustration* se trouve rompu au profit de l'image.

Qu'il s'agisse du *Journal illustré* puis de *La Presse illustrée*, de *L'Événement* et de *La République illustrée*, la formule ne changera guère : c'est, adaptée à un public différent, celle de *L'Illustration*.

Le Journal illustré, un de ceux qui ont eu l'existence la plus longue (1864-1900) a été créé par l'éditeur Plon, « imprimeur de l'Empereur », avant d'être cédé à Moïse Millaud, propriétaire du *Petit journal*, un des grands

En 1890, la photographie d'actualité fait son apparition dans *l'Illustration*, numéro du 31 mai, à l'occasion d'un voyage du président Carnot à Montpellier. H. 385 mm.

335

Le *Journal illustré* se vante dès 1865 de remporter déjà un vif succès jusque dans les villages de campagne, comme le montre cette image gravée sur bois d'après G. Fath. H. 387 mm.

« patrons de presse », rival d'un Ville-messant ou d'un Girardin, qui va se doter des presses Marinoni, alors les plus perfectionnées. Pendant près de trente ans, Alfred Barbou, journaliste et polygraphe, assure la rédaction de la plupart des articles d'actualité, et s'entoure de deux hommes d'une grande activité : Charles Darcours (pseudonyme de Charles Réty), et Henri Meyer pour la partie graphique. Henri Meyer sera plus tard l'auteur de la fameuse image représentant la dégradation du capitaine Dreyfus, parue dans le *Supplément du Petit journal*. Henri Meyer recrute Karl Fichot — qui signera Charles Fichot après 1870 —, spécialiste de la gravure « panoramique » en double page et en dépliant, Oswaldo Tofani, très à l'aise dans la représentation de faits divers auxquels il n'a pas assisté, et Fortuné Méaulle, tantôt graveur original, tantôt interprète des dessins de Meyer. *Le Journal illustré* ne publie pas de feuilletons, mais seulement leurs illustrations, les textes se trouvant dans *Le Petit journal,* ce qui oblige les lecteurs à acheter les deux publications. Des auteurs mineurs donnent des contes et nouvelles, la qualité littéraire se retrouvant dans deux autres publications du *Petit journal* : *La Vie populaire* à partir de 1880 et surtout, à partir de 1890, le *Supplément du Petit journal.*

Pour *Le Journal illustré* comme pour toutes les publications populaires, il n'est guère question de recherche du progrès typographique : tous s'en tiennent à la gravure sur bois, la photographie n'apparaissant, timidement, qu'à partir de 1897. Si les images diffèrent selon les journaux, bien que ce soient souvent les mêmes illustrateurs qui traitent les mêmes sujets, les textes littéraires sont souvent identiques. Quatre auteurs, Guy de Maupassant, Alphonse Daudet, Courteline et Alphonse Allais, donnent partout les mêmes nouvelles, soit extraites de leurs ouvrages — *La Dernière classe,* tirée des *Contes du lundi,* paraît dix-huit fois dans la presse illustrée — soit écrites pour un journal, en modifiant éventuellement le texte. C'est ainsi que procède Courteline. Maupassant, pour sa part, commence par publier ses contes dans la presse avant de les réunir en volumes illustrés, puis en éditions populaires à très bas prix.

La presse populaire illustrée est avant tout une presse de faits divers, représentés, imaginés plutôt, avec deux gravures de grand format, en première et en dernière page. Leur intensité dramatique est recherchée et voulue par les artistes. Ainsi se présente le supplément du *Petit Parisien*, mis en vente le 10 février 1889. Selon l'*Annuaire de la presse* de 1893, « il paraît sur huit pages d'actualités, de romans et de nouvelles, signées des meilleurs auteurs, contient deux gravures d'une exécution soignée, et son prix est de cinq centimes ». Un an plus tard paraît le supplément illustré du *Petit journal*. Il tire en couleurs les deux gravures de la première et de la dernière page, avantage décisif sur son concurrent, qui ne passera à la couleur que le 7 janvier 1900.

Aux faits divers s'ajoutent de nombreuses images patriotiques. L'Allemagne est à la fois crainte et ridiculisée, l'Angleterre est, jusqu'en 1904, le grand rival colonial dont la cruauté est stigmatisée au moment de la guerre des Boers, la Russie est l'amie et l'alliée, l'armée française est admirée, l'œuvre coloniale de la France exaltée.

Les tirages sont considérables. En 1905 le supplément du *Petit journal* dépasse le million d'exemplaires et celui du *Petit Parisien* les 500 000. Ce dernier cesse le 26 décembre 1909, pour être remplacé par *Le Miroir* en 1912, un hebdomadaire « entièrement illustré par la photographie ».

À cette date, la mutation s'est effectuée, et le dessin tend à apparaître comme un anachronisme. Le public lui préfère l'image précise et exacte donnée par la photographie et s'éloigne de la « composition » réalisée par l'artiste, plus vivante mais moins proche de la réalité.

D'autres quotidiens ont publié des suppléments illustrés. Qu'il nous suffise de citer, entre bien d'autres, *Le Progrès*, de Lyon, *La Croix*, *L'Écho de Paris*, *La Libre parole*, *L'Intransigeant*. Tous, à l'exception de *L'Écho de Paris*, ont périclité au bout de quelques années ; en aucun cas ils n'ont su « coller » à l'opinion comme l'ont fait ceux du *Petit Parisien* et du *Petit journal*. Ces deux derniers ont réussi parce qu'ils apportaient aux lecteurs ce qu'ils attendaient : la recherche du sensa-

Gravure en couleurs d'Henri Meyer, image d'un procès célèbre, parue le 28 décembre 1894 dans le Supplément illustré du *Petit journal*. H. 442 mm.

337

Publication d'un roman de Paul Féval, *Le Loup blanc,* dans le
Voleur illustré. À remarquer l'en-tête du journal :
sa vignette avec sa légende, « Il compilait, compilait,
compilait », traduit bien le caractère de la revue
faite d'emprunts à d'autres périodiques. H. 309 mm.

tionnel moins par les textes que par l'image.

La presse sans caractère d'actualité est probablement une invention anglaise, avec le *Penny magazine* de 1832. Il s'agit de périodiques familiaux, comprenant à la fois des articles de grande vulgarisation et des romans-feuilletons avec, de temps à autre, une revue des livres et des spectacles. En 1833, Édouard Charton a fondé *Le Magasin pittoresque* et, la même année, Emile de Girardin *Le Musée des familles,* deux hebdomadaires appelés à une très longue existence puisque *Le Magasin pittoresque* vivra jusqu'en 1938 et *Le Musée des familles* jusqu'au 15 juin 1900, ce dernier étant complété, entre 1849 et 1852, par une édition en espagnol. L'un et l'autre s'adressaient à une clientèle relativement cultivée, et marchaient sur les traces du *Journal des connaissances utiles* de Girardin qui, dès sa fondation en 1831, atteignait les 100 000 exemplaires.

La presse de feuilletons

Sous le Second Empire apparaît une nouvelle forme de presse, de pure distraction, celle des romans-feuilletons à dix centimes, illustrés de gravures sur bois d'une excellente qualité.

Cette presse est étroitement liée aux romans populaires paraissant alors par livraisons, de très vaste diffusion. Elle est essentiellement parisienne, mais les progrès des communications lui permettent d'être diffusée à travers toute la France, soit par les premiers services de messageries soit par les colporteurs. Elle constitue souvent l'unique lecture de bien des habitants des campagnes.

Depuis 1826, *Le Voleur, gazette des journaux français et étrangers,* proposait des extraits d'ouvrages littéraires récemment parus, des fragments d'articles de journaux, des comptes rendus de romans. L'année suivante, il avait été concurrencé par *Le Cabinet de lecture.* Après une existence compliquée par des absorptions et des fusions, devenu en 1856 *Le Voleur illustré,* il survivra jusqu'en 1905. Il faut plusieurs années avant que se dégage, de ces journaux faits de pièces et de morceaux, une presse originale, dotée de ses auteurs et de ses illustrateurs. En 1841, *L'Écho des feuilletons* mélange encore les deux genres, de même que *L'Abeille littéraire*. Ce dernier périodique « butine partout. Sa ruche est vraiment une bibliothèque universelle », écrit son directeur en 1844.

De fait, *L'Abeille littéraire* emprunte textes et articles à la *Revue de Paris*, au *National*, au *Constitutionnel*, à *La Semaine*. Elle publie des extraits de l'*Histoire du Consulat de l'Empire* de Thiers, du *Foyer breton* d'Émile Souvestre, des *Mémoires d'outre-tombe*. Parfois les auteurs ainsi pillés se rebiffent et intentent un procès, comme le fait Alexandre Dumas en 1846. Une *Chronique de Paris* tient les lecteurs de province au courant des derniers événements de l'actualité. L'illustration est peu développée : quelques gravures de modes dues à Anaïs Toudouze, une illustratrice de grand talent qui travaillera pendant quarante ans pour la presque totalité des journaux de modes, des portraits dont, en 1848, celui de Pie IX effectué d'après un daguerréotype fait à Rome, des gravures sur bois, des vignettes.

Avec *Les Veillées littéraires illustrées* du libraire J. Bry spécialisé dans la littérature de colportage, apparaissent des feuilletons, illustrés par Gustave Doré, reprenant de grands textes classiques, ceux de Goethe et de Rabelais entre autres ; ils voisinent avec des œuvres plus accessibles à un public populaire. L'année 1859 voit l'essor de la presse de feuilletons, avec une douzaine de titres, tantôt édités par de puissantes maisons d'édition, Hetzel, Hachette puis Fayard et, à la fin du siècle, Tallandier, tantôt édités par les romanciers eux-mêmes. C'est le cas du *Journal de la semaine,* publié à partir du 7 avril 1859 par le romancier Jules Rouquette, qui vivra jusqu'en juillet 1891 après avoir absorbé le *Journal pour tous*, édité simultanément par les librairies Hachette et Lahure depuis 1855.

L'imprimeur Charaire, à Sceaux, se spécialise dans ce genre de publications. Il tire également beaucoup de journaux pour enfants et, à partir de 1908, il imprimera *Les Pieds-nickelés* dans *L'Épatant*.

Le contenu de ces journaux ne varie guère : des feuilletons illustrés des récits historiques, des récits de voyages, des partitions musicales très simples,

parfois des compte rendus de spectacles, des biographies, quelques notions d'économie domestique, des rébus. Chose curieuse, alors que le XIXᵉ siècle est celui du roman, les grands noms de romanciers figurent relativement rarement aux sommaires. Balzac est représenté par deux ouvrages, *Eugénie Grandet* et *Le Père Goriot*, George Sand, par *Indiana* et *Le Marquis de Villemer*, Alexandre Dumas est beaucoup moins publié que son ami le romancier marseillais Joseph Méry, Stendhal et Flaubert sont pratiquement inconnus. Quant à Zola, deux œuvres, aujourd'hui tenues pour mineures, paraissent en feuilletons, *Le Capitaine Burle* et *Le Rêve*, mais des extraits de *La Débâcle* se trouvent un peu partout. Aucun des grands romans de Victor Hugo ne figure dans la presse illustrée, à l'exception d'extraits des *Misérables* et de *Quatre-vingt-treize*. Jules Verne est apparu dès 1851 dans *Le Musée des familles* avec *L'Amérique du Sud, Études historiques, Les premiers navires de la marine mexicaine* puis avec *La Science en famille, Un voyage en ballon*, mais il réservera l'essentiel de ses œuvres soit au *Magasin d'éducation et de récréation* de son ami Hetzel, une publication pour la jeunesse, soit sous forme de feuilletons non illustrés, aux grands quotidiens, *Le Journal des débats, Le Temps, Le Soleil*.

Les romanciers populaires sont très nombreux et aujourd'hui, pour la plupart d'entre eux, complètement oubliés. Citons parmi ceux dont la notoriété a survécu : Eugène Sue, Paul et Henri de Kock, Paul Féval, Ponson du Terrail, Gustave Aimard. Les noms de Louis Noir, de Jules Rouquette, d'Octave Féré, de Molé-Gentilhomme, d'Élie Berthet et de Pierre Zaccone ont sombré.

La presse théâtrale

Lorsqu'un roman se vend bien, soit en ouvrage, soit en livraisons illustrées à bas prix, soit en feuilleton, il est adapté pour la scène, et il fera les beaux jours des théâtres de boulevard puis des tournées en province. Le succès est garanti quand la pièce est représentée au Châtelet ou au théâtre de la Porte-Saint-Martin, mieux encore, pour ces ouvrages populaires qui sont pour le livre ce que la peinture

« médaillée » est pour l'art de l'époque, lorsqu'ils sont montés au théâtre du Château-d'Eau, sur la scène duquel évoluent parfois plusieurs centaines de personnages, de figurants, de danseurs.

Certains auteurs tirent eux-mêmes une pièce de leur roman, comme le fait George Sand ; d'autres s'adressent à des professionnels, dénués de tout génie littéraire mais possédant toutes les astuces du théâtre : d'Ennery pour Jules Verne, William Busnach pour Zola.

La presse aime à reproduire les décors — on parlera surtout de mise en scène à propos du cinéma —, en même temps qu'elle rend compte des spectacles.

Entre 1850 et 1854, *Le Daguerréotype théâtral*, qui n'a aucun rapport avec la photographie malgré son titre, hebdomadaire puis quotidien, a réussi cet amalgame de la presse de feuilletons et de la presse théâtrale. Chaque numéro contient l'illustration de deux pièces et, innovation, des gravures sur bois représentent les costumes des acteurs. Si le décor est, la plupart du temps, vide, il est ainsi possible d'imaginer et de reconstituer les scènes, indication précieuse, de nos jours, pour savoir comment était alors montée une pièce.

Enfin certains journaux de théâtre donnent des partitions pour piano et chant extraites d'opéras et d'opérettes. Ainsi s'explique l'étonnante vogue de l'art lyrique dans les milieux populaires, de même que le triomphe remporté par Offenbach.

La même année que *Le Daguerréotype théâtral* reparaissait *La Caricature*, devenue un journal de spectacles « se vendant à la porte de tous les théâtres et concerts ».

Lange-Lévy puis Louis Huart — deux noms de la première *Caricature* qui se retrouvent dans la seconde — expliquent :

Une immense lacune existait dans la presse parisienne. On comptait jusqu'à ce jour trois cent quarante-sept journaux plus ou moins quotidiens, mais pas un seul ne donnait de programme illustré (…). Moyennant dix centimes, les Parisiens auront un programme exact et détaillé des différents théâtres de Paris, des caricatures de Cham, Daumier et autres artistes renommés, un rébus illustré, enfin des articles dus à la plume de nos meilleurs publicistes. Pour que rien ne manque au succès de ce journal et pour qu'il reste toujours amusant, nous prenons l'engagement solennel de ne jamais parler politique...

La Caricature s'intéresse aussi, sans que l'on sache trop pourquoi, à l'aérostation et aux mines d'or. Chaque numéro comporte un nombre variable de croquis et de scènes de mœurs, parfois repris à plusieurs mois, voire à plusieurs années d'intervalle, de même que les textes, qui paraissent plusieurs jours de suite. Une de ses meilleures caricatures, due à Cham, représente, le 10 octobre 1850, « Les Infortunes d'Alexandre Dumas directeur de spectacles ». La longévité de certains journaux — *La Caricature* ayant disparu au début de 1859 — est surprenante. *L'Entr'acte, Le Moniteur parisien* et *Le Vert-Vert* avaient, sous Louis-Philippe, formé la Société des Trois Journaux, qui dominait la presse de spectacles. *L'Entr'acte,* qui vit de 1831 à 1900, est vendu à l'intérieur des salles, les deux autres, dont les textes sont souvent identiques, ne peuvent être mis en vente que dans la rue. *L'Entr'acte* est illustré par Gavarni, et constitue la source la plus complète pour l'histoire du théâtre. Racheté par les éditions Michel Lévy, qui éditent aussi *L'Univers illustré,* il échange avec ce dernier textes et gravures.

Son concurrent, *L'Europe artiste* (1853-1904), a pour originalité d'être, en même temps qu'un organe de spectacles, celui de plusieurs agences de placement pour les acteurs et les directeurs de théâtre. L'Agence dramatique, lyrique et chorégraphique, dirigée longtemps par Eugène Chavet qui assure la rédaction de *L'Europe artiste,* a ses bureaux au siège même du journal, et elle entretient des relations avec l'Agence théâtrale franco-italienne et avec l'Agence de théâtres de France et de l'étranger. Les renseignements recueillis lui permettent de publier régulièrement la composition des troupes et de signaler les emplois disponibles. Peu illustré jusqu'en 1890, *L'Europe artiste* se transforme alors en un journal à la fois littéraire et théâtral, offrant de nombreux portraits d'acteurs. Au moment où le journal se meurt, en 1902, il publie les poésies d'un jeune écrivain, Jules Romains.

À l'instar de la presse d'informations, la presse théâtrale se devait de posséder une publication de luxe. Il appartient au *Figaro* de la lancer en décembre 1897, sous la forme d'un mensuel puis bimensuel, *Le Théâtre.* Il vivra jusqu'en 1922 avant d'être absorbé par *Comoedia illustré.*

C'est probablement la plus belle publication de spectacles ayant existé. En plus des comptes rendus et de la reproduction des décors, souvent par photographie, parfois en héliogravure, procédé très coûteux, on y trouve de nombreux renseignements sur ces « monstres sacrés » qu'étaient Sarah Bernhardt, Réjane, Mounet-Sully, Marguerite Moréno, Cécile Sorel, Lucien et Sacha Guitry, la Duse, accompagnés par leurs portraits en couleurs, des reproductions de tableaux des peintres mondains qui les campent dans leurs rôles, et des caricatures dues à Sem, à Cappiello, voire à Sacha Guitry. *Le Théâtre* est presque une publication de notre temps. Il consacre des numéros spéciaux aux ballets russes, envoie des critiques musicaux à Bayreuth, se réjouit de voir se développer, à Bussang et aux arènes de Béziers, un théâtre populaire en plein air, il admire Debussy, Richard Strauss, Gabriel Fauré, Paul Dukas. Un de ses derniers numéros d'avant-guerre sera consacré à *L'Otage* de Paul Claudel au théâtre de l'Œuvre, avec des portraits de Claudel et de Lugné-Poe.

La presse quotidienne n'avait pas disparu avec *L'Entr'acte* et *L'Europe artiste :* elle renaît en 1907 avec *Comoedia,* fondé par Henri Desgranges, directeur de *L'Auto* et « père » du Tour de France cycliste. Gaston de Pawlowski assure la rédaction, de même que celle du bimensuel de luxe *Comoedia illustré.* Pour les deux périodiques, il obtient la collaboration des écrivains et des artistes d'avant-garde, de même que celle des auteurs et des illustrateurs plus « conformistes ». Le jeune Jean Cocteau y fait ses débuts, aux côtés de Francis Carco et de Michel Georges-Michel, futur auteur des *Montparnos.* L'illustration est l'œuvre des meilleurs dessinateurs, qu'il s'agisse des humoristes dont le dessin est familier aux habitués de tous les « petits journaux », Jules Depaquit, George-Edward, Poulbot, Benjamin Rabier entre bien d'autres, ou d'artistes et d'affichistes célèbres : Cappiello, André Rouveyre, Sem. De nombreux portraits d'artistes, dus souvent au photographe Reutlinger, le plus grand photographe d'acteurs après Nadar et avant Harcourt, sont reproduits avec une qualité presque unique dans la presse quotidienne. Le tirage atteint 28 000 exemplaires, chiffre considérable pour un journal ne traitant jamais de questions politiques. Devenu hebdomadaire en 1919, *Comoedia* ne disparaîtra qu'en 1944. Avec lui s'éteint une forme de presse littéraire et théâtrale illustrée qui aura vécu plus d'un siècle.

Ces quelques exemples sont certes bien loin de représenter la totalité de la presse illustrée. De la Révolution française à 1914, plus de trois mille périodiques illustrés ont été recensés. Leur étude et leur dépouillement, une fois menés à bien, constitueront une vaste enquête sur l'actualité, les arts, l'histoire, la littérature, les mœurs, les modes, les sciences et les spectacles. Il sera alors possible de comprendre comment le texte s'est peu à peu effacé devant l'image, avant que celle-ci ne vienne à régresser devant ces arts fugitifs que sont le cinéma et la télévision.

À l'illustration d'imagination a succédé la photographie, à un art en noir et blanc a succédé la couleur, puis le statique est devenu mouvement.

Parmi les journaux consacrés au théâtre, le *Daguerréotype théâtral,* numéro spécimen de mars 1850. H. 397 mm. ▸

Mars 1850.   Numéro spécimen.

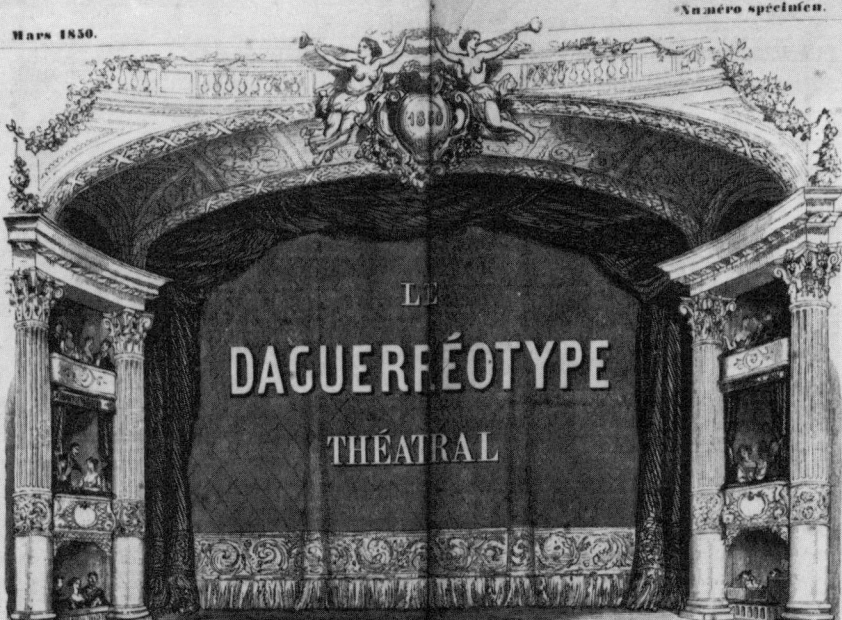

LE DAGUERRÉOTYPE THÉATRAL

JOURNAL ARTISTIQUE ET LITTÉRAIRE

ILLUSTRATION DRAMATIQUE A SUCCÈS.

Dessins de A. ROUARGUE, gravés par A. JOURDAIN.

Correspondance.   Bureaux:

que les lettres affranchies.   ABONNEMENTS.   rue Mazarine, 30, au premier
                                                                                                                          étage.

                                             Pour Paris . . . . .   Trois mois, 4 fr. — Six mois, 7 fr. — Un an, 12 fr.
Le Rédacteur en chef: Paul AVENEL.   Départements . . . .   —   5   —   9   —   16   Le Gérant : Aug. JOURDAIN.
                                             Étranger . . . . . . —   6   —   11   —   20

                            La Collection des Numéros illustrés est de cinquante-deux par année.

Le premier N° du DAGUERRÉOTYPE THÉATRAL paraîtra le 15 avril prochain.

Tous ceux qui s'occupent de l'art dramatique devraient travailler sérieusement ; mais, hélas ! beaucoup manquent à ce devoir. Est-ce à cause de la mauvaise organisation sociale artistique ? Est-ce dû au mauvais goût du siècle ? N'importe, toujours est-il que, soit manque de courage ou toute autre cause, les artistes et les journalistes sacrifient l'art à la spéculation ; et, tout en se rehaussant du nom d'artistes, ne sont que de simples ouvriers dont les labeurs se payent à la tâche. Peut-être au fond de la poitrine de ces gens, qui déshonorent l'art en s'abritant de ses prérogatives, bat-il un cœur mû par de nobles pensées ; mais ces désirs de bien faire ne peuvent s'accomplir, parce qu'ils sont comprimés, étouffés par l'esprit mercantile de ceux qui achètent leur talent. Aujourd'hui le théâtre n'est que l'exploitation en grand des intelligences au profit d'un seul, souvent plutôt commerçant qu'artiste. Combien de directeurs n'ont pas pour la troupe qu'ils dirigent cette sollicitude qu'un bon général a pour ses soldats, qu'un père a pour ses enfants. L'artiste ne trouve pas un ami dans son directeur, il n'y trouve qu'un supérieur qui le gouverne à sa guise, qui, sans respect pour son talent, l'exploite indignement. Cet état de choses est déplorable ! Les artistes devraient trouver des défenseurs, des hommes consciencieux qui les suivissent et les encourageassent dans leur carrière ; mais c'est que tous les journaux qui ont pour spécialité le théâtre ne sont pas à la hauteur de leur mission. Ils font le commerce à 15 c. le numéro, voilà tous les charmes qu'ils trouvent dans l'art dont ils s'occupent. Il existe environ dix journaux de théâtre, eh bien, sur ce nombre, on pourrait en supprimer la moitié sans que pour cela ceux qui fréquentent les spectacles en souffrissent. Toutes ces feuilles ne sont que la copie plus ou moins grossière les unes des autres. Lisez-en une, vous les avez toutes lues. Ce n'est donc que par un but commercial qui guide leur entreprise et non l'amour de l'art.

Nous, qui désirons avoir notre place dans les rangs de la presse artistique, nous ne suivrons aucune route déjà parcourue par ceux qui nous ont devancés. Cela semblera peut-être bien téméraire, mais nous avons assez de courage pour subir les conséquences de notre témérité. Notre intention n'est pas de sacrifier l'art à la spéculation (nos lecteurs pourront en juger par l'exécution de notre numéro spécimen). Ce n'est pas à dire pour cela que nous ne voulons pas être récompensés de nos peines : non. Mais nous voulons avant tout être utiles et justement ap-

préciés par ceux à qui nous nous adressons. — Nous pouvons dire avec justice que jusqu'à présent aucun journal de théâtre n'a atteint la perfection du *Daguerréotype théâtral*. Nous voulons, en nous adressant aux artistes, être dignes d'eux et mériter leurs sympathies. Nous ferons toujours une critique juste et sévère, pour mettre chacun à la place qu'il doit occuper, c'est une noble mission à remplir, car on n'élève jamais trop les hommes de talent, et on n'abaisse jamais assez les gens indignes de l'estime publique. Puisque notre intention est de soutenir l'art, il est inutile de dire que nous prendrons toujours fait et cause pour la littérature sérieuse ; de même que nous combattrons énergiquement les ouvrages sans nom, qui ne devraient jamais voir le jour.

Il y a-t-il progrès ou décadence dans les lettres ? Il y a décadence pour la littérature sérieuse ; il y a progrès pour les ouvrages de fantaisie. Combien avons-nous eu de chefs-d'œuvre au Théâtre-Français depuis dix ans ? Combien avons-nous eu d'immenses succès sur les théâtres des boulevards avec ces pièces invraisemblables et de fantaisie ? Nous ne pourrions le dire ; le nombre en est si grand ! La gloire qu'on obtient aux boulevards est une gloire monnayée, et, pour la plupart de nos hommes de lettres, celle-ci vaut mieux que l'autre, qui ne vous mène mesquinement qu'à la postérité. Malgré cela, nous sommes tout disposés à soutenir les quelques auteurs sérieux qui se sont attardés sur la route de la décadence ; nous leur tendrons fraternellement la main pour les empêcher de tomber dans le gouffre où tourbillonne la spéculation.

Nos théâtres lyriques n'ont pas, comme nos scènes littéraires, subi l'influence du siècle. Consultez le répertoire de l'Opéra, et vous y verrez que les noms des compositeurs contemporains sont tout aussi grands que ceux qui illustrèrent les annales musicales depuis Lully. — L'Opéra-Comique a tous les jours de nouveaux succès avec de nouveaux auteurs, ce qui lui donne un double mérite et une double importance aux yeux des véritables artistes. Ce théâtre a su conserver son rang ; il doit en être fier. Le Théâtre-Français est peut-être la scène du monde où sont réunis le plus d'artistes hors ligne ; eh bien, malgré cela, ses dernières années n'ont pas été très-brillantes. À qui la faute ? certes elle ne vient pas des acteurs ; elle vient des auteurs. Ils se sont laissé entraîner, comme nous le disons plus haut, par le torrent du mauvais goût, et leurs œuvres, écrites à la hâte, meurent presque en naissant. Aussi plaignons-nous sincèrement l'artiste de mérite qui est forcé de jouer un ouvrage dont il lit à chaque instant la chute alexandrin. — Nous ne sommes plus en 1850, au milieu du romantisme effréné, nous n'entendons plus les vagissements d'Hernani ; l'enthousiasme pour cette littérature n'existe plus. Les poètes chevelus ne sont plus à la mode, ils ont coupé leurs cheveux et ont été obligés de faire amende honorable à la bonne et saine littérature. Pour

La bibliothèque d'un bibliophile du XIXᵉ siècle, celle du baron Pichon à l'hôtel Lauzun,
quai d'Anjou. Le baron Pichon était un collectionneur passionné d'objets d'art
et d'antiquités et surtout de livres rares et précieux, client assidu de Techener et
en relation avec les principaux bibliophiles de son temps. Gravure en taille-douce
d'Adolphe Varin, 1874. 125 × 80 mm.

Les nouvelles bibliophilies

par Jean Viardot

Autour de 1830 s'est soudainement produite en France une véritable révolution du goût en matière de livres rares. Beaucoup de contemporains l'ont noté et Jacques Charles Brunet, de l'avis de tous, le témoin le plus éclairé, l'a constaté expressément : devant la tournure inattendue des choses et alors que son célèbre *Manuel du libraire et de l'amateur de livres* allait sur sa quatrième édition, il s'est brusquement déclaré contraint de surseoir à sa sortie et d'y substituer de *Nouvelles Recherches bibliographiques* (1834), pas moins de trois forts volumes in-octavo, entièrement rédigés pour prendre la mesure du phénomène.

 ## Une « révolution soudaine »

Car, paradoxalement, le passage de la grande Révolution, s'il avait entraîné dans le champ du livre rare quelques grosses turbulences, n'eut sur lui de conséquences profondes qu'après une longue période de latence. Sur le coup ce fut plutôt comme une stupeur et une mise en sommeil : les joueurs avaient quitté la table en emportant la règle du jeu. Et pourtant, nous dit Paul Lacroix — le bibliophile Jacob —, « c'eût été le bon temps pour les bibliophiles si les bibliophiles, qui avaient encore le courage de leurs goûts et de leurs sympathies, eussent été assez riches pour acheter des livres ». En effet, la plus grande marée de livres anciens jamais enregistrée avait submergé Paris. Les quais, les ponts, les auvents, les galeries couvertes étaient « encombrées de livres excellents, richement reliés, qui se détérioraient aux intempéries », des rues entières, comme la rue du Carrousel — ouverte pour faire communiquer le Louvre et les Tuileries — étaient bordées d'échoppes et de boutiques dans lesquelles on vendra encore quelques décennies après 1789 « tout ce qui restait d'épaves du naufrage de la France monarchique »... « les livres y abondaient... on pouvait rencontrer pour 2 ou 3 francs une édition gothique, un vieux poète, etc... ».

Devant cette masse énorme de livres anciens il y eut d'abord recul et désarroi : comment en prendre la mesure ? Les amateurs avertis qui s'y seraient repérés sont en exil ou ruinés. Bien sûr, les grands amateurs étrangers, anglais surtout, trouvent le moyen de passer des ordres et ce qui survit de la grande librairie spécialisée s'est mis, plus ou moins ouvertement selon les moments, au service de ces puissants acheteurs : les Debure, le vieux et avisé Chardin et même de nouveaux venus, comme le jeune Crozet, si doué au dire de Nodier et qui mourra prématurément, ou J. Ch. Brunet lui-même qui, au moins jusqu'en 1825, est marchand, et marchand de grand conseil, facilitent l'exportation de livres précieux pour lesquels il n'y a pratiquement plus de marché en France. En 1813, à la vente Larcher, A. A. Renouard, qui s'y soumet, le constate encore avec amertume : « L'Homère d'Alde que j'y achetai 2 900 francs fut pour Lord Spencer. Petit à petit la France perd ses principales richesses bibliographiques. »

Cependant ces libraires, « très instruits et très intelligents » selon Paul Lacroix, ne capitulent pas pieds et poings liés dans l'allégeance à leurs clients ou à leurs confrères étrangers : ils y trouvent un moyen, non seulement de se constituer pour eux-mêmes d'inappréciables collections, mais aussi d'amasser des stocks considérables qui, dans un marché bientôt revigoré, feront leur fortune et leur puissance. On sait que la Révolution avait créé les « dépôts littéraires », immenses centres de regroupement et de tri institués pour traiter les centaines de milliers de volumes confisqués aux communautés religieuses, aux émigrés et aux ennemis réels ou prétendus tels du nouveau régime. Durant les années qui suivirent, des ventes y furent organisées pour les alléger et les soulager — il en fut faites plusieurs par exemple au dépôt de Louis-la Culture — ; la dernière eut lieu en 1816 et le libraire Merlin — un de ceux que Lacroix compte au nombre des plus intelligents et des plus instruits — y acheta au-dessous du poids du papier de quoi remplir, de la cave au grenier, deux maisons à cinq étages, acquises spécialement à cet effet ! De même le stock de J. J. Techener, qui va bientôt lancer, avec Charles Nodier, le *Bulletin du bibliophile* (1834) et dont la place sur le marché va être longtemps dominante, n'a pas d'autre origine, c'est encore Paul Lacroix qui nous l'apprend : « le vieux libraire Royer qui en avait fait une si belle et nombreuse provision... céda son fonds à son commis le jeune J. J. Techener... ».

Les nouvelles bibliophilies

La présence intrigante, obsédante, de ces murailles de livres anciens presque en déshérence, la conscience aussi d'une insensée déstabilisation du stock patrimonial national eurent au moins deux conséquences d'ordre bibliographique, l'une assez misérable, l'autre fort heureuse.

La première fut la pullulation de petits manuels portatifs destinés à guider ceux qui, peu avertis, mais alertés, flairèrent dans toute cette terre remuée la présence probable de précieuses pépites. Comme tous les chercheurs d'or naïfs, ils furent abusés. Les « catéchismes bibliographiques », comme dit A. A. Renouard avec mépris, au mieux démarquages mercantiles de la *Bibliographie instructive* de Debure le Jeune, les laisseront sur leur faim quand ils ne les tromperont point. Qu'on se souvienne d'une révélation de Nodier : la bibliographie de Fournier, libraire, qui eut deux éditions (1805 et 1809), n'était « qu'une spéculation au moyen de laquelle il tira à bon compte par ses émissaires une foule de livres précieux des provinces ». En effet, les valeurs indiquées étaient délibérément faussées à la baisse.

La seconde, contrepoint sérieux de la première, fut l'apparition et le développement d'un puissant mouvement bibliologique et bibliographique. L'urgence ressentie d'avoir à en prendre la mesure et à y mettre de l'ordre n'est pas étrangère à l'éclosion de tous ces talents : les Van Praet, Barbier, Peignot, A. A. Renouard, Nodier, Brunet, etc. feront des cinquante premières années du XIXᵉ siècle l'époque la plus glorieuse de la bibliographie française.

Revenons maintenant à cette « révolution soudaine » constatée par Brunet. En quoi consiste-t-elle ? Les modèles de bibliothèques qui s'imposaient à la fin de l'Ancien Régime et pendant la période Révolution-Empire sont-ils remis en cause, modifiés, abandonnés ou remplacés ? Les systèmes de goûts, les catégories de perception et d'appréciation des livres anciens ont-ils changé ? Le kaléidoscope social a-t-il viré au point d'engendrer de nouveaux styles d'approche, de nouvelles manières et modes de collectionner les livres anciens ?

Les bouleversements dont nous avons parlé ont entraîné chez les meilleurs de nos bibliographes, A. A. Renouard, Charles Nodier, et surtout J. Ch. Brunet, un remarquable élargissement du point de vue, et l'on peut dire que deux dimensions toutes nouvelles règlent désormais leur approche du phénomène bibliophilique : historisation et relativisation. Tous, peu ou prou, insistent là-dessus, les pratiques, les goûts, les modèles évoluent d'une époque à l'autre ; elles ne sont pas identiques d'un pays ou même d'un groupe social à un autre, etc.

Pour ce qui concerne la France, Brunet prétend que cette « révolution soudaine » affecte essentiellement et indissociablement : 1) le domaine du collectionnable (quelles classes de livres les nouveaux amateurs recherchent-ils, quelles classes se mettent-ils à négliger qui avaient les faveurs de leurs prédécesseurs ?) ; 2) les systèmes d'exigence quant aux exemplaires, ce qu'il appelle « la condition extérieure des livres » (à quels types d'exemplaires vont-ils donner leurs préférences ?) ; 3) les modèles de bibliothèques vont progressivement s'altérer ou se renouveler ; non seulement elles seront affectées dans leur contenu et dans la présentation des exemplaires, mais elles s'organiseront sur des modèles nouveaux. La tendance générale va de plus en plus à la formation de ce que les hommes de 1830 appelaient les « bibliothèques spéciales ». On abandonne, même sous la forme du cabinet de livres précieux, l'organisation autour du système encyclopédique du savoir où chaque classe et sous-classe devaient impérativement être représentées.

Ce faisant, Brunet nous fournit les éléments d'une approche nouvelle et originale du phénomène bibliophilique ; il en dévoile un peu maladroitement peut-être, mais pour la première fois systématiquement, les variantes essentielles. En les précisant et en les développant la bibliophilie du XIXᵉ et du premier XXᵉ siècle s'est, croyons-nous, forgée les outils conceptuels pratiques qui ont réglé, et continuent de régler, les modes et manières de collectionner les livres.

La sphère bibliophilique. Appelons sphère bibliophilique l'ensemble « des classes de livres » indissociablement groupes de textes — les classiques latins par exemple — et types d'éditions dans lesquelles on les recherchait — princeps, elzévir, variorum, ad usum Delphini, etc. — désignés à un moment donné, dans une communauté bibliophilique donnée, comme éminemment collectionnables, légitimement dignes d'être recherchés et par conséquent distingués (et distinguants) par l'institution bibliophilique autorisée. L'histoire montre que cette sphère bibliophilique n'est pas constituée une fois pour toutes ; que, par agrégations ou délestages continuels, elle évolue ; par ailleurs, il se peut qu'à un moment donné la communauté bibliophilique soit divisée, et que deux ou plusieurs groupes la constituant ne soient pas d'accord sur la composition et le contenu de ladite sphère. En réalité, d'ailleurs, il en va presque toujours ainsi et c'est presque une condition de survie : toute sphère bibliophilique est toujours « en travail » de la sphère bibliophilique à venir.

L'histoire de la bibliophilie pourrait être l'histoire des conditions de production de cette sphère, des procédures de désignation des livres collectionnables, d'imposition de la « rareté », c'est-à-dire de la valeur de ces livres. Qui désigne ces livres et cette valeur ? et qu'est-ce qui « autorise », confère autorité à ceux-là qui désignent et choisissent ? Dans quel champ de concurrence, entre quels intervenants (groupes affrontés de collectionneurs, de marchands spécialisés, de bibliothécaires, etc.) et à travers quelles institutions spécifiques (revues, ventes publiques, catalogues à prix marqués, etc.) se noue et se joue ce jeu singulier ?

Condition et état. Mais ce n'est pas tout, Brunet introduit une autre variable, « la condition extérieure des livres » à laquelle on ne saurait attacher trop d'importance si l'on veut bien considérer que « tel livre adjugé au prix de 1 000 francs ou peut-être de 2 000 francs et plus, en considération de sa reliure, eût probablement été donné pour la centième partie de ces prix s'il se fut trouvé dans une condition ordinaire ». « Ces observations, poursuit-il, paraîtront puériles aux personnes qui, comme beaucoup de savants allemands et d'habitants du nord ou même du midi de l'Europe, se préoccupent fort peu de la beauté

344

des éditions et encore moins de la condition extérieure des livres ; mais elles seront prises en considération par les bibliophiles hommes de goût, qui pour rendre hommage aux auteurs qu'ils affectionnent ont fait relier leurs ouvrages avec un certain luxe ; elles paraîtront essentielles surtout aux étrangers qui font le commerce des livres anciens, car elles les préserveront des mécomptes qu'ils courraient le risque d'éprouver si, après avoir pris note des prix fort élevés que le *Trésor* de M. Graesse donne de certains livres, sans rien dire de leurs conditions extraordinaires, ils cherchaient à vendre à Paris ou à Londres des exemplaires de ces mêmes livres, mal reliés ou défectueux qu'ils auraient achetés chez eux à bon marché et dont, à leur grande surprise, ils ne trouveraient aucun prix dans ces deux centres du commerce des livres précieux. »

Car il faut savoir que les collectionneurs ne rassemblent pas à proprement parler des types de livres, mais des exemplaires de ces types. C'est pourquoi l'histoire de la bibliophilie doit d'abord s'attacher à montrer comment dans la pratique du collectionneur s'articulent le choix des livres et le souci de l'objet, c'est-à-dire comment, et à travers quelles catégories spécifiques, les bibliophiles appréhendent les exemplaires, catégories qui sont aussi les variables en fonction desquelles s'établissent les prix et que nous appellerons pour cela les paramètres fondamentaux : la condition, l'état (de conservation), la provenance et évidemment la rareté.

Donnons-en une idée. Les exemplaires d'une même unité bibliographique vont différer entre eux quant à leur présentation.

Quand je dis qu'un exemplaire est broché, qu'il est dans sa première reliure, qu'il a été relié sur brochure, qu'il est dans son cartonnage polychrome d'éditeur ou d'édition (ce n'est pas la même chose), ou qu'il a été rhabillé en maroquin janséniste par Trautz, etc., je parle de sa condition.

Quand je dis que la couverture est fanée, que le dos est brisé, que le papier est piqué, qu'un cahier est roux, qu'il présente des trous de ver, qu'une coiffe est arrachée, etc., je parle de son état (de conservation).

En effet, sa manufacture achevée, un exemplaire est soumis à des opérations de conditionnement propres à le pourvoir des qualités de présentation requises pour satisfaire ou attirer la clientèle. On peut appeler condition l'ensemble des qualités de présentation apportées à un exemplaire après sa manufacture, que ce soit par l'imprimeur, le libraire, l'éditeur (reliure d'éditeur, cartonnage industriel), etc. ou le relieur (sur instruction du possesseur...). La condition amorce donc un processus de différenciation, de singularisation que le possesseur peut porter jusqu'à la personnalisation.

Quant à l'état d'un exemplaire, c'est son état de conservation, le constat des marques laissées par le passage du temps, les vicissitudes de son histoire singulière, de ses tribulations : points de délabrement, traces d'usages, injures du temps ; on doit préciser leur nature (épidermures, rousseurs, trous de ver, etc.) et leur degré de gravité, fortes, infimes rousseurs, couleur du dos légèrement fanée, mors fendus sur toute la hauteur du plat, etc.

Condition est ainsi, dans la pratique courante des bibliophiles, employée comme un concept générique, un concept de groupe sous lequel on désigne en le déterminant un complexe de traits spécifiques. Ainsi on dit « condition Trautz », du nom d'un « grand tailleur d'uniformes » du Second Empire (il reliait, entre autres, pour Rothschild et pour le duc d'Aumale), et les initiés comprennent et visualisent : exemplaire lavé et encollé, soigneusement re-relié, rhabillé en maroquin, généralement poli, soit « janséniste », soit « trois filets », avec bordure dorée intérieure, etc. Cette manière offrait l'avantage de couvrir luxueusement, sans trop évoquer une époque particulière. Les collectionneurs du XIXe l'adoptèrent pour rhabiller leurs ouvrages anciens précieux et leurs suivants, subjugués par la perfection de ces exemples, ne se lassèrent plus de ce qu'ils nommèrent la « condition Trautz » et l'imposèrent comme modèle de la reliure de remplacement, n'arrivant pas à imaginer une autre solution à ce problème, il est vrai, fort embarrassant.

« Condition belge », qui s'applique surtout aux éditions originales modernes, signifie : broché, absolument neuf et non coupé — c'est ainsi qu'au sortir

Au nom de Bauzonnet est souvent associé celui de Trautz, ici en tenue de travail. Venu d'Allemagne à Paris, Trautz entra chez Bauzonnet et devint son gendre, son associé et successeur. Ses reliures — jansénistes ou pastiches à décor mosaïqué — se signalent par une technique irréprochable.

de la dernière guerre un groupe de bibliophiles belges entendait collectionner.

« Condition Vandérem » s'applique surtout aux éditions originales du XIXe siècle et signifie en demi-reliure d'époque, même modeste, mais « pure », c'est-à-dire non « tripatouillée » par les réparateurs ou restaurateurs.

La provenance. Autre paramètre fondamental : la provenance, dont la prise en compte sera de plus en plus évidente au cours du temps. Avant 1789, c'est à peine si l'on cite les noms des grands amateurs, premiers possesseurs. La provenance, c'est le pedigree d'un exemplaire : établir la provenance d'un exemplaire est donc lui assigner — par déchiffrement des marques ou traces de possession qu'il peut porter — une filiation de possesseurs successifs, et plus singulièrement désigner le premier ou distinguer le plus remarquable d'entre eux. Son histoire ainsi constituée, ou tout au moins jalonnée, l'exemplaire sorti de pair trouve identité et singularité. La pertinence d'un envoi, la connivence d'un texte ou d'un auteur et d'un possesseur, le pouvoir consécrateur reconnu d'un collectionneur peuvent attacher à l'exemplaire une charge symbolique, une vertu évocatrice supplémentaire qui renforcera son historialité (je ne dis pas historicité) et achèvera de le métamorphoser en tabernacle du sens, en livre hanté. Rien qui ne procure à l'amateur plus grand frisson... et qui, par conséquent, n'influe plus sur le prix.

Hiérarchisation bibliophilique des exemplaires. C'est au cours de la période qui nous occupe — 1830-1950 — que les amateurs ont peu à peu appris à scruter et à évaluer les exemplaires ; ils ont dégagé, au fur et à mesure des polémiques et des batailles doctrinales, de plus en plus de propriétés distinctives et ils ont attaché à ces propriétés — selon leur nature et leur degré — des valeurs d'attrait et de répugnance qu'ils ont distribuées selon une échelle spécifique propre à hiérarchiser les exemplaires.

Mais ce qu'il faut bien comprendre c'est que les attitudes des amateurs, à l'égard de ces propriétés distinctives et à leurs valeurs d'attrait ou de répugnance, ont varié avec le temps : tantôt on faisait une véritable fixation névrotique à la grandeur des marges, et une tête simplement ébarbée faisait rejeter l'exemplaire avec mépris comme « fusillé en tête », tantôt la moindre piqûre devenait tare rédhibitoire et était désignée comme « punaise » répugnante. Pour d'autres étaient intolérables certains traitements, et un exemplaire lavé ou rhabillé postérieurement était constitué en « drouille » ou « drogue » et abandonné aux « drouilleurs », catégorie où le mépris rassemblait ces types de marchands et ces types d'acheteurs qui se contentaient de ces estropiés ou répudiés.

En fait, ces exigences et ces répugnances, ces tolérances se sont organisées, se sont structurées en systèmes de goûts, de préférences propres à un groupe, à une époque déterminés... et ainsi ces sortes de patterns ou schèmes d'instruments de perception et d'appréciation ont fini par se constituer en doctrines rivales, à s'ériger en dogmes durcis ou figés, en systèmes de conventions réglées que de véritables partis, écoles ou chapelles ont hypostasiés en normes transcendantes et éternelles ; de véritables petites guerres religieuses se sont allumées (nous sommes, précisons-le, dans un domaine de la croyance, un domaine entièrement charismatique) qui durent toujours et opposent les bibliophiles — français entre eux et français et étrangers —, la plupart des conditions préférées en France ne trouvant qu'assez peu d'écho chez nos voisins.

Les bibliothèques et les « collections spéciales ». Il peut sembler surprenant que ce qui, aujourd'hui, va tellement de soi, la collection de champ limité et défini s'organisant autour d'un thème particulier — les poètes de la Pléiade, la gastronomie, la tauromachie, toutes les éditions de *Paul et Virginie,* par exemple — ait dû attendre si longtemps pour — ne disons pas s'imposer, elle ne le fera pas avant le XXe siècle — mais simplement s'émanciper et se faire admettre.

Daniel Mornet en fut le premier surpris quand, au terme de sa célèbre enquête, et après avoir examiné plus de cinq cents catalogues couvrant la période 1750-1780, il dut constater : « aucune bibliothèque spécialisée » ! Plus récemment, Archer Taylor étendant l'enquête à l'Europe entière était forcé d'admettre qu'il n'y avait pratiquement pas de bibliothèques spécialisées avant 1750 et qu'elles restaient rarissimes jusqu'à la Révolution.

La réunion de quelques livres, instruments de travail professionnel dont peut s'entourer tel ou tel praticien — un médecin, un avocat, un architecte et même un bibliographe — ne constitue pas, à proprement parler, une bibliothèque ou une collection « spéciale ». Les inventaires après décès de l'Ancien Régime signalent quelques fois de tels fonds, ils ne feront que très rarement l'objet de catalogues, n'étant tenus ni par les héritiers ni par les libraires pour autre chose que ce qu'ils sont : des outils de travail. Ils passeront au fils, successeur ou héritier de la charge, ou seront abandonnés à la brocante.

Cependant, la tendance à l'émancipation de certaines branches du savoir est réelle bien avant la Révolution. Roger Chartier, analysant les bibliothèques des membres de l'académie de Lyon, notait le gonflement de la classe ou de la sous-classe correspondant à l'état ou à la profession du possesseur. Daniel Roche signalait l'anormale proportion de livres de sciences dans celle de Dortous de Mairan. Dans le même sens, on pourrait citer la bibliothèque de Camille Falconet (1671-1762) : le catalogue dressé par Barrois en 1763 ne recense pas moins de 20 000 ouvrages, chiffre considérable pour l'époque, dont près de la moitié relèvent des sciences médicales ou apparentées. Celle de Camus de Limare, catalogue dressé en 1780 par Guillaume Debure l'Aîné, « one of the first important catalogues of a library of books on natural history » (A. Taylor), présente, sur 1 812 numéros, plus de 750 ouvrages d'histoire naturelle. Celle de Baron, ancien doyen de la faculté de médecine de Paris, catalogue dressé en 1788, plus de 2 000 ouvrages de médecine sur 6 500 numéros. Ce sont plutôt développement « tumoral » d'une section déterminée qu'abandon du modèle robin. Toutefois les bibliothèques théâtrales de Beauchamp (achetée par la marquise de Pompadour) ou de Pont-de-Veyle (achetée par le duc d'Orléans) sont bien de véritables bibliothèques spéciales. Mais, pour exister, le phénomène n'en reste pas moins exceptionnel et marginal.

Les conditions d'émancipation et

d'émergence du nouveau modèle ne se trouvèrent réunies qu'après la Révolution. La prégnance du modèle « grande bibliothèque robine » demeurait très puissante même à la fin de l'Ancien Régime, et le système de classement des libraires parisiens absolument généralisé en renforçait et redoublait la contrainte. D'autre part, l'idéal classique de l'honnête homme « qui ne se piquait de rien » s'accommodait fort mal de « l'homme à spécialités », tenu pour un grotesque. Mais de nombreux signes annoncent l'agonie du paradigme dont le moindre n'est pas l'encyclopédie éclatée de Panckoucke, où chaque matière trouve la possibilité et la liberté de se développer indépendamment du reste du savoir.

Mais il faut ici encore distinguer « bibliothèques spéciales » et « collections spéciales ». La première est le fait d'érudits, de savants, de chercheurs qui amplifient, donnent une extension à leur bibliothèque de travail, sans doute à la mesure de leur curiosité. Son trait dominant — outre sa spécificité —, c'est de constituer dans la branche requise des ensembles où la dimension rétrospective prend une importance inconnue jusqu'alors, manifestant sans doute l'intention de restituer à la discipline sa perspective historique. La bibliothèque spéciale est totalisante : tout l'ancien, tout le moderne, en toutes les langues ; elle est historique et comparatiste. Elle sacrifie le luxe des exemplaires à la commodité de la consultation. Elle constitue un fonds spécialisé.

La collection spéciale est la modalité bibliophilique du phénomène ; beaucoup plus sélective, elle ne retient généralement que ce qu'elle juge ou le plus significatif, ou le plus rare, ou le plus beau de la discipline. Le premier domaine, où des livres furent en quelque sorte détournés de leur vocation scientifique et collectionnés pour leur beauté, est celui des grands ouvrages d'histoire naturelle à planches en couleurs, mais la ferveur bibliophilique en investit bien d'autres et, en particulier, le XIXᵉ et le XXᵉ siècle virent la ferveur « régionaliste » la porter à l'incandescence. La tendance à la spécialisation marque toute l'histoire du champ du livre rare du XIXᵉ et du premier XXᵉ siècle et jusqu'au niveau des cabinets de haute curiosité bibliophilique :

on a des cabinets d'illustrés du XVIIIᵉ, d'éditions originales romantiques, d'auteurs surréalistes, de réformateurs sociaux, de romans noirs et terrifiants, d'aéronautique avant Montgolfier ou après, de livres pour enfants à transformations, d'alchimie, de franc-maçonnerie, etc. Les thèmes sont infinis quoique réglés par des modes bibliophiliques dont on pourrait marquer les dates d'apparition et de déclin, les aires géographiques et sociologiques d'expansion, etc.

La haute bibliophilie

Dans les années 1830-1850 s'amorce une courbe durablement ascendante du marché du livre rare. L'amoncellement de livres anciens commence à se résorber ; il y a de plus en plus de collectionneurs ; les prix montent, commencent même une irréversible ascension (en francs constants) qui ne s'arrêtera plus, sauf pour de brèves crises, 1848 et 1930 par exemple. Pour profiter de la demande, les libraires aux stocks gonflés ou ceux que des représentants à l'étranger, en Allemagne surtout, alimentent assez facilement en bons livres moyens — qu'on songe à Ternaux-Campans, le « terrible bibliophage » qui se chargeait de choisir chez les libraires belges et allemands « tous les bons livres » que cataloguait Pierre Janet — inaugurent une nouvelle stratégie : le catalogue à prix marqués qui, au cours du temps, va devenir leur principale et souvent unique technique de vente. Publié et adressé plus ou moins périodiquement à la clientèle, le catalogue à prix marqués va s'imposer comme l'institution bibliophilique par excellence : c'est à la fois le lieu de rencontre du professionnel et de l'amateur et l'un des supports privilégiés du discours bibliophilique. L'apprentissage de sa lecture critique est l'entrée obligée en bibliophilie. Le choix des livres proposés, la qualité des notices, la présentation matérielle distinguent les catalogues ; la personnalité des libraires s'y dévoile au moins à ceux des amateurs disposant de la grille de lecture adéquate.

Avant de devenir la principale tribune bibliophilique française, le *Bulletin du bibliophile,* né en 1834, ne fut d'abord qu'une de ces feuilles

d'annonces de livres rares, en vente aux prix marqués, à la librairie de son fondateur J. J. Techener. Feuille d'annonces assortie, il est vrai, de quelque article, élégant et primesautier, écrit par Charles Nodier sur des sujets propres à piquer la curiosité des bibliophiles lettrés et destinés à faire passer cette nouvelle procédure — procédure insolite au moins en France, car des catalogues à prix marqués circulaient depuis longtemps en Angleterre et en Allemagne entre autres.

Mais le *Bulletin du bibliophile* restait assez confidentiel, ne s'adressant qu'à de riches amateurs intéressés par « la haute curiosité bibliographique » ; pour le recevoir, il fallait acquitter un droit d'abonnement annuel de 12 francs, ce qui n'était pas rien. Sur son exemple, un autre libraire, Aubry, lança, en 1857 le *Bulletin du bouquiniste.* La formule était à peu près la même, mais l'abonnement de 3 francs seulement. Il s'adressait à des amateurs plus modestes et reçut un très bon accueil, surtout en province. Les livres y étaient moins précieux mais décrits avec soin et exactitude. On estime que, en un peu plus de vingt-cinq ans, 200 000 ouvrages furent vendus par ce canal.

Très rapidement, la formule gagna du terrain, et la feuille d'annonces n'eut plus besoin du soutien d'articles de bibliographie ou de critique littéraire pour se faire recevoir des amateurs. L'un de ses avantages sur les catalogues de ventes publiques, et l'un des mieux perçus, est qu'elle accordait droit de description à beaucoup de livres qui, en vente publique, auraient été passés sous silence et abandonnés aux paniers et aux lots.

On pourrait parcourir la ligne de crête de la haute librairie française, de 1834 au milieu du XXᵉ siècle, en alignant les catalogues à prix marqués des Techener, Potier, Fontaine, Morgand, Rahir, Besombes, etc. À eux seuls, ils décrivent une proportion très importante des livres considérés comme les plus rares et les plus précieux apparus sur le marché durant un siècle et demi. Leur collection fournit un reflet inestimable de l'histoire de la bibliophilie française.

Deux grandes voix, deux des plus grands auteurs ayant jamais abordé aux rivages bibliophiliques, vont accompagner et soutenir l'enthousiasme nais-

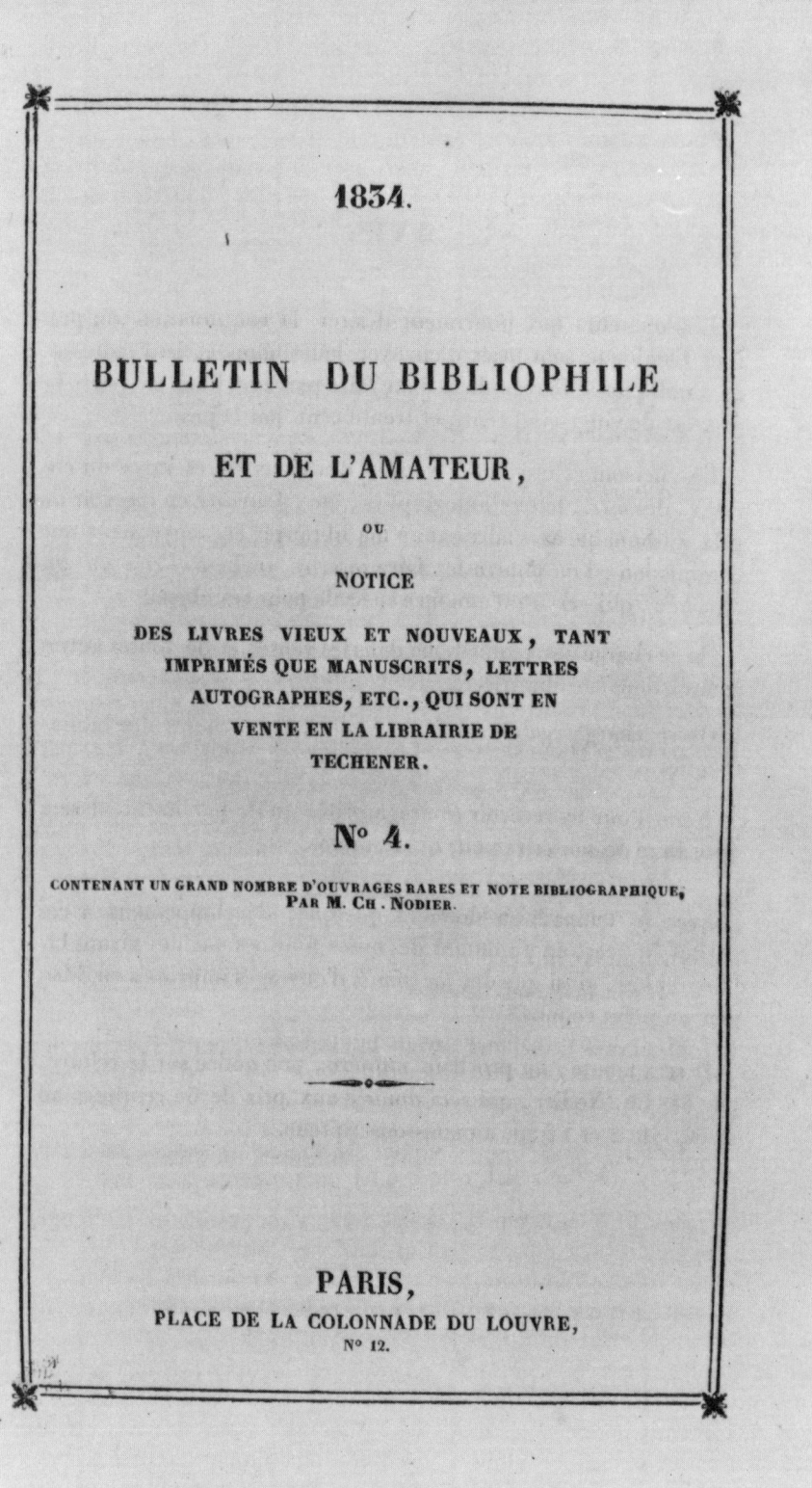

1834.

BULLETIN DU BIBLIOPHILE

ET DE L'AMATEUR,

ou

NOTICE

DES LIVRES VIEUX ET NOUVEAUX, TANT
IMPRIMÉS QUE MANUSCRITS, LETTRES
AUTOGRAPHES, ETC., QUI SONT EN
VENTE EN LA LIBRAIRIE DE
TECHENER.

N° 4.

CONTENANT UN GRAND NOMBRE D'OUVRAGES RARES ET NOTE BIBLIOGRAPHIQUE,
PAR M. CH. NODIER.

PARIS,
PLACE DE LA COLONNADE DU LOUVRE,
N° 12.

Le *Bulletin du bibliophile et de l'amateur*, fruit de la
collaboration du libraire Techener, qui y donne le catalogue des ouvrages
en vente à sa librairie, et de Charles Nodier, dont le nom
est donné pour la première fois au n° 4 ci-dessus comme rédacteur
des notes bibliographiques. Les numéros suivants contiennent
de courts articles touchant le livre rare et précieux, la plupart
de Nodier, en attendant que la publication se transforme, en 1836,
en une véritable revue aux nombreux collaborateurs. H. 204 mm.

sant des amateurs de livres anciens,
J. Ch. Brunet et Charles Nodier.

Jacques Charles Brunet

La grande figure dominante, qui
écrasera le siècle de son prestige et de
son autorité, est celle de Jacques Charles Brunet (1780-1867). Nodier et lui
sont exactement contemporains ; ils
ont cinquante ans en 1830. Ils ne vont
pas à proprement parler s'affronter ;
ils s'estiment et se respectent. Toutefois, il ne faudrait pas que la gloire
actuelle de Nodier écrivain et sa réputation chez beaucoup de bibliophiles
faussent la perspective. Nodier est un
amateur très original et très doué, un
peu marginal, sans beaucoup de
moyens financiers ; Brunet, un très
grand professionnel, un très grand collectionneur, et à qui le succès de son
Manuel a donné les moyens des plus
grosses enchères dans les plus grandes
ventes.

Il faut insister sur le prodigieux succès du *Manuel du libraire et de l'amateur de livres,* marque éclatante de
l'expansion du phénomène bibliophilique au cours du XIXe siècle. Du supplément au *Dictionnaire bibliographique* de Cailleau (Duclos 1802), qui en
est la forme embryonnaire, à la cinquième et définitive édition de 1860
en passant par les *Nouvelles Recherches bibliographiques* de 1834, destinées à mettre à jour la troisième édition et à prendre en compte la révolution du goût vers 1830, ce sont sept
éditions s'échelonnant ainsi : 1802,
1810, 1814, 1820, 1834, 1844, 1860-
1865 qui ponctuent le siècle. On sait
l'ébahissement de Dibdin apprenant
que, de celle de 1810, Brunet avait
vendu 2 000 exemplaires, soit la totalité du tirage. Qu'aurait-il pensé de la
suite ? Le succès s'enfla d'édition en
édition, et la réputation de Brunet
s'étendit à toute l'Europe. C'est
Nodier qui le dit : « M. Brunet par
qui vit en France et en Europe la
science bibliographique si bien accueillie aujourd'hui. » On peut admettre
que près de 20 000 exemplaires furent
vendus d'un ouvrage, somme toute
très spécial et assez monumental, en
dépit de son titre de *Manuel* auquel
Brunet ne voulut jamais renoncer. Sans
cesse augmenté, amélioré et élargi aux
nouveaux domaines collectionnés et

passant des quelques centaines d'entrées du supplément de 1802 à près de 40 000 notices, le Brunet élimine par absorption toutes les autres bibliographies — c'est d'ailleurs son ambition avouée : on peut considérer le Brunet comme le *digest* de la science bibliographique de l'époque ; dans chacune des préfaces successives, Brunet ne manque pas d'énumérer les travaux dont il a tiré parti, en extrayant le miel et les rendant, de ce fait, inutiles. « Déjà, antérieurement, dit-il, de bons esprits avaient jugé nécessaire de suppléer autant que possible, par un seul ouvrage, offrant un choix suffisamment étendu, à cette multitude de livres inaccessibles au plus grand nombre de lecteurs, livres dont le volumineux ensemble est encore bien loin de satisfaire à toutes les exigences des hommes spéciaux (entendez des spécialistes) » et ailleurs il ajoute qu'il « offrait avec tout ce qui appartient en propre à l'auteur, la substance de ce que contiennent de meilleur les traités de bibliographie spéciale les plus accrédités ». Aussi, juge-t-il, à la fin de sa vie : « j'en suis convaincu, les livres anciens, dont je n'ai rien dit, ne méritent pas d'être décrits ».

En dépit de sa date (édition définitive 1860-1865 ; supplément 1878) le Brunet demeure ce qu'il a toujours été, au moins depuis sa troisième édition (1820), le numéro un des usuels bibliographiques français en matière de livres anciens rares et précieux, qu'ils soient « objets de curiosité » ou livres « utiles ». Son propos est général, tout livre imprimé, en tout pays, en toute langue, de toute classe qui remplit les conditions suivantes : être à la fois rare et précieux, c'est-à-dire difficile à trouver et digne d'être recherché. À vrai dire Brunet inclut des déclassés, ceux qui, à un moment ou à un autre, furent précieux et recherchés, signalant l'époque de leur splendeur et celle de leur déclin auprès des amateurs ; il ne se prive pas non plus de décrire des livres encore peu estimés mais qu'il juge devoir l'être un jour. Il fournit des éléments d'appréciation de la valeur vénale avec toutes les mises en garde possibles, rappelant toujours que la « condition » peut décupler (ou plus) les prix, aussi s'applique-t-il à fournir les adjudications d'exemplaires

singuliers précisant leurs mérites respectifs.

Le Brunet s'inscrit ainsi dans la continuité de la *Bibliographie instructive* de Debure le Jeune, laquelle, dit-il, « demeura, pour quarante années, l'ouvrage de référence des amateurs ». Et l'intention de Brunet est bien de renouer, par-dessus la Révolution et l'Empire, avec la tradition de la grande curiosité française en matière de livres rares, qui s'était définie autour de G. Debure le Jeune. N'oublions pas qu'il eut vingt ans en 1800, qu'il était fils de libraire, immergé dans le milieu du négoce spécialisé : la rue Gît-le-Cœur — où était le magasin paternel, qu'il reprit d'ailleurs et dirigea fort habilement jusqu'en 1825 — débouche sur le quai des Grands-Augustins, quartier où se concentrait toute « l'ancienne librairie » comme on disait alors ; il y fréquente les Debure, les Barrois, etc.

L'exploit de Brunet est sans doute d'avoir eu le courage d'envisager sans trembler la tâche énorme qui l'attendait ; c'est lui et presque lui seul qui, échappant au désarroi des hommes du livre devant la submergeante marée de livres anciens apportée par la Révolution — Nodier en conçut pour l'invention de Gutenberg une répulsion phobique —, l'envisagea avec méthode et lucidité, y mit de l'ordre et de la raison et régla pour un siècle les choix et les curiosités des amateurs. Il ne baissa jamais les bras devant l'immense chaos à ordonner, et son succès fut celui des Hollandais endiguant la mer.

Pour rendre compte de la réalité bibliophilique au cours du XIXe et du XXe siècle, il faudrait décrire, à chacune de leurs phases successives, les états : 1) de la sphère bibliophilique ; 2) des systèmes d'exigences (combinaisons des paramètres fondamentaux) quant aux exemplaires ; 3) des modèles de bibliothèques. Mais ce ne serait pas suffisant, il faudrait également en rendre raison : quels furent les facteurs économiques, sociaux, culturels, idéologiques, etc. qui intervinrent dans leurs variations et évolutions ? Et non seulement distinguer ces facteurs déterminants, mais aussi tenter d'expliquer selon quels mécanismes ou modes de fonctionnement ils opérèrent.

Il n'est évidemment pas question ici de suivre pas à pas et selon leur succes-

Portrait de J.-Ch. Brunet.

Parmi les collaborateurs du
Bulletin du bouquiniste, on relève
les noms de plusieurs bibliophiles célèbres,
notamment Prosper Blanchemain,
Paul Lacroix, le baron Pichon. H. 212 mm.

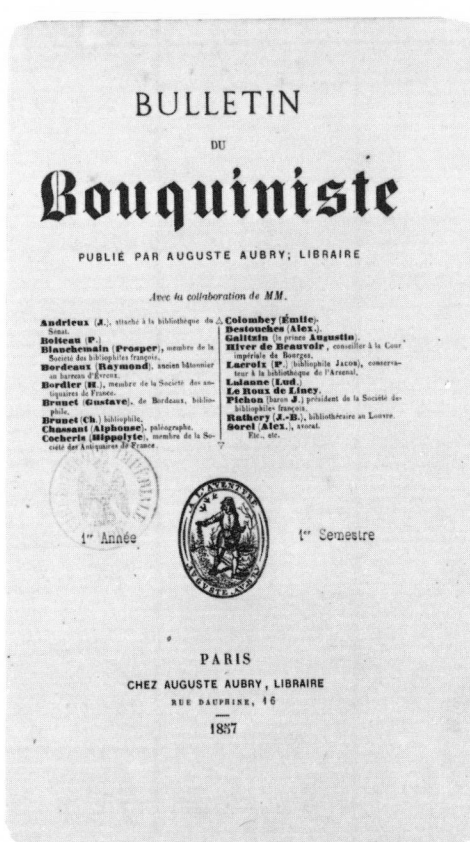

DICTIONNAIRE
BIBLIOGRAPHIQUE,
HISTORIQUE, ET CRITIQUE,
DES LIVRES RARES,
PRÉCIEUX, SINGULIERS, CURIEUX, ESTIMÉS, ET RECHERCHÉS ;
Qui n'ont aucun prix fixe ,
TANT DES AUTEURS CONNUS, QUE DE CEUX QUI NE LE SONT PAS :
SOIT MANUSCRITS,
Avant et depuis l'invention de l'Imprimerie ;
SOIT IMPRIMÉS,
Et qui ont paru successivement de nos jours , en François,
Grec, Latin , Italien , Espagnol , Anglois , etc. ;
AVEC LEUR VALEUR
RÉDUITE à une juste appréciation, suivant les prix auxquels ils
ont été portés dans les ventes publiques, depuis la fin du XVIIe.
Siècle jusqu'à présent.
AUXQUELS ON A AJOUTÉ
Des Observations et des Notes pour faciliter la connoissance exacte et cer-
taine desÉditions originales , et des Remarques pour les distinguer des
Éditions contrefaites.
OUVRAGE UTILE ET NÉCESSAIRE
A tous Littérateurs, Bibliographes, Bibliophiles, et à tous ceux qui veulent exercer , avec
quelques connoissances , la Librairie ancienne et moderne.
SUPPLÉMENT.
Da veniam scriptis, quorum non gloria nobi
causa ; sed utilitas , officiumque fuit. OVIDE.

A PARIS,
Chez DELALAIN, fils, Libraire , quai des Augustins , n°. 38 ;
ET A GÊNES,
Chez FANTIN, GRAVIER et Compagnie, libraires.
1802. — An X.

MANUEL
DU LIBRAIRE
ET DE L'AMATEUR DE LIVRES,
CONTENANT
1.° UN NOUVEAU DICTIONNAIRE BIBLIOGRAPHIQUE,
Dans lequel sont indiqués les Livres les plus précieux et les Ouvrages les plus
utiles, tant anciens que modernes, avec des notes sur les différentes éditions
qui en ont été faites, et des remarques pour en reconnaître les contrefaçons ;
on y a joint des détails nécessaires pour collationner les Livres anciens et les
principaux Ouvrages à Estampes; la concordance des prix auxquels les éditions
les plus rares ont été portées dans les ventes publiques faites depuis quarante
ans , et l'évaluation approximative des Livres anciens qui se rencontrent
fréquemment dans le commerce de la Librairie ;
2.° UNE TABLE EN FORME DE CATALOGUE RAISONNÉ,
Où sont classés méthodiquement tous les Ouvrages indiqués dans le Dictionnaire,
et de plus, un grand nombre d'Ouvrages utiles, mais d'un prix ordinaire, qui
n'ont pas dû être placés au rang des Livres précieux.
PAR J.-C. BRUNET, FILS.

TOME PREMIER.

PARIS,
BRUNET, Libraire , rue Gît-le-Cœur, n.° 4 ;
LEBLANC, Imp.r-Lib.re, Abbaye Saint-Germain.
1810.

Suite des éditions du *Manuel du libraire* de J. Ch. Brunet

34,345.
I.

MANUEL
DU LIBRAIRE
ET
DE L'AMATEUR DE LIVRES,
CONTENANT
1°. UN NOUVEAU DICTIONNAIRE BIBLIOGRAPHIQUE,
Dans lequel sont indiqués les Livres les plus précieux et les Ouvrages les plus utiles, tant
anciens que modernes, avec des notes sur les différentes éditions qui en ont été faites,
et des renseignemens nécessaires pour reconnaître les contrefaçons, et collationner les
Livres anciens et les principaux Ouvrages à estampes ; on y a joint la concordance des
prix auxquels les éditions les plus rares ont été portées dans les ventes publiques faites
depuis quarante ans, et l'évaluation approximative des Livres anciens qui se rencontrent
fréquemment dans le commerce de la Librairie ;
2°. UNE TABLE EN FORME DE CATALOGUE RAISONNÉ,
Où sont classés méthodiquement tous les Ouvrages indiqués dans le Dictionnaire , et un
grand nombre d'autres Ouvrages utiles, mais d'un prix ordinaire, qui n'ont pas dû
être placés au rang des Livres précieux.
PAR JACQ.-CH. BRUNET, FILS.

SECONDE ÉDITION, augmentée de plus de quatre mille articles, et
d'un grand nombre de notes.

TOME PREMIER.

A PARIS,
CHEZ BRUNET, LIBRAIRE, RUE GÎT-LE-CŒUR, N° 4.

1814.

34,345.
K

MANUEL
DU LIBRAIRE
ET
DE L'AMATEUR DE LIVRES,
CONTENANT
1°. UN NOUVEAU DICTIONNAIRE BIBLIOGRAPHIQUE,
Dans lequel sont indiqués les Livres les plus précieux et les Ouvrages les plus utiles , tant
anciens que modernes, avec des notes sur les différentes éditions qui en ont été faites,
et des renseignemens nécessaires pour reconnaître les contrefaçons , et collationner les
Livres anciens et les principaux Ouvrages à estampes ; on y a joint la concordance des
prix auxquels les éditions les plus rares ont été portées dans les ventes publiques faites
depuis cinquante ans , et l'évaluation approximative des Livres anciens qui se rencontrent
fréquemment dans le commerce de la Librairie ;
2°. UNE TABLE EN FORME DE CATALOGUE RAISONNÉ,
Où sont classés méthodiquement tous les Ouvrages indiqués dans le Dictionnaire, et un
grand nombre d'autres Ouvrages utiles, mais d'un prix ordinaire, qui n'ont pas dû être
placés au rang des Livres précieux.
PAR JACQ.-CHARLES BRUNET.

TROISIÈME ÉDITION, augmentée de plus de deux mille articles, et
d'un grand nombre de notes.

TOME PREMIER.

A PARIS,
CHEZ L'AUTEUR, RUE GÎT-LE-CŒUR, N° 10.
1820.

34,345
O.

NOUVELLES
RECHERCHES
BIBLIOGRAPHIQUES,

POUR SERVIR DE

SUPPLÉMENT

AU

MANUEL DU LIBRAIRE

ET DE L'AMATEUR DE LIVRES,

PAR

Jacq.-Ch. BRUNET,

ANCIEN LIBRAIRE.

TOME PREMIER.

A-E

PARIS.

CHEZ SILVESTRE, LIBRAIRE,

RUE DES BONS-ENFANS, 30.

1834.

34,345
R.

MANUEL
DU LIBRAIRE
ET
DE L'AMATEUR DE LIVRES,

CONTENANT :

1° UN NOUVEAU DICTIONNAIRE BIBLIOGRAPHIQUE,
Dans lequel sont décrits les Livres rares, précieux, singuliers, et aussi les ouvrages les plus estimés en tout genre, qui ont paru tant dans les langues anciennes que dans les principales langues modernes, depuis l'origine de l'imprimerie jusqu'à nos jours ; avec l'histoire des différentes éditions qui en ont été faites ; des renseignements nécessaires pour reconnaître les contrefaçons, et collationner les anciens livres. On y a joint une concordance des prix auxquels une partie de ces objets ont été portés dans les ventes publiques faites en France, en Angleterre et ailleurs, depuis plus de soixante ans, ainsi que l'appréciation approximative des livres anciens qui se rencontrent fréquemment dans le commerce ;

2° UNE TABLE EN FORME DE CATALOGUE RAISONNÉ,
Où sont classés méthodiquement tous les Ouvrages portés dans le Dictionnaire, et un grand nombre d'autres Ouvrages utiles, mais d'un prix ordinaire, qui n'ont pas dû être placés au rang des livres ou rares ou précieux.

PAR JACQUES-CHARLES BRUNET.

QUATRIÈME ÉDITION ORIGINALE, ENTIÈREMENT REVUE PAR L'AUTEUR, QUI Y A REFONDU LES NOUVELLES RECHERCHES, DÉJÀ PUBLIÉES PAR LUI EN 1834, ET UN GRAND NOMBRE D'AUTRES RECHERCHES QU'IL A FAITES DEPUIS.

TOME PREMIER.

A PARIS,

CHEZ SILVESTRE, LIBRAIRE, RUE DES BONS-ENFANTS. N° 30.

1842

montrant le très grand succès remporté par cet ouvrage.

MANUEL
DU LIBRAIRE
ET
DE L'AMATEUR DE LIVRES

CONTENANT

1° UN NOUVEAU DICTIONNAIRE BIBLIOGRAPHIQUE
Dans lequel sont décrits les Livres rares, précieux, singuliers, et aussi les ouvrages les plus estimés en tout genre, qui ont paru tant dans les langues anciennes que dans les principales langues modernes, depuis l'origine de l'imprimerie jusqu'à nos jours ; avec l'histoire des différentes éditions qui en ont été faites ; des renseignements nécessaires pour reconnaître les contrefaçons, et collationner les anciens livres. On y a joint une concordance des prix auxquels une partie de ces objets ont été portés dans les ventes publiques faites en France, en Angleterre et ailleurs, depuis d'un siècle, ainsi que l'appréciation approximative des livres anciens qui se rencontrent fréquemment dans le commerce ;

2° UNE TABLE EN FORME DE CATALOGUE RAISONNÉ
Où sont classés, selon l'ordre des matières, tous les ouvrages portés dans le Dictionnaire, et un grand nombre d'autres ouvrages utiles, mais d'un prix ordinaire, qui n'ont pas dû être placés au rang des livres ou rares ou précieux.

PAR JACQUES-CHARLES BRUNET
Chevalier de la Légion d'honneur

CINQUIÈME ÉDITION ORIGINALE ENTIÈREMENT REFONDUE ET AUGMENTÉE D'UN TIERS PAR L'AUTEUR

TOME PREMIER

PARIS

LIBRAIRIE DE FIRMIN DIDOT FRÈRES, FILS ET C°
IMPRIMEURS DE L'INSTITUT, RUE JACOB, 56

1860

MANUEL
DU LIBRAIRE
ET
DE L'AMATEUR DE LIVRES

SUPPLÉMENT

CONTENANT

1° UN COMPLÉMENT DU DICTIONNAIRE BIBLIOGRAPHIQUE
DE M. J.-CH. BRUNET
Avec renvoi de chaque article, déjà cité dans le dictionnaire, aux numéros de la table raisonnée ; la description minutieusement détaillée, d'après les originaux, d'un grand nombre d'ouvrages français et étrangers, inconnus de M. Brunet, ou négligés par lui comme ayant peu de valeur, ainsi qu'il rédigeait son Manuel, ouvrages fort recherchés et fort appréciés aujourd'hui. On y a joint une concordance des prix auxquels une partie de ces ouvrages ont été portés dans les principales ventes publiques de France et de l'Étrange, depuis quinze ans, ainsi que l'évaluation approximative des livres dont il n'a pas été possible de citer d'adjudication.

2° LA TABLE RAISONNÉE DES ARTICLES
Au nombre d'environ 10,000, décrits au présent supplément.

PAR MM. P. DESCHAMPS ET G. BRUNET

TOME PREMIER

A — M

PARIS

LIBRAIRIE DE FIRMIN-DIDOT ET C°°
IMPRIMEURS DE L'INSTITUT, RUE JACOB, 56

1878

Portrait de Charles Nodier, gravé sur bois d'après Tony Johannot, dans
les Français peints par eux-mêmes, tome III (Paris, Curmer, 1841) au chapitre
de l'amateur de livres dont le texte est précisément de Nodier :
« le bibliophile est un homme doué de quelque esprit et de quelque goût,
qui prend plaisir aux œuvres du génie, de l'imagination et du sentiment...
Il aime le livre comme un ami aime le portrait d'un ami, comme
un amant aime le portrait de sa maîtresse ».

sion chronologique toutes les révolutions qui affectèrent le champ du livre rare pendant un siècle et demi.

Toutefois, faire admettre la spécificité du phénomène bibliophilique nous semblant la tâche la plus urgente, nous tenterons, à travers deux études de cas, de montrer que sous son apparente absurdité peuvent s'ouvrir des voies conduisant à son intelligibilité. Les cas Nodier et Vandérem, retenus ici, nous paraissent les plus propres à cet effet.

▮ Nodier, bibliomane romantique

Les investigateurs de Nodier — historiens de la littérature ou critiques — le savent bien, il est aussi bibliophile. Bizarrerie sans conséquence, trait accidentel de sa personnalité ou aspect essentiel d'une âme complexe ? Jusqu'à présent, beaucoup s'en débarrassaient par une pirouette ou un haussement d'épaules. Mais les choses commencent à changer. L'un des plus intuitifs d'entre eux, Pierre-Jean Castex, les a mis au pied du mur : la bibliophilie de Nodier, a-t-il lancé, est « un de ses démons les plus obsédants ». L'obstacle désormais n'est plus contournable.

C'est au colloque du deuxième centenaire de la naissance de Nodier, tenu à Besançon sa ville natale, en 1980, que, pour la première fois, deux audacieux jouteurs sont entrés en lice, consacrant explicitement leurs communications à ce sujet délicat. La première de Jean-Rémy Dahan : *Nodier et la mort du livre* ; la seconde d'Albert Kies : *la Bibliothèque de Charles Nodier.* Faute d'avoir pris en compte le phénomène bibliophilique dans sa spécificité et son histoire propres, ces deux communications, quoique pleines de mérites de détail, sont erronées dans leurs conclusions et souvent même dans de nombreux maillons de leurs chaînes de raisonnement.

Au principe de l'erreur qui les ruine, le même contresens dirimant sur la nature du lien qui attache Nodier à ses livres et sur la nature de sa bibliothèque. La distinction bibliophile/bibliomane à laquelle s'attache Jean-Rémy Dahan, et bien qu'on la trouve développée par Nodier lui-même — nous y reviendrons —, n'est pas pertinente : Nodier est un bibliomane fieffé et d'ailleurs s'avouant pour tel, au moins quand il parle à ses pairs, « à (ses) confrères en bibliomanie ». Quant à sa bibliothèque, celle qu'on peut appréhender à travers les catalogues de 1827, de 1829, et surtout de 1844, ni Albert Kies ni Dahan, qui avance qu'elle constitue une approche de « la bibliothèque idéale », n'ont vu qu'elle n'était pas telle qu'un homme de lettres, si original fût-il, aurait pu ou aurait dû en rassembler une et dont l'analyse pourrait être éclairante sur ses lectures et son travail d'écrivain. C'est un « cabinet de raretés ou de curiosités bibliographiques », ce qui est tout autre chose et même d'une autre nature, et qui ne peut être jugé et apprécié que selon les règles d'un jeu très ésotérique et en restituant Nodier et son *cabinet* dans l'histoire du champ du livre rare. Ce qui ne veut pas dire que Nodier, écrivain, critique, penseur, primo, n'a pas disposé d'une bibliothèque adéquate et n'a pas trouvé à sa disposition les livres convenant à ses activités ; deusio, qu'il n'a pas puisé quelque chose de sa pensée, nourri quelques-uns de ses chefs-d'œuvre de l'usage de son cabinet.

Nous disposons d'un document, témoignage de premier ordre, très peu ou très mal exploité jusqu'à présent par les spécialistes de Nodier, sans doute parce que très difficilement interprétable pour des profanes en bibliophilie, la *Description raisonnée d'une jolie collection de livres* (1844). C'est la forme développée du *Catalogue de la bibliothèque de feu Charles Nodier* (1844). Elle s'en distingue par l'addition, après presque tous les ouvrages décrits, de notes et d'éclaircissements, par Nodier lui-même, à l'exception de quelques-unes, marquées de l'astérisque et qui sont de Georges Duplessis. « Ces notes, dit Nodier, semi-bibliographiques et semi-littéraires forment comme une espèce d'appendice au catalogue de mes livres. » On ne saurait sous-estimer leur importance ; elles sont d'après Techener, ami de Nodier, expert de la vente après décès, et éditeur de l'ouvrage sous ses deux formes « propres à faire connaître aux bibliophiles comment et à quel titre chacun des livres de cette bibliothèque a été admis

DESCRIPTION

RAISONNÉE

D'UNE JOLIE COLLECTION

DE LIVRES

(NOUVEAUX MÉLANGES TIRÉS D'UNE PETITE BIBLIOTHÈQUE)

PAR CHARLES NODIER

DE L'ACADÉMIE FRANÇOISE, BIBLIOTHÉCAIRE DE L'ARSENAL

PRÉCÉDÉE

D'UNE INTRODUCTION PAR M. G. DUPLESSIS

DE LA VIE DE M. CH. NODIER, PAR M. FRANCIS WEY

ET D'UNE NOTICE BIBLIOGRAPHIQUE SUR SES OUVRAGES.

PARIS

J. TECHENER, LIBRAIRE,

PLACE DU LOUVRE, Nº 12.

1844

Dans sa *Description raisonnée,* au moyen des notes et éclaircissements qu'il ajoute aux notices descriptives des livres de sa collection, Charles Nodier définit les règles de la « bibliophilie » telle qu'il l'entend. H. 218 mm.

à l'honneur d'y prendre place ».

Nous voudrions, nous appuyant principalement sur la *Description raisonnée,* montrer que, premièrement, ce qu'on appelle la bibliothèque de Nodier n'est pas à proprement parler une bibliothèque mais une collection de livres rares ou, plus précisément encore, un « cabinet de raretés ou de curiosités bibliographiques » ; qu'il faut prendre les mots de raretés et de curiosités au sens étroit et spécifique qu'ils recevaient dans les milieux spécialisés de l'époque ; en un mot, que Nodier est bibliomane et qu'il ne s'en cache pas ; deuxièmement, que la bibliophilie ou la bibliomanie — c'est tout un — de Nodier, loin d'être une manie négligeable, peut s'inscrire aisément dans l'organisation de sa personnalité, qu'elle en est une expression significative et profonde et que le lien qui attache « si follement » Nodier à ces raretés bibliographiques est un lien existentiel, et même un lien existentiel et romantique.

Ce n'est pas en gommant la bizarrerie ou l'apparente absurdité de cette démarche que nous trouverons chance d'y comprendre quelque chose. Voici quelques citations extraites de la *Description raisonnée* propres à faire saisir au lecteur profane les différences qu'il faut mettre entre le projet de Nodier et celui que pourrait avoir tout homme de lettres se constituant, pour son travail ou sa délectation, une bibliothèque de lecture. Toutes se rapportent à un exemplaire précis figurant dans le cabinet de Nodier. Le numéro est celui du catalogue.

> 163. Les amateurs de raretés et qui font passer la rareté avant tout dans la composition de leur cabinet et je me range volontiers de ce nombre...
> 937. Un de ces petits livres dont la valeur se mesure à leur rareté et non à leur mérite...
> 449. Ces ouvrages sont rares mais ils n'ont pas d'autres mérites...
> 589. Mon savant ami M. Brunet n'hésite point à le ranger (Le *Discours démontrant sans feinte*) parmi les plus plats et les plus insignifiants des rogatons de son espèce, ce qu'il aurait pu dire d'une manière plus générale et peut-être plus juste encore de toutes les rhapsodies dont nous sommes si fort entichés l'un et l'autre.

Nous pourrions aisément allonger la liste.

Albert Kies, dans la communication citée plus haut, s'étonne de ne pas trouver d'auteurs des Lumières dans la bibliothèque de 1844. Nodier répond, provocateur : « la *Fricassée crotestyllonnée* que je n'ai pas le bonheur de posséder et dont je donnerai, quand on voudra, un bel exemplaire de l'*Encyclopédie* avec les *Œuvres complètes* de d'Alembert et de Diderot par-dessus le marché... ». Ce qui ne veut pas dire évidemment que Nodier n'a pas accès à ces ouvrages ; peut-être les possède-t-il par ailleurs dans une autre bibliothèque, dont nous ne savons pas grand-chose, ou se contente-t-il de les emprunter ou de les consulter dans celles dont il a la garde ! L'idée, en tout cas, ne lui viendrait pas de les admettre dans son cabinet de raretés car, à ce moment, ni l'*Encyclopédie,* ni les œuvres de Diderot et d'Alembert, sous quelque forme que ce soit, n'appartiennent à la sphère du collectionnable, les amateurs de l'époque, même « inventeurs de raretés » comme nous verrons que peut l'être Nodier à ses heures, n'y décelant pas le moindre mérite bibliophilique.

Justification de la bibliomanie

Nodier n'a jamais nié s'être engoué jusqu'à la folie de petits « rogatons », de « misérables rhapsodies », de « curiosités infimes », etc. Et cependant, en dépit des apparences et de la relative incompréhension de pairs en bibliophilie aussi éclairés que Brunet (ou même que Rahir), on peut affirmer avec son ami Techener que « sa passion pour les raretés bibliographiques était une passion éclairée ».

Un des traits profonds de Nodier bibliomane est d'abord sa sensibilité obsessionnelle à la rareté. Pour lui toute rareté est miracle. « Comment, s'exclame-t-il à propos de l'une d'elles, s'en retrouve-t-il un exemplaire après deux cent vingt ans ? » Et il n'en finit pas de signaler et de recenser les facteurs de raréfaction : « Le hasard seul, dit-il, peut avoir sauvé quelques exemplaires des petits livres d'école », insistant toujours sur la rapidité incroyable avec laquelle disparaît le livre imprimé d'un « usage vulgaire », etc. Si chétif d'apparence et si pauvre et misérable de contenu qu'il puisse paraître d'abord, tout livre dont ne subsiste qu'une poignée d'exemplaires, voire un seul et unique, plonge Nodier dans le souci et lève en lui une inquiétude singulière. Inquiétude au fond de voir s'anéantir et disparaître à jamais quelque chose d'inaperçu et pourtant de vital. Et les raisons de cette inquiétude, qui se font jour à travers les si précieuses notules de la *Description raisonnée,* esquissent une justification de la bibliomanie, d'une force et d'une subtilité remarquables.

« Si on cherchait bien, écrit-il, on reconnaîtrait qu'il n'y a pas une des prétendues idées nouvelles qui n'ait été plus heureusement conçue dans les siècles précédents... mais il faut chercher. » Ménageons donc à nos neveux, à de meilleurs chercheurs, à des fouilleurs de vieux livres dotés d'organes de détection plus subtils que les nôtres, la chance de trouver et l'origine et la formulation plus « heureuse » des idées sur lesquelles nous tentons de vivre. C'est pourquoi il y insiste sans cesse, « l'exploration de bouquins dédaignés eux-mêmes est utile » et il admire « les moines du Moyen Âge (qui) ont eu le bon esprit de pressentir l'utilité des plus mauvais livres du monde ».

Mais se révèle bien plus vital encore le pressentiment de tout autre chose ; qu'au plus caché d'une de ces petites raretés, si menacées de disparition, un lecteur doué des antennes adéquates pourrait, l'attisant de sa ferveur, ranimer la braise mourante de l'unique flambeau par le moyen duquel nous conservons chance de découvrir la très souterraine galerie conduisant au paradis perdu, au pays de la langue des origines, fondamental et unique souci de Nodier. Certaines, beaucoup des petites raretés, sauvées par Nodier, selon des procédures spécifiquement bibliophiliques, que nous allons révéler, le furent pour cette unique raison : il y avait détecté quelque chose, ô ! paradoxe, « que les livres ne disent point ».

Et ce que « les livres ne disent point » c'est le « témoignage vivant », « d'une langue animée » qui « fortifie », la langue originelle, la langue nourricière, la langue des enfances du pays, etc. Nodier, son ami Francis Wey le rappelle précisément dans la préface de la *Description raisonnée,* est toujours à l'affût de « l'histoire et du secret génie de notre idiome ». Or, en explorant ces raretés, il a trouvé souvent et, alors, elles lui sont devenues infiniment chères, un peu de cette langue originelle, fut-ce, et c'est presque toujours le cas, à l'état de traces ou de bribes infinitésimales : un mot, une expression, un tour, un proverbe, l'accent restitué d'une vieille et très locale prononciation. « Car, dit-il, la langue animée qui entretient, qui fortifie, qui accélère le mouvement social, ce n'est pas la langue des livres et des salons, c'est la langue de la rue. »

Le secret de notre idiome, l'âme de notre langue, et même, il le pense profondément, le génie national — obsession romantique — et accessoirement le génie des autres nations — le temps est loin de « l'ambitieuse chimère d'une langue universelle » — gît, selon Nodier, enfoui et à l'état de traces, au fond de livres oubliés ou dédaignés des clercs, sous la couche de cuistrerie dont les ont recouverts les ennemis du génie tout oral de notre langue qui sont — il les convoque souvent au tribunal de l'histoire — le progrès, la science, la pédanterie, l'instruction publique, l'écriture et l'imprimerie (oui, la lettre a tué l'esprit), etc. Car le passé national, dans ce qu'il a de plus original et originel, c'est notre idiome à sa phase orale, et les témoins de cette phase sont précisément ce que les « livres ne disent point », sauf, si l'on « cherche bien », certains seulement d'entre eux, très souvent sans autre mérite et pour cela sur le point de disparaître, où subsiste quelque chose par exemple de la langue triviale des basfonds ou des Halles... « L'Académie a supprimé beaucoup des manières de parler triviales et grossières... mais une phrase française à l'usage de la plus mauvaise compagnie n'en reste pas moins française et le chaste dédain des puristes ne diminue en rien son autorité comme fait et témoin de notre langue »... Des livres absurdes comme beaucoup de ces traités du XVIe en matière de système d'écriture et de réforme de l'orthographe « ont eu cependant un résultat intéressant. Ils nous ont conservé des témoignages vivants de la prononciation française du XVIe siècle, dans la province française de chacun de ces fougueux néographes... il n'y a point de mauvais livres où l'on ne puisse trouver quelque chose à apprendre ». À propos du *Cosmopolite,* recueil considéré comme si scandaleusement érotique, il parle

Sous la forme d'un conte écrit dans un style imagé, cet article de Nodier paru dans le *Bulletin du bibliophile* est une vibrante défense des patois, un des thèmes favoris de Nodier. H. 204 mm.

355

LES ESSAIS

D'UN

BOBRE AFRICAIN,

SECONDE ÉDITION,

Augmentée de près du double,

ET DÉDIÉE

A MADAME BOREL JEUNE,

PAR F. CHRESTIEN.

Ile Maurice.

IMPRIMERIE DE G. DEROULLEDE & Cᵉ,

IMPRIMEURS DU GOUVERNEMENT.

◈

M DCCC XXXI.

Petit et rarissime livret en créole de l'Ile Maurice.

de « monuments toujours vivants du langage », etc.

Les patois, les argots, les langues des métiers et de la rue, des enfants et des esclaves, les jeux de langage, ou le style familier et naïf « des relations de nos missionnaires »... il les traque, les débusque et les piège. Il les veut « vivants » — le mot revient jusqu'à l'obsession — et il connaît les espèces en voie de disparition. À propos d'un petit et rarissime livret en créole de l'île Maurice, *les Essais d'un bobre africain,* il écrit ceci : « le créole ressemble à la langue des petits enfants et c'est à peu près la même chose au point de vue philosophique... l'émancipation des esclaves émancipera selon toute apparence la langue dont ils se servent et le créole périra un jour avec sa grâce mignarde et ses blandices enfantines. Il est donc de quelque importance d'en conserver les monuments et il en restera bien peu car les nègres comme les enfants ne passent guère leur temps à faire des livres ».

Au fond de ces petits livres, un au-delà ou un en deçà de la culture livresque, académique, murmure comme une source de poésie primitive, naïve et populaire. Ils nous permettent d'accéder à cette nappe d'eau pure, source vitale, que la science est en train de troubler, d'altérer et d'assécher. Tout ce qui nous y relie encore, nous en parle ou l'évoque doit être pieusement préservé.

Mais, direz-vous, Nodier n'a-t-il pas collectionné autre chose ? N'a-t-il pas été un des premiers, sinon le premier, à rassembler les éditions originales de nos classiques ? En effet, mais précisément, pour des raisons qu'on peut aligner avec les précédentes. L'âme de la langue, n'est-ce pas les classiques qui nous l'ont le mieux conservée ? Et ceux qu'admire d'abord Nodier ne sont-ils pas de la race de ceux que nous appellerions volontiers les oiseleurs, ceux qui ont capturé, élevé et rétabli dans le droit fil, dans le droit vol de la langue, les mots si vivants des terroirs et du vieux langage : Rabelais, La Fontaine, Perrault au premier chef ? Ces écrivains, qui possèdent le génie de la langue contre tout académisme, purisme ou cuistrerie, sont du côté de Nodier, car la première et capitale stratégie de conservation et de fortification de la langue, aujourd'hui, c'est l'écriture, quand on a du génie.

Si les classiques l'intéressent, c'est qu'ils ont bu, mieux que d'autres, à la source de la langue originelle. Ils ont rapatrié et maintenu dans la langue vivante les beaux vocables égarés.

Une autre contribution au colloque de Besançon dont nous n'avons pas encore parlé, très pénétrante et très intuitive et bien que son propos fût tout autre, touchait, croyons-nous, d'assez près à ce qui nous occupe ici, celle que Béatrice Didier consacrait au conte de Nodier, *l'Amour et le Grimoire.* Par beaucoup de côtés, l'auteur s'approchait d'un Nodier habité par les mêmes hantises que celles que nous avons cru déceler au cœur de sa bibliomanie : la quête obstinée, obsessionnelle « d'une langue perdue, langue d'un autre âge, langue du paradis ». « Le narrateur, dit-elle, qui, presque toujours dans les *Contes* de Nodier, devient une figure déléguée de l'auteur, ne possède pas le plus souvent ce langage inné : il est entraîné dans la recherche d'un manuscrit ancien ou d'un très vieil imprimé, d'un grimoire qui serait porteur du langage originel... la recherche de la langue première devient essentiellement la recherche d'un texte. Quête mythique, sinon mystique... Faute de pouvoir vraiment retrouver la langue première, retrouver au moins le Livre détenteur de langages très anciens. »

Béatrice Didier insiste également sur l'intuition centrale de Nodier : si des traces d'un langage de la transparence existent encore quelque part, c'est dans la tradition orale qu'il convient de les aller chercher. C'est ici, à notre sens, que la bibliomanie de Nodier est essentiellement romantique, d'un romantisme qui procède des grands modèles allemands. Écoutons Jean-Paul : « Notre langue baigne dans une abondance si belle qu'il lui suffit de puiser en elle-même et d'exploiter le minerai de trois riches veines, à savoir les diverses provinces, l'ancien temps, la langue concrète des métiers... il faut rouvrir les mines d'or cachées du trésor linguistique vieil-allemand. »

Retenons donc ceci : 1) il faut explorer les « bouquins », tous ces livres oubliés ou négligés, parce qu'ils peuvent, quelques-uns, l'un d'entre eux peut, si chétif, si misérable soit-il de contenu ou d'apparence matérielle, receler une perle, un éclat de cette lan-

gue originelle ; 2) et par priorité, parce qu'il y a urgence, les plus rares d'entre eux ; 3) mais cette rareté n'est pas évidente. On ne connaît la rareté d'un livre que lorsqu'il est consacré, qu'après que la communauté bibliographico-bibliophilique l'a distingué, c'est pourquoi, pense Nodier, il est vital à la société de faire connaître les facteurs de raréfaction des livres. Il y a par nature des types de livres plus menacés que d'autres et, là, Nodier possède les antennes les plus frémissantes. La bizarrerie apparente des sujets de ses chroniques bibliophiliques ou des titres des livres de son cabinet disparaît si l'on garde en tête ce qui fut sa préoccupation constante : les livres menacés sont, d'abord, ceux destinés aux usages les plus vulgaires et de présentation matérielle la plus misérable — ceux destinés au peuple, aux enfants, aux petits métiers, les brochures de circonstance, les livres de fous, de rêveurs, d'incompris, de maudits, tous ceux que le mépris des contemporains a rejetés, que les autorités ont poursuivis, tous ceux sur lesquels les philistins, les pédants, la morale, les puristes, le « progrès », les académies, etc. ont jeté leur manteau de fausse pudeur et de cuistrerie.

Modes et procédures de sauvetage

Mais là où éclate toute l'originalité de Nodier bibliomane, c'est dans le mode et les procédures de sauvetage mis en œuvre. Nodier, croyons-nous, est le premier à y recourir consciemment : un livre, pense-t-il, n'est sauvé — et c'est d'autant plus vrai qu'il est plus misérable de contenu ou d'apparence matérielle — qu'autant que l'instance bibliophilique l'a pris en charge. Il travaille donc de tout son talent à faire entrer dans la sphère bibliophilique, à inscrire dans le domaine du collectionnable consacré, tout livre qui lui est cher. Ce domaine est un espace de survie qu'il faut faire gagner aux livres menacés de disparition. La bibliophilie est instance de consécration et plus sûr asile pour l'immortalité que l'érudition. Nodier a pressenti là l'existence d'un mécanisme social très secret : tout objet « déchu » n'a de chances d'être sauvé — et c'est valable pour les livres (voir *Histoire de*

Les nouvelles bibliophilies

l'édition française T. II, p. 467) — que transfiguré en objet de collection. Or pour les livres, la communauté bibliophilique dispose primordialement de ce pouvoir consécrateur. Car elle consacre indissociablement le texte et le support, le message et le médium. Mais on ne manipule pas cette communauté. Pour consacrer il faut y être reconnu, c'est-à-dire être considéré dans ce champ spécifique comme une autorité.

Nodier dut faire ses classes. Dès l'adolescence à Besançon, un de ses meilleurs amis est un jeune libraire spécialisé, Deis. À Paris, dans la coulisse de la grande librairie, il gagne tout simplement de quoi vivre. Il se fait rabatteur de livres rares, d'abord semble-t-il pour l'un des libraires les plus avisés de l'ancienne génération, le vieux et subtil Chardin, qui, écrit Nodier à son ami Weiss, « a pour 100 000 écus de livres, en quinze ou dix-huit cents volumes ! » Puis, sans doute aussi pour les Debure, pour Merlin, et certainement pour Techener qui lui permettra de donner toute sa mesure en acceptant sa proposition de lancer le *Bulletin du bibliophile* (1834). Nodier a alors cinquante-quatre ans. De 1834 à sa mort (1844), académicien, conservateur à l'Arsenal, du haut de cette tribune où l'a hissé le libraire dominant de la génération, il va pouvoir tenir le discours bibliophilique qu'attendent de lui « ses pairs en bibliomanie ».

Mais son autorité, comme Renouard, il la tiendra surtout de sa propre collection. Les grands collectionneurs, ceux qui précisément « consacrent », ne l'admettront dans leur cercle qu'autant qu'il jouera leur jeu. D'où, dans son cabinet, un autre aspect, apparemment conformiste. Nodier fut très largement aussi un collectionneur de son temps, et sa part d'originalité, très réelle, ne fut tolérée que parce qu'il avait réussi à être admis à la table des barons où il jouait très carrément sa partie.

Car, un exemple va le montrer, la bibliophilie est un jeu, un jeu vital, mortel comme tous les jeux. Écoutons le sociologue Pierre Berloquin :

Une fois défini et équilibré, un jeu existe, se développe par lui-même, pour structurer dans son environnement du matériel, de l'espace, des joueurs, des stratégies... le cœur du jeu : sa règle. Traditionnellement la règle est à la fois ce qui constitue le jeu dans sa structure et ce qui en défend l'accès ou le rend difficile. Lire la règle ou se la faire expliquer, la comprendre et l'intégrer est un cap difficile à passer. Qui n'a pas, une fois dans sa vie, renoncé à pénétrer dans un jeu incompréhensible ?... Pour chaque grand jeu il n'y a pas de familles ou de cercles qui n'ait sa manière propre de le jouer avec des détails originaux, petits mais essentiels pour la physionomie de la partie.

Tâchons de faire admettre qu'il en va ainsi de la bibliophilie et plus précisément de celle de Nodier ; qu'il s'est engagé dans une partie — elle pourrait être infernale — très serrée, avec des partenaires désignés, ceux qu'il s'est donnés, ceux avec qui il juge digne et excitant, exaltant de se mesurer : une poignée d'amateurs parisiens, ses pairs en bibliophilie ou en bibliomanie comme vous voudrez ; qu'il se soumet à la règle, à des règles, non écrites mais très contraignantes.

Il voudrait avoir un Virgile. Pour des raisons que vous ne devinerez pas. Tenons-nous-en pour l'instant à ceci : il cherche un Virgile. Conservateur de la bibliothèque de l'Arsenal et bibliographe de vocation et d'état, il pourra, pensez-vous, décider de la meilleure édition, à cette date, de la mieux établie, de la plus pertinente philologiquement parlant. Évidemment. Eh bien ! en toute connaissance de cause, quelle édition choisira-t-il ? Ouvrez votre Brunet, V, 1296, qu'y lisez-vous ? La meilleure à cette date, le chef-d'œuvre de la critique et de la philologie classique, le fameux Virgile de Heyne, qui vient précisément d'être porté, dans sa quatrième édition, revue et complétée par Eberard et Wagner, à un point de perfection admirable, paraît de 1830 à 1841, en cinq volumes grand in-8°. Elle déclasse, dit Brunet, toutes les éditions antérieures. Or, nous apprend Techener, « Nodier ne voulait que le Virgile dit « des amateurs », le Virgile Elzevier de 1636, beau, grand et s'il eut été possible dans sa vieille reliure. Il n'en a jamais trouvé un digne de sa bibliothèque, tel qu'il le rêvait, tel qu'il le connaissait dans quelques cabinets d'amateurs de Paris ».

Pourquoi le Virgile elzévirien ? Parce que, dans la collection des elzévirs, « cette classe de livres qui fixe si particulièrement, depuis plus de cent ans, l'attention des amateurs », le Virgile de 1636 est un morceau de roi. Ajoutez que les elzévirs sont très nombreux dans sa collection de 1844. Les notices les décrivant n'omettent jamais d'en donner la hauteur en millimètres.

Nodier ainsi, vous l'entendez bien, est un amateur de livres rares. Il veut donc le Virgile « des amateurs », le Virgile qui est reçu au sein du cercle étroit des collectionneurs comme celui qu'il faut avoir, et il n'envisage pas un instant de faire figurer dans son « cabinet » un exemplaire qui ne présenterait pas au moins les mêmes mérites bibliophiliques qu'offrent ceux qu'il connaît (et dont il rêve !) dans les « cabinets d'amateurs » parisiens, ses rivaux. Sans doute le lexicographe Nodier, s'il veut éclaircir un point de philologie virgilienne, recourra très naturellement aux éditions critiques reconnues, il les a sous la main à l'Arsenal, mais de là à les faire figurer dans un cabinet de raretés bibliographiques...

Si Nodier ne s'était pas tout entier impliqué dans ce jeu, s'il n'avait pas su se faire admettre par la haute bibliophilie de son temps comme partenaire à part entière et jouant sa partie selon la règle admise, jamais son discours et partant, la part d'innovation et d'originalité qu'il contenait, n'eût été reçu par la communauté bibliophilique.

Mais il ne suffit pas d'avoir réussi à inscrire un livre dans la sphère bibliophilique, de l'avoir confié à l'instance consécratrice, encore faut-il faire en sorte qu'il s'y maintienne. Nous l'avons dit, la sphère bibliophilique n'est pas de contenu immuable. Des classements et des déclassements y adviennent continuellement. Nodier le sait mieux que personne et deux précautions lui semblent indispensables : contrôler les réimpressions et souligner les mérites matériels des exemplaires, voire les en pourvoir.

Poussant — ne disons pas à l'absurde — mais à la limite sa belle logique bibliomaniaque, il soutient d'abord ce hardi paradoxe que la réimpression d'un livre rare nuirait à sa fortune, compromettrait son sauvetage. Si on le réimprime, on le banalise, on le soustrait alors à la convoitise des bibliomanes qui s'en détournent ; par-

tant, il disparaît de la sphère bibliophilique, retourne au rang de bouquin
sans visage et sans prestige, courant de
nouveau tous les dangers qui menacent
les livres que n'entourent pas de leur
ferveur maniaque les collectionneurs-
sauveteurs. Par ailleurs, il sait parfaitement ce qui attache durablement les
amateurs à leurs livres : « les livres précieux se recommandent au caprice,
hélas ! et à l'affection des amateurs par
quelque circonstance particulière, ordinairement matérielle : l'antiquité de
l'impression, la beauté des caractères,
la réputation du typographe, l'ampleur
ou le choix du papier, la rareté des
exemplaires, la pureté de leur conservation, l'élégance ou la somptuosité de
leurs reliures. C'est sur ces puérilités
charmantes, dont il ne faut pas se
moquer, que repose l'innocent bonheur du bibliomane ». Aussi Nodier
ne manquera-t-il jamais de signaler, de
souligner — très poétiquement — les
mérites de cet ordre que pourraient
présenter tel ou tel livre, tel ou tel
exemplaire et, très singulièrement,
ceux de son propre cabinet. Mais plus
délibérément encore il s'est attaché à
pourvoir ses « petites raretés », surtout
quand elles s'étaient présentées à lui
dans leurs haillons de gueuserie, des
reliures les plus exquises ou, selon les
cas, les plus somptueuses. Faire habiller avec raffinement telle plaquette
presque inconnue, c'était lui conférer
un statut bibliophilique visible ou,
tout au moins, le pourvoir de ces sortes
d'attraits auxquels les bibliophiles ne
résistent pas.

« Un vieux livre, dit-il, dans la
forme délabrée et disgracieuse que lui
a donnée le temps, resterait souvent
dédaigné ; rajeuni par la main habile
de Bauzonnet et de Duru, il a presque
le prestige d'une résurrection. » Ainsi
des 1 254 numéros décrits dans la *Description raisonnée,* pas moins de 652,
soit 52 %, sont rhabillés par un des
grands relieurs admirés de Nodier et la
plupart sur ses instructions ; elles sont
principalement signées de Koehler
(203), de Thouvenin (118), de Bauzonnet (124), de Thomson (118), de
Duru (114), etc.

La gloire et le prestige de Nodier
auprès des bibliophiles français ont été
durables et durent encore. Les livres
ayant fait partie de son cabinet ont été
et sont toujours convoités. Pas toujours

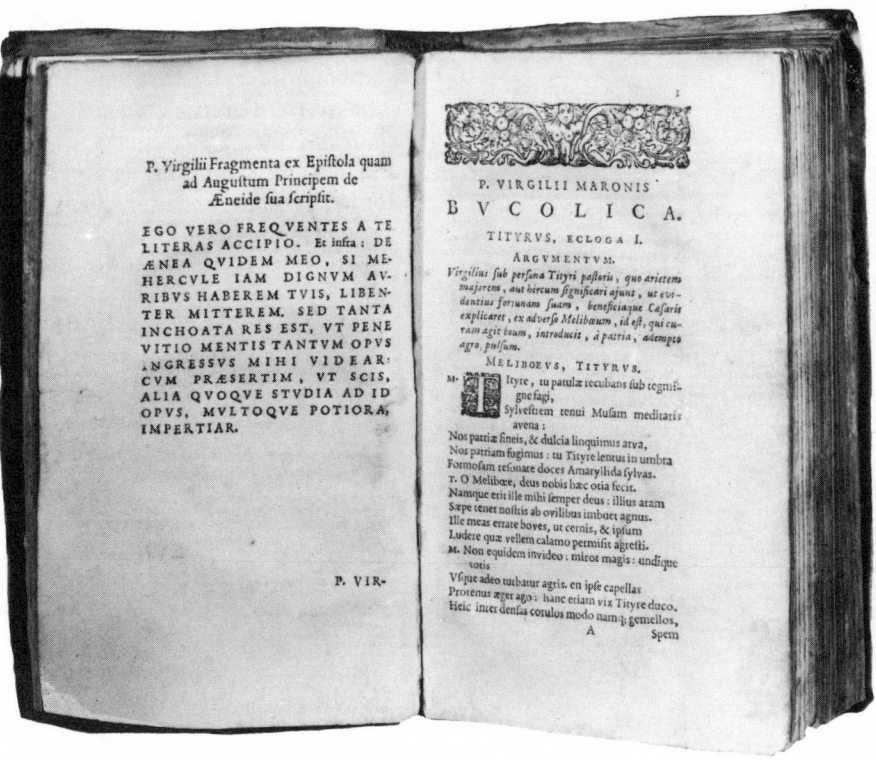

Le Virgile dit « des amateurs », édition Elzévier de 1636,
dont Nodier avait vu des exemplaires dans certains cabinets
d'amateurs et qu'il souhaita toujours avoir dans sa propre
collection, sans jamais trouver l'exemplaire idéal... H. 134 mm.

toutefois pour les raisons qui y attachaient Nodier. Ce qu'il avait d'ailleurs pressenti. Aussi, dans cette crainte, les avait-il dotés d'attraits propres à les « recommander au caprice » des amateurs les moins aptes à entrer dans ses si subtiles et névrotiques raisons. Il a ainsi gagné son pari : faire traverser le temps à ses frêles embarcations en les confiant à des nochers, très au fait des courants et des écueils, mais souvent ignorants de la nature réelle de la cargaison.

Mesurer son influence sur les bibliophiles n'est pas simple. Il est vrai qu'une de ses notules d'éloge peut avoir suffi à maintenir dans la sphère bibliophilique tel livre qui depuis n'a pas trouvé d'autre défenseur. Vrai également que des cabinets de petites raretés, de curiosités dans tel ou tel ordre, se sont constitués dans son sillage ; les « petits romantiques » d'Asselineau, en sont, au dire même de celui-ci, une transposition dans un autre registre. Mais pour ce qui est du choix des textes, on le suivit principalement comme collectionneur d'éditions originales de classiques et « petits classiques » presque essentiellement du XVIIe siècle. C'est cependant plutôt dans l'attention apportée aux exemplaires que son influence fut sans doute déterminante. On lui fait souvent grief, aujourd'hui, d'avoir durablement détourné les amateurs français de la condition d'époque au profit de ces rhabillages luxueux de style « rétrospectif », qui furent en vogue dominante de 1830 à 1880 environ. C'est là qu'il faudrait nuancer. Il réussit, en effet, à convaincre Thouvenin, le relieur alors à la mode, d'abandonner — au moins pour l'habillage des livres anciens — sa première manière qui était résolument moderne, pour des reliures « éclectiques » qui ne sont pas à proprement parler des pastiches mais évoquent — un peu comme l'architecture des châteaux de René Hodé — les styles du passé, principalement du XVIe (« fanfares ») et du XVIIe siècle (« fers filigranés »), etc. Rappelons à sa décharge qu'au moment où il opérait ainsi, d'une part la surabondance des « bouquins » que rien ne distinguait les uns des autres décourageait les amateurs et que, d'autre part, le style « éclectique » qui est alors le style dominant dans tous les arts offrait seul la chance de retenir l'attention des bibliophiles contemporains : on cassera encore des Bozérian, des Courteval, des Purgold, etc. en 1880 !

Ce qu'il faut comprendre c'est que la masse des suiveurs eut rarement son tact, et qu'elle systématisa ce qu'il appliquait avec maîtrise et mesure ; Nodier n'était pas, loin de là, hostile à la condition d'époque ; il souhaitait simplement qu'elle fût assez irréprochable ou assez luxueuse, ou de provenance assez illustre — selon évidemment les critères de son temps — pour attacher durablement les bibliophiles, ce qui l'obligea à fixer la barre assez haut parce que, à l'époque où il s'exprime, un livre ancien dans le simple appareil de sa reliure banale n'a presque aucune chance de retenir l'attention, partant d'être pris en charge par la communauté bibliophilique.

Vandérem et la Bibliophilie nouvelle

De 1922 à 1939, d'une guerre à l'autre, une vie nouvelle, ardente, enthousiaste, querelleuse, anime le *Bulletin du bibliophile*. Le nombre des abonnés monte en flèche, le courrier des lecteurs s'enfle, les polémiques — parfois très vives — se multiplient et, surtout, de sérieuses perturbations doctrinales ébranlent les vieilles convictions : jamais, même au temps où Nodier l'enchantait de ses subtiles chroniques, le *Bulletin* n'a montré un tel entrain, n'a vécu sur un tel rythme.

Le mérite de cet épisode emporté de l'histoire de la bibliophilie française revient tout entier à Fernand Vandérem. En 1922, Henri Leclerc, libraire-expert, propriétaire de la revue, lui en a confié la direction. Homme tout autre et venu d'un tout autre bord que Georges Vicaire, son prédécesseur, Vandérem n'est ni un érudit, ni un bibliographe patenté. C'est un écrivain, romancier sans succès et chroniqueur littéraire apprécié, qui s'est taillé dans le petit monde spécialisé de la librairie ancienne la réputation d'un amateur fin mais paradoxal. L'aplomb de ses oukases et la causticité de son esprit en ont fait une manière de personnage. À la tête du *Bulletin*, il va révéler et déployer tous les

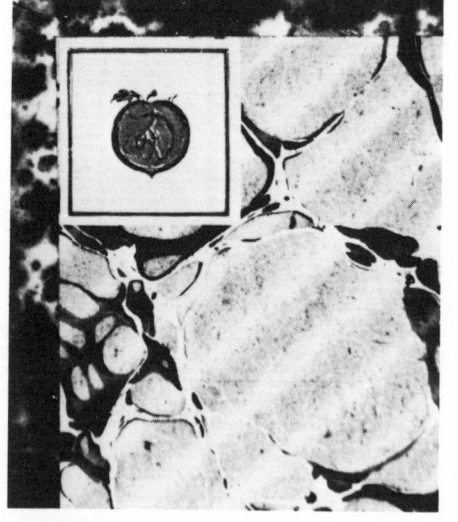

Ex-libris de
Fernand Vandérem.

talents d'un incomparable animateur.

Au sortir de la Grande Guerre, l'ébranlement des valeurs est général ; le temps est venu des révisions déchirantes. Plus d'insolence que jamais brille dans les yeux des jeunes gens à l'égard des aînés et des choses en place. Le champ du livre rare n'échappera pas à sa remise en cause. C'est Vandérem qui embouche les trompettes de Jéricho. Le titre même qu'il va bientôt donner au recueil de ses premières chroniques, la *Bibliophilie nouvelle,* postule bien une ancienne bibliophilie et l'intention de la déclasser et de la discréditer. Il y a de la subversion dans cette entreprise.

Au principe de la réflexion, de la doctrine et de l'action militante de Vandérem, cette conviction forte, non écrite mais évidente à tout lecteur attentif : la bibliophilie est la pointe suprême d'un art de vivre raffiné, celui de l'homme du monde accompli, c'est-à-dire cultivé et esthète. La bibliophilie est un dandysme au sens noble du mot. D'où l'importance véritablement totémique accordée, par le nouveau clan, à la figure de Baudelaire considéré comme l'emblème de la modernité dans les lettres et les arts, et consubstantiellement l'attention fine et pointilleuse portée à l'habillage des exemplaires.

Toute l'entreprise de Vandérem peut se comprendre comme un recentrage et un aggiornamento littéraires de la bibliophilie. Quand il prend en mains le *Bulletin du bibliophile,* la considération des éditions originales littéraires — au moins pour ce qui est des textes —, romantiques et modernes, est loin de l'éminente dignité à laquelle elle accédera bientôt. Évidemment les collectionneurs d'éditions originales existent, mais ils agissent en ordre assez dispersé, sans guide et sans doctrine et n'occupent dans le champ du livre rare qu'une position dominée. Il faut rappeler que le goût, la ferveur des bibliophiles pour ce type de livres — tout constitutif qu'il puisse paraître au profane de la définition même de la bibliophilie — sont relativement récents. Elles n'ont pas encore reçu toutes leurs lettres de noblesse. Elles ne se sont agrégées à ce que nous appelons la sphère bibliophilique (le domaine du collectionnable) qu'assez tardivement et alors même que le champ du livre rare était parfaitement structuré, fonctionnant autour d'autres types de livres. Leur entrée n'y remonte qu'aux années 1840-1850, et encore ne furent longtemps acceptées et considérées que les éditions originales des grands classiques du XVIIe siècle qui atteignirent, à partir des années 1860, des prix très élevés. Les rejoignirent bientôt les grands auteurs du XVIe et principalement les poètes de la Pléiade. Quant aux romantiques, ils durent attendre les années 1880-1900 pour se voir accorder quelque attention. En 1920, le marché s'organise principalement autour de deux pôles. D'une part, la haute bibliophilie dominée par la puissante et patriarcale figure du libraire Édouard Rahir, qui règne sur les collectionneurs de livres anciens précieux, maintenant la tradition de la grande curiosité des Debure, Barrois, Techener, Potier, Morgand et, d'autre part, le clan de ce qu'on pourrait appeler les « béraldistes » pour qui — ils l'ont proclamé non sans provocation et triomphalisme — « la bibliophilie n'est qu'un bibelotage comme un autre ». Pour eux, les livres sont d'abord des objets, artefacts intéressants comme tels, et l'attention portée à la typographie, à l'illustration ou à la reliure peut dominer ou écarter toute prise en compte du texte.

Ainsi, le « vrai bibliophile », type accompli du nouveau converti selon le mot de Vandérem, constitue « une bibliothèque » non « une collection d'objets anciens », ce qui assez spécieusement le distingue des clients de Rahir, et encore moins une « collection de plats », au contraire des « béraldistes », collectionneurs de reliures sans considération des textes recouverts.

La « bibliothèque » du « vrai bibliophile » est exclusivement d'éditions originales littéraires, étroitement anthologique et résolument moderne. Moderne étant ici le mot clé qu'il faut entendre au sens baudelairien du terme. Dandy dans le choix des textes qu'il approche avec l'indépendance de jugement et la liberté de goût d'un homme animé par « l'esprit poétique moderne », c'est à l'aune de la sensibilité nouvelle que le « vrai bibliophile » entreprend de réévaluer et de réapprécier le patrimoine littéraire français. Lecteur fin et personnel, il ne se règle que sur son goût et ne retient que ce qui reste, à

Portrait de Fernand Vandérem (1864-1939), extrait des *Figures contemporaines tirées de l'Album Mariani.* 11e vol. Paris, Floury, 1908.

Chroniques de Fernand Vandérem, extraites du *Bulletin du bibliophile* et publiées sous le titre significatif de *La Bibliophilie nouvelle*.

son sens, lisible et vivant. Loin de lui l'idée, si fréquente aujourd'hui, de s'en remettre quant au choix des textes à ces sortes de palmarès élaborés par des instances culturobibliophiliques, tel le *Grolier Club,* assignant aux amateurs un programme de cases à remplir. Cette bibliophilie de table d'hôte n'est pas son fait. Le bibliophile assisté, d'ailleurs, est la bête noire de Vandérem qui n'a pas de mots assez durs pour stigmatiser les « manuelistes », type de bibliophiles collectionnant selon les jugements des « sorbonnards » les Lanson, Brunetière, Petit de Julleville, etc. Haro également sur ceux qui ne quittent pas des yeux le baromètre des enchères. Il faut lire le long article qu'il consacre aux premiers signes de la grande crise économique : on peut y lire en filigrane que, pour Vandérem, le « vrai bibliophile » comme le scout sous la pluie « sourit et chante dans les difficultés » ; il se réjouit même de l'effondrement des cours qui va lui permettre de recueillir à bon compte la défausse du spéculateur déçu.

Ne s'en tenant qu'aux chefs-d'œuvre, aux « phares » littéraires le « vrai bibliophile » n'a que mépris pour le petit goût ou les goûts spéciaux. Il renvoie aux oubliettes les curiosités et raretés bibliophiliques si chères à Nodier et, d'autre part, les auteurs ou textes ne présentant que des mérites secondaires, historiques, folkloriques, anecdotiques, etc. Ainsi son goût pour les « petits romantiques » condamne Asselineau sans appel.

Le domaine du collectionnable — à savoir l'ensemble des livres reçus à un moment donné, dans un groupe donné, comme digne d'être collectionnés — est l'une des données fondamentales de l'histoire du champ du livre rare. Il n'a pas été constitué une fois pour toutes. Il n'est pas immuable. Il a varié dans le temps et, selon toutes probabilités, il variera encore. Agrégations et délestages continuels jalonnent son histoire et ont modelé sa physionomie actuelle. Aux historiens de la bibliophilie d'en dessiner les contours successifs et de rendre compte de ses métamorphoses. À ce titre, le passage de Vandérem au *Bulletin du bibliophile* est éclairant et offre de ces phénomènes une image accélérée. Affirmant et affichant ses goûts, s'exprimant au nom de la sensibilité nouvelle

et s'abritant derrière le masque oraculaire de Baudelaire à qui il emprunte beaucoup de ses plus heureux jugements, Vandérem a tenté d'agréger au corps consacré nombre de textes, à ses yeux « négligés ». L'admiration déclarée de Baudelaire pour, par exemple, *les Liaisons dangereuses* ou les romans de Custine n'avait pas suffi à convaincre les bibliophiles ; Vandérem, lui, aura plus de succès. Il faut dire que les ouvrages de Baudelaire lui-même ne trouvèrent un fervent collectionneur que dans l'immédiat avant-guerre : Parran, dont l'approche bibliophilique impressionna tellement Vandérem. C'est d'ailleurs en Parran qu'il faut voir la grande figure inspiratrice de la *Bibliophilie nouvelle.* La postérité bibliophilique a ratifié beaucoup des choix de la chronique « livres négligés » : *Ubu roi* de Jarry, la *Revue fantaisiste* (contributions de Baudelaire et eaux-fortes de Bresdin), le *Nouveau Tableau de Paris* de Mercier, les *Grands Jours d'Auvergne* de Fléchier, etc., mais elle a, plus ou moins poliment, récusé des propositions de déclassements trop visiblement dictés par de mauvaises haines personnelles ou des répugnances de bel esprit. Vandérem détestait George Sand et Nodier, par exemple, ou tenait pour indigne d'un lettré d'accorder importance aux romans d'Alexandre Dumas !

Les annales de la bibliophilie ont surtout retenu, comme exemplaire de son entreprise, l'affaire insensée dite des « préfaçons belges ». Au début des années 1920, les bibliophiles français assistèrent à l'irruption dans leur ciel de sortes d'ovni bibliographiques, les éditions belges d'auteurs romantiques français. La soudaine évidence que nombre de celles-ci, déconcertants témoins imprimés véhiculant souvent des textes majeurs, avaient priorité de date sur les éditions originales consacrées jeta le désarroi dans les rangs des amateurs et des libraires. Quant aux bibliographes appelés à la rescousse, soit manque de rigueur dialectique, soit vertige d'une polémique passionnée, ils se montrèrent incapables de les identifier correctement — d'où des turbulences terminologiques, qui durent encore, et l'ébranlement d'une des notions capitales de la bibliophilie française, celle d'édition originale.

Vandérem orchestra tout ce tumulte,

s'entêta pour les « préfaçons », entretenant et attisant une guerre tout à fait picrocholine !

Avant leur publication en volume — la coutume est presque générale à l'époque — les romanciers publient leur texte en feuilleton. D'après ce texte imprimé des journaux ou revues, les imprimeurs belges composent à la hâte, s'arrangeant pour devancer la publication en volume de Paris. Que valent ces éditions ? Les textologues aujourd'hui ont tranché. Aucun d'entre eux n'entreprendrait une édition critique d'un texte à partir d'une « belge ». L'histoire reconstituée des étapes de la transmission des textes les condamne absolument. Copie, souvent altérée comme chaque fois qu'il y a recomposition typographique, elle n'offre, pour de multiples raisons, aucune assurance textuelle : l'auteur n'a pu revoir les épreuves, les imprimeurs belges ont souvent — moins qu'on ne l'a dit cependant — procédé à des suppressions ou à des altérations. Enfin, on le sait pour nombre d'ouvrages de Balzac, le texte livré aux journaux et revues différait très sensiblement du texte souhaité, les rédacteurs exigeant des corrections ou des mutilations destinées à l'adapter aux mentalités de leurs publics respectifs.

Vandérem ouvrit un autre front, déclencha encore une autre guerre, celle des « conditions ». Comment convenait-il d'avoir les éditions originales si convoitées : brochées, en reliure de l'époque, rhabillées postérieurement ? Inlassablement, il tenta d'imposer sa conviction : la condition optimale, bibliophiliquement parlant, est la reliure de l'époque, même modeste. D'où son insistance à révéler les charmes, très réels d'ailleurs, des demi-reliures du XIXᵉ siècle, souvent de facture plus soignée que certaines pleines reliures, et son soin à dégager des critères de datation. Ce sont les libraires de sa mouvance, Ronald Davis, Maurice Chalvet, Marc Loliée, Roland Saucier, etc. qui ont appris à la fine fleur de la bibliophilie française à juger et à apprécier si finement les exemplaires, se montrant capables de décider à dix ans près, et quelquefois moins, la date d'exécution de toute demi-reliure du XIXᵉ siècle ! Aujourd'hui « condition Vandérem », expression couramment employée et appliquée exclusivement aux éditions originales du XIXᵉ, signifie à peu près ceci : une demi-reliure de l'époque, même modeste, mais de facture fine et de conservation impeccable.

L'explication d'une approche bibliophilique si passionnée nous échappera-t-elle toujours ? Risquons une hypothèse. Quand il accède à la rédaction du *Bulletin du bibliophile,* Vandérem est un homme déçu qui va jouer sa dernière carte. Écrivain sans succès « un peu aigri, au dire même de Henri Leclerc, par l'indifférence du public devant ses romans », il vient de mesurer sans doute — il a cinquante-cinq ans — le peu d'espoir qui lui reste de réussir dans la littérature. Mais il s'est acquis une sorte de prestige dans un autre champ, celui du livre rare, où précisément la chance n'est pas mince d'investir et de convertir au taux le plus avantageux son capital spécifique, à savoir sa compétence en matière de littérature et son talent d'écrivain polémiste. (Notons qu'il y a d'autres exemples de démarches voisines, les cas de Nodier ou de Pierre Louys seraient à étudier sous cet angle.) Il faut partir de là, l'entreprise de Vandérem, pour le dire un peu brutalement, est celle d'un écrivain raté qui se prend pour Baudelaire en qui il a trouvé l'image refuge et la caution rassurante : comme lui il se voit héros-martyr romantique de l'écriture. Ce qui explique à peu près tout : la force désespérée de l'étreinte avec laquelle il s'empare des rênes du *Bulletin du bibliophile ;* la nature de ses choix en matière de textes — réévaluation du domaine littéraire français à la lumière de la sensibilité poétique moderne — ; l'idéologie romantique de la création littéraire qui fait de l'auteur, et de lui seul, le principe premier et dernier de l'œuvre, d'où la passion furieuse des éditions originales, émanation immédiate de l'écrivain-dieu ; la « beauté spirituelle » entrevue de certains exemplaires conservant de l'auteur, ou de l'un de ses premiers possesseurs, quelque signe mystique (envois, corrections, ajouts d'autographes ou épreuves corrigées, etc.) ; le dégoût aussi de tout anachronisme, en matière de reliure, qui dissiperait la vérité du contact extatique.

En fait, la formule de bibliothèque que tente d'imposer Vandérem n'est qu'un avatar moderne du « cabinet choisi », modèle constamment présent sur le front bibliophilique français, réapparaissant d'époque en époque, modifié et remodelé. Typiquement français, il a toujours exprimé, contre le clerc ou l'érudit, l'idéal du mondain lettré. Les choix de Vandérem, si dérangeants qu'ils aient pu paraître à l'époque, n'étaient jamais que ceux de la vulgate distinguée des salons littéraires de la bourgeoisie cultivée. Sa fortune bibliophilique, en France, fut considérable et de grande conséquence. Grâce à ou à cause de Vandérem et de son école, les éditions originales littéraires en sont venues — au moins jusqu'aux toutes dernières décennies — à constituer le domaine de prédilection où la bibliophilie française — de la plus haute à la plus modeste — a investi sa culture et a défini ses goûts.

Beaucoup des plus péremptoires jugements de Vandérem procèdent de la postulation constante d'un art de vivre du lettré-bibliophile dans l'intimité de son cabinet. Il réfère constamment les prestiges bibliophiliques à ce secret de l'alcôve à livres où le collectionneur, retiré avec eux, en jouit solitairement. Toujours son premier mouvement est de resituer le livre, d'imaginer la figure qu'il fera dans la bibliothèque du possesseur. Et là, à l'écouter attentivement, s'impose un Vandérem, bibliophile du regard et de la vue. « Rangeons, dit-il, un exemplaire broché à côté de ses congénères. Aussitôt disparaît d'abord ce qui faisait sa séduction... son précieux et frêle dos se confondra dans la masse uniforme des voisins. Et ce sera désormais un volume perdu pour nos regards, que nul signe ne rappelle plus à notre vue et qui ne se distinguera pas plus des autres qu'un billet de banque dans une liasse de coupures pareilles. » Ainsi dans ce très secret harem il n'est pas question que les livres dissimulent leurs charmes, qu'ils se soustraient « à notre vue ». D'où l'intime conviction que la condition d'époque offre dans la variété de ses décors, de ses couleurs et de ses styles, l'horizon rêvé du bibliophile et l'espèce de haine qu'il nourrit contre l'uniformité anachronique des étuis-boîtes, des étuis à dos des reliures, etc... qui fardent la vérité d'âge et de condition du volume.

IV. Des livres pour tous

Des livres pour tous

Plus tôt ici, plus tard là, le XIXe siècle est marqué dans toutes les sociétés occidentales par l'apparition de nouveaux lecteurs tenus jusqu'alors en lisière de la culture de l'écrit imprimé. La raison première en est, à l'évidence, le progrès de l'alphabétisation qui donne à tous, ou presque tous, la capacité de lire et d'écrire. Mais cette compétence acquise, partagée, ne suffit pas à définir les publics nouveaux. Ce qui les caractérise est, à la fois, la familiarité instaurée avec l'imprimé et des manières propres d'en faire lecture. Trois groupes, qui se définissent par l'âge, le sexe ou la condition, composent ces classes nouvelles de lecteurs, augmentées au fil du siècle.

Après 1830, l'école n'est plus seulement le lieu d'apprentissages élémentaires, d'une lecture réduite au savoir lire, mais entend créer l'habitude du lire — et du bien lire. Dans la classe, mais aussi hors ses murs, l'enfant doit être un lecteur assidu, appliqué, régulier, ce qui suppose qu'il puisse aisément recevoir, emprunter ou acquérir le livre qui en l'amusant l'instruira. Livre de classe et de prix, littérature pour la jeunesse et bibliothèques scolaires sont indissociables pour nourrir ces lectures, prescrites ou désirées, du temps de l'enfance et de l'adolescence. De jeunes lecteurs donc, mais aussi des lectrices en grand nombre. La constitution d'un large public féminin avide d'imprimé est la seconde novation du siècle. Lectures du for privé, lectures dérobées sur les tâches domestiques, les lectures féminines s'inscrivent dans le quotidien de la maison, les unes protégées par une solitude précieuse, les autres sans rupture avec l'existence commune, et souvent faites par l'enfant à sa mère qui l'écoute. Mais pour les lettrés et les notables, la découverte majeure est celle d'une autre lecture : celle du peuple. Rencontrés aux champs ou à l'atelier, ces lecteurs nouveaux, nombreux, et toujours plus nombreux, ne lisent pas comme les autres. Chez eux, la lecture est rarement retraite intime avec le livre. Elle s'insinue dans le temps volé au travail ou s'installe au cœur même des convivialités populaires, de la rue ou du café, de l'atelier ou du logis, de l'amitié ou de l'association. L'enfant, la femme, le peuple : ces trois figures du nouveau lecteur portent les innovations fondamentales du siècle en matière d'édition. Leur désir de lire doit être satisfait : de là, de nouveaux genres de textes, de nouvelles formes de l'imprimé, de nouveaux types d'auteurs. Mais leur lecture, aussi, doit être accompagnée, guidée, contrôlée : de là, les normes inédites de la lecture scolaire, le projet des bibliothèques populaires, les valorisations du bien lire et les condamnations des livres mauvais. Profitable en ce qu'elle ouvre des marchés, bénéfique lorsqu'elle permet l'instruction nécessaire ou le plaisir licite, mais dangereuse si elle demeure sauvage, cette lecture des nouveaux venus à la culture écrite transforme profondément les genres et les objets typographiques après la mi-XIXe siècle.

Jusqu'à la décennie 1860, en effet, la demande pour des lectures nouvelles n'est encore que timide. À preuve, les succès éditoriaux tels que permettent de les mesurer rééditions et tirages entre 1810 et 1850. L'emportent alors soit des genres anciens (l'almanach, le catéchisme, le canard) soit des textes déjà classiques. Trois d'entre eux assurent les plus gros tirages et ce, à chacune des décennies : les Fables de La Fontaine (tirées peut-être à près de 750 000 exemplaires), le Catéchisme historique de l'abbé de Fleury (peut-être près de 700 000 exemplaires) et le Télémaque (peut-être près de 600 000 exemplaires). Face aux classiques des XVIIe et XVIIIe siècles, aux traités de morale, aux histoires de France, les nouveautés littéraires ne pèsent guère — à l'exception des titres qui cristallisent un temps la sensibilité collective ou l'opinion (par exemple les romans de Walter Scott, les Chansons de Béranger, les Paroles d'un croyant ou les romans de Sue et Dumas). Les attachements traditionnels restent forts, et dans le deuxième tiers du siècle, la conquête de nouveaux lecteurs est faite sans rupture avec l'édition ancienne.

Le premier élargissement du public du livre lui adjoint non les classes populaires mais une moyenne et petite bourgeoisie de villes et de bourgs qui désire partager les textes et les livres, les gestes et les conduites de l'élite lettrée. C'est à elle que les éditeurs proposent en nombre les titres nécessaires à une bonne éducation, classique, morale et religieuse, à elle que les maisons catholiques adressent une bonne part des livres religieux dont la production est multipliée par deux entre 1830 et 1860, atteignant alors un cinquième du total des livres publiés, à elle que Girardin destine une presse au coût abaissé mais encore onéreuse. Certes de nouveaux rapports se nouent entre le journal et le livre, le livre et la revue, faits de concurrences et d'alliances, annonciateurs d'une culture imprimée qui n'est plus celle du livre seul. Mais avant 1860, l'innovation ne bouleverse pas une économie éditoriale qui publie pour une clientèle, certes élargie, mais où les nouveaux lecteurs reproduisent les attentes et les goûts des lecteurs de toujours.

Avec le Second Empire, les publics nouveaux du livre imposent genres et formes inédites. La rupture est nette pour le livre destiné à la jeunesse qui s'émancipe alors, en quelques années, de ses attaches scolaires, de sa dépendance vis-à-vis de l'Église, de sa présentation sous emboîtages luxueux, cartonnés et colorés. Les entreprises de Hetzel, qui appuie sur le périodique la diffusion des livres qu'il publie, qui rassemble auteurs et illustrateurs du plus grand talent, qui hiérarchise ses collections, rendant ainsi accessible le même texte dans des ouvrages de prix fort différents, répondent aux demandes et possibilités d'une clientèle plurielle, devenue l'un des gros marchés de l'édition. Il n'est dès lors guère surprenant que tous les éditeurs d'importance reprennent la formule, publiant en masse des livres d'instruction et de recréation, rassemblés en collections et séries, susceptibles d'être achetés par les écoles comme livres de prix, par les parents comme livres d'étrennes, par les bibliothèques comme livres de prêt. Une correspondance durable est donc établie entre une clientèle, circonscrite par son âge (même si ce sont les adultes qui achètent), des usages, ceux d'une lecture normée par l'exigence scolaire mais faite hors l'école, de nouveaux textes et de nouveaux livres, didactiques et romanesques, décorés et illustrés. Ce n'est qu'au début du XXᵉ siècle que l'essor des journaux pour la jeunesse et le succès des albums d'images, reprenant des formules jusque-là réservées aux livres de la petite enfance, commencent à entamer l'hégémonie des livres rendus célèbres par des éditeurs comme Pierre-Jules Hetzel ou Louis Hachette.

Même rupture, dans la décennie 1860, pour le roman populaire et/ou féminin. Avec la vente au numéro du journal à un sou, les plus humbles deviennent lecteurs et acheteurs de la presse quotidienne — une presse qui fait désormais large place aux feuilletons. Toute une gamme d'imprimés différents par leur forme mais parents par leur contenu est proposée à ces lecteurs nouvellement conquis : le quotidien dont les feuilletons détachables peuvent être collectionnés et « reliés » par chaque lecteur, les journaux hebdomadaires ou bi-mensuels qui ne publient que des romans en tranches, les romans vendus par livraisons puis par fascicules, plus épais et de plus petit format, enfin les bibliothèques de romans dont les titres, à treize puis quatre sous, ne diffèrent guère dans leur présentation des périodiques. Livres-journaux ou journaux-livres, ces produits neufs gagnent à l'imprimé une clientèle mêlée mais, à coup sûr, largement populaire et féminine, en même temps qu'ils définissent de nouvelles formes d'écriture, contraintes par les volontés éditoriales et les exigences de publication, et de nouveaux statuts d'auteur, rémunérateurs et dépréciés.

Le XIXᵉ siècle ou le temps des éditeurs. Le XIXᵉ siècle ou le temps des nouveaux lecteurs. Dans l'histoire longue de l'imprimé, ce sont là les deux mutations majeures qui caractérisent une époque où les inventions techniques multiplient les capacités et possibilités de l'imprimerie et où la concurrence du livre par de nouveaux médias se réduit encore, pour l'essentiel, à celle du journal et du périodique qui, eux aussi, sont des produits de l'édition et de la presse. En ses formes diverses, avec des genres nouveaux, l'imprimé conquiert alors une société tout entière, donnant ou imposant à chacun la lecture qui lui convient — ou qui est supposée lui convenir.

Il y a là comme un apogée de la culture de l'écrit typographique, livres, journaux et périodiques réunis, après les siècles où a triomphé le livre seul et avant celui où les concurrences audiovisuelles recomposent avec une radicale originalité les pratiques culturelles de la société.

LE JUIF ERRANT.

PROLOGUE.

LES DEUX MONDES.

L'océan Polaire entoure d'une ceinture de glace éternelle les bords déserts de
la Sibérie et de l'Amérique du Nord!... ces dernières limites des deux mondes,
que sépare l'étroit canal de *Behring*.
Le mois de septembre touche à sa fin.

Le Juif errant, d'Eugène Sue, succès d'actualité, très largement diffusé par le feuilleton du *Constitutionnel*,
puis repris en diverses éditions, dont celle-ci, publiée par Paulin en 1845, avec des gravures
sur bois d'après Gavarni. H. 266 mm.

Les best-sellers

par Martyn Lyons

De nos jours, des listes de « best-sellers », qu'il s'agisse de livres, de disques ou de programmes de télévision, sont publiées presque toutes les semaines, dans l'intérêt des détaillants, des fabricants, des éditeurs et agents de publicité. L'historien du livre ne peut, lui, que rêver aux horizons immenses qui s'ouvriraient s'il pouvait mettre la main sur des listes de livres à succès du XVIIIᵉ ou du XIXᵉ siècle.

Certains documents nous permettent cependant de reconstituer de telles listes, qui peuvent fournir des indications précieuses sur les préférences populaires et sur les goûts changeants d'un marché naissant de la « consommation de masse ». Bien que les registres contenant des statistiques de production ne puissent révéler qui a acheté tel roman, ils donnent une idée de la place relative de chaque ouvrage sur le marché. L'identification des titres des best-sellers constitue la première étape vers la définition des valeurs et des conceptions fondamentales qui, partagées par des milliers d'êtres, forment le *consensus* d'une société.

C'est pourquoi sont dangereuses les généralisations sur les goûts populaires en littérature, voire sur la culture littéraire en France, faites à partir de romans choisis par des critiques littéraires en fonction de critères purement esthétiques ou stylistiques. Pour l'historien de la société, une histoire de la culture littéraire française du XIXᵉ siècle qui serait fondée sur des écrivains tels que Stendhal, Balzac, Flaubert et Zola serait de peu d'utilité. Les témoignages existants sur les goûts populaires dicteraient un choix bien différent, fait selon des critères plus mercenaires de ventes et de production. Ainsi, une sélection plus représentative des romanciers français du XIXᵉ siècle comprendrait Walter Scott, Pigault-Lebrun, Sue, Dumas, Erckmann-Chatrian et Jules Verne. Pour l'historien en quête de renseignements sur les habitudes culturelles, ces écrivains sont des sujets d'étude plus justifiés, car la liste des best-sellers les a dotés d'une certaine légitimité, fondée sur les rééditions fréquentes et largement disséminées de leurs œuvres. Toute histoire sociale de la lecture au XIXᵉ siècle nous semble donc exiger la définition préalable de critères solides et quantitatifs pour le recensement des livres à succès. Car la découverte des titres qui se sont le mieux vendus est en même temps celle des livres qui méritent l'analyse de l'historien de la culture populaire.

La compilation de listes de best-sellers exige une certaine innovation méthodologique. Les déclarations des imprimeurs constituent le meilleur indice des habitudes des consommateurs de livres au XIXᵉ siècle. On peut en tirer des conclusions importantes qui nous permettent de dresser une liste de best-sellers. Bien que les statistiques employées dans cette étude, extraites de sources officielles et des registres de l'imprimerie, indiquent seulement la quantité d'exemplaires produits et non les ventes effectives, on peut évaluer l'importance des ventes à Paris par un dénombrement des éditions et rééditions de chaque titre. En multipliant le nombre d'éditions d'un titre par le tirage estimé, on peut calculer la quantité approximative d'exemplaires qui avait été mise en cir-culation. Si l'on procède de cette façon indirecte, on arrive à distinguer les contours du marché des livres, et aussi le profil du public lecteur. L'importance relative de la fiction et de la non-fiction, celle des romans étrangers contemporains et du XVIIIᵉ siècle, l'héritage du classicisme du XVIIᵉ siècle et de l'âge des Lumières comparé à l'impact du romantisme, tous ces thèmes acquièrent plus de netteté lorsqu'on analyse les chiffres de tirage des ouvrages à forte vente.

Deux sources principales ont été utilisées pour cette recherche : la *Bibliographie de la France,* surtout pour le nombre d'éditions publiées de chaque titre ou de chaque auteur, et les déclarations des imprimeurs, qui indiquent les tirages (1). La *Bibliographie de la France* fut établie par Napoléon en 1811, afin de codifier l'enregistrement de la production, mais aussi pour faciliter la surveillance de la littérature « indésirable ». On y enregistrait tous les livres publiés légalement en France et déposés, selon les règlements, au Dépôt légal. La liste qui en résulte comprend les titres, les noms d'auteurs, le format, et souvent le prix des livres. En outre, son éditeur Pillet ajoutait parfois des commentaires très utiles pour indiquer le nombre d'éditions antérieures, ou pour signaler les prétentions exagérées d'un éditeur. Entre 1860 et 1813 la *Bibliographie* donnait aussi les tirages, mais après cette date on a omis ce précieux renseignement.

369

Les défauts de la *Bibliographie* en tant que source pour l'histoire du livre avaient déjà été suggérés, dans les années 1820, par Chasles et ont été plus récemment exposés de façon succincte par David Bellos (2). Beaucoup d'ouvrages étaient mentionnés deux fois : les différents volumes d'un même ouvrage, par exemple, ou même les numéros individuels d'un périodique. Il faut tenir compte de ces particularités lorsqu'on veut calculer le nombre total de titres publiés. Potentiellement plus grave pour notre étude est le problème du caractère incomplet de la *Bibliographie*. Pendant les premières années, avant qu'elle ne devienne une institution bien établie, beaucoup de titres ont dû être omis. Les périodes d'agitation politique, comme 1815 ou 1848-1849, ont vu des tendances du même ordre, les services des administrations ne fonctionnant plus avec leur efficacité habituelle. Même pendant les années calmes il y a toujours quelques imprimeurs qui, par négligence ou de façon délibérée, n'ont pas fait la remise réglementaire au Dépôt légal.

Deux catégories de titres en particulier semblent être sous-représentées dans la *Bibliographie*. Premièrement, les publications en formats très petits comme les in-32 semblent avoir été souvent omises. Par exemple, tandis que le *Catalogue général* de la Bibliothèque nationale contient seize éditions in-32 de *Robinson Crusoé* publiées par Dauthereau entre 1827 et 1849, pas une seule n'apparaît dans la *Bibliographie de la France*. (Ce qui suggère par ailleurs que des lacunes dans la *Bibliographie de la France* peuvent souvent être comblées par les catalogues de la Bibliothèque nationale.) L'autre catégorie d'ouvrages sous-représentés est celle des publications provinciales. Des archives de province, comme celles consultées dans le Maine-et-Loire, contiennent des registres d'ouvrages qui avaient été déposés à la préfecture locale, ce qui satisfaisait aux conditions requises par le Dépôt légal (3). Pourtant beaucoup de ces titres n'apparaissent pas dans la *Bibliographie de la France*. Tout comme les livres importés de Belgique, les publications de province échappent au filet de la *Bibliographie*, qui dans ces cas doit être complétée par le *Catalogue général* de

la Bibliothèque nationale, où l'on trouve beaucoup de publications provinciales ainsi que quelques éditions belges. Néanmoins, même sans recourir à des sources complémentaires, la *Bibliographie de la France* constitue le point de départ fondamental pour tout recensement de la production imprimée en France. Elle déborde de renseignements utiles, et ses éditeurs ont été d'une érudition impressionnante.

La série F18 des Archives nationales contient les déclarations exigées des imprimeurs avant la publication de chaque livre. Elles comprennent le nom de l'imprimeur, le titre de l'ouvrage, son format, le nombre de volumes et de feuilles, et le tirage. C'est ce dernier renseignement qui rend ces documents tout à fait précieux, car en comparant les tirages avec les éditions énumérées dans la *Bibliographie de la France*, l'historien peut se lancer dans une étude quantitative de la production imprimée dans la France du XIXᵉ siècle. Même étudiées séparément, la *Bibliographie de la France* et les déclarations des imprimeurs seraient des sources historiques incomparables : utilisées de concert, elles fournissent une occasion unique pour définir de façon plus précise la structure de la consommation française de livres.

Les registres contenant les déclarations d'imprimeurs sont eux-mêmes un témoignage éloquent de l'expansion du commerce des livres et des lecteurs pendant la première moitié du siècle. Au début, ce sont de minces volumes annuels ; puis, grâce à la croissance de la production et aux renseignements bibliographiques plus fournis, les registres verts grossissent. Dans les années 1830 il y avait déjà tant de déclarations qu'il fallait deux volumes par an, et dix ans plus tard on a commencé à publier des registres trimestriels. En tout, les déclarations pour les années 1815 à 1850 remplissent 40 volumes.

Aussi bien que les déclarations des imprimeurs parisiens, j'ai pu examiner les quelques déclarations d'imprimeurs provinciaux qui sont conservées aux Archives nationales (4). Des registres plus complets se trouvent sur place, et nos statistiques comprennent les déclarations des imprimeurs du Vaucluse, du Nord et du Maine-et-Loire (5).

Dans ces départements se trouvaient les centres principaux de la publication de romans en dehors de la capitale : Avignon, Angers et Lille. Ces données provinciales sont parfois négligées dans les études du commerce du livre au XIXᵉ siècle.

Nous avons cherché à donner des bases solides à l'évaluation de la consommation de livres et cela nous amène à faire quelques remarques sur la valeur des déclarations d'imprimeurs en tant que source historique.

Premièrement, une déclaration d'imprimeur n'est pas forcément une preuve de publication. Elle était essentiellement une déclaration d'intention, et tous les projets n'ont pas été réalisés. Souvent il fallait modifier les déclarations lorsque, par exemple, on adoptait un format différent de celui annoncé au départ : ainsi beaucoup de déclarations annulent des déclarations antérieures. Des détails, comme le format de l'ouvrage finalement publié, peuvent normalement être vérifiés dans la *Bibliographie de la France*.

Deuxièmement, souvent l'éditeur distribuait les diverses parties d'un même livre entre plusieurs imprimeurs, qui étaient tous obligés par la loi de déposer une déclaration. On trouve ce genre de double déclaration le plus souvent pour les années 1840, lorsque beaucoup d'éditeurs parisiens donnaient les couvertures et la page de titre à un imprimeur et le texte du manuscrit à un autre. L'un de ces imprimeurs habitait très souvent en banlieue, ce qui rend les déclarations difficiles à retrouver. Puisque beaucoup d'ouvrages étaient vendus non reliés, les tirages des couvertures et des pages de titre n'ont pas été retenus pour estimer le nombre total d'exemplaires mis en circulation.

Les déclarations parisiennes sont en général plus prodigues d'informations que celles de province : dans les départements, par exemple, le tirage d'un titre n'a pas toujours été donné. Certaines lacunes sont pourtant à remarquer même dans les déclarations parisiennes. Le registre pour 1821 s'arrête le 17 décembre, et celui de 1830, le 21 décembre (6). Mais ces lacunes ne sont rien à côté de la perte des volumes pour les années 1835 à 1837, ce qui empêche une évaluation précise des grands succès de la fin des années

1830. Ainsi, pour cette période, nos calculs sont fondés un peu plus qu'ailleurs sur le nombre d'éditions publiées, et un peu moins sur les tirages.

Les déclarations d'imprimeurs n'identifient pas toujours l'auteur, et cela pose des problèmes pour la comparaison des tirages avec les éditions énumérées dans la *Bibliographie de la France*. Une déclaration de l'impression de *Don Quichotte*, par exemple, peut se référer au roman de Cervantes, mais il est plus probable qu'il s'agit d'un périodique du même nom. *La Morale en action* de Bérenger est un autre ouvrage populaire qu'il est difficile d'identifier, car plusieurs compilations différentes portaient ce titre. *La Salamandre* est un roman d'Eugène Sue... et aussi le nom d'une compagnie d'assurances qui de temps en temps publiait des prospectus et des plaquettes. Si l'historien les confond, il risque à tout le moins d'obtenir une image déformée du marché des assurances à Paris en 1840...

Un autre obstacle mineur à l'identification des titres est l'habitude des imprimeurs de ne faire qu'une seule déclaration pour une collection de romans — présentation traditionnellement goûtée par les éditeurs français. Dans les années 1820, des auteurs comme Mme Cottin ont été publiés dans la collection de Lebègue intitulée Bibliothèque d'une maison de campagne, ainsi que dans la Collection des meilleurs romans français et étrangers de Dauthereau. Mme de Genlis, pour citer un autre exemple, était un des auteurs publiés par Werdet dans sa Collection des meilleurs romans français dédiés aux dames, dont le titre portait l'*imprimatur* de la Bienséance morale. Ainsi que l'a signalé Marino Berengo, ce genre de collection était une tactique de publicité, une tentative d'accaparer une partie spécifique du marché (7). Cependant, en s'adressant particulièrement aux lectrices, les éditeurs encourageaient le développement d'une « sous-culture » féminine, laquelle tendance a eu pour résultat de restreindre plutôt que d'augmenter les ventes. En tout cas, la collection de Werdet — tout en étant une des premières à se définir en fonction de son public et non de son contenu — n'a paru que peu de temps.

Une déclaration d'imprimeur qui annonce la publication d'une collection complète n'est pas d'une grande utilité pour l'historien s'il n'arrive pas à reconstituer son contenu. Prenons l'exemple de Boulé qui déclare son intention d'imprimer 2 000 exemplaires des Mille et Un Romans. La déclaration seule ne nous apporte rien. Mais si on arrive à identifier les titres, elle se révèle précieuse, car nous voilà d'un seul coup informés du tirage de peut-être plusieurs douzaines de romans. La *Bibliographie de la France* fournit quelques indices du contenu de cette collection, qui était surtout consacrée à des écrivains très obscurs aussi bien qu'à Soulié et à Karr. Point n'est besoin, donc, de spéculer sur le tirage de chaque titre : s'ils faisaient partie d'une collection, ils avaient en général le même tirage — 2 000 pour les Mille et Un Romans de Boulé, jusqu'à l'année révolutionnaire de 1848 où le chiffre tombe à 1 000 (8).

Cette étude des déclarations d'imprimeurs s'arrête à 1850. Il peut sembler arbitraire d'avoir cessé nos recherches précisément au milieu du siècle. Cependant, la masse de matériaux de la seconde moitié du siècle constitue un obstacle sérieux, à moins que l'historien ne soit secondé par des équipes de recherche et doté d'un puissant matériel automatisé. Mais cela n'a pas été la raison principale de la coupure en 1850. Même l'historien armé des technologies informatiques les plus sophistiquées s'apercevra que son investissement rapporte de moins en moins de résultats dans la dernière partie du siècle. Même avant 1850, la valeur des déclarations d'imprimeurs comme source pour l'histoire du livre avait diminué. L'une des raisons en est la publication de plus en plus fréquente des nouveaux romans sous forme de feuilletons. Ils n'étaient publiés séparément, dans des éditions reliées, que lorsque le public avait déjà eu la primeur du nouvel ouvrage. De ce fait, au milieu des années 1840, les déclarations d'imprimeurs pour des ouvrages à grand succès, comme ceux de Sue et de Dumas, ne donnent qu'une idée limitée du nombre total de lecteurs. La seule manière de brosser un tableau plus complet du public est de suivre l'exemple de Pierre Orecchioni qui, pour son étude du *Juif*

errant d'Eugène Sue, a analysé le nombre d'éditions publiées en conjonction avec la diffusion du *Constitutionnel*, où ce roman a d'abord paru en feuilleton (9).

La publication préalable de romans en feuilletons est donc une des raisons pour lesquelles les déclarations d'imprimeurs ne sont plus une véritable mine d'or après les années 1840. L'autre raison tient à la décentralisation croissante de l'imprimerie. Cette décentralisation n'allait pas plus loin que la banlieue parisienne. Mais celle-ci était assez éloignée pour que beaucoup d'imprimeries ne relèvent plus de la juridiction administrative du département de la Seine, d'où la perte de beaucoup de déclarations d'imprimeurs. Dans les années 1830, et encore plus dans la décennie suivante, les éditeurs parisiens ont fait imprimer leurs ouvrages par Crété à Corbeil, par Vialat à Lagny, ou par Dépée à Sceaux. Tandis que les déclarations pour Paris ont été intégralement conservées, il ne reste que des fragments de celles de Seine-et-Oise (10). Pour la fin de la période étudiée, l'historien ne peut pas connaître les tirages de beaucoup d'ouvrages.

C'est pourquoi la série F 18 des déclarations d'imprimeurs est surtout utile pour la période qui va du Premier Empire à la veille de la Révolution de 1848. Pour l'étude de l'époque postérieure, le manque de documentation pour la province — ou plutôt pour la banlieue — devient un handicap trop sérieux, et, en ce qui concerne les romans à forte vente, les déclarations ne fournissent plus des indices sûrs de succès commercial.

Les sources que nous avons décrites ont été dépouillées dans le but de reconstruire l'histoire des publications de cinquante-six auteurs pendant un demi-siècle. De 1813 à 1850 ces auteurs ont publié ensemble environ 3 000 ouvrages. La sélection des auteurs a été effectuée en fonction de critères parfois franchement empiriques, voire intuitifs. Certains auteurs ont été suggérés par des études modernes, où ils sont souvent cités comme les grands succès de l'époque (Walter Scott, Béranger, Lesage, Eugène Sue, Pigault-Lebrun). Le succès des *Paroles d'un croyant* de Lamennais entre 1830 et 1835 et celui des *Œuvres complètes*

La Fontaine (1621-1695).

L'abbé Fleury (1640-1723).

Fénelon (1651-1715).

Quelques-uns des auteurs
les plus édités au XIXᵉ siècle.

Daniel Defoe (v. 1660-1731).

Florian (1755-1794).

Béranger (1780-1857).

de Voltaire sous la Restauration sont aussi bien connus, sans que cette réputation ait été confirmée par une analyse quantitative.

Un deuxième groupe d'auteurs et d'ouvrages a été étudié à partir de la *Bibliographie de la France* et des déclarations d'imprimeurs, en tant que représentants du mouvement romantique. Cette considération a motivé le choix, par exemple, de Byron, de Vigny, et des *Méditations* de Lamartine. Le dépouillement a révélé que les ouvrages de certains de ces auteurs, comme Alfred de Vigny, n'ont pas été publiés dans des éditions assez fréquentes ou d'assez grand tirage pour être mis au rang des livres à succès. Ainsi les omissions de nos listes de best-sellers sont parfois aussi significatives que les réussites littéraires, surtout lorsque l'ouvrage en question a été particulièrement prisé par la critique littéraire.

C'est cette dernière qui a aussi dicté le choix de la troisième catégorie d'auteurs étudiés, qui comprend tout simplement ceux que la postérité a consacrés comme les plus grands génies créateurs de leur époque : nous ne pouvions pas négliger Balzac, Sand, Hugo, Mme de Staël, Chateaubriand ou Stendhal.

En 1866, le ministre de l'Éducation, Duruy, a mené une enquête sur les habitudes de lecture dans la France rurale. Le résultat a donné une liste de titres recueillie par les préfets, que nous avons utilisés pour nos listes de best-sellers (11). Quelques années plus tard, la Société Franklin a commencé la publication des rapports de bibliothécaires de province sur les préférences de lecture dans toute la France (12). Le *Bulletin de la Société Franklin* nous a également fourni quelques titres pour notre étude, bien qu'il ait été publié plus de trente ans après la période qui nous concerne. Ce sont à ces sources postérieures que nous devons l'inclusion dans cette étude d'ouvrages comme les *Mille et Une Nuits*, les *Contes* du chanoine Schmid, et les histoires d'Anquetil et de Mme de Saint-Ouen.

En dernier lieu, beaucoup d'auteurs ont été choisis selon une démarche purement empirique. Pendant notre dépouillement des déclarations d'imprimeurs, nous avons relevé des titres qui

Tableau 1. — *Best-sellers français, 1811-1815*						
Auteur	Titre	Nombre d'éditions			Tirage minimal connu	Tirage global connu ou estimé
		T =	P +	P/E		
La Fontaine	Fables	24	11	13	35 600	40-45 000
Fénelon	Télémaque	21	8	13	15 500	26-32 000
Fleury	Catéchisme historique (a)	15	4	11	21 250	23-25 000
Perrault	Contes des fées	15	5	10	17 700	20-22 000
Florian	Fables	10	6	4	8 600	11-15 000
Bérenger	La Morale en action	6	1	5	10 000	12 000
Racine	Théâtre / OC	8	6	2	8 930	10 000
Massillon	Petit Carême	8	4	4	6 000	9-11 000
Barthélemy	Voyage du jeune Anacharsis	6	4	2	5 600	8 600
Molière	Œuvres complètes	6	5	1	4 000	6- 7 000
Lesage	Gil Blas	5	5	0	4 900	6 000
Buffon	Le Petit Buffon des enfants	3	0	3	3 500	5 000

Tableau 2. — *Best-sellers français, 1816-1820*						
Auteur	Titre	Nombre d'éditions			Tirage minimal connu	Tirage global connu ou estimé
		T =	P +	P/E		
La Fontaine	Fables	29	16	13	22 100	38-48 000
Fleury	Catéchisme historique (a)	16	9	7	29 000	36-42 000
Fénelon	Télémaque	14	5	9	11 000	21-35 000
Mme Cottin	Claire d'Albe	11	11	0	19 000	25-30 000
Saint-Pierre	Paul et Virginie	3	3	0	18 000	20-30 000
Mme Cottin	Élizabeth	10	10	0	14 500	20-25 000
Massillon	Petit Carême	12	9	3	14 500	20-24 000
Perrault	Contes des fées	14	7	7	13 000	19-24 000
Le Tasse	La Jérusalem délivrée	9	7	2	17 650	20-22 000
Florian	Fables	12	8	4	10 000	16-18 500
Anon.	La Cuisinière bourgeoise	7	5	2	15 000	18 000
Voltaire	Œuvres complètes	9	8	1	11 800	15-19 000
Rousseau	Œuvres complètes	8	8	0	13 200	14-15 000
Barthélemy	Voyage du jeune Anacharsis (b)	8	5	3	8 500	11-12 000
Florian	Estelle	9	5	4	5 800	10-12 000
Volney	Les Ruines	5	5	0	10 000	10 000
Racine	Théâtre / OC	9	8	1	3 900	10 000
Lesage	Gil Blas	6	5	1	4 750	8-10 000
Anquetil	Histoire de France	5	5	0	7 600	8- 9 600
Mme de Staël	Corinne	6	6	0	7 025	8- 8 500

Notes des tableaux 1 à 8 :
(a) Comprend la version abrégée, *Petit Catéchisme historique*.
(b) Comprend la version abrégée, *Abrégé du voyage du jeune Anacharsis*.
(c) Comprend Voltaire *Chefs-d'œuvre dramatiques*.
(d) Comprend *le Buffon des enfants*.
(e) Comprend *Œuvres complètes*.
(f) Comprend *le Petit Buffon des enfants, le Buffon de l'enfance et Buffon de premier âge*.
(g) Comprend *Œuvres complètes* et *Chansons nouvelles et dernières*.
(h) Comprend *Nouveaux Petits Contes, Sept Nouveaux Contes, Cent Nouveaux Petits Contes, Nouveaux Contes*, etc.
(j) Comprend *le Robinson du jeune âge*.
(k) Comprend *Œuvres complètes, Chansons choisies, Album Béranger* et *Stances aux mânes de Manuel*.
OC = *Œuvres complètes*.

Auteur	Titre	Nombre d'éditions			Tirage minimal connu	Tirage global connu ou estimé
		T =	P +	P/E		
La Fontaine	Fables	44	24	20	80 250	95-105 000
Fleury	Catéchisme historique (a)	32	3	29	38 100	58- 80 000
Fénelon	Télémaque	32	12	20	42 800	60- 78 000
Florian	Fables	21	10	11	38 000	47- 55 000
Anon.	La Cuisinière bourgeoise	10	4	6	32 000	38- 44 000
Massillon	Petit Carême	19	16	3	25 800	35- 42 000
Racine	Théâtre/OC	18	14	4	20 600	31- 40 000
Molière	Théâtre/OC	21	21	0	20 200	28- 35 000
Rousseau	Œuvres complètes	15	15	0	20 935	25- 32 000
Voltaire	Œuvres complètes	12	12	0	21 850	23- 26 000
Béranger	Chansons	4	4	0	18 300	20- 25 000
Barthélemy	Voyage du jeune Anacharsis (le)	13	9	4	18 400	22- 24 000
Le Tasse	La Jérusalem délivrée	9	6	3	15 000	18- 22 000
Defoe	Aventures de R. Crusoé	9	7	2	4 000	18- 25 000 ?
Béranger	La Morale en action	12	1	11	9 000	17- 22 000
Cervantes	Don Quichotte	6	6	0	17 300	19- 21 000
Lesage	Gil Blas	10	8	2	15 900	17- 18 000
Perrault	Contes des fées	6	2	4	12 200	13- 16 000
Lamartine	Méditations poétiques	7	7	0	9 000	12- 16 000
Voltaire	Théâtre (c)	6	6	0	6 000	10- 18 000
Volney	Les Ruines	5	5	0	15 000	15 000
Buffon	Le Petit Buffon des enfants (d)	7	4	3	11 500	12- 14 000
Las Cases	Mémorial de Ste Hélène	4	4	0	9 000	12 000
Anon.	Lettres d'Héloïse et d'Abélard	6	4	2	8 000	10- 12 000

Tableau 3. — *Best-sellers français, 1821-1825*

ont fait l'objet de réimpressions très fréquentes. Parmi les auteurs sélectionnés de cette manière, signalons Mme Cottin, Bérenger, Fleury, Massillon et le Tasse. Cette méthode empirique a certainement ses défauts, mais c'est bien celle qui nous a réservé le plus de surprises et le sentiment le plus fort de la découverte. C'est ainsi que nous avons pu faire la distinction essentielle entre les goûts du public de l'époque et les préférences de la critique littéraire postérieure, et retrouver les goûts les plus répandus des Français, cachés sous les pieds des héros de plâtre érigés par la tradition académique.

L'ensemble des données recensées se trouve résumé dans les tableaux ci-joint. Après l'auteur et le titre de chaque ouvrage, la troisième colonne, « T », contient le nombre total d'éditions enregistrées dans la *Bibliographie de la France* et le *Catalogue général* de la Bibliothèque nationale. La quatrième colonne, « P », indique le nombre de ces éditions publiées à Paris, et la colonne suivante, « P/E », celui des éditions de province ou de Belgique (c'est-à-dire de l'étranger). Cela nous permet d'estimer l'importance du public provincial de certains titres.

Les deux dernières colonnes donnent le « tirage minimal connu » et le « tirage global connu ou estimé ». Les déclarations d'imprimeurs qui donnent le tirage exact représentent entre la moitié et les deux tiers des éditions enregistrées dans la *Bibliographie de la France*. La précision est plus grande pour les publications parisiennes que pour les ouvrages qui étaient régulièrement publiés en province : nous avons déjà évoqué la surreprésentation parisienne des déclarations d'imprimeurs conservées. Les tirages des ouvrages de Walter Scott sont presque complets. Presque aussi bien sont ceux de Stendhal, du roman *Jérôme Paturot* de Reybaud, et de Victor Hugo, pour lesquels nous avons retrouvé plus de 80 % des tirages. En revanche, la précision est au-dessous de la moyenne pour Ducray-Duminil, pour le chanoine Schmid et pour *Don Quichotte*. Pour ces publications, moins de 40 % des tirages ont été localisés. L'avant-dernière colonne du « tirage minimal connu » donne le nombre global d'exemplaires pour les éditions dont nous connaissons les tirages.

Ce dernier chiffre est un minimum de base ; reste à calculer les tirages non localisés. Ainsi, la colonne finale donne « le tirage global connu ou estimé ». Les chiffres de cette colonne ont été obtenus par l'addition du 1) « tirage minimal connu » de la colonne précédente avec 2) une estimation des tirages de toutes les autres éditions connues. Ce calcul a été fait sur la base du tirage moyen à l'époque de la publication : dans les premières décennies du XIXe siècle les romans étaient rarement imprimés à plus de 1 000-1 500 exemplaires. Pendant les années 1830, leur tirage moyen est monté à 1 500-2 000 exemplaires, pour atteindre 2 000 à 5 000 exemplaires après 1840.

Il faut cependant tenir compte des cas particuliers et éviter de s'en tenir strictement aux projections des tirages moyens que nous venons d'esquisser. Il est évident que beaucoup d'éditions devaient ou bien dépasser, ou bien tomber au-dessous de la moyenne, et lorsque c'est possible le tirage global estimé doit prendre en compte cette possibilité. À titre d'exemple, il est connu que la maison Hachette a publié l'*Histoire de France* de Mme de Saint-Ouen dans une édition de 15 000 exemplaires en 1835, une de 20 000 en 1843, et une troisième de 40 000 en 1847. Rien n'incite à croire que les éditions publiées entre celles-là ont eu des tirages moins importants. Il serait donc inapproprié de leur attribuer les tirages moyens de l'époque. De la même manière, Moronval a imprimé des éditions de *Télémaque* à des tirages de 4 000 ou de 6 000 exemplaires, puis de 3 000 exemplaires en 1848 ; lorsqu'on veut estimer les tirages d'autres éditions du même titre par le même imprimeur, il faut tenir compte de ces chiffres. Le format peut aussi jouer dans ces calculs. On peut s'attendre à un tirage moyen ou au-dessous de la moyenne pour une édition en plusieurs volumes in-8°, surtout si son prix a été augmenté par la présence d'illustrations. Pour un roman en un seul volume in-12 ou in-18 (le « format Charpentier »), on s'attend en revanche à un tirage légèrement supérieur à la moyenne. La plupart des ouvrages publiés dans la série de Charpentier ont été tirés à 3 000 exemplaires. Dernier facteur

		Nombre d'éditions			Tirage minimal connu	Tirage global connu ou estimé
Auteur	Titre	T	= P	+ P/E		
Béranger	Chansons	16	15	1	135 000	140-160 000
Fénelon	Télémaque	52	26	26	58 500	90-120 000
Fleury	Catéchisme historique (a)	39	6	33	55 000	80-130 000
La Fontaine	Fables	33	22	11	65 100	80-110 000
Florian	Fables	22	9	13	34 650	48- 62 000
Defoe	Aventures de R. Crusoé	18	15	3	23 000	43- 53 000
Perrault	Contes des fées	11	0	11	13 000	27- 40 000
Massillon	Petit Carême	15	9	6	17 000	28- 34 000
Voltaire	Œuvres complètes	16	16	0	20 850	25- 33 000
Rouvière	La Médecine sans médecin	9	9	0	4 000	20- 36 000 ?
Anon.	La Cuisinière bourgeoise	8	8	0	22 000	25- 29 000
Racine	Théâtre / Œuvres	11	10	1	18 700	22- 30 000
Bérenger	Morale en Action	13	0	13	0	13- 40 000 ?
Molière	Œuvres complètes	13	12	1	12 000	20- 28 000
Scott	Ivanhoé	10	8	2	20 800	20 800
Scott	L'Antiquaire	10	8	2	20 800	20 800
Scott	L'Abbé	9	9	0	20 000	20 000
Scott	Quentin Durward	9	8	1	20 000	20 000
Buffon	Histoire naturelle (e)	7	7	0	12 000	16- 24 000
Rousseau	Œuvres complètes	8	8	0	9 000	17- 21 000
Saint-Pierre	Paul et Virginie	4	4	0	18 000	18 000
Chateaubriand	Génie du christianisme	6	6	0	17 000	18- 19 000
Lesage	Gil Blas	12	11	1	4 600	15- 20 000
Buffon	Le Buffon des enfants (f)	8	1	7	0	8- 24 000
Young	Les Nuits	5	3	2	14 500	14 500
Volney	Les Ruines	3	3	0	10 000	12- 16 000
Le Tasse	La Jérusalem délivrée	2	1	1	10 000	11- 15 000
Barthélemy	Voyage du jeune Anacharsis	7	7	0	9 500	12- 14 000
Byron	Œuvres	4	4	0	10 500	10 500
Anquetil	Histoire de France	6	6	0	8 500	10- 11 500

Tableau 4. — *Best-sellers français, 1826-1830*

Auteur	Titre	Nombre d'éditions T = P + P/E			Tirage minimal connu	Tirage global connu ou estimé
Fleury	Catéchisme historique (a)	45	16	29	64 000	110-130 000
La Fontaine	Fables	23	8	15	75 500	95-120 000
Fénelon	Télémaque	28	13	15	33 700	60- 80 000
Béranger	Chansons (g)	9	8	1	42 000	52- 75 000
Mme de St-Ouen	Histoire de France	5	5	0	46 000	52- 66 000
Florian	Fables	14	4	10	27 000	30- 40 000
Lamennais	Paroles d'un croyant	10	10	0	28 300	29- 30 000
Bérenger	La Morale en action	15	3	12	8 000	34- 50 000
Pellico	Mes Prisons	15	11	4	17 450	22- 30 000
Defoe	Robinson dans son île	5	5	0	13 000	20- 30 000
Jussieu	Simon de Nantua	5	5	0	17 000	21- 23 000
Saint-Pierre	Paul et Virginie	8	7	1	16 000	21- 26 000
Chateaubriand	Œuvres	9	9	0	12 000	18- 23 000
Lesage	Gil Blas	5	5	0	12 500	15- 18 000
Rousseau	Julie ou la Nouvelle Héloïse	6	5	1	12 000	15 000
Hugo	Notre-Dame de Paris	8	8	0	8 400	11- 14 000
De Kock	Le Cocu	5	4	1	9 600	11- 14 000
Defoe	Aventures de Robinson Crusoé	7	7	0	0	14- 22 000
Molière	Œuvres	8	7	1	7 300	9- 14 000
Scott	Woodstock	4	4	0	13 000	13 000
Thiers	Histoire de la Révolution française	3	3	0	8 000	10- 15 000
Le Tasse	La Jérusalem délivrée	7	5	2	500	4- 20 000 ?
Perrault	Contes des fées	6	3	3	1 000	6- 20 000 ?
Lamartine	Œuvres	3	3	0	7 000	9- 12 000
Anquetil	Histoire de France	4	3	1	6 000	9- 12 000
Scott	Château périlleux	3	3	0	9 300	9 300
Barthélemy	Voyage du jeune Anacharsis (b)	5	4	1	5 250	8- 11 000

Tableau 5. — *Best-sellers français, 1831-1835*

qu'il faut prendre en considération, le lieu de publication : les éditions de province ont très rarement dépassé 1 500 exemplaires avant 1830, et 2 000 à 3 000 par la suite.

Si l'on ne néglige aucun de ces facteurs, il est possible d'arriver à une estimation raisonnable des tirages de toutes les éditions non connues : en les ajoutant aux tirages connus, on peut calculer le nombre total d'exemplaires imprimés de chaque titre.

Ce chiffre global ne représente pas les ventes effectives, mais une estimation des exemplaires offerts à la vente. On peut néanmoins logiquement supposer qu'un ouvrage qui a été régulièrement réédité n'a pas dormi longtemps sur les rayons des libraires. Pourtant, même en tant que total des exemplaires imprimés, il faut considérer ce chiffre comme un minimum puisque, comme nous l'avons indiqué, plusieurs éditions provinciales ont dû échapper au filet des éditeurs de la *Bibliographie de la France*. Les contrefaçons belges n'y étaient évidemment pas enregistrées — mais la politique éditoriale belge a plus probablement reproduit les tendances qui régnaient en France plutôt qu'elle ne les a contredites. Autrement dit, les Belges ont préféré publier des ouvrages qui étaient déjà des réussites certaines, ou qui étaient écrits par des auteurs de réputation bien établie.

Les chiffres présentés dans les tableaux qui suivent ne correspondent donc pas à une estimation du nombre de lecteurs. Pour ce faire, il faudrait non seulement être mieux informé des tirages belges, mais aussi avoir mis au point une méthode satisfaisante pour calculer le nombre d'individus qui lisaient chaque exemplaire.

L'objet des statistiques suivantes est de servir de base solide pour la comparaison des titres et des auteurs et pour la connaissance des tendances générales et des succès. Sans indiquer le nombre de lecteurs de chaque ouvrage, elles permettent cependant à l'historien de saisir l'importance relative de chaque auteur et de chaque genre dans le contexte général du commerce du livre.

Les tirages présentés dans les tableaux de best-sellers ont été cumulés par périodes de cinq ans, ou « quinquennia ». Des raisons pratiques ont dicté ce choix. Il aurait été difficile de faire des calculs sur des périodes plus courtes, d'une année, par exemple. De plus, on aurait ainsi enregistré des fluctuations très irrégulières. La publication des œuvres complètes d'un auteur prolifique comme Voltaire a généralement nécessité plusieurs années, et de tels tirages ne peuvent pas être ramenés à un chiffre annuel. Dans ces cas difficiles, on a déterminé la période de cinq ans à partir de la première année de la publication de l'ouvrage. Il aurait été peut-être intéressant de faire des calculs sur des périodes plus longues, mais cela aurait eu pour résultat d'occulter beaucoup de succès à court ou à moyen terme. Une période de cinq ans a semblé assez courte pour permettre de discerner des fluctuations significatives, mais assez longue pour diminuer l'influence de variations annuelles dues au seul hasard. Nous disposons de statistiques à partir de l'année 1811, et le découpage en périodes de cinq ans coïncide bien avec les tournants politiques de 1815 et de 1830. Cette disposition chronologique nous a permis de porter un jugement sur le degré de différenciation culturelle des grandes époques politiques de l'Empire, de la Restauration, et de la monarchie de Juillet.

Dans l'analyse des statistiques présentées dans ces tableaux, je passerai rapidement sur des auteurs connus comme Lamartine, Balzac, Stendhal ou Vigny. L'abondance de la littérature critique qu'ont suscitée ces auteurs rendrait des commentaires supplémentaires aussi présomptueux que superflus. En revanche, il m'a semblé nécessaire d'offrir quelques éclaircissements sur le ton et le contenu des ouvrages plus obscurs de cette époque et, lorsque c'est possible, sur leurs lecteurs.

Les best-sellers seront répartis en trois catégories : les succès d'actualité, qui se rapportent aux événements du jour, les succès à moyen terme et les succès à long terme. Autrement dit, on a tenté d'identifier les ouvrages les moins significatifs, les véritables best-sellers, et les classiques. Ce schéma « braudelien » sépare les succès éphémères, du mois ou de l'année, des ouvrages qui ont fait l'objet de ventes importantes et de réimpressions fréquentes pendant les quelques années suivant la première publication. Ces deux catégories sont elles-mêmes à dis-

Auteur	Titre	Nombre d'éditions			Tirage minimal connu	Tirage global connu ou estimé
		T	P	P/E		
Fénelon	Télémaque	41	20	21	29 850	78-120 000
Fleury	Catéchisme historique (a)	38	14	24	27 300	70-110 000
La Fontaine	Fables	32	14	18	23 500	58- 85 000
Saint-Ouen	Histoire de France	3	3	0	22 000	35- 45 000
Saint-Pierre	Paul et Virginie	22	12	10	13 000	30- 55 000
Lamennais	Paroles d'un croyant	4	4	0	30 000	30- 33 000
Pellico	Mes Prisons	11	7	4	21 500	28- 40 000
Chateaubriand	Génie du christianisme	12	11	1	18 500	28- 38 000
Bérenger	La Morale en action	14	3	11	4 000	30- 58 000
Mme de Staël	Corinne	11	5	6	13 000	22- 35 000
Defoe	Aventures de Robinson Crusoé	15	11	4	4 500	19- 40 000
Defoe	Robinson dans son île	5	3	2	11 000	14- 25 000
Schmid	Contes (h)	13	4	9	7 500	20- 38 000 ?
Chateaubriand	Œuvres complètes	7	7	0	13 500	16- 24 000
Florian	Fables	12	6	6	1 400	18- 35 000 ?
Anquetil	Histoire de France	10	9	1	7 000	12- 30 000 ?
Béranger	Œuvres complètes	3	3	0	10 000	15- 25 000
Le Tasse	La Jérusalem délivrée	15	8	7	2 000	15- 30 000 ?
Perrault	Contes des fées	8	4	4	500	8- 24 000 ?
Mme Cottin	Élizabeth	5	4	1	11 000	15- 18 000
Anon.	Lettres d'Héloïse et d'Abélard	7	6	1	3 500	9- 20 000 ?
Lesage	Gil Blas	6	3	3	6 000	13- 16 000
Thiers	Histoire de la Révolution française	4	4	0	3 300	9- 18 000
Rousseau	Julie ou la Nouvelle Héloïse	4	2	2	8 000	11- 15 000
Racine	Œuvres	8	5	3	2 500	10- 20 000 ?
Anon.	Mille et Une Nuits	4	3	1	7 000	9- 14 000

Tableau 6. — *Best-sellers français, 1836-1840*

Tableau 7. — *Best-sellers français, 1841-1845*					
Auteur	Titre	Nombre d'éditions T = P + P/E			Tirage minimal connu	Tirage global connu ou estimé
La Fontaine	Fables	31	17	14	53 400	88-125 000
Fleury	Catéchisme historique (a)	26	8	18	50 500	80-100 000
Fénelon	Télémaque	27	16	11	62 200	82- 98 000
Schmid	Contes (h)	23	15	8	29 000	55- 70 000
Saint-Ouen	Histoire de France	5	5	0	26 400	48- 96 000
Anquetil	Histoire de France	6	6	0	39 000	40- 43 000
Sue	Le Juif errant	8	4	4	23 000	32- 46 000
Béranger	La Morale en action	15	4	11	21 900	35- 40 000
Lesage	Gil Blas	9	9	0	22 000	30- 42 000
Florian	Fables	12	6	6	21 000	30- 50 000
Sue	Mystères de Paris	7	4	3	18 200	25- 35 000
Pellico	Mes Prisons	11	9	2	18 500	25- 35 000
Defoe	Aventures de Robinson Crusoé	12	8	4	13 500	22- 35 000
Saint-Pierre	Paul et Virginie	11	7	4	15 500	25- 30 000
Defoe	Robinson dans son île	3	3	0	25 300	25 300
Ducray-Duminil	Victor	9	7	2	14 000	24- 30 000
Perrault	Contes des fées	8	7	1	16 500	22- 30 000
Molière	Œuvres	8	8	0	22 300	24- 26 000
Béranger	Œuvres complètes	4	3	1	20 000	22- 30 000
Massillon	Petit Carême	12	11	1	18 100	20- 25 000
Racine	Théâtre	12	11	1	3 500	13- 30 000 ?
Las Cases	Mémorial de Ste-Hélène	3	3	0	14 000	16- 20 000
Defoe	Robinson de 12 ans (j)	3	2	1	16 000	16 000
Cervantes	Don Quichotte	6	6	0	6 000	11- 20 000
Reybaud	Jérôme Paturot	5	5	0	13 000	13 000
Le Tasse	Jérusalem délivrée	6	5	1	11 500	13- 18 000
Anon.	Mille et Une Nuits	5	5	0	8 500	11- 15 000
Scott	Rob Roy	2	2	0	12 000	12 000
Jussieu	Simon de Nantua	2	2	0	6 000	12 000
Scott	Quentin Durward	2	2	0	11 500	11 500
Barthélemy	Voyage du jeune Anacharsis	5	4	1	6 000	10- 13 000

tinguer des succès à longue durée, qui ont eu une carrière d'un demi-siècle ou plus. L'analyse des grands succès durables de ce dernier groupe met en lumière la continuité fondamentale du goût populaire français, puisque ce sont eux qui forment le fonds permanent de la culture littéraire française.

La répartition des données par périodes de cinq ans a automatiquement éliminé les succès de courte durée : ils ont été submergés par les titres qui avaient été régulièrement réimprimés pendant chacune de ces périodes. Une « histoire événementielle » des best-sellers éphémères tiendrait compte de toutes ces brochures et pamphlets concernant des sujets d'actualité. Puisque l'historien social ne peut pas se permettre de négliger complètement le fait divers, et puisqu'il arrive que même les soucis passagers des lecteurs soient d'un intérêt plus qu'anecdotique, certains de ces ouvrages seront cités ici.

En 1815, par exemple, a paru une grande quantité de brochures sur la vie et la mort du maréchal Ney, récemment exécuté. Même si ce dernier semble avoir été vite oublié par le public volage, beaucoup de best-sellers d'actualité de cette période ont porté sur l'histoire de l'époque napoléonienne. Les premières années de la Restauration ont vu la publication de nombreux pamphlets contre Napoléon, qui prenaient souvent la forme de mémoires — véritables ou fictifs — ou d'anecdotes concernant l'Empereur, ses maréchaux, ou des membres de sa famille. Après sa mort, cette « bonapartiana » a pris un ton plus sérieux et moins injurieux. En 1821, on a publié beaucoup de pamphlets et d'odes dédiés à Napoléon ou à son tombeau, d'un tirage moyen de 500 exemplaires. Des titres comme *Bonaparte devant Minos* et *Bonaparte, Alexandre et Pertinax* montrent que la mythologie de Bonaparte était déjà en voie de consolidation. Le transfert de ses cendres en France en 1840 a encore inspiré une brève vague de publications du même ordre.

Beaucoup de succès éphémères appartenaient à la littérature officielle ou semi-officielle. Pendant les années électorales, la librairie parisienne s'est vouée à la publication de discours et de manifestes pour les candidats. Il fallait aussi publier les nouvelles lois, comme le Code forestier de 1827, ainsi que les commentaires qui les rendaient intelligibles au grand public. Parfois, ces lois ont suscité des commentaires ou des polémiques qui ont été très largement diffusés. Tel était le cas, par exemple, de l'*Opinion sur le projet de loi* de Chateaubriand, une brochure de 1827 sur la question brûlante de la liberté de la presse. Au moins 30 000 exemplaires ont paru en deux mois. Ce genre de littérature semble avoir atteint son apogée en 1848, lorsque les commandes pour des tracts politiques et des manifestes électoraux ont été si nombreuses qu'il ne restait pratiquement plus de temps aux imprimeurs pour la production d'ouvrages de fiction.

La vogue dans l'édition a changé d'une année à l'autre. Les *Paroles d'un croyant* de Lamennais a connu un succès rapide en 1833, qui a inspiré une ruée d'imitateurs et de parodistes, produisant des titres comme l'inévitable *Paroles d'un voyant* et autres variations satiriques sur le même thème. Autre exemple de mode, celle des titres aux métaphores médicales. Le nombre de manuels pratiques de médecine a probablement été en augmentation, particulièrement en 1831, année de choléra. Pour les éditeurs, 1841 a été l'année de la « physiologie ». La *Physiologie du goût* de Brillat-Savarin et la *Physiologie du mariage* de Balzac ont été suivies de toute une gamme de titres analogues.

À partir des titres publiés en 1845, on devine facilement les sujets d'actualité : d'abord, les Juifs, dans le sillage du *Juif errant* d'Eugène Sue ; ensuite, les Jésuites. En 1849 et 1850, la curiosité subite et de courte durée éveillée par l'or californien est peut-être un indice de la dépolitisation croissante qui a suivi l'échec de la révolution de 1848. Le contraste est marqué entre la littérature de ces années et celle de 1847, qui traitait des sujets d'actualité les plus urgents, dont les événements d'une grande portée politique comme la mort d'O'Connell, les griefs des Polonais et les activités de l'impopulaire missionnaire Pritchard, en Océanie. Ces derniers sujets de best-sellers éphémères nous rappellent qu'il ne faut pas sous-estimer certaines des causes immédiates de la révolution de

Auteur	Titre	Nombre d'éditions			Tirage minimal connu	Tirage global connu ou estimé
		T =	P +	P/E		
Saint-Ouen	Histoire de France	8	8	0	144 000	230-320 000
La Fontaine	Fables	26	19	7	63 600	80-105 000
Florian	Fables	18	15	3	40 600	60- 80 000
Fleury	Catéchisme historique (a)	17	9	8	41 000	65- 80 000
Béranger	Chansons (k)	8	7	1	62 000	65- 80 000
Anon.	Mille et Une Nuits	8	8	0	35 500	45- 60 000
Dumas	Le Comte de M. Cristo	11	11	0	11 000	24- 44 000 ?
Dumas	Les 3 Mousquetaires	7	6	1	15 500	24- 35 000 ?
Fénelon	Télémaque	16	7	9	5 500	20- 35 000
Defoe	Aventures de Robinson Crusoé	14	11	3	2 000	15- 40 000 ?
Lamartine	Histoire des Girondins + OC	6	6	0	21 000	30 000
Saint-Pierre	Paul et Virginie	4	4	0	23 000	25- 28 000
Sue	Mystères de Paris	2	2	0	20 000	22- 28 000
Sue	Le Juif errant	2	1	1	20 000	25 000
Sue	Mystères du peuple	4	2	2	11 600	20 000
Ducray-Duminil	Victor	7	7	0	4 400	15- 25 000 ?
Reybaud	Jérôme Paturot	3	3	0	15 000	18- 20 000
Dumas	Le Chevalier de la maison rouge	5	5	0	14 000	16- 19 000
Brillat-Savarin	Physiologie du goût	5	5	0	14 000	15- 17 000
Schmid	Contes (h)	9	5	4	4 650	12- 22 000 ?
Anquetil	Histoire de France	5	5	0	11 000	13- 16 000
Cabet	Voyage en Icarie	4	4	0	14 000	14 000
Perrault	Contes des fées	8	7	1	13 000	18- 26 000
Racine	Théâtre + Œuvres	6	6	0	1 500	9- 16 000 ?
Hugo	Notre-Dame de Paris	3	3	0	12 500	12 500
Michelet	Le Peuple	3	3	0	9 000	11- 12 000
Dumas	La Reine Margot	4	4	0	7 400	9- 12 000
Defoe	Robinson dans son île	1	1	0	10 000	10 000

Tableau 8. — *Best-sellers français, 1846-1850*

Les Physiologies

Autour des années 1840-1842, les étalages des libraires parisiens furent inondés de petits livres illustrés, de format in-32, d'une centaine de pages environ, tous conçus sur le même modèle et appelés « Physiologies ».

Les sujets traités étaient des plus variés. À côté de la *Physiologie du fumeur,* de celles de l'*Écolier,* de la *Portière,* on rencontrait aussi bien la *Physiologie du jardin des plantes* que celle du *Soleil.* Le mot « physiologie » n'avait plus à ce moment, comme on le voit à ces exemples, aucune valeur sémantique originelle. Il s'appliquait seulement à une catégorie de livres dont la mode faisait fureur. Dans la *Physiologie des physiologies,* nous relevons la définition amusante de ce terme dont on raffolait alors, définition bien caractéristique du ton dans lequel ces petites plaquettes sont écrites : « Physiologie », ce mot se compose de deux mots grecs dont la signification est désormais celle-ci : Volume in-18, composé de 124 pages et d'un nombre limité de vignettes, de culs-de-lampe, de sottises et de bavardages *(logos)* à l'usage des gens niais de leur nature *(phusis).*

Balzac, dans sa *Monographie de la Presse parisienne,* fait allusion à cette mode des physiologies : « La Physiologie était autrefois la science exclusivement occupée à nous raconter le mécanisme du coccyx, les progrès du fœtus ou ceux du ver solitaire, matières peu propres à former le cœur et l'esprit des jeunes femmes et des enfants. Aujourd'hui, la Physiologie est l'art de parler et d'écrire incorrectement de n'importe quoi sous la forme d'un petit livre bleu ou jaune qui soutire vingt sous au passant sous prétexte de le faire rire et qui lui décroche les mâchoires... Le XVIIIe siècle a eu la mode des Carlins, aujourd'hui nous avons celle des physiologies. Les Physiologies sont comme les moutons de Panurge, elles courent les unes après les autres. Paris se les arrache, et on vous y donne pour vingt sous plus d'esprit que n'en a dans son mois un homme d'esprit. Et comment en serait-il autrement ? Ces petits livres sont écrits par les gens les plus spirituels de notre époque. Aussi les Physiologies se trouvent-elles sur toutes les tables de salon avec les œuvres de ceux qui ont le monopole de la plaisanterie écrite à coups de crayon... »

Pourquoi ce genre connut-il à ce moment-là un tel succès ?

Tout d'abord, le mot « physiologie » appartient au langage commun. Depuis que Cabanis dans son *Traité du physique et du moral de l'homme* (1798-1799) a mis en relief l'influence primordial de la physiologie sur la vie psychique, le terme a été vulgarisé, d'abord par de nombreux ouvrages dus aux médecins physiologistes puis, vers 1825, grâce à des publications qui se veulent sérieuses mais où l'aspect médical n'a plus grand-chose à voir ; *Physiologie des*

passions (Alibert, 1825), *Physiologie du goût* (Brillat-Savarin, 1826), *Physiologie du mariage* (Balzac, 1830). Enfin, une dernière étape est franchie qui assure le succès du mot « physiologie » avec la *Galerie physiologique* qui paraît en 1830 dans *la Silhouette* et la *Physiologie de la poire* de Peytel (1830) inspirée de celle de Philipon dans *la Caricature.*

Ensuite les études de mœurs sont à la mode. Dès les années 1810, le roman populaire s'était emparé des théories physiologiques ainsi que des théories physionomiques de Lavater : son *Essai sur la physiognomonie,* traduit en français à La Haye de 1781 à 1804, avait été réédité à Paris en 1807-1810 et vulgarisé dans de nombreuses éditions populaires. Vers 1820, les travaux de Lavater sont l'objet d'un véritable engouement dont témoigne toute une littérature « physiognomonique ».

Parallèlement à la littérature romanesque, et toujours sous la double influence des médecins physiologistes et de Lavater, paraissent à la même époque des ouvrages qui se proposent l'étude des mœurs contemporaines et des différents types sociaux comme la série des « Hermites » de Jouy (1813-1825) qui prolongent un courant déjà ancien illustré, notamment au XVIIIe siècle par Sébastien Mercier dans son *Tableau de Paris* (1781). Toute cette production sociologique ou, comme on disait alors « physiologique », atteint vers les années 1840 une ampleur qu'elle n'a pas connue auparavant.

Enfin, Brillat-Savarin, Balzac ont donné, sous le nom de « physiologies », des études sérieuses, traitées sur un ton qui voulait être badin, pittoresque et plaisant. C'est Philipon, puis Peytel, avec le féroce humour de la *Physiologie de la poire,* qui ont véritablement créé et lancé le « genre physiologique ». Il semble bien que les physiologies, telles qu'elles ont été présentées au public, sous petit format et illustrées de nombreuses vignettes soient nées d'une idée de journaliste. L'initiative en revient à Philipon, le père de la *Physiologie de la poire,* l'animateur de *la Caricature,* du *Charivari* et de toutes les productions de la maison Aubert. Aubert, marchand d'estampes et éditeur du *Charivari,* après une brève carrière de notaire, était devenu éditeur en s'associant avec son beau-frère, Charles Philipon. Il tenait boutique au Palais-Royal, passage Véro-Dodat, et ensuite place de la Bourse. La plupart des physiologies furent éditées chez lui en 1841-1842.

Cette initiative fut immédiatement imitée par d'autres éditeurs : Desloges, Bocquet, Bréauté. Mais Aubert, surtout par la qualité de ses illustrations, s'imposa comme le véritable éditeur des physiologies. Le *Charivari* qu'il éditait l'y aida d'ailleurs considérablement. On y voit, en 1841, paraître certaines physiologies : le 1er février,

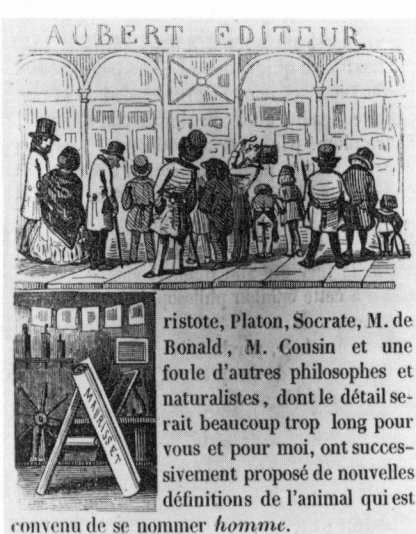

ristote, Platon, Socrate, M. de Bonald, M. Cousin et une foule d'autres philosophes et naturalistes, dont le détail serait beaucoup trop long pour vous et pour moi, ont successivement proposé de nouvelles définitions de l'animal qui est convenu de se nommer *homme.*

Les uns ont dit — que l'homme était une

La boutique d'Aubert, le principal éditeur des *Physiologies,* représentée dans *la Physiologie du flâneur.*
Paris, 1842.

Exemple typique des petites publications qui ont fleuri en France
autour de 1840 sous le nom de *Physiologies.* H. 137 mm.

Physiologie d'une maison de Paris ; le 28 octobre, *Physiologie de Paris ;* le 8 novembre, *Physiologie du chapeau de feutre et du chapeau de soie.* On y rencontre souvent, à la dernière page, des annonces pour la collection Aubert et parfois des pages entières reproduisant des vignettes extraites de physiologies : le 11 mars, vignettes de la *Physiologie du flâneur ;* le 20 avril, *Physiologie de l'étudiant ;* le 3 juillet, *Physiologie de la lorette ;* le 2 septembre, *Physiologie de l'écolier ;* le 13 octobre, *Physiologie du tailleur.*

Toute cette publicité, les noms d'artistes tels que Daumier, Gavarni, bien connus des lecteurs du *Charivari,* ne purent que contribuer à imposer la collection Aubert.

Les premières physiologies illustrées in-32 apparaissent en 1840, mais elles sont encore peu nombreuses (sept en tout à partir du mois de juin). En revanche, si l'on consulte la *Bibliographie de la France* des années 1841 et 1842, on est surpris de voir presque chaque semaine l'annonce de nouvelles physiologies, soit en 1841, quatre-vingts physiologies ; en 1842, quarante-quatre. La mode était à son point culminant de juillet 1841 à février 1842. Dès le mois de mai 1842, on peut considérer que l'engouement du public pour les physiologies commence à passer. Jusqu'à cette date, toute cette littérature était une production essentiellement parisienne, si l'on néglige les éditions du même format mais non illustrées qui furent données, en assez petit nombre d'ailleurs, à Bruxelles en 1841. À partir du mois de juin, nous voyons les éditeurs de province copier les collections parisiennes. La

première physiologie provinciale est la *Physiologie du Bourbonnais,* éditée à Moulins et annoncée dans la *Bibliographie de la France* du 11 juin. La mode des physiologies, vite terminée à Paris, continuera encore quelques années en province.

Comment se présente une physiologie ?

Ce qui frappe d'abord, c'est la constance du même format in-32, du même nombre de pages (une centaine environ), le même prix, 1 franc, prix relativement bon marché à cette époque où un livre ordinaire in-8°, broché, était vendu 3,50 francs. Visiblement, ce sont des livres populaires que l'on devait trouver un peu partout.

Les physiologies se caractérisent surtout par leur ton enjoué et par leurs illustrations. Ce ton humoristique, plaisant, parfois satirique, convient à ces textes légers qui traitent la plupart du temps des travers et ridicules de certains types sociaux ou des mœurs et coutumes de l'époque. Quant à l'illustration, elle est particulièrement abondante : 30 à 60 bois environ pour un volume d'une centaine de pages. Elle consiste essentiellement en vignettes gravées sur bois qu'accompagnent des culs-de-lampe, des bandeaux et des lettres ornées, généralement sans intérêt, car relevant du matériel typographique de l'imprimeur. Ces divers accessoires ont rarement fait l'objet d'un dessin spécialement conçu pour le texte, comme cela arrive dans quelques physiologies illustrées par Gavarni.

Tout l'intérêt de l'illustration est donc dans les vignettes. Elles sont étroitement associées à la typographie et, si elles se trouvent souvent au milieu de la page, il existe,

en fait, une très grande liberté de présentation. Cette même liberté se retrouve dans la façon dont le texte est commenté : les images traitent, parallèlement au texte, le même sujet mais ne le suivent pas mot à mot. Aussi voyons-nous de nombreuses vignettes servir pour illustrer des sujets parfois très différents : dans la *Physiologie des Tuileries,* nous retrouvons des bois utilisés dans la *Physiologie du curé de campagne* (illustrateur Porret) ; dans la *Physiologie du parterre,* certaines vignettes sont les mêmes que dans la *Physiologie des quartiers de Paris* et la *Physiologie des physiologies* (Émy, illustrateur) ; de même pour la *Physiologie du musicien* et celle du *Tailleur.*

Les noms de Daumier, Gavarni dominent tous les autres. Ils nous montrent que de grands artistes n'ont pas craint d'illustrer ces livres populaires et en général l'illustration est d'une qualité excellente. Nous relevons, un peu éclipsés par ces maîtres, les noms de bons artistes : H. Monnier, Traviès, Maurisset, Trimolet, Émy, associés à ceux de graveurs habiles et connus par la qualité de leur exécution, Birouste, Fauquinon, Badoureau, etc. Tous ces noms nous prouvent la valeur des illustrations. Ils soulèvent des problèmes sur les attaches que tel ou tel illustrateur ou graveur a pu avoir avec tel ou tel éditeur. Ainsi, nous voyons l'équipe du *Charivari* travailler pour les physiologies d'Aubert ; Émy, presque toujours gravé par Birouste est, lui, le plus souvent associé à Desloges, mais Birouste grave aussi des bois pour Aubert...

Andrée Lhéritier

ŒUVRES DE WALTER SCOTT

QUENTIN DURWARD

BELLE ÉDITION

Illustrée de 30 jolies Gravures sur bois

PARIS

GENNEQUIN AINÉ, LIBRAIRE

RUE GIT-LE-CŒUR, 6

1859

Quentin Durward, de Walter Scott, dont la popularité en France
culmine entre 1826 et 1835, fait encore l'objet de cette édition
illustrée en 1859. H. 228 mm.

1848 — l'impopularité de l'Angleterre, par exemple, et la sympathie
pour l'Irlande et pour la Pologne.

Nous avons vu que le regroupement
des statistiques par périodes de cinq
ans occulte les chiffres de production
pour les discours politiques ou les pièces concernant des faits divers. En
revanche, cette méthode révèle de
façon spectaculaire les best-sellers à
moyen terme, ceux qui ont bénéficié
d'une réussite brillante pendant cinq
ans ou une décennie, pour ensuite disparaître brusquement des listes.

Les tableaux mettent en lumière
l'influence de certains best-sellers individuels sur la production des livres
dans son ensemble. Le tableau 2, par
exemple, suggère que les romans de
Mme Cottin ont été fort goûtés après
1816, mais que son succès s'est limité
aux premières années de la Restauration. Le tableau 4 révèle l'immense
popularité de Walter Scott parmi les
lecteurs français. On trouve quatre de
ses romans les plus célèbres sur la liste
des années 1826-1830, qui marquent
l'apogée de son succès en France. Scott
réapparaît dans le tableau 5, qui
regroupe les années 1831-1835, mais
ces titres ont été les derniers à être
publiés avant sa mort. À défaut de
nouveaux romans de l'auteur, la publication de Scott s'est stabilisée à un
rythme régulier et moins spectaculaire.

Le successeur de Scott a été Victor
Hugo, dont *Notre-Dame de Paris* a été
un des grands succès de cette période.
La plus grosse vague de réimpressions a
suivi de peu la première publication ;
ces années sont représentées sur le
tableau 5. À la fin de la période étudiée, Eugène Sue et Alexandre Dumas
ont battu tous les records de tirage
pour la production de romans, ainsi
que le montrent les tableaux 7 et 8. *Le
Juif errant* et *les Mystères de Paris* de
Sue ont joui d'un succès explosif pendant les premières années de leur diffusion mais, comme Pierre Orecchioni
l'a signalé, les rééditions se sont espacées après 1854, lors de l'exil de Sue,
et le roman populaire est entré dans
une phase de « dépolitisation » sous le
Second Empire, pour employer le
vocabulaire d'Orecchioni (13). Les
romans de Dumas semblent représentatifs de cette « dépolitisation » —
cependant ce terme esquive certaines
questions. Il est sans doute possible

382

qu'il y ait eu un certain désenchantement envers le libéralisme après 1848. Mais il est aussi probable que le gouvernement impérial s'est opposé à des réformes sociales et à toute littérature populaire hétérodoxe. Cette dépolitisation fut-elle une tendance naturelle, ou a-t-elle été imposée d'en haut ?

Orecchioni a estimé que *les Mystères de Paris* et *le Juif errant* ont eu un tirage global de, respectivement, 60 000 et 50 000 exemplaires avant 1850 (14). On ne sait pas trop s'il a inclus ou non les éditions des œuvres complètes de Sue dans ses calculs, qui sont d'ailleurs fondés sur une moyenne conjecturale quelque peu risquée de 5 000 exemplaires par édition. Les chiffres présentés ci-dessus tendent à confirmer son estimation des ventes des *Mystères de Paris,* mais ils suggèrent qu'il a sous-estimé la diffusion probable du *Juif errant.* Selon le Dr. Véron, la publication de ce dernier en feuilleton a augmenté le tirage du *Constitutionnel* de 3 600 en juin 1844 à 25 000 en juillet 1845. Cela donnerait au *Juif errant* une diffusion totale d'environ 80 000 exemplaires avant 1850. En supposant que chaque exemplaire du journal a été lu par cinq à dix personnes, Orecchioni estime un nombre total de lecteurs à un demi-million. Je ne vais pas suivre M. Orecchioni dans ces spéculations... mais il faut signaler qu'un volume in-octavo de Sue a coûté entre 7,50 et 10 francs au milieu des années 1840, l'équivalent de quatre ou cinq fois le salaire journalier d'un ouvrier parisien. Un abonnement au *Constitutionnel* n'était pas non plus bon marché (40 francs par année). Orecchioni a donc raison de souligner l'origine bourgeoise de beaucoup des lecteurs de Sue. Néanmoins, *le Juif errant* a paru en 1844 non seulement dans une édition chère, en dix volumes in-octavo, mais aussi dans des livraisons illustrées, qui ne coûtaient que 50 centimes par fascicule, que l'on pouvait faire relier en quatre volumes par la suite. Cette évolution de l'édition encourage d'autres hypothèses sur l'éventail social des lecteurs de Sue. Il se peut que son audience parisienne ait été aussi petite-bourgeoise que bourgeoise.

À en juger par les plaintes des préfets du Second Empire, l'influence de Sue s'est étendue aux régions rurales

Une planche « patriotique » gravée sur bois d'après Grandville pour les *Œuvres complètes* de P. J. de Béranger. Paris, Fournier, 1836. H. 230 mm.

avant les années 1860. Les chiffres de vente d'auteurs comme Sue et, avant lui, de Cottin, de Scott et de Hugo témoignent de l'augmentation de la lecture de romans, surtout parmi la bourgeoisie et la petite bourgeoisie : cela est en effet un des éléments essentiels de la transformation du public lecteur au XIXe siècle.

Scott, Hugo, Sue et Dumas ont dominé l'édition pendant deux ou trois décennies, et ils ont largement contribué au « triomphe du livre », mais tous les best-sellers à moyen terme de cette époque n'étaient pas des romans. Dans les années 1820, par exemple, le public semble avoir été obsédé par les œuvres complètes de Voltaire, qui ont proliféré à côté de celles de Racine, de Molière et de Rousseau : Voltaire avait rejoint le *corpus* des auteurs français classiques, et il faut considérer ses œuvres comme des best-sellers de longue durée. Cependant, la production de ses œuvres complètes pendant la Restauration a été tellement exceptionnelle qu'elle mérite quelques remarques. Pas moins de six éditions complètes ont été lancées dans la seule année 1825. Toutes ont été publiées à Paris, car seules les plus grosses maisons de la capitale ont eu les ressources financières énormes requises pour le lancement des 75 volumes in-octavo, format usuel du Voltaire complet. Des opérations de cette envergure n'étaient évidemment pas destinées à une audience populaire. L'édition en 100 volumes de Doyen, commencée en 1827, se vendait 300 francs ; celle de Didot de 1824-1833, annotée par Arago, coûtait 450 francs. Ce n'est que dans les années 1830 que Pourrat a réussi à produire une édition moins chère, à environ 160 francs.

Il est évident que ces prix limitaient la diffusion du Voltaire complet, dont la possession était sans doute souvent affichée comme une marque de réussite sociale. Il est légitime de se demander combien d'acheteurs des cent volumes de Doyen ont vraiment eu l'intention de les lire tous. « Le Voltaire » était sans doute un article essentiel de la bibliothèque d'une famille parisienne de la haute bourgeoisie. Mais autant qu'une expression du rang social, la possession de ses œuvres complètes a exprimé les aspirations culturelles, ou peut-être même

une vague affirmation philosophique, d'une bourgeoisie qui prenait ses distances envers l'extrémisme catholique et légitimiste régnant sous Charles X.

La réussite des *Méditations* de Lamartine dans les années 1820, très exceptionnelle pour une œuvre de poésie, est une indication notable de l'audience de la littérature romantique. Cependant, nos listes de best-sellers suggèrent que le romantisme populaire a été mieux représenté par Scott et Victor Hugo, par l'histoire d'amour médiéval des *Lettres amoureuses d'Héloïse et d'Abélard*, et par l'épopée des croisades du Tasse, *la Jérusalem délivrée*. Les *Paroles d'un croyant* de Lamennais et *Mes Prisons* de Sylvio Pellico ont connu un succès immédiat lors de leur publication en 1834 et 1833, succès qui illustre la force de la sensibilité religieuse du romantisme. On ne peut guère en dire autant à propos de la très peu romantique *Histoire de France* de Mme de Saint-Ouen, dont les ventes ont fait un bond pendant les dernières années de la monarchie de Juillet. Dans sa description sans ambages des monarques français, elle a loué les exemples d'économies financières et l'amour de la paix — valeurs fondamentales de l'idéologie du « roi bourgeois » Louis-Philippe.

Nous terminerons ce bref survol des best-sellers littéraires à moyen terme avec les chansons de Béranger. Paradoxalement, cette grande réussite littéraire appartenait au sens strict à la culture orale, qui était justement en train de perdre pied face à l'extension de la lecture. Les *Chansons* de 1830 ont été composées et publiées pour être chantées en public, pendant des soirées musicales, des réunions d'amis, dans les clubs et les guinguettes. Elles s'inséraient dans une longue tradition de culture orale populaire, ce qui explique en partie leurs tirages importants. La position de Béranger en tête du tableau 4 est un exemple étonnant de la façon dont la production littéraire pouvait renforcer des genres traditionnels.

Béranger était un troubadour nationaliste, dont les chansons exprimaient la haine des Anglais et soutenaient des causes libérales comme l'indépendance grecque. Il idéalisait la pauvreté et le vin, prenait une attitude irrévéren-

cieuse envers le clergé, et à l'alliance sacrée des monarques il opposait *la Sainte-Alliance des peuples*. Autant que les légitimistes, les intellectuels libéraux trouvaient son populisme assez gênant. Alfred de Vigny a détesté les succès de Béranger, qu'il trouvait d'une médiocrité vulgaire et bourgeoise (15). Cependant, l'audience de Béranger a été très large, comprenant des artisans et des boutiquiers aussi bien que des admirateurs comme Michelet, Lamartine et Chateaubriand (16).

Le dénombrement des éditions de Béranger n'est pas aisé. Il est difficile de savoir, par exemple, si en 1826 les *Chansons* ont fait l'objet d'une véritable réédition par Baudouin, ou s'il ne s'agissait que de nouveaux tirages d'une seule édition. Cela est peut-être sans grande importance, car il est du moins évident que les tirages à la veille de 1830 ont été énormes — on a dû jouir d'une révolution très musicale. Les ventes d'avant 1830 ont sans doute été favorisées par la publicité qui entourait le procès et la condamnation de l'auteur. Mais après la révolution, Béranger n'était plus le troubadour de l'opposition. La boucle était bouclée lorsque lui-même est devenu un des députés qu'il avait caricaturé auparavant dans des chansons comme *le Ventru*. Il n'est donc guère surprenant qu'il ait très vite donné sa démission.

On a souvent souligné les tendances bonapartistes de beaucoup de chansons de Béranger (17). Sa popularité avant et après 1830 vient à l'appui de l'interprétation de D. H. Pinkney, qui voit en 1830 plutôt une renaissance du bonapartisme qu'une promesse républicaine (18). Il n'est pas sans intérêt de constater que pendant la monarchie de Juillet les tirages de Béranger ont baissé, pour remonter modestement à l'époque de la révolution de 1848. La conjoncture révolutionnaire — pour emprunter le vocabulaire braudelien — a été clairement propice à la vente de ses ouvrages.

Une sélection des best-sellers de longue durée met en évidence les structures mentales profondes de la société française moderne. Ces ouvrages représentent des goûts littéraires traditionnels qui avaient perduré ; c'est la société même qui les avait désignés comme représentatifs de sa propre culture. Les titres que l'on trouve dans nos listes de best-sellers suggèrent que cette culture avait été profondément marquée par le classicisme du XVIIᵉ siècle et, à un moindre degré, par les Lumières du siècle suivant.

Presque chacun des tableaux quinquennaux est dominé par trois titres : les *Fables* de La Fontaine, *Télémaque* de Fénelon et le *Catéchisme historique* de l'abbé Fleury. Une deuxième série de titres qui apparaît régulièrement dans les tableaux, sans arriver au premier rang, comprend les *Fables* de Florian, *Paul et Virginie*, *Robinson Crusoé* et les œuvres de Buffon ; et, du XVIIᵉ siècle, Racine, Molière et les contes de fées de Perrault.

Le théâtre classique est représenté par Racine et par Molière, toujours dans cet ordre, plutôt que par Corneille : les ventes de ses pièces ont été dépassées pendant cette période par celles de Voltaire. Cependant, le meilleur exemple de l'influence durable de la culture française classique pendant le prétendu âge du romantisme est celui de La Fontaine, dont les *Fables* ont eu plus d'exemplaires publiés que tous les autres titres de nos listes. Entre 1816 et 1850, on a enregistré plus de 240 éditions des *Fables* dans la *Bibliographie de la France*.

On a pu localiser les tirages pour 58 % de ces éditions, soit 419 000 exemplaires. La plupart des tirages inconnus sont ceux des éditions de province, dont les chiffres ont dû être modestes. Pendant la première moitié du XIXᵉ siècle, le nombre d'exemplaires de La Fontaine imprimés en France a certainement dépassé un demi-million, et a probablement atteint 750 000 exemplaires.

Les tirages globaux des œuvres de Fénelon et de Fleury ont également frisé le demi-million, mais c'était bien La Fontaine l'auteur le plus lu du XIXᵉ siècle, ou du moins du siècle antérieur à l'ère de Jules Verne. S'il est possible d'en tirer une conclusion générale, on peut affirmer que, malgré Rousseau, Lamartine, Byron et Scott, la culture française est restée foncièrement classique et que l'esthétique du Grand Siècle a laissé une marque indélébile sur l'histoire du goût français.

Le lecteur du XIXᵉ siècle a hérité du siècle précédent un mélange de classique, de picaresque et de « sensible ».

Un succès de librairie : *Monsieur, Madame et Bébé*, in-18 à trois francs (1866-1877)

Le romancier Gustave Droz fut édité de 1866 à 1877 avec grand succès chez Hetzel. Il reçut d'abord la moitié des bénéfices, sans compter les exemplaires de passe, ce qui rendait la part de l'éditeur un peu plus importante, puis 50 centimes par volume. Redoutant d'être trompé sur ses droits, il retira finalement la vente de ses livres à ce dernier.

Les relevés de comptes Hetzel-Droz (Bibl. nat., ms. fr., n.a.f. 16944, dossier Droz) permettent de suivre le succès du principal « best-seller » écrit par Droz, *Monsieur, Madame et Bébé,* qui fut tiré dans la collection in-18 de Hetzel à 85 600 exemplaires en dix ans (1866-1876). On constatera que l'essentiel des bénéfices provenait, en de telles opérations, des réimpressions exécutées à partir de stéréotypes.

Un compte dressé en 1870 montre que *Monsieur, Madame et Bébé* qui déclarait alors quarante éditions (en fait un peu plus de 40 000 exemplaires) avait déjà rapporté 19 352,40 francs à Droz et 26 499,45 francs à Hetzel et l'on peut sans doute doubler ces chiffres pour arriver aux résultats obtenus en 1877.

N. Petit et H.-J. Martin

Texte rédigé par H.-J. Martin d'après la thèse de N. Petit, *ouvr. cit.*

Première édition de *Monsieur, Madame et Bébé* (tirage à 2 000/2 200 exemplaires, mai 1866).

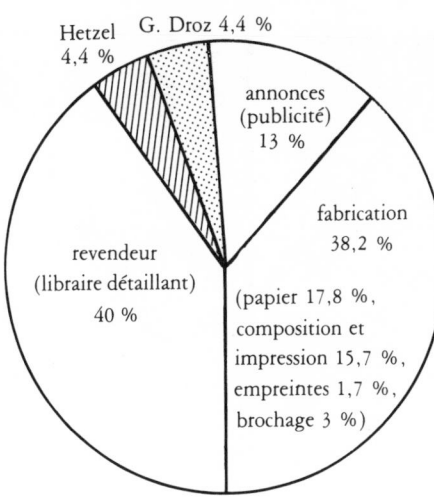

Réimpression à 2 200 exemplaires de *Monsieur, Madame et Bébé* (moyenne sur onze tirages faits entre 1867 et 1870).

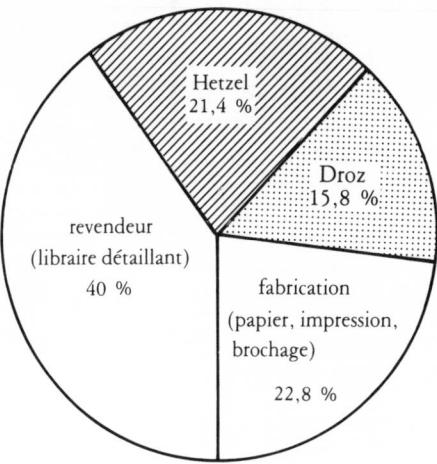

Dépenses : fabrication, 2 295,15 francs ; annonces : 778,90 francs.
Recettes : 2 000 exemplaires à 3 francs moins 40 % de remise : 3 600 francs.
Bénéfices : 525,95 francs partagés par moitié entre l'auteur l'auteur et l'éditeur.

Dépenses : fabrication, 1 544,73 francs.
Recettes : vente de 2 200 exemplaires à 3 francs moins 40 % de remise : 3 960 francs.
Bénéfices : Droz reçoit 50 centimes par exemplaire vendu, soit 1 000 francs (les exemplaires de passe étant exempts du droit d'auteur) et la Librairie Hetzel fait un bénéfice de 1 415,27 francs.

Le *Télémaque* de Fénelon, un des représentants du classicisme au XIXᵉ siècle, fait à cette époque l'objet de nombreuses éditions scolaires, mais aussi d'éditions plus soignées et illustrées, comme celle-ci, ornée de gravures sur bois d'après Baron et Célestin Nanteuil. Paris, J. Mallet, 1840. H. 252 mm.

On a déjà mentionné la popularité de Voltaire, dont les contes et les pièces sont restés la partie la plus souvent publiée de ses œuvres. Diderot et Montesquieu ont joué un rôle moins central dans la conception populaire des Lumières au siècle suivant. Buffon, en revanche, a été très apprécié. Daniel Mornet a montré qu'au XVIIIᵉ siècle ses œuvres ont été recherchées principalement en tant qu'ouvrages de référence (19), tandis qu'au XIXᵉ siècle l'*Histoire naturelle* est devenue accessible à un public nouveau et plus jeune. Iknayan a souligné l'importance, pour les critiques du XIXᵉ siècle, de *Gil Blas de Santillane,* l'archétype du roman de mœurs (20). Prisé pour ses enseignements moraux et pour l'élégance du style, le roman de Lesage se trouve dans tous les tableaux quinquennaux.

La littérature de la « sensibilité » a été loin d'être oubliée à l'époque romantique. *Julie ou la Nouvelle Héloïse* — selon Mornet le roman le plus vendu au XVIIIᵉ siècle — a été régulièrement rééditée pendant la première moitié du XIXᵉ siècle (21). Entre 1816 et 1850, on compte 55 éditions du roman dans la *Bibliographie de la France,* y compris les éditions des œuvres complètes. Le tirage global de *la Nouvelle Héloïse* est ainsi d'au moins 75 000 et se situe probablement entre 100 000 et 120 000 exemplaires, production plus importante que celle de *Gil Blas* et un peu inférieure à celle de *Paul et Virginie.* Ce dernier était souvent imprimé dans un petit format, et les tirages étaient généralement plus importants que ceux de Rousseau. Lefèvre et Didot en ont publié une édition tirée à 16 000 exemplaires en 1820.

De la littérature de la fin du XVIIIᵉ siècle, l'ouvrage le plus familier aux lecteurs du XIXᵉ a été les *Fables* de Florian, qui ont été régulièrement publiées partout en France, souvent par extraits, avec des nouvelles de Florian, ou même avec des fables de La Fontaine, et souvent illustrées par Victor Adam. On trouve 121 éditions de versions différentes des *Fables* dans la *Bibliographie de la France.*

Les tirages de 60 % de ces éditions sont connus : en tout, 180 000 exemplaires entre 1816 et 1850. On peut donc raisonnablement estimer le tirage global pour cette période à environ

300 000 exemplaires. Florian était également connu pour ses nouvelles populaires, comme la pastorale *Estelle,* et pour sa traduction de *Don Quichotte.* Son influence sur les lecteurs du XIXᵉ siècle a certainement été insuffisamment reconnue par les critiques littéraires du siècle suivant.

Ce groupe de best-sellers à long terme reflète non seulement les préférences séculaires des lecteurs français, mais aussi l'expansion nouvelle du marché des ouvrages d'instruction. Beaucoup des livres déjà cités ont été spécifiquement publiés à des fins pédagogiques. *Les Aventures de Robinson Crusoé,* par exemple, ont paru dans plusieurs versions adaptées pour les enfants d'âges divers. De même pour l'*Histoire naturelle* de Buffon, devenu *le Petit Buffon,* et *le Buffon des enfants.* L'augmentation du nombre des institutions pédagogiques a eu des effets marqués sur la production de livres : l'ouverture du nouveau marché des écoles a recruté de nouveaux lecteurs qui — l'espéraient les éditeurs — ne perdraient pas l'habitude de la lecture une fois terminée leur scolarisation.

Le *Voyage du jeune Anacharsis en Grèce* de l'abbé Barthélemy, publié en 1788, était pour le jeune élève un guide de la ·civilisation de la Grèce ancienne (22). L'auteur, historien de l'Antiquité et versé dans les langues orientales, connaissait le critique d'art néoclassique Winckelmann et était un numismate expérimenté. Le voyage fictif d'Anacharsis lui a servi de cadre pour une discussion des arts, de la religion et de la science grecques sous le règne de Philippe de Macédoine. Pendant son voyage à travers les îles, son héros s'entretient avec les grands philosophes et étudie un vaste panorama d'institutions grecques. Le voyage à Samos, par exemple, inspire une discussion avec Pythagore, natif de l'île. Ce long ouvrage a été souvent abrégé ; la période de sa plus grande popularité a été les années 1820.

Télémaque avait bien entendu une visée explicitement pédagogique. Les *Fables* de La Fontaine ont aussi eu une audience scolaire, ayant fait l'objet de beaucoup d'éditions à l'usage des enfants ; et en 1847, elles ont fait partie de la Bibliothèque du baccalauréat de Boulé. Les gros tirages de l'*Histoire*

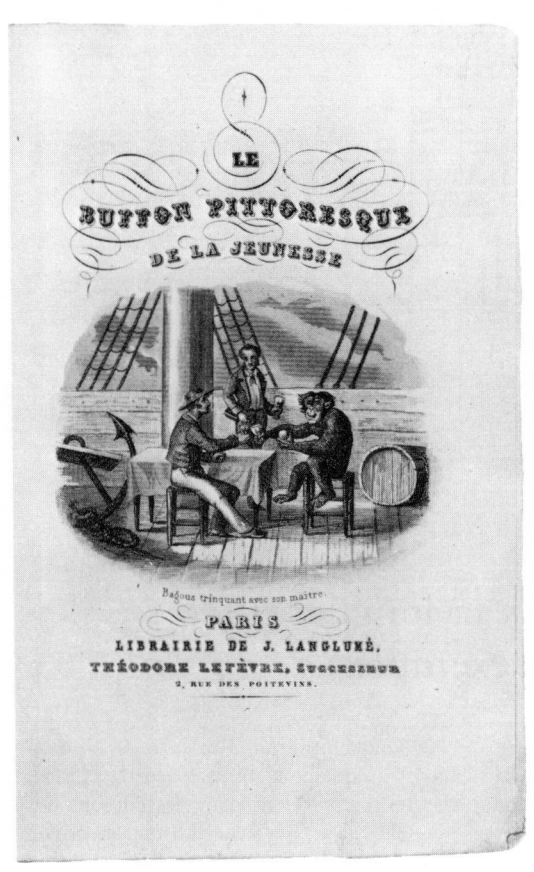

Le Buffon pittoresque de la jeunesse est une des nombreuses versions de l'*Histoire naturelle* de Buffon à l'usage des enfants qui furent publiées au XIXᵉ siècle. Titre gravé sur acier. H. 169 mm.

Début du livre 1ᵉʳ des *Fables* de Florian illustrées de gravures sur bois d'après Victor Adam. Paris, Delloye, 1838. H. 239 mm.

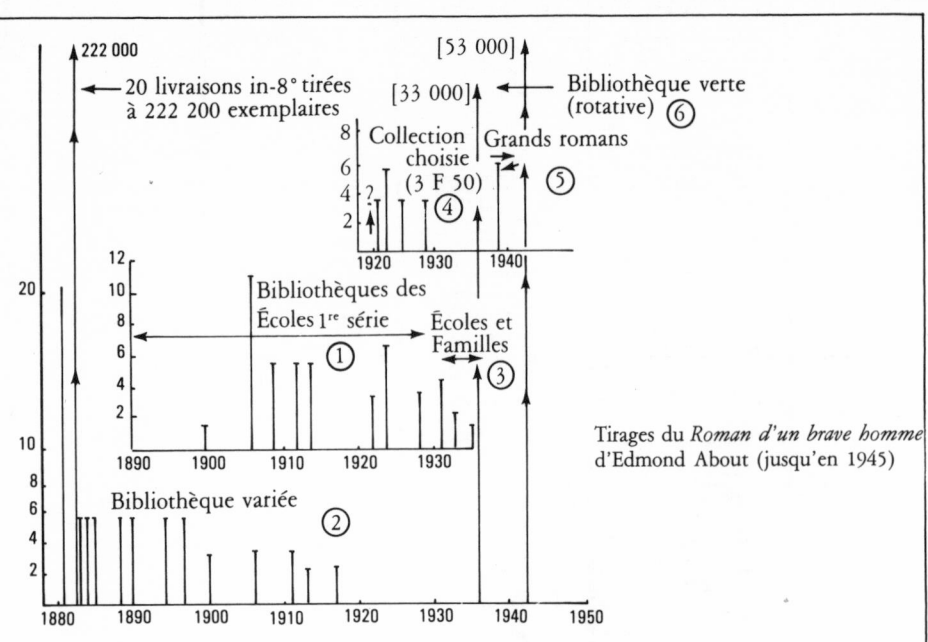

Tirages du *Roman d'un brave homme* d'Edmond About (jusqu'en 1945)

Les tirages dans la longue durée :
deux exemples

1. Les archives de la Librairie Hachette nous montrent comment *le Roman d'un brave homme* d'Edmond About fut d'abord offert en vingt livraisons à cinquante centimes. Mais le tirage de plus de 220 000 initialement réalisé se révéla trop important et il fallut en mettre environ un quart au pilon quelques années plus tard. Dès lors, la Librairie Hachette intégra l'ouvrage à ses collections et s'appliqua à en relancer périodiquement la vente en le faisant passer dans une série moins coûteuse ou plus attrayante.

H.-J. M.

2. Longtemps, *les Malheurs de Sophie* furent uniquement diffusés dans la Bibliothèque rose — donc dans des éditions de bonne qualité avec leur illustration originale. L'introduction chez Brodard et Taupin d'une rotative spécialement conçue pour imprimer des livres permit de les faire passer dans la Bibliothèque verte et d'en abaisser le prix de six à deux francs en réalisant des tirages parfois égaux ou supérieurs à 100 000 exemplaires. Puis, grâce à l'offset on obtint, à partir de 1958, des tirages un peu inférieurs mais aussi des produits de meilleure qualité qui se vendaient plus cher en une période où les Français devenaient plus riches.

H.-J. M.

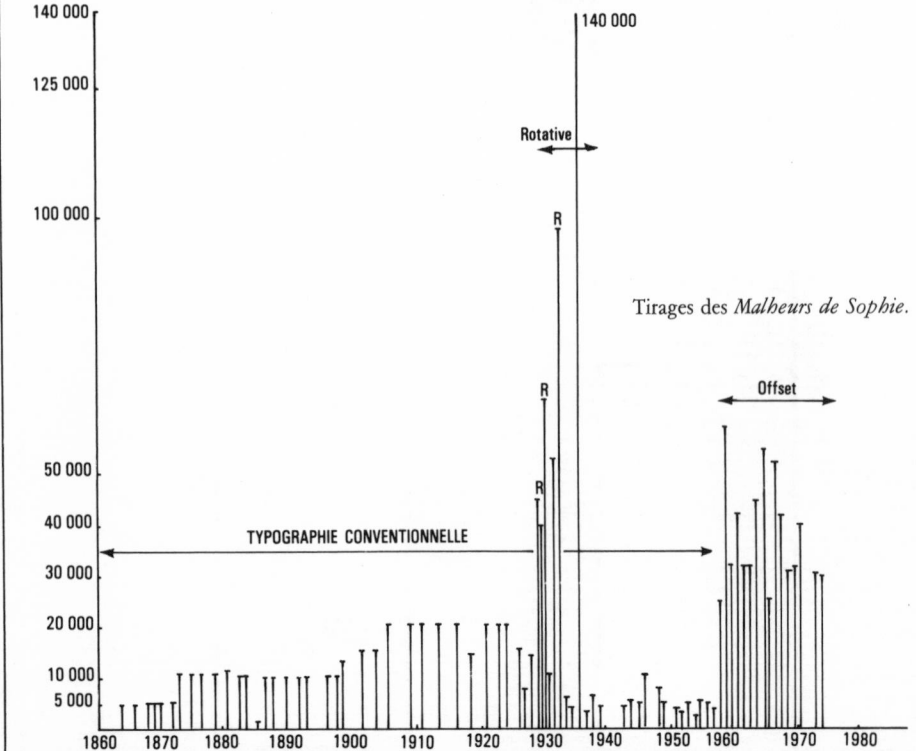

Tirages des *Malheurs de Sophie*.

de France de Mme de Saint-Ouen s'expliquent par leur emploi comme livre scolaire, lancé par Hachette et la Société d'Instruction Élémentaire.

La législation de Guizot en 1833 n'a pas créé *d'un seul coup* une école primaire par commune. Cependant, l'histoire de l'édition suggère l'importance croissante des écoles dans la consommation des livres. Le développement de l'éducation primaire et secondaire en France au XIXᵉ siècle a énormément contribué à l'accroissement des lecteurs et donc de la production du livre : il a joué un rôle central dans le « triomphe du livre ».

Les historiens de l'édition du XVIIIᵉ siècle ont relevé une baisse de la production des ouvrages théologiques (23). Ils en ont tiré argument pour une sécularisation progressive des goûts littéraires, voire des mentalités en général, pendant l'âge des Lumières. Toutefois, étudiant les traits permanents du goût français, nous ne pouvons pas passer sous silence la production d'ouvrages religieux. À cette époque, la polémique religieuse et anti-religieuse qu'avaient attisée les écrits des philosophes n'inspirait plus de vifs débats. Les diatribes contre les monastères, les fêtes religieuses et l'intolérance ont été des obsesssions pré-révolutionnaires. Les ouvrages religieux qui ont été populaires au XIXᵉ siècle n'étaient ni des ouvrages de théologie, depuis toujours limités à une clientèle érudite restreinte, ni des écrits polémiques, mais des catéchismes et des livres de prières. Le débit continu de cette poignée de titres révèle la persistance de l'élément religieux dans les préférences de lecture au XIXᵉ siècle.

Les meilleurs exemples de cette catégorie dans les tableaux quinquennaux sont le *Petit Carême* de Massillon et le *Catéchisme* de l'abbé Fleury. Tandis que la popularité de Massillon a baissé après la Restauration, la production du *Catéchisme historique* s'est maintenue au même niveau. C'était le catéchisme le plus largement utilisé en France, publié régulièrement dans la plupart des centres d'édition provinciaux, dans un petit format pour rendre son maniement plus aisé, et au prix peu élevé de 40 ou 60 centimes. À partir des années 1830, Delalain a publié un *Petit Catéchisme historique* à l'usage

des écoles primaires, et Moronval a
publié une édition de 10 000 exemplaires tous les deux ou trois ans, probablement destinés à être colportés à
l'extérieur de Paris. Les livres de dévotion et les catéchismes appartenaient
en effet à la littérature typique de colportage, genre auquel les plus grands
éditeurs parisiens avaient commencé à
s'intéresser. Cette littérature s'était
même insinuée dans le *corpus* scolaire ; elle a continué à représenter une
partie importante de la production littéraire française.

Avec l'augmentation de la population scolaire, le besoin d'une littérature d'édification morale s'est fait plus
vivement sentir aux autorités, qu'elles
soient laïques ou de l'Église. Ont été
publiés ainsi un foisonnement d'ouvrages moralisants, habituellement des
pièces courtes et faciles à assimiler,
la fable ou le conte didactique étant le
meilleur véhicule d'une moralité. *Gil
Blas* de Lesage est une rare exception à
cette règle de concision, qui a gou-
verné les fables de La Fontaine et de
Florian, les contes du chanoine Schmid
et *la Morale en action* de Bérenger.

Les quatre-vingts éditions de *la
Morale en action* dans la *Bibliographie
de la France,* entre 1816 et 1860, lui
font bien mériter le titre de best-seller.
D'après le *Catalogue général* de la
Bibliothèque nationale, l'édition de
Moronval a été réimprimée vingt fois
entre 1824 et 1863, et l'édition de
Caron à Amiens a eu 137 réimpressions entre 1810 et 1899. Des obstacles
à l'identification de l'anthologie de
Bérenger dans les déclarations des
imprimeurs nous ont obligé à renoncer
à une estimation de son tirage. Le
sous-titre de cet ouvrage, qui a été
adopté par les écoles secondaires, est
*Faits mémorables et anecdotes instruc-
tives* (24). Il s'agit d'une compilation
de brefs contes moraux, dont les prota-
gonistes sont habituellement des
enfants. De l'existence de Bérenger,
seules sont connues les dates de sa
mort, en 1822, et de la première édition de son ouvrage, publié à Lyon en
1785. Même ce dernier renseignement
a été révélé par accident, car les éditeurs, ne connaissant pas l'auteur de
l'ouvrage, l'avaient réimprimé pendant des années, sans se douter que
l'auteur était vivant et donc possédait
des droits sur le manuscrit.

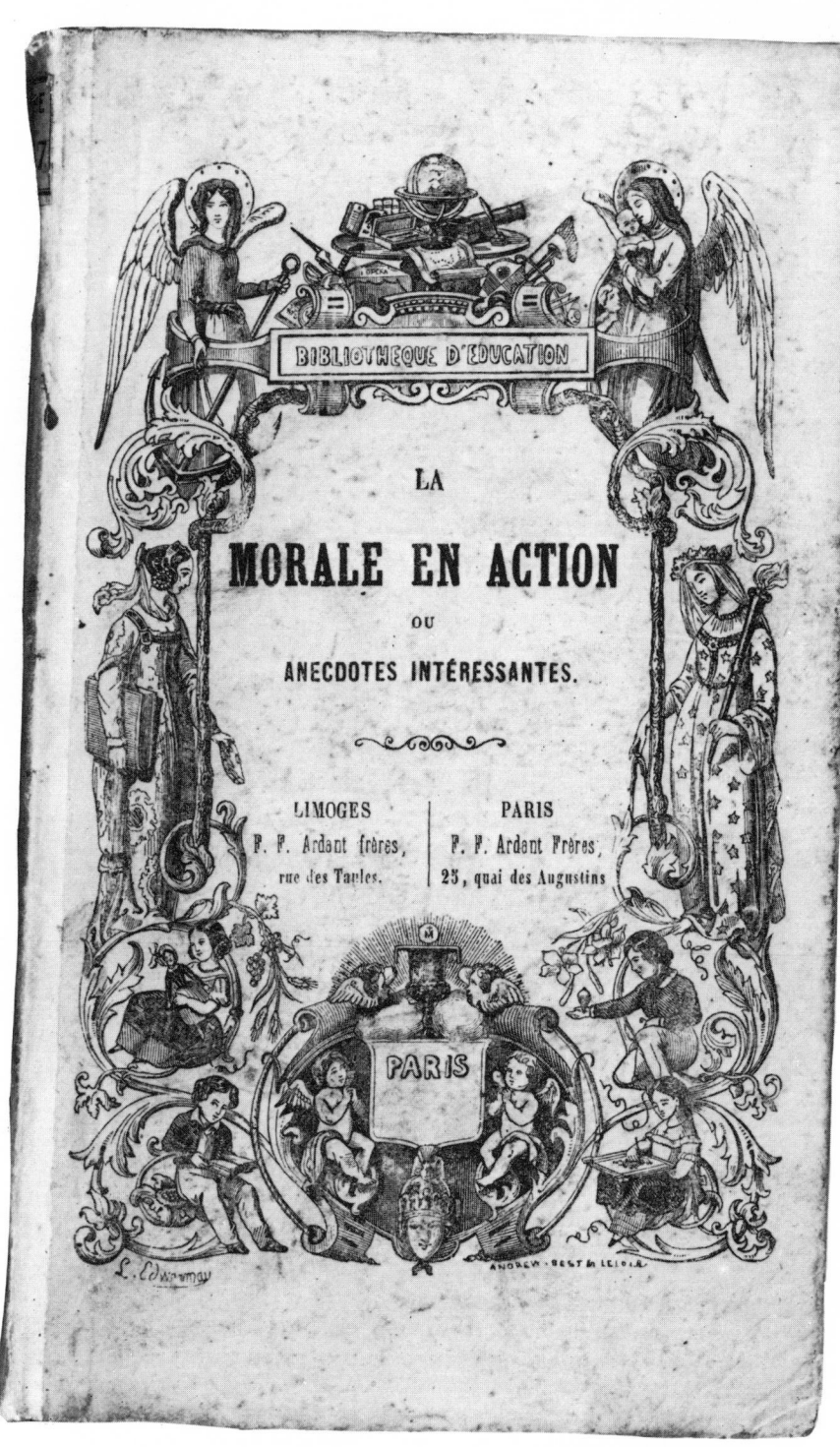

Une des multiples éditions de *la Morale en action* de
Laurent-Pierre Bérenger. L'éditeur Ardant, de Limoges,
bien connu pour ses publications destinées aux enfants, l'a fait
paraître dans sa collection « Bibliothèque d'éducation ».
Encadrement de couverture gravé sur bois. H. 181 mm.

Un succès de librairie :
la *Vie de Jésus* de Renan

« Quel fut mon étonnement le jour où je vis entrer dans la mansarde un homme à la physionomie intelligente et agréable qui me fit compliment sur quelques articles que j'avais publiés et m'offrit de les réunir en volume ! Un papier timbré qu'il avait apporté stipulait des conditions qui me parurent étonnemment généreuses, si bien que, quand il me demanda si je voulais que tous les écrits que je ferais à l'avenir fussent compris dans le même contrat, je consentis. Il me vint un moment l'idée de faire quelques observations, mais la vue du timbre m'interdit : l'idée que cette belle feuille de papier serait perdue m'arrêta. Je fis bien de m'arrêter. M. Michel Lévy avait dû être créé par un décret de la Providence pour être mon éditeur » (1).

On comprend « l'étonnement » de Renan : en 1856, il n'est encore qu'un jeune orientaliste de 33 ans à qui une dizaine d'articles parus dans *le Journal des débats* et *la Revue des deux mondes* a valu une réputation de libéral en politique et de défenseur des théologiens allemands en matière d'exégèse biblique ; sa notoriété ne dépasse guère les milieux intellectuels parisiens. Cependant, la confiance de Michel Lévy en son auteur se trouve rapidement justifiée : élection à l'Académie des inscriptions et belles-lettres, mission officielle en Phénicie, succès d'estime pour ses recueils d'articles et ses traductions parus chez Lévy, candidature, enfin, à la chaire de philologie sémitique du Collège de France. Toutefois, Napoléon III hésite à ratifier cette nomination : ne va-t-elle pas mécontenter les catholiques, déjà hostiles à la politique italienne de l'Empire ? Après de nombreux atermoiements, le décret est signé et, le 2 février 1862, quand le chahut organisé principalement par des étudiants catholiques s'est calmé, Renan commence à lire sa leçon inaugurale : « Jésus, un homme incomparable (...), un homme arrivé à s'envisager avec Dieu dans les rapports d'un

père avec son fils... » Dès le lendemain, le cours est suspendu ; Renan est célèbre.

Tout en essayant d'obtenir la réouverture de son cours, Renan se remet à la rédaction de la *Vie de Jésus,* qu'il avait mise en chantier en 1861, lors de son voyage en Palestine. Ce n'est ni l'attrait de la fortune, ni celui de la gloire qui le pousse mais plutôt la force de sa conviction : il veut faire triompher sa thèse. Il prépare donc le lancement de son livre en écrivant lui-même aux directeurs de journaux qu'il connaît pour les informer des risques de censure que court la *Vie de Jésus* et solliciter des articles de soutien pour le jour de sa parution. Enfin, le 24 juin 1863, le livre est mis en vente. Michel Lévy, confiant, l'a tiré à 10 000 exemplaires.

Les passions se déchaînent aussitôt, sous l'impulsion de l'Église. Dans leur lettre pastorale, les évêques interdisent à leurs fidèles de « lire, garder, vendre ou prêter » la *Vie de Jésus*. Ils font réciter des prières en réparation des outrages et, dans le diocèse de Marseille, on sonne le glas ! Renan ne s'en émeut pas plus que du flot de correspondance qu'il reçoit : lettres de félicitations ou d'encouragement, certes, mais surtout lettres indignées, injurieuses même ou menaçantes, comme celle de cette correspondante qui lui rappelle laconiquement chaque mois qu'« il y a un enfer ». Certains lecteurs vont plus loin. De juillet 1863 à juin 1864, il ne paraît pas moins de 214 ouvrages à propos de la *Vie de Jésus,* dont la quasi-totalité pour réfuter les thèses de Renan. L'examen de ces publications donne une idée du retentissement du livre : imprimées à compte d'auteur, souvent dans de petites villes de province, elles sont, pour les quatre cinquièmes d'entre elles, l'œuvre d'inconnus qui ont voulu exprimer leur indignation. Cela va du pamphlet de quelques pages — la majorité en compte moins de cinquante — au lourd in-4° de 808 pages dans lequel est réfuté ligne à ligne le texte de Renan. Dans l'ensemble, pourtant, la passion l'emporte sur le sérieux de la critique. Certains titres, comme *Renan-Satan, l'âme de Mademoiselle Henriette Renan à son frère Ernest,* ou *Soupir d'amertume d'un cœur spirite soulevé par l'écrit moderne intitulé la Vie de Jésus,* ne laissent aucun doute à cet égard.

Pendant ce temps, Michel Lévy se frotte les mains : « Grâce aux mandements furibonds de nos seigneurs les évêques et archevêques, ma cinquième édition de la *Vie de Jésus* a été épuisée plus promptement encore que je ne l'espérais et je mettrai en route lundi prochain la sixième édition qui promet de s'enlever non moins promptement. » Il est certain que, involontairement, l'Église a fait à la *Vie de Jésus* la plus efficace des publicités. En condamnant Renan, elle lui a acquis les sympathies de tous ceux qui, pour des raisons religieuses ou politiques, s'opposent à elle : libres penseurs et protestants, mais aussi libéraux et universitaires anticléricaux. Si à ce public on ajoute des catholiques décidés à se faire une opinion par eux-mêmes ou influencés par une presse presque unanimement élogieuse, à l'exception du *Figaro,* on voit que Renan a étendu son audience bien au-delà de l'Université. En avril 1864, le livre en est à sa treizième édition et 65 000 exemplaires ont été vendus. C'est un énorme succès de librairie ; pourtant, Michel Lévy pense qu'il reste encore un vaste public potentiel : ceux que l'in-8° de 463 pages à 7,50 francs peut rebuter mais qui ne manqueraient pas d'acheter une édition plus accessible financièrement et intellectuellement. Renan se met donc à alléger le texte de ses notes, citations, discussions philologiques et récrit certains chapitres. Qu'il y ait adaptation du texte en fonction du public auquel il est destiné, Renan le reconnaît en préface : « Ce n'est pas un nouveau livre. C'est la *Vie de Jésus* dégagée de ses échafaudages et de ses obscurités. Pour être historien, j'avais dû chercher à peindre un Christ qui eût les traits, la couleur, la physionomie de sa race. Cette fois, c'est un Christ en marbre blanc que je présente au public, un Christ taillé dans un bloc sans tache, un Christ simple et pur comme le sentiment qui le créa. »

Le calcul de Michel Lévy était juste. Le 2 mars 1864, alors que le rythme des ventes de l'in-8° faiblit, il met en vente, au prix de 1,25 franc, un in-32 de 262 pages qui s'intitule simplement *Jésus.* 82 000 exemplaires s'enlèvent en trois mois. C'est avec cette version du livre que Renan rencontre un succès véritablement populaire, qui ne se démentira plus ; les rééditions se succéderont si bien que, en 1947, il a été vendu 430 000 exemplaires de la *Vie de Jésus* (depuis 1879, on ne distingue plus la version abrégée que par la mention « édition populaire »), dont 71 500 dans la collection Nelson et 42 200 dans les collections de poche.

Dans cette aventure, Renan avait pu éprouver les qualités d'éditeur de Michel Lévy. Il lui fit donc confiance pour ses ouvrages suivants et, après la mort de l'éditeur, resta fidèle à sa maison, continuant de s'émerveiller de l'exceptionnelle entente qui avait régné entre eux : « M. Michel Lévy et moi n'eûmes que des rapports excellents. Plus tard, il me fit remarquer que le contrat qu'il m'avait présenté n'était pas assez avantageux pour moi, et il en substitua un autre plus large encore. Après cela, on me dit que je ne lui ai pas fait faire de mauvaises affaires. J'en suis enchanté. En tout cas, je peux dire que, s'il y avait en moi quelque capital de production littéraire, la justice voulait qu'il y eût sa large part : c'est bien lui qui l'avait découvert, je ne m'en étais jamais douté » (2).

Michel Lévy avait su découvrir un auteur non seulement talentueux mais aussi reconnaissant, ce qui est peut-être plus rare.

Elisabeth Parinet

1. *Souvenirs d'enfance,* pp. 351-352.
2. *Ibidem,* p. 352.

Quelques-uns des 214 livres et brochures parus de juillet 1863 à juin 1864 à propos de la *Vie de Jésus* de Renan. (Documents rassemblés à l'occasion de l'Exposition Ernest Renan à la Bibliothèque nationale en 1974.)

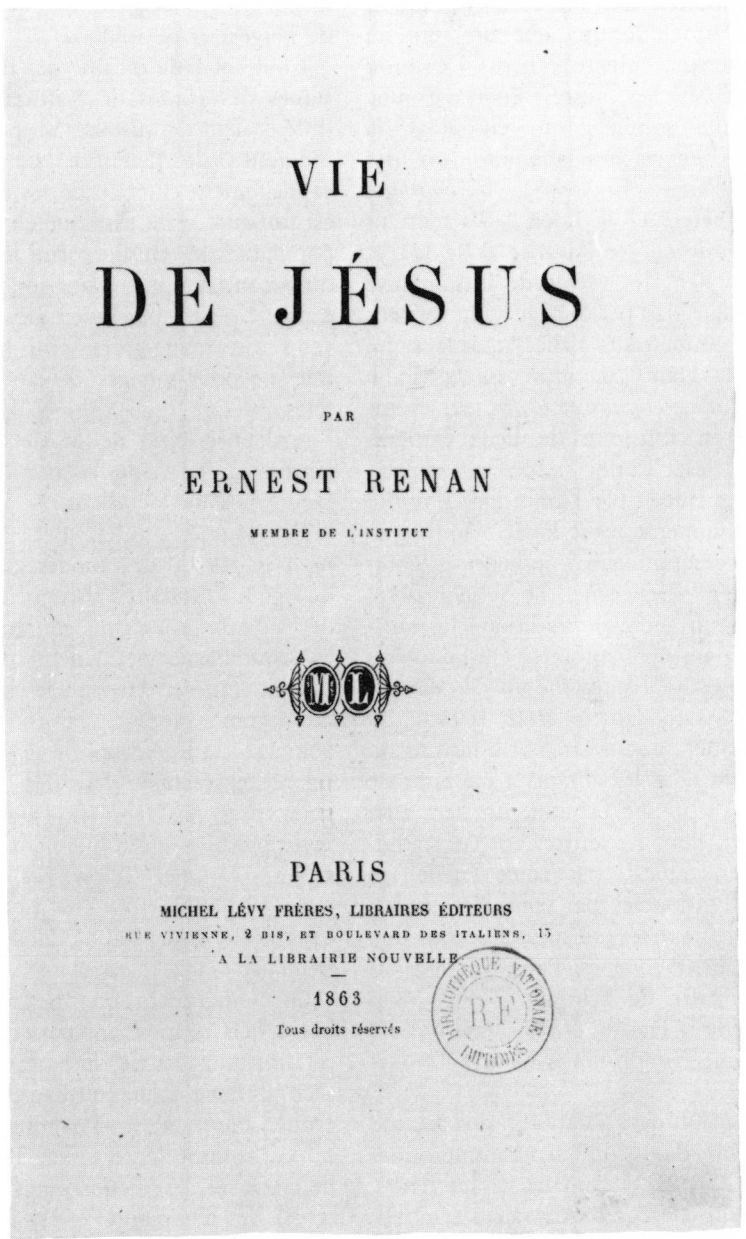

Édition originale de la *Vie de Jésus* de Renan. H. 210 mm.

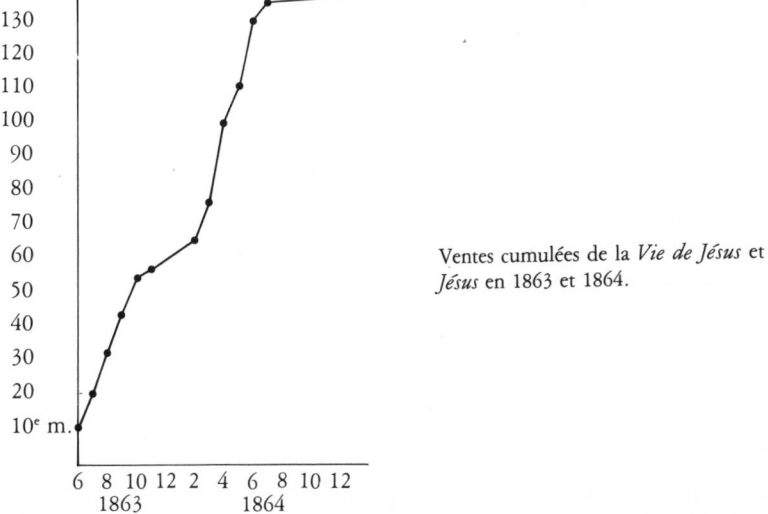

Ventes cumulées de la *Vie de Jésus* et *Jésus* en 1863 et 1864.

Les best-sellers

Les contes de Bérenger, qui ont tous un dénouement heureux et moralisant, se déroulent dans des décors exotiques. Seuls quelques-uns ont un contenu religieux explicite (ainsi l'*Oraison funèbre*). Les autres énoncent une moralité séculière qui encourage la bonté envers les animaux (un des ingrédients principaux), le courage, l'honnêteté et la fidélité. Ils mettent en garde contre l'avarice et le jeu et proclament les vertus de la solidarité familiale. Les personnages sont souvent des commerçants riches, que le cadre soit la France, Londres, ou la Chine ancienne. *Jeannot et Colin,* par exemple, est l'histoire de deux carrières parallèles, l'une stable et réussie, l'autre ruinée par l'ambition. L'utilité du commerce y est louée, tandis que sont désapprouvés l'opulence ostentatoire et l'arrivisme. Le recueil porte donc un message traditionnel, transposé dans un environnement bourgeois où le catholicisme joue un rôle discret.

Plus tard dans le siècle, la tâche de fabriquer des histoires d'instruction morale pour les enfants a été assumée par Christophe Schmid, un clerc allemand, dont les œuvres ont été traduites en français par Louis Friedel en 1830. Adoptées par les écoles confessionnelles, elles ont reçu la bénédiction de l'archevêque de Paris. Les lecteurs principaux de Schmid vivaient dans l'est de la France, et ses contes ont été souvent réimprimés à Nancy, Toul et Metz.

Les lourdes paraboles de Schmid nagent dans un symbolisme douteux (25). Les animaux et les fleurs, souvent investis d'une valeur symbolique, jouent un rôle important dans ces contes moralisants. Beaucoup sont des histoires de jeunes filles, uniformément modestes et innocentes, mais affectées d'un seul défaut : dans *Myosotis,* Minna est négligente ; dans *les Écrevisses,* Catherine se fait guérir de sa gourmandise. Mis à part ces vices mineurs, les petites filles de Schmid sont comme ses « Marguerites », des fleurs délicates qui exigent une culture soigneuse pour détruire les mauvaises herbes, et pour récolter les fruits de la vertu. Les enfants de Schmid sont toujours gentils avec les animaux, les inconnus et les pauvres. Ils tiennent toujours leur parole, rendent le bien pour le bien et ne sont jamais tentés

par l'argent. Ils vivent dans un monde pastoral et intemporel, riche en fleurs et en oiseaux et peuplé de chasseurs, de bergers et de soldats.

Ce décor fade est une des caractéristiques des contes de Schmid qui les différencient des histoires un peu moins indigestes de Bérenger. Le contenu explicitement chrétien de ses contes en est un autre, et il explique en partie la popularité de Schmid parmi les préfets du Second Empire. Dans son conte *le Rouge-Gorge,* par exemple, Martin vend son rouge-gorge afin d'acheter une oie pour son grand-père pour les fêtes — une transposition directe de l'incident célèbre de la vie de saint Martin, qui donnait la moitié de son manteau à un mendiant.

En résumé, au-delà des tendances temporaires et des modes passagères du goût littéraire, l'historien peut déceler quatre ou cinq genres qui ont constitué l'assise permanente de la culture littéraire en France : le classicisme du « grand siècle », incarné par La Fontaine, la littérature de la « sensibilité », représentée dans les listes de best-sellers par *Paul et Virginie,* les livres produits spécifiquement pour les écoles, comme *Télémaque,* et les ouvrages religieux et moralisants, comme ceux de l'abbé Fleury et de Bérenger.

On remarquera que nos listes de best-sellers ne tiennent pas compte de certains ouvrages très importants, qu'il a été difficile d'intégrer dans une telle étude. Nous n'avons compté ni les bibles, comme le Nouveau Testament de Sacy, ni les dictionnaires, comme celui de Lhomond. Ces ouvrages, imprimés à fort tirage, s'écoulaient lentement. De même, la publication annuelle des almanachs a empêché leur inclusion dans les listes : il ne faut pas pour autant négliger leur popularité constante. Sous la Restauration, certaines éditions de la grammaire française de Lhomond ont été tirées à 20 000 ou 30 000 exemplaires, et la Bible de Sacy a été réimprimée à 10 000 exemplaires presque tous les ans. Quelques almanachs ont touché un public beaucoup plus vaste que celui des ouvrages analysés ici. La diffusion la plus étendue a peut-être été réalisée par le *Double Liégeois* de Stahl, imprimé à des tirages annuels de 150 000 exemplaires entre 1820 et

1833. Stahl a publié d'autres almanachs, et il a naturellement eu des concurrents parisiens, comme Eberhart, dont le *Vrai Mathieu Laensberg* a atteint des tirages de 25 000 à 30 000 entre 1825 et 1830. Outre les almanachs publiés à Paris, presque chaque centre d'édition provincial a eu son propre almanach local. À Angers, par exemple, trois imprimeurs différents ont ensemble imprimé près de 50 000 exemplaires d'un *Almanach de Maine-et-Loire* au début des années 1840 (26). Dans le Doubs, le tirage du *Messager boiteux de Berne* de Deckherr s'est élevé à 100 000 exemplaires dans les années 1820 (27). On voit que l'inclusion des almanachs dans les listes de best-sellers n'aurait laissé que peu de place à d'autres ouvrages. Bien que au cours du XIXe siècle ces formes de lecture traditionnelles aient cessé de monopoliser la consommation littéraire des campagnes, elles ont continué à jouir d'un public énorme.

Certains romanciers brillent par leur absence de ces listes. Pigault-Lebrun, Ducray-Duminil et Paul de Kock n'apparaissent que rarement dans les tableaux quinquennaux. Ils réclament notre attention plus par le nombre imposant de leurs titres que par le succès de l'un d'entre eux. Malgré la fécondité phénoménale de Pigault, aucun de ses ouvrages n'a eu des tirages importants. De même pour Ducray, bien que des rééditions de son roman *Victor* aient continué à paraître dans plusieurs collections de romans populaires pendant les années 1840. Les œuvres complètes de Paul de Kock ont rempli plus de 100 volumes in-12. Dans la seule année 1842, on a enregistré 17 titres à son nom dans la *Bibliographie de la France,* mais leurs tirages ont été modestes comparés à ceux de ses principaux rivaux.

L'omission de Stendhal des listes ne surprendra pas ceux qui se comptent parmi les « happy few » auxquels il a dédié ses romans. Heureux ou non, ses lecteurs ont certainement été rares de son vivant, car les première et deuxième éditions du *Rouge et le Noir* n'ont été tirées qu'à 750 exemplaires, et le tirage de *la Chartreuse de Parme* a été un modeste 1 200 exemplaires. Ses œuvres les plus appréciées à cette époque étaient probablement la *Vie de Rossini* (deux éditions en 1823),

392

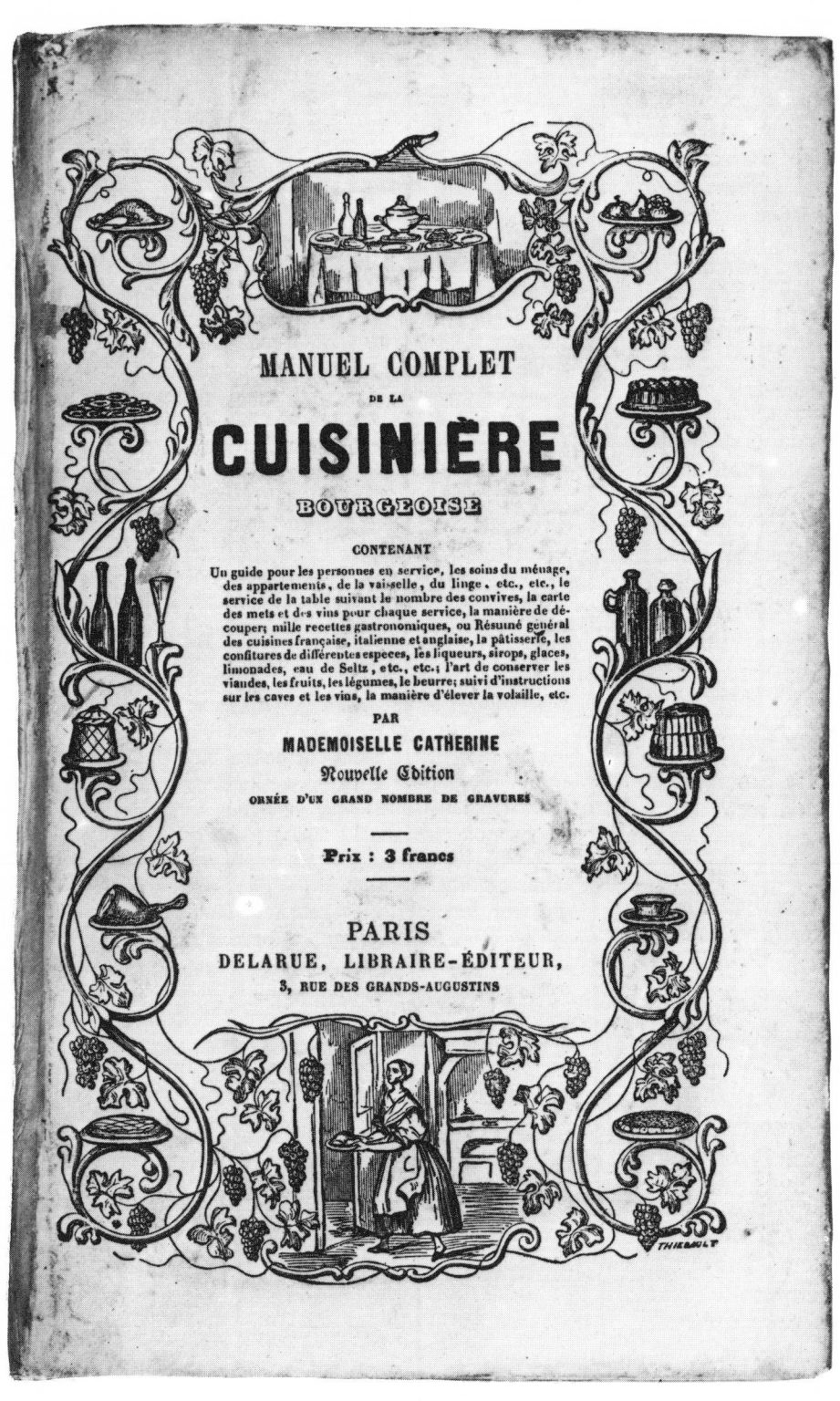

MANUEL COMPLET

DE LA

CUISINIÈRE

BOURGEOISE

CONTENANT

Un guide pour les personnes en service, les soins du ménage, des appartements, de la vaisselle, du linge, etc., etc., le service de la table suivant le nombre des convives, la carte des mets et des vins pour chaque service, la manière de découper; mille recettes gastronomiques, ou Résumé général des cuisines française, italienne et anglaise, la pâtisserie, les confitures de différentes especes, les liqueurs, sirops, glaces, limonades, eau de Seltz, etc., etc.; l'art de conserver les viandes, les fruits, les légumes, le beurre; suivi d'instructions sur les caves et les vins, la manière d'élever la volaille, etc.

PAR

MADEMOISELLE CATHERINE

Nouvelle Édition

ORNÉE D'UN GRAND NOMBRE DE GRAVURES

Prix : 3 francs

PARIS

DELARUE, LIBRAIRE-ÉDITEUR,

3, RUE DES GRANDS-AUGUSTINS

Ce manuel de cuisine, dont l'auteur cache son nom sous un pseudonyme féminin, Mlle Catherine, fut fréquemment réédité au cours du XIXe siècle. Ici, 45e édition, en 1868. Couverture cartonnée ornée de gravures sur bois. H. 198 mm.

Rome, Naples et Florence, et De l'amour (deux éditions chacun entre 1817 et 1833).

L'absence de Balzac est un peu plus surprenante, mais la fréquente publication en feuilletons de ses romans a dû soustraire certains de ses succès à nos recherches. D'après les déclarations d'imprimeurs, ses plus grandes réussites de l'époque ont été la Peau de chagrin (8 éditions françaises avant 1850) et la Physiologie du mariage (7 éditions françaises avant 1850). Néanmoins, le tirage global de chacun de ces ouvrages n'a pas dépassé les 20 000 exemplaires.

Les tirages des romans de George Sand ont été également limités, surtout comparés à ceux de ses contemporains Sue et Dumas. Même ses romans champêtres, qui ont eu du succès et ont été souvent réédités, n'ont été tirés qu'à 1 500-2 000 exemplaires en 1850, tandis que ses romans des années 1830, Indiana et Valentine, ont débuté leurs carrières par des tirages de moins de 1 000 exemplaires.

Alfred de Vigny se conforme au stéréotype romantique de l'écrivain négligé de son vivant par un public philistin. Son génie n'a pas cependant été totalement méconnu. En 1846, Cinq-Mars en était déjà à sa neuvième édition, ce qui suppose une circulation de 16 000 à 20 000 exemplaires avant cette date ; et son Servitude et grandeur militaires avait entamé une quatrième édition.

Une dernière catégorie de livres doit être rapidement examinée : le manuel pratique, sous la forme de livres de cuisine ou d'ouvrages médicaux. Ces catégories étaient représentées dans les listes de best-sellers par des titres comme la Cuisinière bourgeoise ou la Médecine sans médecin, dont le contenu laisse deviner les catégories sociales de leurs lecteurs.

La Cuisinière bourgeoise, ou la Nouvelle Cuisinière bourgeoise, a été rééditée 32 fois entre 1815 et 1840, période de sa plus grande popularité. Le tirage minimal connu pour ces éditions se montait à 74 500 exemplaires. On n'a pas pu retrouver les chiffres de tirage pour un tiers de ces éditions, mais la production totale n'a pas dû être inférieure à 100 000.

La Cuisinière bourgeoise avait été une remarquable innovation de la fin

Les manuels Roret

Né à Vendeuvre-sur-Barse (Aube), le 29 mai 1797, Nicolas-Edme Roret quitta très jeune sa Champagne natale pour se lancer dans le commerce de librairie à Paris. Installé au 9 de la rue Pavée-Saint-André-des-Arcs, devenu le 10 bis de la rue Hautefeuille, il publie en juin 1822 un premier catalogue des livres édités ou vendus par lui. Parmi les ouvrages de son fonds, les quatre manuels qui feront la célébrité de la maison Roret. Ce sont, pour trois d'entre eux, de nouvelles éditions d'ouvrages déjà bien connus et publiés précédemment par d'autres maisons d'édition : il s'agit du Manuel du chasseur et des gardes-chasse de De Mersan (1re édition par Desray en 1808), de la 4e édition du Manuel des justices de paix par Levasseur, de la 7e édition du Manuel des maires par Dumont. La seule nouveauté est le Manuel du limonadier, du confiseur et du distillateur par Cardelli qui inaugure une très longue série de manuels techniques intitulée Encyclopédie Roret ou Collection des Manuels Roret, de format in-18. Parmi les plus fidèles auteurs de cette collection, figurent Julia de Fontenelle, un chimiste qui rédige 22 ouvrages, un ancien directeur des poudres et salpêtres, Riffault, qui en écrit 6, Lebrun qui en compose 8 dont un Manuel du voyageur dans Paris paru en 1828, Henri Duval, auteur, sous le pseudonyme de Cardelli, d'ouvrages à très grand succès comme le Manuel du limonadier déjà cité et le Manuel du cuisinier, paru en 1826, qui auront de très nombreuses éditions. Le Manuel des demoiselles de Mme Bayle Mouillard connaît 4 éditions entre 1826 et 1830, le Manuel théorique et pratique des garde-malades et des personnes qui veulent se soigner elles-mêmes, ou l'Ami de la santé, par le docteur J. Morin, a 3 éditions entre 1824 et 1829, le Manuel complet du vétérinaire est sans cesse réédité de 1826 à 1876. Mais les succès les plus assurés vont au Nouveau Manuel des gardes nationaux (30 éditions, ou plutôt tirages successifs en 1830 et 1831) et au Manuel des sapeurs-pompiers constamment mis à jour et réédité de 1837 à 1898. De 1826 à 1839, la production annuelle, nouveaux titres et rééditions, tourne autour de vingt ouvrages. Elle décline ensuite ainsi qu'il ressort du tableau ci-dessous.

Après la mort de Roret, à Paris, le 25 février 1860, ses héritiers maintiennent la collection. Parmi les auteurs les plus féconds de la seconde moitié du XIXe siècle, on doit signaler François Malepeyre, auteur de 38 volumes, et W. Maigne, qui se contente de 19 titres. La Librairie encyclopédique Roret est reprise à la fin du siècle par L. Mulo à qui succède E. Malfère. Les derniers volumes sont publiés en 1939. Très recherchés par les collectionneurs, les Manuels Roret donnent un état d'une précision remarquable sur les connaissances techniques du siècle dernier et sont encore fort utiles aux bricoleurs, antiquaires, restaurateurs et artisans de toutes professions.

Alfred Fierro

Production de titres des Manuels Roret			
1821-1824	10	1870-1879	49
1825	12	1880-1889	62
1826-1829	79	1890-1899	58
1830-1839	170	1900-1909	62
1840-1849	104	1910-1919	27
1850-1859	137	1920-1929	25
1860-1869	84	1930-1939	26

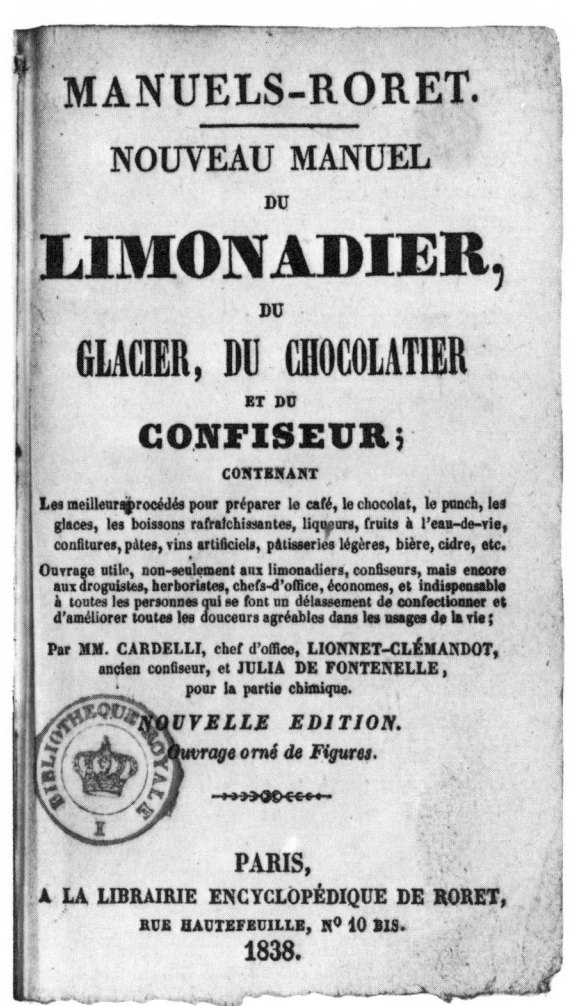

Un des plus célèbres « manuels Roret », celui du « Limonadier ». Paris, 1838. H. 139 mm.
On jugera de la précision technique de ces manuels par la planche ci-dessous sur laquelle on voit
entre autres des schémas de machines à râper le sucre (43 et 44), la coupe d'une glacière (51a),
des moules à figurines (97, 102).

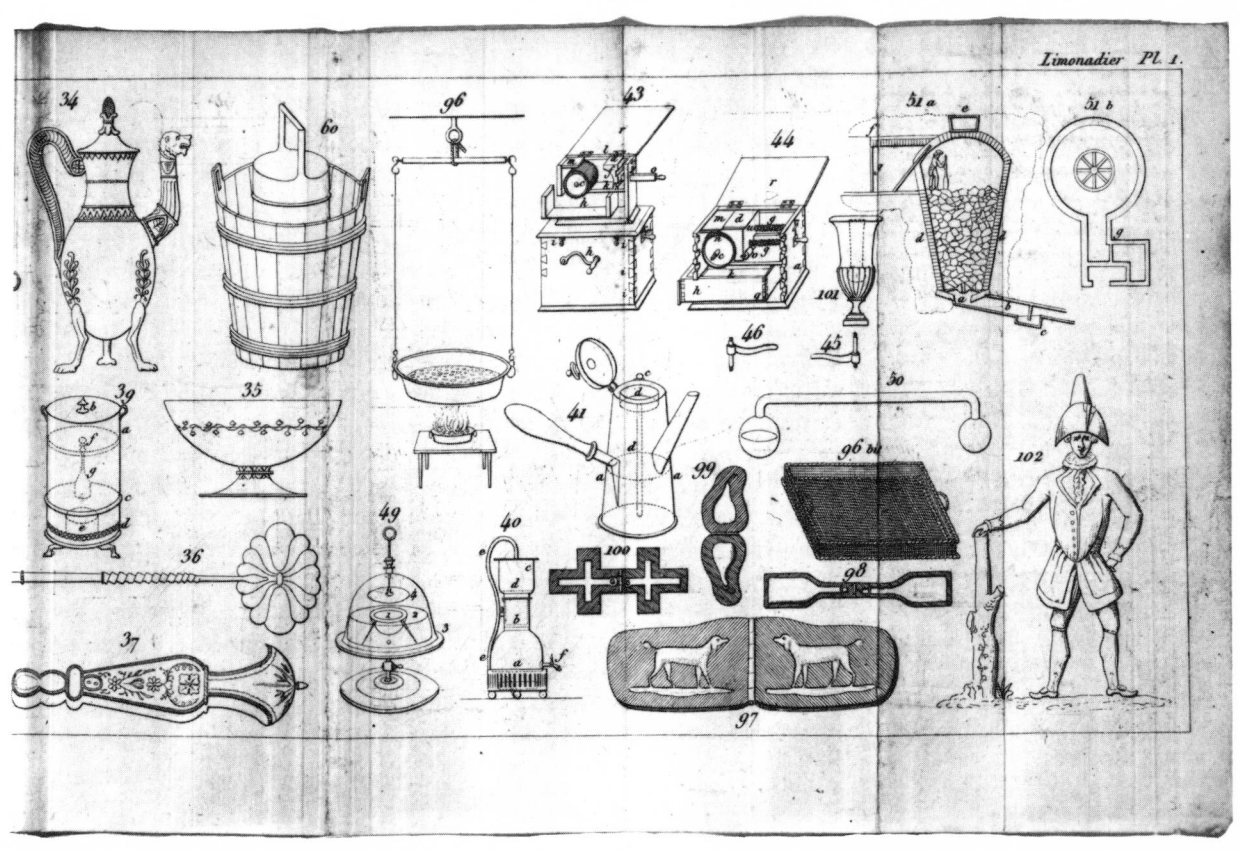

du XVIIIᵉ siècle. La prospérité de la décade 1760 a coïncidé avec une diffusion plus large d'un goût nouveau pour une cuisine raffinée (28). Pour Alain Girard, *la Cuisinière bourgeoise* est représentative de la cuisine de l'âge des Lumières, qui incorporait une attitude plus scientifique envers l'alimentation, et un rejet du luxe aristocratique et du goût sans discernement de la plèbe (29). Sans vouloir suivre l'auteur dans ses analyses sémiotiques de la digestion ou de certains aspects de l'appétit bourgeois, il faut retenir ses remarques sur l'attrait de la bourgeoisie pour ce livre. Au début du XIXᵉ siècle, *la Cuisinière bourgeoise* a été publiée avec des instructions variées, qui définissaient une étiquette spécifiquement bourgeoise. On y trouvait des recommandations sur la manière de faire asseoir les convives, sur les rôles du maître et de la maîtresse de maison à table, sur les sujets de conversation appropriés et sur les rites régissant les repas collectifs. Le pain, par exemple, devait être rompu et non coupé comme le faisaient les paysans ; le vin pouvait être bu pur immédiatement après la soupe, mais — le livre insistait particulièrement sur ce point — devait être coupé d'eau pendant le reste du repas. De cette façon, la bourgeoisie du XIXᵉ siècle était encouragée à inventer son propre style de comportement social, une sorte de code gestuel, qui lui permettait de reconnaître les siens et d'identifier les intrus.

À la différence de ses rivaux *le Cuisinier royal* et *le Cuisinier impérial*, *la Cuisinière bourgeoise* était du sexe féminin, et le livre habituellement édité par des femmes. Cela ne signifiait pas que les éditeurs s'attendaient à ce que les bourgeoises lisent et utilisent ce livre, qui ne contenait pas seulement des recettes de cuisine et des suggestions de divertissements, mais aussi des avis sur tous les travaux domestiques qui incombaient aux domestiques, auxquels était en fait destiné le livre. Si on se réfère à la préface de l'édition de 1846, les maîtresses de maison « pourront faire lire *[la Cuisinière bourgeoise]* de temps en temps à leurs domestiques (…) qui leur évitera la peine de répéter sans cesse les mêmes choses. Sous ce rapport cet ouvrage est indispensable aux céli-

bataires, exposés à ne rencontrer que les domestiques ineptes » (30).

La diffusion de ce livre était donc encore plus démocratique que ne le suggère son titre. Il n'était pas seulement destiné à l'usage personnel de la bourgeoisie, mais aussi à ceux qui cherchaient à mieux la servir.

La Médecine sans médecin de Rouvière a eu un grand succès dans les années 1820, avec treize éditions entre 1823 et 1830. C'était un manuel médical qui traitait de toute une gamme de désagréments, comme l'apoplexie et l'asthme, les dérèglements menstruels, les maux de têtes et les vers intestinaux (31). L'auteur recommandait ses propres remèdes purgatifs, présentés comme de grandes améliorations par rapport à la classique saignée et à l'application de sangsues. Dans un langage rousseauiste, il soutenait ces affirmations en exhortant ses lecteurs à recourir à une médecine naturelle, à l'air frais de la campagne et à un régime alimentaire frugal. Rouvière citait Caton l'Ancien, en l'approuvant de vouloir être le médecin de sa famille, de sa maison et de ses esclaves.

Certains des conseils de Rouvière ont une résonance moderne. C'était un homme des Lumières, qui avait une intuition de ce que nous appellerions les maladies liées à l'environnement. Il pensait que les cuisiniers étaient professionnellement prédisposés à l'obésité, et qu'ils souffraient de l'inhalation de fumées provenant des fours dans des cuisines mal ventilées. Il soupçonnait aussi qu'ils étaient particulièrement vulnérables à l'empoisonnement par le cuivre, à cause de l'utilisation d'ustensiles rouillés (32). Il a fourni aussi un argument médical inattendu au vieux débat philosophique entre les idées de Pascal et celles de Voltaire. En effet, pour Rouvière, Pascal incarnait les dangers de l'excès ; il était un travailleur acharné, usé à l'âge de trente ans. Voltaire, par comparaison, était un modèle de santé et de modération, ce qui lui a permis de continuer à écrire des chefs-d'œuvre jusqu'à un âge avancé (33).

Rouvière espérait que son livre serait lu par ceux qui ne pouvaient s'offrir des avis médicaux professionnels et les médicaments coûteux prescrits par des médecins. Il écrivait pour « le pauvre,

l'ouvrier qui est obligé de retrancher sur ce qu'il donne aux besoins de sa famille les honoraires exhorbitants du médecin » (34).

C'était bien optimiste. Rouvière aimait citer des lettres de patients reconnaissants, qui, si elles sont authentiques, suggèrent une clientèle assez différente de l'humble ouvrier de sa préface. Il se peut que ces lettres aient été écrites de toutes pièces pour les besoins de la publicité, mais comme il y en a plusieurs douzaines, on est incliné à accepter leur authenticité. Vingt-quatre d'entre elles indiquent la profession des patients satisfaits qui recommandent le bon docteur Rouvière. L'une provenait d'une comtesse, une autre d'un évêque et deux d'anciens soldats, mais la majorité émanait de membres de la bonne bourgeoisie, dont la plupart exerçaient des professions sédentaires. Douze lettres venaient de rentiers, de propriétaires, d'avocats, de fabricants, de fonctionnaires et d'un étudiant en droit. Enfin, huit étaient signées par des clercs et des artisans de ville. Ce que nous savons de *la Cuisinière bourgeoise* et de *la Médecine sans médecin* tend à confirmer notre hypothèse sur l'expansion du public de lecteurs au XIXᵉ siècle : au début du siècle, ce public était dominé par la bourgeoisie, mais il s'est étendu par le recrutement de nouveaux lecteurs, qui provenaient tout d'abord de la petite bourgeoisie urbaine.

Pendant le XIXᵉ siècle, le public des lecteurs s'est élargi socialement, et il est devenu plus homogène sur le plan national. Néanmoins, un énorme fossé séparait encore l'édition parisienne et provinciale, si l'on en croit l'évidence des listes quinquennales. Les classiques, comme Voltaire et Molière, étaient publiés presque exclusivement à Paris, de même que les romanciers contemporains comme Hugo et Balzac — les ouvrages de Walter Scott ont cependant été imprimés à Avignon pendant quelque temps. Si le lieu de publication est un indice, le public contemporain des auteurs romantiques comme Lamartine a été aussi largement parisien. Les ouvrages qui ont été publiés en province, et qui, par conséquent, trouvaient là leur audience principale, étaient les « permanents », les best-sellers de longue durée. Le tableau ci-dessous illustre les origines provinciales de quelques titres choisis.

Les trois titres déjà identifiés comme les best-sellers à long terme de l'époque, à savoir les *Fables* de La Fontaine, *Télémaque* et le *Catéchisme* de Fleury, ont obtenu cette distinction grâce à leur énorme audience provinciale. La popularité provinciale d'auteurs secondaires, comme Defoe et Perrault, montre que les éditeurs de province essayaient de tirer avantage des écoles et des jeunes pour développer un nouveau marché lucratif. Il est peut-être significatif de la profondeur des sentiments religieux de la France provinciale que les deux ouvrages ayant eu la proportion la plus élevée d'éditions provinciales aient été un catéchisme et un ouvrage d'édification morale *(la Morale en action)*.

Ainsi, la quête des continuités sous-jacentes du goût littéraire français conduit inévitablement l'historien dans les provinces, car c'était là, dans les petites villes et hameaux de la France ancienne, que les préférences tradition-

Paris sont nées les forces du capitalisme et de la modernité.

De Paris aussi provenait la littérature du romantisme, représentée dans les tableaux quinquennaux principalement par Lamartine et Byron. Le goût romantique populaire préférait pourtant le poème chevaleresque *la Jérusalem délivrée*, du Tasse, et le mélancolique et macabre *les Nuits* (traduit de *Night Thoughts*), de Young. Si l'on compare la production de ces ouvrages à la publication soutenue et régulière de La Fontaine, de Fleury et de Fénelon, le romantisme littéraire se révèle n'avoir été qu'un facteur marginal de la consommation littéraire française. Puisque les élèves des écoles primaires étaient nourris de La Fontaine et que les catéchismes et les almanachs avaient encore une diffusion impressionnante, le romantisme ne semble pas une notion adéquate pour résumer les goûts de l'époque. Il apparaît plutôt comme la crête fugitive d'une vague sur un océan de classicisme et de catholicisme.

| Tableau 9. — *Lieu de publication des titres choisis, 1816-1850* |||||
Auteur	Titre	Nombre d'éditions	Publication Paris/Province	% publiés en province
La Fontaine	Fables	242	131/111	45,9
Fénelon	Télémaque	231	107/124	53,7
Fleury	Catéchisme historique	228	69/159	69,7
Florian	Fables	121	64/57	47,1
Defoe	Aventures de R. Crusoé	81	50/31	38,3
Massillon	Petit Carême	81	61/20	24,7
Bérenger	Morale en action	80	13/67	83,75
Racine	Théâtre	77	65/12	15,6
Perrault	Contes des fées	76	35/41	53,9
Saint-Pierre	Paul et Virginie	57	41/16	28,1
Le Tasse	La Jérusalem délivrée	51	34/17	33,3

nelles ont subsisté le plus longtemps et que les habitudes religieuses maintenaient leur emprise sur le public. Les chiffres de production des livres présentés ici attestent le caractère foncièrement provincial de la consommation littéraire en France. Les provinces absorbaient, et pendant longtemps produisaient, des livres d'éducation, des livres religieux et des livres d'instruction morale. Paris, en revanche, était le lieu des nouveautés. Il offrait aux éditeurs la perspective de risques élevés mais aussi de gains rapides. À

Notes

1. *Bibliographie de la France* (primitivement *Bibliographie de l'Empire français*), ed. Pillet, prem. séries, 45 vol., 1810-1856 ; Archives nationales F 18* II, 1 à 40, déclarations des imprimeurs pour Paris, et AN F 18.120 à 156 et 168 à 173 pour les départements.

2. Chasles, art. cit., pp. 191-243 ; David Bellos, « Le Marché du livre à l'époque romantique : recherches et problèmes », *Revue française d'histoire du livre*, 47ᵉ année, no. 20, 1978, pp. 647-660 ; David Bellos, « The Bibliographie de France and its sources », *The Library*, 5ᵉ série, vol. XXVIII, 1973, pp. 64-67.

3. Archives départementales de Maine-et-Loire (ADM-et-L) 82 T 1 et 82 T 8.

4. AN F 18.120-156 et 168-173.

5. Archives départementales de Vaucluse (ADV) 2 T 10-14 ; Archives départementales du Nord (ADN) 1 T 232 ; ADM-et-L 82 T 1 et 8.

6. AN F 18* II. 8 et 20.

7. Berengo, *op. cit.*, p. 152. C'est-à-dire Marino Berengo, *Intellettuali e librai nella Milano della Restaurazione*, Turin (Einaudi), 1980.

8. Voir les déclarations des imprimeurs parisiens pour 16.3.1847, 28.5.1847, 18.9.1847, et 27.1.1848.

9. Pierre Orecchioni, « Eugène Sue, mesure d'un succès », *Europe*, 60ᵉ année, nos. 643-4, Nov.-Déc. 1982, pp. 157-166.

10. AN F 18.153.

11. AN F 17.9146.

12. *Bulletin de la Société Franklin, journal des bibliothèques populaires*, (BSF), 1868-1933.

13. Orecchioni, art. cit., p. 161.

14. *Ibid.*, p. 162.

15. Jean Touchard, *La Gloire de Béranger*, 2 vol., Paris, 1968, pp. 522-523.

16. *Ibid.*, p. 436 et chapitre XII.

17. *Ibid.*

18. D. H. Pinkney, *The French Revolution of 1830*, Princeton NJ, 1972, pp. 293-294.

19. Daniel Mornet, « Les Enseignements des bibliothèques privées », 1750-1780 », pp. 460 et 464, art. cit., *Revue d'Histoire littéraire de la France*, 17ᵉ année, 1910.

20. Marguerite Iknayan, *The Idea of the Novel in France : the critical reaction, 1815-1848*, Paris, 1961, et « The Fortunes of Gil Blas during the romantic period », *French Review*, vol. 31, 1958, pp. 370-377.

21. D. Mornet, art. cit., p. 466.

22. Abbé J.-J. Barthélemy, *Voyage du jeune Anacharsis en Grèce*, Paris (Ledoux), 1830, 5 vol.

23. Furet and Dupront, éd., Livre et Société, etc., *op. cit.*, vol. 1, e.g. contributions of J. Ehrard and J. Roger, pp. 48-49.

24. Anon., *La Morale en action, ou les bons exemples*, Paris, 1842.

25. Christophe Schmid, *Sept Nouveaux Contes pour les enfants*, trad. L. Friedel, Tours, 1836.

26. ADM-et-L 82 T 8.

27. AN F 18.126.

28. Alain Girard, « Le Triomphe de La Cuisinière bourgeoise : livres culinaires, cuisine et société en France aux XVIIᵉ et XVIIIᵉ siècles », *Revue d'histoire moderne et contemporaine*, tome XXIV, 1977, p. 512.

29. *Ibid.*, p. 516 et p. 520.

30. Anon., *La Cuisinière bourgeoise*, Paris, 1846, voir *avis*.

31. Anon. (Audin-Rouvière), *La Médecine sans médecin*, Paris, 1823.

32. *Ibid.*, pp. 347-348.

33. *Ibid.*, pp. 361-365.

34. *Ibid.*, p. 7.

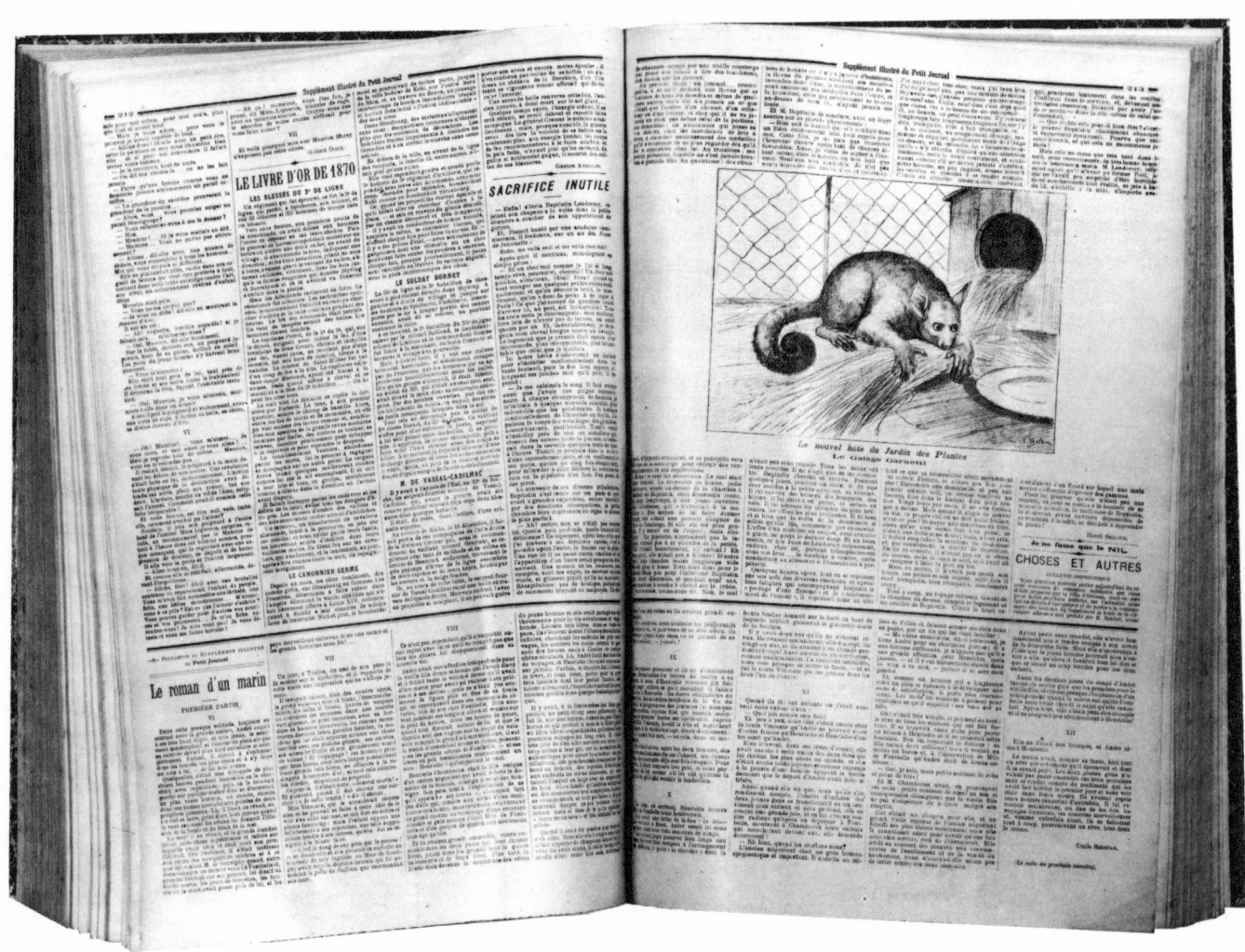

Le *Supplément illustré du Petit Journal*, qui s'adresse à un public populaire, contient lui aussi des romans-feuilletons : ici *le Roman d'un marin*, d'Émile Roustan (1894). H. 442 mm.

La concurrence de la presse

C'est sans doute dans la première moitié du XIXᵉ siècle que la presse et le livre sont les plus proches dans leur forme et leur destination. La presse de la Restauration et de la monarchie de Juillet (1) s'adresse à une clientèle aisée et cultivée, habituée de la lecture. De grands journaux tels que le *Journal des débats,* le *Constitutionnel,* le *National,* par exemple, coûtent 80 francs d'abonnement annuel (il n'existe guère de vente au numéro). 80 francs, c'est plus que le salaire mensuel moyen d'un ouvrier parisien. Le livre lui aussi coûte cher : 7,50 francs pour un volume in-8° (et il n'est pas rare de voir un roman étalé sur plusieurs volumes) (2). La mise en pages est austère, en longues colonnes serrées de petits caractères. Les liens avec les milieux du livre sont évidents : le feuilleton qui assure le succès du *Journal des débats* auprès des milieux de la haute bourgeoisie ou des notables locaux est une sorte de supplément littéraire. La qualité de la rédaction, à laquelle collabore Chateaubriand, est d'ailleurs l'un des arguments du journal. Le *Constitutionnel,* organe libéral concurrent lu par la moyenne bourgeoisie, se diffuse par les cabarets et les cabinets de lecture.

En province, vivent un grand nombre de journaux départementaux ou locaux que les conditions techniques de production (lenteur des transports, faible capacité des presses) mettent à l'abri de la concurrence parisienne. Ils sont très souvent édités et diffusés par l'imprimeur-libraire du lieu : ainsi Lamarzelle à Vannes (Morbihan) imprime-t-il *la Bretagne.* La presse de province est complétée par des revues particulièrement vivaces pendant la monarchie de Juillet : la limitation de la circulation des nouvelles permet à toute une production écrite et lue dans la province de s'épanouir.

L'hétérogénéité est la règle. Certaines revues imitées des *Keepsakes* anglais alignent côte à côte un article sur l'agriculture, un autre sur l'élevage des chevaux bretons, une nouvelle, un récit de voyage, un article d'histoire locale. Les revues des sociétés savantes présentent une même diversité : les sociétés « polymathiques » (Morbihan, fondée en 1828), « pour l'avancement des sciences »... se distinguent par leur éclectisme. Une section d'agriculture voisine avec la section de médecine et la section d'archéologie. Les auteurs sont médecins, ingénieurs, juges de paix, « propriétaires » mais pour l'essentiel d'origine locale. Dans les pages de la *Revue de l'Ouest* ou des *Annales de Loire-Atlantique,* les notables écrivent pour les notables. Leur production écrite se vit fortement sur le mode de la concurrence vis-à-vis de la littérature « futile » ou cosmopolite des auteurs « nationaux ».

Dans le domaine national, les grandes revues sont proches du livre par l'écriture, le public ou le propos : c'est le cas de la *Revue des deux mondes* fondée en 1829 ou du catholique *Correspondant* créé la même année (3).

En marge de cette production classique apparaissent cependant quelques titres d'un type nouveau comme le *Journal des connaissances utiles* ou l'*Illustration.* Lancé en 1832, le premier offre 32 pages mensuelles de documentation sur tous les sujets susceptibles d'intéresser en particulier les propriétaires ruraux (le sucre de betterave, l'assolement)... ; l'*Illustration* (1843) est un hebdomadaire orné de belles gravures traitant de l'actualité, des livres, du théâtre... Bien que tous deux s'adressent toujours au public cultivé des livres, ils le font sur un registre concurrent : celui de l'information (semi) périssable. Il en est de même

pour les « petites revues » ou les journaux pour dames (L'*Observateur des modes* 1818-1823, le *Petit Courrier des dames* 1832, *la Mode* 1829...) qui traitent essentiellement de mode et de littérature à l'intention d'une clientèle aisée.

En 1836, se produit un événement important dans l'histoire de la presse française : le lancement de deux journaux *le Siècle* et *la Presse* dont l'abonnement est fixé à 40 francs (au lieu de 80 francs pour leurs prédécesseurs), soit un prix de vente de 10 centimes au numéro, et qui tirent une bonne part de leurs ressources de la publicité. Leur succès oblige les autres feuilles à suivre leur exemple et à baisser leurs prix. Il semble cependant que la baisse des prix tout en ouvrant le journal à un public beaucoup plus large (entre 1836 et 1847 le tirage des quotidiens parisiens passe de 80 000 à 180 000 exemplaires) n'en change pas profondément le contenu, sauf sur un point : l'importance désormais accordée au roman-feuilleton. Dans une période de concurrence accrue, la qualité de celui-ci fait directement le succès du journal. Honoré de Balzac le premier en 1838 fait gagner, avec le *Capitaine Paul,* 5 000 lecteurs au *Siècle* (4). Eugène Sue à son tour publie *les Mystères de Paris* en 1843 dans le *Journal des débats.* Le *Constitutionnel,* en achetant en 1844-1845 pour 150 000 francs un autre feuilleton d'Eugène Sue, *le Juif Errant,* porte sa clientèle de 3 000 à 40 000 lecteurs (5). En réplique, *les Trois Mousquetaires* et *le Comte de Monte-Cristo* paraissent en 1844, le premier dans *le Siècle,* le second dans *le Débat.* À une époque où le tirage moyen d'un roman est de 1 000 exemplaires, la presse chasse directement sur le terrain du livre. Cette concurrence cependant tourne rapidement à la collaboration. Souvent, l'œuvre nouvelle paraît d'abord en feuilleton, puis en librairie, l'éditeur étant ainsi déchargé d'une part du risque, des frais de publicité et des droits d'auteur.

Pour répondre à la concurrence, les éditeurs se mettent à vendre les livres à des prix de plus en plus bas : en 1838, Gervais Charpentier entreprend de publier en un seul volume des livres à 3,50 francs, soit la moitié du prix normal. Les livres de Michel Lévy sous le Second Empire coûtent 2 francs (la moitié des journaux coûte alors 5 centimes).

Cependant, le phénomène des feuilletons à succès de 1838-1844 souligne que l'accroissement de la diffusion de la presse doit passer par une modification de son contenu : Eugène Sue est sans doute l'un des seuls auteurs authentiquement populaires de l'époque, l'un des seuls à être lu dans les milieux prolétaires de la capitale : or, le *Constitutionnel* qui le publie en feuilleton est à l'origine une feuille sérieuse, journal gouvernemental aux lecteurs bourgeois et Jules Janin, le critique littéraire du journal, s'oppose farouchement à sa publication.

Cette adaptation du contenu de la presse à un nouveau public populaire, c'est la presse à 5 centimes qui va la réaliser après 1863.

Ses débuts datent précisément de l'apparition du *Petit Journal* à 5 centimes lancé par Moïse Millaud en 1863. D'une écriture simple, le *Petit Journal* fonde son succès sur l'exploitation du fait divers et sur la publication de romans-feuilletons extravagants, eux-mêmes proches dans leur esprit de l'univers du fait divers : Ponson du Terrail y publie *Rocambole*, Gaboriau *l'Affaire Lerouge*. « Ayant le courage d'être bête, écrit P. Albert, le journal put satisfaire les goûts et les curiosités d'un public à la culture encore très primaire : c'est dans ses colonnes que plusieurs générations découvrirent la joie de la lecture (6). »

Dès lors, s'ouvre l'âge d'or de la presse à grand tirage, qui jamais n'aura plus de lecteurs qu'en cette fin du siècle. Le *Petit Journal*, par exemple, augmente régulièrement ses tirages jusqu'en 1900, date où il dépasse le million d'exemplaires. En 1914, son concurrent direct, le *Petit Parisien* tire à 1,5 million d'exemplaires... En province, une vingtaine de grands quotidiens régionaux tirent à plus de 100 000 exemplaires (7).

À quoi attribuer cet engouement ? Probablement à l'apparition d'un véritable public liée à l'alphabétisation et à un phénomène de génération. À la fin du siècle, seuls les vieux en France ne savent pas lire : en 1832, sur cent jeunes gens présentés au conseil de révision, 53 % ne savaient pas lire. En 1890, cette proportion est tombée à moins de 10 %, en 1914 à 5 % ; en 1922, elle sera de 3 %...

Parce qu'ils savent inventer un type d'écriture pour ces nouveaux lecteurs, les journaux gagnent un vaste public non seulement dans les grandes villes où la conquête de la clientèle populaire est directement à l'origine de leur essor, mais aussi dans les campagnes, où, selon Pierre Albert (8), ce n'est guère qu'au début de la Troisième République que la presse commence à se répandre dans les campagnes sous sa forme la plus simple, celle de l'hebdomadaire. En 1914, les campagnes sont loin d'avoir été entièrement conquises au quotidien : la lecture du journal est avant tout un acte de participation sociale... Elle est en concurrence avec la littérature de colportage, et prend souvent la forme d'une lecture à haute voix par le seul membre du groupe, souvent l'un des plus jeunes, qui sache lire.

Selon des processus différents, mais concourant à la même évolution, la démocratisation de la presse et l'accélération des moyens d'information (télégraphe, téléphone) transforment le style et le contenu des grands journaux. Le journalisme de reportage se substitue au journalisme de chronique et accentue le divorce entre l'écriture « journalistique » et l'écriture littéraire. Le problème ne date pas de la fin du XIXᵉ siècle : depuis 1830, le journaliste est un animal social hybride qui touche à la fois au monde de l'édition classique et à celui de la presse — un peu comme le roman-feuilleton relie le monde du livre à celui du journal — et cela ne va pas sans conflits.

On lit par exemple dans le *Journal* des frères Goncourt à la date du 22 juillet 1867 « Ce temps-ci c'est le commencement de l'écrasement du livre par le journal, de l'homme de lettres par le journalisme des lettrés (9). » Les itinéraires sociaux et personnels des journalistes accréditent à première vue l'idée du journalisme « écrivain raté » ou « écrivain de seconde zone », voire professionnel raté tout simplement. Ce thème amplement illustré dès 1830 (par Honoré de Balzac par exemple) prend de l'acuité lorsque la presse à grand tirage de la fin du siècle impose le personnage du reporter.

Cependant, la réalité est plus nuancée. D'une part, dans le même temps l'élargissement du public du livre transforme ou au moins diversifie la production littéraire. Les grands succès de librairie de la fin du XIXᵉ n'ont pas plus de rapports avec l'esthétique et le style des *Mémoires d'outre-tombe* que la prose du *Petit Journal* avec celle du *Journal des débats*. Il faut comparer ce qui peut l'être : la presse populaire au livre populaire, la presse cultivée au livre cultivé... À cette condition, on constate que les rapports entre les deux ne peuvent être résumés en de sommaires jugements de valeur. Jules Vallès et Émile Zola, par exemple, illustrent les cas de ceux que le journalisme a éveillés au métier d'écrivain et qui lui ont gardé le meilleur d'eux-mêmes (10). De même, *le Figaro* est, sous l'action de son directeur Villemessant, une revue exigeante quant à l'écriture à laquelle collaborent à côté de Rochefort, qui représente l'homme de presse par excellence, J. Vallès, Barbey d'Aurevilly, E. Zola... Dans un tout autre registre, les très grands auteurs populaires de la fin du siècle sont aussi journalistes. Ainsi Marcel Allain et Pierre Souvestre, créateurs de la série des *Fantomas* (1909), sont-ils respectivement journalistes à *Comoedia* et à l'*Auto* et ont-ils lancé tous les deux une revue spécialisée dans l'automobile, *le Poids-lourd* (11).

Dans le domaine de la culture cultivée, toute une production de revues est l'occasion de faire le lien entre la presse et le monde du livre. Leur public, aisé, cultivé, est le même que celui du livre classique et cherche les articles de critique qui lui permettront de guider ses choix. Les auteurs y trouvent l'occasion de tester ou de prolonger leurs écrits. En ce sens l'essor des grandes revues n'est pas concurrent, mais parallèle à l'essor du livre.

La *Revue de Paris*, qui passe en justice pour avoir publié *Madame Bovary* fait connaître Baudelaire et Fromentin. La *Revue des deux mondes*, plus classique, passait pour l'antichambre de l'Académie française... L'*Artiste* d'Eugène Houssaye ouvrira ses pages à Flaubert, à Feydeau, à Théodore de Banville, aux Goncourt.

Plus tard, à partir de 1900, les symbolistes auront la *Revue blanche*. De grands auteurs accordent autant d'attention à leur revue qu'à leurs livres : ainsi Charles Péguy qui anime les *Cahiers de la quinzaine* à partir de 1900. Pour certains, la revue devient un moyen d'expression privilégié, concurrent du livre. Ainsi, la prolifération des revues littéraires, souvent à l'existence éphémère, est-elle caractéristique du panorama littéraire de 1900-1910.

Catherine Bertho

Notes

1. *Histoire de la France contemporaine*, ouv. cité, t. III, p. 63. Il existe 20 quotidiens, 230 périodiques à Paris, 520 en province vers 1835.

2. *Manuel d'histoire littéraire de la France*, sous la direction de Pierre Abraham et Roland Desné, Éditions sociales, 1972, t. IV, p. 429.

3. M. Crubellier, *Histoire culturelle de la France*, A. Collin, 1974, p. 107.

4. P. Albert et F. Terrou, *Histoire de la presse*, ouv. cité, p. 44.

5. Th. Zeldin, *Histoire des passions françaises*, Encres, 1978, t. III, p. 13.

6. P. Albert et F. Terrou, *Histoire de la presse*, ouv. cité, p. 48.

7. *Ibid.*, p. 70.

8. P. Albert, *Histoire de la presse politique nationale au début de la IIIᵉ République*, ouv. cité, p. 75.

9. Cité par R. Bellet, dans *Manuel d'histoire littéraire*, t. V, ouv. cité, p. 42.

10. *Manuel d'histoire littéraire*, ouv. cité, t. V, p. 46.

11. Th. Zeldin, *Histoire des passions françaises*, t. III, p. 43.

Edition des Départemens.

3 OCTOBRE 1843.

JOURNAL DES DÉBATS

JEUDI.

POLITIQUES ET LITTÉRAIRES.

ON S'ABONNE
rue des Prêtres-S.-Germain-l'Auxerrois, 17.
PRIX :
20 francs pour trois mois.
40 francs pour six mois.
80 francs pour l'année.

And in LONDON, apply to W. JEFFS,
foreign Bookseller, Burlington-Arcade.

ON REÇOIT LES AVIS A INSÉRER,
tous les jours,
de dix heures du matin à quatre heures
au Bureau du Journal.
PRIX DES INSERTIONS :
1 fr. la ligne,
de 30 à 35 lettres en petit-texte.

Grande-Bretagne.

Londres, 2 octobre.

[Column text of financial and political news concerning Great Britain and the arbitration court instituted by M. O'Connell.]

FRANCE.

PARIS, 4 OCTOBRE.

[Column text concerning the revolution in Athens, Greece, and French and English diplomacy.]

Feuilleton du Journal des Débats.

LES MYSTÈRES DE PARIS (1).

ÉPILOGUE.

Gérolstein.

HUITIÈME ET DERNIÈRE PARTIE. — CHAPITRE Ier.

Le prince Henri d'Herkäusen-Oldenzaal au comte Maximilien Kaminetz.

Oldenzaal, 25 août 1840 (2).

[Feuilleton text of the novel.]

Le journal en concurrence avec le livre par le roman-feuilleton : *les Mystères de Paris*,
d'Eugène Sue, publié en feuilleton par le *Journal des débats* en 1843.

4. Il fit venir aussi les enfants d'Aaron et les lévites :

5. Uriel, chef des descendants de Caath, et ses frères, au nombre de cent vingt.

6. Des fils de Mérari, Asaïa, leur chef, et ses frères, au nombre de deux cent vingt.

7. Des fils de Gerson, Joël, leur chef, et ses frères, au nombre de cent trente.

8. Des fils d'Élisaphan, Séméias, leur chef, et ses frères, au nombre de deux cents.

9. Des fils d'Hébron, Éliel, leur chef, et ses frères, au nombre de quatre-vingts.

10. Des fils d'Oziel, Aminadab, leur chef, et ses frères, au nombre de cent douze.

11. David appela donc Sadoc et Abiathar, prêtres, avec les lévites Uriel, Asaïa, Joël, Séméias, Éliel et Aminadab;

12. Et il leur dit : Vous qui êtes les chefs des familles de Lévi, purifiez-vous avec vos frères, et portez l'arche du Seigneur Dieu d'Israël au lieu qui lui a été préparé;

13. De peur que, comme le Seigneur nous a frappés déjà, parce que vous n'étiez pas présents, il ne nous arrive un malheur semblable, si nous faisons quelque chose de contraire à ses lois.

14. Les prêtres se purifièrent donc avec les lévites, afin de porter l'arche du Seigneur Dieu d'Israël.

15. Et les enfants de Lévi portèrent l'arche de Dieu sur leurs épaules avec des bâtons, selon l'ordre que Moïse en avait donné, après l'avoir reçu du Seigneur.

16. David dit aussi aux chefs des lévites d'établir quelques-uns de leurs frères pour faire les fonctions de chantres, et pour jouer de toutes sortes d'instruments de musique comme de la lyre, de la cithare, des cymbales, afin de faire retentir dans le ciel le bruit de leur joie.

17. Ils choisirent donc plusieurs lévites : Héman, fils de Joël; et parmi ses frères, Asaph, fils de Barachias; parmi les fils de Mérari, leurs frères, Éthan, fils de Casaïa;

18. Et leurs frères avec eux; et au second rang, Zacharie, Ben, Jaziel, Semiramoth, Jahiel, Ani, Éliab, Banaïa, Maasia, Mathathias, Éliphalu, Macénias, Obédédom et Jéhiel, qui étaient portiers.

19. Or les chantres Héman, Asaph et Éthan, jouaient des cymbales d'airain.

20. Mais Zacharie, Oziel, Semiramoth, Jahiel, Ani, Éliab, Maasia et Banaïas, chantaient sur la lyre des airs sacrés.

21. Mathathias, Éliphalu, Macénias, Obédédom, Jéhiel et Ozazu, chantaient des chants de victoire et d'actions de grâces sur des cithares à huit cordes.

22. Chomenias, chef des lévites, présidait à toute cette musique, pour commencer le premier la symphonie, parce qu'il était très-habile.

23. Barachias et Elcana gardaient la porte de l'arche.

24. Sébénias, Josaphat, Nathanaël, Amasaï, Zacharie, Banaïas et Éliézer, prêtres, sonnaient des trompettes devant l'arche de Dieu; Obédédom et Jéhias faisaient la fonction de portiers de l'arche.

25. Ainsi David et tous les anciens d'Israël, et les officiers de l'armée s'en allèrent pour transporter l'arche de l'alliance du Seigneur de la maison d'Obédédom à Jérusalem, dans des transports de joie.

26. Et comme Dieu assistait les lévites qui portaient l'arche de l'alliance du Seigneur, on immola sept taureaux et sept béliers.

27. Or David était revêtu d'une robe de fin lin , ainsi que tous les lévites qui portaient l'arche, les chantres et Chomenias, le maître de la musique et du chœur des chantres ; mais David avait de plus un éphod de fin lin.

28. Tout Israël conduisait donc l'arche de l'alliance du Seigneur, avec de grandes acclamations, au son des trompettes, des hautbois, des cymbales , des cithares et d'autres instruments de musique.

29. Et l'arche de l'alliance du Seigneur étant arrivée à la

ville de David, Michol, fille de Saül, regardant par une fenêtre, vit le roi David qui sautait et qui dansait, et elle le méprisa dans son cœur.

CHAPITRE XVI

L'arche est mise dans le tabernacle préparé par David. Ce prince, après avoir offert des holocaustes et des sacrifices, bénit le peuple et lui fait distribuer du pain et de la chair de bœuf rôti. Il établit des lévites pour servir devant l'arche. Il compose un cantique à la louange du Seigneur.

1. L'arche de Dieu fut donc apportée et placée au milieu du tabernacle que David avait fait dresser, où l'on offrit des holocaustes et des sacrifices d'actions de grâces en présence de Dieu.

2. Quand David eut achevé d'offrir les holocaustes et les sacrifices d'actions de grâces, il bénit le peuple au nom du Seigneur;

3. Et il distribua à chacun, aux hommes et aux femmes, une portion de pain et un morceau de bœuf rôti, avec de la farine cuite à l'huile.

4. Il établit des lévites pour servir devant l'arche du Seigneur, pour le glorifier, lui rendre de continuelles actions de grâces, et pour chanter les louanges du Seigneur Dieu d'Israël :

5. Asaph fut le premier, Zacharie le second; et ensuite Jahiel, Semiramoth, Jehiel, Mathathias, Éliab, Banaïa et Obédédom. Jehiel fut chargé de l'orgue, du psaltérion et de la lyre; et Asaph de jouer des cymbales.

6. Mais Banaïas et Jaziel, qui étaient prêtres, devaient sonner continuellement de la trompette devant l'arche de l'alliance du Seigneur.

7. En ce jour David établit Asaph premier chantre, et tous ceux de sa maison sous lui, pour chanter les louanges du Seigneur :

8. Louez le Seigneur et invoquez son nom; publiez ses œuvres au milieu de tous les peuples [*].

9. Chantez ses louanges ; chantez-le sur les instruments, annoncez toutes ses merveilles.

10. Glorifiez son saint nom; que le cœur de ceux qui cherchent le Seigneur soit dans la joie.

11. Cherchez le Seigneur et sa force, cherchez sans cesse sa présence.

12. Souvenez-vous des merveilles qu'il a faites, de ses prodiges et des jugements sortis de sa bouche,

13. Vous, les descendants d'Israël, son serviteur, et les enfants de Jacob, son élu.

14. Il est le Seigneur notre Dieu; ses jugements s'exercent sur toute la terre.

15. Souvenez-vous à jamais de son alliance et de la loi qu'il a prescrite pour tous les âges à venir;

16. De l'accord qu'il a fait avec Abraham, et du serment par lequel il s'est obligé envers Isaac;

17. Qu'il a confirmé à Jacob comme une loi inviolable, et à Israël comme une alliance éternelle,

18. En disant : Je vous donnerai la terre de Chanaan pour votre héritage,

19. Lorsqu'ils étaient en petit nombre, peu considérables et étrangers sur la terre.

20. Et ils passèrent d'une nation à une autre, et d'un royaume à un autre peuple.

21. Il ne permit pas que personne leur fît insulte; il châtia même des rois à cause d'eux.

22. Gardez-vous de toucher à mes oints, et ne faites point de mal à mes prophètes.

23. Que toute la terre chante des hymnes au Seigneur; Annoncez tous les jours le salut qu'il vous a donné.

[*] Ce cantique forme le psaume XCVI et le commencement du psaume XCV.

DAVID ET GOLIATH

La Sainte Bible publiée à Tours par A. Mame et fils en 1866. Édition particulièrement soignée et illustrée de nombreuses planches gravées sur bois d'après les dessins de Gustave Doré.
H. 427 mm.

Le livre religieux

par Claude Savart

Au XIXᵉ siècle, les éditeurs catholiques (nous devrons laisser de côté les confessions minoritaires) constituent, au sein de la profession, un petit monde à part : il est très rare que d'autres maisons publient des livres religieux, tandis qu'eux-mêmes ne s'en écartent que pour produire des romans édifiants ou les manuels de l'enseignement catholique.

Ce qui est vrai des éditeurs l'est beaucoup moins des libraires : même s'il y a parfois spécialisation, le rayon religieux occupe une place importante dans la plupart des librairies.

Car en ces années 1830-1890, et surtout de 1850 à 1880, l'édition religieuse connaît en France une singulière activité. On le voit bien au nombre de notices que lui consacre la *Bibliographie de la France* (voir schéma n° 1) : situé entre 8 % et 14 % du total des livres publiés de 1830 à 1850, le pourcentage s'élève ensuite jusqu'à atteindre 20 % en 1861, puis (mise à part « l'année terrible » 1870-1871) demeure à un haut niveau jusqu'en 1875, pour retomber entre 10 % et 12 % dans la dernière décennie. La courbe reflète fidèlement l'évolution du catholicisme français, tant son dynamisme apostolique que ses difficultés, et même ses relations amicales ou tendues avec le pouvoir politique. Il reste que la période offre une indéniable unité, et que tout au long le livre religieux y constitue une part considérable de la production nationale.

Le livre religieux : production et distribution

On assiste à une lente concentration des maisons d'édition catholiques : au milieu du siècle, une vingtaine de maisons éditent près de la moitié des livres religieux. Certains centres provinciaux déclinent : Avignon, Besançon, même Lyon où les vieilles maisons Périsse et Pélagaud publient abondamment mais sans beaucoup de soin. Paris garde le premier rang : un livre religieux sur deux y est édité, et ce commerce se rassemble à partir de 1840 autour de l'église Saint-Sulpice. Surtout, à côté de firmes déjà anciennes comme Jouby (successeur de Méquignon) ou Le Clère, les nouvelles y sont nombreuses, souvent plus engagées — en des sens divers — dans les débats du temps, telles que Gaume, Lecoffre (1) et Palmé. C'est à Paris que l'abbé Migne produit dans ses « Ateliers catholiques » les célèbres *Patrologies* et bien d'autres gros volumes. Mais un autre foyer important s'est formé à l'ouest : Alfred Mame développe à Tours une entreprise qui est souvent donnée en exemple, à la fois pour la rationalisation de sa production et pour les efforts de sa direction en faveur du personnel ; à Limoges, les maisons Barbou et Ardant se situent, à tous points de vue, assez loin en arrière. Au nord enfin, le foyer lillois se maintient avec la maison Lefort, tandis que le Belge Casterman, de Tournai, s'empare à partir d'environ 1860 d'une part non négligeable de la clientèle française. L'édition religieuse française se trouve donc placée sous le signe de la diversité, mais, dans un climat général de prospérité de ce secteur, la concurrence y reste vive.

Comment cette abondante production atteint-elle son public ? La plus grande partie en est distribuée par le réseau des libraires brevetés, dont on sait qu'il dessert très inégalement les diverses régions. Si certaines librairies soignent plus systématiquement leur réputation de librairies catholiques — en particulier à proximité des cathédrales et des sanctuaires de pèlerinage — la plupart vivent principalement de la papeterie, des livres scolaires... et des livres religieux. Le colportage ne joue qu'un rôle réduit dans la distribution du livre catholique — c'est certainement l'inverse pour le livre protestant —, et de toute manière il décline très rapidement après 1850. Par contre, deux autres filières ne doivent pas être négligées. D'une part, les couvents, collèges et séminaires sont tacitement

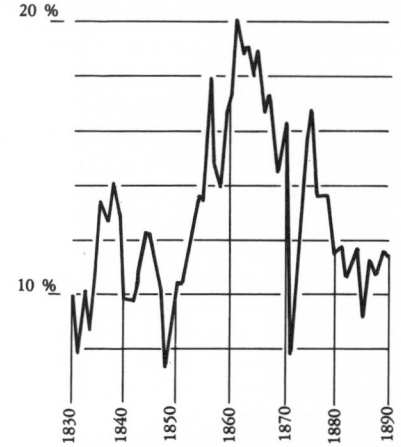

La part du livre religieux (catholique) dans l'ensemble de l'édition française.

Source : *Bibliographie de la France*.

Le pourcentage double entre 1830 et 1860 puis retrouve son niveau initial. Mais il est, tout au long de la période étudiée, très supérieur au pourcentage actuel : 2 à 3 % en 1980.

Page de titre d'un des 282 volumes de
la Patrologie latine (2ᵉ édition) publiée
sous la direction de l'Abbé J.-P. Migne.
H. 285 mm.

L'abbé Jean-Paul Migne (1800-1875),
portrait gravé par Tailland.

L'abbé Jean-Paul Migne et son Encyclopédie catholique

L'abbé Jean-Paul Migne, né en 1800 à Saint-Flour, avait d'abord fait une carrière de prêtre desservant dans le diocèse d'Orléans. Passionné de politique, hostile au drapeau tricolore qui était resté pour lui l'emblème de la Révolution, il voulut recourir en 1833 à la presse pour faire triompher ses idées et créa un journal, *l'Univers religieux*. Ayant cependant constaté l'isolement culturel du clergé, il conçut le projet d'une Bibliothèque intellectuelle du Clergé destinée à vulgariser, en les réimprimant à un prix modique, les meilleurs ouvrages en tout genre produits par le catholicisme depuis ses origines. Esprit pratique, il se représentait tout comme MM. Hachette et Larousse, « toute science sous forme de dictionnaire ou d'encyclopédie » et prévit un ensemble de 2 000 volumes compacts imprimés sur deux colonnes de texte serré et répartis en plusieurs séries.

Il lui fallait donc créer une maison d'édition. Il commença par lancer une campagne de souscriptions avec l'aide des *Annales de philosophie chrétienne* de son ami l'abbé Bonnetty. N'acceptant d'abandonner aux libraires que 10 % de remise au lieu de 25 % à 35 % avec les treizièmes comme le voulait l'usage du temps, il n'eut aucun dépôt. Pour éviter de payer des droits de reproduction, toujours convaincu d'agir pour une bonne cause, il n'hésita pas à réimprimer les textes récemment parus sans en indiquer l'origine ou en maquillant celle-ci. Il tenta aussi pour obtenir des fonds de développer un commerce d'objets religieux — chemins de croix, tableaux et ornements d'église, orgues, etc. — et même de faire trafic de messes, ce qui fut condamné par la hiérarchie. Ses ventes semblent avoir été irrégulières, mais jamais l'aide du clergé inférieur ne lui fit défaut, de sorte qu'il put publier en trente ans 1 019 volumes dont 979 pour sa Bibliothèque universelle qui comprit un cours complet d'Écriture sainte en 28 volumes et un atlas, un *Cours complet de théologie* également en 28 volumes (1837-1845), des *Démonstrations évangéliques* en 20 volumes (1842-1853), une Collection intégrale et universelle des orateurs sacrés (99 volumes de 1844 à 1866), une *Encyclopédie théologique* de 171 volumes (1845-1866) et enfin son célèbre *Cours de patrologie*, soit 282 volumes pour les textes latins des origines à Innocent III (1844-1855) et 81 volumes de textes grecs avec traduction latine (1854-1861).

Pour réaliser son grand dessein, l'abbé Migne commença par faire travailler des imprimeurs, puis il acheta un brevet et fit construire, au Petit-Montrouge, un vaste bâtiment comprenant une série d'ateliers typographiques et d'entrepôts où il employa 200 à 300 ouvriers dont beaucoup étaient des prêtres, réfugiés là pour des raisons diverses. Lorsque ses ateliers furent détruits par un incendie en 1868, ils comptaient 6 presses mécaniques et 24 presses à bras ainsi que plusieurs centaines de milliers de clichés, et le montant des dégâts fut évalué à plus de 3 000 000 francs.

Prodigieux meneur d'hommes, Jean-Paul Migne accomplit une œuvre considérable. Il eut le mérite de se faire aider par des savants compétents comme les érudits Mas Latrie et Quantin pour son encyclopédie ou comme Dom Pitra, moine de Solesmes puis prieur de la maison bénédictine de Paris, pour sa patrologie, ainsi que par nombre d'étrangers, de sorte que certains des volumes qu'il publia n'ont pas encore été remplacés.

On peut considérer comme symbolique que les locaux et le matériel de l'entreprise de l'abbé Migne aient été finalement rachetés par les frères Garnier. Selon Honoré Champion, le plomb des clichés suffit à payer le tout et Hippolyte Garnier disait que cette opération était la plus belle qu'il eût jamais faite de sa vie.   H.-J. M.

A. Vernet, « L'abbé Jean-Paul Migne (1800-1875) et les ateliers du Petit-Montrouge », *Études médiévales*, Paris, 1981, pp. 627-649 ; « Migne éditeur de textes médiévaux », *ibidem*, pp. 651-658. H. Champion, *Portraits de libraires, les frères Garnier*, Paris, 1913.

autorisés à fournir à ceux qui les fréquentent les livres en rapport avec leurs activités. D'autre part, tout au long du siècle, les catholiques multiplient les initiatives destinées à encourager la lecture des « bons livres » ; plusieurs de ces « œuvres » organisent des bibliothèques de prêt, d'autres distribuent elles-mêmes des livres de propagande (le plus souvent d'un format modeste, mais avec de gros tirages).

Au terme de ces processus, le livre religieux parvient à son lecteur : quel est celui-ci ? ou plutôt, quelles clientèles nouvelles ou élargies expliquent la vitalité qui se manifeste en ce domaine de 1850 à 1880 ? Trois principalement, et qui d'ailleurs se recoupent en partie. Le clergé tout d'abord, ou mieux — si l'on peut dire — « les clergés » : séculier, régulier (dont de nombreux missionnaires), sans oublier les religieuses ; dans les trois cas, l'effectif augmente rapidement au cours de la période étudiée. En second lieu, les femmes : elles constituent, et de beaucoup, la majorité des « pratiquants », et l'on a souvent souligné la féminisation du catholicisme au XIXe siècle. Enfin, les enfants et les jeunes (garçons et filles) : l'essor des écoles catholiques au temps de la loi Falloux, plus tard celui des patronages, développent un public auquel les éditeurs religieux fournissent aussi livres de prix et livres d'étrennes. Au total, c'est tout un « moment » de l'histoire du catholicisme français que traduit la conjoncture favorable de l'édition religieuse.

Le livre religieux : approches

Si les éditeurs catholiques se distinguent aisément des autres membres de la profession, le livre religieux, lui, partage dans une large mesure les caractéristiques des autres livres de l'époque. Avec quelques nuances, pourtant. Ainsi les chiffres de tirage sont aussi variés que dans la librairie « profane », quoique peut-être en moyenne un peu plus faibles ; mais « paroissiens » et catéchismes font l'objet de gros tirages. De même, la gamme des prix est-elle aussi largement étendue, depuis la mince brochure de propagande à 10 ou 20 centimes, jusqu'aux luxueuses éditions illustrées lancées par exemple par la maison Mame.

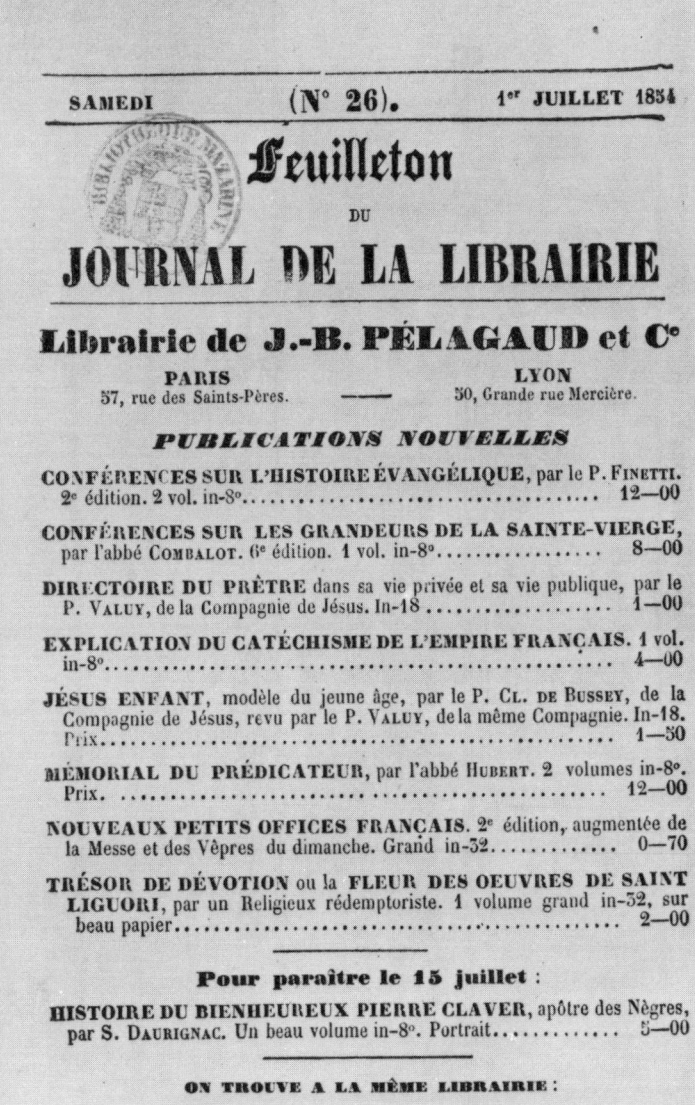

Annonce du libraire lyonnais Pélagaud parue dans le *Journal de la librairie* du 1er juillet 1854 : ouvrages de dévotion et d'histoire religieuse, catéchisme, biographies.

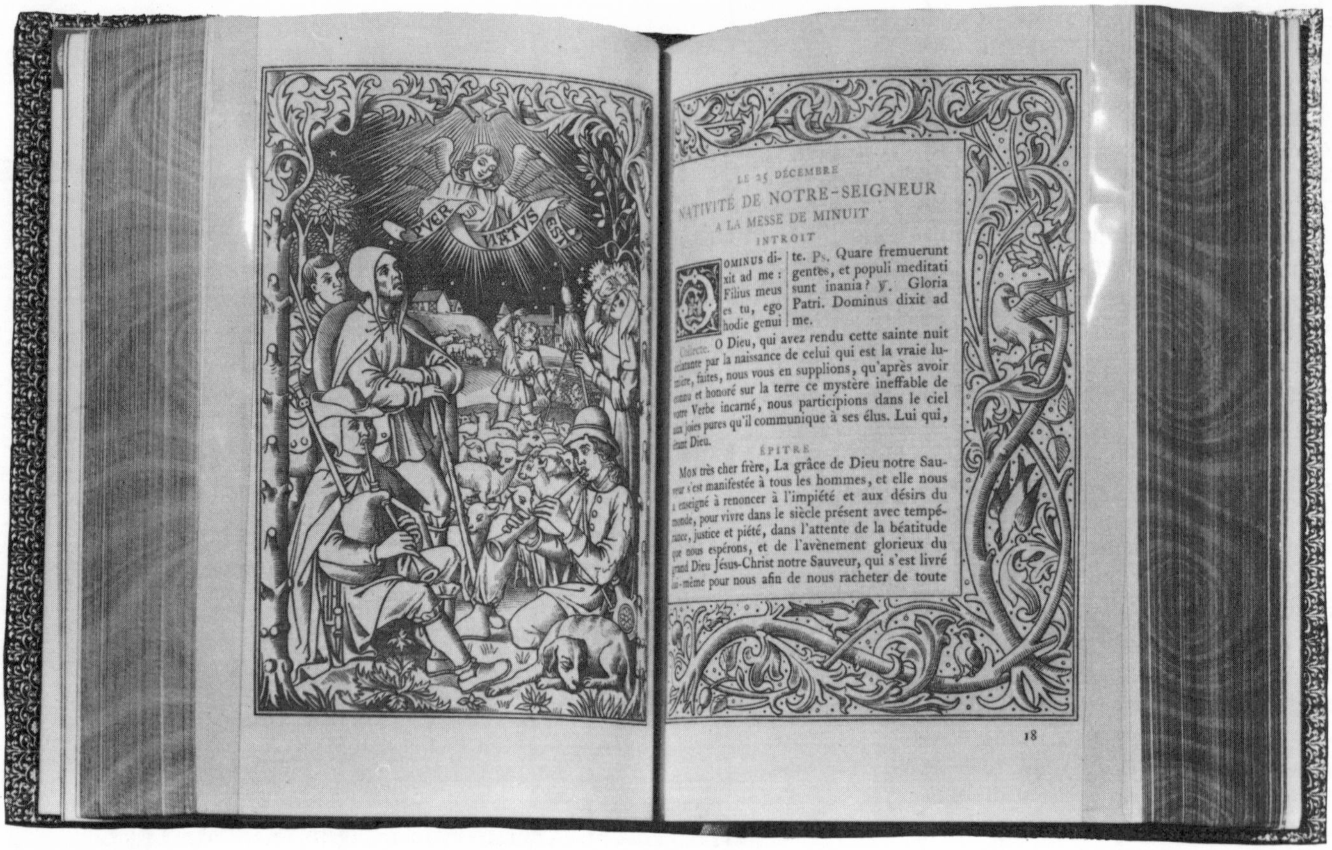

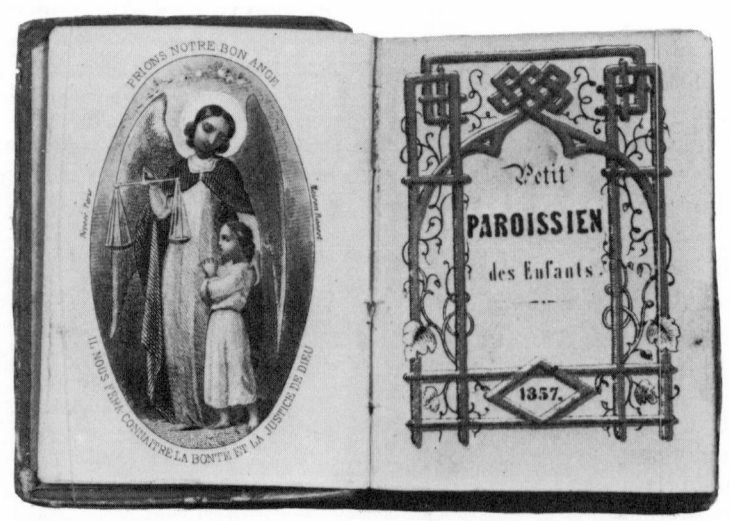

Heures romaines, livre de prières sorti des presses de Mame aux environs de 1875.
Son illustration et son ornementation, gravées sur bois par A. Gusman
d'après les dessins de A. Queyroy, imitent celles des livres d'heures du XVe siècle. H 154 mm.

Paroissien miniature, destiné aux enfants, publié
à Limoges, chez Martial Ardant frères, en 1854. H 64 mm.

Le livre religieux est alors très souvent présenté avec une excessive négligence, ou plutôt avec un souci de stricte économie, comme si le débit en était assuré sans qu'il fût nécessaire de séduire l'acquéreur : papier médiocre, caractères peu lisibles, volumes trop gros pour être maniables, etc. Un seul sourire parfois dans cette grisaille, peut-être voulue pour donner une impression d'austérité : la couverture illustrée, qui sacrifie volontiers aux ornements d'inspiration gothique chers à un romantisme un peu tardif. Mais ne généralisons pas ; en ces soixante ans d'ailleurs, le livre religieux perd beaucoup de ses allures rébarbatives et s'urbanise peu à peu.

Le livre religieux : le contenu

Il a bien fallu jusqu'ici faire comme si ces deux mots — « livre religieux » — recouvraient une réalité plus ou moins homogène. Elle l'est en effet tant qu'on s'intéresse à ses conditions de production et de distribution. Elle ne l'est plus quand le moment vient d'ouvrir le livre, et de découvrir, dans ce seul secteur de l'édition, une très grande diversité de genres. Essayons d'en donner un aperçu.

Nous pouvons distinguer trois grands domaines, dont l'effectif, bon an mal an, n'est pas loin de s'équilibrer. Un tiers environ des titres est formé de livres d'usage courant, dont les tirages sont généralement élevés, mais sur lesquels l'autorité épiscopale exerce une attentive et efficace surveillance : « paroissiens » et autres livres liturgiques, recueils de prières et de cantiques, catéchismes et « histoire sainte », etc. Un peu plus du tiers est destiné à soutenir la vie spirituelle des chrétiens, sous le nom de « méditations », « exercices », etc. ; ou sous la forme d'une masse impressionnante de vies de saints et autres biographies, dont l'intention reste plus édifiante qu'historique. Un « petit » tiers enfin consiste en publications de caractère doctrinal : travaux théologiques, ouvrages de pastorale ou de catéchèse, écrits apologétiques (auxquels s'apparente souvent l'histoire ecclésiastique), etc. Bien entendu, cette immobilité n'est qu'apparente ; il faudrait pouvoir suivre d'année en année le poids respectif de tous ces genres pour connaître avec précision l'évolution des mentalités.

Nous devrons nous contenter de mettre en lumière les deux grandes mutations sur lesquelles s'ouvre et se referme la période étudiée ici ; elles permettent de la mieux cerner, et en attestent à nouveau l'unité. La décennie 1830-1840 voit se produire une sorte de réchauffement de la piété. Se dégageant des influences jansénistes ou rigoristes, elle se tourne vers Dieu d'une manière plus « affective », et plus encore vers la Vierge Marie et les saints, en un large éventail de « dévotions particulières ». Ces orientations, parvenues à leur apogée, expliquent pour une large part la liste que nous donnons ci-dessous des auteurs les plus lus au temps du Second Empire.

La décennie 1880-1890 effectue une rupture plus décisive encore avec le passé. Depuis le début du siècle, en effet, on continuait à rééditer très fréquemment maints auteurs religieux des siècles passés, en particulier des Jésuites des XVIIᵉ et XVIIIᵉ siècles. Soudain cette pratique tombe en désuétude, comme si se rompaient des liens, longtemps demeurés très étroits, avec le catholicisme post-tridentin. La voie est libre pour « autre chose », et c'est peut-être ce qu'annoncent, au même moment, les premiers signes, très ténus, d'un regain d'intérêt pour la mystique.

Note

1. « ... Je l'avais d'abord connu il y a trente-cinq ans, à Lyon, en y passant pour aller à Rome avec M. de Lamennais et l'abbé Lacordaire... Jacques Lecoffre était alors simple commis dans je ne sais quelle maison de librairie. Nous nous tendîmes la main à travers son comptoir, et à partir de ce jour, je l'ai toujours vu dévoué à toutes les bonnes causes, y consacrant ses soins, son temps, son intelligence, avec un zèle modeste, persévérant, inébranlable. On ne saurait apprécier assez haut les services qu'il a rendus à la liberté religieuse et à la liberté d'enseignement pendant le règne de Louis-Philippe et la République. Sa maison était le centre de toutes nos publications, et, sans lui, nous n'aurions point atteint les résultats, incomplets et prématurés, mais aussi salutaires qu'imprévus, de la lutte qui s'est terminée par le vote de la loi Falloux. Depuis lors, on l'a toujours retrouvé parmi les plus fermes champions de l'honneur et de la liberté de l'Église... » Lettre de Charles de Montalembert à Alfred Nettement, le 16 janvier 1866, au lendemain de la mort de l'éditeur Jacques Lecoffre. Cité dans : Alfred Nettement, *Notice sur Jacques Lecoffre* (Paris, 1866, 16 p.), pp. 14-15.

« ... On voyait aussi, chez les Rougon, un personnage aux mains humides, aux regards louches, le sieur Vuillet, un libraire qui fournissait d'images saintes et de chapelets toutes les dévotes de la ville. Vuillet tenait la librairie classique et la librairie religieuse ; il était catholique pratiquant, ce qui lui assurait la clientèle des nombreux couvents et des paroisses. Par un coup de génie, il avait joint à son commerce la publication d'un petit journal bi-hebdomadaire, *La Gazette de Plassans,* dans lequel il s'occupait exclusivement des intérêts du clergé. Ce journal lui mangeait chaque année un millier de francs ; mais il faisait de lui un champion de l'Église et l'aidait à écouler les rossignols sacrés de sa boutique. Cet homme illettré, dont l'orthographe était douteuse, rédigeait lui-même les articles de la *Gazette* avec une humilité et un fiel qui lui tenaient lieu de talent... » Émile Zola, *la Fortune des Rougon,* Paris, 1871 (édition de la Pléiade, p. 79).

Couverture de la *Revue pittoresque* gravée sur bois dans un style très romantique. 1846. H. 263 mm.

Les revues littéraires

par Simon Jeune

Dans un prospectus anonyme de la *Revue des deux mondes* remontant à février 1832, l'auteur, très probablement Sainte-Beuve, s'attache à définir les caractères des grandes revues littéraires étrangères dont la jeune revue française se veut l'émule.

Depuis trente ans bientôt l'Allemagne et l'Angleterre possèdent des recueils périodiques, des *revues* qui servent de tribune aux plus hautes intelligences, aux esprits les plus actifs et les plus souples, qui suivent et dominent l'histoire à mesure qu'elle se fait, à qui les lenteurs et les ambages d'un livre *ex professo* répugnent naturellement, et qui, sans vouloir atteindre au pas de course les moindres événements, s'imposent volontiers le devoir de saisir et d'épuiser les plus graves questions, de poser et de résoudre les problèmes sociaux, politiques et littéraires à mesure que le temps, les hommes et les choses les soulèvent en passant [...].

La France est venue plus tard à cette méthode de pensée et d'enseignement, qui participe à la fois du caractère actuel des journaux et de la discussion grave des livres. Depuis une douzaine d'années, plusieurs revues, la plupart spéciales, ont été fondées et ont obtenu le succès auxquelles elles pouvaient prétendre. Mais en général, ce qui leur a manqué pour agir sur le public, ç'a été un ensemble harmonieux et solide, l'unité réelle des principes, cachée sous le libre développement des pensées individuelles ; ou bien elles ont été purement scientifiques et la rigueur des déductions dans lesquelles elles se renfermaient leur interdisait la divergence ; ou bien elles ont été frivoles et décousues comme les *magazines* hebdomadaires de Londres, et alors elles ne pouvaient atteindre à une autorité sérieuse.

Désireux d'affirmer la nouveauté et l'originalité pour la France du périodique de Buloz en le mettant sous le parrainage de modèles étrangers (l'article cite un peu plus loin la *Revue d'Édimbourg* et le « sérieux développement » de sa critique littéraire), Sainte-Beuve présente un tableau trop pessimiste de la situation des revues sous la Restauration. Mais il est vrai, d'autre part, que la monarchie de Juil-

let voit l'éclosion et la diversification d'un grand nombre de revues de culture et d'information générales où la discussion des idées tient une grande place en liaison avec le mouvement littéraire apprécié par la critique et illustré par la publication des textes eux-mêmes.

L'héritage des Lumières et la période révolutionnaire instaurant la liberté de la presse favorisèrent, en dehors des nombreuses publications partisanes et populaires, l'émergence de véritables revues cherchant à juger les événements avec quelque recul, s'intéressant aux sciences, à la philosophie, à l'histoire, à la géographie, à l'économie, comme à la politique et à l'activité littéraire et artistique.

Ce fut le cas de la *Décade philosophique,* organe des « idéologues », (née en 1794, supprimée par Napoléon en 1807). L'abolition du calendrier révolutionnaire à partir de 1805 obligea la *Décade* à changer le titre qui devint la *Revue ou Décade philosophique* pendant trois mois puis, définitivement, la *Revue philosophique*. Il semble bien que la *Décade* ait été le premier périodique français à prendre le nom de « revue ». L'influence anglaise auprès d'une équipe rédactionnelle qui citait volontiers *The Monthly Review,* la doyenne (née en 1749), et plus généreusement encore *The Edimburgh Review* (née en 1802), appréciée pour son libéralisme d'inspiration whig, est hautement probable (1). À côté de la *Décade* il faut citer le *Magasin encyclopédique* (né en

1792), devenu les *Annales encyclopédiques* (1817-1818) puis la *Revue encyclopédique* (1819-1833), une *Décade* moins engagée, liée sous la Restauration à l'Athénée, ce lieu de conférences et de cours, d'inspiration libérale et classique. Enfin, la *Minerve française,* issue en 1818 du vieux *Mercure de France* qui prolongea lui-même son existence jusqu'en 1832, changea de titre et devint la *Minerve littéraire* à la mort du duc de Berry.

Sous l'Empire ces revues, comme toute la presse, étaient l'objet d'une surveillance tracassière, aux interventions brutales, de la part du pouvoir. Le débat d'idées était constamment menacé, le public démobilisé. Les organes de presse restaient peu nombreux, les tirages faibles. En rétablissant les débats parlementaires ainsi que, au moins théoriquement, la liberté de la presse, la Restauration stimula les publications de toutes sortes. Mais, en dépit des stipulations de la Charte, le pouvoir royal eut une politique hésitante et souvent restrictive (censure, ou recours aux tribunaux). Une loi relativement libérale avait été promulguée en juin 1819 (recours au jury populaire comme en Angleterre pour les délits de presse). L'assassinat de l'héritier du trône, le duc de Berry, en mars 1820, avait été à l'origine d'une législation répressive, qui, à travers bien des fluctuations, se maintint jusqu'en 1828, année qui vit le retour à la législation de 1819. Les organes de presse avaient appris à ruser avec le pouvoir pour éviter de ruineux procès :

LA MINERVE
LITTÉRAIRE.

LA GLOIRE,
*Pièce qui a obtenu le prix de Poésie à l'Académie de Marseille,
en 1819 (1).*

TEL que le jeune aiglon qui, du roc solitaire,
Voyant au haut des airs, dans des flots de lumière,
L'oiseau roi déployer son vol audacieux,
Tressaille, impatient, sollicite les cieux,
Exerce quelque temps son aile encor timide,
Cède enfin tout à coup à l'instinct qui le guide,
Et, saluant les airs d'un noble cri d'amour,
S'élève, triomphant, jusqu'aux sources du jour;
Tel le guerrier, au nom des fils de la Victoire,
Sent naître dans son cœur cette soif de la gloire,
Ce besoin des périls, ce mépris de la mort,
Qui se rit de l'obstacle, et des dieux et du sort :
Il couvre leurs tombeaux, leurs cendres précieuses,
De longs baisers mêlés de larmes envieuses,
Et, plein du souvenir de ces héros fameux,

(1) Cette pièce, imprimée pour la première fois dans l'*Almanach
des Muses* de 1820, sur une copie inexacte, paraît ici avec des
changemens : c'est la seule édition avouée de l'auteur.

14. Xbre 1820. No. 6.

16

La *Minerve littéraire*, dans la ligne du *Mercure de France*,
se présente comme celui-ci sous une forme plus proche du livre
que du périodique. Numéro du 14 octobre 1820. H. 209 mm.

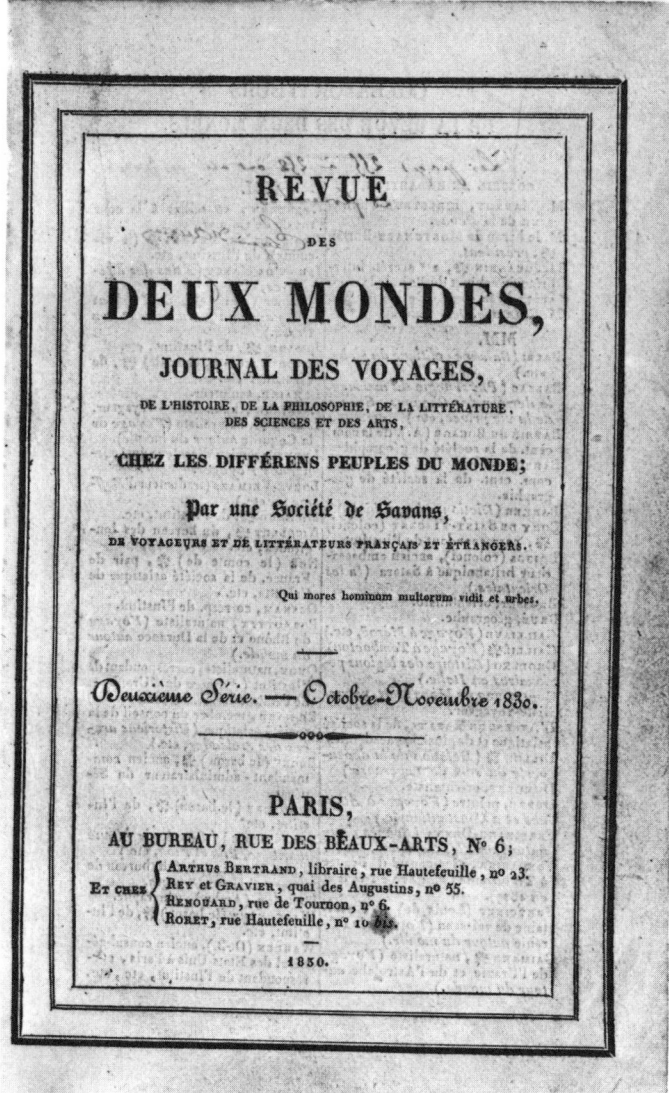

Plat supérieur de la couverture.

La *Revue des deux mondes* se présente dès ses origines comme une revue sérieuse, ouverte à des sujets qui touchent à tous les pays du monde et que ses collaborateurs, aux spécialités très diverses, traitent de façon approfondie. H. 205 mm.

COLLABORATEURS
DE LA REVUE DES DEUX MONDES.

CONSEIL DE RÉDACTION.

M. MAUROY, DIRECTEUR-FONDA-TEUR de la *Revue*.

M. le baron de MORTEMART-BOISSE ✻, président.

M. JOUANNIN ✻, 1er secrét. interprète du cabinet du Roi, de la com. cent. de la société de géographie.

M. F. BULOS, *Secrétaire*.

MM.

BALBI (*Balance politique du globe*, etc.)

BALZAC (*Physiologie du mariage, le dernier des Chouans, Scènes de la vie privée*, etc.)

BARBIÉ DU BOCAGE (A.), de la com. cent. de la société de géographie.

BARBIÉ DU BOCAGE (J.-G.), de la com. cent. de la société de géographie.

BARKER (*Diction. géographique*).

BORY DE SAINT-VINCENT (colonel) ✻, correspondant de l'Institut.

BRIGGS (colonel), ancien ambassadeur britannique à Satara (*Indes Orientales*.)

BROSSET, orientaliste.

BRUÉ, géographe.

CAILLIAUD (*Voyage à Méroë*, etc.)

CAILLIÉ ✻ (*Voyage à Temboctou*).

CHODZKO (*Histoire des légions polonaises en Italie*.)

COQUEBERT DE MONTBRET, naturaliste-voyageur.

D'AVEZAC DE MACAYA, de la société asiatique et de plusieurs académies.

DILLON ✻ (*Relation de la découverte du sort de Lapérouse*.)

DUMORET, orientaliste.

DUPRÉ, peintre (*Voyages à Athènes et à Constantinople*.)

FERDINAND-DENYS (*Scènes de la nature sous les tropiques*, etc.)

FONTANIER, vice-consul de France à Trébizonde (*Voyage en Orient en 1827*).

FREYCINET (Louis de) ✻, capitaine de vaisseau (*Voyage de l'Uranie autour du monde*.)

GAIMARD ✻, naturaliste (*Voyage de l'Uranie et de l'Astrolabe autour du monde*.)

MM.

GOLBERRY, conseiller à la cour royale de Colmar.

HÉRICART DE THURY ✻ (le vicomte), de l'Institut, etc.

JARRY DE MANCY (*Atlas des littératures*, etc.)

JAUBERT (Am.) ✻, de l'Institut (*Voyage en Arménie et en Perse*.)

JOMARD ✻, de l'Institut, etc.

LABORDE (comte Alex. de) ✻, de l'Institut, etc.

LEMAIRE, sculpteur.

LEFRIEUR, naturaliste - voyageur.

LESSON ✻, naturaliste (*Voyage de la Coquille autour du monde*.)

LEUVEN, ancien directeur du *Journal des Voyages*.

LOEVE-VEIMARS (traducteur d'*Hoffmann*, etc.)

MICHAUD ✻, de l'Institut, etc.

NICOLLET ✻, du bureau des longitudes, etc.

NOÉ (le comte de) ✻, pair de France, de la société asiatique de Calcutta, etc.

OZANAM, corresp. de l'Institut.

PERROTTET, naturaliste (*Voyage du Rhône et de la Durance autour du monde*.)

QUOY, naturaliste, correspondant de l'Institut (*Voyage de l'Uranie et de l'Astrolabe autour du monde*.)

REINAUD, membre du conseil de la société asiatique (*Historiens arabes des croisades*, etc.)

ROGER (le baron) ✻, ancien commandant - administrateur du Sénégal.

SILVESTRE (le baron) ✻, de l'Institut, etc.

SUE (Eugène) (*Scènes de la vie maritime, Plik et Plok*, etc.)

SUEUR-MERLIN, chef du bureau de topographie aux Douanes.

TARDIEU (Ambr.), géographe.

WALKENAER (le baron) ✻, de l'Institut, etc.

WARDEN (D.-B.), ancien consul-général des Etats-Unis à Paris, correspondant de l'Institut, etc., etc.

Verso de la couverture.

ainsi la *Minerve* (libérale) et le *Conservateur* (revue « ultra » lancée en 1818 par Chateaubriand) (2) font valoir que, leur périodicité n'étant pas régulière, leurs fascicules ne sont qu'une « suite » de recueils, échappant ainsi à la définition des « périodiques politiques », lesquels étaient soumis à la censure (3).

C'est précisément à partir de 1828 que vont se lancer plusieurs de ces grandes revues très largement ouvertes sur les différents aspects de la vie politique, sociale, artistique et littéraire. Et la révolution de Juillet 1830 ne fera qu'amplifier le mouvement.

Au début de 1828 apparaît la *Revue française* qui se dit « littéraire », non sans arrière-pensées politiques. Fondée par Guizot, de Broglie et de Barante elle représente l'opposition, modérément libérale, des « doctrinaires » à l'« ultracisme » dominant et la position de la Société de la morale chrétienne (de tendance protestante) face à la puissante Congrégation animée par les Jésuites. La même année voit naître *Le Correspondant*, organe catholique qui devient en 1831 la *Revue européenne*, en 1840 le *Nouveau Correspondant*, pour s'en tenir à son premier titre, à partir de 1843, et perdurer ainsi jusqu'en 1933. En 1829, c'est le tour de deux des revues les plus vivantes et les plus « modernes », longtemps concurrentes : la *Revue de Paris* du Docteur Véron et la *Revue des deux mondes*. Celle-ci lors de son lancement ne s'occupe que de politique extérieure. Mais dès 1830 elle change de directeur et de formule ; et surtout Buloz y entre comme rédacteur. Il devient rédacteur en chef, puis directeur dès 1831. Il savait découvrir les auteurs d'avenir : dans les sommaires des années 1831 à 1833, on découvre pêle-mêle les noms de Vigny, Hugo, Balzac, Dumas, Sainte-Beuve, Heine, Michelet, Quinet, Musset et George Sand. Il parvint rapidement à ravir le premier rang à la *Revue de Paris* et se paya même le luxe de racheter la revue rivale en 1834, se donnant la satisfaction d'y faire passer les articles de seconde zone, ceux « du premier mérite » étant réservés pour son enfant chéri (4). Il sut se maintenir à égale distance de la revue spécialisée et du magazine mondain, trop souvent frivole et décousu. Sous son « règne » la revue passe de 350 abonnés en 1831 à 1 000 en 1834, 2 500 en 1848, 5 000 en 1851 et 25 000 en 1868. Si Balzac avait rapidement rompu avec fracas, si Hugo et Dumas s'étaient éloignés, d'autres auteurs célèbres, ou qui devaient le devenir, avaient rejoint l'équipe des rédacteurs : Mérimée dès 1834, son ami Stendhal qui publia de 1837 à 1839 ses *Chroniques italiennes,* Gautier, collaborateur régulier à partir de 1841, Leconte de Lisle qui, en février 1855, précéda de peu Baudelaire. Ce dernier donnait en effet le 1er juin 1855 un choix important (dix-huit pièces) de ses *Fleurs du mal*, quelque deux ans avant la publication du recueil. Pour « faire passer » ce titre et ces poèmes parfois fuligineux, Buloz avait inséré un avertissement du type : « La Direction décline toute responsabilité… ». Mais ce chapeau-paratonnerre, s'il n'irrita pas outre mesure l'ombrageux Baudelaire, ne préserva pas pour autant la *Revue* des foudres gouvernementales sous la forme d'un « avertissement » de la censure.

Ce premier quart de siècle (1830-1855) est vraiment la grande période littéraire de la *Revue* qui devient ensuite plus timorée dans le choix de ses romanciers et de ses poètes, ignorant à peu près le réalisme et combattant le naturalisme. Mais dans le domaine philosophique et critique elle se montrait audacieuse, accueillant tour à tour les « positivistes » Renan (1851) et Taine (1855). Celui-ci devint même un « pilier » de la maison, publiant successivement sa monumentale *Histoire de la Littérature anglaise,* son *Voyage en Italie* et de nombreuses pages de ses *Origines de la France contemporaine* (ouvrage témoignant, il est vrai, d'une pensée assagie et même nettement conservatrice…).

Les revues illustrées

Le régime de la presse sous Louis-Philippe était celui de la liberté tempérée par le cautionnement. Les abus étaient passibles de poursuites judiciaires, toujours devant un jury. En 1835, à la suite d'un attentat qui manqua le roi mais fit beaucoup de victimes, les peines furent aggravées ; toutefois la relative garantie du jury fut maintenue. Pendant cette période, la presse périodique connut un bon développement, favorisé par des progrès techniques. Notamment les périodiques illustrés se multiplièrent. Aux gravures sur cuivre ou acier, fines mais coûteuses et obligatoirement traitées en « hors-texte », s'ajoutent deux variantes bien plus économiques et d'un emploi beaucoup plus souple : la lithographie, d'une technique simple et rapide, mais qui exigeait également le hors-texte, et surtout le renouveau de la gravure sur bois, qui grâce à la mise au point d'une taille au burin en relief sur bois « de bout » permettait d'insérer ces bois gravés dans la forme typographique et d'imprimer ainsi sur une feuille et d'un même coup le texte et les dessins.

Dès 1831 *L'Artiste,* revue luxueuse consacrée aux beaux-arts et aux lettres, marie la lithographie hors-texte et d'abondants bois dans le texte (5). En 1833 naissent simultanément deux revues visant le même public populaire et dont le succès persista pendant tout le XIXe siècle : le *Magasin pittoresque* de Charton et le *Musée des familles* de Girardin (abonnement : 6 francs par an) offraient des articles de documentation historique, géographique, artistique, scientifique ainsi que des textes littéraires, le tout illustré avec générosité. Le *Journal des connaissances utiles* du même Girardin, plus pratique, moins littéraire et sans illustrations battait tous les records de « bon marché » : 4 francs par an. Lancé en 1831, il dura jusqu'en 1848.

Un autre type de revue prend un bel essor, grâce à cette technique de gravure expéditive et souple : le périodique qui se donne pour mission de présenter les nouvelles du monde entier en les accompagnant d'images les illustrant. Ainsi naît l'hebdomadaire *L'Illustration* (mars 1843) après *The Illustrated London News* (mai 1842). Notons que *L'Illustration* réserve en outre une bonne part à la littérature.

L'illustration entre aussi pour beaucoup dans la vogue d'un type nouveau de périodique qui connaît un grand développement entre 1840 et 1850 pour péricliter ensuite. Le « journal reproducteur », en général mensuel, se donnait pour but de reproduire dans des conditions peu onéreuses les textes (surtout des romans) qui avaient été publiés quelque temps auparavant. Ancêtre de nos *digests*, il ne procédait toutefois qu'exceptionnellement par

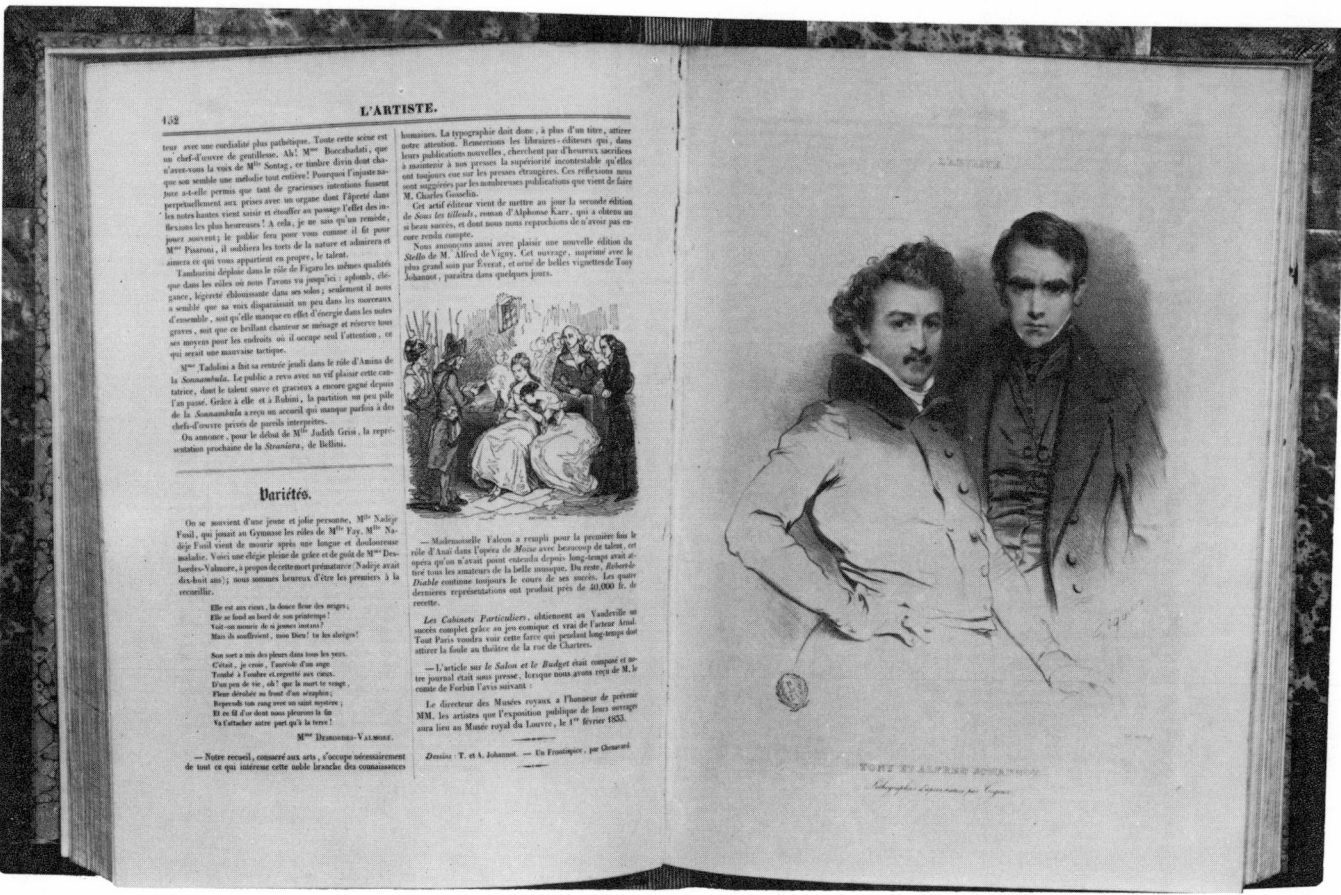

Double page caractéristique de *L'Artiste,* revue consacrée à la littérature et aux beaux-arts :
à gauche, dans la rubrique « Variétés », annonce d'une édition de *Stello* d'Alfred de Vigny,
illustrée par Tony Johannot, dont une vignette est reproduite en gravure sur bois ;
à droite, portrait lithographié des frères Johannot dont on connaît l'importance dans l'illustration
romantique. H. 281 mm.

REVUE PITTORESQUE.

MUSÉE LITTÉRAIRE.

ILLUSTRÉ

PAR LES PREMIERS ARTISTES.

PARMI tous les recueils illustrés brille maintenant au premier rang la REVUE PITTO-RESQUE, qui vient d'entrer dans sa troisième année, et qui, grâce au nombre toujours croissant de ses abonnés, voit son succès désormais assuré. Néanmoins il faut avouer que l'entreprise était hardie d'établir un recueil littéraire à un aussi *bas prix*, qui pour *cinquante centimes* par livraison donne à ses souscripteurs un tiers de matière de plus que le *Musée des Familles* et que le *Magasin Pittoresque*, publications illustrées qui semblaient avoir atteint les dernières limites du bon marché en librairie. Sans additionner le nombre de lignes et de lettres qui entrent dans une livraison de la REVUE PITTORESQUE, calcul qui n'offre quelque chose de précis qu'aux seuls imprimeurs, il nous suffira de dire qu'un roman entier de 340 pages, HÉVA, par MÉRY, a été donné aux souscripteurs de la REVUE PITTORESQUE dans un seul de ses numéros. Ainsi ce livre, qui coûtait *sept francs cinquante centimes* chez les libraires, a été donné aux abonnés de la REVUE PITTO-RESQUE pour *cinquante centimes*, et en outre ce roman est illustré de belles vignettes sur bois.

La REVUE PITTORESQUE, paraissant exactement le 1er de chaque mois, reproduit ainsi dans chacun de ses douze numéros, composés chacun de *quatre-vingt-seize colonnes*, une foule de *nouvelles* et de *romans* dus à nos plus célèbres écrivains, romans et nouvelles *illustrés* d'une foule de charmantes vignettes dessinées et gravées sur bois par nos premiers artistes; vignettes dont nous offrons un *spécimen* à la troisième page du présent prospectus.

Le choix de toutes les publications reproduites ainsi dans la REVUE PITTORESQUE est fait avec le plus grand soin, non-seulement sous le rapport du mérite littéraire, mais encore au point de vue des convenances, et il n'est pas une page de notre recueil qui ne puisse être *lue à haute voix dans un salon de bonne compagnie.*

Outre une grande quantité de nouvelles et de feuilletons, la REVUE PITTORESQUE publiera dans le cours de l'année 1846 plusieurs *romans entiers* dus à nos meilleurs auteurs. — Nous citerons entre autres :

LE DERNIER FANTOME,
PAR MÉRY;
NE TOUCHEZ PAS A LA REINE,
PAR MICHEL MASSON.

Le dernier Fantôme est un roman en *deux volumes* qui paraîtra en deux livraisons dans la REVUE PITTORESQUE, et *Ne touchez pas à la reine* paraîtra en un seul numéro; chacun de ces deux romans sera orné d'une foule de charmantes vignettes.

Prix de l'abonnement : 6 fr. par an pour Paris.

Les personnes qui habitent les départements ont à payer *un franc cinquante centimes* de supplément, soit *sept francs cinquante centimes* pour tous frais.

L'abonnement à la REVUE PITTORESQUE pour l'année courante part du 1er décembre 1845.

Les deux premières années forment chacune un magnifique volume grand in-8° de plus de 600 pages, illustré d'une grande quantité de vignettes. — Prix de chacun de ces volumes : *six francs*, et *sept francs cinquante centimes* envoyé *franco* par la poste.

On s'abonne à Toulon, chez DUCHEIN, libraire.

PARIS. IMPRIMERIE DE PLON FRÈRES.

Dans ce prospectus, la *Revue pittoresque* expose son programme :
offrir à ses lecteurs la reproduction de romans entiers pour un prix très modique
et avec une illustration abondante. H. 263 mm.

condensation (6). Il reproduisait soit des fragments, soit, plus souvent l'œuvre intégrale : une typographie serrée sur deux colonnes in-octavo permettait de faire entrer beaucoup de signes dans une page. Mais la concurrence étant forte, certaines de ces publications choisissent d'illustrer les textes. À vrai dire, quelques-unes se contentent de rares gravures sur acier qui n'ont qu'un lien très problématique avec le texte, n'ayant pas été conçues pour ces textes mais simplement remployées ; c'est le cas du *Journal des journaux* (1840-1849) ou du *Magasin littéraire* (1841-1848). D'autres joignent à l'acier quelques gravures sur bois qui, elles, servent vraiment le texte : l'*Écho des feuilletons* (1840-1887) et la *Revue des feuilletons* (1841-1847) agissent de la sorte à partir de 1843. Mais l'exemple le plus remarquable est celui de la *Revue pittoresque* (1843-1851) (pittoresque : « se dit de certaines publications ornées de gravures et surtout de gravures sur bois imprimées dans le texte », précise le *Littré*). Réunissant une bonne équipe de dessinateurs travaillant sur les romans, la revue offrait pour 6 francs par an (ou 50 centimes par numéro) 48 à 64 pages chaque mois. Donc par année « la matière de vingt volumes in-8° et plus de deux cents superbes gravures sur bois originales » selon les termes du prospectus.

Dernière forme de cette multiplication des périodiques sous la monarchie de Juillet, les revues provinciales. Elles étaient pratiquement inexistantes sous la Restauration, dans un climat de somnolence dominé par l'édition parisienne. Mais la révolution crée une véritable commotion à travers le pays. Et de jeunes élites bourgeoises entreprennent un peu partout de mettre en commun leurs moyens, leurs idées et leurs plumes. D'où une étonnante floraison (en général éphémère) de revues souvent intéressantes. Dès septembre 1830 se lancent la *Revue de Provence* de Marseille et la *Revue Normande* de Caen. Las ! parties trop tôt, elles cessent de paraître, la première dès 1831, l'autre en 1833, au moment où on assiste au contraire à une brusque éclosion à travers la France. Dans les premiers mois de 1833, c'est la *Revue de Rouen* suivie par la *Revue du Nord* à Lille, par la *Revue du Midi* à Tou-

louse, par *La Vouivre* de Nantes et la *Revue de Bretagne* (ces deux dernières mourant l'une dès juillet 1833, l'autre à la fin de 1834). En juin 1833 *La Gironde*, « la revue de Bordeaux, Littérature, Science, Beaux-Arts » vient s'ajouter à cette constellation. C'est une des plus originales. Ne se cantonnant pas aux lettres, à l'histoire et aux arts (qu'elle illustre de belles lithographies des monuments régionaux antiques et médiévaux), elle veut développer dans la province « le goût des sciences morales et politiques et spécialement celui de l'économie politique », du commerce et de l'industrie, afin de parvenir à la « rénovation provinciale » en échappant à Paris, « cette centralisation [...], l'unité monstrueuse qui résume notre pays » indique « l'introduction » du premier numéro, tandis qu'une note sur les récentes revues de province précisait :

> La création de *La Gironde* a été conçue dans un but différent de celui que se proposent la plupart des revues des départements ; elle aura sans doute une place à donner à la poésie, à la littérature du cœur, au crayon de nos artistes : mais [...] elle devra surtout marcher hardiment dans la voie des améliorations sociales.

Pendant trois ans la publication a belle allure, équilibrant arts et lettres d'un côté, préoccupations économico-sociales de l'autre. Puis les difficultés surgissent. *La Gironde* entre dans un grandiose projet d'« Association intellectuelle des provinces » (contre Paris) et dans une fédération de six « revues unies », avec Toulouse, Nîmes, Montpellier, Marseille et Lyon. C'est la fuite en avant dans l'irréalisme, et la mort simultanée en 1839 des six revues dont *La Gironde* était la doyenne.

De toutes les revues de province nées entre 1830 et 1835, seule la *Revue de Rouen* est bien installée dans l'existence puisqu'elle parvient à sa vingtième année (1833-1852). Les autres ont une durée de vie voisine de *La Gironde* (*Revue du Nord* : 1833-1840, *Revue du Midi* : 1833-1836) ou nettement plus courte.

Si la presse quotidienne régionale devait connaître une expansion durable sous la monarchie de Juillet, la soudaine mais brève « explosion » des périodiques de province n'a guère inquiété la suprématie parisienne en ce domaine. Et Taine, voyageant d'une

grande ville académique à l'autre au cours des années soixante pour y exercer les fonctions d'examinateur au Concours d'entrée de l'École de Saint-Cyr, ne cesse de déplorer dans ses *Notes sur la province* le désert culturel, intellectuel et artistique de la province à cette époque, corollaire de la « surchauffe » parisienne.

Notes

1. Notons que deux ou trois ans avant le changement de titre était apparue une rubrique appelée « Revue des opuscules du mois » puis « Revue du mois ».

2. À ne pas confondre avec *Le Conservateur littéraire* des frères Hugo, organe du romantisme naissant (décembre 1819-mars 1821), marqué par des préoccupations idéologiques (royalisme et religion) autant que littéraires. Autres revues jalonnant le parcours romantique : la *Muse française* (juillet 1823-juin 1824) et les *Tablettes romantiques* (1823) devenues *Annales romantiques* (1824-1836).

3. Les périodiques littéraires n'étant pas soumis à la censure, on aura remarqué que la *Minerve française* devient *Minerve littéraire* en 1820, quand la législation se fait plus draconienne.

4. Il se débarrassa d'ailleurs de la *Revue de Paris* qui vivota jusqu'en 1845 et fut alors absorbée par *L'Artiste,* pour reparaître en 1851, publiant *Madame Bovary* de Flaubert (1857).

5. *L'Artiste* vécut jusqu'en 1904 mais subit de nombreuses transformations. L'importance de l'illustration se réduisit bientôt.

6. Cette fois encore Émile de Girardin s'est montré un précurseur en lançant la formule dès 1828 avec son *Voleur* (qui procédait surtout par extraits), de même qu'il avait fondé un magazine mondain et littéraire en octobre 1829, *La Mode,* auquel collabora Balzac.

Barbe-Bleue représenté par Gustave Doré dans l'édition in-folio des *Contes*
de Perrault publiée par Hetzel en 1862. 244 × 195 mm.

Le livre pour la jeunesse

par Jean Glénisson

Au sens où nous l'entendons, la littérature d'enfance et de jeunesse n'existe pas à la fin du XVIIIe siècle (1). Ou plutôt, elle n'a encore de statut autonome ni dans la nomenclature des genres littéraires, ni dans le commerce de la librairie. Après 1750, des signes annoncent pourtant son proche épanouissement.

En 1762, l'*Émile* met l'enfance à la mode et La Chalotais transforme en affaire d'État une question d'éducation. Gulliver et Robinson Crusoé, anglais tous les deux, se transforment à l'insu de leurs créateurs et au prix d'adaptations réductrices, en héros d'une jeunesse, contemporaine de Cook et de Lapérouse, qui ne se contente plus des seuls grands hommes de l'Antiquité classique. C'est à Londres que John Newbery a fondé, en 1744, la première maison d'édition entièrement vouée à la production des *juvenilia*. À Paris, Berquin s'inspire de son exemple. Il connaît l'Angleterre et il est le premier auteur français qui n'ait écrit que pour le jeune âge, avec l'exacte perception de ce que les adultes des années 1780 attendaient d'un « Ami des enfants ». Son propos est double : « amuser les enfants et... les porter naturellement à la vertu, en n'offrant jamais à leurs yeux que... les traits les plus aimables. Au lieu de ces fictions extravagantes et de ce merveilleux bizarre dans lesquels on a si longtemps égaré leur imagination, on ne leur présente... que des aventures dont ils peuvent être chaque jour témoins dans leur famille » (2).

Ainsi l'évolution des écrits pour l'enfance a suivi celle des mentalités et de la société. Amorcée avec Fénelon (1651-1715), déjà perceptible chez Mme Leprince de Beaumont (1711-1780), elle s'achève avec Berquin, à la veille de la Révolution : l'univers de la Féérie et de la Chevalerie, qui fut celui du jeune âge, après Perrault et au temps de la Bibliothèque bleue, cède la place au monde de la Réalité, qui est celui des Lumières et de la bourgeoisie triomphante. Tout est en place : il ne manque plus qu'un marché qui assure à la littérature de jeunesse les assises économiques de son « âge d'or » (3).

Cette période triomphale s'ouvre dans les années 1820-1830. Solidement installée au pouvoir par la Révolution, la bourgeoisie entend y maintenir ses enfants. Le génie centralisateur de l'Empire lui en a donné le moyen, en substituant aux privilèges que garantissait la naissance le mérite scolaire sanctionné par le diplôme d'État, clé de la puissance et de l'ascension sociale. Il ne s'agit plus de rêver, mais de s'instruire. Au rythme du tambour, la future élite dirigeante reçoit dans les lycées un enseignement rigoureusement uniforme. C'est alors que se trouve fondé le règne du livre de classe, instrument désormais indispensable d'une instruction strictement réglée par des programmes partout obligatoires et fixés pour le cycle entier des études. La vente des manuels scolaires et des « classiques » est désormais garantie de Lille à Perpignan. Elle réserve de solides profits aux éditeurs-pédagogues qui ont, les premiers, saisi l'importance de l'enjeu.

Le tournant est pris en 1833, quand Guizot assure, par le vote de la loi du 28 juin, l'avenir de l'enseignement primaire, avant lui négligé par la Révolution, méprisé sous l'Empire, à peine ranimé dans les dernières années des Bourbons. Le développement, désormais ininterrompu, de l'éducation du peuple, à l'école élémentaire et dans les cours d'adultes, ouvre à l'édition française un marché immense, aux profits immédiats. Quiconque a le sens des affaires a pu en juger dès 1831 : afin de les distribuer gratuitement dans les écoles, Montalivet, alors ministre de l'Instruction publique, commande à Louis Hachette, tout jeune éditeur, 500 000 *Alphabet des écoles,* 100 000 *Livret élémentaire de lecture,* 40 000 *Arithmétique* de Vernier, 40 000 *Géographie* de Meissas, 40 000 *Petite Histoire de France* de Mme de Saint-Ouen (4). On a mesuré, du même coup, l'emprise de l'État. L'administration choisit ses fournisseurs ; elle arrête souverainement la liste des ouvrages autorisés dans les écoles publiques et en contrôle, par voie de conséquence, et l'esprit et la diffusion. Son autorité ne s'arrête d'ailleurs pas au livre de classe. Elle s'exerce de manière tout aussi décisive sur la production et la vente d'une catégorie nouvelle de livres « récréatifs », que les pratiques scolaires et le développement de l'alphabétisation font naître et proliférer dans les années 1820-1830.

Le temps d'Alfred Mame

Depuis 1730-1750 s'était généralisé dans les collèges l'usage, vieux de deux siècles, de remettre, une ou deux fois l'an, aux élèves les plus méritants, des livres qui récompensaient leur zèle à l'étude et leur réussite. Vers 1820-1830, cette pratique s'étendit à l'enseignement élémentaire. Les milliers

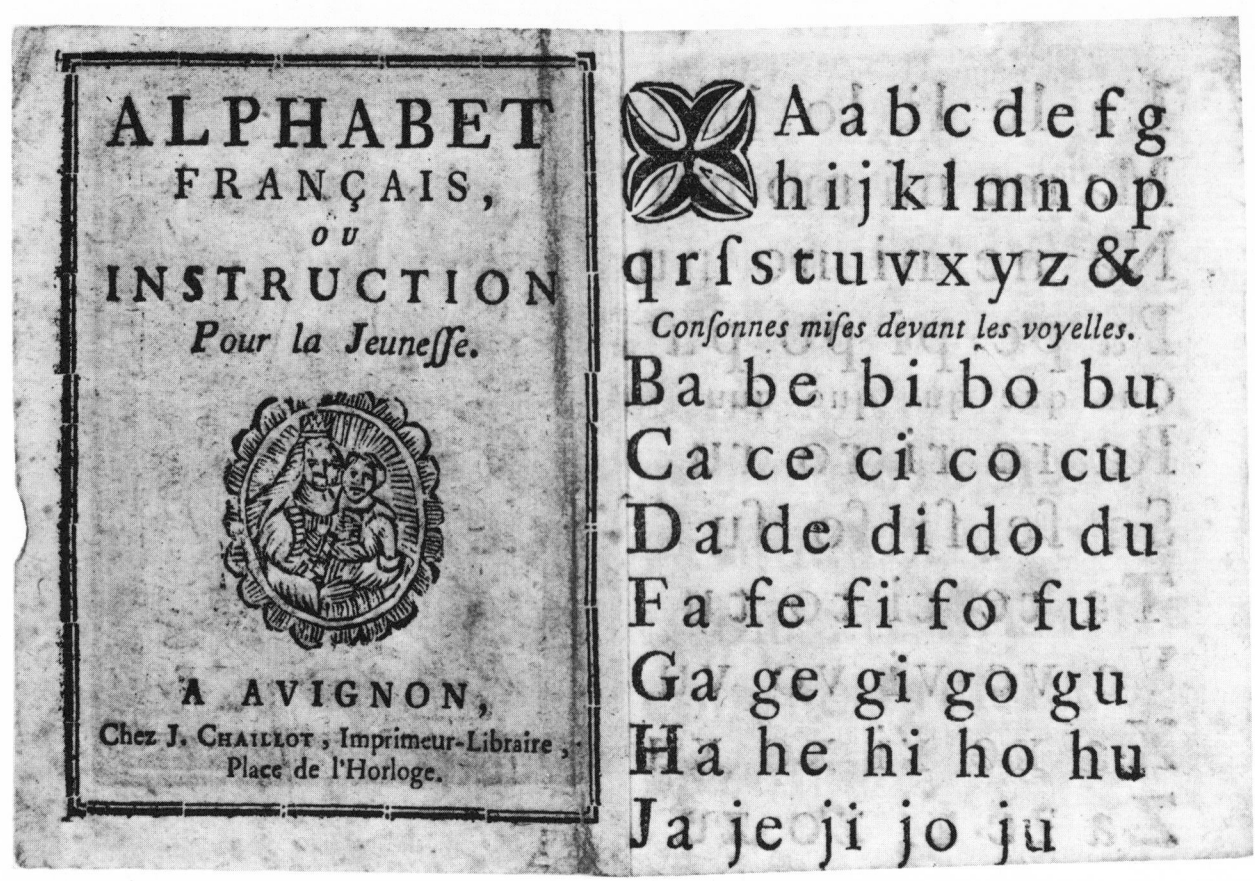

Un abécédaire catéchétique, survivance des modèles du passé. H. 112 mm.

Les abécédaires à figures en France au XIXᵉ siècle

Dans le tome précédent de cet ouvrage, D. Julia dressait un tableau des méthodes d'apprentissage de la lecture par l'image au XVIIIᵉ siècle, du *Bureau typographique* au *Quadrille des enfants* et au *Rôti-Cochon* (1) ; il établissait la certitude de leur existence, liée, du moins pour les deux premières, à une filière d'éducation individuelle, préceptorale et aristocratique (2), et aussi l'impossibilité d'apprécier leur extension réelle, faute d'un nombre suffisant d'exemplaires conservés. À cet égard, la situation s'est inversée au XIXᵉ siècle, car l'obligation mieux respectée du Dépôt légal a permis de constituer à la Bibliothèque nationale un fonds de 2 100 abécédaires édités en France du Premier au Second Empire, illustrés ou non (3). Mais il y a plus : le nombre des titres et l'importance des tirages pour certains d'entre eux témoignent que l'abécédaire à figures fut peut-être le premier genre éditorial où s'est manifestée une nouvelle culture de masse, et certainement en France le premier genre de large diffusion de la littérature illustrée pour l'enfance. Le phénomène fut certes lié à la scolarisation, en trois étapes que ponctuent les lois Guizot, Falloux et Ferry, ainsi qu'à son corollaire, la substitution de la

méthode collective à la méthode individuelle, qui requerait l'unicité du manuel. Mais l'étude du fonds de la Bibliothèque nationale prouve l'obsession, jusque dans les abécédaires scolaires, et l'illustration de leurs frontispices, de l'éducation maternelle et la finalité domestique de la plupart de ces abécédaires (que la présence des illustrations distingue des manuels plus rarement illustrés jusqu'à l'avènement, sous la Troisième République, des procédés de reproduction photomécaniques). C'est alors que s'impose le modèle nouveau de l'apprentissage de la lecture à l'école.

Du XVIᵉ au XIXᵉ siècle, les témoignages abondent pour indiquer que l'apprentissage de la lecture n'impliquait pas le recours à un ouvrage spécifique, l'abécédaire, mais l'emploi d'un imprimé quelconque. Outre l'ABC, certains ouvrages et certains genres servaient, de par leur charge idéologique ou religieuse, plus souvent à apprendre à lire, — depuis les catéchismes, les psautiers, les livres d'heures et la Bible jusqu'à la Déclaration des droits de l'homme sous la Révolution. L'avènement de l'abécédaire, et sa généralisation, est signe que les méthodes éducatives d'accès à la culture écrite prolifèrent et témoigne de la laïcisation, sensible

chez les libraires d'éducation de l'Empire et de la Restauration, marqués de l'esprit des Encyclopédistes qui furent les inventeurs de l'abécédaire thématique moderne.

Au début du XIXᵉ siècle, deux circuits distincts coexistent et diffusent deux types d'abécédaires différents : d'un côté, le petit abécédaire de colportage, analogue sous sa forme brève, la « Croix Depardieu », au *battledore* ou au *chapbook* du monde anglophone, qui, depuis le XVIᵉ siècle (4), comporte l'alphabet, le syllabaire et une ou deux prières, et qui, sous sa forme étendue, est soudé à un catéchisme, à un livre d'heures ou à une civilité ; la part religieuse du texte est rédigée soit en latin soit en français soit dans les deux langues. Mise à part la couverture, muette, dominotée ou gravée d'un bois ornemental, une seule figure, gravée sur bois de fil, et relevant de l'imagerie religieuse (Crucifixion, Notre-Dame des Ermites...), souvent liée à l'enfance (saint Nicolas, ange gardien, Vierge à l'enfant) ou à l'éducation maternelle (l'éducation de la Vierge). D'un autre côté, l'abécédaire des libraires d'éducation, illustré de six planches hors-texte, gravées sur bois ou à l'eau-forte, dont un frontispice et un titre gravé. Fréquemment précédé d'un

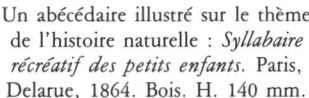

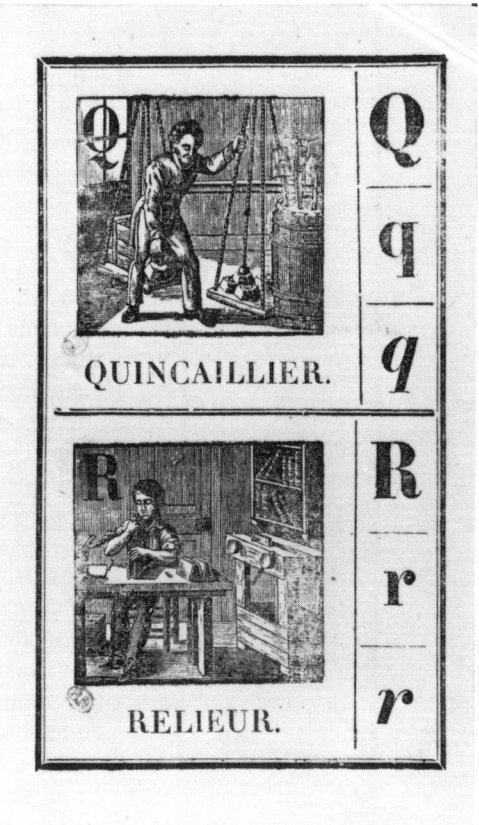

Un abécédaire illustré sur le thème
de l'histoire naturelle : *Syllabaire
récréatif des petits enfants*. Paris,
Delarue, 1864. Bois. H. 140 mm.

Un abécédaire illustré sur le thème
des métiers : *Petit alphabet des arts
et métiers*. Paris, Gauthier et Derche.
1847. Bois. H. 140 mm.

avis tenant lieu de mode d'emploi qui insiste sur l'amusement et l'attrait de la méthode par l'image, ce livre en contient deux en réalité, une méthode pour apprendre à lire et un recueil de lectures suivies, qu'unifie le choix du thème indiqué par le titre : jeux, cris de la ville, oiseaux, quadrupèdes, saints, histoire de France... Entre toutes, dominent la série thématique de l'histoire naturelle et celle des métiers, qui reflète le milieu artisanal et urbain de l'enfant destinataire.

La formule de l'abécédaire catéchétique s'efface peu à peu au profit de l'abécédaire thématique qui a vers 1850 conquis l'ensemble des circuits de diffusion ainsi qu'en témoignent les formes éditoriales, les techniques d'illustration et les variations de prix : à l'alphabet de colportage devenu thématique s'ajoutent alors l'album illustré pour enfants, équivalent du *toybook* anglais et dérivé du dépliant populaire des années 1830 autant que de l'album romantique, ainsi que le petit manuel scolaire. L'évolution connaît son terme sous le Second Empire lorsque se constituent de grands monopoles d'édition, qui tiennent moins compte des variations sociales du public que des classes d'âge visées.

L'abécédaire thématique laïcisé des libraires d'éducation provenait à l'origine d'un croisement entre la tradition de l'imagerie parisienne de la rue Saint-Jacques, à compartiments et sérielle, et l'adaptation de deux grandes sources littéraires « savantes » du XVIIIe siècle, Buffon et l'*Encyclopédie ;* il se présentait ainsi d'emblée comme le résultat d'un syncrétisme culturel qui lui assurait un public plus étendu et devait déterminer le succès à long terme de ce genre. Il se concevait, par son contenu évolutif, comme le livre unique de l'enfance, d'abord imagier du premier âge, puis alphabet de l'enfant « mis aux lettres », enfin abrégé encyclopédique répondant au questionnement de l'enfant lecteur. Les illustrations étaient intégrées à ces stades successifs, tandis que les unités textuelles, absentes au stade de l'imagier, apparaissaient et s'accroissaient à chacun des stades ultérieurs. L'abécédaire était perçu de plus en plus comme le livre de la famille, indice du rôle de tutelle pédagogique tenu par le père et la mère vis-à-vis des enfants, et jouet pour l'aîné qui apprenait à lire au cadet. Après le Second Empire, l'édition pour enfants était bien constituée en dehors du genre de l'abécédaire domestique, dont le

manuel scolaire d'apprentissage de la lecture allait prendre le relais ; le XXe siècle n'a connu que des survivances ou d'éphémères et conjoncturelles reprises du genre, dont la dernière est liée à l'actualité du débat sur l'école.

Ségolène Le Men

1. Tome II, pp. 468-497

2. Voir J. Adhémar, « L'Enseignement par l'image », *Gazette des Beaux-Arts,* février 1981, pp. 53-60 et septembre 1981, pp. 49-60.

3. Ce fonds, qui n'est malheureusement pas classé, est conservé au département des imprimés de la Bibliothèque nationale sous la cote globale X 19665 ; il représente environ 500 titres différents d'abécédaires à figures, une fois exclus les abécédaires sans illustrations et les rééditions.

4. Voir P. Aquilon, « De l'Abécédaire aux Rudiments : les manuels élémentaires dans la France de la Renaissance » et J.-Cl. Margolin, « L'Apprentissage des éléments et l'éducation de la petite enfance d'après quelques manuels scolaires du XVIe siècle », *L'Enfance et les Ouvrages d'éducation, volume I Avant 1800* (dir. P.-M. Penigault-Duhet), université de Nantes, 1983, pp. 51-72 et 73-104.

Le livre pour la jeunesse

Portrait d'Alfred Mame,
dont la réussite tant sur le plan
de la technique industrielle
que sur celui des réalisations
sociales a été évoquée par
F. Barbier au chapitre des ateliers
et dont les publications
catholiques ont été citées
par Cl. Savart au chapitre
du livre religieux.

d'institutions et de pensions privées qui s'étaient établies en France se disputaient la clientèle enfantine. La distribution de livres, en récompense, à l'imitation des collèges, parut un excellent instrument de publicité auprès des familles (5). Mais il n'était pas possible d'offrir aux jeunes enfants, comme on continuait de le faire aux adolescents des classes de grammaire et d'humanités, de savants traités d'histoire ou des éditions grecques et latines. Les livres devaient nécessairement convenir à l'âge de ceux qui les recevaient et répondre à la destination particulière qu'on leur assignait.

C'est de cette double exigence qu'est née la variété particulière de la littérature d'enfance et de jeunesse que nous connaissons aujourd'hui sous le nom, très français, de « livres de prix ». Symboles du mérite, en un temps où l'enseignement repose sur l'émulation, distribués une fois l'an, au cours d'une cérémonie «solennelle», ces livres d'un jour de fête devaient se distinguer par leur éclat extérieur de l'austérité quotidienne des livres de classe. Parce que les adultes voulaient en faire des instruments didactiques, ils devaient instruire « en amusant » et, parlant à l'esprit, s'adresser aussi « au cœur ». À l'âge de Balzac, après Berquin et Mme de Genlis, la forme romanesque parut le mieux convenir à ce rôle ambigu. Le « livre de prix », conçu et réalisé, pour sa destination particulière, par des éditeurs sensibles à l'évolution des mentalités et à celle du marché, requit dès lors l'attention des pédagogues professionnels, mais aussi celle des familles et du clergé.

L'Église, surtout, est aux aguets. Elle se méfie du romanesque ; elle veille, avec le plein assentiment de l'État — et avec un pouvoir accru après 1850 — sur la formation morale et spirituelle de la jeunesse ; elle contrôle les écoles congréganistes et les innombrables institutions privées auxquelles les bourgeois des villes et les riches propriétaires terriens confient l'éducation de leurs garçons et, plus encore, de leurs jeunes demoiselles. Jusqu'au vote des lois Ferry, le clergé fait peser sur le livre d'enfance de telles contraintes que celui-ci semble n'être parfois qu'une catégorie nouvelle de la littérature de pieuse édification. Il en suit d'ailleurs la fortune.

« Deux faits très importants, dit un publiciste contemporain, vinrent merveilleusement en aide à la fabrication des livres. Ce furent les développements donnés à l'enseignement catholique et la substitution de l'unique rite romain aux divers autres rites de livres d'offices dans un assez grand nombre de nos diocèses catholiques... Ces deux bienfaits ne pouvaient se répandre suffisamment qu'à grands renforts de livres » (6).

Le père de la première génération des livres de prix — parce qu'il a été le premier à saisir la portée économique de la conjoncture scolaire et religieuse — semble bien avoir été un jeune libraire de Tours, Alfred Mame (1811-1893). Issue d'une modeste imprimerie fondée en 1806 par Armand Mame, fils d'un imprimeur d'Angers, la maison Mame s'était bornée pendant quarante ans à la clientèle locale et à l'impression de quelques livres de droit et de liturgie, la plupart pour le compte d'éditeurs parisiens. Troisième rejeton de la dynastie, Alfred Mame la fit sortir, en 1845, « de l'ornière des vieilles habitudes ». Sensible au temps, autoritaire, organisateur exceptionnel, ouvert à tous les progrès techniques, il est l'homme du siècle de l'industrie. Il court, infatigable, les expositions internationales. Il y fait valoir ses produits et y acquiert, pour son imprimerie, les machines les plus modernes. Catholique fervent, patron « social » à l'âge du paternalisme, il exige, en retour des avantages qu'il procure à son personnel, un rendement impitoyable dans des ateliers où nul n'a droit de souffler mot, sous peine de renvoi immédiat. En 1860, au faîte de sa puissance, la maison tourangelle est devenue une vaste usine où s'exécutent à la fois les fonctions ordinairement divisées de l'éditeur, de l'imprimeur, du libraire et du relieur. Sur les deux hectares de terrain qu'elle occupe dans la ville travaillent 1 200 ouvriers et ouvrières ; 20 000 volumes peuvent sortir journellement de ses presses ; la capacité de ses quatre grandes galeries est de 3 000 000 de volumes.

Mécanisation, spécialisation, division du travail, standardisation des produits : la fabrication des livres de prix, qui forme l'une des principales branches d'activité de Mame, bénéficie de la puissance industrielle d'un éditeur qui couvre l'ensemble de la littérature d'inspiration catholique (7).

Fénelon avait écrit qu'il fallait donner aux enfants « un livre bien relié, doré même sur la tranche, avec de belles images et des caractères bien formés ». Qu'il ait lu, ou non, le *Traité de l'Éducation des Filles*, Alfred Mame a compris que le succès de ses livres dépend d'abord de leur présentation. « Les ouvrages destinés à la jeunesse avaient été jusqu'alors fabriqués avec peu de soin et de goût. » L'« habile typographe » produisit « des livres élémentaires qui ne laissèrent rien à désirer sous le rapport de la confection du papier, de la beauté des caractères, du fini des gravures sur acier ». Edmond Werdet, bon connaisseur de la librairie française de ce temps, oublie dans son éloge la reliure, ou plutôt l'*emboîtage,* pour lequel les productions de la maison Mame sont recherchées aujourd'hui des amateurs de « cartonnages romantiques » (8) (voir planche 24).

De fait, c'est à sa brillante parure qu'on reconnaît le livre de prix dans les années 1840-1860. À la triste basane qui revêtait les éditions communes du XVIIIᵉ siècle, et qui survit jusque vers 1830, les techniques nouvelles ont permis de substituer une variété étonnante de substances et de coloris. La « reliure d'éditeur », qui fait passer l'habillage des livres de l'ère artisanale à l'ère industrielle, utilise le papier glacé, décoré ou gaufré, le papier imitant la toile, le satin ou le velours. Les ors, les verts, les blancs et les rouges chantent sur les plats qu'ornent souvent des médaillons en chromolithographie : le livre de prix a d'abord imité presque servilement la reliure précieuse des petits volumes de poésie et des almanachs qu'au jour des étrennes on offrait aux dames, à la veille de la Révolution. L'emploi de la percaline a permis de frapper le plat d'une couronne de laurier et de chêne, au centre de laquelle l'institution scolaire fait graver son nom en lettres d'or. Des maisons spécialisées (Lenègre, Engel) travaillent pour les éditeurs, mais Alfred Mame a installé ses propres ateliers de reliure. En 1848, six cents ouvriers, femmes, enfants y habillent sa production. En 1867, l'éditeur de Tours « avait presque le monopole des livres de prix cartonnés à la Bradel » (9).

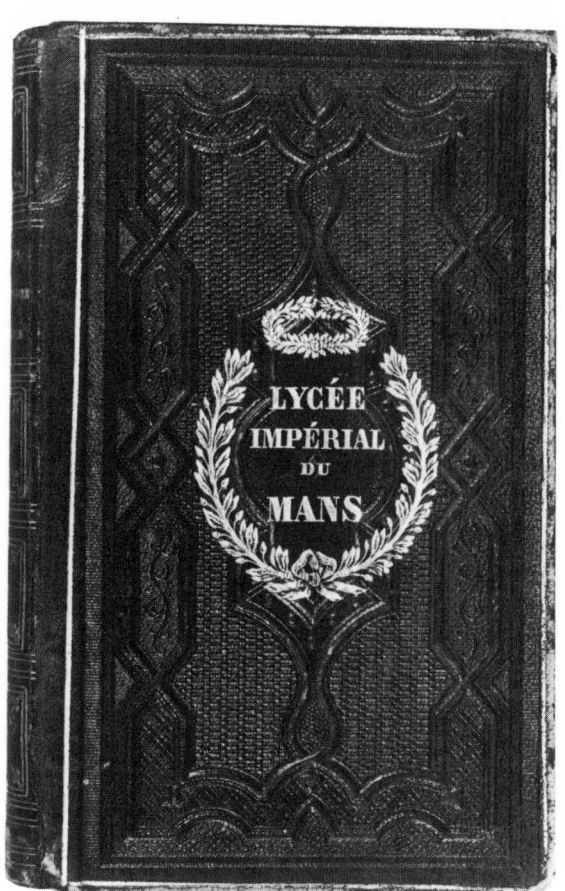

Les *Beautés de l'Histoire de France,* par P. Blanchard (Paris, Ducrocq) ont été données en prix de vers latins à un élève de 6ᵉ du lycée du Mans en 1862. Reliure brune gaufrée avec fers or. H. 179 mm. (Collection particulière.)

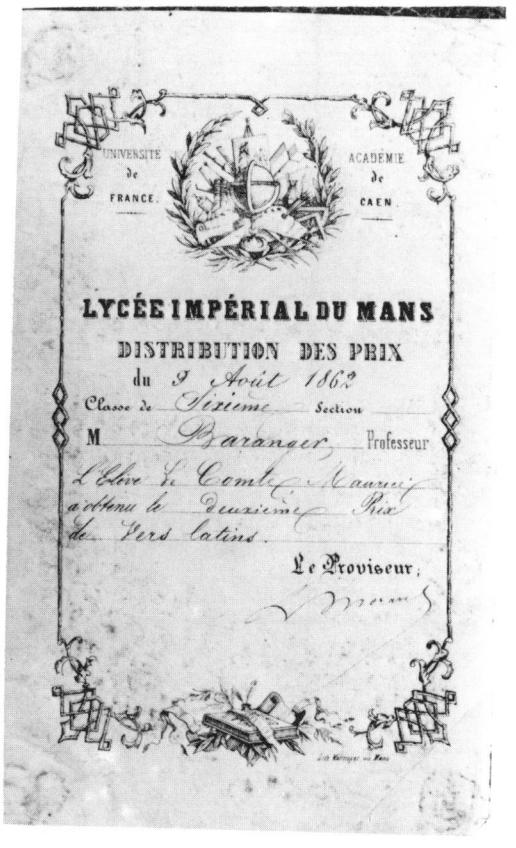

Ce volume fait partie de la série in-8° de la collection publiée
par Mame sous le titre Bibliothèque de la jeunesse chrétienne.
De présentation soignée, il est orné d'un titre (ci-dessus)
et de plusieurs planches gravés sur acier. H. 213 mm.

Ces petits livres se vendent très bon marché : « une collection tout entière, composée de 112 volumes in-18, ornée d'une gravure sur acier porte la marque de 20 centimes, chaque volume broché ; cartonné : 35 centimes ». L'importance du débit, mais davantage encore la normalisation du produit expliquent que les bénéfice aient pu être réduits sans dommage. Les ouvrages sont distribués en « bibliothèques » : Bibliothèque illustrée de la jeunesse, Bibliothèque de la jeunesse chrétienne, Bibliothèque illustrée des petits enfants, Bibliothèque pieuse des maisons d'éducation… Les « bibliothèques » sont réparties en « collections », elles-mêmes subdivisées en « séries ». À chaque série répond un format, un nombre de pages à peu près constant, un nombre fixe de planches gravées sur acier. Les formats sont peu élevés : l'in-8° est réservé aux productions soignées et abondamment illustrées ; l'in-12 et l'in-18 dominent ; l'in-32 est le format des livres de la petite enfance. L'illustration est confiée aux dessinateurs et aux graveurs attachés à la maison : Karl Girardet dessine généralement les planches des « livres d'éducation » ensuite gravées par son frère Paul : 6 gravures pour le format in-12, première série de la Bibliothèque de la jeunesse chrétienne, 4 gravures pour la deuxième série, 1 gravure pour le format in-18 (10).

Tous les observateurs contemporains ont admiré les résultats de la gestion rigoureuse d'Alfred Mame et noté que « son influence a réagi sur les imprimeurs de province voués à des genres analogues ». En 1850, au moment où la loi Falloux abandonne le monopole napoléonien sur l'enseignement secondaire et renforce la tutelle de l'Église sur l'enseignement primaire, la production des livres de prix — toujours étroitement liée à celle des livres de piété — est une sorte d'exclusivité provinciale, dont bénéficient, avec Mame, quatre ou cinq éditeurs solidement implantés dans des capitales régionales. Catholiques avérés, riches d'une longue expérience dans les métiers de la publication, de l'impression et du commerce des livres, ils appartiennent à des familles liées, depuis plusieurs générations, aux régents des collèges et au clergé diocésain. Leur chance fut que le marché dont ils avaient l'expérience et qui était limité, dans la France gallicane d'Ancien Régime, au territoire d'un diocèse ou d'une province ecclésiastique, se trouvât soudain élargi, grâce à l'unification du rituel, à celui de la nation entière. Le même missel pouvait désormais s'y vendre partout : le livre de classe suivit et aussi, dernier venu, le livre de prix, destiné à un nouveau peuple de lecteurs.

Dans ces spécialités, Limoges, « où se traitent de grandes affaires en matière de librairie courante », est, après Tours, le centre de production le plus important de France. Les frères Ardant, les Barbou — vieille dynastie — y exercent l'activité jumelée d'imprimeurs et de libraires. Mégard en fait autant, à Rouen et Lefort, à Lille. À Paris, il n'est guère que Lehuby, Victor Palmé, Didier et Plon qui se hasardent à concurrencer sérieusement les provinciaux, sans oser pourtant pousser aussi loin la spécialisation, sans disposer surtout d'une organisation industrielle aussi savamment « intégrée » (11) (voir planches 24, 25).

Werdet observe, à propos de ces grandes maisons provinciales, que « la race des éditeurs a toujours été, chez nous, essentiellement moutonnière ». Le produit est, en effet, remarquablement homogène. On s'épie et on se copie. Entre les petits volumes sortis des presses de Mame et ceux qu'on imprime à Lille, à Rouen ou à Limoges, nulle différence quant au nombre des pages, ni dans le décor de l'emboîtage, l'illustration, le format, la distribution en bibliothèques, elles-mêmes subdivisées en séries.

Nulle divergence, non plus, dans le contenu. M. Mame écrivait, en son vieil âge : « Ce qui me rassure et me console c'est que, dans toute ma longue carrière, je n'ai jamais imprimé une ligne contre la religion ou la morale, qu'au contraire j'ai toujours voulu servir. » Tous ses concurrents eussent pu donner la même assurance. Au temps de la monarchie de Juillet et sous le Second Empire, le livre de prix, issu des presses provinciales, respecte la foi, « la décence, et les mœurs ».

Par zèle pieux, plus encore, sans doute, que par intérêt, une multitude d'auteurs s'affairent à le maintenir dans la voie qui rassure les familles et satisfait l'épiscopat. A. du Saussois,

hagiographe d'Alfred Mame, évoque « l'émulation » qui règne dans les années 1830 à 1850, dans l'*intelligentsia* catholique et dans le clergé. « Tout le monde se mit à l'œuvre ; les laïques croyants et instruits, les doctes théologiens, les religieux, le haut clergé s'évertuèrent à qui mieux mieux à la production et à la reproduction des ouvrages spéciaux, et grand fut alors l'essor que prit la fabrication de ces livres. »

Les éditeurs catholiques disposent ainsi, à peu de frais, d'une « pléiade de collaborateurs et de collaboratrices, dames pieuses, hommes d'œuvres, gentilshommes en retraite, ecclésiastiques » qui les fournissent tout à la fois de romans populaires et de livres pour la jeunesse. Chacun a son équipe attitrée. Pierre Pierrard a excellemment décrit celle qui entoure Édouard Lefort, émule lillois d'Alfred Mame. La signature ou les pseudonymes des auteurs les plus prolifiques se retrouvent dans plusieurs bibliothèques. Jean-Just Roy (1794-1871), infatigable polygraphe, auteur, sous onze noms différents, de 216 ouvrages, travaille de préférence pour Mame, mais aussi pour Ardant et Lefort. Jean-Baptiste Champagnac (1798-1858) qui fut le collaborateur de Migne, et dont la bibliographie compte près de 70 titres, signe sous des noms divers chez Lehuby, Eymery, Ducrocq, tous parisiens, chez Mégard, de Rouen, Barbou, de Limoges, Périsse, de Lyon. Certains semblent, en revanche, peu soucieux de révéler leur nom au public. Par modestie, ou dans le souci de ne pas paraître se livrer à un travail mercenaire, des dames et des demoiselles n'inscrivent souvent, sur les pages de titre de petits livres édifiants, que de mystérieuses initiales (12).

Pour mesurer l'ampleur de la tâche de ces auteurs, il ne reste guère aujourd'hui que les longues colonnes du *Catalogue général des livres imprimés de la Bibliothèque nationale* qui recensent les réimpressions annuelles de leurs petits livres. Les a-t-on lus ? En toute bonne conscience, ils ont voulu faire œuvre utile, défendre la religion et la morale, inspirer le goût du travail et le respect de l'ordre établi, régime après régime, aux enfants et aux adolescents de sept à quinze ans. Les séries entre lesquelles sont dis-

tribuées les bibliothèques s'adressent, chacune, à une classe d'âge déterminée. La Bibliothèque de la jeunesse chrétienne de Mame dispose même, pour les tout-petits, de « volumes en gros caractères », dont l'auteur, « Mme C. G. », conserve l'anonymat. Aux enfants de huit à dix ans, les 112 volumes que comprenait, en 1851, la série de format in-18 (1 gravure), offrent surtout des récits romancés dont le titre même dénonce invariablement le précepte dissimulé sous la fiction : *Les Braconniers* ou les *dangereux effets de la colère*, *Les deux frères* ou *le vrai et le faux bonheur*, *Élisabeth* ou *la charité du pauvre récompensée*. À douze ans, on accède, par le truchement des 35 volumes de format in-12 (1re série, 6 gravures) à l'histoire : *Charles V* par J.-J.-E. Roy, *Histoire de Charles VIII* par M. Todière, *Histoire d'Espagne* par le comte Victor du Hamel, *Pierre le Grand* par M. Dubois.

Aux adolescents, et peut-être même à leurs parents, sont destinés les 46 volumes de format in-8° (orné de gravures). La fiction n'a pas droit d'entrée dans cette série entièrement vouée à l'histoire, aux sciences et aux belles-lettres. Collaborateur privilégié de la maison Mame, l'abbé Bourassé a donné une *Archéologie chrétienne, ou précis de l'histoire des monuments religieux du Moyen Âge*. C'est dans cette collection que paraissent *La Ferme modèle, ou l'agriculture mise à la portée de tous*, les *Œuvres choisies de Buffon*, les *Entretiens sur la physique*, et *sur la Chimie* de Ducoin-Girardin, en même temps que le *Nouveau choix des lettres de Madame de Sévigné*, par l'abbé Allemand. L'actualité y est présente par Louis Veuillot (*Les Français en Algérie, Les Pèlerinages en Suisse, Rome et Lorette*).

De cette longue liste de titres, la Féérie est absente. Éditeurs et auteurs sont restés fidèles à l'enseignement de Berquin et de Mme de Genlis : les héros des récits romancés proposés à l'enfance sont toujours des enfants, mais placés invariablement dans des situations « familières ». L'agitation du monde présent, l'image d'une société dure et contrastée, le souvenir même des immenses bouleversements politiques et sociaux vécus par la génération précédente sont ignorés délibérément.

Cette littérature apaisante n'est nullement nationaliste ; les grands hommes sont ceux de l'Ancien Régime et l'« Histoire de la Révolution française » y est contée par Poujoulat, collaborateur de *La Quotidienne*. Concession prudente au régime, l'*Histoire de Napoléon* de Gabourd a subi un sérieux époussetage après le Deux Décembre. L'actualité du siècle où s'achève la découverte du monde est cependant représentée par les récits de voyages, dans lesquels les relations des explorations les plus récentes trouvent presque immédiatement leur place.

Rien dans tout cela qui puisse faire trembler ni les parents, ni les ministres, ni, surtout, les évêques. Tout au contraire, les éditeurs sollicitent-ils à l'envi l'« approbation » des prélats. M. Mame a naturellement reçu pour ses bibliothèques l'« approbation » de S. Em. Mgr le cardinal-archevêque de Tours. Les frères Ardant s'abritent derrière celle de Mgr l'archevêque de Bordeaux et l'abbé Rousier, aumônier du lycée de Limoges, dirige leur Bibliothèque religieuse, morale, littéraire, les frères Barbou, concurrents directs et familiers, s'étant placés eux-mêmes sous l'égide de l'évêque du diocèse. Lehuby s'est assuré, pour sa Bibliothèque spéciale de la jeunesse, l'*imprimatur* de S. E. Mgr le cardinal prince de Croÿ, archevêque de Rouen, primat de Normandie et il se réclame pour le Gymnase moral d'éducation du patronage de NN.SS. les évêques de Quimper, de Rennes et de Saint-Brieuc. Le cardinal Giraud, archevêque de Cambrai, « dans la confiance que lui inspiraient la maison et le nom de Messieurs Lefort et d'après la connaissance qu'il avait de leur dévouement à la cause catholique », recommandait, de son côté, la lecture des ouvrages de leur bibliothèque à ses diocésains.

S'ils trouvaient, dans ces recommandations très officielles, un apaisement de conscience, les éditeurs avaient garde de négliger leur portée commerciale. Braconnant sur les terres de Mégard, Alfred Mame négocia l'approbation de Mgr de Bonnechose, archevêque de Rouen, et déclara bien franchement que s'il l'obtenait pour l'impression des livres de chant « ce serait une affaire monstre ». Il l'obtint en effet, et son biographe constate qu'« ici encore la réussite avait

dépendu de l'initiative, de la persévérance et du soin dans les moindres détails » (13).

La diffusion du livre de prix à l'ensemble des écoles a bien dépendu, pour une grande part, de la garantie spirituelle offerte par le clergé. C'est parce qu'il avait l'« approbation » du cardinal-archevêque de Cambrai que Lefort bénéficiait de la bienveillance de l'administration impériale et que ses « petits livres étaient les seuls à être offerts en prix aux élèves des écoles communales » et même à ceux des petites classes du lycée de Lille. Mais, en fin de compte, l'extension du marché a été due, tout autant qu'aux protections officielles, aux prospections systématiques, à la publicité, aux démarches insistantes des commis voyageurs en librairie auprès des supérieurs de séminaire, des congréganistes, des maîtres de pension et des directrices d'institution qui formaient la clientèle des éditeurs catholiques. Le succès définitif a été assuré par la fidélité de ces acheteurs annuels, qui appréciaient dans le produit, soigneusement « conditionné » qu'on leur proposait, la banalité et l'innocuité rassurantes du fond, la polychromie de l'habillage flatteur et le bas prix d'une fabrication massive (14).

Le temps de
Pierre-Jules Hetzel

En 1855, quand M. Mame reçoit, « pour la supériorité » et le bon marché « de ses produits typographiques », la grande médaille d'or de l'Exposition universelle de Paris, le livre de prix est reconnu, avec l'ouvrage de piété et le manuel scolaire, comme l'un des principaux moteurs de la librairie française. La constellation des grands imprimeurs-éditeurs catholiques de province maîtrise alors parfaitement les techniques d'élaboration et la diffusion de ce « livre-produit » étonnamment moderne, si on le considère comme un objet manufacturé, singulièrement attardé dans son conformisme social et culturel, dès que l'on s'interroge sur la place qu'il convient de lui donner dans la littérature d'enfance et de jeunesse.

Les brochures publicitaires de la maison Mame vantent « l'élégant volume qui, obtenu comme la récompense annuelle de ses travaux, doit

récréer [les] loisirs et jeter [les] fondements de la bibliothèque de « l'enfant du peuple qui suit les cours de l'école primaire ». Et il est vrai que, à côté de l'abécédaire et du « manuscrit » dépareillés, le « petit Mame » a toute chance de constituer à jamais l'élément romanesque de la bibliothèque des fils de paysans et d'ouvriers du Second Empire. Mais qui aime les lettres et s'efforce de comprendre l'enfance méprise « ces plumes mercenaires qui font métier d'écrire à la douzaine ces livres sans goût ni parfum, ces livres plats et sans relief, ces livres bêtes auxquels semble réservé le privilège immérité de parler les premiers à ce qu'il y a de plus fin, de plus subtil et de plus délicat au monde, à l'imagination et au cœur des enfants » (15).

Autant dire qu'au milieu du XIXe siècle l'avenir de la littérature de jeunesse dépend, en France, de la question de savoir si une production de qualité peut se ménager une place sur le marché que dominent de leur puissance industrielle les cinq grands éditeurs provinciaux. Dans le monde de la librairie parisienne, nul n'est, en effet, capable de lutter, sur leur propre terrain, avec Mame, Lefort, Ardant, Barbou et Mégard. Louis Hachette ne s'y hasarde même pas, en dépit de la suprématie incontestée que sa maison, fondée en 1826, s'est assurée dans le domaine, limitrophe, du livre de classe.

Restent les champs que les grandes maisons catholiques ont négligés. D'abord, celui de la petite enfance, consommatrice d'abécédaires et d'*Album du jeune* (ou *du petit*) *naturaliste, de la jeunesse, des petits enfants...* qui fleurissent pendant la période romantique, abondamment illustrés, parfois coloriés et chers, en tout cas (16).

Échappent également au monopole et à la production massive les écrits sortis de la plume d'auteurs, parfois célèbres, qui ont su gagner l'estime des pères et des mères de famille, médiateurs tout-puissants entre le monde des jeunes lecteurs et celui de l'imprimé. Très prisées des adultes, les œuvres de Jean-Nicolas Bouilly (1763-1842), jacobin reconverti dans la berquinade, paraissent chez Louis Janet, puis chez Magnin et Blanchard, éditeurs parisiens, qui les relient joliment, les ornent de nombreuses vignettes, de frontispices coloriés, de lithographies sur fond chamois et les réimpriment constamment, entre 1825 et 1850 (17). Mme Guizot, née Pauline de Meulan (1773-1827) s'est fait une réputation dans les lettres dès la fin du Premier Empire. Mariée sur le tard, « devenue mère, elle se consacra désormais à des ouvrages de pédagogie, où elle mit à la portée des enfants la morale évangélique », sous forme de romans, de *Contes* et de *Conseils*. L'ensemble, relié avec agrément, illustré de lithographies en deux teintes et de fines gravures sur acier, se lit encore au milieu du Second Empire, dans les collections de la Librairie d'éducation de Didier, qui diffusent aussi les œuvres de Mmes Tastu, Ulliac-Trémadeure, Delafaye, L. Bernard, E. Voiart, etc. Les femmes auteurs occupent une place privilégiée dans la littérature pour la jeunesse, durant tout le XIXᵉ siècle.

Ces productions, de coût relativement élevé, entrent dans une variété parfaitement définie de la librairie de ce temps : les *livres d'étrennes* ou de *présent* qui font l'objet de catalogues spéciaux, distincts de ceux des livres de prix. La notoriété des auteurs, la qualité du papier et de la typographie, la valeur de la reliure ou du revêtement du cartonnage, l'abondance de l'illustration confiée aux meilleurs dessinateurs et aux graveurs les plus habiles, parfois même coloriée, tout concourt à faire de ces volumes des « livres-cadeaux », que leur valeur marchande et artistique place bien au-dessus du « livre-récompense » de la distribution des prix. Si, d'aventure, ils figurent dans ces cérémonies scolaires, c'est en qualité de prix d'honneur ou d'excellence, et dans les maisons d'éducation les plus huppées. Les Parisiens Lehuby, Didier, Dessesserts et Bédelet... excellent dans ce type de production, qu'ils lancent sur le marché à la veille de Noël et du Jour de l'An. Ressource ultime des grands-pères et des grands-mères, des oncles et des tantes, des parrains et des marraines, des amis de la famille, ces livres constituent un « présent » hautement apprécié des parents (qui se hâtent de les mettre à jamais hors de la portée des mains sales) depuis que la supériorité de l'instruction est devenue distinction sociale, même dans l'aristocratie et, à

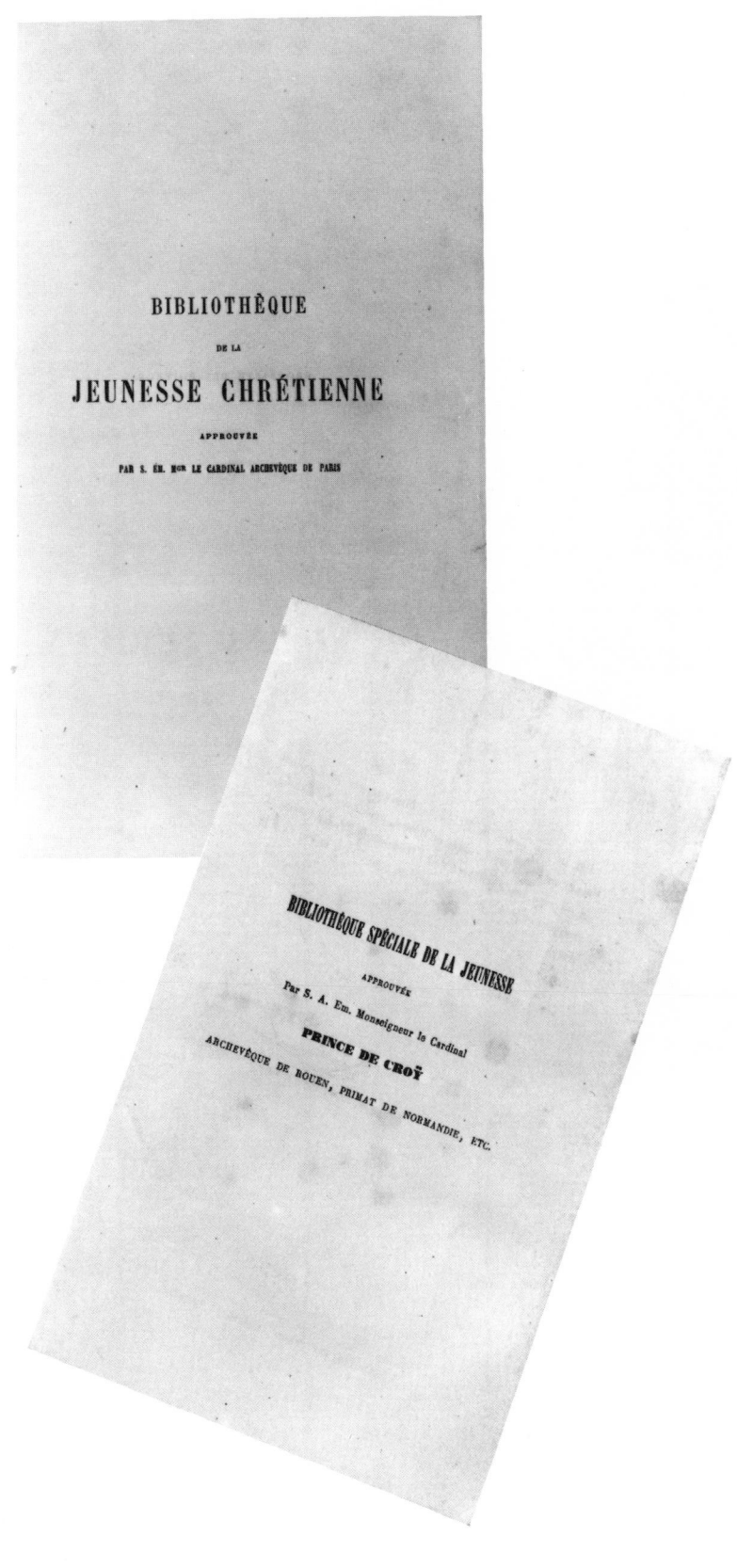

En tête de leurs volumes, les éditeurs font état des approbations des évêques de leur diocèse pour les collections qu'ils publient, par exemple Mame pour sa Bibliothèque de la jeunesse chrétienne et Ducrocq, successeur de Lehuby, pour sa Bibliothèque spéciale de la jeunesse.

BIBLIOTHÈQUE LITTÉRAIRE DE LA JEUNESSE

ROLAND FURIEUX

POÈME

TRADUIT DE L'ARIOSTE

ÉDITION ÉPURÉE

ILLUSTRÉE DE 20 DESSINS DE CÉLESTIN NANTEUIL.

PARIS
P.-C. LEHUBY, LIBRAIRE-ÉDITEUR
RUE DE SEINE SAINT-GERMAIN, N° 53
1847
1846

Frontispice gravé sur bois d'après Célestin Nanteuil pour une édition du *Roland furieux* de l'Arioste « épurée » à l'intention de la jeunesse, comme l'indique la page de titre. H. 189 mm.

coup sûr, dans la bourgeoisie — seules classes qui puissent acquérir un produit conçu d'ailleurs pour leur progéniture.

S'ils l'emportent par le décor, les livres d'étrennes et de présent ne se distinguent en rien dans leur esprit, et bien peu, par leur qualité littéraire, des productions industrielles de Tours ou de Limoges. Les Fées ne les habitent pas. Habillés de percaline brillamment décorée, dorés sur tranche, les *Contes* du bon chanoine bavarois Christophe Schmid (1768-1854), cent fois publiés, évitent de faire appel au merveilleux païen. Ces « charmantes historiettes pleines de naïveté » se proposent seulement de montrer, dit un éditeur, « que Dieu se sert souvent des plus petits moyens pour prouver sa merveilleuse providence ». La comtesse de Ségur (1799-1874), qui fait les beaux jours de la Bibliothèque rose illustrée depuis 1856, se voit rappeler au respect des convenances par un lecteur de la maison Hachette, sans doute terrorisé par la surveillance vétilleuse des censeurs ensoutanés de la *Bibliographie catholique* lancés, depuis 1841, à la poursuite des écrits immoraux. En admettant, en 1847, le *Roland furieux* (luxueusement relié et illustré de 20 dessins de Célestin Nanteuil) dans sa Bibliothèque littéraire pour la jeunesse, l'éditeur P.-C. Lehuby avertit que le poème a été « épuré » : « le peu de réserve trop souvent gardé par l'auteur sous le rapport de la décence et des mœurs... rendait indispensables les « corrections et retranchements » (18).

« C'est à l'exagération de ce bon sentiment qui veut que rien n'effleure l'enfance que nous devons les milliers de livres en plomb dont on écrase le premier âge dans notre soi-disant frivole pays de France. » Ainsi parle Pierre-Jules Hetzel (1814-1886) dans les réflexions *Sur les contes de fées* qu'il signe de son pseudonyme, P.-J. Stahl, en 1861. La grande mutation de la littérature de jeunesse est dès lors engagée.

Elle s'opère en moins de cinq ans. 1860 : Pierre-Jules Hetzel, déjà célèbre dans le monde du livre comme éditeur de Balzac et de Victor Hugo, regagne Paris. Après neuf ans d'exil à Bruxelles, il donne un nouveau cours à sa carrière. Il va se consacrer principalement aux publications pour la jeunesse qu'il avait abordées en 1843, en lançant une collection, le Nouveau Magasin des enfants, abandonné après le Deux Décembre. 1861 : Gustave Doré illustre, pour Hetzel, les *Contes de Perrault*. Octobre 1862 : *la Journée de Mademoiselle Lili* inaugure la série des Albums Stahl. 24 décembre 1862 : la publication de *Cinq Semaines en ballon* instaure l'association des deux Jules : Verne et Hetzel. 1863 : Erckmann et Chatrian publient, chez Hetzel, *Madame Thérèse*. 20 mars 1864 : le premier numéro du *Magasin d'éducation et de récréation* réunit les signatures de Jean Macé, de P.-J. Stahl, de Jules Verne et de Robert Wyss (19).

En tout temps, les éditeurs ont pris une part active à l'épanouissement des genres littéraires. De Newbery à Hetzel, et sans oublier Mame, ils n'ont jamais joué de rôle plus décisif que dans la mise au monde de la littérature d'enfance et de jeunesse. En 1865, tous les éléments d'un profond renouvellement apparaissent au grand jour. Les anciennes fées, dont P.-J. Stahl disait, en 1844, qu'elles sont « parfaites pour les petits enfants », sont rentrées en gloire dans l'illustration et en force dans la littérature. La Science les accompagne, cette fée du XIXᵉ siècle, et Jules Verne, révélé au public et à lui-même, est déjà son interprète. L'Alsace d'Erckmann-Chatrian se transfigure déjà en province du courage et de la nostalgie. De quinzaine en quinzaine, le *Magasin* — « où il faut que tout convienne à des âges différents et que rien ne déplaise à personne » — administre la preuve qu'adultes et adolescents peuvent trouver plaisir aux mêmes lectures.

« De Balzac à Jules Verne » : en quelques années, Hetzel, éditeur « pas tout à fait comme les autres », a réussi sa « reconversion ». Écrivain, il est l'ami de ses auteurs, mais il les dirige, les morigène et les corrige. Moraliste, il élabore, d'introduction en préface, une théorie de la littérature d'enfance et de jeunesse dont la réunion de ses écrits de circonstances révélerait et l'enracinement dans la tradition et le caractère novateur. Commerçant, il a le sens du marché : il édifie la Collection Hetzel qui ne peut sans doute rivaliser ni avec l'empire Mame, toujours solide, ni avec l'empire Hachette,

en expansion, mais qui est le domaine de la qualité.

Sa réussite repose sur l'application de quelques principes rigoureux. « Ce qu'il faut pour qu'un livre convienne à la jeunesse, c'est qu'il soit simple... Or, pour faire un tel livre, il faut être à la fois et un grand esprit et surtout un très honnête homme. » De 1843 à 1851, Hetzel avait demandé aux plus grands écrivains de son temps de lui donner des contes pour le Nouveau Magasin des enfants. Charles Nodier (*Trésor des Fèves et Fleur des Pois*, 1844), Alexandre Dumas (*La Bouillie de la comtesse Berthe*, 1845), George Sand (*Histoire du véritable Gribouille*, 1851) avaient répondu à son appel. Après 1860, il pratique une sévère sélection des auteurs. Il préfère alors à l'apport occasionnel de talents consacrés, le concours permanent des meilleurs spécialistes d'un genre littéraire qui a maintenant conquis son autonomie. Il maintient fermement dans la voie les auteurs qu'il a lui-même découverts et qu'il a révélés au public. Quoi qu'on ait pu dire de leurs relations, ce n'est pas sans raison que Jules Verne le considère comme un « père » (20).

Les meilleurs auteurs, mais aussi les plus beaux livres : « le luxe du fond et de la forme ». Hetzel a toujours recherché la perfection technique, qu'il estime devoir à ses jeunes lecteurs. Promoteur de la grande édition in-folio des *Contes de Perrault*, illustrés par Gustave Doré, il vise sans doute la clientèle des bibliophiles, qu'on appelle les « amateurs », mais il s'adresse expressément, dans sa préface, à son « petit public » et l'assure que « les graveurs, l'imprimeur, le fabricant de papier, l'éditeur et le dessinateur ont essayé » de faire de « ce volume qui ne dépasse pas après tout par ses dimensions le journal *l'Illustration*... une sorte de merveille ». L'image le préoccupe surtout. Autour de lui gravite un peuple de dessinateurs célèbres (Gavarni, G. Doré, Neuville, Viollet-le-Duc...) ou qui lui devront leur future renommée (les illustrateurs de J. Verne notamment, Riou, Benett...). De tous, il exige le respect du texte — de la moindre vignette qui se fond dans la page imprimée aux grandes planches gravées, parfois coloriées, qui font au récit une sorte de contrepoint. « Le crayon »

doit être « vraiment confident de la plume, et complice aussi ». Bien avant Hergé, Hetzel a compris — et Jules Verne avec lui — que le public enfantin exige la conformité de l'illustration au texte, jusque dans le moindre détail, et une reproduction sans défaut de la réalité contemporaine. Le décor de la couverture n'est pas moins médité. Ce n'est pas sans raison que l'éditeur a donné à ses percalines un air de famille aisément reconnaissable : il y a, là aussi, un style Hetzel (21).

Du point de vue commercial, la diversification de la production est sans doute la caractéristique essentielle de la maison. Les principaux ouvrages ne sont distribués en volumes qu'après avoir paru, par livraisons successives, dans le *Magasin d'éducation et de récréation*. Hetzel n'a pas inventé le procédé. Avant lui, Desnoyers (1805-1868), père de *Jean-Paul Choppart*, avait appliqué la recette du feuilleton à la littérature de jeunesse, dans le *Journal des Enfants* (1832). Hachette et Lahure avaient suivi, avec *La Semaine des Enfants* (1857). Mais aucun de ces journaux n'avait été conçu comme le support de toute une entreprise d'édition. Chez Hachette, *La Semaine* ne jouait qu'un rôle marginal. Pour Hetzel, le *Magasin* est véritablement la vitrine de sa maison. Il le dirige lui-même, assisté de Jean Macé, que rejoint, en 1867, Jules Verne. Tout le cycle vernien y est publié en « pré-originales ». Les œuvres paraissent ensuite, sans illustration, en édition originale de format in-18. Au Jour de l'An, elles sont offertes « en très belle édition grand in-8° illustré » (22).

Hetzel, qui n'usait de l'in-folio que pour quelques albums de prestige, a joué de l'in-18 et de l'in-8°, et aussi du brochage et du cartonnage. Sous des formats, des présentations, des habillages différents, le même titre figure dans des collections aux appellations variées, dont la hiérarchie des prix répond aux capacités économiques des divers publics. M. Soriano observe à juste titre qu'« Hetzel considère son activité éditoriale comme un ensemble » et qu'il « finance les secteurs de son entreprise qui ne sont pas rentables à l'aide des bénéfices qu'il tire de son auteur à succès », Jules Verne, dont les œuvres sont bientôt présentées simultanément sous les titres génériques de « Voyages extraordinaires » (pour les éditions in-8°) et de « Mondes connus et inconnus » (pour les in-18). L'éditeur de *la Comédie humaine* mesurait le pouvoir d'attraction des monuments romanesques (23) (voir planche 27).

Sa virtuosité commerciale a largement contribué à l'honnête réussite financière de P.-J. Hetzel. Pourtant, le véritable succès de la collection, tout à fait assuré à la fin du Second Empire, est d'un autre ordre. Il repose d'abord sur la conception que Stahl-Hetzel s'est faite de la littérature d'enfance et de jeunesse et qu'il a imposée à ses auteurs. Éducation et récréation, tels sont les maîtres mots. « L'instructif doit se présenter sous une forme qui provoque l'intérêt, sans cela, il rebute et dégoûte de l'instruction ; l'amusant doit cacher une réalité morale, utile, sans cela il vide les têtes au lieu de les remplir. » L'idéal ou, si l'on préfère, l'idéologie d'Hetzel ne diffère pas du credo généralement reçu des éducateurs et du public contemporains. S'il avait heurté ou contredit les conceptions fondamentales et les préjugés sociaux des parents, l'éditeur se serait en vain adressé à « la famille » dont il fait tant de cas. Il eût été rejeté, surtout, au moindre soupçon d'atteinte à la décence ou aux bonnes mœurs. Mais il est tout aussi exigeant, dans ce domaine, capital au XIXᵉ siècle, que les chanoines et les abbés qui contrôlent les publications des éditeurs catholiques. Il ne se sépare d'eux, fondamentalement, que parce qu'il n'affiche aucune préférence, en matière de religion, de même qu'il se garde de toute allusion aux questions politiques et sociales. Seule la critique d'aujourd'hui peut elle découvrir des « non-dits » dévastateurs ou terrifiants dans la production, si prudente, d'un ancien proscrit du Deux Décembre, qui n'entend pas reprendre le chemin de l'exil ; qui recherche, même en 1864, la protection et la clientèle de Victor Duruy, ministre de l'Instruction publique de Napoléon III (24).

Le secret de la réussite d'Hetzel est dans la composition de la nourriture spirituelle qu'il offre à son jeune public : mélange subtil de l'utile à l'agréable, dosage sans défaut du merveilleux et des formules mathématiques, art de porter jusqu'aux astres et de plonger dans le fond des mers les engins inventés par les hommes du

La presse des jeunes

La presse des jeunes naît, en France, en 1768, quand un certain M. Leroux, maître de pension au collège de Boncours à Paris, lance le *Journal d'Éducation,* mensuel, au prix d'abonnement de 24 livres par an. La publication, qui est soutenue par la Cour (le *Journal* est dédié au duc de Chartres) a des visées ouvertement éducatives et s'adresse au public aristocratique : « C'est dans la fleur, dit le célèbre Fénelon, que se prépare le fruit, c'est aussi dans la jeunesse et même dès l'enfance qu'il faut jeter les fondements de l'homme futur, du Prince et du citoyen, du militaire et du ministre des autels, du magistrat et de toutes les personnes destinées à des emplois importants ou à tenir un rang distingué dans la société. » Le *Journal* ne dépasse pas l'année 1790 et sa réputation est éclipsée par celle du fameux *Ami des Enfants,* que Berquin fait paraître, en 1782 et 1783, en s'inspirant de la revue publiée à Leipzig, de 1772 à 1775, par C. F. Weiss *(Der Kinderfreund, ein Wochenblatt).*

Les quelques tentatives de la période révolutionnaire et impériale ayant très rapidement échoué, c'est sous la Restauration qu'on assiste au nouveau départ de la presse de jeunesse. Mais les succès sont rares. *L'Ami de la Jeunesse et des Familles,* mensuel, fondé en 1825, par la Société protestante des missions est le seul périodique qui survive : transformé en 1855, il ne s'éteint qu'à la veille de la Seconde Guerre mondiale.

De 1832 à 1856, un recensement attentif relève la naissance d'au moins 55 journaux de jeunes. Mais la plupart n'ont qu'une existence éphémère : de six mois à deux ans. Cinq de ces publications seulement connaissent une existence prolongée : *Le Journal des Enfants* (1832-1897), *Le Journal des jeunes personnes* (1833-1894), *Le Magasin des demoiselles* (1844-1881), *Cendrillon* (1850-1872), *Le Journal des demoiselles* (1833-1922). On voit que les journaux destinés aux fillettes et aux adolescentes ont eu la vie la plus longue. Comme l'observe Pierre Caspard, cette presse « prolonge l'école dans la famille, ou se substitue à elle ». Les journaux ne sont pas divertissants. « Il s'agit au moins d'éduquer, et parfois d'instruire. Le fond commun de cette presse est constitué d'histoires à fina-

lité éminemment moralisante, destinées à imprégner le petit garçon ou la petite fille — chacun à sa manière, qui est fort différente — des vertus sociales et des vertus privées qui sont, en gros, celles de la bourgeoisie, parfois de l'aristocratie. »

Au milieu du siècle, les grandes maisons d'édition perçoivent l'importance de la presse de jeunesse. De 1857 à 1904, 35 journaux au moins ont été créés dans ce secteur et seuls survivent, en effet, ceux qui sont soutenus par des éditeurs. Hachette dispose de : *La Semaine des Enfants* (1857-1876) ; *Le Journal de la Jeunesse* (1872-1914) ; *Mon Journal* (1881-1925). Delagrave possède *Saint Nicolas* (1880-1915) ; *L'Écolier illustré* (1890-1915). Armand Colin fonde *Le Petit Français illustré* (1889-1905). Du côté catholique, naît *La Revue Mame* (1893) et la Maison de la Bonne Presse fonde *Le Noël* (1895-1939), dont le premier numéro tire à 100 000 exemplaires. La vie de ces journaux connaît des vicissitudes. Le *Magasin d'éducation et de récréation* d'Hetzel sera absorbé par *Mon Journal* en 1914, mais il avait lui-même fusionné avec *La Semaine des Enfants* (dont le titre disparaît) en 1876. En 1863, *Le Journal des demoiselles* avait lancé *La Poupée modèle,* acquise par Hachette en 1914 et qui disparaîtra en 1924, par fusion avec *Mon Journal.*

Sans qu'aucune réglementation ne leur soit appliquée (rien ne sera fait dans ce domaine avant 1949 !), ces journaux continuent de pratiquer une censure spontanée, encore qu'ils reflètent les vicissitudes de l'esprit du siècle. C'est que leurs fondateurs et directeurs sont aussi intimement convaincus que les parents de leurs petits lecteurs qu'il faut respecter l'enfance, ne lui inculquer que de bons principes et l'instruire en l'amusant. Au reste, cette presse veut recueillir la clientèle de la famille entière et les pouvoirs moralisateurs veillent. Mgr Dupanloup, qui voit, non sans raison, en Jean Macé un ennemi de l'Église, condamne le *Magasin d'éducation* en 1868 et Hetzel se donne beaucoup de mal pour apaiser son courroux.

La situation se modifie après 1904, avec l'apparition d'une presse à très bon marché qui est désormais accessible à la classe populaire.

Jean Glénisson

Le *Journal des jeunes personnes* présenté ci-dessus est plus instructif
qu'amusant, comme en témoigne cette leçon de botanique.
Paris, 1841. H. 225 mm.

La *Semaine des enfants,* lancée par Hachette en 1857, a elle aussi
un caractère instructif, dont le récit historique ci-dessus est un exemple ;
mais elle ne néglige pas l'aspect amusant et insère de-ci et de-là
des historiettes en images comme celle de « Toto l'indépendant ».
H. 273 mm.

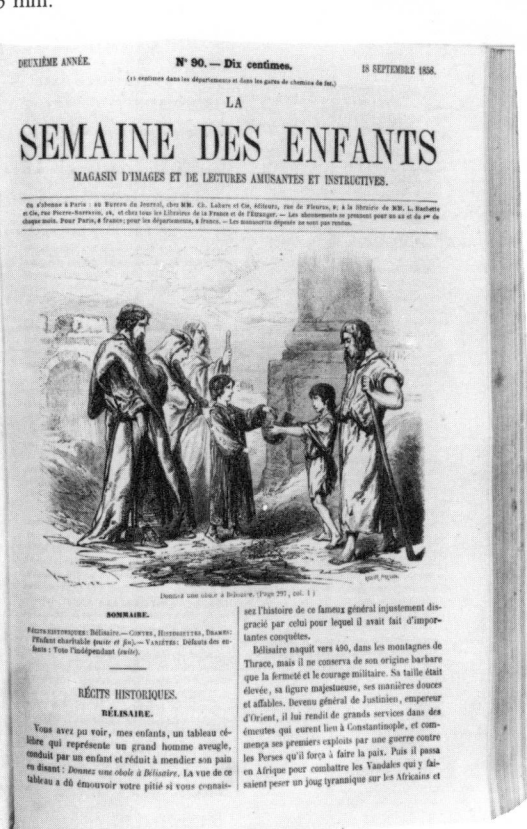

grand siècle qui achève l'exploration du monde.

À la réussite d'Hetzel, il est d'usage d'associer Hachette. On sait comment Louis Hachette (1800-1864), normalien, victime de la fermeture de l'École en 1822, avait entrepris, à vingt-six ans, de prendre sa revanche sur Mgr de Frayssinous. La devise qu'il avait donnée à sa maison d'édition naissante — *Sic quoque docebo* — est un défi que le succès couronne très vite. Lorsque Hetzel revient en France en 1860, il y a bien des années que la librairie du boulevard Saint-Germain (devenue société en 1840) s'est assuré la primauté dans le domaine de l'édition scolaire. Depuis cinq ans, elle s'est donné un rayon de littérature d'enfance. Sa Bibliothèque rose illustrée, qui se vend dans les gares, connaît le succès à partir de 1856. Mais il est clair que Louis Hachette, pédagogue de vocation et de formation, préfère la littérature didactique à la littérature récréative. Celle-ci n'est pour lui qu'une petite province de son empire scolastique. Associée à *La Semaine des Enfants* depuis 1857, la Bibliothèque rose n'a publié que 63 titres en 1865, chiffre infime au regard de la production des manuels et des classiques (25).

Elle se signale, cependant, par des innovations qui la distinguent de l'objet manufacturé que continuent de diffuser les grandes maisons provinciales. Sixième série de la Bibliothèque des chemins de fer, elle en a adopté le format : l'in-18 Charpentier, qui est le format usuel du roman depuis 1838. De grands dessinateurs, tel Gustave Doré, sèment d'illustrations des livres que leur prix modéré destine à un large public. Du coup, la planche hors-texte gravée sur acier qui orne, avec une monotone régularité, la production massive de Tours, de Limoges et de Rouen, se trouve démodée. Démodés aussi la mosaïque de papier, et le noir ou le bleu foncé qui semblaient les couleurs naturelles de la percaline : depuis qu'on lui a donné un cartonnage, la Bibliothèque rose illustrée est rouge vif et son plat supérieur est frappé d'une architecture dorée de style classique qui fait oublier les cathédrales romantiques.

Dans tous ces domaines, Hachette a précédé Hetzel. Reste l'esprit de la collection. En 1865, presque sans exception, les titres de la Bibliothèque rose auraient trouvé leur place chez Mame ou chez Lefort. C'est en 1867 seulement que le normalien Alfred Assollant (1827-1886) prête sa verve au Capitaine Corcoran, dont les *Aventures merveilleuses, mais authentiques* sont délicieusement illustrées par Neuville. Mais avant lui ? En quoi Mme la comtesse de Ségur, auteur vedette de la Bibliothèque depuis six ans, se distingue-t-elle des dames d'œuvres — on dit, irrévérencieusement, les « gouvernantes » — qui fournissent de leur tisane les éditeurs catholiques contemporains ? Par la naissance, le comportement, les idées, les préjugés, par le dessein général même de son œuvre, elle appartient au même milieu, au même courant de pensée. Ses ouvrages voisinent, dans la collection Hachette, avec ceux de Zulma Carraud et de Julie Gouraud. Il se trouve seulement que la fille du comte Rostopchine tient de ses ancêtres tartares un génie corrosif que ses pieuses intentions ne parviennent pas à étouffer. Par elle vit la collection. Elle en est et en fait la célébrité durable. Elle y gagne de quoi alimenter chichement ses charités mais nourrit les caisses de son puissant éditeur. Si prodigieux et mérité qu'il soit, ce succès ne renouvelle pourtant pas un genre. C'est bien à Hetzel et à ses auteurs que la jeunesse doit ce qu'un contemporain nomme joliment « sa libération littéraire » (26).

Le temps du rouge et or

Solidement amorcée, la « libération » n'a pas encore porté tous ses fruits, dix ans après le lancement de la Collection Hetzel. Certes, la littérature d'enfance et de jeunesse est enracinée en France ; elle y alimente un secteur de l'édition dont la croissance est prévisible. Mais une crise est possible. Il est clair, en effet, que les livres proposés au jeune public reflètent, sans les avouer ouvertement, les oppositions de pensée, et d'opinion, des adultes. Dans la paix civile forcée du Second Empire finissant, deux familles de publications coexistent.

La famille catholique. C'est celle de la production sérielle. Rien n'y a changé depuis au moins un quart de siècle, ni l'inspiration fondamentale, ni le ton édifiant, ni la destination

Le capitaine Corcoran

Une des planches gravées sur bois par A. de Neuville pour les *Aventures merveilleuses mais authentiques du Capitaine Corcoran,* d'Alfred Assolant, parues chez Hachette, dans la Bibliothèque rose illustrée en 1867. H. 174 mm.

avouée, ni les auteurs, ni même les titres. Le livre catholique d'enfance garde, en 1870, l'aspect, désormais traditionnel, que lui ont donné les grands éditeurs provinciaux.

La famille que l'on peut déjà qualifier de « laïque ». C'est celle de la nouvelle littérature. Nouvelle parce qu'elle donne aux jeunes gens des livres conçus pour eux, écrits pour eux. Nouvelle par le regard qu'elle jette sur le monde contemporain, par l'image qu'elle annonce du futur, par la séduction du récit qui fait appel à l'imaginaire, à l'exotisme et à l'aventure. Moderne par la typographie, l'illustration, le format, par le soutien que lui assure une presse spécialisée.

Cette nouvelle littérature n'occupe encore qu'une part restreinte du marché. Le livre le plus répandu, le moins coûteux, celui qu'on destine « aux enfants du peuple qui vont à l'école primaire », est le livre porteur d'une idéologie figée, indifférente aux transformations du monde. Ainsi le veut la conjuration tacite des familles, du pouvoir et du clergé. Faute d'ouverture officielle sur le marché scolaire, le livre religieusement et politiquement neutre, au moins en apparence, ne s'adresse qu'à la clientèle restreinte des classes aisées. Rien n'indique que la situation puisse bientôt changer. L'Empire du plébiscite est solidement assis. Les conservateurs — légitimistes, orléanistes, bonapartistes — approuvent unanimement le « concordat scolaire » de 1850. Seuls, les républicains condamnent « la gendarmerie morale des évêques et des curés » (27).

La chute de l'Empire ne modifie pas immédiatement les situations acquises. Le gouvernement de l'Ordre moral et du « coup d'État » du 16 mai 1877 n'entend pas revenir sur la loi Falloux. Dans la liste des « livres de prix destinés aux écoles primaires communales » qu'elle dresse officiellement en 1878, la commission des bibliothèques scolaires n'inscrit au « catalogue des livres indiqués au choix des instituteurs » que les productions de Mame, Mégard et Ardant. Mais l'année d'après, tout est changé. Jules Ferry est ministre de l'Instruction publique. En 1882, l'enseignement primaire est devenu laïque, gratuit et obligatoire. L'emprise de l'État s'appesantit, plus lourdement encore qu'au temps des monar-

chies, sur le livre d'enfant. Là est, sans nul doute, le trait le plus surprenant de l'histoire de la littérature de jeunesse sous la Troisième République : on n'en saisirait pas les traits caractéristiques si l'on ignorait l'action qu'exerce sur elle le pouvoir centralisateur (28).

C'est qu'à partir des années 1880 l'État contrôle de gré ou de force, ouvertement ou de façon occulte — en tout cas, de fait —, le plus gros marché d'édition et de librairie qui existe alors en France, en dehors de la production périodique : le marché des « livres classiques ». Ce terme recouvre, dit Henri Bourrelier, en 1913, « les livres d'enseignement de tous ordres et de toutes matières, les ouvrages d'enseignement supérieur, les manuels d'enseignement secondaire, d'enseignement primaire, d'écoles maternelles, d'écoles spéciales, livres de pédagogie, de vulgarisation, pages choisies, dictionnaires. Enfin les lectures instructives ou récréatives à l'usage de la jeunesse : ce qu'on nomme indifféremment suivant l'époque de l'année, livres de prix ou d'étrennes ». Soit, en termes de fabrication, les deux tiers du papier utilisé par les éditeurs français, à la veille de la guerre de 1914 (29).

Rien n'est publié, dans cet immense domaine, où se trouvent étroitement imbriqués le livre scolaire et le livre de loisir, qui n'ait de quelque manière reçu l'agrément de l'administration de l'Instruction publique et qui puisse, en tout cas, déplaire au corps le plus nombreux de ses serviteurs : les instituteurs qui, depuis le vote des lois Ferry, se trouvent « en harmonie presque parfaite avec l'idéologie du nouveau régime ». L'enseignement libre n'échappe même pas aux contraintes officielles : l'État ne lui impose pas ses livres, mais il peut les interdire s'il les juge insuffisants ou subversifs.

La République naissante fonde, en effet, trop d'espoirs sur le livre pour le laisser se développer en liberté lorsqu'il s'agit de former les jeunes esprits. « Pour nous le livre — entendez-vous — le livre quel qu'il soit — c'est l'instrument fondamental et irrésistible de l'affranchissement de l'intelligence. » Ainsi Jules Ferry assigne un rôle au livre récréatif en l'associant au livre didactique (30). Et l'on sait bien, depuis un demi-siècle,

que le livre récréatif c'est, pour la masse des enfants du peuple, le livre de prix. C'est lui que le nouveau régime consacre comme symbole de la fête républicaine, patriotique et laïque en quoi la « distribution solennelle » de la fin d'année scolaire s'est muée depuis 1880. Assuré d'une vente régulière à des dizaines de milliers d'exemplaires, le « prix » devient dès lors, et demeure jusqu'en 1914 au moins, le pôle, la référence et le moteur de la production littéraire destinée à l'enfance et à l'adolescence.

On perçoit de bonne heure les premiers effets du changement décisif qui vient de survenir. Le 5 août 1880, Alfred Mame proteste, auprès de l'inspecteur général de l'Instruction primaire, contre les directives irrégulièrement adressées aux instituteurs à propos du choix des livres pour distribution de prix : elles font « le plus grand tort à la vente de nos livres et sans doute à celle de nos confrères » (31). Dès ce jour, le monopole des grands éditeurs catholiques de province est virtuellement aboli, au moins en ce qui concerne les écoles publiques. Le temps des Parisiens est venu.

Principalement celui de la Librairie Hachette. La maison fondée par le normalien de 1822 recueille alors pleinement le bénéfice de la compétence, de la prudence et de l'art des relations publiques qui avaient été, dès l'origine, les caractéristiques de sa politique éditoriale. Sans faire ombrage à l'État, ni à l'Église, Louis Hachette et, après 1864, ses successeurs ne s'étaient jamais engagés ouvertement en faveur du pouvoir en place. L'excellence des livres scolaires que la maison fournissait aux divers ordres d'enseignement, la perfection technique de ses éditions critiques des œuvres des grands écrivains français avaient porté la librairie du boulevard Saint-Germain au faîte de la réputation chez les professionnels, ainsi que le montrait bien la grande médaille d'or de l'Exposition universelle, qu'elle avait obtenue en 1867. L'estime de Victor Duruy, le choix des auteurs (Hachette fait appel aux normaliens), sa qualité d'éditeur du *Manuel général de l'instruction primaire* lui conféraient un brevet de sérieux et d'excellence pédagogique. Tout la désignait donc pour occuper, dans la République, la place qui avait

Les manuels d'histoire et leur illustration

Dans un livre savoureux, *Qui a cassé le vase de Soissons ?* Gaston Bonheur a dressé l'inventaire magique des images reçues de notre enfance ; il a fait resurgir avec humour de notre mémoire une galerie de tableaux pittoresques qui constituent *l'Album de famille de tous les Français* (1). Cette « Histoire de France mythologique » (2) a pu, sous la Troisième République, s'identifier à l'œuvre pédagogique d'Ernest Lavisse, promu pendant plus d'un demi-siècle conscience nationale des fameux « hussards noirs » de la République lancés par Jules Ferry, au nom de Marianne, à la conquête des campagnes (3). D'où vient cependant que l'évocation des manuels d'histoire du primaire renvoie presque toujours aux ouvrages de la Troisième République et plus rarement à ceux qui les ont précédés ? Or, tout au long du XIX⁵ siècle, même dans le primaire, certains livres de la maison Hachette ont atteint des chiffres de tirage respectables (4). Cette méconnaissance résulte d'abord du contenu même de ces publications : de petit format, dépourvues de toute iconographie ou seulement ornées de petites vignettes tristes, ces compilations indigestes de faits, de dates et de dynasties encore fort proches des catéchismes — dont elles ont d'ailleurs conservé la structure par questions et réponses — n'ont pas l'attrait du « petit Lavisse » et de ses épigones. Enfin — c'est le plus important — l'enseignement de l'histoire à l'école primaire est une matière jeune qui n'est rendue obligatoire par Victor Duruy qu'en 1867, cette mesure ne devenant d'ailleurs effective qu'après 1870. C'est dire qu'avant la Troisième République cet enseignement constitue un phénomène plus parisien que provincial, plus septentrional que méridional, plus urbain que rural et l'on pourrait résumer par un mot de Péguy la place qui lui est réservée, entre 1815 et 1870, dans le système scolaire : l'enseignement de l'histoire « a les mains pures, mais il n'a pas de mains ».

Cette situation marginale contraste avec la métamorphose du manuel, sous la République de Jules Ferry, en bréviaire national et laïque. Cette sacralisation du livre d'histoire s'exprime notamment par la mise en scène héroïque de l'iconographie qui se caractérise par un triple phénomène. Elle se révèle en premier lieu par *la dramatisation de l'imagerie :* les manuels en usage avant la Troisième République sont structurés en fonction des règnes de l'histoire nationale ; chaque chapitre correspondant à un roi, leur illustration compose donc une galerie de portraits de tous les souverains, les monarques les plus puissants (Clovis, Charlemagne, Louis XIV, etc.) étant mis sur le même plan que les roitelets mérovingiens. Cette succession statique des médaillons des « quarante rois qui ont fait la France » s'efface, avec la République opportuniste, devant une vivante suite de tableaux qui exposent, représentent de façon épique des épisodes spectaculaires où s'illustrent des héros, des chefs, des sauveurs, des bienfaiteurs : *les grandes victoires militaires,* Poitiers, Bouvines, Marignan, Rocroi, Fontenoy, Rivoli, Austerlitz, Verdun, etc. ; *les morts glorieuses* de Du Guesclin et de Bayard, du chevalier d'Assas, de Bara et de Viala… ; *des scènes morales et édifiantes :* la justice de Saint Louis sous le chêne de Vincennes, la charité de saint Vincent de Paul, la victoire de Pasteur sur la rage, etc.

Cette mise en scène s'exprime aussi par *la sacralisation de l'État-Nation.* Les manuels de la première moitié du XIX⁵ siècle — en valorisant l'âge d'or de l'Ancien Régime — privilégiaient une France dont le destin s'identifiait à celui de la vieille monarchie légitime et de l'Église ; l'iconographie républicaine substitue à ce rituel passéiste une vision dynamique et linéaire qui mesure désormais la valeur historique affectée à chaque personnage (prince, ministre, soldat) et la reconnaissance publique qu'il mérite, à l'aune des services rendus à la France éternelle et à l'État centralisé : les rois, par exemple, ne figurent plus ès qualités dans ce Panthéon mythologique, mais seulement lorsque leur contribution à la grandeur et à l'unité nationales est jugée digne d'hommage.

Cette mise en scène — relativement démocratique — fonctionne enfin de façon théâtrale par l'opposition caricaturale et manichéenne des « bons », aisément reconnaissables à leurs figures séduisantes, et des « méchants », affligés le plus souvent de faces patibulaires. L'iconographie renforce ainsi le contraste entre les patriotes (Roland, Bayard) — qui tournent en mourant un visage radieux vers la patrie bien-aimée pour le salut de laquelle ils ont rempli leur devoir — et les traîtres (Ferrand, Bourbon) dont la mine honteuse trahit la déchéance morale réservée aux serviteurs félons de leur pays.

Les progrès accomplis par les techniques de reproduction des images ne suffisent pas à expliquer le développement de cette iconographie haute en couleur : l'humiliation infligée par la Prusse à la France en 1870 a — c'est une évidence bien connue — largement contribué à l'essor de cette légende dorée nationaliste et militariste peuplée de héros modèles (du Grand Ferré à Montcalm) communs à « l'école du diable » et à celle du « Bon Dieu ». Néanmoins, la promotion du livre d'histoire dans l'enseignement et l'ampleur prise par son iconographie résultent d'abord de la fonction idéologique que l'Église et la République lui ont, notamment entre 1880 et 1914, clairement assignée : légitimer par une vision partisane cohérente du passé national leurs positions et ambitions politiques contemporaines. À gauche, le manuel laïque — substitué au catéchisme diocésain — déroule à travers ses gravures une interprétation progressiste de l'histoire qui rehausse les étapes annonciatrices (les Communes, Étienne Marcel…) de la Révolution de 1789, dont le triomphe final est salué comme le but ultime et nécessaire de toute l'histoire de France et célébré comme une victoire de portée universelle. Parallèlement, on rend hommage — gravures réalistes à l'appui — aux victimes de « l'intolérance » et du « fanatisme » catholiques (hérétiques brûlés, protestants massacrés, opposants embastillés) afin de mieux souligner l'incompatibilité naturelle entre l'Église et la Liberté. À l'apologie républicaine de la Réforme et de la Révolution, les catholiques répliquent par un vibrant plaidoyer pour le Moyen Âge — leur époque de prédilection — glorifié à travers ses rois (Clovis, Charlemagne, Saint Louis), ses soldats (Godefroy de Bouillon), ses saints (sainte Clotilde, saint Bernard), tous zélés *ad majorem Dei gloriam ;* une iconographie particulièrement signifiante, qui valorise à plaisir les « saturnales » sanglantes de 1793 (exécution du roi, assassinat ou déportation des prêtres réfractaires, dévastation de la Vendée, etc.), cultive la répulsion à l'égard de la Révolution, entretient l'hostilité vis-à-vis de la République, sa digne héritière (5).

Même la représentation des héros *nationaux* (notamment de Jeanne d'Arc) communs aux deux camps suscite des divergences de fond : en Jeanne, la droite exalte l'incarnation des vertus paysannes, fête l'humble bergère soumise à sa sainte mère l'Église, acclame l'envoyée du ciel, dont la mission providentielle atteste la miséricorde infinie de Dieu envers « la Fille aînée de l'Église ». La gauche, occultant l'inspiration divine de la « bonne Lorraine », campe Jeanne en symbole du patriotisme populaire — patriotisme qui rachète la lâcheté des grands et du roi — et en victime innocente du sectarisme clérical. La récupération et la laïcisation républicaines de Jeanne (et d'autres personnalités chères aux catholiques), liée à la glorification partisane de la Révolution et à la dévalorisation du Moyen Âge, provoquèrent d'ailleurs, en particulier dans l'Ouest, de violentes querelles scolaires. Elles culminent entre 1906 et 1910, à la suite de la loi de Séparation et des Inventaires, et se caractérisent par la solennelle mise à l'index, par l'épiscopat français, de manuels d'histoire et de morale jugés « tendancieux » et « pernicieux », et par des empoignades politiques, au Parlement et dans la presse, autour des gloires catholiques et laïques les plus symboliques (6).

Malgré ces polémiques spectaculaires, qu'il ne faut pas surestimer, les deux écoles semblent avoir nourri l'imaginaire collectif d'images et de valeurs communes : de la reddition d'Alésia aux adieux de Fontainebleau, du vase de Soissons à la poule au pot du Béarnais, du baptême du « fier Sicambre » au sacre du « petit Corse », de l'embuscade de Roncevaux au pont du Garigliano, du panache blanc d'Ivry à la veillée et au soleil d'Austerlitz, du dimanche de Bouvines aux quarante siècles des Pyramides, etc., les images familières qui se télescopent dans l'inconscient de tous les Français l'emportent finalement sur les représentations controversées : la meilleure preuve ne réside-t-elle pas dans la concordance que dégagent sondages et études (7) entre mémoire scolaire et mémoire collective ?...

Christian Amalvi

1. Gaston Bonheur, *Qui a cassé le vase de Soissons ? L'album de famille de tous les Français,* Paris, R. Laffont, 1963.

2. Claude Billard et Pierre Guibbert, *Histoire mythologique des Français,* Paris, Galilée, 1976.

3. Voir Pierre Nora, *Ernest Lavisse : son rôle dans la formation du sentiment national, Revue historique,* t. 228, 1962, pp. 73-106.

4. *L'Histoire de France* de Mme de Saint-Ouen, publiée chez Hachette, a connu, entre 1834 et 1880, un tirage de 2 276 708 exemplaires : cité par Jean Mistler, *La librairie Hachette,* Paris, Hachette, 1964, p. 56.
Entre 1860 et 1880, le livre de Théodore-Henri Barrau, *La patrie,* édité par Hachette en 1848, est diffusé à près de 500 000 exemplaires (Archives Hachette).

5. Voir Jacqueline Freyssinet-Dominjon, *Les manuels d'histoire de l'école libre : 1882-1959,* Paris, A. Colin, 1969.

6. Voir Mona Ozouf, *L'École, l'Église et la République : 1871-1914,* Paris, A. Colin, 1963 (collection « Kiosque »).
Christian Amalvi, *Les guerres des manuels autour de l'école primaire en France : 1899-1914, Revue historique,* t. 262, pp. 359-398.

7. Voir *Enseigner l'histoire, des manuels à la mémoire :* textes réunis par Henri Moniot, Berne, Peter Lang, 1984.

Manuel antérieur à la IIIᵉ République, *l'Histoire de France* de Mme de Saint-Ouen est illustrée seulement par la succession des médaillons des rois de France. Paris, Hachette, 1833. H. 138 mm.

Exemple de mise en scène héroïque dans les manuels d'histoire à partir de Jules Ferry : Ducoudray, *Cent récits d'Histoire de France.* Paris, 1878. H. 243 mm.

BAYARD AU PONT DU GARIGLIANO

Le livre pour la jeunesse

été celle de Mame sous les régimes précédents. Lorsqu'en 1880 un maire de province demande à l'administration centrale des conseils pour le choix des livres de prix, c'est la maison Hachette qu'on lui recommande (32).

Hetzel bénéficie, mais à un moindre degré, du renversement de la situation. Son passé politique, la distance prudente qu'il a observée à l'égard du pouvoir impérial, l'inspiration générale de sa collection le recommandent naturellement à la bienveillance de la République. L'un de ses auteurs, et son associé à la tête du *Magasin d'éducation et de récréation*, Jean Macé (1815-1894), entre de plain-pied dans la grande histoire de l'enseignement primaire. Cet adversaire de Napoléon III a fondé, en 1866, la Ligue de l'enseignement qui prend un développement considérable après la chute de l'Empire, au point que son président apparaît comme le directeur de conscience laïque des bibliothécaires communaux et des instituteurs publics. Dans son bulletin, la Ligue propose un catalogue d'ouvrages propres à figurer dans les distributions de prix : les publications d'Hetzel y occupent une place prépondérante, au moins égale à celles d'Hachette ; les œuvres de Jean Macé n'y sont pas oubliées (33). À la suite des deux grandes maisons, des éditeurs déjà connus pour leurs publications classiques et des nouveaux venus cherchent à se faire une place dans l'immense marché qui vient de s'ouvrir : Firmin-Didot, Ducrocq, Jouvet, Garnier, Delagrave, Marpon et Flammarion, Picard et Kaan, Dreyfous, Charavay, Quantin, Lemerre… Tous les Parisiens (34). C'est la déroute de l'édition provinciale, trop étroitement liée à l'Église. Elle est réduite au livre de piété, qui était déjà son domaine, et à la fourniture de manuels et de prix au seul enseignement privé, que le départ forcé des congrégations enseignantes affaiblit encore, en 1904, au moment où s'élargit le marché des écoles publiques. Quel maire, quel conseiller municipal auraient osé, au début de ce siècle, condamner un fils d'électeur à parcourir les rues du village, le 31 juillet, sans livre rouge et or sous le bras ?

Sous cette pression, le phénomène qu'on avait observé, dans les années 1840-1850, au moment de l'explosion de la littérature catholique, se reproduit, à partir de 1875-1880, au profit de l'école laïque triomphante. Tous les manuels sont à refaire et les petits livres conformes aux nouveaux programmes, fidèles au nouvel esprit, fleurissent aux vitrines des libraires. Des auteurs surgissent par centaines, accueillis à bras ouverts par des éditeurs qui ont hâte de meubler leurs catalogues spécialisés.

Nul besoin d'une étude approfondie (elle reste, d'ailleurs, à faire) pour constater que, dans sa composition sociologique, ce groupe diffère profondément de la cohorte des auteurs catholiques de la précédente génération parmi lesquels les dames d'œuvres étaient nombreuses. Les femmes sont en minorité chez les auteurs « laïques ». Peut-être parce que l'on fait surtout appel à des « professionnels » : professeurs de lycée ou d'université, chimistes, astronomes, naturalistes… Les instituteurs paraissent curieusement absents d'une production qui les intéresse pourtant au premier chef. Mais on rencontre des journalistes que leurs opinions avaient violemment opposés au précédent régime et qui sont heureux d'utiliser leur talent d'écriture pour l'édification républicaine des jeunes générations. Tous paraissent issus de la bourgeoisie moyenne et les droits que leur versent les éditeurs ne paraissent pas devoir les en faire sortir (35).

Auteurs d'occasion pour la plupart, ils écrivent d'ailleurs par conviction, plus que par nécessité. L'exemple est donné par les plus hauts serviteurs du nouveau régime. On connaît Ernest Lavisse pour ses ouvrages savants et ses manuels élémentaires (36). Sous le pseudonyme de Pierre Laloi, il écrit aussi de *Petites histoires pour apprendre la vie* (Armand Colin, 1887). Alfred Rambaud (1842-1905), normalien, universitaire, associé de Lavisse dans la direction d'un célèbre traité d'histoire générale, futur ministre de l'Instruction publique, offre aux adolescents l'*Anneau de César* (Hetzel, 1893). À un moindre degré de célébrité, Ducoudray, lui aussi normalien, connu pour ses manuels d'histoire, écrit pour les enfants *Cent récits d'histoire de France* (Hachette, 1877). Léon Cahun (1841-1900) livre à Hachette quelques-uns des meilleurs romans historiques qu'on ait jamais écrits pour la jeunesse (*La Bannière bleue, Les aven-*

tures du Capitaine Magon, Les pilotes d'Ango…) sans abandonner son fauteuil de bibliothécaire à la Mazarine. Hommes de lettres, membres de l'Académie ou couronnés par elle, Léo Claretie, Ernest Legouvé, André Theuriet, Alphonse Daudet écrivent, avec bonheur, pour les enfants et doivent à ces œuvres d'occasion leur célébrité posthume.

Les écrivains qui avaient déjà voué leur vie, ou l'essentiel de leur œuvre, à la littérature de jeunesse poursuivent leur carrière dans les « équipes » des grands éditeurs. Jules Verne, Erckmann et Chatrian, André Laurie, Jean Macé : Hetzel a rassemblé les plus célèbres et il continue d'illustrer sa maison sous son pseudonyme de P.-J. Stahl. Chez Hachette, l'école des « gouvernantes » est toujours active. Mme de Pitray y rejoint sa mère, la comtesse de Ségur, Zénaïde Fleuriot (1829-1890) y fait son entrée et Mme de Witt, née Guizot, y représente la haute société protestante. Jules Girardin, Alfred Assollant, Mme Colomb satisfont l'autre bord. L'ouverture sur l'étranger se fait surtout grâce à Hetzel, qui fait traduire Mayne-Reid et Stevenson (37).

À de rares exceptions près, l'abondante littérature née de l'appel des années 80 n'a pas laissé de chefs-d'œuvre. Le moment de grâce de la littérature de jeunesse en France n'a duré que quinze ans, de 1855 à 1870 ; de la comtesse de Ségur à Jules Verne, à Erckmann et Chatrian et à Hector Malot. Il n'y eut ensuite qu'épigones ; l'invention se tarit ; les grands donnent de beaux livres, sans se renouveler. La production engendrée par les lois Ferry ne retient plus aujourd'hui l'attention que par son contenu idéologique. Comme toutes les littératures de jeunesse elle en dit plus, en effet, sur les adultes qui la proposent et l'imposent que sur les enfants qui la reçoivent et la subissent. Jamais, d'ailleurs, intentions ne furent plus claires, certitudes, plus assurées et bonne conscience, plus éclatante. Les auteurs s'expliquent dans leurs préfaces. « Mes petites histoires, écrit Pierre Laloi, vous diront que la vie est bonne pour ceux qui aiment et respectent leurs parents, font leur devoir dans leur profession, quelle qu'elle soit, et, aimant la France de tout leur cœur, la

Elles s'avancèrent au-devant du flot.

CHAPITRE XIII

Nouveaux visages.

Un jour, un beau matin de juillet, Mandarine se promenait sur la grève en compagnie des *petits bonnets*. Elle était montée sur une large roche, et surveillait de là les enfants qui cherchaient dans le sable encore mouillé des coquillages qu'ils jetaient dans le panier de Jéjé. Tout à coup elle entendit un roulement inusité dans le chemin, celui d'une voiture. Elle se détourna et aperçut fixés sur elle les yeux de plusieurs personnes assises dans un break qui venait de s'arrêter devant la plage sablonneuse. On la regardait curieusement dessous les larges ombrelles blanches, et de fait elle était très pittoresque à voir debout sur cette pierre, vêtue de sa robe courte et les épaules couvertes de ses épais cheveux flottants sur lesquels elle venait de poser une guirlande de varech trouvée dans une des anfrac-

Un des nombreux livres de Zénaïde Fleuriot, *Mandarine*, illustré de vignettes gravées sur bois par C. Delort. Paris, Hachette, 1892. H. 235 mm.

LE DERNIER DES MOHICANS

CHAPITRE PREMIER.

Mon oreille et mon cœur sont prêts à vous entendre ;
Quelque malheur moudain que vous veniez m'apprendre,
Parlez! ai-je perdu mon sceptre et mes États?

SHAKESPEARE.

Un trait particulier aux guerres coloniales de l'Amérique du Nord, c'est qu'avant d'en venir à une rencontre avec l'ennemi, il fallait se résoudre à subir les fatigues et les dangers d'une marche en plein désert.

Une ceinture large, et en apparence inaccessible, de forêts séparait les possessions des provinces hostiles de la France et de l'Angleterre. Il arrivait souvent au colon robuste, et à l'Européen discipliné qui combattait à ses côtés, de passer des mois entiers à lutter contre le courant des fleuves,

Firmin-Didot, comme Hetzel, introduit les auteurs étrangers dans la littérature destinée à la jeunesse de France ; ainsi les œuvres de Fenimore Cooper, parmi lesquelles figure *le Dernier des Mohicans* (1884), dans la série « Fenimore Cooper illustré ». H. 264 mm.

XXI

ON EUT DIT UNE PERDRIX ARRÊTÉE DANS SON VOL.

Modèle de patriotisme offert aux petits Français par *Maroussia*,
de Hetzel-Stahl, illustré de dessins de Th. Schuler gravés sur bois
par Pannemaker, dans la Bibliothèque d'éducation et de récréation.
1878. H. 247 mm.

servent de toutes leurs forces. »
Famille, travail, patrie : le « grand instituteur » de la Troisième République
a dit les maîtres mots de l'école laïque.
L'immense littérature enfantine à
laquelle il apporte sa contribution, en
révélerait-elle d'autres, si l'on tentait
(ce qu'il faudrait bien faire) d'en
analyser le contenu ? Deux autres
peut-être, souvent très haut proclamés,
parfois suggérés seulement (il faut y
penser toujours, mais n'en parler
jamais), deux noms de provinces :
Alsace, Lorraine.

C'est un débat actuel que de savoir
si l'école laïque, de 1870 à 1914, a
vraiment entretenu l'esprit de revanche ; et il est vrai que les manuels
n'inculquent guère l'idée d'une reconquête sanglante des provinces perdues.
Ils s'efforcent plutôt de persuader les
élèves que la France, si elle doit jamais
reprendre les armes, ne peut le faire
que pour la Justice et pour le Droit.
Mais il y faut insister, la littérature
d'enfance est moins discrète. Elle fait
une grande part à l'histoire, narrée ou
romancée, et continue à édifier la galerie de nos héros guerriers, de Vercingétorix à Denfert-Rochereau, en passant
par Hoche et Marceau. L'évocation de
la guerre de Cent Ans, si fréquente,
celle de Jeanne d'Arc (qui est définitivement consacrée comme héroïne
nationale) ont leurs raisons. Si malheureuse qu'elle puisse être, vaincue et
humiliée, la patrie se relève toujours et
chasse l'ennemi. C'est le message
qu'adresse aux petits Français *Maroussia* l'Ukrainienne. « La presse française
a fait bon accueil à Maroussia, dit
Hetzel-Stahl, on a senti que la petite
héroïne ukrainienne était pour l'auteur
de la version française une héroïne
alsacienne, et que c'était en vue de la
France qu'il l'avait montrée telle
qu'elle est » (38).

Indifférente au nationalisme, dans
sa phase catholique, la littérature
d'enfance et de jeunesse, devenue
essentiellement laïque et républicaine
après 1870, transmet à coup sûr un
message patriotique, sinon belliqueux.
L'armée, le drapeau, l'Alsace de la
dernière classe, de l'ami Fritz et du
grand Krause sont présents dans chaque école, le 31 juillet. L'évocation des
gloires révolutionnaires rappelle aux
jeunes Français qu'un siècle s'est
écoulé depuis le temps où leurs ancê-

tres savaient vaincre, sous un régime dont la Troisième République est l'héritière légitime. En 1884, la Ligue de l'enseignement, qui tient son congrès à Tours et s'est déjà engagée dans la préparation de la célébration du centenaire de la Révolution française, invite, par la voix d'Étienne Charavay, « tous ses membres à user de leur influence personnelle auprès des instituteurs et des municipalités pour que les ouvrages contenant les biographies des hommes illustres de 1789 et les récits émouvants de la conquête des libertés civiles soient l'objet de préférences marquées dans les distributions de prix ». L'édition catholique ne révère sans doute pas les mêmes héros, mais il est vrai qu'après la défaite le patriotisme imprègne l'ensemble de la production pour la jeunesse et que Jeanne d'Arc peut être revendiquée par les deux camps (39).

Obsession de la patrie qui ne peut être aimée et défendue que si ses fils ont appris, dès le plus jeune âge, à la connaître ! Dans un discours de distribution des prix, Vidal de La Blache incite les élèves de l'enseignement secondaire à utiliser leurs vacances d'été pour visiter la France : « Son contact, son aspect éveillent des impressions et des images, dans lesquelles s'incarne et prend forme l'idée de patrie. » Le prodigieux essor de l'enseignement de la géographie s'accompagne, tout naturellement, d'une production littéraire correspondante. Combien d'héritiers lointains de Télémaque et du jeune Anacharsis, combien d'orphelins de Phalsbourg, combien de Remi, forts seulement de leur courage, de leur honnêteté et — pourquoi pas ? puisqu'ils sont français — de leur « débrouillardise », sont-ils engagés dans le « tour » de la France ou du monde d'outre-mer dont l'exploration s'achève et sur lequel la patrie étend sa main civilisatrice ? De même, la foi que nourrissent dans le Progrès les positivistes fondateurs de l'enseignement républicain, la conviction des hauts fonctionnaires protestants de l'Instruction publique que la Science peut contribuer à fonder une morale sans Dieu, qui transpose dans le monde laïque l'acquis du christianisme, expliquent-elles que la vulgarisation scientifique fasse si bon ménage avec le roman dans les distributions des prix (40).

Et par voie de conséquence, dans les collections spécialisées. La Bibliothèque d'éducation et de récréation offre, côte à côte, les « Voyages extraordinaires » et l'*Histoire des grands voyages et des grands voyageurs,* du même Jules Verne, *les Patins d'argent* de P.-J. Stahl et l'*Histoire de la terre,* de Simonin. Un mélange analogue se rencontre dans la Bibliothèque des écoles et des familles de la Librairie Hachette, cependant que Marpon et Flammarion distribuent leurs publications entre la Bibliothèque de la jeunesse (pour la fiction), et la Bibliothèque Camille Flammarion (pour la vulgarisation scientifique). À la fin du siècle, la librairie Hetzel diffuse un « Index analytique donnant le cadre des ouvrages » de sa Collection qui propose une bonne image du contenu encyclopédique et du caractère didactique, sous son apparence romanesque, de la littérature d'enfance et de jeunesse de ce temps. La liste, d'« Afrique australe » à « Tour du monde », passe, entre dix autres sujets, par « Alsace », « Arithmétique », « Automobiles », « Beaux-Arts », « Espace », « Frontière de l'Est », « Gaule », « Mines », « Morale » et « Robinsons ». Éducation et récréation : jamais adéquation ne fut plus parfaite — et, en tout cas plus délibérée — entre programmes scolaires et romanesque, morale d'État et aventures imaginaires (41).

Véhicule de l'idéologie laïque et républicaine, le livre récréatif fait la fortune des éditeurs en juillet. Mais Henri Bourrelier a bien raison de dire que c'est affaire de saison. Les libraires savent que l'année est rythmée par quatre campagnes de vente : le temps des prix, des étrennes, de la première communion, de la rentrée scolaire. Livre-récompense le 31 juillet, le même ouvrage est livre d'étrennes, le 25 décembre et le 1er janvier ; livre de présent au mois de mai, dans les circonstances « solennelles » (comme celles de la distribution des prix) de la communion ; livre public en tout temps, si on entend le placer sur les rayonnages en bois blanc des bibliothèques municipales et scolaires dont le pouvoir impérial avait encouragé la création, au temps du ministre Rouland. Tout est affaire de présentation. Le format, l'illustration, la reliure s'adaptent aux circonstances. M. Mame

l'avait compris le premier, Hachette, Hetzel et leurs concurrents raffinent le procédé. Sous la Troisième République, le livre d'enfance et de jeunesse est un objet à utilisation variable.

Les libraires s'y reconnaissent grâce aux catalogues (42). Les éditeurs en soignent la présentation, au point de les illustrer et de les offrir sous couverture dessinée par des artistes en renom, quand ils ne les font pas relier, pour plus de sécurité, à la fin de leurs volumes. Les ouvrages y sont distribués en collections, comme au temps de M. Mame qui fut, sur ce point aussi, un précurseur. Le mot « bibliothèque » est toujours en usage pour désigner des ensembles devenus très complexes dans les grandes maisons. En 1879, Hetzel a créé la Petite Bibliothèque blanche. En 1880, Hachette dispose de cinq collections, dont deux seulement sont antérieures aux lois Ferry. La Bibliothèque rose illustrée continue en effet sa brillante carrière, aux mains des auteurs féminins ; elle s'est pourtant accrue d'une nouvelle « série » (Voyages, histoire, littérature) pour répondre aux besoins des adolescents. Au total, 250 titres, en 1895. La Bibliothèque des merveilles était née le 15 décembre 1864, par contrat avec Édouard Charton (1807-1890), qui recevait 10 centimes par volume, pour commander des ouvrages de vulgarisation scientifique à des spécialistes. En 1895 : 127 titres. La Nouvelle Collection à l'usage de la jeunesse avait été tout spécialement créée pour recevoir les œuvres romanesques — avec une certaine prédilection pour les romans moralisants, historiques et patriotiques — sous deux formats : in-8° jésus, in-8° raisin. La Bibliothèque des petits enfants resplendissait de bleu et d'or. Mais le tout-venant entrait dans la Bibliothèque des écoles et des familles, créée dès le vote des lois Ferry, déjà riche de 200 titres et de 6 séries en 1885, réorganisée dans les années 1889-1890, jusqu'à comprendre 12 séries, distinctes l'une de l'autre par le format, le nombre de pages, l'aspect de la couverture, afin de répondre aux besoins intellectuels des différentes classes d'âge de la population scolaire en même temps qu'aux disponibilités variables des municipalités, dont le budget supporte les dépenses de la distribution des prix (voir planche 29).

Mal informée de la complexité du marché, la clientèle des années 1900 reconnaissait cependant la qualité et la destination du livre au format, à l'illustration, à la richesse relative et à la complexité du décor de la couverture. C'est ce que nous faisons encore aujourd'hui, comme d'instinct, lorsque nous retrouvons les « prix » de nos grands-pères au hasard des fouilles dans le grenier de nos maisons de famille.

De format in-18, sans illustration et, en tout cas, sous couverture austère de toile grise ou noire, tel était le « livre de bibliothèque ». Le même titre, mais un format in-8°, des gravures, un cartonnage à fond rouge enrichi de feuillages dorés, soulignés de noir : c'est à coup sûr un livre de prix de qualité moyenne. Mais il suffit de dire « Jules Verne » pour que surgisse l'image polychrome — sur fond rouge et or — des cartonnages « à l'obus », « au portrait », « au ballon » ou « au steamer », et le souvenir des scènes fabuleuses dessinées par Riou, Benett ou Neuville. Tel sera à jamais dans sa splendeur multicolore, et la richesse de ses tranches dorées, le livre d'étrennes, qui excite aujourd'hui la convoitise des collectionneurs adultes, après avoir fait rêver tant de générations enfantines (43) (voir planche 27).

Il faudra bien un jour faire l'histoire de ces couvertures illustrées. De véritables artistes les dessinèrent, tel Adolphe Giraldon, maître ornemaniste, dont Octave Uzanne fait grand cas. C'est lui « qui a fait pour les diverses collections de la Librairie Hachette les décorations les plus sérieuses et du goût le meilleur, en vue des reliures de cette maison ». Il avait l'art d'adapter ses motifs aux conditions des plaques chauffées et de l'estampage au balancier pratiqué par les grandes entreprises industrielles — Magnier, Lenègre, Engel — auxquelles les grands éditeurs commandaient leurs reliures par milliers (44).

Bien que des centaines, et plus probablement encore des milliers, de cartonnages portent discrètement leur signature, on a trop oublié les deux Souze, Auguste et Paul, l'oncle et le neveu. Ces deux graveurs s'étaient fait une telle réputation dans leur spécialité qu'ils eurent pour ainsi dire, à partir des années 80, le monopole de la gravure des plaques, utilisées ensuite par les relieurs. Plaques de série, à décor généralement architectural, en quoi excellait le dessinateur Rossigneux (45). Plaques « spéciales », à motif anecdotique ou symbolique, évoquant un épisode ou le thème de l'ouvrage. Ce sont celles-là les plus intéressantes, tant elles sont chargées de symboles — le bateau, l'ancre de marine, le palmier, le ballon, l'éléphant, la sphère, le drapeau, le soleil rayonnant — qui évoquent l'aventure, l'exotisme, l'empire colonial naissant, la science triomphante. En bref, toutes les valeurs du siècle. Qui sait si une telle imagerie, présente à tous les yeux, dans le prestige de ses couleurs vives, n'a pas joué un rôle dans la formation des mentalités des jeunes Français, au début du siècle ? Qui dira pourquoi, de tous les livres offerts aux enfants d'Europe et d'Amérique, seul le livre français adopta, comme une sorte de marque de fabrique nationale, la combinaison du rouge et de l'or ?

Bilan de fin de siècle

Qui tenterait un bilan, aux confins des XIXᵉ et XXᵉ siècles, constaterait que, s'il occupe presque tout le terrain, le livre de prix connaît aussi des frontières. Il laisse place à des variétés d'ouvrages récréatifs qui ne sont pas, ou qui ne sont qu'exceptionnellement distribués aux écoliers, à la fin de l'année scolaire.

Le livre de la première enfance, encore trop peu étudié, recherche la clientèle des mères de famille plus que celle des instituteurs. Alphabets, ou livres d'images, tous les « albums pour les enfants » s'adressent surtout à un petit public non scolarisé. La liste de ces ouvrages occupe deux pages du *Catalogue de livres d'étrennes* de la Librairie Hachette. Certains (Quatrelles, *Histoire du capitaine Castagnette* ; *Croquemitaine*) ont été illustrés par Gustave Doré. Les Albums Cecil Aldin font une large place au bestiaire : Black, Poppy l'Espiègle, Toto Raton, Janot Lapin, Cane ma Mie... Sous la même rubrique sont rangés les albums à colorier ou à découper ; les livres à tirettes, héritiers du *Livre-Joujou* imaginé par Brès et publié, en 1835, par Janet ; les volumes indéchirables sur toile, illustrés de chromolithographies.

Il n'y a certes pas de cloison étanche entre le livre de prix et le livre d'étrennes ou de présent. Mais beaucoup d'ouvrages que les catalogues classent dans cette variété, et qui sont parfois très coûteux, se situent à la limite indécise de l'adolescence et de l'âge mûr. Les *Fables d'Esope* illustrées en couleurs et en noir par Arthur Rackham, tirées à 55 exemplaires sur papier japon (70 francs) et à 375 exemplaires sur papier vélin (35 francs), par Hachette (1913) sont destinées de toute évidence aux bibliophiles : dans le *Catalogue* d'étrennes, le livre est d'ailleurs qualifié d'édition « de grand luxe ». Les biographies, abondamment illustrées, des grands personnages historiques, les récits de voyages, la Collection des Classiques de l'Art, autant d'ouvrages destinés par priorité aux adultes, mais qu'on peut aussi offrir aux adolescents : le jour viendra où ils leur seront « utiles »...

La frontière entre le livre de classe et le livre récréatif est elle-même moins assurée qu'il n'y paraît de prime abord. S'il est demandé au livre récréatif d'amuser *pour* instruire, il n'est pas mauvais que le livre de classe instruise *en* amusant. Tel est bien l'objectif que les programmes du 23 juillet 1882 ont fixé au livre de lecture courante du cours moyen. Celui-là conte une histoire ; il promène dans le monde réel de la géographie et de l'économie contemporaines des personnages imaginaires. Les élèves y suivent, jour après jour (comme leurs parents, dans le feuilleton du journal), les aventures de petits héros qui leur ressemblent : enfants du peuple lâchés dans le monde des adultes, orphelins perdus, exilés des provinces annexées. Quel livre « récréatif » pourra jamais égaler en puissance romanesque *Le Tour de la France par deux enfants,* gloire de la librairie Belin, expressément composé pour l'école par le mystérieux « G. Bruno », pseudonyme d'Augustine Fouillée (1833-1923), la femme du philosophe des idées forces ? (46). Aussi bien, la Ligue de l'enseignement l'inscrit-elle dans sa liste des livres de prix. À l'inverse, le *Sans famille* d'Hector Malot, contemporain du *Tour* (1878) bâti sur le même canevas, proposé comme livre récréatif, accède-t-il bien vite à la dignité de « livre de lecture » des écoles primaires.

Il comprend maintenant plus de quatre-vingt trois contrées, illustrées d'environ dix-huit mille gravures et de sept cents cartes ou plans.

Les récits de voyages publiés en 1892 se distinguent par leur intérêt dramatique ou scientifique. Pour le continent africain, qui appelle aujourd'hui, à juste titre, l'attention de tous les peuples civilisés, voici le compte rendu de la mission Crampel, écrit au jour le jour par M. Albert Nebout; le voyage dans l'Adamaoua du lieutenant de vaisseau Mizon, raconté par M. Harry Alis, et les aventures de la mission du docteur Peters allant au secours d'Émin-Pacha.

L'Asie est représentée par le voyage de M. Ch. Varat dans la Corée, par les excursions de Mme Chantre à travers l'Arménie russe et le massif de l'Ararat, de MM. Babin et Houssay dans la Perse méridionale, de M. Charles Grad à travers l'Arabie-Pétrée et le Sinaï. Nous passons en Amérique avec M. Coudreau, qui nous fait connaître la Guyane française, dans laquelle il a résidé quatre ans.

Avec M. Eugène Müntz, le critique d'art bien connu, nous visitons la ville de Sienne, si riche en curiosités artistiques et archéologiques; le Casentin, un vrai pays sauvage, situé tout près de Florence. Mme Mallié nous raconte ses promenades à Alicante et à Elche, et M. G. Vuillier nous conduit dans les rochers abrupts de Rocamadour, dont le sanctuaire célèbre attire chaque année d'innombrables pèlerins.

Année 1892 : Broché, 25 francs; cartonnée ou en volume, 28 francs; reliée en un volume, 32 francs.

LE JOURNAL DE LA JEUNESSE

Le Journal de la Jeunesse, qui vient de terminer sa vingtième année d'existence, a pris depuis longtemps une place hors ligne parmi les recueils périodiques d'instruction et de récréation. Il a obtenu ce succès très légitime grâce à l'élite de collaborateurs dont il s'est entouré aussi bien qu'à l'intérêt et à la variété de ses articles, parfaitement appropriés à l'âge, à l'esprit et aux goûts des jeunes garçons et jeunes filles auxquels il s'adresse. Tous les genres trouvent place dans ce journal; les contes, les nouvelles, les récits humoristiques y sont accompagnés d'études historiques et biographiques, d'articles de vulgarisation consacrés à l'histoire naturelle, à la géographie, à l'astronomie, aux arts et à l'industrie; la partie récréative est largement représentée par des jeux d'esprit, des devinettes, les problèmes amusants qui donnent lieu à des concours mensuels. L'illustration, confiée à des artistes de premier ordre, ajoute encore aux séductions de ce recueil.

Dans les deux volumes de l'année 1892, on remarquera les romans d'aventures ou morceaux de Mmes J. Colomb, de Nanteuil et de Witt, de Mlle Jeanne Schultz, de comtesse dans Stamy et de M. C. Aména; des articles instructifs de MM. Alexis Lemaistre, Alcinde Shaor, Ch.Dupart, Lucien d'Elne, Louis Rousselet, J. de l'Encap et de Mme L. Barre. M. Daniel Bellet est chargé d'initier les jeunes lecteurs aux curiosités de la physique et de la chimie, et la partie récréative, jeux d'esprit et problèmes amusants qui forment le sujet des concours mensuels.

BIBLIOTHÈQUE DES MERVEILLES

Dans cette collection de vulgarisation très appréciée de la jeunesse et des gens du monde, nous avons à signaler deux ouvrages nouveaux : la Guerre, par le lieutenant-colonel Hennebert et les Maisons d'hommes, par M. A. Saglio. Le premier forme un manuel populaire de connaissances militaires qui, en raison de l'obligation du service personnel, intéresse tout le monde. L'auteur expose, dans un style clair et précis, l'organisation des forces et le recrutement, les détails de la mobilisation et des opérations militaires; il définit, en un mot, tout ce qui procède de la stratégie et de la tactique.

Dans le second, M. Saglio passe en revue les habitations de la plupart des personnages célèbres, depuis l'antiquité jusqu'à nos jours.

L'Arrivée du baron. (Gravure extraite du Secret de la Grève.)

Prix de chaque volume : broché, 2 fr.; cartonné, tranches dorées, 2 fr. 50.

NOUVELLE COLLECTION DE LA JEUNESSE

La première série de cette collection, comprenant un choix de beaux volumes grand in-8°, illustrés par nos meilleurs artistes, est consacrée aux ouvrages de vulgarisation et d'enseignement pratique de la morale.

Sous ce titre : Bons Cœurs et Braves Gens, M. Maxime Du Camp a réuni plusieurs récits d'une touchante simplicité, que les parents aussi bien que les jeunes gens ne pourront lire sans une vive émotion. Dans le Commandant Pamphlenoise, l'auteur met en scène un brave cuirassier qui élève avec une tendresse toute paternelle et une rare sollicitude une petite orpheline trouvée au matin sur le champ de bataille de Leipzick. La Dette du Jeu nous fait assister aux fâcheuses conséquences d'une faute de jeunesse. Dans Un brave homme, le héros du premier récit, le Père Médard, qui est un brave ouvrier lyonnais, nous raconte lui-même avec une aimable bonhomie comment, adopté tout enfant par une brave famille de gendarmes, il est devenu, grâce à son courage et à son travail, un industriel fort aisé et justement honoré de ses concitoyens.

M. Eugène Muton, l'humoriste bien connu sous le pseudonyme de « Mérinos », retrace avec une verve inarissable les Aventures et Mésaventures de Joël Kerbau, un Breton du XVe siècle, qui parcourt le Portugal, l'Arabie, l'Éthiopie, la Chine, le Japon et le Tonkin.

Aux jeunes filles et jeunes femmes nous recommanderons de préférence Ma Grande, par Paul Marguerite. C'est une histoire intime où le drame alterne avec l'idylle, raconté avec un charme pénétrant et une grâce délicatesse.

Prix de chaque volume broché, 7 fr.; cartonné, tranches dorées, 10 fr.

Dans la seconde série nous avons à signaler cinq volumes nouveaux, romans d'aventures ou scènes historiques, récits amusants.

Hélène Corianis, la dernière œuvre de Mlle J. Colomb, est écrivain d'un talent aussi distingué que modeste, dont les écrits ont charmé plus de vingt générations de jeunes garçons et de jeunes filles. L'auteur met en scène une fillette de dix ans dont les parents, après avoir occupé une situation brillante dans la principauté de Monaco, ont été presque réduits à la misère. Vaillante et industrieuse, elle veut tirer sa mère d'embarras et reporter sa maison; la protection d'une riche famille américaine dont elle devient, en quelque sorte, l'enfant d'adoption, lui permet l'entrevoir la réalisation de son rêve et grâce à un brillant mariage elle relève définitivement la vieille maison des Corianis.

Dans le Secret de la Grève, Mme J. de Nanteuil nous dévoile les infâmes complots d'un aventurier sans scrupules, Sylvain de Carolles, poursuivant avidement un héritage qui doit lui permettre de reprendre dans la société le rang dont il est justement déchu. Sylvain a juré la perte de Malo Kerbrat, qu'il suppose être l'héritier légitime de la fortune convoitée. Malo, qui est un brave officier de marine, servant sous les ordres de M. de Suffren, échappe heureusement à toutes les embûches, tandis que Sylvain qui, n'a pas craint de trahir sa patrie et de se faire espion, reçoit le juste châtiment de ses forfaits. Au moment de mourir, le misérable apprend avec une rage indicible que Malo n'était pas son neveu, comme il l'avait cru, et n'avait par suite aucun droit à l'héritage qu'il lui disputait.

Sauvons Madelon! tel est le titre d'un charmant récit de Mlle Jeanne Schultz. L'auteur justement célèbre de la Nouvelle de Colette et de la Vendée Humaine. La petite Madelon, qu'il s'agit de sauver ici, n'est pas précisément en perdition; elle s'en est tout simplement de l'existence mondaine qu'elle mène chez une vieille tante. Ses quatre petits amis de campagne ont juré de l'arracher à cette mondaine sort, et grâce à de machiavéliques combinaisons ils réussissent au delà de leurs espérances, et ramènent la petite et le bonheur dans la maison de leur petite amie. On ne peut rien imaginer de plus touchant et de plus original que le dévouement de ces braves enfants. Le dernier tour du l'enchanteur Merlin, qui termine le volume, est un récit d'autrefois, fantastique et amusant.

Dans les Tricots de la Fabia, le commandant Stany nous raconte les aventures extraordinaires de deux pauvres petits Bretons qui, après avoir affronté les plus rudes épreuves et en recherchant vaillamment des richesses fabuleuses, dont un vieux loup y espagnol leur avait laisser entrevoir l'existence, réussissent par leur courage et leur travail à

triompher des plus rudes épreuves et à conquérir une brillante situation.

L'ouvrage de Mme de Witt, Abuelena et Alocienne, comprend trois petits drames historiques, les plus vif intérêt, qui fait revivre l'ancienne Alsace avec ses passions politiques et ses coutumes locales, à l'époque de Charles le Téméraire et aux débuts de la Révolution.

Prix de chaque volume : broché, 4 fr.; cartonné, tranches dorées, 5 fr.

BIBLIOTHÈQUE ROSE ILLUSTRÉE

Chaque année, cette collection offre à ses fidèles lecteurs, jeunes garçons et jeunes filles, quelques nouveaux ouvrages instructifs, amusants et d'une haute moralité.

Sous le titre de Petit Prince, Pierre Fremont nous retrace la naïve et touchante histoire d'un jeune ouvrier parisien, doué d'un goût très vif pour le dessin et qui aurait bien voulu devenir un artiste. Mais son père, un brave concierge de la rue Flinn, ne le lâche pas volontiers la proie pour l'ombre, a préféré lui donner un bon métier pour gagner sa vie à a fait le but un apprenti « tailleur ». Cependant, grâce à un heureux concours de circonstances, et grâce surtout au dévouement de la sœur Antoinette qui a fini en son emploi, Petit Prince finit par suivre sa vocation et devient promptement un artiste célèbre.

L'Arche de Noé, de Mme de Pitray, nous révèle un système d'éducation tout à fait original. Une jeune fillette, capricieuse et volontaire, Odile d'Ernée, a été confiée par ses parents à une tante, durant un voyage qu'ils sont obligés de faire en Amérique. La tante, qui a une affection très prononcée pour les bêtes, a fait de sa maison une véritable arche de Noé, et qui paraît tout d'abord insupportable à la petite nièce. Peu à peu cependant, Odile s'attache à cette ménagerie de perroquets et d'angoras; la fréquentation de ces animaux exerce sur son caractère la plus heureuse influence, et finit par ouvrir son cœur à tous les sentiments affectueux et dévoués.

Le comte Meyners d'Estrey a travaillé un adapté, d'après l'écrivain hollandais Tromp, l'ouvrage intitulé : Au Pays des Diamants, dont l'auteur a nul aperçu intéressant sur l'état actuel de l'Afrique australe. Le héros du récit, le capitaine Flint, parti de la colonie du Cap, à la recherche de son frère, pénètre dans le pays des mines d'or, regagne la région du Tanganyika, remonte le cours du Zambèze et finit par regagner le littoral du Sud. Au récit de ses pérégrinations et de ses aventures se trouvent très ingénieusement mêlés de revus détails géographiques sur les pays parcourus, et sur les mœurs des indigènes, dont les scènes émouvantes de combats et de chasses.

Prix de chaque volume : Broché, 2 fr. 25; cartonné, tranches dorées, 3 fr. 50.

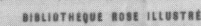
Gravure extraite de Mon Journal.

BIBLIOTHÈQUE DES ÉCOLES ET DES FAMILLES

Cette bibliothèque, qui comprend un choix très varié d'ouvrages intéressants, édités et illustrés avec soin, et néanmoins d'un bon marché exceptionnel, a été créée pour vulgariser, sous forme de lectures populaires, toutes les connaissances scientifiques ou littéraires, historiques ou géographiques auxquelles personne ne saurait rester étranger. Les trois volumes qu'elle publie cette année s'adressent tout à la fois à la jeunesse des écoles et au grand public.

Dans son ouvrage sur l'Europe pittoresque, M. J. Gourdault résume les impressions de voyage d'un touriste qui visite la Belgique et la Hollande, la Grande-Bretagne et l'Irlande, la Péninsule scandinave et le Danemark, l'Allemagne, la Suisse, l'Autriche-Hongrie, le Bas-Danube et la Russie d'Europe. Il décrit les mœurs et coutumes de chaque pays, les légendes, les monuments historiques ou archéologiques et les curiosités pittoresques. De nombreuses gravures font passer sous nos yeux tous les édifices et les sites dignes d'attention.

L'excellent ouvrage de Jules Gérard, le Tueur de lions, que publie aujourd'hui d'étiré mis en lumière. L'édition qui vient d'être publiée est illustrée de nombreux dessins et d'une douzaine de planches en couleurs. Dans ce livre, qui est un simple journal de chasse, écrit sans emphase et sans prétention, et cependant très dramatique, l'auteur a raconté, pour ainsi dire, acte par acte, ses luttes émouvantes avec les fauves qui dévoraient impunément les troupeaux des Arabes [1].

Sous ce titre : le Conquête de l'Afrique, M. P. Gaffarel a résumé d'abord l'histoire des peuples de l'antiquité et du moyen âge qui ont successivement établi leur domination dans le continent noir. Puis, après avoir exposé les découvertes accomplies depuis un siècle, il nous fait assister au partage de ce pays par les puissances européennes justement soucieuses d'accroître leurs possessions coloniales. Voilà un vrai livre d'actualité à l'aide duquel il est facile de se mettre très exactement au courant des questions africaines [2].

[1] Prix : broché, 9 fr.; cartonné, tranches dorées, 12 fr. — [2] Prix : broché, 4 fr. 80; cartonné, tranches dorées, 6 fr. 50. — [3] Prix : broché, 6 fr. 50; cartonné, tranches dorées, 8 fr. 50.

BIBLIOTHÈQUE DES PETITS ENFANTS

Le Libraire Hachette a pris à cœur les enfants de quatre à huit ans, qui viennent d'apprendre à lire et dont la curiosité et l'intelligence commencent à s'éveiller. Elle a créé pour eux une collection imprimée en gros caractères et illustrée de nombreuses gravures. Deux nouveaux volumes viennent de paraître dans cette Bibliothèque : Autour d'un berceau, par Mme Chéron de La Bruyère, et Histoire de Bébés, par Mme de Witt, dans lesquels les jeunes lecteurs seront heureux de retrouver les menus incidents de leur vie de chaque jour.

M. Charles Richet nous donne un recueil très original de fables morales et amusantes : Pour les Grands, et pour les Petits, illustré de 24 gravures en couleurs, d'après Allonard.

Prix : 5 fr. 50.

Mon Alphabet offre une méthode simple et pratique d'enseignement de la lecture qui plaira d'autant mieux aux enfants qu'elle est commentée par de nombreuses gravures.

Prix : 3 fr. 50.

MON JOURNAL

Depuis le 1er octobre dernier, Mon Journal a subi deux transformations très importantes : il a cessé d'être mensuel, pour devenir hebdomadaire et il a enrichi chacun de ses numéros de quatre pages entièrement illustrées en couleurs.

Il a recueilli à prix maintenant le caractère essentiel d'un vrai journal destiné aux enfants. Il a tout à doute été, à côté des romans et récits d'aventures, des nouvelles instructives, des chroniques amusantes, les sujets de récréation très variés, des jeux de pleine air et d'intérieur, ainsi que les devinettes et petits problèmes qui donnent lieu à des concours mensuels.

Par l'attrait de sa variété et sa rédaction et la richesse de son illustration, Mon Journal est assuré de devenir le plus populaire des périodiques enfantins, d'autant qu'il reste toujours le moins coûteux.

Abonnement annuel : France, 9 fr.; Union postale, 10 fr.

Gravure extraite de Mon Journal.

Joël Kerbau arrivant dans les Landes. (Gravure extraite de Joël Kerbau.)

Une allée de chars. (Gravure extraite de la Bibliothèque des Petits enfants.)

Le château de Chillon. (Gravure extraite de l'Europe pittoresque.)

Parue dans le Supplément littéraire du *Figaro* du 24 décembre 1892, cette page de publicité de la Librairie Hachette présente les diverses collections que celle-ci destine à la jeunesse. H. 646 mm.

Il n'y a même pas de barrière infranchissable entre le monde des livres « laïques », issus des lois Ferry et le domaine, désormais réduit, des ouvrages de jeunesse de l'autre France, celle qui demeure attachée à l'Église et qui n'a pas exilé Dieu de ses livres de morale. Les frères de la Doctrine chrétienne se plaignaient, en 1889, que *Le Tour de la France par deux enfants* fût devenu d'une utilisation fréquente dans leurs écoles (47). Au Congrès catholique de Lille de 1890, un orateur, dénonçant l'influence du livre « neutre » qui supplante progressivement le livre chrétien, réclame la reprise de « l'apostolat par les livres de prix ». En dépit des efforts déployés par les sociétés confessionnelles, la grande librairie catholique semble pourtant avoir perdu, en même temps que le monopole dont elle jouissait récemment encore, le goût de la lutte. Marc Barbou, qui parle en 1898 devant les maîtres imprimeurs de France réunis en congrès à Limoges, ne sait que déplorer le sectarisme qui préside trop souvent au choix des livres de prix et réduit ses ventes.

L'édition catholique ne souffre pas seulement de la nouvelle situation politique, elle ne sait pas s'adapter au siècle. Elle abandonne notamment aux « laïques » la vulgarisation scientifique. « Et cependant, il est fort important qu'un certain nombre de ces ouvrages figurent dans nos bibliothèques chrétiennes ; les lecteurs goûtent de plus en plus les livres qui leur donnent des notions utiles pour l'exercice de leur métier ; s'ils n'en trouvent pas chez nous, ils vont en chercher dans les bibliothèques de mairie où ils rencontrent en même temps les plus dangereuses publications » (48). Le grand élan qui portait la maison Mame au milieu du XIXe siècle est décidément brisé. L'éditeur de Tours conserve sans doute la suprématie dans le domaine du livre de piété, et il lutte non sans succès dans le secteur des livres d'étrennes richement reliés et illustrés. Mais il ne sait pas renouveler sa production courante destinée à l'enfance. La mode est passée du décor que ses couvertures avaient répandu. La reliure de percaline rouge, frappée d'une architecture baroque qu'il impose, vers 1885, à une nouvelle série — Les Conteurs étrangers — n'est qu'une imitation très proche du décor inventé, vingt ans plus tôt, pour la Bibliothèque rose illustrée (49).

D'ailleurs, en cette fin de siècle, tout le monde imite la Bibliothèque rose, son format in-18, sa percaline rouge, son frontispice, ses vignettes, sa tranche et son décor dorés. Hetzel s'en est inspiré pour les petits formats de la Bibliothèque d'éducation et de récréation ; Armand Colin, pour sa Bibliothèque du petit Français ; Garnier, pour ses Contes, et il est à son tour copié par Béchet et fils ; Périsse frères de Paris, libraires catholiques, rue Saint-Sulpice (devise : « Prière, Ordre, Travail »), pour la Bibliothèque blanche et rose dans laquelle Mlle Monniot prolonge avec un large succès *Le Journal de Marguerite* ; la librairie Ducrocq, pour la Collection Ducrocq... Et tout le monde s'inspire, plus ou moins heureusement, d'Hetzel et de Hachette pour décorer d'encres polychromes les reliures des volumes de grand format. Seul, Lemerre fait exception, dont les in-8° (F. Coppée, A. Theuriet) se parent de couleurs tendres et de fleurs *modern style*.

L'uniformité règne. Nul ne conteste l'hégémonie de la Librairie Hachette, qui finira par absorber Hetzel en 1914. Mais il y a place pour d'autres. Le marché est sûr, il croît régulièrement avec les progrès continus de l'alphabétisation. Tout éditeur peut, d'avance, supputer ses profits. Les prix sont stables, au temps du franc germinal ; le chiffre des tirages, prévisible, comme l'atteste la Bibliothèque des écoles et des familles, collection fourre-tout de Hachette : 25 000 exemplaires, en moyenne, pour un titre ; 60 000 à 75 000, pour un grand succès ; 35 000 à 40 000, pour un accueil favorable ; de 10 000 à 30 000 dans la moitié des cas. En règle générale, le premier tirage est fixé à 11 000 exemplaires. Ensuite, tout dépend de l'accueil du public : les nouveaux tirages varient de 11 000 à 1 650 volumes. Jules Girardin, père du grand Krause, Mme Colomb, honnête polygraphe, Jules Gérard, le « tueur de lions », sont les vedettes de la collection (50).

Dans ce marché apparemment stable et ordonné, une crise paraît cependant s'amorcer tout au début du XXe siècle. Jules Verne meurt en 1905. « Tous les observateurs sont d'accord », écrit M. Soriano pour estimer que la disparition de l'auteur de *Vingt Mille Lieues sous les mers* marque le début d'« une rapide décadence... Le talent est remplacé par l'habileté et parfois par la médiocrité. Paul d'Ivoi et Salgari succèdent à Verne, Mme du Genestoux à la comtesse de Ségur. Les tirages augmentent, mais c'est aux dépens de la qualité. L'édition est submergée par une littérature de pure consommation, fade, larmoyante ou invraisemblable et qui, par surcroît, semble toujours coulée sur le même moule ». Trop brusque croissance en nombre d'un public dépourvu de sens critique ; transformation en « simple objet de divertissement » d'un livre devenu la proie d'entreprises investies par les capitaux internationaux : telles seraient les causes de ce déclin (51). Pourquoi n'y pas ajouter les effets du conformisme « laïque » ? À l'aube du XXe siècle, la situation du livre de jeunesse ressemble fort à celle qui prévalait, trente-cinq ans plus tôt, quand le livre « catholique » ne craignait nulle concurrence.

Les contemporains ont fort bien perçu les facteurs de la « crise ». Le moteur du livre de jeunesse étant le livre de prix, le mal vient de ce que la production des ouvrages de cette catégorie tend à la démesure. Nul n'admet plus qu'un enfant soit privé de « prix ». Le palmarès s'allonge et se diversifie jusqu'au troisième accessit de bonne conduite. Les crédits alloués aux écoles n'augmentant pas et la demande croissant, il faut bien que la qualité subisse les conséquences de cette inflation. Parce qu'il faut plaire néanmoins et que la concurrence est vive, le format augmente, le papier gagne en épaisseur ce qu'il perd en pureté, les couleurs se font plus vives de ces « volumes stupidement rouges, bleus, verts et dorés qu'on a coutume d'appeler des prix ». Des prix ? « Du papier cartonné ou relié », et rien d'autre.

Avec Pauline Kergomard, les pédagogues contestent même la légitimité des distributions de prix. « Supprimons les récompenses afin que l'enfant prenne l'habitude du désintéressement et se contente de la satisfaction du devoir accompli. » Une campagne est engagée, en 1905-1906, dans les revues professionnelles de tendance

Planche 30 — Au XIXe siècle, la lecture n'est plus le privilège des classes aisées et cultivées ;
elle est appréciée dans les milieux simples, au moins sous la forme de lecture collective,
comme on le voit sur cette lithographie de J. Champagne d'après H. de Montaut :
Une lecture chez la portière. 0,144 × 0,222 m.
(Paris, Bibliothèque des Arts décoratifs.)

Planche 31 — *La liseuse,* de H.-Th. Fantin-Latour. Huile sur toile, 1861*.
1 m × 0,83 m. C'est une sœur de l'artiste, Marie, qui est représentée ici,
mais le tableau est moins un portrait qu'une scène de genre, où Fantin-Latour
a voulu traduire sur un visage l'émotion intérieure de la lecture.
(Paris, Musée d'Orsay, Galerie du Jeu de Paume, R. F. 3702.)

Planche 32 — *La liseuse,* de P.-A. Renoir. Huile sur toile, 1874.
0,46 × 0,38 m.
Comme Fantin-Latour, Renoir a voulu peindre la lecture
à travers un visage de femme.
(Paris, Musée d'Orsay, Galerie du Jeu de Paume, R. F. 3757.)

Planche 33 — *Portrait d'Émile Zola* par Édouard Manet.
Huile sur toile, 1868. 1,46 × 1,14 m.
Zola avait alors vingt-sept ans. L'amitié était née
entre les deux hommes au moment où Zola avait pris
dans *l'Événement* la défense de l'artiste, après le refus
des œuvres de celui-ci au Salon de 1866.
(Paris, Musée d'Orsay, Galerie du Jeu de Paume, R. F. 2205.)

Planche 34 — *Baudelaire lisant,* détail de *l'Atelier du peintre,* de
Gustave Courbet, 1855.
Semblant indifférent à l'agitation qui l'entoure, Baudelaire est penché sur son
livre dans une attitude très proche de celle du portrait du Musée de Montpellier.
(Paris, Musée du Louvre, R. F. 2257.)

Planche 35 — *La lecture,* de E. Manet. Huile sur toile, vers 1868. 0,605 × 0,735 m.
Interprétation originale du sujet : ce n'est pas le personnage principal, la jeune femme, qui lit,
mais un homme qui apparaît au second plan.
(Paris, Musée du Louvre, R. F. 1944-17.)

Planche 36 — *Moine blanc, assis, lisant,* huile sur toile.
0,550 × 0,455 m. (Paris, Musée du Louvre, R. F. 2604.)

Ces deux œuvres de J.-B. C. Corot peuvent être interprétées
comme des figures allégoriques de la lecture.

Planche 37 — *La liseuse couronnée de fleurs,*
huile sur toile datée de 1845.
0,470 × 0,340 m. (Paris, Musée du Louvre, R. F. 2599.)

Planche 38 — La décoration du hall de la Bibliothèque Municipale de Rouen, confiée en 1894
à un élève de Puvis de Chavannes, Paul Baudouin, est consacrée à l'histoire du livre.
Outre une fresque symbolique, « le Livre ouvert à tous », elle comprend une suite de panneaux :
« le Signe », « le Papyrus », « les Manuscrits » et « l'Imprimerie » reproduite ci-dessus.
L'atelier représenté n'est autre que celui de l'Imprimerie Cagniard qui existe encore aujourd'hui.
(Rouen, Bibliothèque Municipale.)

syndicaliste et socialiste, contre le principe de l'émulation. « Quand cessera-t-on donc cette incompréhensible anomalie ? Quand l'instituteur qui, au cours de l'année scolaire, aura déshabitué ses élèves des fallacieuses et vaines récompenses que sont les bons points, les croix et les billets de satisfaction, pourra-t-il ne plus renier sa méthode, et ne plus décerner, malgré lui, des couronnes en papier peint et des bouquins à trois sous ? » On devine pourquoi Ferdinand Buisson, qui règne au *Manuel général de l'instruction primaire,* vénérable institution de la Librairie Hachette, adopte alors une position moins catégorique (52).

Les éditeurs, forts de leurs relations dans les milieux dirigeants de l'Instruction publique, pèsent en effet de tout leur poids pour que les « prix » soient maintenus, et sans doute l'opinion publique les soutient-elle. Mais ils sont attaqués sur un autre front. Les libraires protestent contre les méthodes de vente et de diffusion. Ils sont frustrés du marché parisien (Seine, Seine-et-Oise, Seine-et-Marne) car, « de tout temps, les éditeurs de Paris se sont réservé la liberté de traiter directement avec les municipalités de cette région ». Ils réprouvent les marchés passés, hors de leur contrôle, avec les gros acheteurs (les municipalités des grandes villes) qui obtiennent directement des éditeurs des rabais importants. Ils constatent que la Ligue de l'enseignement a créé sa propre librairie et que dans la mise en adjudication, par le ministère, de la fourniture des livres aux bibliothèques scolaires, les libraires-éditeurs parisiens l'emportent régulièrement depuis 1881 (53).

Indifférents aux critiques des pédagogues comme aux protestations des libraires, les éditeurs restent confiants dans un marché dont la stabilité administrative les rassure. Ont-ils perçu que l'avenir appartient à de nouveaux types de publications, nées dans la dernière décennie du XIXᵉ siècle ? La future « bande dessinée » est déjà présente et aussi la presse enfantine à bon marché. La couleur envahit les hebdomadaires pour la jeunesse. Elle chante sur les pages des in-quarto luxueux qu'illustrent Job et Boutet de Monvel. Mais sans doute, ces publications apparaissent-elles ou trop chères, ou trop futiles pour inquiéter les grandes mai-

sons fortes de leur monopole et assurées de leur mission morale et patriotique.

Les adolescents français des années 1900 gardent de leurs récentes lectures l'image, inlassablement distillée par les livres à couverture rouge et or, d'une France semblable à la « princesse des contes ou [à] la madone aux fresques des murs ». Les gravures qu'on a mises sous leurs yeux évoquent « les symboles de nos gloires : nuit descendant sur Notre-Dame, majesté du soir à Versailles ; Arc de Triomphe dans le soleil, drapeaux conquis frémissant à la voûte des Invalides ». « Une certaine idée de la France » (54).

Notes

1. Littérature de jeunesse : « Le secteur est bien délimité. Il regroupe des œuvres conçues pour satisfaire les diverses classes d'âge qui composent l'enfance et l'adolescence. » (M. Soriano, « Jeunesse (Littérature pour la) » *Encyclopaedia Universalis.)* Cette définition sera prise ici dans un sens extensif et il sera question, comme il est naturel dans un ouvrage consacré à l'histoire de l'édition, au-delà même des « œuvres », des *publications* destinées à la jeunesse. La difficulté d'une définition précise est bien mise en évidence par M. Soriano, *Guide de littérature pour la jeunesse,* Paris, 1975 ; F. Caradec, *Histoire de la Littérature enfantine en France,* Paris, 1977 ; D. Escarpit, *La littérature d'enfance et de jeunesse,* Paris, 1981 *(Que sais-je ?)* ; I. Jan, *La littérature enfantine,* Paris, 1984. Sur la période qui est ici concernée, P. Hazard, *Les livres, les enfants et les hommes,* Paris, 1932 *(Éducation)* ;

M.-Th. Latzarus, *La littérature enfantine en France dans la deuxième moitié du XIXᵉ siècle,* Paris, 1923 ; J. de Trigon, *Histoire de la littérature enfantine, de ma mère l'Oye au roi Babar,* Paris, 1950. Ces ouvrages donnent, pour la plupart, des orientations bibliographiques.

2. Berquin, *L'Ami des enfans,* Paris, 1782 (introduction).

3. L'expression est de M. Soriano *(Encyclopaedia Universalis).* « Avec le XIXᵉ siècle apparaissent des facteurs nouveaux qui entraîneront un essor extraordinaire de cette littérature, essor qui peut même apparaître comme une seconde naissance. »

4. J. Mistler, *La librairie Hachette de 1826 à nos jours,* Paris, [1964], pp. 49-50. F. Furet et J. Ozouf, *Lire et écrire. L'alphabétisation des jeunes Français, de Calvin à Ferry,* t. I, Paris, 1977, pp. 165-166. Louis Hachette écrit, en 1826 : « Il n'y avait ni maisons d'école, ni maîtres, ni livres. Les maisons d'école ne sortent pas de terre au commandement, les écoles normales ne s'organisent pas en un jour, les livres seuls peuvent se produire rapidement. »

5. D. Julia, « Livres de classe et usages pédagogiques ». *Histoire de l'édition française,* t. II, Paris, [1984], pp. 492-493. Dans *Gil Blas de Santillane* (« Classiques Garnier », I, p. 130), Le Sage fait un curieux récit d'une distribution de prix : « Quelque envie toutefois qu'eût le maître d'école de renvoyer les spectateurs contents, il ne put en venir à bout, parce qu'ayant distribué presque tous les prix aux pensionnaires, ainsi que cela se pratique, les mères de quelques externes prirent feu là-dessus et accusèrent le pédant de partialité. » On voit par là quel usage était fait des prix par les maîtres de pension, dès le début du XVIIIᵉ siècle.

6. A. du Saussois, *Alfred Mame,* Lille, 1898, p. 40.

7. Il faudrait écrire l'histoire de la maison Mame, en dépit des difficultés (les archives ont été détruites durant la dernière guerre). On trouve des indications utiles dans des brochures publicitaires : Aᵈ Mame et Cⁱᵉ à Tours, *Imprimerie-Librairie-Reliure. Notice et documents,* Tours, 1862. *La maison Mame (1833-1883). Notice historique,* Tours, 1883. Voir aussi, P. Lefranc, « Alfred Mame », *Les Contemporains,* 1895, n° 159. S. Malavieille, *Reliures et cartonnages d'éditeur en France aux XIXᵉ siècle (1815-1865),* Paris, 1985, pp. 57-62.

8. E. Werdet, *De la Librairie française. Son passé - Son présent - Son avenir,* Paris, 1860, p. 128.

9. S. Malavieille, *(Reliures et cartonnages d'éditeur)* donne la bibliographie et fait l'état de la question. L'ouvrage remplace tout ce qui avait été auparavant publié sur le sujet.

10. Il n'existe pas de bibliographie de ce type d'ouvrages. Il faudrait avoir recours aux catalogues conservés à la Bibliothèque nationale (série Q 10) et aux listes imprimées que Mame fait relier en tête des livres qu'il publie. On verra aussi le catalogue « mis en vente à la librairie Gumuchian », *Les Livres de l'enfance du XVᵉ au XIXᵉ siècle. Préface de Paul Gavault,* Tome I ; *Texte,* Paris [1930] et le *Catalogue de la bibliothèque Paul Gavault,* Paris, 1913, 2 vol. (1913, 14-17 avril).

11. L'histoire de toutes ces maisons d'édition reste à faire. Sur la librairie Ardant, S. Malavieille, *op. cit.* et ici-même (encadré p. 62). Sur la librairie Barbou, P. Ducourtieux, *Les Barbou imprimeurs. Lyon-Limoges-Paris (1524-1820)*, Limoges, 1896. Sur Lefort, Pierre Pierrard, *La vie ouvrière à Lille sous le Second Empire,* Paris, s.d.

12. Pierre Pierrard, « Question ouvrière et socialisme dans le roman catholique en France au XIXᵉ siècle », *Cahiers naturalistes,* 1976, pp. 150-190. Sur l'un des auteurs de Lefort, P. Reboul, « Regard sur Joséphine de Gaulle », *Revue du Nord,* t. LXVI (1984), pp. 745-757. *(Numéro spécial. Liber Amicorum. Mélanges offerts à Louis Trénard.)*

13. A. du Saussois, *op. cit.,* p. 42.

14. « On a dit beaucoup que M. Alfred Mame abusait de la réclame. Non, il n'en abusait pas. Il était trop loyal et avait trop de dignité pour le faire ; mais il en usait dans la mesure de son droit et dans l'étendue de son esprit d'organisation. Tous les moyens licites il les employa : « Voyageurs, catalogues, prospectus, circulaires, échantillons, annonces, notices, rien ne fut négligé. » (A. du Saussois, *op. cit.,* p. 42.)

15. Préface de P.-J. Hetzel à L. Ratisbonne, *La Comédie enfantine,* Paris, Hetzel, 1860, gr. in-8°. Dans sa préface à Louis Desnoyers, *Les aventures de Jean-Paul Choppart,* qu'il réédite en 1868 (le roman ayant été publié pour la première fois en 1834), Hetzel écrit : « Ce livre ne sort pas comme tant d'autres du laboratoire d'un confiseur. Ce n'est pas un de ces livres trop doux, un de ces livres d'une bénignité, d'un patelinage fade qu'une école — qui n'est pas la bonne — a amoncelés autour du jeune âge. Il ne rappelle en rien cette tisane littéraire qu'on verse d'ordinaire par petites cuillerées dans l'esprit des enfants » (p. 11).

16. Voir l'excellent livre de Ségolène Le Men, *Les Abécédaires français illustrés du XIXᵉ siècle,* Paris, [1984].

17. J.-N. Bouilly, *Mes récapitulations,* Paris, 1836-1837, 3 vol. E. Legouvé, *Jean-Nicolas Bouilly, aux jeunes lecteurs du « Dimanche des enfants »,* Paris, 1842 (Legouvé était le filleul de Bouilly). Il faut lire aussi la notice, savoureuse et impitoyable, que consacre à Bouilly Pierre Larousse *(Grand dictionnaire universel du XIXᵉ siècle).*

18. L'éditeur Ardant de Limoges écrit, en 1853, à Mme Glorian, coloriste. « Parmi les sujets, il en est un, une femme qui a un perroquet sur l'épaule : les seins sont fortement accusés ; couvrez-les d'une teinte qui ne les laisse pas voir. Nous travaillons pour la piété, il nous faut éviter la moindre observation » (S. Malavieille, *op. cit.,* p. 119, note 61). — Sur les relations de la comtesse de Ségur avec la maison Hachette : J. Mistler, *La librairie Hachette de 1826 à nos jours,* Paris, [1964], pp. 211-228.

19. A. Parménie et C. Bonnier de La Chapelle, *Histoire d'un éditeur et de ses auteurs : P.-J. Hetzel,* Paris, 1953. Voir aussi le catalogue : *Bibliothèque nationale. De Balzac à Jules Vernes, un grand éditeur du XIXᵉ siècle,* P.-J. Hetzel, Paris, 1966 et le remarquable numéro spécial consacré à Hetzel par la revue *Europe,* 58ᵉ an. (1980), n° 619-620.

20. M. Soriano, *Jules Verne, Le cas Verne,* Paris, 1978. Ch.-N. Martin, *La vie et l'œuvre de Jules Verne,* Paris [1978], publie de nombreuses lettres de Verne à Hetzel. La bibliographie relative à Jules Verne est considérable : F. Raymond et D. Compère, *Le développement des études sur Jules Verne (domaine français),* Paris, 1976. (*Archives des lettres modernes,* n° 161).

21. M. Roethel, « Les cartonnages Hetzel », *Encyclopédie, Connaissance des Arts,* avril et septembre 1978. — Sur les illustrateurs de Jules Verne voir notamment E. Marcucci, *Les Illustrations des Voyages extraordinaires,* Bordeaux, 1956 *(Société Jules Verne).*

22. La liste des « pré-originales » parues dans le *Magasin d'éducation,* la bibliographie des éditions in-18, leur date de parution, les chiffres de leurs tirages sont donnés par Ch.-N. Martin, *op. cit.,* pp. 270-286.

23. Hetzel avait vivement incité Balzac à organiser son œuvre en *Comédie Humaine.* En 1867, il crée la série des *Voyages dans les mondes connus et inconnus,* annoncée dans l'Avertissement de l'éditeur, par lequel s'ouvrent les *Aventures du capitaine Hatteras.* Le titre générique deviendra « Voyages extraordinaires », mais « Les mondes connus et inconnus » demeurent sur la couverture de la série in-18. Par goût ou par calcul commercial, Hetzel utilise plus qu'aucun autre éditeur le titre générique. Les œuvres d'André Laurie (pseudonyme de Paschal Grousset) sont regroupées sous deux titres : *La Vie de Collège dans tous les Temps et dans tous les Pays* et *Les Romans d'Aventure.* Les œuvres d'Erckmann-Chatrian sont les *Romans nationaux.* Les traductions de Mayne-Reid sont distribuées en *Aventures de Terre et de Mer* et en *Aventures de Chasses et de Voyages.*

24. Isabelle Jan, *op. cit.,* pp. 117-118, sur l'idéologie du *Magasin d'éducation.* Les lettres adressées au gendre de Victor Duruy, Glachant, pour demander une aide, sont aux Arch. nat. (114 AP, 1-2 fonds Duruy et Glachant) : « Je voudrais une souscription sérieuse au *Magasin d'éducation.* Je m'*esquinte* à la lettre pour faire ce journal ; il me coûte les yeux de la tête, il est presque excellent. Il doit aller tout droit dans une foule de trous où des choses qui ne sont pas toujours parfaites ont leur petit chemin tout fait. »

25. J. Mistler, *op. cit.,* pp. 150-151.

26. « Peu d'hommes ont plus et mieux fait pour la jeunesse qui lui doit sa libération littéraire. » Ch. Canivet *(Le Soleil).* Cité dans le catalogue Hetzel de 1886. — Sur la comtesse de Ségur : P. Bleton, *La comtesse de Ségur : la vie sociale sous le Second Empire,* Paris, 1963.

27. P. Chevallier, *La séparation de l'Église et de l'École. Jules Ferry et Léon XIII,* Paris, 1981.

28. Isabelle Jan, *op. cit.,* p. 159 (en note) observe : « La liaison livres scolaires-livres de loisir est un phénomène propre à l'édition française et explique en grande partie le caractère conservateur de l'édition enfantine française par rapport aux éditions étrangères, où la littérature pour enfants est beaucoup plus liée à la librairie générale. » L'observation vaut en particulier pour le monde anglo-saxon.

29. H. Bourrelier, « La librairie classique », *Association des Bibliothécaires. Livres et Librairies. Conférences faites à l'École des hautes études sociales 1911-1912,* Paris, 1913, p. 224.

30. Discours à la Chambre des députés, 20 décembre 1880, cité par Nicole Prévost, dans sa thèse (inédite) de l'École des chartes : *Livres de prix et distribution de prix dans l'enseignement primaire (1870-1914),* 1979 (*École nationale des chartes. Position des thèses,* 1979, pp. 109-119). Cet excellent travail nous a fourni l'essentiel des pages qui suivent.

31. Arch. nat., F¹⁷ 11655. Le *Bulletin* de la Ligue de l'enseignement (1881, p. 399), recommande « d'éditer de petits livres à bon marché, dorés sur tranche et très élégamment reliés, pouvant en un mot être utilisés comme livres de prix. Vous savez tous, sans doute, pour l'avoir personnellement éprouvé, combien il était jusqu'à présent difficile de se procurer des livres pour nos écoles de village en dehors des catalogues de Mame et d'Alcan (*sic,* sans doute pour « Ardant »). Cependant, par la distribution de tels prix, nous serions sûrs de faire pénétrer au foyer des familles rurales des livres, et des livres qui seraient lus ».

32. Lettre du maire de Villers-Cotterets (20 mai 1880). Arch. nat., F¹⁷ 12306.

33. Jean Macé avait écrit notamment l'*Histoire d'une bouchée de pain,* publiée en 1861, par Hetzel, qui avait été son condisciple au Collège Stanislas (A. Parménie et C. Bonnier de La Chapelle, *op. cit.,* pp. 376-378 et *passim.*). Ce livre connut un succès prodigieux. Sur le rôle de J. Macé : A. Dessoye, *Jean Macé et la fondation de la Ligue de l'enseignement,* Paris, 1883. — L. Caperan, *Histoire contemporaine de la laïcité française,* Tome I : *La crise du Seize Mai et la revanche républicaine.* Paris, 1957. — Chr. Mora, « La diffusion de la culture dans la jeunesse des classes populaires en France depuis un siècle : l'action de la Ligue de l'enseignement », *Niveaux de culture et groupes sociaux,* Paris, 1971, pp. 247-261. — P. Chevallier, *op. cit.,* pp. 61-70.

34. Voir, ici même (p. 188) Chr. Amalvi, « L'histoire à l'école et au lycée : les manuels d'Hachette (1830-1914) ».

35. N. Prévost a longuement étudié ces auteurs dans sa thèse de l'École des chartes : nous lui empruntons ses conclusions.

36. P. Nora, « Lavisse, instituteur national », *Les Lieux de mémoire* (sous la dir. de P. Nora), Tome I : *La République,* Paris [1984], pp. 291-322 (Bibliothèque illustrée des Histoires).

37. Hetzel et ses auteurs sont conscients de la valeur de la littérature de jeunesse de langue française. On peut lire à cet égard la préface de Th. Bentzon à *la Découverte des mines du roi Salomon,* de Rider Haggard (publié dans la Bibliothèque d'éducation, adaptation de C. Lemaire, dessins de Riou) : il fait observer que les Anglo-Saxons savent écrire pour le public *adolescent,* auquel convient « un ordre d'ouvrages introuvable en France », alors qu'« une nourriture intellectuelle saine comme le roastbeef cuit à point qui convient indistinctement à tous les estomacs est, chez nos voisins, servie à tous les âges ». Hetzel est le premier à publier la traduction de *Treasure Island,* dont la parution, le succès et l'intérêt lui avaient été signalés par Edmond Schérer, du *Temps,* le 28 décembre 1883 ; « C'est un récit d'aventures de mer, de piraterie, de trésor caché, vieux thème... mais renouvelé par un *don très rare d'invention.* » (A.

Parménie et C. Bonnier de La Chapelle, *op. cit.*, p. 640). Sous le nom de Stahl, Hetzel « adapte » des œuvres étrangères (*Le Robinson suisse*, de J.-R. Wyss ; l'*Histoire de la famille Chester*, de William Hughes ; *Les Patins d'argent*, de Mary Mapes Dodge, *Maroussia*, de Marie Markowitch, *Les Quatre filles du Dr Marsch*, de L. M. Alcott). L'adaptation est tout à fait admise : il faut se conformer au goût français. — Sur les traductions de Dickens, chez Hachette, J. Mistler, *op. cit.*, pp. 155-162.

38. Mona Ozouf, « Le thème du patriotisme dans les manuels primaires », *L'école de la France. Essais sur la Révolution, l'utopie et l'enseignement*, Paris [1984], pp. 185-213 (Bibliothèque des Histoires) et Chr. Amalvi (ci-dessus, p. 188) estiment que les manuels scolaires observent beaucoup plus de réserve à l'égard du nationalisme qu'on ne le dit généralement. Chr. Amalvi observe, après 1890, une chute d'audience des livres scolaires et de ceux des livres de prix de la Bibliothèque des écoles et des familles (Hachette) d'esprit « cocardier » et « revanchard ». P. Ognier (*L'idéologie laïque dans la Revue pédagogique de 1878 à 1900*, thèse inédite de 3e cycle. Sciences de l'Éducation. Lyon II, 1981, pp. 296-299) décèle lui aussi, après 1894, un regain de vigueur de l'idée d'une conciliation possible entre la notion de patrie et celle d'humanité. — On verra cependant ci-dessous qu'au même moment, les publications pour la jeunesse, et notamment les albums illustrés de Job, font une place exceptionnelle à l'uniforme, à la guerre et à la gloire militaire.

39. Chr. Amalvi, *Les Héros de l'Histoire de France*, Paris, 1979. — P. Gerbod, « L'éthique héroïque en France (1870-1914) », *Revue historique*, 1982, pp. 409-429.

40. Excellents développements sur tous ces points dans V. Berdoulay, *La formation de l'école française de géographie (1870-1914)*, Paris, 1981 (*Comité des travaux historiques et scientifiques. Mémoires de la section de géographie*, 11). — Aussi, P. Chevallier, *op. cit.*, pp. 71-106 et P. Ognier, *op. cit.*, pp. 275-280.

41. Sur les maisons d'édition spécialisées dans le livre scolaire et leur idéologie, V. Berdoulay, *op. cit.*, pp. 90-91.

42. On ne pourra faire vraiment l'histoire de la production du livre de jeunesse en France qu'après avoir rassemblé les catalogues des éditeurs qui ont toujours grand soin de préciser la destination commerciale de leurs livres (prix, étrennes, etc.). Il faut également consulter les notices de présentation des nouvelles parutions, sur les pages de couverture (qui disparaissent à la reliure) des revues spécialisées (le *Magasin*, le *Journal de la Jeunesse*, la *Revue Mame*, etc.).

43. Dans le feuilleton du 27 décembre 1856 de l'« Assemblée nationale », Armand de Pontmartin écrivait déjà : « La littérature ne doit-elle pas faire une place au jour de l'An ? Oui, pourvu que le jour de l'An en fasse une à la littérature... » Dans la *Revue Mame* (n° 167, 12 décembre 1897, p. 1832) : « Le moment est venu où les étrennes prochaines font du choix des cadeaux une préoccupation commune. Ce sont les livres qui réunissent toujours, quoi qu'on dise, le plus de suffrages. Car il n'est pas de présents plus variés par la dépense qu'ils exigent, comme par les goûts qu'ils satisfont. » — Sur les

éditions in-8°, à couverture illustrée des « Voyages extraordinaires », si prisés des amateurs, aujourd'hui : P. Gondolo della Riva, *Bibliographie analytique de toutes les œuvres de Jules Verne*, I : *Œuvres romanesques publiées*, Paris, 1977. — A. Bottin, *Bibliographie des éditions illustrées de Voyages extraordinaires en cartonnages d'éditeur de la Collection Hetzel*, chez l'auteur, 1978.

44. O. Uzanne, *L'art dans la décoration extérieure des livres en France et à l'étranger, les couvertures illustrées, les cartonnages d'éditeur, la reliure d'art*, Paris, 1898, pp. 142-145. — J. Fléty, *La Gravure des fers à dorer*, Paris [1984].

45. Sur les maîtres qui ont précédé les Souze, et notamment Haarhaus, S. Malavieille, *op. cit.*, pp. 230-238. — Auguste Souze, apprenti graveur de fers à dorer, puis ouvrier et enfin contre-maître chez Tambon « imagina de faire passer le « fondu lithographique » de l'intérieur du livre sur sa couverture » en appropriant en gravure les tailles des plaques à des *encrages de teintes diverses* qui reproduisent l'aquarelle. Établi à son compte, en 1857, il livre ses plaques à Engel ou Lenègre, qui les utilisent. Prodigieux travailleur, il réalise « la quasi-totalité des plaques d'édition de la période 1840-1860. Il cesse toute activité vers 1892. Son neveu et élève Paul (1852-1924) continue son œuvre, en adaptant le procédé de son oncle au goût « 1900 ». Uzanne et Béraldi déplorent le « mauvais goût » d'A. Souze. Émile Bosquet (*La Reliure*, Paris, 1894) lui rend hommage. — Voir Émile Souze, « Auguste Souze, graveur », *La Feuille blanche*. — J. Fléty, *op. cit.*, pp. 160-162.

46. Tout ce qui suit est étroitement tributaire de la thèse de Nicole Prévost (ci-dessus, note 35).

47. J. et M. Ozouf, *Le Tour de la France par deux enfants*, dans P. Nora, *Les lieux de mémoire. I. La République*, Paris [1984], pp. 291-322 (Bibliothèque illustrée des Histoires).

48. En 1867, les catholiques créent la Société d'éducation et d'enseignement qui se préoccupe d'abord de l'enseignement supérieur, avant de s'opposer violemment à la « ligue » de Jean Macé et au gouvernement républicain, après les lois Ferry : elle possède un comité de juristes actifs et organise des groupes de défense de l'enseignement libre. Elle s'intéresse au livre de prix à partir de 1890. La Société bibliographique, fondée en 1868 par les membres de l'intelligentsia catholique, s'allie, en 1872, avec l'Association pour l'amélioration et l'encouragement des publications populaires et publie des catalogues spécialisés, dont l'un est réservé aux livres à distribuer en prix. — Voir notamment R. Bellet, « Une bataille culturelle provinciale et nationale à propos des bons auteurs pour les bibliothèques populaires. » *Revue des Sciences humaines*, juillet-septembre 1968.

49. Les biographies des saints et des rois, écrites par des auteurs en renom, abondamment illustrées et somptueusement vêtues de pourpre et d'or, en vue des étrennes, fleurissent chez Mame après 1870 ; *Saint Louis*, par Henri Wallon (1878), *Saint Martin*, par A. Lecoy de La Marche (1881), *Charlemagne*, par Alphonse Vétault, préface de Léon Gauthier (1895), *Clovis*, par Godefroid Kurth (1896). Ce dernier ouvrage « est consacré par l'auteur et les éditeurs

au glorieux anniversaire du baptême de Reims qui a fait de la France, il y a quatorze cents ans, la fille aînée de l'Église ». — H. Wallon publie une *Jeanne d'Arc* chez Firmin-Didot, en 1876 (édition « illustrée d'après les monuments de l'art depuis le quinzième siècle jusqu'à nos jours »). La brochure de présentation dit : « Jeanne nous montre comment une grande nation peut prendre sa revanche et combien cette noble entreprise exige de foi, de vertu et de confiance en Dieu. » — L'éditeur Victor Palmé défend aussi le beau livre catholique. — L'enseignement confessionnel a ses propres productions. Mame publie par exemple les « classiques » des frères des Écoles chrétiennes. Sur les manuels de l'enseignement privé, J. Freyssinet-Dominjon, *Les manuels de l'École libre, 1889-1952*, Paris, 1969 (*Fondation nationale des sciences politiques. Travaux et recherches de science politique*, 5).

50. Renseignements statistiques donnés par N. Prévost, *op. cit.*, I, pp. 102-108.

51. M. Soriano, *Guide de littérature pour la jeunesse*, p. 70.

52. Sur cette controverse, parfaitement éclairée par N. Prévost, *op. cit.*, pp. 213-222, il faut notamment consulter S. Alice, « Les distributions de prix », *Manuel général de l'instruction primaire*, t. XLII (1905-1906), *partie générale*, pp. 459-460 ; H. Germouty, « Les distributions de prix », *Le Volume*, 1907, pp. 518-524 ; E. Julien, « Sur des distributions de prix », *L'Émancipation de l'Instituteur* IV (1906), n° 28, p. 12. — Sur le *Manuel général* fondé en 1832, Jean Mistler, *La Librairie Hachette*, pp. 65 et 103 et M. Ozouf, « L'Alsace-Lorraine, mode d'emploi. La question d'Alsace-Lorraine dans le *Manuel général*, 1871-1914 », *L'École de la France*, Paris [1984], pp. 214-230 (Bibliothèque des Histoires). — *Le Volume* (1888-1917) est l'organe, pacifiste et anticlérical, des « amicales d'instituteurs ». *L'Émancipation de l'instituteur* (1903-1914) représente la voie syndicale. Germouty a fort bien résumé la question : « Dans toutes les distributions, on est obligé de contenter un peu tous les parents. Force est donc de donner beaucoup de volumes ; mais comme les crédits sont toujours très limités, les instituteurs sont forcés de se procurer des publications ou des éditions bon marché, et ce sont ces livres dont on a pu dire sans injustice que c'est du papier cartonné ou relié. »

53. La controverse se développe dans le *Bulletin des libraires* de 1905 et de 1906 : « Cet écart [entre la valeur réelle des livres de prix et les prix auxquels ils sont catalogués], destiné à permettre des rabais scandaleux, ne pouvant être obtenu qu'au détriment du mérite instructif et moral des ouvrages, et ayant eu pour résultat inévitable les critiques sérieuses formulées contre le principe même de la distribution des prix »... (*Bulletin*, XIV (1905), n° 276, p. 65).

54. Ch. de Gaulle, *Mémoires de Guerre, t. I. L'Appel, 1940-1942*, Paris, 1954, p. 11. La première page de ces mémoires fait expressément appel aux souvenirs d'un enfant nourri de la littérature patriotique qui était le lot commun de la jeunesse « laïque » ou « catholique » de ce temps. Confirmation « laïque » chez Gaston Bonheur, *Qui a cassé la vase de Soissons ? L'album de famille de tous les Français*, Paris [1963].

La « femme-auteur » myope écrivant son roman, figure de
Gavarni pour *le Diable à Paris,* publié par Hetzel en 1845.

La ménagère, qui veut être aussi une « femme-auteur »,
est partagée entre ses deux activités, figure de Gavarni pour
le Diable à Paris, publié par Hetzel en 1845.

Laissant inachevé l'hymne qu'Amour inspire,
Il faut vers d'humbles soins ramener ses esprits :
Mettons aux petits pois l'oiseau cher à Cypris.

Voici l'heure où le gril va remplacer la lyre.

Une littérature pour les femmes

par Anne Sauvy

« On assure qu'il paraît en Angleterre deux romans par jour. Si ce calcul reste encore au-dessous de la réalité, c'est que la production incessante des œuvres d'imagination répond à l'empressement que toutes les classes de la société montrent à les lire. Les hommes y trouvent une agréable diversion aux intérêts matériels dont ils sont occupés tout le jour, et les femmes, surtout les jeunes filles, font entrer quelque peu d'idéal dans l'existence du *home* traditionnel, à l'aide du roman qui les transporte dans un monde fictif. C'est pour elles surtout que tant de plumes féminines sont constamment à l'œuvre pour créer du nouveau, s'il se peut, ou, du moins, pour revêtir de formes nouvelles les éternels sentiments de l'humanité. »

Appliquée à l'Angleterre, qui joua en matière de littérature féminine un rôle de précurseur, cette analyse du XIXᵉ siècle (1) pourrait fort bien être reportée à la France qui, rapidement et passionnément, lui avait emboîté le pas.

S'entraînant les uns les autres, de multiples phénomènes s'additionnèrent et se combinèrent, tout au long du siècle, pour concourir à la diffusion et au succès de la fiction de forme romanesque, notamment parmi le public féminin : progrès de l'alphabétisation, mise en place de nombreux cabinets de lecture, découvertes techniques abaissant le prix de revient de l'imprimé (facilité de la reproduction par la stéréotypie, naissance du nouvel et presque inépuisable support qu'était le papier de pâte de bois, etc.), procédés de publication par livraisons, développement de la presse périodique, création du roman-feuilleton (2) et, plus que tout peut-être, profonde modification des mentalités, traumatisées par les bouleversements politiques et les guerres de la fin du XVIIIᵉ siècle et du début du XIXᵉ, et que l'urbanisation croissante détachait de structures séculaires. Les esprits, dès lors, se trouvaient portés à chercher refuge dans le monde de l'imaginaire, et particulièrement les femmes.

▋ Les lectrices

Il est impossible de chiffrer avec précision l'alphabétisation des femmes, mais l'on sait qu'elle connut, avec un certain retard sur celle des hommes, une croissance continue du XVIIᵉ à la fin du XIXᵉ siècle. Variable selon les degrés d'urbanisation et les régions, elle était en tout cas, comme l'alphabétisation masculine, plus importante dans le nord et l'est de la France, selon une ligne charnière située entre la baie du Mont-Saint-Michel et le lac Léman. L'enquête Maggiolo (3), qui a révélé ces fluctuations en étudiant les pourcentages d'époux capables de signer sur les registres de mariage, donne au total, pour les femmes, les chiffres suivants : 14 % en 1686-1690, 27 % en 1786-1790 et 66 % en 1871-1875. En 1876, dans la population rurale, la proportion était de 67,4 %, tandis qu'elle atteignait 72 % dans la population urbaine et 92,3 % dans le département de la Seine. Certes, savoir signer ne correspond pas nécessairement à une pratique de lecture et, réciproquement, l'on peut ne pas savoir écrire tout en sachant lire. Mais ces chiffres mettent en évidence le développement certain du public féminin au cours du XIXᵉ siècle.

L'histoire de l'instruction publique des filles avait débuté dès le XVIIᵉ siècle lorsque, en plus des collèges et des pensionnats destinés aux enfants de notables, l'Église avait commencé de mettre en place un enseignement gratuit, rural et urbain, qui s'adressait aussi aux filles. Au XVIIIᵉ siècle les Lumières, et notamment Voltaire et Rousseau, se prononçaient fermement contre l'instruction du peuple, que défendaient et maintenaient cependant évêques et bas-clergé (4). Il existait donc pour les filles, et selon les endroits, de petites écoles confiées à des maîtresses laïques, et des classes ou des internats tenus par des communautés religieuses (ursulines, visitandines, congrégation Notre-Dame, filles de la Croix, sœurs de la Providence et bien d'autres). En outre, et bien que la mixité n'ait jamais, dans la théorie, été encouragée, il semble qu'en nombre de lieux les prêtres et magisters de campagne aient réuni, dans une classe commune, filles et garçons (5). La Révolution, qui prit parti pour une nette ségrégation de l'instruction entre classe travailleuse et classe savante, édicta quelques lois sur l'enseignement, qui concernaient essentiellement l'éducation des garçons, mais ces mesures restèrent à l'état de vœux pieux tandis qu'en contrepartie étaient

445

supprimés les couvents et petites écoles qui assuraient l'instruction de base dans nombre de paroisses. Le Consulat et l'Empire ne firent rien en faveur de l'instruction des filles mais permirent du moins à certains établissements de rouvrir leurs portes. La Restauration, sans se désintéresser du problème, n'émit son premier texte sur l'instruction primaire des filles qu'en 1836 et créa les premières écoles normales d'institutrices en 1842. En 1850, une loi imposa l'existence d'une école de filles pour chaque commune comportant au moins 800 habitants. Dès lors, le processus engagé suivit son cours et, en 1880, on comptait en France 46 000 établissements scolaires féminins, réunissant plus de deux millions d'élèves (6). Mais, au long des siècles et parallèlement à cet enseignement officiel, il ne faut pas oublier que se faisaient à la maison, ou de proche en proche, une éducation et un apprentissage de la lecture qui restent très difficiles à appréhender.

En moins d'un siècle était donc né un immense public féminin mais, alors qu'on ne manque pas de prendre en compte globalement le phénomène du développement massif de la lecture au XIXe siècle, alors même que l'on fait volontiers référence à l'expansion des livres pour enfants, on oublie presque toujours l'existence de ces innombrables lectrices pour lesquelles s'élaborait toute une littérature adaptée à la demande. La raison en est peut-être qu'on méprise aujourd'hui cette littérature, sauf dans la fraction, infime, où elle est féministe, et que, partant, on préfère ignorer les femmes qui la lisaient.

Pourtant, dès 1780, Mme de Genlis s'avisait, une des premières, de la naissance d'un nouveau public et y faisait allusion dans la préface du tome IV de son *Théâtre à l'usage des jeunes personnes,* volume « uniquement destiné à l'éducation des enfants de Marchands, d'Artisans », annonçait-elle, en précisant que « même les personnes au-dessous de cette classe » pourraient en bénéficier, et elle citait particulièrement les femmes de chambre et les jeunes filles de boutique, avant de conclure par ce souhait final : que l'ouvrage soit trouvé « non dans une vaste Bibliothèque, mais sur un comptoir : voilà le sort et les succès que

l'Auteur lui désire, et le seul but qu'elle se soit proposé ».

Toujours à la recherche d'un public, Lamartine, lui aussi, sentit le vent, en 1850, et la préface de *Geneviève* brosse de la situation un tableau suggestif. L'écrivain explique comment, alors qu'il séjournait avec sa femme dans une bastide près de Marseille, une jeune fille nommée Reine Garde vint lui demander un entretien. C'était une couturière d'Aix-en-Provence, autrefois servante dans une famille où elle avait appris à lire, et la lecture de *Jocelyn* l'avait notamment émue aux larmes. Vivant et travaillant en chambre, avec la seule compagnie d'un chardonneret, elle n'avait d'autre distraction que les livres et gazettes qu'on lui prêtait et où elle trouvait des romans, des vers, des gravures de mode et des modèles de chapeaux : « Lire est mon plus grand plaisir, dit-elle, après celui de prier Dieu et de travailler pour obéir à la loi de la Providence. Quand on s'est levée avec le jour et qu'on a cousu jusqu'à ce que l'ombre ne vous laisse plus distinguer un fil noir d'un fil blanc, on a bien besoin de reposer un peu ses doigts et d'occuper un peu son entendement... Que voulez-vous que les pauvres filles honnêtes comme nous fassent alors du reste de la soirée, surtout en hiver, quand les jours sont courts ? Il faut bien lire ou devenir pierre à regarder blanchir ses quatre murs ou fumer ses deux tisons dans le foyer ! » Mais Reine se plaint alors qu'il n'y ait pas de vraie littérature pour le peuple, à part *Robinson, La Vie des Saints, Télémaque* et *Paul et Virginie.* « Il faut lire, poursuit-elle, et on n'a rien à lire. Les livres ont été faits pour d'autres... Ah ! Quand viendra donc une bibliothèque de pauvres gens ? Qui est-ce qui nous fera la charité d'un livre ? »

Songeant que « tout le monde sait lire », que le peuple va donner plus de temps au loisir intellectuel, que l'aisance générale augmente, que « la pensée et l'âme vont travailler double dans toutes les classes de la société » et que, parallèlement, « le besoin et la faculté d'écrire s'accroissent aussi dans une égale proportion dans les classes lettrées », Lamartine voit venu le moment où seront créés des livres spécialement adaptés à ce public nouveau : « Reine, n'en doutez pas,

s'exclame-t-il, l'ère de la littérature populaire approche. » Et il propose à son interlocutrice « de simples histoires vraies et pourtant intéressantes, prises dans les foyers, dans les mœurs, dans les professions, dans les familles, dans les misères, dans les bonheurs, et presque dans le langage du peuple lui-même : espèce de miroir sans bordure de sa propre existence, où il se verrait lui-même dans toute sa naïveté et dans toute sa candeur ; mais qui, au lieu de réfléchir ses grossièretés et ses vices, réfléchirait de préférence ses bons sentiments, ses travaux, ses dévouements et ses vertus, pour lui donner davantage l'estime de lui-même et l'aspiration à son perfectionnement moral », ajoutant que ces livres ne devraient coûter « presque rien à acheter ».

De fait, l'ère de la littérature populaire était déjà commencée et ces remarques venaient un peu tard. Elles devaient d'ailleurs prodigieusement vexer George Sand qui écrivit à Hetzel qu'elle jugeait la préface de *Geneviève* « vaniteuse, sotte, injuste, insolente même pour moi et pour plusieurs » (7). Mais Lamartine avait vu juste quant au développement de la lecture dans le peuple grâce à la presse et aux collections très bon marché, et il avait pressenti l'essor du public féminin et le genre de récit qui allait le séduire.

La femme qui lit devient bientôt un personnage typique, voire un modèle littéraire. En 1832, Paul de Kock la présente déjà au tout début du roman *Le Cocu* où est décrit un cabinet de lecture. Si une apprentie comédienne loue des vaudevilles pour copier des rôles et si une dame sur le retour demande des mémoires, deux autres clientes permettent de présenter un tableau pittoresque de la lecture féminine populaire. Voici tout d'abord une jeune grisette, en cheveux et dé au doigt qui vient rendre un paquet de livres qu'elle n'a que de la veille : « C'est que nous lisons vite à la maison, commente-t-elle... Ma tante ne fait pas autre chose ; ma sœur, qui a mal au pouce, ne pouvait pas travailler... elle a souvent mal au pouce, ma sœur ! » Ses goûts vont aux histoires d'amour, avec de beaux héros, elle réclame « des tableaux de mœurs, des scènes contemporaines » et surtout du nouveau, car « un roman qui a plus de vingt ans ne peut peindre les mœurs actuelles ». Elle repart avec de nombreux volumes, affirmant que ce sera « l'affaire d'une veillée ». Vient à sa suite une femme en bonnet rond qui a gardé son roman un mois : « Nous ne lisons pas vite chez nous ; avec ça, d'ordinaire, c'est mon homme qui lit pendant que je travaille ; et comme il a toujours son catarrhe, il s'arrête à chaque virgule pour tousser... C'est égal, c'est ben amusant... J'ai fièrement pleuré avec cette pauvre fille qui passe quinze ans dans des souterrains, nourrie seulement avec du pain et de l'eau... » Elle demande un roman avec des voleurs et des revenants, « parce qu'un roman où il y a des revenants et des voleurs, ça ne peut pas être mauvais !... Ah ! et puis qu'il y ait des gravures... de ces belles gravures où l'on voit des crimes !... Je tiens aux gravures, moi ; d'ailleurs je me dis : Un roman où l'on n'a pas fait la dépense d'une image, c'est qu'apparemment ce n'est pas le Pérou... ».

A la fin du XIXe siècle et au début du XXe, la lectrice n'est plus même l'objet de descriptions pittoresques, car elle est devenue une institution. En 1903, *la Revue des Deux Mondes* décrit les porteuses de pain, les bonnes et les marchandes des Halles préoccupées chaque matin de leur feuilleton (8). En 1909, Rosny aîné met en scène dans *Marthe Baraquin* une ouvrière infortunée qui juge des hommes selon les modèles du roman-feuilleton (9). En 1918 enfin, traitant de la lecture pendant la guerre, *La Mode illustrée* peut dire que les femmes constituent « la grande majorité du public » (10).

∎ Les lectures

Le roman est, comme nous venons de le voir, la forme privilégiée de la lecture, surtout dans les nouvelles couches sociales de liseurs et plus encore chez les femmes. Les hommes ne le dédaignent certes pas mais le journal, ses nouvelles politiques et ses faits divers les intéressent tout autant. Les femmes, elles, se passionnent pour la fiction. Genre mineur peu auparavant, le roman a acquis ses lettres de noblesse et cette évolution tient sans nul doute au développement de la lecture. L'avidité du public ne saurait se satisfaire uniquement de la poésie, pourtant fort appré-

Les cabinets de lecture, souvent tenus par des femmes, comme celui-ci, reçoivent dans une large mesure une clientèle féminine. (Illustration pour *le Cocu* de Paul de Kock. Paris, Barba, 1850.)

Au XIXe siècle, la lecture est appréciée par les femmes de toutes les classes de la société et de tous les âges, témoin cette vieille paysanne (Illustration pour *le Cocu* de Paul de Kock. Paris, Barba, 1850.)

ciée encore. L'édition des pièces de théâtre est nécessairement le corollaire d'une activité scénique qui ne peut connaître la même expansion. L'histoire, les récits de voyages, les essais et autres genres littéraires sont d'un abord plus aride. Le roman, lui, permet l'évasion totale, multipliable à l'infini, dans les mondes les plus divers.

En 1865, un éditorial du *Peuple illustré* analyse clairement le phénomène : « Dès le commencement de notre siècle, le roman a pris, dans la littérature, une prépondérance décidée et qui ira toujours grandissant. En effet, d'une part, plus la société se matérialise, pour ainsi dire, par le développement, exagéré peut-être, de ses besoins et par la recherche des moyens d'y satisfaire, plus elle éprouve impérieusement la nécessité de s'élever au-dessus de cette réaction prosaïque et vulgaire, de se représenter une vie différente, quoique toujours vraie, c'est-à-dire une existence plus idéale. D'autre part, le roman, de nos jours, revêt toutes les formes imaginables ; il peint la vie propre à toutes les classes... ; il fait revivre à nos yeux les mœurs, le sentiment, les idées de tous les temps et de tous les pays ; il met en scène toutes les passions de l'homme ; il en analyse tous les mobiles, tous les effets, tous les conflits... Tout lui est bon, tout est de son domaine, tout est matière à ses tableaux. Il s'adresse à toutes les intelligences, à tous les instincts ; il s'adresse à l'esprit, il s'adresse aux sens ; il raconte, il peint, il critique, il enseigne... » (11).

À peu près à la même date, en 1868, *Le Correspondant* évoque la relation qui unit le roman aux lectrices : « Il y a bien des manières de comprendre et de pratiquer la littérature romanesque ; deux choses pourtant sont impossibles : arracher le roman à l'influence des femmes, dérober les femmes à l'attrait du roman... On ne pourrait concevoir l'un sans l'autre. » Puis il révèle que le fait est pris en compte par l'édition : « Que recommandent sans cesse à leurs romanciers les éditeurs et les directeurs de journaux ? De songer surtout aux femmes, d'écrire principalement pour les femmes... » Enfin, il constate le rôle grandissant que celles-ci prennent dans l'élaboration même d'une telle littérature : « Mais qu'est-il besoin de parler de leur influence ou de leurs suffrages ?

C'est leur initiative qu'il faut constater. Sur ce terrain brûlant et mouvant, il ne suffit pas de leur patronage, on doit accepter leur rivalité ; le difficile n'est pas d'être approuvé, mais de ne pas être battu par elles... » (12).

Il est, bien sûr, délicat de déterminer ce que lisaient réellement les femmes, dont les lectures interféraient d'ailleurs évidemment avec celles des hommes, mais l'on peut du moins être certain que les textes littéraires qui paraissaient dans la presse féminine leur étaient spécifiquement destinés : cette presse est abondante et aisément identifiable. Parmi les titres qui l'illustrent, citons par exemple *Le Journal des Dames et des Modes* (1798-1848), *La Mode* (1829-1855), *Le Journal des Demoiselles* (1833-1922), *Le Journal des Jeunes Personnes* (1833-1868), *Le Musée des Familles* (1833-1900), *Le Bon Ton* (1834-1884), *La Corbeille* (1836-1878), *Le Colifichet* (1838-1843), *La Sylphide* (1840-1885), *Le Caprice* (1841-1905), *Le Petit Messager des Modes* (1842-1889), *Le Moniteur de la Mode* (1843-1913), *Le Magasin des Demoiselles* (1844-1896), *Le Moniteur des Dames et des Demoiselles* (1854-1902), *Le Monde élégant* (1857-1882), *Le Courrier de la Mode* (1857-1871), *La Mode illustrée* (1860-1937), *La Revue de la Mode* (1872-1913), *La Mode pour tous* (1878-1901), *La Mode pratique* (1891-1939), et il y en eut bien d'autres, plus ou moins éphémères, auxquels il faut ajouter, pour la fin du siècle, *Les Veillées des Chaumières,* fondées en 1877 pour doubler *L'Ouvrier* mais qui prirent rapidement, dans la presse féminine, une place qu'elles occupent encore aujourd'hui.

On y trouve presque toujours des nouvelles ou des poésies, des analyses littéraires ou un roman-feuilleton, voire plusieurs, et il est intéressant de constater que le premier numéro du *Journal des Demoiselles* (15 février 1833) fait une apologie de la lecture féminine : « La lecture est la branche la plus importante de l'éducation des filles ; car c'est par elle que l'intelligence s'éclaire et que le sentiment se développe. Il faut donc qu'une femme lise beaucoup. » Un assez grand nombre des romans publiés dans la presse est repris par la suite en volume, certaines collections étant même, à la fin du XIXᵉ siècle et au début du XXᵉ,

alimentées par les textes de publications périodiques données. Ainsi voit-on sortir dans la Bibliothèque des mères de famille les romans parus dans *La Mode illustrée* (l'ensemble dépendant de la maison Firmin-Didot) et dans la Bibliothèque de ma fille ceux des *Veillées des Chaumières* (Gautier-Languereau).

Tous les genres sont représentés, du roman historique permettant une évasion dans un passé dramatisé ou embelli au sombre roman judiciaire, du roman socialiste prometteur de l'avenir radieux au roman fantastique, du roman réaliste au roman coquin, mais, peu à peu, comme l'avait envisagé Lamartine, un genre se développe et s'impose, celui du roman de mœurs, du roman du quotidien, du roman psychologique, très apprécié des femmes qui aiment à y retrouver un monde proche du leur, les entraînant tout au plus dans une sphère sociale différente ou dans un pays étranger pas trop lointain ; elles y cherchent des modèles de vie qu'elles comprennent et peuvent, grâce à lui, espérer, pleurer ou rêver sur une histoire d'amour. Dès 1832, alors qu'elle était en train d'écrire *Indiana*, George Sand avait défini le propos de ce type de roman : « Il n'est ni romantique, ni mosaïque, ni frénétique. C'est de la vie ordinaire, c'est la vraisemblance bourgeoise » (13).

Dans ce genre littéraire, les femmes vont exceller car il leur permet de parler de ce qu'elles connaissent bien. Tout en stigmatisant les pédantes, Charles Nodier l'avait tôt prévu : « Non seulement, les femmes sont propres à briller dans un grand nombre de genres littéraires, mais il en est certains dans lesquels les hommes doués de l'esprit le plus vif et le plus délicat ne les égaleront jamais. » Et il se référait notamment à l'analyse de la psychologie féminine et à la façon de faire parler les femmes, qu'il jugeait « le plus grand écueil des poètes dramatiques et des romanciers » (14).

Ce roman de mœurs écrit par les femmes pour d'autres femmes nous offre de fait un remarquable tableau sociologique, bien plus crédible que celui des romans à thèse, toujours suspects de déformations volontaires ou inconscientes. Il n'est pas non plus encore figé, faussé, marqué d'une psychologie élémentaire comme le seront plus tard les ouvrages de Delly ou, aujourd'hui, ceux de la collection Harlequin. Le monde qu'il nous présente reflète au contraire, sans manichéisme, la société de l'époque qui, tout entière, s'y retrouve : la quotidienneté de la vie, les menus détails de l'existence, le décor de la maison, l'ordonnance des repas, les soins médicaux, l'organisation des voyages, l'éducation, les pratiques religieuses, mais aussi les questions d'argent, en un temps où il n'y a pas de couverture sociale mais pas non plus d'inflation et où dots et héritages, garants de sécurité, entraînent toute une suite de comportements moraux et affectifs ; enfin l'on y voit les types de relations qui unissent les différentes personnes de cette société, parents et enfants, pupilles et tuteurs, fournisseurs et chalands, maîtres et domestiques, etc.

Cette mine est néanmoins méprisée. Seules, la littérature féministe ou la littérature engagée attirent l'attention des chercheurs (15). Il n'est pas de mise de considérer qu'il peut exister pour la femme, parallèlement au malheur domestique, un bonheur domestique, et l'on accepte mal que nombre de femmes aient pu souhaiter retrouver dans leurs lectures les petites aventures, les tribulations, les rêves, les joies ou les deuils qui constituaient leur lot quotidien, plutôt que de se battre pour obtenir le droit de vote. Il serait nécessaire de poser un regard lucide et serein sur ce passé proche et de le comprendre dans sa multiplicité et sa richesse. La cause des femmes n'aurait rien à y perdre.

■| Les femmes de lettres

Le statut de femme-auteur, s'il se développe au XIXe siècle, n'est assurément pas neuf. De Sapho à Marguerite Yourcenar, les femmes ont toujours écrit et, sans doute plus encore, conté. En France même, depuis Héloïse et Christine de Pisan, le nombre des auteurs féminins n'a jamais été négligeable. Rarement attirées par l'érudition pure, l'épopée, la tragédie ou l'essai philosophique, les femmes se consacrent volontiers aux genres poétiques courts, parfois au théâtre de mœurs et très fréquemment à la fiction en prose présentée sous forme de romans ou de nouvelles, genre qui justement se développe à partir de la fin du XVIIe siècle et peut-être à la demande d'un public féminin croissant. En 1769, elles ont pris une importance assez grande pour que soit éditée en cinq volumes une *Histoire littéraire des femmes françaises* (16). Les romancières se sont multipliées qui, presque oubliées aujourd'hui, furent pourtant à leur époque lues et célèbres, telles que Mme de Tencin, Mlle de Lussan, Mme de Gomez, Mme Le Givre de Richebourg, Mme de Grafigny, Mme de Villeneuve, Mlle de Lubert, Mme Riccoboni, Mme de Puisieux, Mlle Fauque, Mme Benoist, Mme Daubenton, Mme de Souza et tant d'autres. Telle est la situation à la fin du XVIIIe siècle, et le XIXe ne présente pas une innovation mais bien plutôt une explosion du phénomène.

Pourquoi les femmes écrivent-elles ? Pour des raisons multiples, comme les hommes, et tout d'abord par réponse à une sorte de besoin intérieur. Quelles que soient les circonstances, certaines femmes n'écriront jamais et d'autres écriront ou narreront toujours. Au XIXe siècle se produit en outre le jeu d'une sorte de loi naturelle qui fait répondre l'offre à la demande. Enfin, s'il est des fermières, des marchandes, des artisanes ou des ouvrières, les femmes d'un certain niveau social, qu'elles soient riches ou pauvres, et il en est de très pauvres, n'ont pas de qualification professionnelle. Elles peuvent savoir coudre, broder, dessiner, peindre, chanter ou faire de la musique et doivent parfois chercher à monnayer ces talents, rarement rentables, mais le point principal sur lequel a porté leur instruction est la rédaction littéraire. Au XIXe siècle, on enseigne et on pratique l'art d'écrire avec une aisance et une abondance dont témoignent nombre d'auteurs des deux sexes. Et cette facilité se combine à la récente institution des droits d'auteur pour induire un motif nouveau, l'argent, motif qui n'est pas indifférent aux femmes qui, célibataires, veuves, divorcées, séparées, ou cherchant à augmenter les ressources du ménage, trouvent là une source de revenus : telle qui n'aurait été qu'une prolixe épistolière ou n'aurait écrit que des contes à usage familial se voit alors portée vers une autre forme d'expres-

La « femme-auteur », pensive, attend l'inspiration... Figure de Gavarni pour *le Diable à Paris,* publié par Hetzel en 1845.

Une littérature pour les femmes

Femme de l'auteur dramatique Jacques Ancelot, Virginie Ancelot (1792-1875) tint un salon littéraire réputé et écrivit des romans à succès et une vingtaine de pièces de théâtre. (Portrait paru dans *la Ruche parisienne* n° 64, 16 janvier 1858.)

Intarissable feuilletoniste, Marie Chervet (1831-1885) publia sous le pseudonyme de Raoul de Navery de très nombreux romans en tout genre. (Portrait paru dans *la Ruche parisienne* n° 180, avril 1840.)

sion et se met en quête d'un éditeur.

Cet aspect économique, qui a peut-être eu plus d'importance qu'on ne le croit, semble n'avoir été étudié qu'à l'occasion de quelques cas particuliers. Il mériterait un examen plus approfondi. Une femme-auteur comme Marie Maréchal, dont la famille avait subi des revers de fortune, écrivait par exemple pour faire vivre sa mère et ses neveux. Le fait était même si courant que Delphine de Girardin l'a plaisamment évoqué : « Regardez encore cette pauvre femme : comme elle a l'air de s'ennuyer ! C'est une victime littéraire qui tâche de se faire une existence en écrivant. Ses médiocres ouvrages, qui se vendent assez bien, l'aident à vêtir convenablement sa petite fille. Et son mari, où est-il donc ? — Il est au café là-bas, qui joue au billard, en faisant des plaisanteries contre les femmes-auteurs » (17). Le cas le plus célèbre est celui des débuts littéraires de George Sand, dont la correspondance ne cesse de faire état de ce genre de raisons : « Je m'embarque sur la mer orageuse de la littérature. Il faut vivre » (18) ; « Quand nous serons assez avancés pour voler de nos propres ailes, je lui [Jules Sandeau] laisserai tout l'honneur de la publication et nous partagerons les profits (s'il y en a). Pour moi, âme épaisse et positive, il n'y a que cela qui me tente. Je mange de l'argent plus que je n'en ai ; il faut que j'en gagne ou que je me mette à avoir de l'ordre. Or ce dernier point est si difficile, qu'il ne faut pas même pas y songer » (19) ; « Pour moi vous le savez, le métier d'écrivain, c'est trois mille livres de rente pour acheter en sus du nécessaire des prâlines à Solange *et du bon tabac* pour mon f... nez » (20).

De cet immense mouvement littéraire féminin, qu'avons-nous retenu aujourd'hui ? Presque rien. Seuls quelques noms surnagent et suscitent éventuellement des études ponctuelles, soit que les femmes qui les ont portés aient eu un réel talent, soit qu'elles les aient illustrés dans la littérature enfantine, dont la mémoire est moins fugace, soit qu'elles aient participé à un engagement féministe ou politique de gauche, qui attire l'attention des chercheurs du XXe siècle. On se souvient donc de Mme de Genlis, de Mme Necker, de Mme de Staël, de George

Sand, de Marceline Desbordes-Valmore, de la comtesse de Ségur et de Zénaïde Fleuriot. On n'ignore pas tout à fait Mme Campan, Sophie Gay, la duchesse d'Abrantès, Mme Amable Tastu, Hortense Allart de Méritens, Flora Tristan, Mme de Girardin, Daniel Stern, Louise Colet, Louise Michel, André Léo, Julie Gouraud, Mme Colomb, Mme Bruno, Séverine, Jeanne Cazin et Gyp.

Mais qui se souvient encore des noms ou des noms de plume de Mme de Salm, Mme de Renneville, la comtesse de Bradi, Élise Voïart, Mme de Bawr, Mme Ancelot, Mme Bodin, Sophie Pannier, Alida de Savignac, Clémence Robert, Mme Reybaud, la comtesse Dash, Mme Craven, Claire Brunne, Eugénie Foa, Anaïs Ségalas, Mathilde Bourdon, Léonie d'Aunet, Emmeline Raymond, Mme de Pressensé, Marie Maréchal, Raoul de Navery, Juliette Lamber, Claire de Chandeneux, Stella Blandy, M.-L. Gagneur, Étienne Marcel, Henry Gréville, Maryan, Georges de Peyrebrune, Daniel Lesueur, Blanche de Buxy, Jeanne de Coulomb ou Mary Floran, parmi des centaines d'autres noms oubliés, et qui furent souvent plus lues à leur époque et plus connues que les écrivains restés célèbres de nos jours ?

Ajoutons enfin que la renommée de certaines femmes-auteurs étrangères leur assura en France des traductions et des lectrices, ou influença fortement leurs émules. Il en est ainsi des Anglaises Ann Radcliffe, Maria Edgeworth, Jane Austen, Mary Shelley, Elisabeth Gaskell, Georgiana Fullerton, Charlotte et Emily Brontë, George Eliot et Emma Marshall, de l'Allemande Eugénie Marlitt, et de bien d'autres.

Dès la seconde moitié du XIXe siècle, la femme de lettres devient elle-même personnage de roman. Cinq ouvrages au moins nous la dépeignent, dans un contexte de fiction qui, une fois encore, est très révélateur d'une certaine réalité : *Clémence Hervé* d'Eugène Sue, *le Roman d'un bas-bleu* de Georges de Peyrebrune, *Bas bleu* d'Henriette Bezançon, *Femme de lettres* de Mary Floran et *Au tournant des jours* de Daniel Lesueur.

Clémence Hervé met, de fait, en scène trois femmes écrivains. L'une, Clémence Hervé est une sorte de sainte laïque qui cherche à répandre ses idées

Une littérature pour les femmes

sociales et féministes « sous la forme attrayante de romans d'un intérêt saisissant » et veille à s'adresser également aux enfants afin de pénétrer les générations à venir. Elle s'est notamment illustrée par un feuilleton intitulé *Misères sociales,* mais c'est par idéal qu'elle écrit car elle jouit d'une appréciable fortune, qu'elle gère à merveille, en même temps qu'elle sait s'occuper des malheureux, se faire aimer de ses trois domestiques et emplir d'ordre et d'élégance le joli pavillon où elle vit avec son fils, Philippe. Le drame survient par la faute d'une voisine, Virginie Robertin qui publie, elle, sous le pseudonyme de Major Fredène, des polissonneries telles que *L'Amour au galop* ou *Les Cinq Baisers de Cydalise.* Par jalousie d'auteur, Mme Robertin tente de séduire Philippe Hervé, mais l'entrée en scène de la pure et virginale Héloïse Morand, jeune poétesse très remarquée sous le nom de Maria Saint-Clair, a tôt fait de renverser la situation et de triompher des artifices du Major Fredène qui, solidement reprise en main par son mari, découvre même la voie d'une régénération morale et littéraire. L'histoire est amusante et offre une quantité de traits de mœurs et de détails précis, voire de chiffres, sur la vie professionnelle des trois femmes (21).

Le Roman d'un bas-bleu présente de la situation un tableau plus désabusé. Malade, touchant au terme de son existence, une femme-auteur décide de livrer au public le roman de sa propre vie « afin qu'il serve d'épouvante salutaire aux autres, à ces jeunes romanesques encore hésitantes de la route à suivre, mais qui rêvent de talent, de gloire, de renommée, de fortune même, parce qu'elles ont une imagination et du style et pas beaucoup plus de vingt ans ». On lui demande ce qu'elle pense du métier de femme de lettres : « Ce que j'en pense ? C'est que ce travail est un divertissement pour les unes ; une gloriole, une pose, une affiche, ou un passe-partout pour d'autres ; un ridicule pour presque toutes et un calvaire pour le plus grand nombre : celles qui ont pris une plume pour se vider le cœur de quelque peine secrète ou bien parce qu'elles ne savaient aucun autre métier, comme vous dites, pour gagner proprement

leur vie. » Suit le récit des mille déboires d'une femme-auteur, en butte à d'incessants obstacles dont le plus redoutable consiste assurément dans les menées amoureuses des éditeurs qui entendent disposer d'un droit de cuissage sur les femmes de lettres avant d'ouvrir à leur prose l'empyrée des ateliers d'imprimerie. Malheureusement pour elle, l'héroïne, Sylvère du Parclet, est incurablement vertueuse, pour avoir subi trop désagréablement, au début de son existence, les exigences grossières d'un époux alcoolique, névrosé et vicieux auquel l'avait mariée, par inadvertance, sa bonne grand-mère. Elle ahane donc, de roman en roman, manquant d'argent et ne réussissant pas à percer : « Quel que soit votre talent, lui explique-t-on, et il est réel, incontestable, vous n'arriverez à rien, à lutter toute seule... Vous êtes jolie, on vous désire, on essaie de vous obtenir en vous offrant, en échange, la gloire que vous êtes venue chercher dans la bataille littéraire, comme on vous offrirait des perles si vous étiez une coquette et des petits hôtels si vous étiez une courtisane... » L'échec est au bout de la carrière (22).

Bas bleu présente deux femmes-auteurs : une romancière et une jeune poétesse qui lui sert de secrétaire. L'aspect proprement littéraire est moins évoqué ici que la lutte psychologique soutenue par Paule Niçois, la romancière, pour rester fidèle, malgré la tentation, à un époux qui lui est intellectuellement inférieur (23).

L'héroïne de *Femme de lettres,* Mme Tébesson est, elle, pressée par des nécessités financières. Veuve d'un capitaine et mère de deux jeunes filles sans dot, elle peine laborieusement dans la carrière littéraire, pour laquelle elle n'est d'ailleurs pas particulièrement douée, sous le pseudonyme de Vicomte de Pornec. Un pont d'or et un sujet de roman étrange et terrible lui sont en même temps proposés, qu'elle refuse en comprenant qu'il s'agit là d'une machiavélique vengeance posthume. Mais une autre femme de lettres, Mme Maldel, moins clairvoyante et d'une excentrique vulgarité, accepte l'offre et publie, sous le titre de *Drames ignorés,* l'œuvre de malheur. Épuisée par les soucis et le travail, Mme Tébesson mourra jeune,

Marie Deschard, dite Maryan (1847-1927) écrivit pour le public féminin une centaine de romans de mœurs.
(Archives familiales, photo inédite.)

Un des recueils de poésies et nouvelles illustrés de fines gravures sur acier, qui parurent chaque année entre 1830 et 1848 environ sous le nom de *keepsakes* (H. 232 mm).

Les keepsakes

Les keepsakes sont des recueils de miscellanées littéraires illustrés en général de gravures sur acier, publiés vers Noël et destinés à servir de présents pour les fêtes de fin d'année. Le premier fut le *Forget me not,* inspiré peut-être du *Vergissmeinnicht* de Leipzig, paru chez Ackermann à Londres pour l'année 1823. La mode de ces volumes de petit format à périodicité annuelle, composés essentiellement de poésies et de nouvelles, abondamment illustrés, dura jusqu'en 1847-1848.

La première publication de ce type en France parut chez Persan en 1823, sous le titre de *Tablettes romantiques,* puis d'*Annales romantiques* chez Urbain Canel à partir de 1825. Louis Janet prit la succession de Canel et publia le recueil jusqu'en 1836. Il fut concurrencé par le *Keepsake français* de Giraldon-Bovinet paru en 1830 et 1831, auquel Janet opposa en 1832 le *Nouveau Keepsake français* avant de reprendre en 1834 le titre de *Keepsake français*. Ensuite se développa la mode de titres recherchés évoquant le plus souvent des pierres précieuses ou des fleurs.

Louis Janet jusqu'en 1841, sa veuve ensuite furent les plus importants éditeurs de keepsakes en France, produisant notamment : *Album littéraire* (1830-1831), *Album de la jeunesse* (1831), *Soirées littéraires de Paris* (1832), *Album de la mode* (1833), *Livre de jeunesse et de beauté* (1834), *le Diamant* (1834), *l'Églantine* (1835), *la Belle Assemblée* (1835), *l'Abeille* (1836), *Consolation et Espérance* (1836), *l'Étincelle* (1837), *Ne m'oubliez pas* (1837), *la Corbeille d'or* (1837), *Couronne littéraire* (1837), *le Rameau d'or* (1837), *l'Anémone* (1838), *Émotions* (1838), *Vallée des lys* (1839), *l'Éclair* (1839), *l'Amaranthe* (1840), *Violettes* (1840), *le Camélia* (1841), *les Femmes* (1841), *la Fauvette* (1842), *le Camée* (1842), *le Royal Keepsake* (1843-1844), *les Sensitives* (1846), *l'Élite* (1847), *la Gerbe d'or* (1848), *le Diadème* (1848), *la Pervenche* (1848). Le principal concurrent de Janet fut Delloye qui fit paraître *l'Écrin* (1837) et surtout la série des *Paris-Londres, Keepsake français,* qui fut publiée de 1837 à 1842.

Les Anglais ayant lancé des keepsakes édi-

tés par des revues, ainsi *The English Annual* (1834), les Français les imitèrent avec le *Keepsake* de *la Chronique* (1843). Outre les keepsakes littéraires on vit fleurir des keepsakes d'art, *Keepsake de l'art français* (1840-1843), *la Giralda* (1845), un *Keepsake religieux* (1835), des keepsakes pittoresques, *Auvergne et Provence* (1833), *Landscape français* (1834), *Allemagne et Pays-Bas* (1835), *le Brick, Album de mer* (1836), tous dus à Janet, *Paris-Illustrations* par Houdaille en 1837 et 1838.

L'illustration de ces keepsakes est presque toujours constituée de vignettes sur acier reprises des recueils anglais, les conteurs et poètes français s'arrangeant pour faire coïncider leurs textes avec les images. On trouve cependant quelques gravures originales, notamment de Johannot et de Devéria. Tous les auteurs romantiques ont collaboré à ces recueils, Balzac, Chateaubriand, Gautier, Gozlan, Hugo, Mérimée, Nerval, G. Sand, E. Souvestre, E. Sue. Le plus fécond d'entre eux fut Charles Malo, qui écrivit pour de nombreux keepsakes.

Alfred Fierro

mais pas avant d'avoir vu assuré l'avenir de ses filles, en reconnaissance de son sacrifice passé (24).

Enfin, *Au tournant des jours* dépeint une feuilletoniste populaire, Gilberte Claireux, qui écrit, sous le pseudonyme de Gilles de Claircœur, des romans à succès tels que *Les Malheurs d'une arpète ou le Secret du guillotiné*. Elle fait partie du Club des trente mille lignes : « Il y a beaucoup de dames dans votre société, lui fait-on remarquer. — Oh ! répond-elle, bientôt il n'y aura plus que ça. Le roman d'au moins trente mille lignes commence à manquer de bras masculins. Songez à ce qu'il faut d'imagination pour mettre sur pied des histoires de cette longueur, et qui se tiennent. Les femmes, elles, ne s'embarrassent ni de la logique ni de la construction. Alors, quand elles ont trouvé un début, rien ne les oblige à prévoir un dénouement. Elles vont, elles vont... Elles n'ont aucune raison de s'arrêter... » Gilles de Claircœur élève sa nièce, tandis que d'autres parents proches surveillent sa plume productive et cherchent à en obtenir des avantages. Une aventure théâtrale manquée la dépouille de ses économies tandis que tourne court une vague idylle ébauchée dans son cœur mûr, mais elle continuera à écrire étant, comme ses consœurs, une « pauvre vaillante ouvrière de lettres » (25).

Deux remarques, pour conclure ce tableau. La première concerne la disparition massive, presque irrémédiable, de cette littérature oubliée, rejetée. On sait que les périodiques et leurs feuilletons sont matière fugitive et rarement conservée, mais les volumes eux-mêmes, également méprisés, ont pour la plupart disparu. Les rares bibliothèques populaires, les bibliothèques de village et les bibliothèques de paroisse qui en contenaient encore ferment tour à tour et envoient ce type d'ouvrages au pilon. Pour donner un exemple, sur les quatre-vingt-quatorze romans qu'a publiés Maryan, trois manquent à la Bibliothèque nationale, pourtant le seul recours, le seul refuge possible, et ceux qui y figurent ne le sont pas d'une façon bibliographiquement représentative. Seule l'action immédiate de certaines bibliothèques publiques ou celle, plus efficace sans doute, de collectionneurs privés, peut

encore permettre de sauver l'essentiel de cette littérature, qui ne méritait pas le sort qui lui a été réservé.

La seconde remarque porte sur la façon dont fut reçu le phénomène massif de l'écriture féminine. De la part des lecteurs et lectrices, il semble que ce fut sans aucun problème. Mais il y eut plus de réticences chez les rivaux menacés, les auteurs masculins. Ainsi, en 1827, l'académicien Lucien Auger s'en alarmait déjà : « Si ce sont les femmes qui consomment le plus de romans, ce sont elles qui en fabriquent le plus. Elles ont prouvé depuis longtemps leur aptitude particulière pour ce genre d'ouvrages où il faut plus de sentiment que de pensée, plus de passion que de raison, plus de délicatesse que de force » mais, reconnaissant que tant d'autres professions leur étaient fermées, il acceptait de leur laisser faire « leurs romans et leurs chiffons » (26). Plus méchant, mais plus drôle, Alphonse Karr aurait prétendu : « Une femme qui écrit a deux torts : elle augmente le nombre des livres et elle diminue le nombre des femmes » (27). Admettons qu'un livre de plus puisse être un livre de trop, mais que la femme qui l'a écrit soit une femme de moins, certes non.

Notes

1. *Le Correspondant*, janvier-mars 1887, p. 897.

2. Witkowski (Claude), « Le premier roman-feuilleton », *Bulletin du bibliophile*, 1983-II.

3. Fleury (Michel) et Valmary (Pierre), « Les progrès de l'instruction élémentaire de Louis XIV

à Napoléon III d'après l'enquête de Louis Maggiolo (1877-1879) », *Population*, janvier-mars 1957.

4. *Cf.* Chartier (Roger), Compère (Marie-Madeleine) et Julia (Dominique), *L'Éducation en France du XVIe au XVIIIe siècle*, Paris, SÉDÈS, 1976.

5. Voir à ce sujet les souvenirs d'enfance de Restif de La Bretonne (*La Vie de mon père, Monsieur Nicolas*). Voir aussi l'*Histoire de l'édition française*, tome II, pp. 440-441.

6. *Cf.* Rousselot (Paul), *Histoire de l'éducation des femmes en France*, Paris, Didier, 1883, 2 vol.

7. Lettre à Pierre-Jules Hetzel, 10 août 1850.

8. Talmeyr (Maurice), « Le Roman-feuilleton et l'esprit populaire », *la Revue des Deux Mondes*, septembre 1903.

9. Rosny (J.-H.), aîné, *Marthe Baraquin*, Paris, Plon, 1909.

10. *La Mode illustrée*, 3 novembre 1918.

11. *Le Peuple illustré*, 21 janvier 1865.

12. Pontmartin (Armand de), « Les femmes et le roman contemporain », *Le Correspondant*, 1868, tome 74.

13. Lettre à Émile Régnault, 27 février 1832.

14. *Introduction*, par Charles Nodier, à la *Biographie des femmes auteurs contemporaines françaises*, Paris, 1836.

15. Il est stupéfiant de constater que, consacrant un livre entier à la presse féminine de la première moitié du XIXe siècle, Évelyne Sullerot en exclut délibérément, sans que le titre ne l'indique, presque tous les périodiques non porteurs d'un engagement féministe, c'est-à-dire une grande partie d'entre eux.

16. La Porte (Joseph de), *Histoire littéraire des femmes françaises*, À Paris, chez Lacombe, 1769, 5 vol.

17. *Esprit de Mme de Girardin*, Paris, E. Dentu, 1862.

18. Lettre à Jules Boucoiran, 13 janvier 1831.

19. Lettre à Charles Duvernet, 19 janvier 1831.

20. Lettre à Charles Duvernet, 21 mai 1832.

21. Sue (Eugène), *Le Diable médecin*, tomes 4, 5 et 6 : *Clémence Hervé ou la Femme de lettres*, Paris, Louis Chappe, 1856-1857.

22. Peyrebrune (Mme Eimery, née Mathilde de — pseud. Georges de Peyrebrune), *Le Roman d'un bas-bleu*, Paris, P. Ollendorf, 1892.

23. Bezançon (Henriette), *Bas bleu*, Paris, Plon, Nourrit et Cie, 1897.

24. Leclercq (Marie — pseud. Mary Floran), *Femme de lettres*, Paris, Hachette, 1905.

25. Loiseau (Mme Lapauze, née Jeanne — pseud. Daniel Lesueur), *Au tournant des jours (Gilles de Claircœur)*, Paris, Plon, Nourrit et Cie, 1912.

26. Cité par Larnac (Jean), *Histoire de la littérature féminine en France*, 2e éd., Paris, Éditions Kra, 1929.

27. Cité par Gachons (Jacques des), « Les Femmes de lettres françaises », *Figaro illustré*, février 1910.

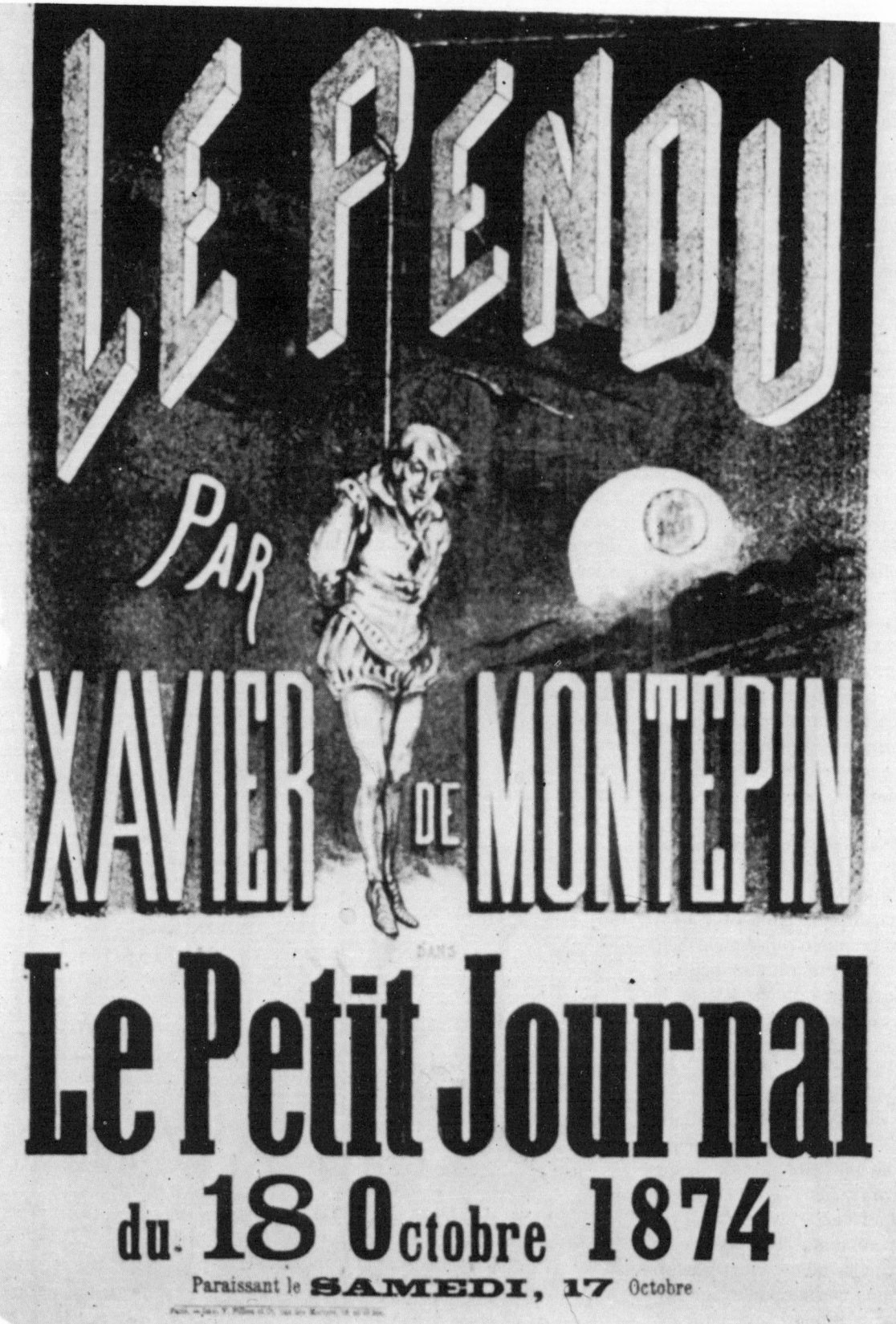

Le feuilleton, qui tient une place importante dans la presse au XIXᵉ siècle,
envahit aussi la rue sous forme d'affiches.
Ci-dessus, affiche pour le feuilleton du *Petit Journal* en octobre 1874 : *le Pendu*,
de Xavier de Montépin. 590 × 410 mm.
(Paris, musée de la Publicité.)

Le roman populaire

par Anne-Marie Thiesse

« La presse tue le livre », gémissent les lettrés du XIXe siècle. Mais c'est à partir des conquêtes de la presse que se développe, en se transformant, le livre populaire. Contradiction ? Non, car il ne s'agit pas du même objet. Livre de librairie, livre populaire : ils relèvent, tant par leur forme, par leur prix que par leur mode de diffusion, de deux secteurs distincts qui, en évoluant, vont parfois se rapprocher, se recouvrir éventuellement, mais très partiellement.

Une longue marche...
trop lente ?

À l'aube de la monarchie de Juillet, il n'existe guère, en fait de livres bon marché, que les opuscules du colportage publiés par des éditeurs spécialisés qui puisent inlassablement dans un fonds vieux de près de deux siècles. La bourgeoisie cultivée des campagnes, qui pouvait sous l'Ancien Régime y trouver son plaisir, s'en détourne et le public du colporteur se compose surtout de la petite bourgeoisie rurale et, de plus en plus, des couches populaires. Secteur florissant, au demeurant, jusqu'au début du Second Empire car il bénéficie d'un net accroissement de l'alphabétisation. Les estimations sur le nombre de brochures et de livrets annuellement colportés sont difficiles, en raison de l'imprécision des notions de colportage et de livres colportés (dans les sources officielles, les commis de libraires à brevet qui vendent leurs marchandises lors des foires sont parfois assimilés aux colporteurs et la distinction n'est pas toujours faite entre images, simples feuilles imprimées et petits livres). Toutefois, on peut avancer un chiffre de plusieurs millions d'exemplaires par an, peut-être neuf à la fin de la monarchie de Juillet, comme le supposa la Commission de contrôle du colportage (1). Mais le

Deux brochures de colportage : imprimées
sur du mauvais papier, sans couverture,
elles n'ont que quelques pages et diffusent
des faits divers ou une littérature très facile...

déclin est brutal : le Second Empire voit l'agonie du colportage, la Troisième République débutante, sa mort (2). La sévérité des mesures législatives et policières dont il fait l'objet n'est pas étrangère à la rapidité de cette chute. La loi du 27 juillet 1849, qui astreint le colporteur à une autorisation préalable délivrée par les préfets après examen du catalogue, les mesures prises en 1852 par le ministère de la Police générale, qui créent une estampille devant être apposée sur tous les ouvrages en vente et qui instaurent une Commission d'examen des livres colportés, gênent considérablement l'activité des éditeurs et des marchands ambulants, d'autant qu'une mise en application bureaucratique et tatillonne de ces lois permet aux autorités d'en amplifier la portée (délais très longs avant l'examen des ouvrages, censure portant sur un mot ou sur une phrase qui contraint à une réimpression totale, etc.). Mais cette surveillance draconienne (qui ne sera véritablement levée qu'en 1881) a peut-être précipité la fin du colportage, elle n'en est pas la principale cause. De nouveaux modes de publication et de diffusion des imprimés entrent en concurrence avec lui au moment même où il tombe sous la coupe des censeurs. Concurrence qu'on ne peut rapporter seulement à l'archaïsme du fonds proposé aux acheteurs : les colporteurs sont assez proches de leur public pour enregistrer les évolutions de la demande et, de fait, les ouvrages qu'ils transportent sous le Second Empire sont sensiblement différents de ceux qu'ils vendaient au début de la monarchie de Juillet. Le légendaire historique, les ouvrages de piété s'effacent peu à peu devant les romans « modernes » : romans noirs de la Révolution et de l'Empire, publiés en in-12 ou en in-18 de 108 pages (œuvres de Ducray-Duminil ou de Pigault-Lebrun, par exemple), puis repris, parfois en version remaniée ou simplifiée, de succès de la Restauration et de la monarchie de Juillet. La librairie à brevet utilise même à plusieurs reprises le colportage pour écouler, en les soldant, ses « rossignols ». En fait, la plupart des éditeurs spécialisés dans le colportage cessent, réduisent fortement ou réorientent leurs activités avant la fin véritable de ce mode de

456

Un livre de la Bibliothèque bleue :
édition du XIXe siècle, de présentation archaïque,
des *Quatre fils Aymon*, à Montbéliard chez Deckherr.
H. 201 mm.

Le crépuscule de la Bibliothèque bleue

Venus tout droit de l'Ancien Régime, encore quelquefois fabriqués à Troyes où travaillent toujours Baudot et Anner-André, à Limoges chez Ardant ou Barbou, à Rouen chez Lecrêne-Labbey, les livrets bleus sont plus souvent imprimés au XIXe siècle chez ces éditeurs de la France de l'Est qui sont devenus les fournisseurs du grand colportage : Deckherr ou Barbier à Montbéliard, Humbert à Mirecourt et surtout Pellerin à Épinal. Certes, ceux-ci ont dû, pour survivre, diversifier leur production et répondre à de nouvelles demandes ; ceux qui n'en ont eu ni les moyens ni la prudence ont succombé à l'une ou l'autre des grandes crises du siècle (c'est tout particulièrement le cas des maisons troyennes). Mais tous continuent, au moins jusqu'au Second Empire, à imprimer dans les mêmes formes et dans le même esprit que leurs prédécesseurs du XVIIe siècle *Jean de Calais* ou *Les Quatre fils Aymon*. Pas de rupture radicale donc, et les catalogues diffusés sous la Restauration en témoignent. Celui de Lecrêne-Labbey, par exemple, comporte plus de 300 titres différents appartenant pour la plupart au corpus traditionnel de la Bibliothèque bleue : romans de chevalerie, contes, livres grivois ou burlesques, vies de saints, livres d'usage (du *Cuisinier françois* au *Maréchal de poche* en passant par la *Croix de par Dieu*), livres de dévotion ou de magie, chansonniers ou almanachs. Rien n'y manque. Dans le registre de stock des Chalopin de Caen, étudié par Anne Sauvy, pas moins de 137 titres sont répertoriés sous l'appellation Bibliothèque bleue et beaucoup ont eu

un important tirage : pour l'année 1826, on trouve 4 800 *Malice des femmes*, 3 600 *Méchanceté des filles*, 1 100 *Richard sans peur*, 3 600 *Secrêts des secrets*, 3 600 *Vie de Saint-Angèle* ou 6 400 *Clé des songes*, etc. Les attestations d'usage sont, elles aussi, fréquentes. Les inspecteurs dépêchés par Guizot en 1833 dans toutes les écoles du royaume trouvent des livrets bleus en nombre respectable entre les mains des élèves, dans les classes rurales tout particulièrement : les livres de dévotion (*Les chemins du ciel*, *Instructions pour la jeunesse*, etc.) ou les *Civilités* sont encore souvent les seuls livres de lecture offerts aux enfants.

Lorsqu'un autre ministre de l'Instruction et des Cultes, Rouland, demande en 1860 aux instituteurs leur avis sur la lecture populaire et sur l'intérêt de créer des bibliothèques à l'usage de ces lecteurs, les titres de la Bibliothèque bleue apparaissent encore : *Les Quatre fils Aymon* (dans le Nord, en Dordogne, en Indre-et-Loire), *l'Histoire de Mandrin* (en Charente), *le Juif errant* (Indre-et-Loire), *l'Histoire de Napoléon 1er* (Tarn), des recueils de contes de fées ou de chansons (Loiret, Indre-et-Loire, Aveyron, Saône-et-Loire, Nièvre), mais surtout, et de manière quasi générale, l'almanach qui est acheté ou même loué pour 5 centimes. Et encore ne s'agit-il que d'exemples et non de listes qui viseraient à l'exhaustivité.

Tout au long du Second Empire, on retrouve encore la mention de quelques-uns des titres traditionnels (*Geneviève de Brabant, Jean de Calais, Le Bonhomme Misère,*

Le catéchisme à l'usage des grandes filles, etc.) dans les catalogues des fournisseurs parisiens du colportage : Le Bailly en 1863 ou Renault-Noblet en 1868. Mais l'habillage n'est déjà plus le même. Le Bailly a abandonné la mention Bibliothèque bleue depuis son catalogue de 1849 et cache sa *Geneviève de Brabant* dans une série de petits romans réunis en une Bibliothèque sentimentale ; Pellerin propose sous des couvertures vertes ou jaunes tenant lieu de page de titre *La misère des maris* ou celle des *garçons tailleurs* jusqu'à la Troisième République. Il s'agit là certainement d'un ultime procédé destiné à relancer un produit dont on n'imagine pas encore qu'il puisse disparaître. Et cet effort succède à bien d'autres.

Depuis la Restauration, en effet, les éditeurs concernés tentent d'adapter les livrets bleus à une clientèle qu'ils perçoivent moins stable qu'autrefois. Ils sélectionnent mieux les genres, modifient les thèmes, en inventent de nouveaux et même améliorent les qualités rédactionnelles des textes. Rien qui ne soit là hors de la tradition de la stratégie éditoriale inventée par les imprimeurs troyens, sinon cette accélération du mouvement, et peut-être l'inquiétude devant un marché qu'on ne reconnaît plus vraiment. La transformation la plus importante se produit entre la Restauration et la monarchie de Juillet avec la constitution d'un fonds d'hagiographies napoléoniennes qui s'adresse aux rescapés de la Grande Armée qui, réduits à l'inaction, avaient du temps pour lire. Joint à une avalanche d'images qui se diffusent par les mêmes circuits, il constitue le support d'une légende qui ne manquera pas d'inquiéter les régimes successifs jusqu'au retour de Louis-Napoléon. Du côté des livres d'usage, on assiste aussi à un effort de renouvellement des textes. Les *Arithmétiques* deviennent moins fautives et s'enrichissent du calcul décimal. Les *Abécédaires* s'autorisent à abandonner les prières et l'ordinaire de la messe pour s'ouvrir à d'autres thèmes *(Alphabets des métiers ou des oiseaux).* Les *Secrétaires* se spécifient et serrent de plus près les besoins supposés de leurs lecteurs : associés à un petit traité d'arpentage, à quelques conseils vétérinaires ou médicaux, ils deviennent des sortes d'encyclopédies pratiques comme la *Nouvelle science des gens de la campagne.* Les almanachs sont plus informatifs (ils donnent les dates des foires et des marchés) mais aussi plus récréatifs (ils proposent des contes, des histoires, etc. qui progressivement prennent la plus grande part de l'espace disponible) et moins ésotériques.

Cet effort d'adaptation n'est cependant pas suffisant, du moins si l'on imagine qu'il vise explicitement à rendre les livrets bleus plus adéquats à ce que pourrait être l'évolution d'une demande « populaire » de lecture. Le verdict d'un témoin direct, membre de la commission chargée de censurer cette production, Nisard, tombe dès 1860. Il est sans appel : « Le peuple ne lit plus la Bibliothèque bleue ».

Jean Hébrard

diffusion. À la fin du Second Empire, il n'en reste plus que quatre à Paris (Bernardin-Béchet, Le Bailly, Moronval et Noblet) et cinq en province (Pellerin, Offray aîné, Barbou, Ardant et Hinzelin). Et si Charles Nisard, secrétaire de la Commission du colportage, excède ses fonctions de censeur en établissant une analyse scrupuleuse du fonds ancien, c'est qu'il perçoit bien la désuétude d'ouvrages qui n'ont plus d'autre avenir que la revalorisation posthume apportée par les collectionneurs et les bibliophiles (3).

Le principal handicap du colportage, au milieu du XIXᵉ siècle, c'est sans doute sa lenteur. Le marchand ambulant parcourt, au mieux, quelques lieues par jour, ne visite ses clients qu'une fois par an. Cheminement dérisoire à l'âge du télégraphe et du chemin de fer. Et ce mode de diffusion artisanal ne peut guère faire face aux entreprises, soutenues par des capitaux importants, qui vont utiliser systématiquement les moyens de transport rapides en diffusant des imprimés à renouvellement bref et à bas prix : les périodiques.

Les durables conquêtes de l'éphémère

La presse, en 1830, a des tirages et un public aussi restreints que l'édition lettrée. Quelques milliers d'exemplaires pour les grands quotidiens, quelques centaines pour les autres. Le journal est cher et ne se vend que sur abonnement annuel, au tarif de 80 francs. Les couches populaires, mais aussi une bonne partie de la bourgeoisie, ne peuvent envisager un tel débours. L'abonnement collectif, la consultation payante (pour une somme très modique) dans les cabinets de lecture (4) permettent toutefois aux journaux d'atteindre un public plus large que celui de leurs seuls acheteurs. Mais l'utilisation des possibilités ouvertes par le journal comme support « omnibus » ainsi que le développement des techniques d'impression, qui autorisent une augmentation du volume et de la rapidité des tirages, donnent lieu à une totale mutation dans la politique de gestion des grands quotidiens. Première étape : le lancement par Émile de Girardin, le 1ᵉʳ juillet 1836, de *La Presse* avec abonne-

ment de 40 francs par an. L'objectif est de compenser le manque à gagner sur le prix de vente par l'élargissement du nombre des abonnés et l'insertion de nombreuses annonces publicitaires. Or, pour gagner un large public et attirer les annonceurs (qui exigent un lectorat important), il faut proposer des rubriques attractives. Le roman-feuilleton sera une de celles-là, et non des moindres. En octobre 1836, *La Presse* publie le premier roman-feuilleton inédit : *La Vieille Fille* de Balzac (5).

La rubrique romanesque a tant de succès qu'elle est vite reprise par d'autres quotidiens. Un feuilleton à succès multiplie par 5, par 10 ou par 20 le nombre des abonnés, en quelques semaines. Ainsi la publication des *Mystères de Paris* d'Eugène Sue, dans *Le Journal des Débats,* fit augmenter les ventes de plusieurs milliers d'exemplaires, alors même que ce journal proche des milieux gouvernementaux maintenait l'abonnement à 80 francs. Le roman-feuilleton est donc sans nul doute un des facteurs importants dans le développement de la presse et de sa conquête d'un public de plus en plus vaste. Cependant, il faut faire justice d'une idée reçue, qui confond strictement roman-feuilleton et roman populaire. La presse de la monarchie de Juillet fait une percée dans la moyenne, voire la petite bourgeoisie, mais l'abonnement, même à 40 francs, reste inaccessible au public populaire. *Monte-Cristo, Les Mystères de Paris,* dans leur publication initiale, ne touchent que les classes aisées et ce sont elles qui font leur succès.

Ce n'est pas avant la fin du Second Empire que l'on peut commencer à parler de presse et de feuilleton populaires. Condition nécessaire : un abaissement notable du prix du journal et, surtout, un mode de vente qui tienne compte de l'absence de « réserve budgétaire » des ménages. Le lancement du *Petit Journal* par Moïse Millaud en 1863 répond à ces deux impératifs puisque ce quotidien, le premier, est vendu au numéro, au prix de 5 centimes par jour. Déclaré apolitique, *Le Petit Journal,* d'ailleurs, est dispensé du cautionnement auquel sont soumis la plupart des journaux antérieurs, dits d'opinion. Une conquête systématique du marché populaire est mise en

(suite page 464)

Les canards

Le canard occupe une place privilégiée parmi les imprimés « populaires » dans la première moitié du XIXᵉ siècle. Ce n'est pas tout à fait un nouveau venu. Il s'inscrit dans la tradition de l'occasionnel d'Ancien Régime qui était né en même temps que l'imprimerie : texte de circonstance d'abord informatif qui, bien que mêlant souvent l'image au texte, s'adresse pourtant à une élite lettrée soucieuse de nouvelles, politiques ou militaires. Jean-Pierre Seguin caractérise les canards comme des « sortes de tirage à part d'informations déjà publiées, destinés à la masse des Français qui n'étaient pas encore abonnés aux journaux », et c'est encore leur statut au début du XIXᵉ siècle. À partir de la Restauration, ils se transforment rapidement et deviennent particulièrement prolifiques. Ils prennent alors le nom de canards tout comme leurs crieurs dont ils sont inséparables. On en publie partout (J.-P. Seguin a recensé 170 villes abritant chacune un ou plusieurs canardiers), sous toutes les formes (du petit in-16 à la feuille in-plano). Ils sont illustrés d'une gravure sur bois au moins, en première page. Ils sont pourvus d'un titre très long, fait pour être crié et pour attirer l'attention de l'éventuel acheteur : « ARRÊT/*Rendu par la Cour d'Assises du département de*/*l'Ain, séant à Bourg,*/QUI CONDAMNE À LA PEINE DE MORT/*le nommé Benoît-Sébastien*/PEYTEL,/NOTAIRE À BELLEY./*Convaincu d'avoir commis avec préméditation, à l'aide d'une arme à feu, le crime d'assassinat*/*sur la personne de sa femme et de son domestique, le tout combiné d'une manière à faire*/*frémir l'humanité. Extrait du jugement.* » Au XIXᵉ siècle, ils se spécialisent dans le fait divers où ils concurrencent avec succès la presse elle-même, grâce à la rapidité de parution que permet une fabrication peu soignée et fruste. Comment ne pas évoquer la superbe mise en scène qu'en fait Victor Hugo dans *Le dernier jour d'un condamné* (1829) où le récit du crime, celui de la sentence et de son exécution sont criés à chaque coin de rue au moment même où la charrette fatale conduit le héros au supplice dans une sorte de course de vitesse infernale avec l'événement : « Il m'a semblé aussi voir de temps en temps dans les carrefours çà et là un homme ou une vieille en haillons, quelquefois les deux ensemble, tenant en main une liasse de feuilles imprimées que les passants se disputaient, en ouvrant la bouche comme pour un grand cri. » Dès l'apparition du journal à bon marché (Émile de Girardin fait paraître le premier numéro de *La Presse* en 1836) les imprimeurs de canards s'appliquent à en absorber ce qui peut l'être. Et lorsqu'en 1849 la presse se trouve à nouveau réprimée après l'année d'exubérance qu'elle vient de connaître, le canard, bien que surveillé lui aussi, occupe le terrain qu'elle concède. Il est vrai qu'il reste, par ses dimensions, par son coût, par l'irrégularité de ses parutions, et peut-être aussi par ses choix thématiques et la langue qu'il utilise, un support plus « populaire » que le journal. Lorsque Moïse Millaud crée en 1863 *le Petit Journal* qui sera le premier périodique à toucher véritablement un autre public que celui informé des villes, le canard accentue ses caractères spécifiques. Il se complaît dans le crapuleux et le morbide (« Un crime épouvantable !!!/UN HOMME DE 60 ANS COUPÉ EN MORCEAUX/bouilli dans une marmite et jeté en pâture aux porcs/Par son frère et sa belle-sœur/DÉTAILS HORRIBLES !!! »). Pourtant le grand in-plano disparaît progressivement au profit des petits formats et ceux-ci ne survivent qu'à peine à la fin du Second Empire.

À qui s'adressent les canards ? Par la complémentarité des différents codes sémantiques qu'ils mettent en œuvre, ils paraissent particulièrement convenir à ces milieux semi-alphabétisés ou en voie d'alphabétisation qui sont de plus en plus nombreux au XIXᵉ siècle. Chacun, quel que soit son degré de familiarité avec l'écrit, peut en effet y reconnaître un indice à partir duquel il retrouvera la signification de l'ensemble. Le cri du canardier tout d'abord qui laisse entendre plutôt qu'il ne dit, et par là engage à un effort d'entrée dans le matériau. L'image ensuite qui symbolise les dispositifs dramatiques du récit plutôt qu'elle ne les représente et, de ce fait, ne met en œuvre qu'un nombre limité de schèmes iconiques, certainement bien connus de son public ; son ignorance des contextes référentiels (décors, détails significatifs d'un temps ou d'un lieu déterminé, etc.) lui permet de jouer très librement du réemploi des vieux bois. Elle traduit le texte, ou du moins l'un de ses moments, en s'attachant à évoquer le mot plutôt que la signification globale. Le titre, quant à lui, offre dans une alternance de minuscules et de capitales (il peut toujours être lu si l'on ne connaît que les capitales) le double graphique d'un message qui a déjà été entendu par l'annonce du crieur ou vu par l'image. Si l'on y ajoute un rapport collectif impliquant lecteurs et non-lecteurs au texte proprement dit, à la chanson qui l'accompagne, on ne peut que constater que l'on se trouve devant un support extrêmement riche, parlant de nombreuses « langues » et permettant de passer de l'une à l'autre par analogie sans qu'il soit nécessaire d'en posséder sérieusement les codes. Œuvre extraordinairement fermée par la redondance de ses thèmes — et donc propre à une lecture intensive — le canard est aussi une forme extraordinairement ouverte par la multiplicité des codages qu'elle utilise. Par là, il est au moins aussi « alphabétisant » que populaire. En ce sens, il rejoint dans la Bibliothèque bleue l'objet qui lui est le plus apparenté : l'almanach. On ne saurait donc s'étonner que l'un et l'autre, à la fin du siècle, soient les seuls survivants de l'édition « populaire » ancienne.

Jean Hébrard

Un crieur de canards, appelé lui-même « canard » et sa femme « la canarde », figure gravée sur bois d'après Grandville, au tome III des *Français peints par eux-mêmes*. Paris, Curmer, 1841.

DÉPART D'UN RÉPUBLICAIN
POUR LA PRISON DU MONT SAINT-MICHEL;

Ses adieux à sa famille ; description du Mont Saint-Michel ; traitemens qu'on y fait éprouver aux détenus ; détails concernant leur captivité. Lettres adressées à leurs parens par les détenus républicains du Mont Saint-Michel.

Tout ce qui se rattache à la malheureuse position des détenus du Mont-Saint-Michel, excite l'intérêt public, quel que soit le parti auquel on appartient ; on ne pourrait, sans prouver un mauvais cœur, ne pas plaindre ces malheureux jeunes gens qui, croyant être utiles à la France, ont exposé leur vie. On se rappelle qu'au nombre de CENT-DIX, ils ont soutenu pendant VINGT-QUATRE heures les attaques combinées de plusieurs milliers de soldats et des gardes nationaux de Paris et de la banlieue. Tout ce qui n'a pas été tué, ayant été pris les armes à la main, a été conduit dans les prisons de Paris où, après une longue détention, ceux qui ont été condamnés ont été tranférés au Mont Saint-Michel. De ce nombre, on cite les courageux Jeanne et Prospert, dont les procès en cour d'assises ont produit une si vive sensation.

Avant de donner des détails sur l'intérieur de la prison du Mont Saint-Michel, nous allons raconter le départ d'un des républicains pour cette prison.

C'était, nous nous le rappelons, dans une de ces belles matinées où la nature semble répandre ses bienfaits sur tous, une de ces matinées enfin qui rendent la liberté si chère.

Un jeune républicain fut extrait de Sainte-Pélagie pour être transféré de brigade en brigade dans l'affreuse prison du Mont-Saint-Michel, lorsque tout-à-coup sa femme, tenant entre ses bras sa jeune fille, le précipita sur son passage pour recevoir son fatal adieu. Le désespoir de cette malheureuse épouse, les cris de la jeune enfant, affectèrent si péniblement les spectateurs, qu'ils mêlèrent bientôt leurs larmes à celles de ces infortunées.

Un pressentiment sinistre avertissait que le jeune détenu disait un éternel adieu ! En effet, la vie s'use si vite en prison !

Nous réimprimons une lettre des détenus, écrite il y a quelque temps. On y verra combien les traitemens qu'ils éprouvent sont rigoureux, et peut-être combien on veut les exaspérer.

Monsieur le Ministre,

Depuis quarante ans, au moins, la maison du Mont-Saint-Michel renferme des détenus, il est même démontré que l'on y envoie de toutes les maisons centrales les hommes appelés incorrigibles, et pourtant il n'était jamais venu à la pensée d'aucun des gouvernemens qui se sont succédé depuis cette époque, de faire exhausser les murs des plates-formes, afin de priver les prisonniers de la triste vue des sables et de la mer ; ils n'avaient pas songé non plus à faire élever une grille dans le parloir........ Si on avait au moins la franchise de nous dire que Saint-Michel n'avait jamais renfermé des gens aussi criainels que nous, nous conc evrions de pareilles mesures ! Quoi qu'il en soit, il était réservé au gouvernement des barricades, et à vous plus particulièrement, Monsieur le Ministre, d'ordonner ces mesures ; c'est un fleuron qui manquait à la couronne du roi-citoyen et à votre gloire personnelle !..... Grâce à ces mesures, ou plutôt grâce à vous, le fils ne pourra plus embrasser sa mère, le mari ne pourra plus embrasser sa femme, et cela lorsque les voleurs qui, sans doute, sont plus dignes que nous de la bienveillance du pouvoir, continueront à communiquer sans entrave aucune avec ceux qui les viendront visiter.

Une pareille conduite est tout-à-fait digne des siècles de barbarie..... C'est une seconde édition de la cage de fer. En vérité, nous plaignons sincèrement, pour ne pas dire plus, ceux qui se font les exécuteurs de pareilles infamies.

Vainqueurs en juillet, ceux qui nous traquent aujourd'hui comme des bêtes fauves, furent les premiers à profiter de notre victoire, et parce qu'un jour nous répondîmes en hommes de cœur à une infame provocation, on nous traduisit devant des tribunaux d'exception, puis devant des cours d'assises ; partout on demanda nos têtes......, on n'eut pas même le triste courage de les faire tomber !

Est-ce que par hasard on aurait voulu se réserver le plaisir de nous tourmenter chaque jour, à chaque heure, et en tous lieux ? On vient de nous faire traverser la France, enchaînés comme des brigands ; et après nous avoir enfermés dans la plus affreuse des prisons, il faut encore qu'on se permette envers nous des vexations sans nombre, qu'on nous prive et de l'air et du plaisir d'embrasser nos familles ! Si l'on a voulu nous rendre toute patience impossible pour avoir l'occasion de nous égorger, si nous essayons de nous débattre pour nous arracher des mains de nos bourreaux, on n'a que trop bien réussi ; la mesure est pleine ; et quels que puissent être les résultats de notre opposition, nous croyons devoir vous déclarer que nous ne nous laisserons point mettre le pied sur la gorge sans nous défendre.

Si on a compté sur une révolte pour avoir l'occasion de nous faire fusiller, elle aura lieu ! Nous ne prendrons alors conseil que de notre désespoir ; et si nous succombons dans la lutte, ce qui est à peu près certain, nous léguerons à nos amis le soin de nous venger, comme nous léguons d'avance vos noms à l'exécration des siècles à venir !!!

Avant de terminer cette lettre, nous croyons pourtant devoir vous rassurer sur l'issue de la lutte qui est à la veille de s'engager, en vous apprenant que les autorités de la maison, le sous-préfet, le préfet surtout, paraissent tout à fait disposés à faire ici un nouveau 2 septembre.

Vous pourriez bien dans quelque temps, grâce à leur zèle, avoir à insérer dans les colonnes du *Moniteur* ces mots sinistres et qui sont si familiers : Force est restée à la loi ! l'ordre règne au Mont-Saint-Michel !!!

Nous devons aussi, Monsieur le Ministre, vous déclarer que ce n'est point légèrement que nous avons pris la résolution de resister à vos ordres et à ceux de vos agens subalternes, mais bien après quarante heures de pourparlers. Nous vous fesons cette déclaration plutôt par rapport au pays que par rapport à vous ; nous tenons à ce que l'on sache que nous n'avons agi ainsi qu'après mûres réflexions, parce qu'il n'y avait plus moyen de faire autrement.

Nous avons l'honneur de vous saluer,

CH. JEANNE E.·. P.·., décoré de juillet ; PROSPERT, décoré de juillet ; MARCHAND, décoré de juillet ; BUTTOUD ; LEPAGE ; CUNY ; THIELLEMENT, décoré de juillet ; BAINSE ; CH. TOUPRIANT ; ST-ETIENNE ; COLOMBAT, décoré de juillet ; POUYET ; BLONDEAU ; LECOUVREUR ; H. B. HASSEN-FRATE S.·. P.·. B.·., décoré de juillet.

Du Mont-Saint-Michel.

Après une lettre semblable, nous voulons nous abstenir de toute réflexion.

On sait que le Mont-Saint-Michel est baigné par la mer. Les parens des détenus ne peuvent que rarement communiquer avec eux. Le trajet pour s'y rendre est même périlleux. Mais combien de mères, d'épouses, voudraient braver le danger pour presser plus souvent dans leurs bras les détenus du Mont-Saint-Michel.

Paris, Auguste MIE Imprimeur, rue Joquelet, n. 9.

Un canard du XIXᵉ siècle. H. 460 × 310 mm.

Émile de Girardin
ou le premier des « patrons de presse »

Le XIXe siècle, siècle de la presse et du « quatrième pouvoir », est également celui de ses fondateurs. Ces hommes ont compris que le journal, qui ne touchait jusqu'alors qu'une petite partie de la population, pouvait manier l'opinion, la dominer et devenir un instrument de puissance et de fortune.

Jusqu'alors, les journalistes étaient tenus pour des écrivains de second ordre, des gagne-petits de la chose imprimée, plus méprisés que redoutés.

Tout cela va changer, d'abord sous l'impulsion des frères Bertin, propriétaires du *Journal des débats,* puis vont apparaître de véritables industriels de la presse, à la fois écrivains et brasseurs d'affaires.

Émile de Girardin, Hippolyte de Villemessant, le docteur Véron, Moïse Millaud, Paul Dalloz, plus tard Rochefort, Nefftzer, Jean Dupuy, Edwards, Bunau-Varilla créent des journaux, les revendent, en absorbent d'autres, se livrent entre eux à une concurrence féroce, exercent une réelle influence politique, entrent au gouvernement, ou bien séjournent en prison. Leur existence est souvent pittoresque, toujours mouvementée, opulente ou misérable.

Que sont-ils ? Des capitalistes ? Certainement. Des aventuriers ? Parfois. Des hommes d'action ? Toujours.

Girardin est, à cet égard, le plus significatif d'entre eux. Né à Paris en 1806, c'est le bâtard du comte Alexandre de Girardin, capitaine de hussards, lui-même fils du marquis de Girardin, l'ami de Jean-Jacques Rousseau, et d'Adélaïde Dupuy, dont le mari légitime est pour lors en Guyane. Déclaré sous le nom d'Émile Delamothe, il prendra en 1827 le nom de son véritable père, l'année où il écrira *Émile,* un récit autobiographique. En avril 1828, il est nommé inspecteur adjoint des Beaux-Arts, un poste surtout honorifique, mais qui lui permet de se faire des relations mondaines et de fréquenter le salon de Sophie Gay, une romancière à la mode, dont il épousera la fille, Delphine. Dans le salon de Sophie Gay se réunissent Vigny, Hugo, Chateaubriand, Lamartine.

Ambitieux, actif, refusant de se contenter d'une sinécure, Émile de Girardin se lance dans le journalisme. Avec un de ses camarades de collège Lautour-Mézeray, futur préfet d'Alger, il fonde *Le Voleur* en 1828, un journal qui, comme son nom l'indique, est fait d'emprunts à divers périodiques, avec ou plus généralement sans l'autorisation des auteurs, ce qui vaut à Girardin son premier duel. Au bout de six mois, *Le Voleur,* lancé à grand renfort de publicité, est un succès et

rapporte 25 000 francs aux deux associés, qui décident de créer *La Mode* avec la collaboration de Balzac, de Jules Janin, de Charles Nodier, de Lamartine, d'Eugène Sue pour ne citer que les plus célèbres des rédacteurs, de Tony Johannot et d'Al. de Valmont pour les illustrations. La duchesse de Berry accorde son patronage et le privilège de faire figurer ses armoiries. Deux ans plus tard, Girardin abandonne *La Mode* qui, rachetée par des légitimistes, deviendra un journal politique d'opposition de droite à la monarchie de Juillet. Celle-ci la combattra avec le même acharnement que celui qu'elle mettra à combattre, sur sa gauche, *La Caricature* et *Le Charivari.*

Émile de Girardin s'intéresse maintenant autant à la presse qu'à l'édition : s'il touche à la politique avec *Le Garde national,* il recueille 40 000 abonnements avec *Le Musée des familles,* le premier grand hebdomadaire de feuilletons, il publie le *Journal des instituteurs primaires* mais aussi le *Journal des connaissances utiles,* premier organe de vulgarisation scientifique, qui lui procure 132 000 abonnés, l'*Almanach de France,* tiré à 1 300 000 exemplaires, un *Atlas portatif de France,* un *Atlas universel,* bien d'autres livres encore. C'est un homme riche qui, truquant son âge et se rajeunissant, se présente à la députation en 1834 et est élu député de Bourganeuf. Deux ans plus tard, il lance, associé à Armand Dutacq, qui le quittera pour *Le Siècle,* le premier quotidien à bas prix, *La Presse.* Les autres journaux étant vendus par abonnement de 80 francs par an, *La Presse* ne coûte que 40 francs, la publicité compensant le déficit de la rédaction. L'année précédente, l'administration des Postes estimait à 70 000 le nombre de Français recevant un journal, et ce pour une population de 35 000 000 d'habitants. En six mois, *La Presse* compte 10 000 abonnés, et les autres journaux, bon gré, mal gré, doivent réduire leurs prix. Les polémiques entraînées par le succès de *La Presse,* menées entre autres par *Le Bon sens* et par *Le National,* occasionnent un nouveau duel : le 22 juillet 1836, Émile de Girardin blesse mortellement Armand Carrel, du *National.*

En 1839 *La Presse,* qui a perdu 426 000 francs, est au bord de la faillite. Girardin réussit à la sortir du gouffre, à rendre son journal à nouveau bénéficiaire, et à tirer à 70 000 exemplaires en 1848. Républicain, ayant applaudi à la chute de Louis-Philippe, il est proscrit en décembre 1851 et s'enfuit à Bruxelles, d'où il reviendra l'année suivante pour relancer *La Presse,* retomber dans

L. PIERSON. PHOT.

Émile de Girardin (1806-1881).

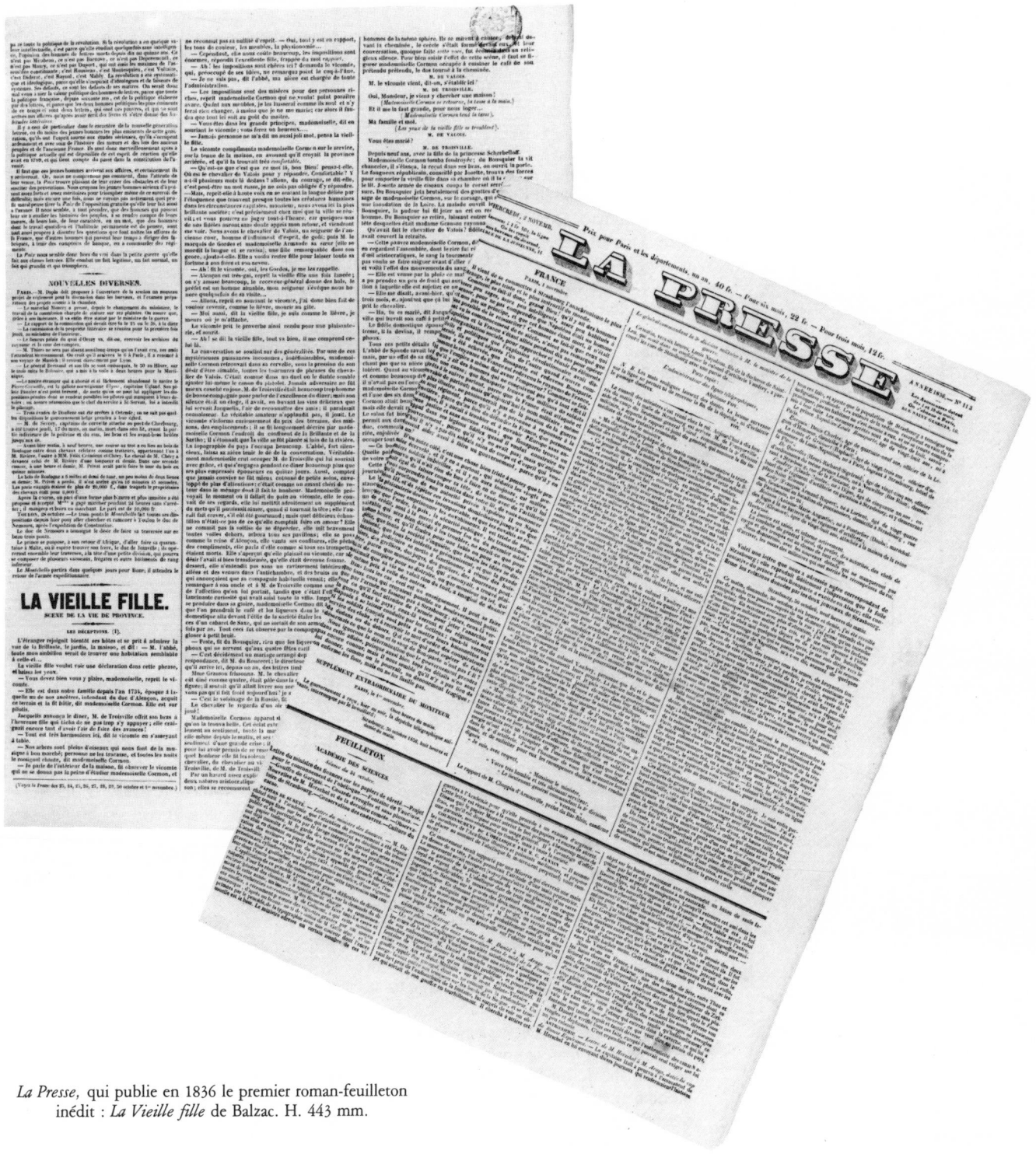

La Presse, qui publie en 1836 le premier roman-feuilleton
inédit : *La Vieille fille* de Balzac. H. 443 mm.

d'inextricables difficultés financières, en triompher une fois de plus, se heurtant maintenant aux tracasseries de l'Empire autoritaire.

En 1866, au moment où *La Presse* disparaît provisoirement, elle ne tire plus qu'à 1 000 exemplaires. Un autre que Girardin, découragé, aurait abandonné le journalisme et fait carrière dans les spéculations boursières, ce qu'il fait, d'ailleurs, avec plus ou moins de chance. Mais Girardin ne peut vivre sans diriger un journal, et il devient rédacteur en chef de *La Liberté,* un quotidien tirant... à 500 exemplaires. En deux ans, il en fait passer le tirage à 20 000, puis à 40 000 en 1870 (Girardin est alors un des plus ardents partisans de la guerre).

Il vendra, par la suite, son journal à Léonce Détroyat, son neveu, pour la somme d'un million de francs. Ayant acquis pendant quelques années le *Journal officiel,* puis l'ayant revendu, il s'occupe maintenant du sauvetage des entreprises de presse en difficulté. Sous son impulsion, *Le Petit journal* de Moïse Millaud voit ses finances assainies et son tirage s'élever, puis il renfloue *La France,* qu'il met au service de Gambetta contre le cabinet du duc de Broglie. À nouveau, c'est le succès, *La France* ayant 400 000 lecteurs.

La popularité de Girardin, qui n'a cessé d'écrire dans ses journaux et trouve même le temps d'écrire, avec Albert Delpit, une pièce, *Le Supplice d'un père,* représentée

au théâtre du Gymnase, est immense. Le 16 décembre 1877, retrouvant une tribune parlementaire abandonnée en 1851, il est élu député du IXe arrondissement de Paris. Il s'intéresse alors vivement à l'élaboration de la loi sur la liberté de la presse, qui doit venir en discussion en juillet 1881. Il n'en verra pas la promulgation : revenant d'une des répétitions de sa pièce, il tombe malade et meurt en deux jours, le 27 avril 1881.

Girardin laissait une fortune considérable, placée à la Banque nationale, et un hôtel particulier, rue La-Pérouse. En 1883, le krach de cette banque engloutira les huit millions qu'il y avait placés.

Jean Watelet

Les « éditions populaires illustrées » de Hetzel

Hetzel (1) se lança dès 1851-1852 dans l'édition populaire illustrée avec la publication des œuvres complètes de George Sand et de Victor Hugo, qu'il fit en association avec les frères Marescq.

Les comptes envoyés par ces derniers pour les premières livraisons des œuvres de Hugo permettent de connaître le prix de revient détaillé d'une livraison — soit une feuille d'imprimerie contenant seize pages et quatre gravures et tirée à 10 000/11 000 exemplaires :

Dessins (4 dessins à 15 francs)	60 francs
Bois (4 bois à 2 francs 25 c.)	9 francs
Gravures (4 gravures à 25 francs) ...	100 francs
Papier (22 rames à 18 francs)	396 francs
Composition et impression	260 francs
Clichage de la composition	45 francs
Brochage (pliure et livraison)	16 francs

L'ensemble de la livraison imprimée était, aussitôt achevée, achetée par Marescq et Cie à raison de 11 centimes l'exemplaire pour être revendu 20 centimes. Compte tenu des frais d'administration et des différents autres frais, les parts se répartissaient finalement comme on le voit sur le graphique ci-contre en haut.

Marescq et Cie, qui font avec Hetzel les frais de fabrication, achètent les livraisons avec 45 % de remise et font eux-mêmes une remise variable aux libraires détaillants qui peut aller de 25 % à 45 % (estimée ici à 40 %, chiffre habituel). Ils reçoivent en outre un sixième des bénéfices. Lorsqu'un acheteur paie une livraison vingt centimes, 8 % de cette somme ont été consacrés à l'illustration, 20 % à la fourniture du papier, 15 % à l'imprimeur, environ 40 % vont au libraire, etc.

Sur le graphique du bas, les frais d'établissement du matériel ont disparu (rémunération du dessinateur, du graveur, composition et clichés), ce qui augmente la part des bénéfices nets revenant aux auteurs et aux éditeurs ; Marescq et Cie prennent les réimpressions avec une remise de 50 % sur le prix public et reçoivent toujours un sixième du bénéfice.

De telles opérations n'étaient en fait réellement rentables que lorsque des publications atteignaient de très forts tirages. Tel fut le cas des *Misérables* qu'Hetzel édita avec Lacroix en 1863, pour lesquels on dispose de calculs et de comptes particulièrement précis.

L'ouvrage devait, selon les prévisions des deux hommes, comprendre au maximum 50 feuilles de 16 pages et être vendu 10 francs au prix fort, soit 7 francs 50 net avec 25 % de remise. Un devis de l'imprimeur Claye (voir tableau ci-dessous) donne une idée des dépenses en fonction des tirages.

Quelques modifications furent apportées aux prévisions : le tirage initial des premières livraisons à 20 000 exemplaires fut ensuite augmenté et de nombreuses réimpressions furent exécutées. Depuis 1867 cependant, les deux associés s'étaient brouillés, Lacroix ayant reproché à Hetzel d'avoir conclu un accord permettant de donner en prime aux nouveaux abonnés du journal *Le Siècle* des exemplaires imprimés sur mauvais papier et payés seulement par les propriétaires de ce journal. L'opération ne s'en poursuivit pas moins et un compte de février 1870 permet de constater que le total des ventes correspondait à 131 821 exemplaires complets de cent numéros ou demi-livraisons chacun, ce qui représentait une dépense de 430 528 francs 19 centimes et une recette de 846 081 francs 12 centimes. Lacroix avait reçu 223 293 francs 69 centimes de bénéfice et Hetzel 192 259 francs 24 centimes, sans compter la propriété commune d'illustrations et de cliché ayant coûté 38 428 francs 40 centimes.

N. Petit et H.-J. Martin

1. Texte rédigé par H.-J. Martin d'après N. Petit, « Un éditeur au XIXᵉ siècle, Pierre-Jules Hetzel (1814-1886) et les éditions Hetzel (1837-1914) », thèse manuscrite, pages 160-195 (George Sand), 206-213 et 313-323 (Victor Hugo), *cf.* École nationale des chartes. *Positions des thèses soutenues par la promotion de 1980*, Paris, 1980, pages 129-134. Voir pour les rapports Hugo-Hetzel, *Correspondance entre Victor Hugo et Pierre-Jules Hetzel*, tome I, 1852-1893, Paris, 1979, notamment pages 183, 419, 492-495 et, pour l'édition populaire des *Misérables*, Bibl. nat., ms. fr., n.a.f. 16 960 (dossier Victor Hugo, contrats) et 17 060 (affaire Lacroix) qui proviennent des archives personnelles de Hetzel.

Premier tirage à 10 000 exemplaires

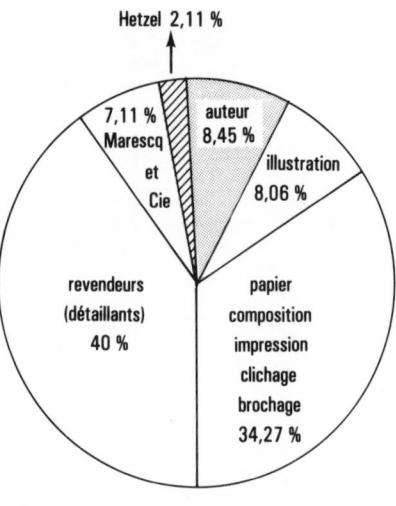

Hetzel 2,11 %

7,11 % Marescq et Cie

auteur 8,45 %

illustration 8,06 %

revendeurs (détaillants) 40 %

papier composition impression clichage brochage 34,27 %

Réimpression à 5 000 exemplaires

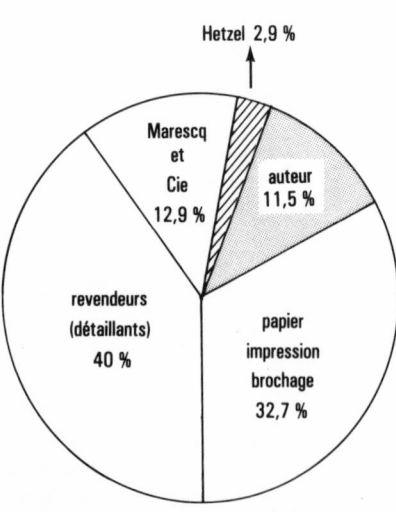

Hetzel 2,9 %

Marescq et Cie 12,9 %

auteur 11,5 %

revendeurs (détaillants) 40 %

papier impression brochage 32,7 %

	10 000 ex.	20 000 ex.	30 000 ex.	100 000 ex.
Dessin et gravure	26 000 F	26 000 F	26 000 F	26 000 F
Publicité	6 000 F	6 000 F	6 000 F	6 000 F
Impression	23 000 F	31 750 F	41 000 F	122 000 F
Papier	23 500 F	43 250 F	63 000 F	206 000 F
Brochage	1 500 F	3 000 F	4 500 F	15 000 F
Total	80 000 F	110 000 F	140 500 F	375 000 F

H. DELAVILLE

LA MARE AU DIABLE

NOTICE

Quand j'ai commencé, par la *Mare au Diable*, une série de romans champêtres, que je me proposais de réunir sous le titre de *Veillées du Chanvreur*, je n'ai eu aucun système, aucune prétention révolutionnaire en littérature. Personne ne fait une révolution à soi tout seul, et il en est, surtout dans les arts, que l'humanité accomplit sans trop savoir comment, parce que c'est tout le monde qui s'en charge. Mais ceci n'est pas applicable au roman de mœurs rustiques : il a existé de tout temps et sous toutes les formes, tantôt pompeuses, tantôt maniérées, tantôt naïves. Je l'ai dit, et dois le répéter ici, le rêve de la vie champêtre a été de tout temps l'idéal des villes et même celui des cours. Je n'ai rien fait de neuf en suivant la pente qui ramène l'homme civilisé aux charmes de la vie primitive. Je n'ai voulu ni faire une nouvelle langue, ni me chercher une nouvelle manière. On me l'a cependant affirmé dans bon nombre de feuilletons, mais je sais mieux que personne à quoi m'en tenir sur mes propres desseins, et je m'étonne toujours que la critique en cherche si long, quand l'idée la plus simple, la circonstance la plus vulgaire, sont les seules inspirations auxquelles les productions de l'art doivent l'être. Pour la *Mare au Diable* en particulier, le fait que j'ai rapporté dans l'avant-propos, une gravure d'Holbein, qui m'avait frappé, une scène réelle que j'eus sous les yeux dans le même moment, au temps des semailles, voilà tout ce qui m'a poussé à écrire cette histoire modeste, placée au milieu des humbles paysages que je parcourais chaque jour. Si on me demande ce que j'ai voulu faire, je répondrai que j'ai voulu faire une chose très-touchante et très-simple, et que je n'ai pas réussi à mon gré. J'ai bien vu, j'ai bien senti le beau dans le simple, mais voir et peindre sont deux ! Tout ce que l'artiste peut espérer de mieux, c'est d'engager ceux qui ont des yeux à regarder aussi. Voyez donc la simplicité, vous autres, voyez le ciel et les champs, et les arbres, et les paysans surtout dans ce qu'ils ont de bon et de vrai : vous les verrez un peu dans mon livre, vous les verrez beaucoup mieux dans la nature.

GEORGE SAND.

Nohant, 12 avril 1851.

Édition populaire des *Œuvres* complètes de George Sand publiée par Hetzel en association
avec les libraires Blanchard et Marescq en 1852 et illustrée de figures gravées sur bois d'après Tony Johannot.
H. 284 mm.

Le roman populaire

(suite de la page 457)

œuvre par Millaud : création d'un réseau de vente efficace s'appuyant sur des distributeurs locaux, rôle majeur donné aux éléments rédactionnels attractifs comme les faits divers (fort peu traités par les journaux d'opinion), les feuilletons, les illustrations. Les tirages sont très vite élevés (259 000 exemplaires par jour fin 1865) et la formule est rapidement imitée. La vente au numéro à un sou s'étend peu à peu à la quasi-totalité des quotidiens. L'abaissement du coût du papier, l'augmentation des ventes, le progrès technique de l'impression, le recours croissant aux annonces publicitaires font que ce prix de un sou reste inchangé jusqu'en 1914 alors même que les grands quotidiens augmentent leur pagination au début du XXe siècle (ils passent de quatre pages à six ou huit — douze pour *Le Matin*). La presse, qui jouit après 1881 d'une très grande liberté, accomplit sous la Troisième République et jusqu'à la Première Guerre mondiale une marche triomphante, peu entravée par les scandales politico-financiers. Son essor attire les capitaux et les réseaux de vente se perfectionnent. Au début du XXe siècle, quatre grands quotidiens dominent le marché populaire : *Le Matin*, *Le Journal*, *Le Petit Journal* et *Le Petit Parisien*. Leur tirage total atteint 4 500 000 exemplaires par jour, soit 40 % des tirages nationaux. Chiffre énorme si on le rapporte à celui de la population qui n'atteint pas 40 millions. La presse française est à son apogée (6). Mais son emprise est moindre dans les campagnes que dans les villes : éloignement des points de vente, alphabétisation et maîtrise du français plus faibles, manque de numéraire font que les ruraux, et surtout ceux qui exploitent de petites propriétés, viennent plus tardivement que les habitants de villes au journal et l'ignorent dans une plus grande proportion. En 1900, beaucoup encore se contentent d'une acquisition hebdomadaire, lors d'un voyage au bourg proche à l'occasion d'un marché ou de la messe. En revanche, les populations urbaines, y compris les ouvriers, hésitent d'autant moins à acheter le journal que celui-ci s'inscrit au plus bas de l'échelle des prix.

Presque tous les quotidiens, avant 1914, publient un, deux ou même trois « rez-de-chaussée » romanesques, correspondant à un ou deux titres. Dans les grands quotidiens populaires, comme *Le Petit Journal* ou *Le Petit Parisien*, le roman occupe le huitième environ de la surface imprimée. Mais le feuilleton déborde aussi du journal pour investir la rue. À partir des années 1880, on voit apparaître de grandes campagnes de lancements de feuilletons qui utilisent les ressources de l'espace urbain. Des sommes énormes leur sont consacrées, qui peuvent atteindre 150 000 francs (soit le prix de vente de trois millions d'exemplaires du journal !). Des affiches, signées par des noms célèbres (Poulbot, Caran d'Ache, Chéret, Rapeño, etc.), illustrant les scènes les plus tragiques des romans sont placardées sur les murs tandis que des dizaines de camelots sont postés aux carrefours ou dans les rues animées : ils distribuent à tous les passants une feuille pliée en quatre reproduisant les affiches illustrées et donnant le texte du premier épisode. Il y a parfois recours à d'autres éléments publicitaires : organisation de concours liés au feuilleton, émission de billets de loterie, fabrication de chars décorés figurant un passage du roman... Les journaux militants visant le public populaire, dont les ressources ne permettent pas de tels frais, font appel à leurs lecteurs convaincus. *La Croix*, quotidien fondé par les assomptionnistes en 1883, rappelle régulièrement que la propagande pour ses feuilletons fait partie des devoirs chrétiens et patriotiques et *L'Humanité* de Jaurès exhorte les membres des associations ouvrières à jouer les camelots bénévoles.

Bas de page d'un périodique voué à l'éphémère par définition, le rez-de-chaussée romanesque peut aussi donner naissance à un « livre ». Il n'est pas rare que ses lectrices (car ce sont surtout les femmes qui lisent le feuilleton, comme l'ont noté les observateurs contemporains et comme nous avons pu le constater lors d'une enquête orale rétrospective sur le public populaire de la Belle Époque) (7) le découpent régulièrement : elles rassemblent les épisodes successifs, les cousent de quelques points et les relient avec du papier fort sur lequel elles inscrivent le titre. Les journaux tiennent compte de cet usage en publiant les feuilletons toujours dans le même format et en les numérotant ; certains même vendent des reliures adéquates, qui ressemblent à nos actuels albums-photos. Ainsi se constituent de petites « collections » romanesques gratuites qui peuvent faire l'objet de prêts ou d'échanges entre amies ou parentes.

Le roman à la petite semaine

Les quotidiens ne sont pas seuls à publier des feuilletons. Les « journaux-romans », dont la naissance et le développement ont été parallèles à ceux de la presse populaire, sont pour l'essentiel consacrés à la publication de romans en tranches. Ce sont des périodiques hebdomadaires ou bihebdomadaires, comptant huit à seize pages en format in-4° avec impression sur deux ou trois colonnes, qui sont vendus un ou deux sous le numéro (ou par abonnement annuel de quatre à six francs). Créée dans les années 1850 avec *Les Cinq Centimes Illustrés*, *Le Journal pour tous*, *Les bons romans*, *Les Romans choisis*, la formule a un succès rapide et durable. En 1863, il en existe déjà 21, tirant en moyenne à 15 000 exemplaires. Comme la presse populaire quotidienne, les journaux-romans touchent les milieux ruraux plus lentement et dans une moindre mesure que les populations urbaines. Le plus célèbre de ces journaux-romans, *Les Veillées des Chaumières*, créé en 1877, a perduré sous diverses formes jusqu'à notre époque. La naissance et le développement de ces journaux-romans n'ont pas été sans lien avec l'évolution d'un mode de publication de romans à la fois proche et préexistant : la livraison. Sous la monarchie de Juillet, déjà, certains libraires vendaient des ouvrages en tranches régulières, avec souscription initiale. Ainsi, alors même que la publication des *Mystères de Paris* en feuilleton n'était pas encore achevée, les éditeurs Gosselin et Garnier frères lançaient une édition en livraisons du roman : chaque livraison devait contenir « une grande vignette sur acier ou sur bois, imprimée sur feuillet séparé, trois ou quatre dessins imprimés dans le texte, une feuille de seize pages de texte, format grand in-8° sur papier vélin superfin. Il paraît une ou deux livraisons par semaine » et « l'ouvrage complet formera deux forts volumes très grand in-8° divisés en quatre parties. Chaque partie, brochée, avec couverture imprimée, coûtera 10 francs » (8). Le prix total est donc élevé, qui correspond à près d'un mois de salaire ouvrier. Mais la dépense est fractionnée et se trouve accessible à certains individus, appartenant à la petite bourgeoisie ou aux milieux populaires, qui peuvent ne pas consacrer tout leur revenu à leur entretien matériel. Une lectrice de Sue, voulant montrer à l'auteur l'ampleur de son succès, lui rapporta le dialogue suivant qu'elle avait, écrit-elle, surpris entre deux ouvriers :

> — « Joseph, viens-tu ce soir aux Folies, il y a un fameux spectacle ?
> — Non.
> — Pourquoi donc, toi qui d'ordinaire es si chaud ?
> — Parce que.
> — En voilà une réponse, parce que.
> — S'il ne veut pas te le dire, reprit un troisième, je vais le faire. Tu sauras que Joseph veut faire des économies (...). Il veut souscrire pour acheter *Les Mystères de Paris*.
> — (...) C'est vrai, le père dit que c'est joliment tapé, que c'est un fameux livre, que celui qui a fait ça connaît un peu son affaire, qu'il prêche bien pour la morale et le malheureux » (9).

Le souscripteur est donc vraisemblablement un jeune ouvrier parisien célibataire, logé dans sa famille, qui peut disposer pour ses loisirs d'une partie de ses gains (sans doute son père et lui sont-ils aussi plus ou moins liés aux associations ouvrières qui ont vu dans le roman de Sue des préoccupations analogues aux leurs) (10).

La livraison, sous la monarchie de Juillet, ne touche pas plus les milieux populaires que la presse, sauf à désigner par le terme populaire une faible partie de la petite bourgeoisie et la frange la plus cultivée, la moins soumise à la nécessité immédiate, de la population ouvrière et paysanne. Public limité, mais en expansion. Au milieu du siècle apparaissent les collections de romans en livraisons : Romans illustrés de Havard, Veillées littéraires illustrées de Bry en 1848, et, surtout, Romans populaires illustrés de Gustave Barba en 1849. Chaque livraison de 8 à 16 pages in-4°, imprimée sur deux colonnes, est vendue 20 centimes (d'où le nom de « romans à 4 sous » donné génériquement à ces

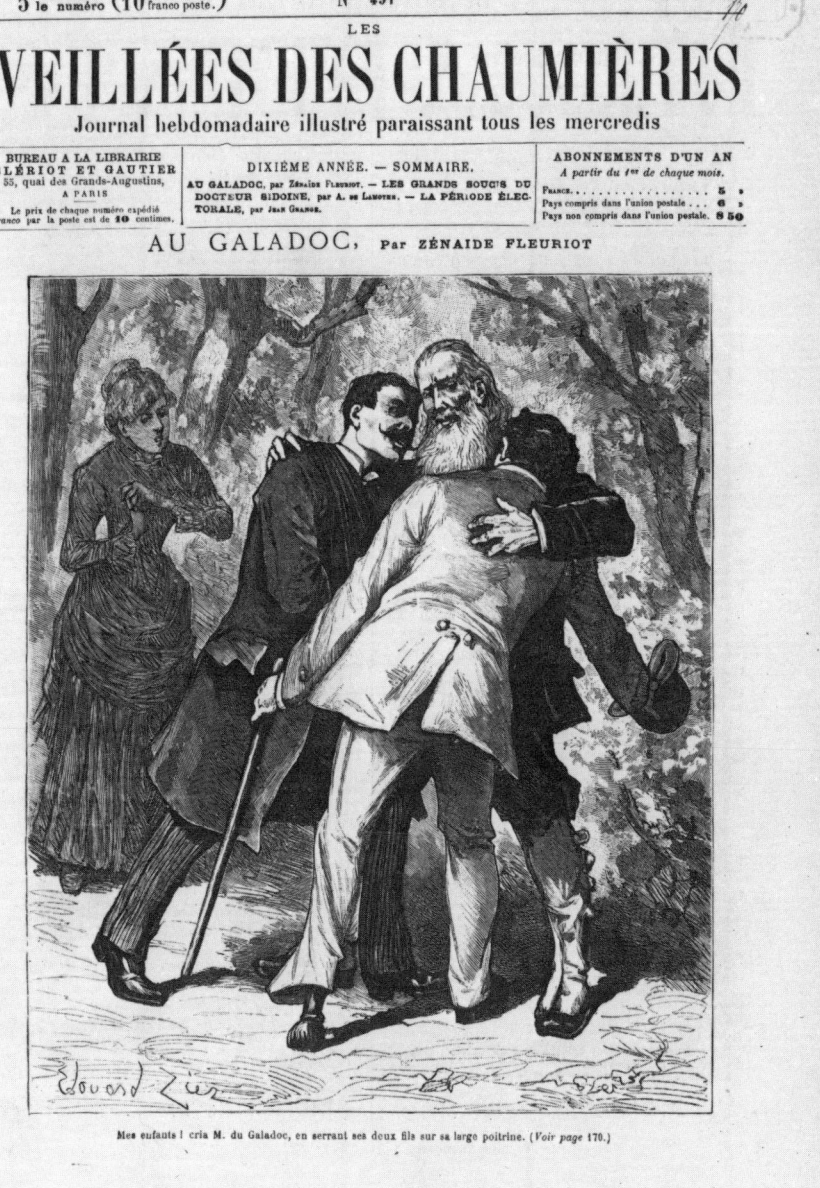

Publication d'un roman de Zénaïde Fleuriot dans les *Veillées des Chaumières* de 1877. H. 290 mm.

465

Première traduction française du *Capital* de Karl Marx
publiée en livraisons par l'éditeur Maurice Lachâtre 1872-1875.
H. 270 mm.

publications). La qualité de l'impression, celle des gravures (sur bois) sont généralement très bonnes (11). Les tirages sont de 10 000 à 40 000 exemplaires vers 1850. Mais l'apparition du journal-roman qui coûte quatre fois moins cher va entraîner un alignement de la livraison sur le périodique, pour le coût... et la qualité. L'illustration devient moins abondante, moins soignée, l'impression est médiocre, défectueuse souvent, et les prix tombent à 1 ou 2 sous. Le public s'élargit et sous la Troisième République la livraison est l'un des principaux modes de diffusion de l'imprimé destiné aux milieux populaires. C'est d'ailleurs sous cette forme que parut la première traduction française du *Capital* : à l'auteur qui s'inquiétait de ce que le caractère ardu des premiers chapitres ne décourageât le public français « toujours impatient à conclure » d'acheter la totalité de l'ouvrage, l'éditeur, Maurice Lachâtre, répondit que la livraison était le seul moyen de toucher les lecteurs populaires, « les pauvres ne pouvant payer la science qu'avec l'obole » (12). Comme le journal-roman et le quotidien, la livraison est vendue sur abonnement ou au numéro chez les dépositaires de presse. Elle est aussi diffusée par le colportage là où il subsiste, ou encore par les « crieurs de feuilletons », commis ambulants appointés par des libraires.

Après la suppression, en 1870, des brevets d'imprimeur et de libraire, n'importe qui, ou presque, peut faire de l'édition en livraisons. L'impression est progressive, les tirages ajustés à la vente : la mise de fonds initiale est donc faible, les problèmes de stockage limités, les risques d'invendus restreints. De véritables éditeurs, mais aussi des non-spécialistes exploitent ce marché. Dans ses souvenirs, le romancier Rodolphe Bringer narre avec humour comment il fut embauché pour écrire des romans en livraisons. Poète symboliste et famélique, il était entré dans une librairie pour acheter les œuvres de Musset lorsque le marchand, apprenant incidemment sa profession, lui demanda :

« Voilà, j'ai envie d'éditer des romans, de lancer des feuilletons en livraisons à deux sous. Alors, puisque vous êtes un homme de lettres et que vous savez faire des romans, si vous voulez m'en écrire un intitulé *L'Orphe-*

line du Kremlin, je vous paierai trente francs la livraison. (...) Alors si ça va, continuait mon homme, apportez-moi un scénario et je vous signerai un traité » (13).

Le jeune homme accepte et, pendant deux ans, il produit ponctuellement et douloureusement les livraisons requises jusqu'au terme prévu.

« Hélas, deux jours après [avoir écrit le mot Fin], je voyais arriver chez moi [mon éditeur] affolé, le visage défait et la voix défaillante qui, dressant vers le plafond deux longs bras éperdus, gémit :
'— Ah ça ! Vous voulez me ruiner. Vous arrêtez votre roman, alors qu'il y a encore des clients pour l'acheter, alors que la vente est encore supérieure aux frais. (...) Il me faut encore trente livraisons pour le moins' » (13).

Il ne reste plus au feuilletoniste qu'à repêcher dans les eaux glacées de la Moskowa un personnage secondaire qui y avait plongé plusieurs livraisons auparavant, pour atteindre les trente livraisons supplémentaires.

Comme le feuilleton, la livraison est parfois transformée en livre : travail domestique ou, lorsque l'édition est plus soignée, travail confié à un artisan relieur. La livraison, au demeurant, tend elle-même à se rapprocher du livre en volume puisqu'elle évolue vers le fascicule, de format plus restreint, avec pagination plus importante (32 pages) et couverture illustrée. Le marché du fascicule, qui se développe surtout après 1900, est dominé par l'éditeur Eichler. L'entreprise Eichler, qui a son siège à Dresde et possède des succursales en France, en Angleterre, en Italie, en Espagne et au Canada, publie d'interminables romans (le plus célèbre, *Comtesse et Mendiante,* atteint les 3 000 pages, *Une demoiselle de magasin* en compte 4 800 !) en fascicules hebdomadaires ou bihebdomadaires à 2 sous. Ces romans ne sont pas toujours signés et certains sont visiblement des traductions ou des adaptations de l'allemand ou de l'anglais (comme la série des aventures de Nick Carter ou de Nat Pinkerton). En 1914, la filiale française d'Eichler doit cesser ses activités, ayant été mise sous séquestre comme bien allemand.

Cette évolution de la livraison vers le fascicule doit sans doute être rapportée à un changement dans les rapports du public populaire avec l'imprimé. Il est commun d'avancer aujourd'hui que l'École gratuite et obligatoire instaurée par la Troisième République n'a fait que porter à ses limites un processus d'alphabétisation déjà bien engagé. Il faudrait ajouter qu'elle est pour beaucoup dans la familiarisation de l'ensemble des couches populaires avec l'objet livre, par la mise en contact précoce et prolongée des enfants avec des manuels, la constitution de petites bibliothèques scolaires et les larges distributions annuelles de prix. D'autant que l'Église, dans le même temps, recourt de plus en plus à l'enseignement par le livre : les représentants de l'institution, les œuvres chrétiennes, les missions diffusent intensément des éditions bon marché de livres de piété, des catéchismes, des ouvrages saints. La presse populaire avait avivé l'intérêt pour les lectures de distraction, le livre éducatif (qui est souvent le premier à entrer dans le foyer) entraîne une forte demande de romans en volumes.

Les grandes collections populaires de romans en volumes apparaissent dans les premières années du XXᵉ siècle.

Mais cela n'est nullement le signe d'une uniformisation de l'édition et d'une fusion du secteur lettré et du secteur populaire. Les romans à 13 sous ou à 4 sous sont à peine considérés comme des livres par leurs éditeurs, qui ne respectent d'ailleurs guère le Dépôt légal. Par bien des traits, ils demeurent proches des périodiques : les publications sont régulières, numérotées et, dans les collections les moins chères, la dernière page est consacrée à une publicité pour le roman « qui paraîtra samedi prochain... ». Page de garde et page de titre font souvent défaut, la couverture peut être faite du même papier fragile que le texte. La vente sur abonnement et l'envoi postal sont souvent possibles. Le livre populaire se développe dans le sillage de la presse, il ne s'en détache jamais vraiment. « Partout, sur les circuits de distribution populaire, le livre se trouve associé à la presse quotidienne ou hebdomadaire », remarque, pour la période actuelle, le sociologue Robert Escarpit (14). Cette association, née au XIXᵉ siècle et persistant aujourd'hui, est une conséquence du rapport des milieux populaires au livre. Entrer dans une librairie ou dans une bibliothèque est une véritable épreuve pour ceux qui, n'ayant pas le langage, les références, les systèmes de classement requis, s'exposent au ridicule de l'ignorance et le savent bien. L'appropriation d'objets culturels est pour eux d'autant plus aisée qu'elle peut s'effectuer dans des lieux non spécifiques, au milieu de produits banalisés, d'usage courant, comme la papeterie ou les journaux.

L'Art et l'Argent

Autre trait caractéristique de la littérature populaire : le statut de ses auteurs est à la fois déplorable et envié. Envié parce qu'il est possible d'obtenir avec ce genre de production des gains très élevés. En 1906, estimait Marcel Prévost, président de la Société des gens de lettres, dix écrivains français gagnaient plus de 50 000 francs par an, quatre ou cinq atteignaient les 100 000 francs : « en comptant les populaires », précisait-il (15). Rappelons qu'un instituteur débutant gagne à l'époque 1 000 francs par an, qu'un professeur agrégé de province termine sa carrière avec un traitement annuel de 6 000 francs. De fait, le roman populaire, sous ses diverses formes, peut être rémunérateur. Le feuilleton inédit est en règle générale payé à la ligne, selon un tarif qui varie considérablement en fonction de la renommée du signataire et de l'importance du journal qui le publie : cela va de 5 centimes la ligne à 1 franc (rémunération versée, par exemple, à Michel Zévaco pour la publication des *Pardaillan* dans *Le Matin* au début du XXᵉ siècle). S'y ajoutent les droits de reproduction versés par les journaux de province ou de l'étranger qui ne peuvent s'offrir d'inédits. Il est à noter que la France exporte fort bien ses feuilletons à travers le monde, et notamment en Amérique latine. En outre, un feuilleton à succès est repris dans des publications en livraisons ou en volumes. Enfin, il est souvent adapté à la scène. Un romancier populaire peut donc vivre de sa plume s'il travaille régulièrement : il devient riche s'il publie beaucoup et continûment. Les plus fortunés (Xavier de Montépin, Jules Mary, Charles Mérouvel, Paul d'Ivoi) sont ceux qui ont signé des dizaines d'ouvrages : signé, plus souvent

Numéros spécimens destinés au lancement de romans populaires
publiés en livraisons par les éditeurs J. Rouff, J. Ferenczy
et A. Fayard et publicité du *Petit journal* pour un de ces romans.

qu'écrit, car pour livrer à longueur d'année leurs dizaines de milliers de lignes, ils font appel à des « nègres », collaborateurs anonymes rémunérés au forfait. Si la plupart d'entre eux, en fait, n'ont pas le train de vie sardanapalesque que leur attribuent leurs contemporains jaloux, il n'.en demeure pas moins qu'une telle situation a contribué à modifier le statut d'ensemble des romanciers et leurs rapports avec les maisons d'édition. Les rémunérations versées aux feuilletonistes ont incité les écrivains à élever leurs exigences pour le paiement de leurs ouvrages publiés en volumes. La revendication était aussi facilitée par le fait que la conquête d'un public élargi opérée par le roman-feuilleton était l'un des facteurs permettant l'élévation des tirages. L'ensemble des écrivains profitèrent de l'expansion de la littérature populaire également grâce au soutien financier apporté par celle-ci aux associations corporatistes de défense des auteurs et notamment à la plus importante d'entre elles, la Société des gens de lettres (16). Celle-ci offrait à ses membres une assistance juridique et veillait efficacement à ce que leurs droits soient respectés par les éditeurs. Ses ressources provenaient des cotisations versées par ses membres, de dons occasionnels et, principalement, de commissions proportionnelles aux droits de reproduction touchés par ses adhérents. Les romanciers populaires, par leurs nombreux et substantiels droits de reproduction, étaient donc des plus utiles à la Société et aux gens de lettres en général. Il faut enfin souligner le rôle joué par le roman populaire dans l'élargissement et la relative démocratisation de la population des écrivains du XIXe siècle : des individus dépourvus de fortune personnelle peuvent, en s'y consacrant, gagner leur vie avec leurs écrits.

Mais cette « apologie » du roman populaire, qui vise à montrer qu'il n'a pas été totalement néfaste à l'édition et aux écrivains, comme on le lui a reproché cent fois (17), doit être fortement nuancée. Écrire des romans populaires n'est jamais un choix premier, délibéré : c'est le résultat d'échecs antérieurs dans la conquête d'une place au sein de la littérature reconnue et valorisée. Et ce sont surtout des individus peu aptes par leurs origines sociales (classes moyennes et populaires), géographiques (provinciaux) ou par leur sexe (femmes) à passer le cap difficile des années d'apprentissage du milieu littéraire ou à se maintenir sur le marché qui se mettent à produire, souvent après quelques publications de qualité, du roman populaire. Écrivains ils restent, mais en butte aux sarcasmes et au dédain des lettrés, et placés dans un secteur de l'édition où le souci de la rentabilité prime le service de l'Art. Ce qui, dans les relations éditeurs-auteurs, est ailleurs euphémisé, s'exprime ici brutalement. Qu'un éditeur du secteur lettré ou l'un de ses directeurs littéraires guide un écrivain, l'oriente vers tel ou' tel sujet, suggère des corrections dans un manuscrit, est chose courante. Mais, à la fin du XIXe siècle (ce ne fut pas toujours le cas auparavant), c'est seulement dans le secteur populaire que l'éditeur s'arroge tout droit sur l'œuvre. Des contrats, ainsi, prévoient que l'auteur autorise l'éditeur à couper et à remanier les romans à son gré. Dans les collections populaires à très bas prix, il arrive même que le nom de l'auteur ne figure pas sur la couverture : situation qui rappelle l'anonymat des rédacteurs de la Bibliothèque bleue, sous l'Ancien Régime, et qui est analogue à celle des premiers réalisateurs de cinéma face aux producteurs/distributeurs.

Tout concourt donc pour que la littérature populaire soit le domaine par excellence du stéréotype et de la répétition : les écrivains spécialisés, tenus de produire rapidement une copie abondante, recourent aux recettes éprouvées, tandis que les éditeurs, qui cherchent des succès à court terme, poussent à la reprise des thèmes ou des titres « qui ont marché ». *Les Deux Orphelines*, célèbre mélodrame d'Adolphe d'Ennery, engendrent ainsi *Les Deux Frangines* et *Les Deux Gosses* de Pierre Decourcelle, neveu du précédent ; *Chaste et Flétrie*, de Charles Mérouvel, est imité par *Flétrie !* de Jules de Gastyne, *Les Buveurs de larmes* de Charles Esquier ressemblent étrangement à *La Buveuse de larmes* de Pierre Decourcelle. Or, par leur formation scolaire ou extrascolaire, les membres des classes populaires ne peuvent aborder les textes littéraires comme les illustrations diverses de possibles stylistiques et narratifs : tout au contraire, ils tiennent pour « naturelle » une norme conventionnelle, celle qui régit les œuvres connues. Ils apprécieront d'autant plus un ouvrage que celui-ci s'approche plus de la perfection conventionnelle, du modèle implicite. La production suivant les tendances de la consommation, en éliminant les éléments originaux qui n'ont pas plu immédiatement, les textes présentent un aspect de plus en plus stéréotypé et l'expérience du lecteur se restreint.

L'incontestable développement que connaissent l'édition et la presse populaires au XIXe siècle ne signifie nullement un bouleversement dans la structure du champ culturel et sa hiérarchie. Le secteur spécialisé de la production croît en même temps que la lecture populaire, mais il est dépourvu de prestige culturel comme son public, abandonné à des écrivains en situation d'échec, et régi par des stratégies purement commerciales. L'ancienne distinction lettrés *vs* illettrés est tout à la fois déplacée et conservée : au critère de la compétence pratique (savoir lire) est substitué le critère de la disposition esthétique (savoir ce qu'il faut lire et comment). N'ayant pas les moyens de maîtriser l'univers littéraire, ses classements et ses règles, ne pouvant produire tous les jeux de mise à distance du quotidien que suppose le regard « artiste » ou « intellectuel », le public populaire reste ce repoussoir contre lequel se conquiert la reconnaissance culturelle.

Notes

1. Rapport présenté à M. le ministre de l'Intérieur au nom de la Commission du colportage par M. le vicomte de La Guéronnière, *Moniteur Universel*, 8 avril 1853.

2. Voir : Darmon (J.), *Le colportage de librairie en France sous le Second Empire*, Paris, Plon, 1972.

3. Nisard (C.), *Histoire des livres populaires ou de la littérature de colportage*, Paris, Amyot, 1854, 2 tomes.

4. Voir : Parent-Lardeur (F.), *Les cabinets de lecture ; la lecture publique à Paris sous la Restauration*, Paris, Payot, 1982.

5. À propos des premiers romans-feuilletons, voir : Bory (J. L.), *Eugène Sue, le roi du roman populaire*, Paris, Hachette, 1962 et Guise (R.), « Balzac et le roman-feuilleton », *L'Année balzacienne*, 1964.

6. Voir : Bellanger (C.), Godechot (J.), Guiral (P.), Terrou (F.) (sous la direction de), *Histoire générale de la Presse française*, Paris, P.U.F., tome III « De 1871 à 1914 », 1972.

7. Voir : Anne-Marie Thiesse, *Le roman du quotidien ; lecteurs et lectures populaires à la Belle Époque*, Paris, Le Chemin vert, 1984.

8. Annonce parue dans *Le Journal des Débats* du 25 août 1843.

9. Lettre signée Ernestine Dumont, datée du 24 octobre 1843 (Fonds Eugène Sue, Bibliothèque historique de la Ville de Paris).

10. Voir : Anne-Marie Thiesse, « L'éducation sociale d'un romancier, le cas d'Eugène Sue », *Actes de la Recherche en Sciences Sociales*, n° 32, avril-juin 1980.

11. Voir : Claude Witkowski, *Monographie des éditions populaires, Les romans à 4 sous, les publications illustrées à 20 centimes (1848-1870)*, Compagnie J. J. Pauvert, 1982.

12. Correspondance reproduite dans : Marx (K.), *Le Capital*, Paris, Garnier-Flammarion, coll. Texte intégral, livre I, 1969.

13. Rodolphe Bringer, *Trente ans d'humour*, Paris, Crès, 1931, pages 148-154.

14. Escarpit (R.), *Sociologie de la littérature*, Paris, P.U.F., coll. Que sais-je ?, 1973, page 87.

15. Interview de Marcel Prévost, « Les gros tirages littéraires », *Je sais tout*, année 1906, pages 273-278.

16. La Société des gens de lettres fut fondée le 31 décembre 1837 sur l'initiative de Louis Desnoyer, directeur littéraire du quotidien *Le Siècle* (quotidien lancé le même jour que *La Presse* et sur le même principe). En 1907, la Société comptait 1160 membres.

17. Voir, notamment : Séché (A.), *Tuons les morts ou le roman-feuilleton contre la littérature*, Paris, Grasset, 1908. Cet opuscule polémique accuse les feuilletonistes de créer un groupe de pression pour retarder l'entrée des œuvres dans le domaine public et maintenir l'édition de livres classiques à un coût élevé, afin de protéger leur marché.

Une initiative en faveur de la culture populaire en 1848 : séances de lecture du soir offertes aux ouvriers,
employés, étudiants et autres personnes des deux sexes intéressées, dans une salle du Collège de France ;
on y lisait *Athalie, l'Histoire de France* de Michelet, des fables, des ouvrages de morale, etc...
Ces séances remportaient un vif succès.
Gravure parue dans *l'Illustration* du 28 octobre 1848.

Les nouveaux lecteurs

par Jean Hébrard

Les lecteurs populaires de l'Ancien Régime sont d'invention récente. L'image, construite par le folklorisme au XIXᵉ siècle, d'un peuple — essentiellement rural — vivant tout entier dans le temps quasi immobile de la tradition orale, n'a été révisée que depuis peu. Et si chaque étude nouvelle semble reculer dans la chronologie comme dans l'espace social la figure de l'illettrisme radical, les pratiques « populaires » de l'écrit restent, avant la Révolution, suffisamment peu conscientes d'elles-mêmes pour que l'historien d'aujourd'hui soit contraint de déployer des trésors d'ingéniosité lorsqu'il souhaite en documenter sérieusement l'occurrence.

Rien de tel pour les lecteurs du XIXᵉ siècle. Non seulement l'accès de couches de plus en plus « populaires » à l'imprimé est un phénomène patent, aisément vérifiable, mais il est, de plus, immédiatement désigné comme événement — attendu ou redouté — par une grande variété de dispositifs ou de représentations qui entretiennent à son entour un discours incessant.

On en imagine les raisons. La catégorie du « populaire » poursuit, au-delà de Thermidor, une carrière promise à un grand avenir. Inséparable du souvenir de la tourmente révolutionnaire, elle caractérise aussi bien ces groupes sociaux qui ont expérimenté dans les « journées » les formes les plus violentes de la démocratie directe que ceux qui, depuis l'Ancien Régime, par leur pauvreté et le mode de vie qui en résulte, comme par leur éloignement des lieux où se représente le pouvoir politique, occupent ces espaces lointains de l'altérité sociale absolue : ambivalence essentielle donc à ce qui se dénomme « populaire » au XIXᵉ siècle. D'autant plus qu'à l'incertitude sur l'objet désigné s'ajoute la prise de conscience du caractère de plus en plus imprécis de ses limites lorsque l'opposition rapide mais claire entre lettrés et illettrés ne peut plus entièrement distinguer ce qui n'est pas populaire de ce qui l'est. Ce vacillement de la ligne du Grand Partage (1) se joue déjà lorsque des paroles « populaires » trouvent à s'inscrire dans des textes à l'occasion de la rédaction des cahiers de doléances, des « motions » ou des adresses des clubs révolutionnaires, etc. Certes ces paroles ont été traduites par d'autres plumes, mais elles se donnent à lire, et il se trouve pour les lire un peuple, évidemment urbain et peut-être avant tout parisien. Ces braconnages (2) sont certainement plus essentiels que ceux qui se produisent, depuis le XVIIIᵉ siècle, entre l'office et le salon lorsque s'échangent ces livrets au statut ambigu dont on ne sait jamais s'ils relèvent du progrès des Lumières des uns ou de l'encanaillement des autres. À l'aube du XIXᵉ siècle, c'est cette frontière même qui s'efface, et plus seulement de manière subreptice : « Tout le monde lit aujourd'hui !... » répète-t-on mi-ironique, mi-inquiet pendant la Restauration (3) (voir pl. 30).

Dès lors, le lire populaire ne peut plus relever seulement de cette collecte des *curiosa* à laquelle s'étaient livrées, non sans quelque frisson, les Lumières au XVIIIᵉ siècle (4). Il est maintenant une problématique politique et sociale forte qui implique des choix et des décisions. Le temps n'est pas loin où l'hypothèse de la représentation populaire par le suffrage universel va mettre en pleine lumière la question que se pose la Deuxième République et que le Second Empire ne parvient pas à juguler : comment un citoyen devenu électeur pourrait-il ne pas savoir lire ?

Bref, l'extension rapide du partage social des pratiques de l'écrit au XIXᵉ siècle n'est pas seulement un fait. C'est aussi l'occasion d'une interrogation sans cesse renouvelée pour ces groupes sociaux ou ces individus qui soudain accèdent à l'écrit, comme pour ceux qui, bon gré mal gré, se trouvent devoir renoncer tout aussi brutalement au privilège de l'exclusivité d'un commerce distingué avec les livres. D'où cette insistance d'un travail de la représentation du lire populaire qui, par le texte ou l'image, mais aussi par l'inventivité institutionnelle, tente de donner un sens à cet événement — le peuple lit — dont chacun perçoit trop l'importance sans bien savoir quel enseignement en tirer.

On ne saurait, en conséquence, s'étonner de la bonne fortune documentaire qui s'offre à l'historien soucieux de rendre compte de ce phénomène : l'abondance et la diversité des sources croît avec le siècle. Mais, même dans les traces les plus « objectives » qu'elle dépose (statistiques de l'alphabétisation, recensements des lieux du lire et des objets textuels eux-mêmes), la lecture populaire ne se dégage jamais vraiment des représentations qu'on en construit plus ou moins explicitement.

« Tout le monde lit aujourd'hui ! », phrase souvent répétée
au XIXᵉ siècle et qui est bien illustrée par cette planche
de *La lecture en famille*, d'Ernest Legouvé.
Paris, Hetzel, 1882.

Ces clichés disparates du lecteur populaire ne sont en définitive que les illustrations multiples d'un thème unique, parfaitement récurrent depuis la Restauration jusqu'à la Troisième République, et peut-être au-delà, car la constatation de cet événement qui n'en finit pas de surprendre — le peuple apprend à lire — semble ne devoir appeler qu'un unique discours-programme : il existe de mauvais livres qui pourraient transformer cette avancée des Lumières — souhaitée ou tolérée — en une dépravation nouvelle. Un peuple lecteur ne saurait être abandonné à lui-même. Entre le livre et lui doivent être suscitées les bonnes volontés de la classe lettrée, afin qu'elles servent de filtres ou d'intermédiaires.

Tout est dit. Les reformulations ne sont que les habillages circonstanciels du même thème. Le voilà chez les libéraux de la Restauration rassemblés par le baron de Gérando dans la Société pour l'Instruction élémentaire : « Le choix des ouvrages qui peuvent former une bibliothèque à peu près complète, pour les classes inférieures de la société, est à la fois délicat et difficile, et d'une haute importance. Ces ouvrages en effet doivent être à la portée de l'intelligence des enfants, ou des hommes dont l'esprit a été peu cultivé (...) Il faut à la fois éviter ce qui ne pourrait offrir que des occasions et des sujets de distractions frivoles, ou ce qui tendrait à inspirer le dégoût d'une condition laborieuse et obscure, et un désir imprudent de s'élever au-dessus de la sphère dans laquelle on est placé (...) Si leurs facultés physiques, morales et intellectuelles reçoivent la direction et les développements convenables, par les premières instructions qui leur sont données, par les lectures bonnes et solides qui en deviennent le complément, on atteint le but qu'on s'est proposé, d'associer la moralité à l'instruction, de répandre peu à peu plus de moyens d'aisance et de bonheur dans les classes inférieures de la société » (Rapport fait au conseil d'administration de la Société pour l'Instruction élémentaire, au nom d'une commission spéciale formée pour « s'occuper de multiplier et de répandre les bons livres élémentaires et les ouvrages utiles, moraux et instructifs destinés au peuple », par M. Marc-Antoine Jullien, le 14 octobre 1818) (5).

Même discours chez les journalistes prolétaires de l'*Atelier,* pendant la monarchie de Juillet, cette fois dans le négatif du thème : « Nous avons peu de choses à dire des romans, si ce n'est que tout ce que la dépravation du dernier siècle a produit de bêtement ordurier et de corrupteur, nos romanciers modernes l'ont dépassé (...) les plus pernicieux sont aussi ceux qui sont les plus répandus ; on en multiplie les éditions, on les illustre, on en remplit les librairies et les cabinets de lecture, on les fait colporter dans les ateliers, on les étale jusque dans la rue. Chaque fois néanmoins que nous trouverons l'occasion de combattre leur dangereuse influence, nous ne manquerons pas de le faire, nous préoccupant fort peu de la réputation et de la célébrité de leurs auteurs. » Et cela dès le premier numéro du journal en septembre 1840 (6).

Vingt ans encore, au début du Second Empire, un ministre de l'Instruction publique et des Cultes, Rouland, envoie aux recteurs, le 24 juin 1862, une circulaire attirant leur attention sur l'intérêt des bibliothèques scolaires : « [la bibliothèque scolaire] sera pour [les familles], dans les longues veillées d'hiver, un excellent moyen d'échapper aux dangers de l'oisiveté, et l'expérience a prouvé que, dans les campagnes surtout, la lecture à haute voix, faite le soir au sein de la famille, a des attraits tout-puissants, et c'est précisément afin de prévenir les funestes conséquences de choix imprudents ou mauvais qu'il a paru nécessaire de réglementer le colportage (...) Il importe donc que MM. les Inspecteurs d'académie examinent avec le plus grand soin les livres qui seraient offerts aux bibliothèques scolaires ou dont l'acquisition serait projetée » (7).

Et tout à la fin du siècle, dans son rapport moral du 28 février 1898, le secrétaire de la Bibliothèque populaire des Amis de l'instruction du XIIIᵉ arrondissement qui cherche à expliquer les mauvais résultats de l'année écoulée : « On découpe par tranches chaque matin dans les milliers de journaux qui paraissent la pâture politique au peuple, qui hélas, semble se contenter de ce maigre régal... » Et d'inviter ses lecteurs à retourner au livre : « Le journal, comme

Le baron de Gérando (1772-1842), fondateur de la Société pour l'Instruction élémentaire, propagateur de la méthode d'enseignement mutuel et très attaché au développement de la lecture populaire.

473

informateur, est sans rival, mais jamais il ne pourra remplacer le livre. Le journal, c'est la lecture fiévreuse de la minute qui passe, le livre c'est l'éducateur et l'ami de tous les jours » (8).

Écrire de « bons » livres, les éditer, les acheminer jusqu'à leurs lecteurs ; dénoncer les « mauvais » livres, créer les dispositifs nécessaires à leur identification, voire à leur interdiction ; aider à choisir, à rassembler ces bons livres — et uniquement ceux-ci — dans des lieux publics ; s'associer pour lire ensemble, pour lire mieux et plus... : autant de manifestations de cette politique de la lecture avec laquelle on confond souvent le phénomène auquel elle répond : l'arrivée de « nouveaux lecteurs » sur le marché de la lecture.

Quand le peuple apprend à lire

Lorsqu'il s'agit d'accéder à cette politesse enfantine qui veut qu'on puisse bien dire une petite histoire en la suivant d'un doigt appliqué sur un *Sage écolier* ou un *Alphabet amusant,* apprendre à lire est à peine une formalité. Il n'est même pas nécessaire d'y employer un précepteur comme au siècle précédent. L'autorité affectueuse de la mère y suffit, et l'enfant n'a pas à quitter la maison familiale. Les frontispices des abécédaires destinés à cet usage en témoignent tout au long du siècle (9). Et même si l'on doit fréquenter plus assidûment les livres, pour offrir quelques décennies plus tard ses souvenirs d'enfance à des lecteurs, c'est toujours dans une sorte d'indolence, sans effort apparent, tout « naturellement » que semble se faire cet apprentissage. Certains le mènent à leur guise comme le suggère Balzac dans *Louis Lambert* dont l'éducation, au début du siècle, « n'était dirigée par personne » dans cette petite ville tourangelle où son père avait une tannerie. D'autres restent sous la houlette maternelle comme Alphonse Daudet qui évoque dans *le Petit Chose* la fabrique de foulards, possédée par son père à Nîmes avant 1848, dans la cour de laquelle sa mère lui avait « seulement appris à lire et à écrire, plus quelques mots d'espagnol et deux ou trois airs de guitare ». D'autres encore, tel Anatole France, semblent n'avoir eu besoin, quelques années après, que

d'un livre — une Bible de Royaumont, en l'occurrence, superbement illustrée — pour réinterpréter son univers de petit Parisien ; c'est du moins ce qu'il suggère lorsqu'il se peint sous les traits de Pierre Nozière, enfant qu'il dote d'un père médecin — le sien était libraire. Et même Vallès, simple fils d'instituteur, ne garde de l'école du Puy que le souvenir de la meule de foin de l'auberge voisine, il y perdait volontiers ses livres.

Rien de tel chez les enfants des classes « populaires » : l'apprentissage de la lecture est pour eux une véritable acculturation, un arrachement à des générations d'analphabétisme qui suppose un effort de tous les instants, une volonté exacerbée, des stratégies complexes. On y parvient par le moyen d'extraordinaires pérégrinations de maîtres en régents, de béates en curés, tous aussi peu compétents les uns que les autres, même lorsqu'ils exercent dans des écoles, congréganistes ou non.

Aux deux extrémités du XIXᵉ siècle, à trois générations d'intervalle, Martin Nadaud et Antoine Sylvère disent de la même manière la difficulté de leur alphabétisation.

Le premier (10) naît à La Martinèche, minuscule hameau creusois, en 1815. Son père et son grand-père sont des paysans pauvres qui prennent la route de Paris dès la belle saison pour rejoindre les chantiers de construction de la capitale. Personne encore, dans cette famille, n'a appris à lire et la mère n'a « jamais su prononcer un mot de français » (p. 184). La décision de tenter une scolarisation pour le jeune Martin vient du père. Il la justifie économiquement et professionnellement : « Si j'avais su lire et écrire, vous ne seriez pas aussi malheureux que vous l'êtes ; car les occasions de gagner de l'argent ne m'ont pas manqué ; mais ne sachant rien, il m'a fallu rester compagnon et avoir toujours le nez dans l'auge » (p. 72). À travers une réflexion que lui adresse le grand-père, on suspecte bien aussi un souci politique : « je te disais bien toujours que ces paperasses qui venaient de la guerre (les bulletins de la Grande Armée) et que tu achetais (11) au marché Saint-Jean, finiraient par te troubler la cervelle » (p. 69). Et l'on voit que rien n'est gagné pour le petit Martin ; le souhait du père rencontre une

Gustave Rouland (1802-1878),
ministre du Département
de l'Instruction publique
et des Cultes de 1856 à 1863,
qui s'est efforcé de donner
une impulsion à la lecture
populaire et aux bibliothèques.

vive résistance, familiale (outre le grand-père, la mère soutient qu'elle a « besoin de [Martin] pour aller aux champs ») et sociale (les voisins mêlent leurs voix à celle de l'aïeul pour affirmer : « pour des enfants de la campagne ce qu'ils pouvaient apprendre à l'école ne leur servirait pas à grand-chose, sinon à faire quelques lettres et à porter le livre à la messe » p. 68). Il faut, au dire de Martin Nadaud, « la fermeté de caractère de [son] père » pour qu'il prenne enfin le chemin, non de l'école, mais de la maison du marguillier de Pontarion, « deux heures par jour à la mauvaise saison » qui pour 12 francs lui apprend l'alphabet et les syllabes. Commence alors un périple étonnant qui amène Martin d'un maître à l'autre, d'un village au village voisin, tant les résultats sont éloignés de ceux que l'on escomptait. Quand arrive à Pontarion un « instituteur de profession », on quitte immédiatement le marguillier. Mais cet homme qui avait « la passion de son métier » (p. 70) reste peu de temps et son remplaçant n'a « ni le même courage ni la même énergie » (p. 72). On va alors au village voisin, chez un certain Jeanjou qui consent à prendre quatre ou cinq élèves. Résultats toujours aussi décevants. Le père apprend qu'un ancien officier des armées de l'Empire s'est installé à Saint-Hilaire, il lui confie Martin, mais il faudra cette fois-ci 5 francs par mois et 3 francs supplémentaires pour la pension. À ce prix, on a les quatre règles et même un peu de grammaire. Il est temps, le petit Nadaud a déjà quatorze ans et lorsque le demi-solde déménage à son tour, une dernière tentative chez un certain Mingonnat ne dure que quelques semaines : « Là s'arrêtait pour toujours les mois d'école que je devais coûter à mes bons parents » (p. 76). Mais un objectif au moins a été atteint grâce à l'entêtement du père qui en prend symboliquement acte : « Comme je lisais assez couramment, [mon père] avait toujours à offrir à ma curiosité des brochures et d'anciens bulletins de la grande armée portant aux nues les hauts faits du héros de son cœur, Napoléon » (p. 79). Pour le reste, il faudra quelques années de plus, l'équipement scolaire parisien et les habitudes associatives des garçons maçons.

Trois quarts de siècle plus tard, un autre fils de paysans pauvres, des métayers du pays d'Ambert, connaît une aventure bien semblable (12). Pourtant, le contexte a profondément changé, l'école est maintenant obligatoire, les dernières poches d'analphabétisme sont en train de tomber et le petit Antoine verra avant de mourir les hommes s'engager dans la conquête de l'espace. Son père, le Jean, sait déjà lire. Il y éprouve même un certain plaisir puisqu'il n'hésite pas à faire la dépense d'un abonnement de trente sous par mois pour une livraison périodique des *Misérables* (« excessive prodigalité qui lui était bien amèrement reprochée » p. 20). Il connaît lui aussi l'émigration saisonnière, mais elle reste rurale : il s'embauche comme scieur de long dans des campagnes de coupe de bois dans les forêts normandes. La mère est illettrée, ce qui ne l'empêche pas de suivre assidûment les feuilletons du *Moniteur du Dimanche* que lisent pour elle son mari d'abord, puis son fils lorsqu'il en a l'âge. Le grand-père maternel, le Galibardi (surnom gagné grâce à ses convictions politiques), est quasi illettré : « Si par hasard je prends une fois le journal un dimanche, y a bien plus du trois quart des mots que je ne peux pas comprendre » (p. 81). Il est pourtant de la génération de Martin Nadaud, mais paysan seulement, et à ce titre n'a pas profité comme celui-ci du contact avec la ville. Le désir d'alphabétisation, d'instruction même, est pourtant chez lui très vif. Il semble tenir à cet égard, vis-à-vis du jeune Toinou, un rôle identique à celui que tenait Léonard Nadau, lecteur assidu bien qu'analphabète du *Bulletin de la Grande Armée,* auprès du petit Martin. Il est vrai qu'il a su se doter de quelques rudiments par des moyens fort hétérodoxes : « Moi, pour apprendre à lire, ça m'a demandé plus de dix ans, rien qu'en suivant la messe dans mon livre. De longtemps j'ai pas compris grand-chose, mais quand j'ai eu appris à distinguer les Évangiles, ça a marché tout seul. J'y gagnai bien quatre ou cinq mots chaque fois que j'allais à l'église » (p. 52). Mais le souvenir de cette quête travaille encore le petit-fils qui en note, dans ses mémoires, la singularité et l'exemplarité, il se laisse conseiller : « Ce qu'on voudra pas te dire, faudra pas avoir peur de le

Martin Nadaud (1815-1898) qui, en dépit d'une scolarisation lente et difficile, est arrivé à être élu représentant du peuple de sa province natale, la Creuse, à l'Assemblée législative de 1849.

voler... » (p. 80). Il y a pourtant une génération, presque deux, que les hommes de la famille d'Antoine Sylvère savent lire, mais cela ne suffit pas à rendre l'apprentissage de l'enfant facile, « naturel ». Au contraire, il semble qu'un effort soit encore nécessaire pour que la lignée s'arrache définitivement à l'analphabétisme, et c'est conscient de ce danger d'une régression toujours possible que Toinou inscrit la fébrilité de son instruction.

Il a cependant rencontré l'école, et même précocement (les « sœurs blanches » d'Ambert recrutaient à quatre ans), mais cette institution semble être d'une redoutable inefficacité. Encore y apprend-on, tant bien que mal, à déchiffrer ; ce qui n'est pas le cas de l'école de filles voisine (« La sœur Agnès se fatiguait peu. Elle réussit à enseigner trois générations de notre famille [sa grand-mère, sa mère et sa sœur] sans le moindre résultat » p. 38). Mais il ne s'agit pas encore de comprendre quoi que ce soit à ce qu'on lit : « Les mots employés n'étaient jamais expliqués et gardaient une signification hermétique pour des enfants qui parlaient patois dans leur famille, ne pensaient jamais en français et dont l'expression en cette dernière langue restait le résultat d'une traduction laborieuse » (p. 36). Et même plus tard, lorsqu'il sera en quatrième chez les frères : « Le temps d'école était en grande partie consacré aux *Devoirs du chrétien*. Toute la classe psalmodiant sur deux notes épelaient ces tristes devoirs selon une cadence réglée (...) Tantôt je tombais dans un état de demi-sommeil, tantôt je glissais dans l'abrutissement complet, murmurant des syllabes ajoutées les unes aux autres, qui traitaient d'atrocités commises par de farouches sectateurs d'Eutychès (...) » (p. 92). Savoir déchiffrer ne suffit pas à déclencher ce mouvement irréversible qui fait rencontrer efficacement le monde des livres. C'est d'ailleurs à l'occasion d'une expérience tout à fait étrangère au processus de scolarisation qu'il comprend un jour ce que lire vraiment veut dire. « Quand vint la Noël, je savais lire et ma mère put me faire déchiffrer le feuilleton du *Moniteur du Dimanche* qu'elle suivait depuis longtemps. C'était son unique récréation. La pauvre femme n'entendait

rien aux écritures tant imprimées que manuscrites mais, comme elle était bien au courant de l'intrigue, nous arrivions à nous en tirer, l'un aidant l'autre... Elle tâchait de suivre le fil de l'histoire, me faisant préciser certains mots qui, interprétés plutôt que déchiffrés, introduisaient souvent d'extravagantes péripéties... » (pp. 41-42). Mais cet effort s'épuise, faute de nourritures. En dehors du feuilleton du dimanche, des *Vitorigo* (Victor Hugo) apportés par le colporteur, et des livres scolaires dont les plus intéressants *(Tu seras agriculteur !)* circulent de famille en famille, il n'y a rien à lire. Il faudra une rupture radicale, la rencontre de la bibliothèque de la Légion étrangère où il se cache après avoir fait une « bêtise », pour que Toinou se considère enfin — et soit considéré par son entourage « lettré » — comme alphabétisé.

Les expériences dont rendent compte Martin Nadaud et Antoine Sylvère ne sont pas isolées au XIXe siècle. Certes, tous ceux qui deviennent de « nouveaux lecteurs » entre la Révolution et la Grande Guerre ne nous ont pas donné le récit de leur aventure culturelle et, à l'inverse, ceux qui l'ont fait sont certainement exceptionnels. Mais dans leur souci de décrire par le menu ce trajet vers le partage de l'écriture, ils mettent en scène, non seulement leur propre alphabétisation, mais aussi celle de leur lignée tout entière. Ils offrent ainsi un étagement de figures qui vont de l'analphabétisme strict à la culture lettrée ainsi que les dynamiques qui s'instaurent à l'intérieur de ces microcosmes familiaux.

On constate donc un premier clivage dans les représentations de l'alphabétisation, qui distingue sans confusion possible les situations de rupture des situations de continuité culturelle. L'apprentissage de la lecture, lorsqu'il ne concerne que l'enfant, se résume au souvenir d'un moment agréable à peine distingué du jeu. L'alphabétisation faisant rupture par rapport au groupe d'appartenance est, au contraire, une conquête, un travail mené jour après jour. Et ce critère permet de faire un premier tri dans les récits de vie dont nous utilisons le témoignage, lorsque les statuts sociaux sont mal définis. Vallès, par exemple, malgré une enfance plus pauvre que celle de

Antoine Sylvère (1888-1963) dit Toinou, le futur légionnaire Flutsch, à l'âge de douze ans. (Photographie de la collection Sirot/Angel.)

nombre de petits paysans de sa génération, n'appartient pas à l'échantillon des « nouveaux lecteurs ». Sylvère, dont le père a déjà appris à lire, en exprime lui toutes les caractéristiques.

De nouveaux lecteurs

Peut-on avancer plus loin dans la caractérisation de ce moment où un individu devient, pour sa lignée, pour sa communauté, pour son groupe social d'appartenance, « nouveau lecteur » ?

Il faut alors rendre compte de ce qui constitue cette rupture et de ce qui en fait la spécificité au XIXᵉ siècle, tout particulièrement lorsqu'on tente la comparaison avec les phénomènes similaires qui se sont produits antérieurement. Pas plus chez les puritains étudiés par Margaret Spufford (13) que chez Jamerey-Duval (14), ce moment de l'apprentissage n'apparaît aussi déterminant et aussi construit.

Pour expliquer cette particularité, un détour par les données quantitatives est nécessaire. D'une part, parce qu'elles permettent d'inscrire le travail de la représentation dans la « factualité » d'un événement, d'autre part, parce qu'elles jouent déjà — ayant été constituées elles aussi au XIXᵉ siècle — dans les images que les contemporains s'en font.

Parce que la plus célèbre, aujourd'hui, de ces sources sérielles — le travail de Louis Maggiolo (15) — a été redécouverte récemment, après plus d'un siècle d'oubli, on pourrait considérer qu'il ne s'agit là que d'images et de savoirs produits par l'historiographie contemporaine. Cette vision des deux France que sépare la ligne Saint-Malo-Genève (France du retard au sud, d'alphabétisation tardive ; France alphabétisée au nord, avant même la Révolution) n'aurait-elle eu aucune existence dans la conscience de ceux qui, au XIXᵉ siècle, tentaient de construire une représentation du peuple lecteur ?

L'hypothèse inverse n'est pas absurde. Il y a deux raisons à cela. En premier lieu, il faut situer le travail de Maggiolo dans la série des statistiques sociales qui s'élaborent au XIXᵉ siècle (16) avec les travaux d'Adrien Balbi que Malte-Brun reprend en 1823. Depuis 1826, plus encore, si l'on s'attache au retentissement des publications statistiques du baron Dupin, on sait que le territoire national n'est pas homogène et que les deux France s'opposent l'une à l'autre, tout particulièrement par le degré de scolarisation de leurs habitants. Si l'on ajoute à cela la publication régulière des statistiques militaires de l'analphabétisme des conscrits qui paraissent depuis 1827, on peut considérer que, dès la Restauration, la France se construit une image d'elle-même qui fait de l'acculturation (scolarisation, alphabétisation) un critère important d'appréciation de ses contrastes. Et le choix de Maggiolo des signatures au mariage n'est pas original puisque ce critère est déjà utilisé depuis 1854 dans la statistique générale de la France. Puisque au XIXᵉ siècle on cartographie tout ce qui est cartographiable, la criminalité, la taille des conscrits, la nature du sol, les productions ou la répartition des caries dentaires, les corrélations ne manquent pas de naître qui suggèrent des interprétations bien évidemment contradictoires, selon que l'on souhaite rendre compte du progrès des Lumières ou des méfaits de l'instruction. Peu importe, les grands contrastes sont là : villes contre campagnes, Nord et Est contre Ouest et Sud ; richesse contre pauvreté, tradition contre déculturation ; immobilisme contre mouvement, etc. Quelques années à peine avant les lois Ferry, en 1879, lorsque le baron de Watteville, directeur des sciences et des lettres, fait pour son ministre, A. Bardoux, un rapport sur l'état des bibliothèques scolaires (17), c'est à cette même vision qu'il se réfère : le Nord et l'Est lisent beaucoup, le Sud et l'Ouest peu. Il connaît parfaitement les résultats le plus divers de cette analyse cartographique du territoire qu'il traite dans la perspective de Dupin : la France qui lit est la France industrieuse, celle qui ne lit pas est celle de la douceur de vivre et de l'insouciance.

Quelle diffusion ces idées peuvent-elles avoir au XIXᵉ siècle ? Sont-elles déjà des stéréotypes ? Agricol Perdiguier, en homme des traditions les inverse, mais il est méridional et se perçoit comme rural bien que menuisier. Les ouvriers des villes du Nord sont à ses yeux peu soucieux d'instruc-

Agricol Perdiguier (1805-1875) s'est efforcé de restaurer le compagnonnage et de promouvoir par celui-ci l'éducation et l'instruction ouvrières.

tion dans la cartographie qu'il établit des « caractères » de chacune des contrées qu'il a connues pendant son tour de France. Malgré l'inversion, les grandes lignes du partage demeurent. L'effort d'acculturation est pour lui du côté des plus démunis, précisément dans ces lieux de l'alphabétisation du XIXᵉ siècle. Les retardataires des villes du Nord semblent être plus fragiles et succomber plus facilement aux processus de déculturation.

Un deuxième argument peut être avancé en faveur de cette indistinction entre documents quantifiables et représentations. C'est le rôle joué par les instituteurs dans la définition des images de la lecture populaire. Juges et partis, ils sont les responsables de l'avancée ou du recul des Lumières dans le peuple, mais ils sont eux-mêmes socialement inscrits en lui. Ils tentent, au fur et à mesure que l'on s'avance dans le siècle et que leur instruction s'accroît, de s'en démarquer culturellement jusqu'à se trouver dans cette position très inconfortable qui est la leur à la fin du siècle — particulièrement pour les femmes — et que Francine Muel-Dreyfus a bien décrite (18). Mais surtout ils participent explicitement à la désignation de la culture populaire par les enquêtes auxquelles ils contribuent soit comme secrétaires des autorités municipales, soit ès qualité lorsque leur ministère les interroge sur les bienfaits de l'instruction, les moyens de l'accroître, la lecture populaire, les bibliothèques, etc. Ils sont tout de même 16 000 à répondre à l'appel de Maggiolo pour constituer les monographies qui servent de base à son enquête, intériorisant par là non seulement des critères, mais des partages locaux et peut-être même les interprétations les plus évidentes.

François Furet et Jacques Ozouf (19) ont repris les pesées imaginées par Maggiolo. Ils les ont vérifiées, complétées et corrélées avec les autres données disponibles pour le XIXᵉ siècle (déclarations des conscrits et recensements). On dispose de ce fait d'une bonne image des avancées vers le savoir lire qui ne fut uniforme ni dans le temps, ni dans l'espace géographique, ni dans l'espace social. Elle confirme les conclusions de Maggiolo : il n'y a pas eu en France une alphabétisation mais deux.

La première commence certainement à la fin du Moyen Âge dans les villes. Elle est presque terminée à la veille de la Révolution et touche déjà ces couches sociales, que Sébastien Mercier désigne comme populaires dans ses classifications du peuple parisien : artisans, manouvriers, laquais, bas peuple (20). C'est du moins le cas des plus grandes villes et particulièrement de Paris. Mais ce mouvement ne s'étend aux campagnes que dans une zone géographique située au nord de la ligne Saint-Malo-Genève : là, paysans aisés, notables, artisans de village signent le jour de leur mariage bien avant la Révolution. Seuls sont encore tenus à l'écart les plus pauvres : journaliers, tisserands, etc.

La deuxième vague d'alphabétisation est beaucoup plus tardive, et elle concerne spécifiquement le XIXᵉ siècle. Ce sont les campagnes qui sont au centre du processus, campagnes du Sud bien sûr, et particulièrement celles du triangle Massif central-Atlantique, les moins rapides ; mais aussi populations pauvres des campagnes du Nord. Il faut y ajouter ces 20 % à 30 % des populations urbaines qui n'avaient pas suivi le mouvement au XVIIIᵉ siècle et, partout, les femmes dont le retard est général.

Dans les deux cas, ce sont les mêmes facteurs qui semblent être déterminants : l'ancienneté de l'urbanisation et la prospérité. Ils rendent compte des grands clivages géographiques et ordonnent dans le temps les démarrages successifs de chaque strate, de chaque groupe social ou professionnel.

Mais les deux vagues d'alphabétisation ne sont pas pour autant strictement similaires. La deuxième poursuit en effet sa dynamique jusqu'à son terme (l'alphabétisation généralisée du territoire national), contrairement à la première qui avait toujours laissé subsister ce reliquat de 20 % à 30 % d'analphabètes jusqu'à la Révolution. Cela se lit aisément dans l'évolution des scores nationaux au XIXᵉ siècle qui croissent régulièrement, et rapidement, vers leurs maximums.

En effet, si en 1827 il y a 55,2 % des conscrits qui déclarent ne pas savoir signer, ils ne sont plus que 5,2 % en 1908 à ne pouvoir faire la preuve de leur alphabétisation, soit un accroissement moyen de 0,65 point

chaque année pendant quatre-vingts ans, selon une progression qui ne manifeste pas d'irrégularité particulière. Les femmes, elles, arrivent au même résultat bien que partant de beaucoup plus bas : elles ne sont plus que 5,2 % (au lieu de 65,2 % en 1820) qui déclarent « ne savoir signer » lorsqu'elles en sont requises par l'officier d'état civil (21). Autant dire que, à la fin du XIXᵉ siècle, il n'est presque plus possible de grandir en France sans se trouver du même coup doté de cette capacité minimale à traiter l'écrit, qui vous fera désigner par le sous-officier ou le maire comme « alphabétisé », à l'occasion de ces événements éminemment symboliques que sont la conscription ou le mariage.

Ainsi, au fur et à mesure que les taux d'alphabétisation augmentent, que le caractère inéluctable d'un partage généralisé de l'écrit devient plus conscient, l'analphabétisme prend une valeur plus négative, moins « normale ». Le temps n'est pas loin où le « ni lire, ni écrire » ne distinguera plus qu'une frange extrême du corps social, à la limite de ce qui se signale déjà, à l'occasion des premières réflexions sur les ratés de la scolarisation obligatoire, en termes de pathologie individuelle ou sociale. En 1911, ce pionnier de la psychologie scolaire qu'est Alfred Binet n'hésite plus à écrire : « Quelques enfants (...) — ce sont à la vérité des anormaux — ont beaucoup de peine à apprendre à lire » (22). Aux raisons économiques et sociales qui conduisent les couches populaires à s'alphabétiser, il faut ajouter la pression grandissante des représentations désignant de plus en plus négativement l'analphabète, pour expliquer la fébrilité avec laquelle les « nouveaux lecteurs » mènent à bien leur apprentissage. Leur rage de réussir s'alimente à cette croyance bien fondée qu'ils ont : la restructuration du monde (social, culturel, politique) autour du partage de l'écrit est imminente.

Pour les mêmes raisons, en dépit des faits les plus certains, tout « nouveau lecteur » de ce temps est perçu comme un lecteur « populaire » et, en même temps, tout homme ou toute femme « du peuple » sachant lire et écrire ne peut être que « nouveau lecteur » ou « nouvelle lectrice », c'est-à-dire récemment alphabétisé.

En effet, l'alphabétisation du XIX⁰ siècle n'a concerné que les laissés-pour-compte de la vague précédente, c'est-à-dire les paysans et les pauvres. Ce faisant, elle a redessiné une configuration très générale du populaire, fondée à la fois sur le souvenir du partage strict d'Ancien Régime (opposant à la culture orale des campagnes et de la populace urbaine, la culture lettrée du reste du corps social) et sur le déplacement de ce partage au XIX⁰ siècle vers l'opposition « lecteurs de toujours » / « nouveaux lecteurs ». Maggiolo lui-même n'y a pas peu contribué en attirant l'attention (après d'autres) sur le critère de la signature, qu'il faut bien situer au plus bas des pratiques de l'écrit : ses nouveaux signants ne sont encore que de nouveaux lecteurs potentiels, mais ils anticipent dans les catégories les plus populaires la dérive culturelle du XIX⁰ siècle vers l'écrit et font, de l'ensemble de ce phénomène, un phénomène par essence populaire.

D'où les difficultés à penser des situations, courantes pourtant, mais qui sont devenues de véritables contradictions dans les termes : qu'un notable puisse être illettré s'il est né au sud de la ligne Saint-Malo/Genève, qu'on lise peu dans les villes du Sud, et surtout que des femmes, et de la meilleure société, puissent être analphabètes. Balzac, que la mobilité sociale passionne et qui la fait naître de stratégies d'alliance économique ou matrimoniale complexes, reste très embarrassé lorsqu'il doit faire face à de véritables incongruités culturelles qui sont le résultat d'ascensions trop rapides. Dans *Le curé de village* (1829), les Sauviat, ferrailleurs auvergnats, font si vite fortune qu'ils peuvent faire accepter la main de leur fille unique, Véronique, au plus riche banquier de Limoges. Ils sont bien sûr illettrés ; et leur appât du gain les tient éloignés du moindre loisir, de la plus mince superfluité : « la vie de forçat peut passer pour luxueuse à côté de celle des Sauviat ». Pourtant Balzac imagine pour leur fille une éducation très orthodoxe : « Dès l'âge de sept ans, elle eut pour institutrice une sœur grise auvergnate à qui les Sauviat avaient rendu quelques services » qui lui enseigne « la lecture et l'écriture », « l'histoire du peuple de Dieu, le Catéchisme, l'Ancien et le Nouveau

Testament, quelque peu de calcul ». Il invente un vicaire qui lui prête des livres édifiants qu'elle lit, le soir, dans la meilleure tradition de la lecture familiale bourgeoise : « Le père et la mère montèrent à la nuit chez leur fille, qui, pendant la soirée, leur lisait à la lueur d'une lampe placée derrière un globe de verre plein d'eau la *Vie des Saints,* les *Lettres édifiantes* (...) ». Il lui fait même découvrir l'amour dans *Paul et Virginie*. Le destin littéraire de Véronique (elle mourra « grande dame » bien que pécheresse) implique cette acculturation que le mode de vie de ferrailleur rend pourtant bien improbable. Balzac n'a su accepter qu'une dame du monde soit illettrée.

Dans la réalité, des alphabétisations aussi simples et subites sont rares, même chez ces individus exceptionnels qui pensent à nous laisser leurs mémoires. On ne devient « nouveau lecteur » que par des chemins complexes, des avancées prudentes qui s'étalent souvent sur plusieurs générations, connaissent des repentirs et ne se consolident que dans des pratiques assidues de l'écrit. Dès lors, les contextes de ces apprentissages deviennent déterminants et font éclater l'unicité apparente des processus dans lesquels s'engagent, au-delà de l'individu qui s'y essaie, une lignée, une communauté, un groupe professionnel tout entier peut-être.

La cartographie de l'alphabétisation, lorsqu'elle abandonne le cadre trop large du département et s'intéresse à des unités territoriales plus fines, à des groupes sociaux spécifiques et va même jusqu'à la monographie, donne les grandes lignes du champ dans lequel se déploie cette diversité des « nouveaux lecteurs » du XIX⁰ siècle. C'est en travaillant de cette manière, sur des périodes relativement courtes, que François Furet et Jacques Ozouf ont prolongé utilement Maggiolo, modifiant souvent, en changeant d'échelle, les tendances centrales et même quelquefois les inversant.

Nouveaux lecteurs des villes

Ainsi de l'alphabétisation urbaine qui semble globalement acquise depuis longtemps, mais qui paraît souffrir des mutations rapides que la révolution

industrielle impose aux villes qu'elle touche. Examinant en détail le département du Nord, F. Furet et J. Ozouf *(op. cit.)* montrent que toute accélération du processus d'industrialisation produit dans les années qui suivent un ralentissement du mouvement d'alphabétisation ; les résultats du recensement de 1866 confirment la tendance : les villes les plus ouvrières ont les taux d'alphabétisation les plus bas (à 20 ou 30 points en dessous d'une moyenne départementale confortable puisque 59,4 % des hommes et 52,7 % des femmes « de plus de cinq ans » savent lire et écrire). Les raisons en sont multiples, faiblesse des équipements scolaires dans des villes qui grossissent trop vite, mais plus encore mauvaise fréquentation des écoles existantes du fait de la généralisation du travail des enfants qui, contrairement à leurs homologues des campagnes, ne profitent même pas de ces vacances studieuses que permet aux champs la mauvaise saison.

On en trouve un exemple étonnant dans les *Mémoires* de Norbert Truquin. Une destinée très particulière — son père, directeur de fabrique dans la Somme, l'abandonne à sept ans après des revers de fortune — le laisse analphabète jusqu'à trente ans, mais lui permet, une fois l'apprentissage fait, de rattraper suffisamment le temps perdu pour laisser à cinquante-quatre ans un très beau texte. Lorsqu'il est « placé » chez un peigneur de laine par un père plus soucieux de jouer que d'entretenir sa progéniture, il n'a jamais été scolarisé. Il ne le sera pas. Il n'apprend, en effet, comme la plupart de ces enfants qui servent chez des artisans pauvres, que l'art de la subsistance quotidienne, une bonne résistance aux coups et une fréquentation assidue de la misère. Son patron mort, il connaît le vagabondage, les petits métiers, l'errance surtout. De la grande ville (Reims) il fuit vers le pays de son enfance sans trouver d'autre accueil qu'un emploi dans une filature de laine. Il a treize ans. Le patron est pratiquant et soucieux de l'éducation religieuse (seulement religieuse) de ses apprentis. Il va au catéchisme : « Comme je ne savais pas lire, j'éprouvai une peine inouïe à apprendre le catéchisme (...) Plusieurs autres enfants ne pouvaient pas plus que moi

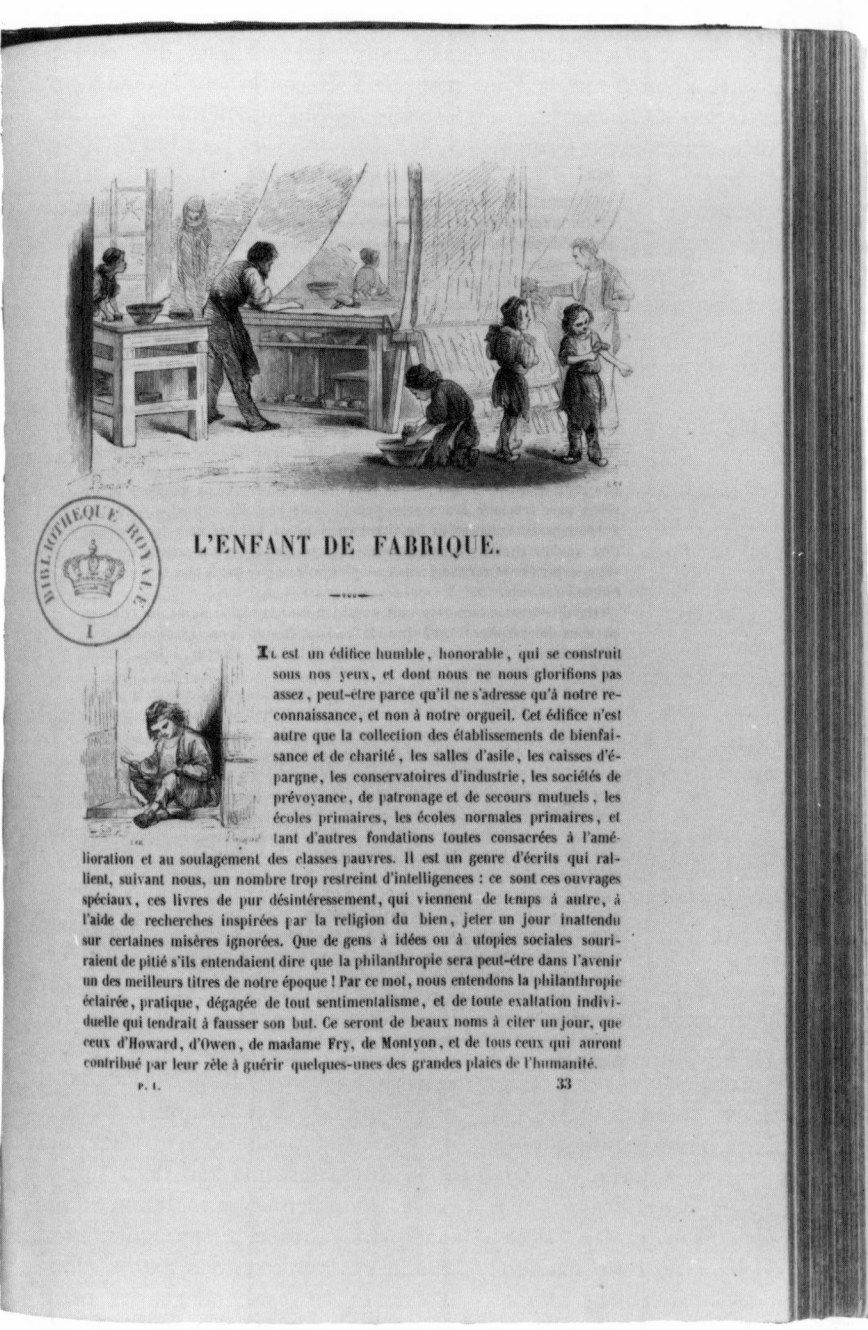

L'ENFANT DE FABRIQUE.

Il est un édifice humble, honorable, qui se construit sous nos yeux, et dont nous ne nous glorifions pas assez, peut-être parce qu'il ne s'adresse qu'à notre reconnaissance, et non à notre orgueil. Cet édifice n'est autre que la collection des établissements de bienfaisance et de charité, les salles d'asile, les caisses d'épargne, les conservatoires d'industrie, les sociétés de prévoyance, de patronage et de secours mutuels, les écoles primaires, les écoles normales primaires, et tant d'autres fondations toutes consacrées à l'amélioration et au soulagement des classes pauvres. Il est un genre d'écrits qui rallient, suivant nous, un nombre trop restreint d'intelligences : ce sont ces ouvrages spéciaux, ces livres de pur désintéressement, qui viennent de temps à autre, à l'aide de recherches inspirées par la religion du bien, jeter un jour inattendu sur certaines misères ignorées. Que de gens à idées ou à utopies sociales souriraient de pitié s'ils entendaient dire que la philanthropie sera peut-être dans l'avenir un des meilleurs titres de notre époque ! Par ce mot, nous entendons la philanthropie éclairée, pratique, dégagée de tout sentimentalisme, et de toute exaltation individuelle qui tendrait à fausser son but. Ce seront de beaux noms à citer un jour, que ceux d'Howard, d'Owen, de madame Fry, de Montyon, et de tous ceux qui auront contribué par leur zèle à guérir quelques-unes des grandes plaies de l'humanité.

P. L.   33

Enfants des villes qui resteront analphabètes faute de pouvoir aller à l'école, car ils travaillent dans une fabrique de tissage. Gravure sur bois d'après Pauquet dans *les Français peints par eux-mêmes,* Province, tome I. Paris, 1841. H. 255 mm.

faire pénétrer les leçons dans leur cervelle, mais le prêtre tint compte de la difficulté que nous éprouvions et il ne nous renvoya pas à une autre année, dans la crainte que nous ne revinssions plus » (pp. 49-50). Étrange permanence, en plein milieu du XIXe siècle (la scène se passe à Amiens en 1846) de modèles de transmission culturelle caractéristiques de l'Ancien Régime. Il rejoint Paris quelques mois avant la révolution de 1848. Il n'y rencontre pas non plus les moyens d'apprendre à lire, seulement des événements qui lui permettent de choisir son camp et de retenir de la culture ouvrière l'art des barricades. Il a su s'en resservir.

Norbert Truquin n'est exceptionnel que parce qu'il nous a raconté cette enfance. Elle est certainement très représentative de la déculturation rapide des ouvriers et des artisans les plus misérables des grands centres urbains.

Dans les villes où l'on sait lire et écrire depuis longtemps comme Lille, ou bien sûr Paris, c'est la stratification socioprofessionnelle qui l'emporte et introduit un facteur supplémentaire de diversification. À Saint-Étienne par exemple (23), la hiérarchie des degrés d'alphabétisation des différents cantons correspond à celle des métiers qui y sont majoritaires : ouvriers rubaniers et armuriers, forgerons-quincailliers, mineurs font ainsi varier les taux de 13,2 % de conscrits illettrés en 1866-1868 à 32,6 % lorsque ce sont les mineurs qui l'emportent. À Paris, en 1846-1848, d'après les enquêtes de la chambre de commerce, pour une moyenne de 87 % d'ouvriers hommes sachant lire et écrire, on trouve, dans un ordre croissant, le secteur des fils et tissus (73 %), le bâtiment (81 %), les articles de Paris (95 %), les métaux précieux et l'orfèvrerie (96 %) et enfin l'imprimerie, la gravure et la papeterie (97 %). Mêmes écarts, à quelques points en dessous, pour les métiers féminins (24).

Dans un témoignage qui porte sur cette fin de la monarchie de Juillet, on retrouve cette stratification ramenée au microcosme d'une famille élargie. Il s'agit du très beau manuscrit de Xavier-Édouard Lejeune, qui a été récemment retrouvé et publié sous le titre de *Calicot* par son petit-fils et son arrière-petit-fils, Michel et Philippe

480

Un enfant qui est, comme Paul ou Édouard Lejeune, le « lecteur familial », le soir à la veillée.
(D'après *Cent ans d'école* par le Groupe de travail de la Maison d'école à Montceau-lès-Mines.
Éd. du Champ-Vallon, 1981.)

Lejeune. Xavier-Édouard, qui devint sous l'Empire vendeur de nouveautés à Paris, décrit avec minutie l'entourage familial de sa première enfance. Le grand-père maternel vit à Laon de quelques vignes et du métier de chiffonnier. Il a soixante ans en 1848, il sait lire et écrire et a même une certaine « érudition » acquise au contact de la bibliothèque d'un notable, chez qui il a travaillé en rentrant des guerres de l'Empire. La mère de Xavier-Édouard a tôt émigré à Paris pour apprendre le métier de couturière et mettre au monde un enfant naturel, à la suite d'une promesse de mariage non tenue. Elle y crée bientôt un petit atelier de couture dont elle tient la comptabilité « en bâtarde et coulée ». Ses oncles se sont séparés : Louis et

Édouard sont restés au pays, l'un potier, l'autre ébéniste. Paul et Jules sont allés à Paris. Le premier qui avait appris le métier de tailleur s'engage dans les chasseurs à pied après une bêtise, le second est ouvrier cordonnier. Paul est le lecteur des veillées familiales : « J'entends Paul faire la lecture du journal ou bien d'un feuilleton à la lueur d'une petite lampe pendue au tablier de la cheminée » (p. 23). Quelquefois Édouard le remplace. Jules est le seul analphabète de cette famille (si l'on excepte la grand-mère sur laquelle nous n'avons pas de renseignements). Accident singulier ? Xavier-Édouard ne manque pas de rapporter cette caractéristique au métier exercé par son oncle dans un portrait si savoureux qu'il faudrait le

citer tout entier : « L'oncle Jules (...) n'avait pas réussi à sortir de sa situation d'ouvrier cordonnier depuis si longtemps qu'il était à Paris. Il était artiste de son métier, et toutes les bottines de dames qui sortaient de sa main étaient finement travaillées (...) Quand il travaillait d'aplomb, il pouvait gagner ses 10 francs par jour ; mais la moitié de la semaine était consacrée à des parties de plaisir au bois de Vincennes ou à la barrière du Trône avec de joyeux compagnons. En un mot, c'était un faubourien dans toute l'acception du terme. [Il habite et travaille au Faubourg Saint-Antoine]. Il ne savait ni lire ni écrire, quoique doué d'une grande intelligence, mais trop paresseux et trop indépendant pour se soumettre aux lois de l'instruc-

Dans un coin voisin du foyer, un petit garçon de l'âge de Julien, assis par terre, tressait des paniers d'osier.

LE VANNIER. — C'est l'ouvrier qui fabrique des vans, des corbeilles et des paniers, avec des brins d'osier, de saule et autres tiges flexibles qu'il entrelace adroitement. Les vanniers ne doivent pas tenir serrées entre leurs lèvres les baguettes d'osier dont ils veulent se servir ni les mâcher entre leurs dents : cette mauvaise habitude entraîne des maladies de la bouche.

Julien s'approcha de lui, portant sous son bras le précieux livre d'histoires et d'images que lui avait donné la dame de Mâcon ; puis il s'assit à côté de l'enfant.

Le jeune vannier se rangea pour faire place à Julien, et sans rien dire le regarda avec de grands yeux timides et étonnés ; puis il reprit son travail en silence.

Ce silence ne faisait pas l'affaire de notre ami Julien, qui s'empressa de le rompre.

— Comment vous appelez-vous ? dit-il avec un sourire expansif. Moi, j'ai bientôt huit ans, et je m'appelle Julien Volden.

— Je m'appelle Jean-Joseph, dit timidement le petit vannier, et j'ai huit ans aussi.

— Moi, j'ai été à l'école à Phalsbourg et à Epinal, dit Julien, et j'ai là un livre où il y a de belles images ; voulez-vous les voir, Jean-Joseph ?

Jean-Joseph ne leva pas les yeux.

— Non, dit-il, avec un soupir de regret ; je n'ai pas le temps : ce n'est pas dimanche aujourd'hui et j'ai à travailler.

— Si je vous aidais ? dit aussitôt le petit Julien, avec son obligeance habituelle ; cela n'a pas l'air trop difficile, et vous auriez plus vite fini votre tâche.

— Je n'ai pas de tâche, dit Jean-Joseph. Je travaille tant que la journée dure, et j'en fais le plus possible pour contenter mes maîtres.

— Vos maîtres ! dit Julien surpris, les fermiers d'ici ne sont donc pas vos parents ?

— Non, dit tristement le petit garçon ; je ne suis ici que depuis deux jours : j'arrive de l'hospice, je n'ai pas de parents.

Le gentil visage de Julien s'assombrit :

Le petit vannier rencontré par Julien dans une ferme d'Auvergne, selon cette page du *Tour de la France par deux enfants*, de G. Bruno. H. 179 mm.

tion » (p. 93). Cela n'empêche pas Jules d'être, par ailleurs, un acheteur régulier de journaux : « Je lisais à mon oncle des articles de journaux qu'il achetait tous les jours et qu'il se faisait lire par d'autres chaque matin » (pp. 104-105). Rien à voir donc avec cette déculturation urbaine qu'évoque Norbert Truquin, simplement encore une faiblesse dans l'avancée de la lignée Lejeune vers la culture écrite, mais qui se marque et se laisse percevoir par l'évidence d'une déqualification du choix professionnel.

Nouveaux lecteurs des champs

Les campagnes ne présentent pas plus d'uniformité dans leur course à l'alphabétisation qui s'accélère au XIXᵉ siècle. Du moins, c'est ce qui apparaît lorsqu'on quitte l'échelle macroscopique de la statistique départementale, grâce aux monographies réalisées dans le cadre de l'enquête complémentaire de F. Furet et J. Ozouf. La plupart des diffférenciations proviennent de la richesse des collectivités considérées qui paraît être ici un facteur décisif. Depuis l'Ancien Régime et jusqu'aux lois Ferry, c'est la demande d'instruction qui fait l'alphabétisation paysanne plutôt que l'offre. Mais celle-ci ne s'exprime que lorsque la communauté peut se doter des moyens matériels et humains de son acculturation. D'où ces oppositions entre *openfield* et bocage, assolement triennal ou biennal, habitat groupé ou habitat dispersé, présence ou absence de communaux, etc. Pour F. Furet et J. Ozouf, le portrait idéal de la couche sociale qui détient les clés d'un démarrage dans l'aventure de l'alphabétisation pourrait être le suivant : « une moyenne paysannerie de propriétaires ou de fermiers, vivant relativement à l'aise d'une production commercialisable, et disposant d'un surplus monétaire annuel ». Cela vaut pour la France du Nord avant la Révolution comme pour la France du Sud au XIXᵉ siècle. Mais l'on se tient ici aux limites hautes d'une définition sociale du populaire. La caractérisation ne se maintient que du fait de cette acculturation qui commence.

On trouve souvent ces enfants de paysans aisés aux avant-postes de l'alphabétisation, voire de l'autodidaxie, tout au long du siècle. Seule leur localisation géographique et économique change au fur et à mesure que l'on avance dans le temps. On peut être moins riche à la fin du siècle qu'au début, habiter plus au sud... Joseph Benoît, par exemple, l'un des organisateurs des luttes ouvrières de Lyon en 1848, est né dans le Jura en 1812. Son père, paysan, « quoique privé d'instruction (...) en comprenait la nécessité et regrettait toujours qu'on eût négligé la sienne ». En cela, il paraît plutôt en avance par rapport à ses voisins : « Le plus grand nombre (des enfants de paysans) n'apprenait pas même à lire, soit par négligence ou à cause des frais... » (p. 36). Il est vrai que la commune ne dispose plus de « fondation destinée à l'enseignement des enfants de paysans [tenue par des oratoriens avant la Révolution] », seulement des instituteurs ambulants (les Briançonnais) bien peu efficaces. Régression donc, liée à l'appauvrissement de la communauté au moins autant qu'à la diminution de l'effort charitable des notables. Mais le père de Joseph a quelques moyens et il entretient des relations d'affaires avec des commerçants de Genève. Cela suffit. L'enfant n'apprend d'abord qu'à lire, chez une femme « chez qui presque tous les enfants allaient faire leur prière, les parents ne le sachant pas ou n'ayant pas le temps de s'en occuper ». Puis il est mis en pension à Genève dans « une petite école dirigée par un professeur protestant » (p. 37). Après y avoir appris à lire et à écrire correctement, et dans le plus grand éclectisme des opinions, il va à Lyon « dans une institution dirigée par un prôneur de l'Inquisition ennemi de la Révolution (...) », enfin il arrive en 1826 au collège de Belley. Un subit revers de fortune de sa famille met fin à cette superbe aventure scolaire et le jette en 1829 sur le pavé de Lyon.

Dans la même région, une génération plus tard, le petit Léon Chauvin — fils de paysans lui aussi, mais qui deviendra instituteur et gravira tous les échelons de la hiérarchie académique — s'inscrit presque spontanément dans la dynamique qui l'emporte vers les honneurs et le savoir : pourtant, le père vigneron connaît des soudures difficiles. Mais l'alphabétisation est déjà bien installée dans la famille :

père, mère, oncles maternels savent lire et écrire. Le petit Léon confirme l'acculturation familiale. Son apprentissage a l'élégance d'un mouvement presque « naturel » : « À quatre ans, je fréquentais l'école de mon oncle. À cinq ans je lisais couramment. Un an ou deux plus tard, dès que j'eus un peu de raison, j'aimais déjà lire en dehors des leçons de l'école » (p. 18).

Combien paraît plus difficile, presque un demi-siècle plus tard, l'alphabétisation qui doit être simplement confirmée, elle aussi, de la lignée des Sylvère ! Il est vrai que nous sommes beaucoup plus bas, et dans l'espace géographique et dans la hiérarchie de la richesse. Et l'on a vu qu'en avançant dans le siècle, ce sont d'autres facteurs qui se surajoutent à l'aisance pour complexifier l'ordre des accès successifs à la culture de l'écrit : déplacements, contacts avec la ville, etc. Toutefois, l'espace rural reste bien, au XIXe siècle, le réservoir le plus important de « nouveaux lecteurs ». Les modes spécifiques de l'acculturation paysanne deviennent ainsi les représentations les plus familières de la pratique culturelle de l'écrit qui se qualifie de populaire : difficultés et complexités du contact avec l'école, absence de réseaux parallèles d'alphabétisation, prégnance de la culture orale, rareté de l'imprimé, rareté plus grande encore des « bons » livres. Ces éléments souvent invoqués dans les récits de vie qualifiant les représentations rurales finissent par contaminer les représentations urbaines dans l'imaginaire collectif, sinon dans la réalité.

Les lectrices

En ce qui concerne l'alphabétisation des femmes, les différences entre ville et campagne sont moins d'ordre quantitatif — on retrouve dans les deux cas le même retard relatif — que d'ordre qualitatif. C'est l'une des révélations les plus intéressantes de l'enquête de F. Furet et J. Ozouf : à la campagne, le rattrapage féminin se fait par l'intermédiaire d'une étape de semi-alphabétisation excluant l'écriture. Il s'agit d'une culture du lire seulement qui peut concerner, dans certaines régions, plusieurs générations jusqu'à la fin même du siècle. Lorsque le phénomène reste géographiquement dissé-

miné et qu'on constate un nombre d'hommes non négligeable manifestant le même comportement, on peut penser qu'il n'y a là que les effets d'une scolarisation incomplète. L'ordre des apprentissages — lecture d'abord, écriture ensuite — encore très respecté dans la première moitié du siècle serait, lorsque le temps de fréquentation de l'école se réduit par trop, le seul responsable de ces alphabétisations limitées à la lecture. Mais, dans la plupart des cas, la répartition géographique de ce modèle devient très contrastée et, surtout, ne touche plus que les femmes. F. Furet et J. Ozouf pensent alors qu'il s'agit d'un processus d'acculturation spécifique, dont ils montrent d'ailleurs qu'il est bien corrélé avec la permanence d'une pratique religieuse catholique. Le lire seulement peut alors être considéré comme la pérennisation d'une éducation de sauvegarde morale et religieuse issue de la Réforme post-tridentine. Le Massif central en reste, au XIXe siècle, le conservatoire privilégié.

Mais d'une manière générale, les filles n'ont pas la part belle lorsqu'il faut choisir dans une famille qui bénéficiera du soutien d'une scolarisation dont la nécessité est d'autant plus évidente que l'on est moins haut dans l'échelle sociale. Les sœurs d'Agricol Perdiguier qui naissent au début du siècle dans un hameau près d'Avignon ne doivent pas leur alphabétisation au souci de leur père : « Il pensait que les filles pouvaient très bien se passer de savoir lire et écrire » (p. 40). Heureusement, la mère est couturière et fait donc entrer un peu de numéraire. Cela suffit : « Ma mère, la bonne et vaillante femme, payait les mois de ses filles avec l'argent qu'elle gagnait (...) le père ne payait que pour ses fils » (p. 41). Cas suffisamment exceptionnel pour qu'Agricol s'y arrête. Mais, ce premier barrage une fois franchi, faut-il encore que l'apprentissage ne s'efface pas aussi vite que ce qu'il a été construit. Devenir lectrice attitrée de la famille est le moyen le plus sûr pour conserver son alphabétisation et même la perfectionner. Mais ce n'est pas toujours un rôle féminin comme on a pu le voir chez les Lejeune. Jacques Ozouf a recueilli lors de son enquête sur les instituteurs de la Belle Époque le témoignage des enfants de Cyr Bigot

Suzanne Voilquin, née en 1801 dans un milieu
ouvrier très modeste, entre à trente ans dans la famille
Saint-Simonienne du « Père » Enfantin et en devient
une militante ardente.

qu'accompagnaient quelques notes de la main de cet instituteur né en 1856 près de Chartres, dans une famille de viticulteurs, un temps prospère, mais vite ruinée par l'oïdium et le phylloxera. Bigot met en scène sa mère, Pauline J. née en 1830. « De bonne heure ma mère avait montré d'heureuses dispositions pour la lecture : quand on lui acheta un livre de messe pour sa communion elle pouvait en lire couramment le texte français. Mon père qui passait — et c'était vrai, je crois — pour être plus savant que M. Martin [le maître d'école], n'eut besoin de personne pour non seulement l'entretenir dans ses heureuses dispositions, mais encore pour la perfectionner, elle devint, sous sa direction, la lectrice de la famille, quand on avait le temps, l'occasion ou le moyen de lire quelques choses » (25). Malgré cela, la jeune Pauline n'a jamais su vraiment écrire.

Le cas de Suzanne Voilquin est plus exceptionnel, mais son éducation commence comme toute éducation féminine dans une famille ouvrière pourtant décidée à s'alphabétiser. Nous sommes là encore au début du siècle, mais à Paris où son père, après un tour de France qui commence à Nîmes, est venu se fixer sans avoir appris à lire. Sa mère est tout aussi ignorante. La famille se donne vite un premier « lettré » (p. 65) en la personne du plus jeune des frères de Suzanne qui suit les classes du séminaire de Saint-Merry jusqu'à dix-sept ans. Suzanne n'a droit qu'à l'école des sœurs de Saint-Vincent : « Rien de simplifié comme le programme des études, arrêté dans cette sainte demeure : prier d'abord, chanter des cantiques, écouter de pieuses et banales exhortations, apprendre quelque peu à lire et à écrire, et réciter par cœur le samedi l'évangile du jour » (p. 53). Rien de plus — si ce n'est la place centrale de la religion — que chez Pauline Bigot. Et même, une fois placée par les bons soins de l'école chez de dévotes personnes, cette même fonction d'oralisatrice — « Dans l'heure consacrée à ma récréation, elles me donnaient à lire haut quelques chapitres de livres mystiques » (p. 55) — se poursuit au domicile familial dans une connivence mère-fille : « J'aimais passionnément la lecture ; je pouvais me livrer à ce penchant, le

484

soir, à condition de lui lire, pendant son travail, tout le produit du cabinet de lecture voisin » (p. 65). Bref, une sérieuse éducation de fille, centrée sur la lecture plutôt que sur l'écriture ou l'instruction proprement dite ; et cet entretien régulier par l'oralisation qui conduit à une pratique du lire seulement même si quelques rudiments d'écriture ont été acquis. Pour aller plus loin, il faut d'autres circonstances. Suzanne a un frère « lettré », cela lui suffit : « Ce fut lui qui m'initia à l'histoire des Grecs et des Romains, et quelque peu à l'histoire contemporaine » (p. 65) ; et même si les livres sérieux manquent à son goût au domicile familial, ce frère a un dictionnaire et cela fait peut-être tout : au-delà s'ouvrent, pour Suzanne, toutes les lectures, ou presque.

Mais une alphabétisation féminine aussi étonnante échappe-t-elle pour autant à cette déqualification qui caractérise toutes les « nouvelles lectrices » comme tous les « nouveaux lecteurs » ? Le devenir militant de Suzanne Voilquin ne peut à lui seul servir de garant ici, même s'il appartient comme la plupart des militances saint-simoniennes aux formes les plus lettrées des pratiques de l'écrit. Suzanne elle-même nous guide vers la faille de son acculturation. Au début, tout va bien : « La philosophie négative était à la mode ; le mot d'ordre parmi la jeunesse était emprunté à Voltaire : *Détruisons l'infâme !* Sous cette impression générale, je lus avidement tout ce qui avait trait à ce souffle destructeur du passé. Les ouvrages de Voltaire, de Rousseau, de Volney et autres étaient bien un peu indigestes pour un esprit aussi inculte que le mien. De Voltaire, je ne lisais avec intérêt que son théâtre ; je préférais Rousseau ; de lui je lus avec bonheur son *Émile* et surtout sa *Nouvelle Héloïse*. » Comme on l'imagine déjà, la chute est proche. « Malgré les frissons de terreur que m'avait causés sa terrible préface, bien que j'eusse la prétention de rester forte contre son influence, le charme opéra ; je ne me sentis plus la même après cette lecture. » Dès lors, l'alphabétisation n'a plus les mêmes fins. « Je recherchai bien encore mes bons auteurs, mais je fus forcée de m'avouer ma préférence pour les ouvrages romanesques, comme parlant plus à l'imagination. Mmes Cottin et de Gen-

lis les charmantes conteuses de cette époque furent mes préférées... » (pp. 76-77). Flaubert n'invente pas une trajectoire littéraire différente pour Emma Bovary, fille chérie d'un riche fermier certes, mais qu'il définit moins par son hérédité sociale que par sa féminité culturelle ; comme si la femme n'apprenait à lire que pour anticiper dans la découverte du livre les premiers émois amoureux (Suzanne Voilquin, encore : « Ces divers ouvrages exaltant l'amour se rendaient complices de la nature, en agitant fortement mon imagination et en remplissant mon cœur de désirs inconnus » (p. 77)). L'effort d'alphabétisation, qui tire toute une lignée vers les pratiques de l'écrit, s'efface ici au profit d'un modèle strictement féminin et qui n'est pas sans parenté avec les lectures lascives du boudoir d'un côté, ou les lectures naïves du feuilleton de l'autre. L'accès à la lecture des femmes ferait-il éclater ce modèle plus général qui veut que, au XIXᵉ siècle, tout « nouveau lecteur », quel qu'il soit, ne puisse inscrire sa pratique culturelle qu'en référence au populaire ?

Bien au contraire, non seulement le modèle féminin n'échappe pas au champ de la lecture populaire, mais il le contamine tout entier jusqu'à réapparaître dans des formes presque identiques dans les alphabétisations masculines. Chez Louis-Gabriel Gauny, par exemple, qui naît en 1806 d'un père artisan potier analphabète, et qui se met en scène dans un fragment autobiographique : « Un livre prêté par le voisin du même palier m'enflamma la cervelle, et quel livre ! où tout est action, aventures inattendues, péripéties de danger dont je partageais les transes ! Incomparable *Robinson*, œuvre de génie, lue, relue encore, que de moments heureux et d'attentes perplexes tu m'as prodigués ! » (p. 27). Chez Xavier-Édouard Lejeune, que nous connaissons déjà : « Depuis que j'avais lu le *Génie du christianisme* et d'autres œuvres de Chateaubriand, un grand changement s'était opéré en moi. Les merveilles de la nature, l'harmonie de l'univers, les voix mystérieuses de l'inconnu, enfin tout un monde nouveau chantait dans mon imagination » (p. 119). Et, comme chez Suzanne Voilquin, s'ouvre alors une autre dimension de la littérature : « Je m'adonnai à la lecture des romans. Il

se publiait alors des petits journaux à un sou contenant deux ou trois romans à suivre avec illustrations. Ils paraissaient une ou deux fois par semaine (...) Leurs principaux écrivains étaient : Alexandre Dumas, Eugène Sue, Paul Féval, Clémence Robert, Albert Blanquet, Ponson du Terrail et bien d'autres (...) » *(ibid.)*. Et s'il ne découvre pas à cette occasion les premiers élans de sa sensibilité, c'est pour mieux tomber malade : « Mais comme je ne faisais part à personne de mes impressions et des causes de mon malaise, le médecin pronostiquant une crise nerveuse ordonna quand même des bains, des douches et un repos de quelques semaines... En conséquence, je m'abstins de toute lecture durant un certain temps » (p. 121).

Le livre est dangereux. D'autant plus dangereux s'il devient ce livre initiateur qui transforme définitivement le lecteur au risque de son équilibre, de sa santé et du projet d'instruction inscrit dans son alphabétisation.

On pourrait voir dans la récurrence de ce thème la transposition de la problématique rousseauiste dont s'est emparé le romantisme : la multiplication des livres dégrade le monde culturel au lieu de l'enrichir. À défaut de supprimer tous les livres, il faut trouver le livre unique qui suffirait à l'éducation de chacun, et cette lecture faite alors, renoncer à tout autre commerce avec l'imprimé. Mais dans le remède gît un nouveau danger : face à une telle condensation de l'écriture la lecture devient un acte décisif de l'existence, une initiation où l'on peut, surtout si l'on s'appelle Julie plutôt qu'Émile, se perdre tout entier.

Les expériences troublantes évoquées par Suzanne Voilquin, Gauny ou Lejeune ne rencontrent la thématique rousseauiste que par cette conséquence seconde. Le livre initiateur est dangereux non parce qu'il pourrait ne pas préserver assez de cette culture écrite pléthorique et babelienne, mais parce que sa lecture n'a pas été préparée, parce qu'elle survient au hasard d'un détour de l'existence. D'ailleurs, ce livre ne remplace pas tous les livres, bien au contraire, il ouvre sur la multiplicité des lectures sans fin qu'il semble d'un seul coup autoriser. Qu'il en résulte un émoi, une agitation, une « fièvre cérébrale » même est moins le

485

signe d'un enjeu essentiel que d'un manque de distance entre le lecteur et les textes, propre à la femme comme au peuple. Le désir immodéré de lectures toujours nouvelles fait basculer nécessairement les finalités éducatrices de l'alphabétisation du côté du divertissement. Qu'on en conclue à la fragilité du nouveau lecteur plutôt qu'à l'intensité de l'expérience littéraire devient dès lors une évidence. Si la lecture populaire apparaît dans les faits comme dans les représentations une activité marquée par les signes du féminin, c'est qu'on la pense incapable d'accéder un jour ni à son autonomie, ni à l'âge de sa majorité. Quoi d'étonnant, dans ce cas, qu'on l'imagine et qu'on l'organise dotée d'un encadrement spécifique et d'une surveillance adéquate.

Une lecture accompagnée

Ce sont surtout ces mesures d'accompagnement et d'encadrement de la lecture populaire qui ont été retenues dans la plupart des travaux effectués ces dernières années sur cette question (26), jusqu'à éliminer toute autre perspective. Il est vrai qu'ils occupent largement le terrain discursif ou législatif dès la Restauration. Qu'il s'agisse de la mise en place de la scolarisation élémentaire qui fait à la lecture une place de choix, des entreprises de constitution d'un corpus de « bons » textes à l'usage du peuple, ou de la surveillance et de l'impulsion des réseaux de distribution de l'imprimé dans lesquels il faut ranger la création de bibliothèques, dans tous les cas la lecture populaire semble se réduire à ces formes institutionnelles qu'on tente de lui imposer. Il convient certainement de faire la part, dans la création de ces dispositifs et des discours qui les soutiennent, de la volonté de surveillance et de moralisation des classes dangereuses qui prévaut tout au long du siècle. Et même lorsqu'il se veut libéral et progressiste, le discours bourgeois reste « paternaliste » à l'égard de ce peuple enfant. Mais cela n'épuise pas la signification des mesures d'encadrement de la lecture populaire. Il s'agit non seulement de surveiller, mais tout autant, et peut-être plus, de construire cette représentation du peuple lisant que l'éclosion sans cesse renouvelée de

nouveaux lecteurs impose. Former, plutôt que réformer, donner corps à l'abstraction que constitue encore dans les esprits l'alphabétisation populaire, produire les représentations en même temps que les comportements eux-mêmes... À voir les choses sous cet angle, on pourrait comprendre ce qui est souvent dénoncé comme une aberration du discours des militants ouvriers sur la lecture : qu'on y retrouve, en définitive, la même défiance que chez les notables à l'égard des capacités de compréhension et de discernement du peuple vis-à-vis de ses lectures. En fait, les lecteurs qui s'alphabétisent pendant le XIXᵉ siècle sont aussi « nouveaux » pour ces ouvriers et artisans urbains où se recrutent les rédacteurs de l'*Atelier* ou de la *Ruche populaire,* que pour les notables de la Société pour l'Instruction élémentaire ou de la Société Franklin.

Accompagnement donc, nécessaire à la fragilité supposée de ce lecteur populaire. Et d'abord, à l'école... Ne revenons pas ici sur le rôle objectif qu'elle joue dans l'accroissement de l'alphabétisation au XIXᵉ siècle, du seul fait de l'extension de son réseau et des progrès professionnels de ses maîtres. Nous ne soulignerons que la transformation qu'elle opère sur les modalités même de l'acte de lecture. En effet, jusqu'aux lois Guizot, les programmes des petites écoles étaient limités à l'apprentissage du déchiffrage. Celui-ci acquis, il était immédiatement — pour autant que l'élève poursuive sa scolarité — mis au service d'une acculturation religieuse minimale : une fois qu'on savait lire, on ne lisait plus que pour apprendre par cœur le *Catéchisme du diocèse,* l'*Instruction chrétienne* ou le *Mentor des enfants.* À partir du Statut de 1834, la lecture est un exercice qui se prolonge au-delà de son premier apprentissage sous la dénomination de « lecture courante » jusqu'à la fin de la scolarité. Cela suppose un matériel spécifique — des livres de lecture spécialement destinés à l'école — et une pédagogie qui se constitue progressivement jusqu'à devenir à la fin du siècle un modèle didactique si fort qu'il existe encore aujourd'hui. La leçon de lecture est explicitement destinée à accompagner l'enfant « nouveau lecteur » au-delà de son alphabétisation, afin qu'il se sente

moins démuni face aux textes, moins seul dans son rapport à l'écrit. Afin surtout qu'il ne se laisse pas aller à ces faiblesses que confessent Suzanne Voilquin ou Xavier-Édouard Lejeune et qui dévoieraient son apprentissage. Volonté d'encadrement donc, toujours réaffirmée par le discours pédagogique. Mais ce faisant, et pour former ces « bons lecteurs », il faut bien créer des exercices, remplir les moments de la classe de comportements individuels ou collectifs, inventer des gestes, des façons de dire ou de faire qui sont autant de dispositifs qui concourent à la production d'habitudes, mais aussi de représentations du bien lire, qui prennent leur place dans le répertoire des images que le XIXᵉ siècle se forme de la lecture.

Deux temps dans cette invention de la lecture scolaire. D'abord, on transforme la leçon individuelle de l'écolâtre en leçon collective. Il suffit pour cela de constituer la classe en divisions de même force et de doter chacune d'entre elles de livres uniformes. Recommandée dans le Statut de 1834, cette mesure fera l'objet d'une surveillance particulière des inspecteurs mais ne sera appliquée réellement qu'à partir du Second Empire dans les petites écoles de village où les parents rechignent à la dépense et se contenteraient bien de la *Croix de par Dieu* ou même de l'*Almanach.* Ensuite, il convient de mettre en scène dans l'espace scolaire, et avec des acteurs devenus attentifs les uns aux autres, un nouveau type de rapport au texte, en même temps qu'une nouvelle sociabilité du lire. Deux principes se dégagent vite : la lecture est une oralisation du texte mais elle est aussi une fragmentation de celui-ci. Oralisation d'abord, qui part du maître (le modèle), qui circule d'un élève à l'autre et qui retourne au maître ; celui-ci vérifie que le sens a été compris en écoutant si l'intonation est bien placée. Fragmentation ensuite : du texte lui-même pour qu'il puisse être raisonnablement lu pendant le temps d'une leçon (de là naissent les fameux « morceaux choisis »), du fragment du jour pour que chaque élève ait l'occasion d'en dire au moins une phrase, de cette phrase elle-même dont chaque mot « difficile » est expliqué. Le modèle est sûr. Il existe encore. On le retrouve dans toutes les

TROISIÈME ANNÉE. — N° 3. 3 fr. par an. — 25 c. le numéro. 30 NOVEMBRE 1842.

L'ATELIER,

ORGANE DES INTÉRÊTS MORAUX ET MATÉRIELS DES OUVRIERS.

— COUR DU COMMERCE, 24 (PRÈS L'ÉCOLE-DE-MÉDECINE). —

Celui qui ne veut pas travailler ne doit pas manger.   Liberté, Égalité, Fraternité, Unité.

Cette feuille, qui paraît à la fin de chaque mois, a été fondée et est exclusivement rédigée par des ouvriers de toutes professions; un jury de ré[dac]-tion, élu tous les trimestres par les fondateurs, est chargé de l'examen des articles à insérer. — Il suffit, pour participer à cette œuvre, d'être ou[vrier et] de présenter des garanties de moralité, et de payer une cotisation mensuelle de 1 franc, en échange de laquelle on reçoit quatre exemplaires du jo[urnal.]

SOMMAIRE.

De l'Éducation et de l'Instruction (deuxième article.) — De l'Union douanière avec la Belgique. — Épargne en commun. — Opinions de la presse sur l'organisation du travail. — Des accidents causés par les machines. — Régime des maisons centrales.

A partir du 1er décembre prochain, le bureau de l'Atelier sera définitivement transféré Cour du Commerce, 24, près l'École de Médecine. — Tout ce qui concerne l'administration doit être envoyé franc de port à M. LAMBERT, au bureau du journal; c'est à son ordre que nos abonnés sont priés d'envoyer les mandats sur la poste.

Les avis et réclamations concernant la rédaction doivent être adressés au gérant.

RÉFORME SOCIALE.

De l'Éducation et de l'Instruction.

Comment les corps enseignants seront réformés.

Il est, dans l'ordre des idées, un fait très-remarquable, et que nous aimons à constater ici : c'est que l'esprit révolutionnaire est maintenant presque entièrement dégagé de ces préjugés matérialistes qui eurent un moment une si funeste influence sur notre grande révolution. On est trop actif, en France, on est trop réalisateur, pour que les doctrines d'un Hobbes, ou d'un baron d'Holbach, ou d'un Meslier, puissent y prendre racine. Aussi, à bien voir le fond de la pensée de nos vieux révolutionnaires, il est évident qu'elle était plus hostile aux ministres très-peu dignes de la religion qu'au principe religieux lui-même, et nous sommes convaincus qu'un grand nombre d'individus firent parade d'athéisme par esprit d'opposition beaucoup plus que par conviction. Il n'en est plus de même aujourd'hui; on sait distinguer enfin entre le principe et les hommes qui en abusent; et, en vérité, s'il fallait condamner toutes les idées dont on a abusé, il n'en serait pas une seule qui pût trouver grâce. Le préjugé consiste précisément à procéder de cette manière très-peu raisonnable. On juge de plus haut maintenant, et les hommes qui passaient naguère encore pour des esprits forts, parce qu'ils ne croyaient à rien, sont considérés aujourd'hui avec raison comme de très-faibles esprits.

Nous sommes donc heureux de pouvoir dire que le parti démocratique se dégage successivement des préjugés qui rendaient ses efforts stériles, pour se rattacher à la croyance nationale, comme à la seule idée qui puisse féconder ses œuvres. L'Atelier n'a fait que suivre la voie de ceux qui font autorité dans le parti; il n'a été qu'un écho; et si les conclusions de notre précédent article sur l'enseignement avaient pu paraître étranges à quelques-uns de nos lecteurs, nous leur dirions que nous n'avons pas concl[u] [...]

autrement que le *National* et que le *Censeur de Lyon*, [prin]-cipaux organes de la démocratie. Ces deux journaux o[nt,] en effet, à propos de la question de l'enseignement, [...] tion ne pouvait être bonne qu'autant qu'elle était f[...] de vue chrétien, et que, si le clergé comprenait mi[eux] [...] nui autre corps ne serait plus capable d'inspirer [...] beaux sentiments de fraternité dont on trouve l[...] à chaque page de l'Évangile.

Il est donc admis que, sans principe religi[eux] [...] bonne éducation, point de morale obligatoire [...] plus, on a reconnu la nécessité de l'unité [...] cette autre nécessité d'un corps spécialem[ent] [...] le principe moral et de l'enseigner d'une [...] à-dire d'où suit la nécessité d'un pou[voir] [...]

On éprouve parmi nous une certai[ne] [...] ce pouvoir et à se soumettre à lui. [...] sonnable de ne point le reconnaî[tre] [...] agents actuels manquent de dévou[ement] [...] rait pas raisonnable de nier le [...] représentants abusent de leur p[...] tre, parce que tous deux sont [...] et temporelle. Seulement [...] abus; en un mot, il faut [...]

On ne sent bien la né[cessité] [...] qu'on envisage de hau[t] [...] *tional* la sentait bie[n] [...] clergé, les prêtres [...] glise universelle [...] établi ainsi ent[re] [...] férents peuples [...] une chose sa[...] sur les diff[...] entre les [...] oppressé[...] service [...] possib[...] de la [...] te[...]

LA RUCHE POPULAIRE

(TRIBUNE)

« Secourir d'honorables infortunes qui se
« plaignent, c'est bien ; s'enquérir de ceux
« qui luttent avec honneur, avec énergie, et
« à leur venir en aide, quelquefois à leur insu ;
« prévenir à temps la misère ou les tenta-
« tions qui mènent au crime..., c'est mieux.»
(RODOLPHE, dans les *Mystères de Paris.*)

Nous recommandons à l'*Évangélique Fraternité* ces infortunes intéressantes :

Une famille de quatre enfants dont le père, ouvrier chau-
dronnier, est malade depuis plusieurs mois. Cette famille
est dans une misère absolue. Le travail de la mère est si
peu de chose qu'il ne suffirait pas à nourrir seulement une
personne.

Une autre famille dont le père, ouvrier maçon, est tombé
malade et obligé de rester à l'hospice d'Amiens. L'épouse,
obligée de revenir à Paris, à pied, avec ses jeunes enfants,
s'y trouve dans la détresse.

Suivent les autres infortunes inscrites sur notre registre.

TRAVAIL, PROPRIÉTÉ, ASSOCIATION.

Le bien d'autrui tu ne prendras
Ni retiendras à ton escient.
(DIEU).

La Société repose sur deux grands intérêts, le travail et la
propriété.

La propriété est sauvegardée par un corps de lois, où rien
n'est laissé à l'arbitraire. Grâce à cette prévoyance maternelle,
il n'est pas un pouce de terrain qui ne soit baptisé d'un nom,
et cela, à juste titre, s'appelle de l'ordre. Certain de n'être
jamais dépossédé, le propriétaire vit avec sécurité sous la tuté-

IXe ANNÉE de cette 1re tribune des ouvriers.—Novembre 1847. 15

L'*Atelier* (1842) et *la Ruche populaire* (1847), journaux écrits par des ouvriers
et des artisans urbains à l'intention des prolétaires des villes et des campagnes.
H. 267 mm et 208 mm.

Un champ qu'on possède et qu'on cultive
Est la meilleure école de morale (Sully).

FABLES

ET

MORCEAUX DIVERS

CHOISIS DANS NOS MEILLEURS AUTEURS

ET ANNOTÉS POUR L'USAGE DES CLASSÉS ÉLÉMENTAIRES

PAR LE R. P. CHAMPEAU,

SALVATORISTE, ANCIEN SUPÉRIEUR DE PETIT-SÉMINAIRE.

SIXIÈME ÉDITION

PARIS,

NOUVELLE LIBRAIRIE CLASSIQUE,

VICTOR SARLIT, LIBRAIRE-ÉDITEUR,

RUE DE TOURNON, 19.

1882

Petit recueil de morceaux choisis, comme il en parut beaucoup dans la seconde moitié du XIXᵉ siècle.
H. 140 mm.

préfaces de manuels, dans les rapports d'inspecteurs, dans les circulaires, dans les journaux pédagogiques et même dans les histoires proposées à la lecture des élèves où il ne manque jamais de se mettre en scène. La lecture s'y définit sous le double contrôle du bien dire et du bien comprendre. Le sens est deux fois présent : dans les mots dont chacun renvoie à une idée (qu'on pense ici à la manie lexicographique d'un Pierre Larousse), dans la ponctuation qui implique une intonation (ce sont les *ars legendi* d'Ernest Legouvé (27) qui servent alors de référence). Avec ce double rempart, il n'y a plus aucune raison de se perdre. La rêverie est impossible, l'émotion est commandée, et le sens s'impose de lui-même. Un bon élève ne peut que bien lire.

Toutefois, si tout est dans le livre, s'il offre à l'élève attentif les clés de son interprétation, il convient plus encore de ne donner que de bons livres : à l'école d'abord, en produisant ces livres élémentaires qui deviendront des manuels scolaires ; hors de l'école aussi, en proposant aux enfants, et par la même occasion à leurs parents, une littérature instructive et récréative facile d'accès et suffisamment attrayante pour qu'il ne soit plus nécessaire de la soutenir d'une action pédagogique.

Un curieux chassé-croisé se produit, au début du siècle, qui donne leur statut respectif à tous ces objets. Livres scolaires, livres récréatifs, livres « pour le peuple » se différencient ou se confondent, échangent leurs objectifs ou leurs formules éditoriales. Plus que des textes, ce sont des genres qui se créent, et le moment de leur baptême importe souvent plus que celui de leur naissance.

Pour l'Ancien Régime, les « livres classiques » ne sont que des ouvrages destinés au collège et dans lesquels on apprend les belles-lettres (28). À l'école, en dehors des classes tenues par les congrégations religieuses, on a l'habitude de lire sur ce que les enfants apportent de chez eux : *Croix de par Dieu* pour apprendre l'alphabet, livres de piété pour finir d'apprendre à lire et même quelquefois almanachs ou romans bleus. Cette production éditoriale n'est pas en discontinuité avec celle que diffusent les colporteurs ou les merciers. Les livrets ont le même aspect — de petits in-18

recouverts de mauvais papier — et sont fabriqués par les mêmes imprimeurs. La notion de « manuel scolaire » n'a pas encore d'existence.

Pendant la Révolution, à plusieurs reprises, on tente de faire écrire et éditer des « livres élémentaires » par les meilleurs esprits du temps pour servir de base (des « éléments », dit Lakanal, pas des « abrégés ») à l'instruction raisonnée de la nation (29). L'entreprise conçue dans le même esprit que le projet d'École normale de l'an III ne réussit pas mieux.

Mais, lorsque les libéraux regroupés autour du baron de Gérando dans la Société pour l'Instruction élémentaire reprennent cette question, ils lui donnent un tout autre sens. Il ne s'agit plus de faire seulement des livres scolaires, mais « de multiplier et de répandre les bons livres élémentaires et les ouvrages utiles, moraux et instructifs destinés au peuple » (30). En effet, l'alphabétisation ne saurait suffire car « la lecture et l'écriture ne sont pas l'instruction proprement dite ; mais une préparation, un moyen pour y arriver, des instruments avec lesquels on peut s'instruire. Les bons livres deviennent ensuite des moyens directs d'instruction » (p. 160). Déplacement du souci de formation au-delà du temps scolaire proprement dit... Et peut-être même défiance à l'égard du maître. Alphabétisé certes, pas toujours très bien, il reste marqué de son appartenance au milieu même qui le nourrit. Il est lui aussi un nouveau lecteur et, s'il dispose de quelque avance sur ses élèves, cela n'en fait pas pour autant un notable ou un lettré. À lui l'alphabétisation, aux livres l'instruction, livres doublement adressés : « au peuple » et « à l'usage des enfants qui fréquentent les écoles élémentaires et de leur famille » (p. 159). Il existe pourtant déjà des ouvrages destinés aux enfants : toute une littérature fort mièvre née à la fin du XVIII⁰ siècle dont Berquin reste le modèle souvent imité. Mais il ne s'agit en rien, pour les amis du baron de Gérando, de réutiliser ce fonds. Ils le considèrent, en effet, « destiné à l'amusement plus encore qu'à l'instruction des enfants des riches » (*op. cit.,* p. 166). Deux caractéristiques rédhibitoires pour ceux qui visent cette « nouvelle classe de lecteurs, à laquelle de nouveaux livres,

faits exprès pour elle, deviennent nécessaires » *(ibid.).* Et sur ce point, le discours catholique est peu différent puisque, quelques années plus tard, la Société catholique des Bons livres s'engage — avec peut-être plus de succès que les libéraux — dans l'édition d'ouvrages spécifiques à usage du peuple. Il est vrai qu'elle dispose d'un bon réseau de distribution : les paroisses sont plus nombreuses que les écoles mutuelles auprès desquelles la Société pour l'Instruction élémentaire pensait pouvoir écouler ses livres.

Par ailleurs, la confusion entre livre scolaire et livre populaire n'est peut-être pas un bon choix au moment où, avec les lois Guizot, l'école se modernise et se dote d'une véritable technologie éducative. Elle a besoin d'instruments, de livres d'exercices plus encore que de livres de lecture, et le roman, même didactique, ne saurait en tenir lieu. Au moment où se crée un enseignement d'État par le Statut de 1834 et par la création en 1835 d'un corps d'inspecteurs indépendants des notables locaux, le ministère de l'Instruction publique crée les conditions qui permettent que se développe une industrie spécifique du livre scolaire. Commandes d'État et inscription des livres sur des listes officielles soutiennent de jeunes éditeurs qui, comme Louis Hachette, créent un nouvel objet, le livre élémentaire, et assurent sa diffusion par l'intermédiaire de la librairie ou, s'il le faut, pour atteindre les campagnes les plus reculées, par le circuit du ministère, des préfectures et des mairies. Il s'ensuit une dissociation stricte cette fois entre livre populaire et livre scolaire. Les éditeurs ne sont pas des philanthropes. Ils voient s'ouvrir devant eux un double marché exceptionnel : l'école (sans commune mesure avec l'enseignement des collèges quant au nombre d'élèves concernés) et ces lecteurs qui ne sont en rien populaires, qui ont pris sous la Restauration l'habitude d'aller chez le libraire ou au cabinet de lecture, qui consacrent des budgets de plus en plus importants à la lecture et qui seront les premiers à se précipiter dans les kiosques de gare pour s'offrir ces beaux livres, rouges, verts, ou roses, souvent illustrés, qu'on y a placés. Ce sont les mêmes qui achètent pour leurs enfants les collections d'Hetzel (ou de Mame,

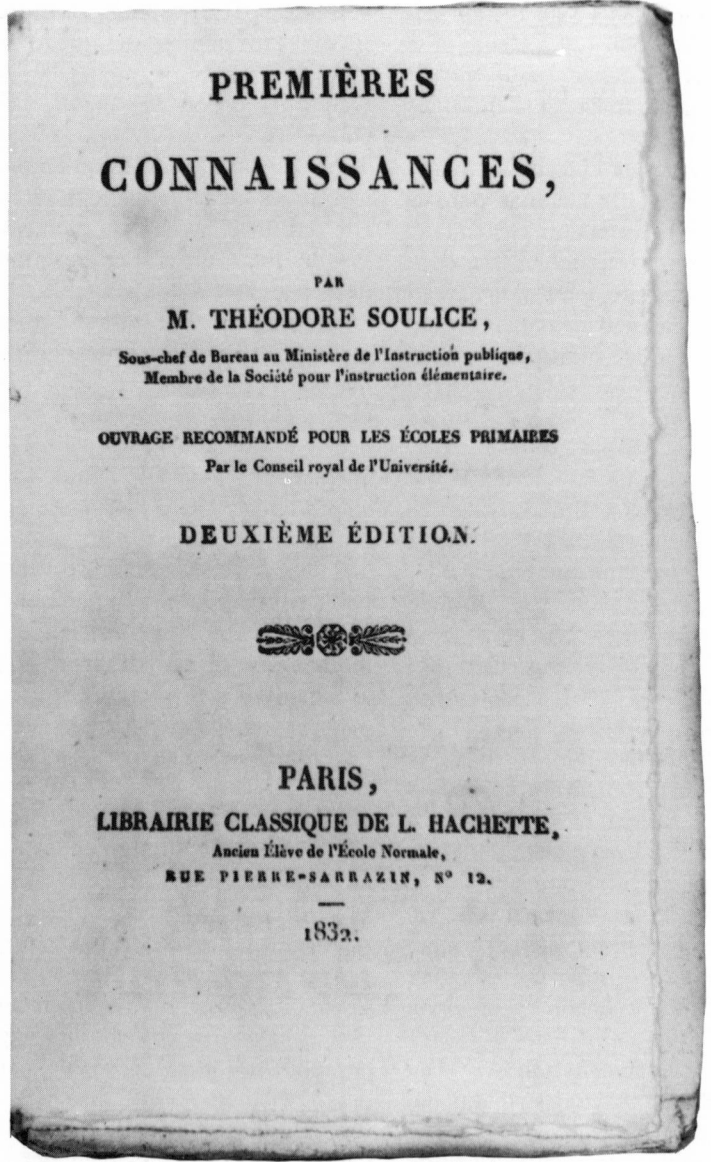

PREMIÈRES
CONNAISSANCES,

PAR

M. THÉODORE SOULICE,

Sous-chef de Bureau au Ministère de l'Instruction publique,
Membre de la Société pour l'instruction élémentaire.

OUVRAGE RECOMMANDÉ POUR LES ÉCOLES PRIMAIRES
Par le Conseil royal de l'Université.

DEUXIÈME ÉDITION.

PARIS,
LIBRAIRIE CLASSIQUE DE L. HACHETTE,
Ancien Élève de l'École Normale,
RUE PIERRE-SARRAZIN, Nº 12.

1832.

Un des premiers livres élémentaires édités par
Louis Hachette, conformes aux programmes
officiels et adoptés pour les écoles
par le ministère de l'Instruction publique.
H. 146 mm.

s'ils se sentent plus à l'aise dans la littérature catholique). Amorcée dès la monarchie de Juillet, cette restructuration de la production comme de la distribution est en place à la fin de l'Empire. Du grand projet d'écriture pour ce peuple enfant ne subsiste, en définitive, qu'une littérature adressée à l'enfance, enfance bourgeoise des livres de récréation, enfance studieuse des livres scolaires. La librairie classique mène le jeu. Entre 1860 et 1890, elle crée un fonds, exceptionnel par sa diversité, d'ouvrages spécifiques qui se renouvellent en permanence derrière des titres stables pour alimenter les écoles primaires où naissent et se confirment les nouveaux lecteurs.

Rien d'étonnant, dès lors, que l'un des plus grands « livres populaires » de la fin du XIXe siècle — le plus lu peut-être de tous ces écrits « adressés » — soit un livre scolaire : *Le Tour de la France par deux enfants*, « livre de lecture courante pour le Cours Moyen, avec plus de deux cents gravures instructives pour les leçons de choses, par G. Bruno ». Sous le pseudonyme se cache l'un de ces écrivains lettrés qui ont choisi l'écriture didactique comme idéal social ; Mme Alfred Fouillée fait en effet des manuels scolaires, comme d'autres entrent en militance. Jacques et Mona Ozouf (31) ont montré à quel point ce livre est devenu *le* livre d'une nation. Les huit millions et demi d'exemplaires qui ont été fabriqués depuis 1877 se sont révélés aptes à rassembler autour d'eux toutes les France : chacun pouvait s'y retrouver. Il faut mesurer à quel point il importe que le *Tour de la France* ait été un livre scolaire pour bénéficier de ce statut. Les nouveaux lecteurs du XIXe siècle se reconnaissent en lui, au moment même où l'école efface les dernières taches d'analphabétisme sur ce territoire que parcourent Julien et André. La généralisation par l'école de la culture écrite devient valeur essentielle pour ceux-là même qui sont les derniers à s'inscrire dans le mouvement. Que le « populaire » passe alors du côté du général sinon de l'universel est important, et c'est un livre scolaire qui s'en fait le symbole.

À l'inverse, la déqualification des lectures que l'on prête au peuple a créé, depuis le début du siècle, d'autres images. C'est dans la disparité, dans l'indéfini des particularités des titres et des genres, dans l'éclatement permanent d'une culture qui ne se fixe jamais qu'opère le qualificatif « mauvais » synonyme de « populaire ». On le voit à l'œuvre dès la Restauration où il désigne le plus souvent les romans un peu légers des cabinets de lecture, alors même que ces établissements ne semblent être que très rarement fréquentés par ces groupes sociaux qu'on désignerait du terme de populaire. Avec la monarchie de Juillet, c'est le canard qui devient la cible préférée de ceux qui par ailleurs font et vendent de la littérature. Qu'on se souvienne de Balzac dans sa *Monographie de la presse parisienne* ! Lorsque le Second Empire se soucie de juguler le colportage et invente l'estampillage de toute la production qui se diffuse par les porteurs de balle, c'est au tour des livrets bleus. Il est vrai que, dans ce cas, la désignation des objets s'accompagne de leur recodage : C. Nisard qui était chargé de les interdire se met à les collectionner et leur redonne, dès lors, cette seconde vie — muséographique — dont ils avaient d'autant plus besoin qu'ils commençaient à tomber en désuétude. Les petits romans de quatre sous, les feuilletons de la presse à bon marché sont à leur tour dénoncés, cette fois par les instituteurs, depuis la fin de l'Empire jusqu'à la Troisième République. Il faudrait disposer d'une chronologie précise de ces déqualifications successives. On peut toutefois estimer que deux processus se conjoignent. L'un, qui tend à désigner comme mauvais tout texte, tout genre ou toute forme éditoriale de grande diffusion, qui vient à être remplacé par un objet équivalent quant à sa sphère de diffusion, mais différent par ses caractéristiques rédactionnelles : remplacement du canard par la presse de faits divers, remplacement du roman bleu par le roman de quatre sous, etc. En ce sens devient « populaire » tout livre archaïque ou perçu comme tel. Dans un récit de vie, cet archaïsme est souvent marqué par l'attribution de tel ou tel type de livre aux lecteurs de la génération précédente : *Bulletin de la Grande Armée* pour Martin Nadaud, *Almanach* pour Léon Chauvin ou Marcel Lignières, etc. Quant à l'autre, il inscrit la déqualification dans la plus

ou moins grande extension qui est subitement donnée à la fonction récréative d'un texte, dans le cadre d'une opposition très générale de l'éducatif au non-éducatif. Cela peut s'arrêter au licencieux ou bien aller jusqu'au léger, voire atteindre le genre fictionnel tout entier. Le roman est, à cet égard, une cible régulière tout au long du siècle, avec des moments d'exacerbation de la critique.

Un exemple, pris dans un corpus homogène : dans le compte rendu que fait Charles Robert pour le *Bulletin de la Société Franklin* (32) des réponses des instituteurs à l'enquête sur la lecture populaire de 1860 et qui porte sur 1 207 mémoires, on peut relever toutes les désignations d'objets textuels et les classer par ordre décroissant d'occurrences. C'est le terme *roman* qui arrive en tête (25 fois). Les qualifications qui l'accompagnent sont : *à bon marché, dangereux, fades, légers, obscènes, licencieux, pervers, insipides, immoraux, futiles* et *pieux*. On trouve ensuite l'*almanach* (11 fois) ; il est une seule fois qualifié : *ridicule*. Les *feuilletons* (5 fois) sont *à bas prix, scandaleux*. Les *chansons* (5 fois) apparaissent *immorales, à double sens, obscènes*. Les *brochures* (5 fois) sont *suspectes, mauvaises, pestilentielles* ou *romanesques*. Les *livres de piété* ou de *prières* (4 fois) ne sont pas qualifiés. Les *contes de fées* (3 fois) sont, dans l'une des occurrences, *absurdes*. Les *livraisons périodiques* (3 fois), la *presse*, les *publications illustrées* sont caractérisées par leur coût modique. Il faut ajouter à ces désignations précises toutes les mentions génériques de *livres, publications, bouquins, écrits*, etc. Les qualifications sont là plus sévères encore ; pour *livre*, par exemple, on trouve dans l'ordre décroissant des occurrences : *mauvais, irréligieux, immoraux, impies, médiocres, suspects, révolutionnaires, socialistes, frivoles, pernicieux*, et même *qui ne seraient pas admis dans une mansarde de la rue Mouffetard*. Aucune qualification positive donc (même *pieux* accolé à *roman* devient négatif) : les lectures populaires sont pensées par l'école dans une perspective résolument déqualifiante. Et l'on voit qu'en 1860 le roman (essentiellement le roman bleu) attire à lui le maximum de critiques. Il est suivi des autres productions traditionnelles du colportage. Seul le feuilleton fait irruption au milieu des objets qui appartiennent à des traditions plus anciennes.

Les récits de vie ne manifestent jamais pareil ostracisme. Ils distinguent certes des objets plus archaïques que d'autres, mais ils les inscrivent dans la continuité d'une bibliothèque des lectures avouées qui ne semble avoir jamais connu de rupture dans son développement. Voici l'exemple de Xavier-Édouard Lejeune, à l'école : l'abécédaire, les Évangiles et un recueil de prières. Il copie pour lui les chansons de Pierre Dupont. En arrivant à Paris, à l'école communale où il reprend son instruction, il a de nouveaux manuels (sciences physiques, astronomie). Puis viennent ses lectures personnelles d'adolescent et ce fameux *Génie du christianisme* qui le bouleverse. Alors tout est permis : Eugène Sue, *Atala*, le *Dernier Abencérage, Paul et Virginie* ; la bibliothèque de sa mère (Balzac, Lamartine, Sue, *les Trois Mousquetaires* et *Vingt ans après*). Il bouquine sur les quais et fréquente une bibliothèque publique : Homère, Virgile, Rabelais, Montesquieu, Molière, Boileau, Corneille, Racine, Voltaire, Rousseau, Diderot, Cuvier, Gœthe, Shakespeare, bref « tous les auteurs anciens et modernes » (p. 120). Mais aussi, les feuilletons du *Passe-temps*, du *Journal du Dimanche*, de l'*Omnibus*, du *Journal de la semaine*, du *Voleur*. Et encore A. Dumas, Sue, Féval, Clémence Robert, Albert Blanquet, Ponson du Terrail. On l'a déjà vu rencontrer dans une arrière-boutique l'abbé Meslier qu'il n'apprécie guère et d'Holbach... Aucune de ces évocations n'est dévalorisée. Tous les livres l'intéressent. Il passe de l'un à l'autre sans difficulté, sans honte non plus, dans le plus parfait désordre apparent d'une autodidaxie régulièrement entretenue. Certes, Xavier-Édouard vit à Paris, il écrit. Mais, de tous les témoignages que nous avons retenus, le sien est peut-être le moins marqué par les exigences d'un faire-valoir qu'implique toujours la publication de ces ascensions culturelles. Xavier-Édouard Lejeune tenait ses cahiers secrets ; il ne les a jamais publiés. Sa bibliothèque n'est pas usurpée, elle n'est pas non plus exceptionnelle. La lecture des non-lettrés traverse souvent les territoires les plus divers de

Brochures de colportage éditées par Pellerin à Épinal, sous le Second Empire :
titres variés, couvertures de papier vert ou jaune, ornées de gravures
sur bois adaptées au sujet de chaque livret. H. 134 mm (chacun).

la littérature. Les « mauvais » livres ne distinguent les lecteurs populaires que dans les discours qui se construisent pour s'assurer d'un pouvoir culturel sur les nouveaux venus dans la culture écrite. Les tiennent non seulement ceux qui se sentent investis d'une mission politique, mais aussi ceux qui occupent les postes d'accompagnement des nouveaux lecteurs qui se créent tout au long du siècle : instituteurs d'abord, bibliothécaires ensuite.

En effet, la mise en place d'un réseau de bibliothèques populaires relève de la même logique et des mêmes représentations. Au départ, une double constatation : les bibliothèques municipales issues de la Révolution sont des bibliothèques d'érudition ; l'accès au livre des classes non lettrées ne se fait ni par la librairie ni par la bibliothèque, mais par le colportage. Toute politique de la lecture suppose donc qu'un sort, positif ou négatif, soit fait au colporteur. Il apparaît comme le seul intermédiaire entre le livre et le peuple au moment où le réseau scolaire reste lacunaire et où l'action des instituteurs s'arrête trop vite pour créer définitivement de bonnes habitudes de lecture. Certes, le marché de l'imprimé peut difficilement se passer de cet intermédiaire, particulièrement en milieu rural où le déplacement au bourg reste rare. Mais l'imaginaire collectif de la classe lettrée semble en faire un usage plus grand encore. Croyons Jean-Jacques Darmon lorsqu'il avance dans son travail sur le grand colportage (33) que cette représentation du colporteur, souvent négative, n'est qu'un « fatras d'invraisemblances et de contre-vérités ». Il reste que le colporteur est tout au long du siècle et jusqu'à sa disparition ce personnage ambivalent dont on ne sait jamais s'il est tout entier du côté du mal, et donc à détruire, ou suffisamment nécessaire pour qu'on puisse tenter d'en inverser les valeurs. Il inquiète, certes, parce qu'il est trop mobile, presque sans aveu, suspecté d'empoisonner le peuple par le contenu du double fond de sa boîte qui ne contiendrait que des livres interdits ou immoraux. Mais il peut aussi être reconduit dans le droit chemin : dans le *Colporteur au village,* un abbé anonyme décrit les ravages produits par les livres d'un jeune colporteur —

de surcroît protestant — dans l'âme du fils du plus gros laboureur du village, mais le père et le curé du bourg en viennent à bout, et le jeune hérétique entre dans un séminaire à la dernière page de l'ouvrage. Plus tard dans le siècle, au moment même où le colportage est le plus sérieusement surveillé, il se trouve des esprits novateurs — et parmi les mieux informés — pour imaginer une réforme du colportage, qui permettrait une pénétration des bons livres par les réseaux qui jusque-là n'en avaient diffusé que de mauvais. E.-A. de l'Étang et Nisard même font des propositions dans ce sens. Ce dernier écrit dans son *Essai sur le colportage de librairie* (34) : « On réimprimerait les bons livres tombés dans le domaine public, et on en ferait de nouveaux, propres, autant que possible, à soutenir la comparaison avec les anciens ; on tâcherait de s'entendre avec les éditeurs ordinaires du colportage, d'abord pour la confection matérielle des livres, parce qu'ils savent (...) l'air qu'il faut leur donner pour captiver l'acheteur ; ensuite pour leur placement, parce que, ayant la confiance des colporteurs, ces industriels sont seuls en état de leur faire agréer des livres qui contrarieraient leur routine ou inquiéteraient leurs préjugés. » Alors ? Dangereux ou nécessaire ? Le colporteur semble se tenir entre le livre et son lecteur comme l'instituteur entre l'analphabète et le nouveau lecteur. Est-ce le sentiment confus de cette parenté de statut qui rend les instituteurs si violents à l'égard de leurs concurrents les plus directs ? Dans l'enquête que G. Rouland, ministre de l'Instruction publique et des Cultes, lance en 1860 sur la lecture populaire et les bibliothèques, les réponses des instituteurs évoquent souvent très négativement le personnage du colporteur. Mais, par ailleurs, dans les récits de vie, même lorsque ce sont ceux d'instituteurs, la tendance se renverse et ce protée redevient tout à coup familier, presque émouvant. Par exemple, Marcel Lignières, dans ses carnets : « Le colporteur était toujours bien accueilli à la maison. Papa lui achetait l'almanach, le fameux *Mathieu de la Drôme double* qui contenait, avec les prévisions du temps, des récits d'histoire, des contes, des nouvelles tirées d'ouvrages de chez Plon et d'ailleurs (...) Maman

lui achetait des aiguilles, des galons, de la tresse, des rubans. Mon frère lui acheta un jour, à la dérobée, du papier à lettre bordé de dentelle où il voulait écrire un compliment pour l'anniversaire de papa. Que ne contenaient pas les « boîtes à malice » du colporteur ! » (p. 150).

Est-ce cette ambivalence qui conduit les ministères successifs de l'Instruction publique a être, d'une certaine manière, plus circonspects à l'égard du colportage que la commission de surveillance elle-même ? Du côté de l'école, on abandonne très vite l'idée d'une moralisation de cette distribution. Il faut des lieux plus que des hommes pour que le livre puisse remplir sa mission. Il faut créer des bibliothèques pour conserver les livres et substituer le prêt à l'achat pour que le lecteur noue des liens réguliers avec le lieu. Pendant la monarchie de Juillet, les bibliothèques de ce type sont pour l'essentiel religieuses : bibliothèques de paroisse, catholiques ou protestantes, d'abord nées de l'initiative privée, puis reliées entre elles par des associations. Il existe aussi quelques bibliothèques de fabrique, en particulier dans l'Est. Mais déjà, la liaison bibliothèque-école est forte : la première n'est souvent qu'une dépendance de la seconde. L'une des bibliothèques protestantes urbaines précoces, celle de Lyon (35), prête à la fois aux élèves de l'école mutuelle de cette confession et aux familles de la paroisse. Plus tard, lorsque s'ouvrent des bibliothèques populaires associatives — celle des Amis de l'instruction du IIIᵉ arrondissement, en 1861 (36) — ce n'est jamais que dans le prolongement d'une activité d'instruction, ici les cours du soir de l'Association Philotechnique. Aussi, lorsque G. Rouland tente d'impulser, en 1860, la lecture populaire en France, pense-t-il tout naturellement à l'école comme lieu idéal d'emplacement d'une bibliothèque : « Doter les populations laborieuses d'un fonds d'ouvrages intéressants et utiles est un besoin qui, chaque jour, se fait plus sérieusement sentir. Une vaste organisation de bibliothèques communales répondrait à ce but ; mais cette organisation présente des difficultés qu'un concours multiple de volontés et de sacrifices permettrait seul de résoudre complètement. En

La Bibliothèque des Amis de l'Instruction du IIIe arrondissement de Paris, première bibliothèque parisienne de prêt, fondée en 1861 par des ouvriers et des artisans du quartier sur le principe de l'association. Elle fonctionne encore aujourd'hui, avec un financement assuré par le Bureau des bibliothèques de la Ville de Paris, grâce à des permanents bénévoles et un comité de lecteurs composé de sociétaires.

Bibliothèque personnelle de la famille Doré ouverte aux ouvriers du XIIe arrondissement de Paris trois soirs par semaine. Gravure parue dans *l'Illustration* du 10 octobre 1857.

attendant il est possible de tenter un premier essai (...) J'ai décidé qu'à l'avenir tout projet de construction ou d'acquisition d'une maison d'école, pour l'exécution duquel un secours sera demandé, devra être accompagné d'un devis spécial de dépenses afférentes au mobilier scolaire dans lequel sera comprise, en première ligne, une bibliothèque » (37). Départ modeste, mais qui conduit à l'équipement de 14 395 écoles dans les dix années qui suivent cette première déclaration. La bibliothèque scolaire est à la campagne ce que la bibliothèque populaire est à la ville, mais l'une et l'autre de ces institutions restent en continuité avec les lieux d'alphabétisation et d'instruction. Il ne suffit pas, en effet, d'éloigner les mauvais livres des nouveaux lecteurs, ni même de leur en apporter de bons. Il convient de leur montrer les liens indissociables qu'il y a entre l'école et la lecture, et cela d'autant plus que le livre scolaire se spécialise et commence à ne plus ressembler à un vrai livre. Peut-être faut-il aussi donner à l'instituteur, qui semble bien avoir été de tout temps un prêteur de livres au village, un rôle plus officiel et donc mieux surveillé puisque la liste des livres d'une bibliothèque scolaire est régulièrement visée par l'inspecteur.

Mais la bibliothèque, scolaire ou populaire, reste en France une offre plus qu'une demande. Pour tous ceux qui cherchent ainsi à aider, guider, et finalement contraindre les nouveaux lecteurs dans leurs choix et leurs lectures, faire lire c'est introduire le lecteur dans l'univers du livre et non faire entrer le livre dans l'univers du lecteur. Conception lettrée de la lecture qui préfère montrer d'elle-même la relation de face-à-face entre texte et lecteur et laisser dans l'ombre les échanges sociaux complexes qui permettent que ce face-à-face prenne valeur et sens. À l'inverse, la lecture populaire avoue — et de ce fait se signale comme populaire — la nécessité de ces partages. Elle se construit, se représente et s'exprime dans les formes de sa sociabilité.

Les sociabilités populaires de la lecture

Même lorsqu'elle se confond avec ce tête-à-tête intime du lecteur avec son

L'armoire-bibliothèque prévue dans le mobilier scolaire par la circulaire du 31 mai 1860 envoyée aux préfets par le ministre G. Rouland.
(D'après *Cent ans d'école, op. cit.*)

livre qui exige silence, calme, retrait du monde presque, la lecture est échange, partage social d'un message. Le choix d'un titre, la rencontre d'un texte, son achat ou son emprunt supposent déjà tout un réseau social complexe d'individus que la lecture, à des titres divers, rassemble dans des dispositifs plus ou moins élaborés ou institutionnalisés qui sont le théâtre de gestes, d'habitudes, de façons de dire ou de faire. De même, le livre lu, on en parle, on le recommande, on le prête, on le raconte ou le commente... D'autres rencontres s'organisent alors, spontanées ou réglées, qui prolongent le rapport premier du texte au lecteur, l'étendent, l'enrichissent et, en définitive, préparent d'autres lectures. De temps à autre, un texte plus fort, une attention plus grande du public concourent à produire une connivence particulière : le livre « influence » en bien ou en mal ses lecteurs. Il se prolonge dans une symbolique sociale — linguistique, vestimentaire, comportementale, etc. — et structure d'autres partages.

Bref, la lecture implique une sociabilité large, qui semble d'autant plus riche qu'elle met en jeu des modes d'appropriation plus « lettrés » des textes. Et cette sociabilité peut être considérée comme le facteur le plus déterminant dans la constitution de l'horizon d'attente (38) dont chaque lecteur se dote pour recevoir les textes qu'il lit et pour les comprendre, c'est-à-dire leur construire un sens partageable avec son temps et son espace social de référence. Le remodelage de cet horizon d'attente, qui change le sens des textes, permet d'en accueillir de nouveaux, laisse une place à la modernité des discours sociaux ou littéraires, que transmet l'écrit, dépend en définitive du foisonnement de cette sociabilité large de la lecture. Et l'on imagine bien comment les représentations du lire populaire peuvent jouer sur la distance qui les séparerait de cette flexibilité, de cette richesse sans cesse renouvelée des horizons d'attente lettrés. Qu'il s'agisse de la figure de l'isolement du lecteur rural confronté à la maigre sociabilité du colporteur qui lui apporte quelques livres et à la répétitivité des échanges de la veillée — si tant est que le livre y ait une place. Qu'il s'agisse aussi, et à l'inverse, de

l'image de la promiscuité propre aux lectures urbaines, volées au crieur au coin d'une rue ou nées de l'attroupement autour d'un placard ; l'adhésion immédiate, l'émotion collective l'emportent alors sur le dialogue attentif, la discussion distante. Représentations d'autant plus délicates à confronter à la réalité que nous ne possédons sur ces situations que des témoignages lettrés, même lorsqu'il sont le fait d'ouvriers ou de paysans que leur aventure littéraire n'a pas trop éloignés de leur communauté d'origine.

Il existe aussi une autre forme de sociabilité de la lecture dont la description peut éclairer les modes d'appropriation populaires de l'écrit. Elle concerne le moment même du contact entre le lecteur et le texte, l'acte de lecture proprement dit. Là s'opposent, bien évidemment, les images d'un commerce intime avec l'écrit à celles des différents aspects d'une collectivisation du lire. Et comme précédemment, les représentations les plus fréquentes distinguent les premières, en les rattachant à des acteurs lettrés ou simplement bourgeois, et déqualifient les secondes qui n'évoquent plus que des lectures populaires. Les travaux des historiens viennent d'ailleurs soutenir ce partage par l'usage qu'ils font des grandes ruptures de l'histoire de la lecture. Celle qui sépare lecture oralisée et lecture visuelle, par exemple, que Paul Saenger (39) situe, pour sa première occurrence, au XIIe siècle et qui concerne, à ce moment, le monde savant des *scriptoria*. Dès que la lecture visuelle, donc silencieuse, est permise, la sociabilité même de ce processus culturel se transforme, un rapport privé au texte devient possible et même nécessaire ; progressivement, l'intellectuel s'enferme dans le silence de son cabinet de travail. Si l'on réutilise ce modèle, à chacune des ruptures que produit l'alphabétisation dans des milieux de plus en plus éloignés de la culture savante, la lecture silencieuse devient alors comme un deuxième seuil d'accès aux pratiques de l'écrit et distingue une lecture archaïque, encore oralisante et le plus souvent collective, d'une lecture moderne, silencieuse et privée. On sait comment se rabat immédiatement sur des partages de ce type le couple populaire/savant. C'est certainement là une vision réductrice.

En fait, toute lecture se tient entre ces deux pôles, que sont la lecture individuelle et la lecture collective, et participe à la fois de l'une et de l'autre, quels que soient ses ancrages sociaux et ses finalités.

Au collège, par exemple, le temps de la leçon (lecture oralisée du régent à la classe) alterne avec celui de l'étude (lecture silencieuse et individuelle de l'élève), puis avec la récitation des travaux effectués (lecture oralisée de l'élève au régent). À l'église, ou dans les rituels de la piété domestique, la lecture oralisée collective, partagée ou non, s'articule avec la lecture méditée de la prière individuelle, qu'elle soit silencieuse ou encore oralisée à mi-voix. Et même si la lecture politique qui appartient de droit à l'espace public semble s'opposer à la lecture de loisir qui revendique l'espace privé, il n'est pas rare de voir les deux modèles s'inverser, ne serait-ce que parce que la lecture politique a souvent besoin du secret ou tout simplement de la discrétion qu'exige la tactique et que, de son côté, la lecture de loisir connaît le tumulte du salon littéraire, voire, dans son extraversion la plus grande, du théâtre.

Bref, l'opposition lecture individuelle/lecture collective est une opposition très générale dont on peut attendre qu'elle organise aussi bien le champ de la lecture lettrée que celui de la lecture populaire, par la distribution qu'elle opère de cette pratique culturelle dans des espaces (ouverts/fermés) et des moments (du loisir/du travail) qui normalisent fortement les modalités de la réception des textes. En effet, compte tenu d'un horizon d'attente spécifique — nous avons vu comment il se constituait — toute individualisation de la lecture a pour effet de déplacer la réception du texte vers des idiosyncrasies de la compréhension qui peuvent, à la limite, devenir proprement délirantes. À l'inverse, toute collectivisation tend à faire du souci de conformité sociale l'exigence même qui sous-tend la construction du sens.

Arrêtons-nous au pôle de la lecture individuelle, tout d'abord, parce que dans le champ des formes populaires de lecture il devrait être plus difficile à habiter, s'il est vrai qu'il implique tout à la fois une alphabétisation ancienne, un espace privé et le temps du loisir. Et l'on ne trouve effectivement aucune de ces caractéristiques dans les acquis culturels ou dans les modes de vie qualifiés de « populaires » au XIXᵉ siècle. C'est même l'un des thèmes les plus fréquents de ceux qui dénoncent l'obscurantisme de ces couches de la population que de constater l'abrutissement qu'impliquent les journées de travail trop longues et la promiscuité des logements insalubres, mal chauffés et mal éclairés, qui ne permettent qu'une alternative au temps du labeur : le sommeil, près des bêtes à la campagne, dans les galetas ou les réduits à la ville.

Pourtant, la lecture individuelle semble bien être l'une des formes possibles de la lecture populaire, mais c'est au prix de spectaculaires inversions.

À la campagne, où trouver ce temps et cet espace qui permettent un contact intime avec le livre ? Léon Chauvin (1839-1900) en offre une belle image qu'il rapporte au temps de son adolescence, alors qu'il a déjà quitté l'école et aide son père aux champs : « Tous les moments que je pouvais dérober après le travail de la journée, les dimanches et les jours de pluie, je les consacrais à la lecture. J'emportais même des livres à la campagne, dans ma hotte, à côté des instruments de travail, et je lisais aux heures des repas, tout en mangeant ma frugale pitance. Il est de coutume chez nos paysans de faire la sieste après avoir *mérandé.* Or, pendant que mon père dormait, je lisais paisiblement à l'ombre d'un pêcher ou d'un cerisier (...) Souvent, pour alléger le contenu de ma hotte, je ne rapportais pas mes livres au logis. Je les cachais dans les trous des murailles sous les pierres des *murgers...* » (pp. 34-35). Même évocation dans les carnets de Marcel Lignières, fils d'un cordonnier de village du Minervois, né en 1868, donc presque trente ans après Léon Chauvin et qui s'arrache comme lui de sa condition par le détour d'une école normale d'instituteurs rejointe sur le tard ; il se voit confier la garde de la chèvre familiale : « Je l'attachais à une longue corde que je fixais à mon pied et la laissais brouter en liberté. Avec la blouse retournée sur ma tête, je formais un abri merveilleux qui me séparait du monde. C'est là que j'ai lu

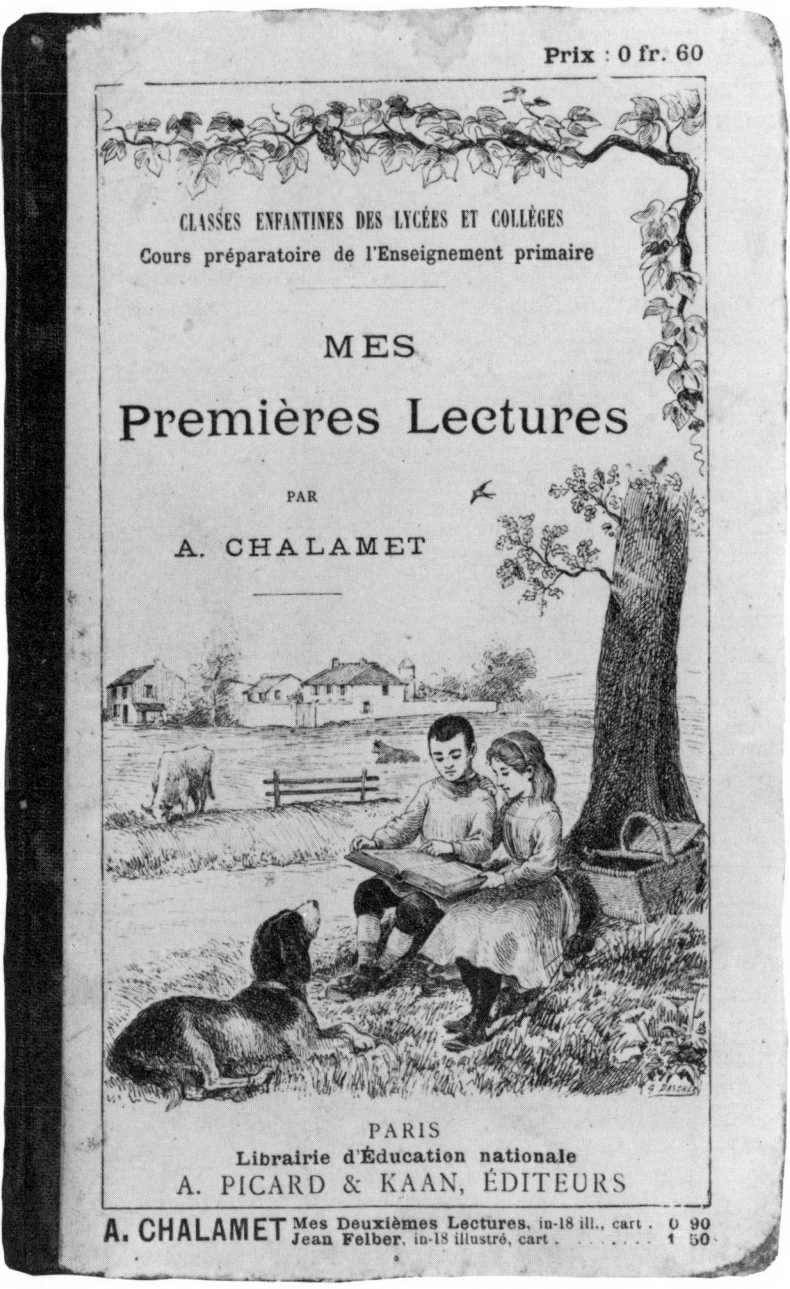

Pour aller garder aux champs le troupeau familial, ces enfants ont ajouté au panier de collation le livre qui les distraira en les instruisant. Figure ornant la couverture d'un livre de lectures à l'usage des classes enfantines. H. 182 mm.

avec délices les ouvrages de Fenimore Cooper et de Jules Verne (...) » (p. 43). Dans l'un et l'autre cas, on assiste à un renversement complet des paramètres habituels de la lecture individuelle. Les acteurs tout d'abord, non des lecteurs confirmés, rompus au commerce des livres, mais des adolescents, des enfants presque, à peine sortis de l'école. L'espace ensuite, qui se déploie dans l'extériorité absolue de la nature, quitte à y trouver l'abri précaire d'un arbre ou d'un mur ou à y construire un refuge d'un simple morceau d'étoffe. Le temps enfin, volé au travail ou au repos que celui-ci impose. Conditions exceptionnelles donc, et certainement passagères. On ne saurait imaginer un adulte qui se livrerait encore à de pareils enfantillages. Arrivé à l'âge mûr, le paysan ne distrait plus de son temps de travail ou de son temps de repos de quoi satisfaire son penchant à la lecture. Et les moments de la sociabilité familiale ou de voisinage deviennent eux-mêmes suffisamment importants pour qu'on ne cherche pas à s'isoler, ni aux jours de pluie, ni le dimanche, ni même à la veillée. Si le petit Marcel Lignières parvient à lire « à la lueur du foyer et parfois même au clair de lune », dans un parfait détachement de ce qui l'entoure, le père d'Antoine Sylvère, qui est son contemporain, ne s'autorise à lire qu'à la fin de la veillée, mais sans vraiment s'y consacrer tout entier : « La veillée s'achevait dans le silence. Mon père, fatigué par le rude travail de la journée, feuilletait un de ces fascicules des *Misérables* (...) » (p. 20). La lecture individuelle semble bien être, en milieu paysan, un luxe réservé à l'enfance, et encore ne concerne-t-elle peut-être que ceux de ces enfants qui savent déjà que la terre ne les retiendra pas.

À la ville, où l'alphabétisation est plus ancienne, il doit être possible de rencontrer des lecteurs adultes suffisamment rompus aux pratiques de l'écrit pour trouver, malgré la fatigue, des moments de lecture personnelle. On peut imaginer, sans risque de se tromper, que chacun de ces autodidactes écrivains par lesquels ces témoignages nous parviennent s'est livré avec persévérance à ce mode de lecture. Joseph Benoît, qui vient en 1838 de créer avec quelques ouvriers en soie de

Lyon une association pour « faciliter la lecture de certaines publications républicaines et répandre les doctrines qui y étaient contenues » — selon les termes du procès-verbal qui la dissout —, avoue qu'il consacre « ses jours au travail manuel et une partie de ses nuits à la société et à la préparation de ses petites brochures socialistes » (p. 60). Et l'on doit bien imaginer qu'autour de lui il en est de même puisque cette association de propagande a été constituée, le procès-verbal le précise, pour donner à lire : « ces faits sont établis par la cotisation payée, par les achats d'un grand nombre d'ouvrages et par les prêts successifs qui ont eu lieu de ces ouvrages » (p. 286). Louis Gabriel Gauny évoque de sa superbe écriture, dans *le Tocsin des travailleurs* du 16 juin 1848, l'enchaînement des heures du « travail à la journée » d'un menuisier. Levé à cinq heures, il fait aller ses bras jusqu'à l'heure du premier repas. « Il se hâte de manger pour s'appartenir un peu et s'égarer vingt minutes au fond de quelque vague espérance. » Mais la cloche sonne bientôt. « Six heures encore à s'user »... « Le second tiers du jour s'accomplit à travers une exécration. » Nouvelle pause : « Il déchaîne ses passions populaires (...) il révèle à ses camarades l'étendue de leurs droits. » Le travail reprend : « Ce menuisier a la fièvre, et la huitième heure du jour finit en augmentant ses souffrances. » La dernière heure est la plus longue. « Le soir s'abat et son âme s'use en interrogeant les minutes. » Enfin « le travailleur s'en va ». Mais « son bonheur est sombre ». Il songe au chômage possible de l'hiver qui vient. Et surtout, « il en appréhende d'avance les odieuses veillées (40) où l'âme, obstinément tendue vers les jouissances de l'étude, veut s'abstraire des préoccupations industrielles et consacrer la nuit au plaisir d'apprendre, au charme de produire ; se désespérant si le destin lui refuse l'exercice de ce droit imprescriptible » (pp. 39-43). Le temps de la lecture doit être arraché à la fatigue et à l'abrutissement. Il doit l'être aussi à la pauvreté. Dans son *Économie cénobitique*, Gauny tente de chiffrer le coût de la liberté pour l'ouvrier. Il le fait au plus juste mais ne manque pas de préférer, pour s'éclairer, la lampe à huile à la chandelle car, dit-il, « ce

système est un bienfait pour l'intelligence en lui sauvant les irrégularités de lumière de la chandelle et les distractions des mouchettes » (p. 110). Et il ajoute, à la gloire de cette lampe dite « à modérateur » : « On doit supporter des sacrifices pour la posséder, car en protégeant la vue elle illumine la pensée, qui, dans les soirs de loisir, entend dans les livres des âmes parler pour sa défense » *(ibid.)*. Quant à la consommation d'huile, elle est raisonnable puisqu'elle permet de veiller pendant les six mois d'hiver, soit 182 jours, 4 heures chacun, pour 16 francs 38 centimes par année.

Inversion encore d'un modèle lettré de la lecture individuelle : la nuit n'est pas donnée, elle doit être prise sur le travail qui se prolonge trop l'hiver, sur le sommeil si nécessaire, sur d'autres modes de sociabilité urbaine, la rue ou le cabaret. Nuits de prolétaires (41) qui coûtent, peut-être trop.

Certes, ce temps de la lecture peut aussi être arraché au travail, mais il faut que celui-ci s'y prête, qu'il n'implique pas comme à l'usine ou à l'atelier la continuité des gestes productifs. Il faut aussi que la surveillance se relâche. Cela semble être le cas dans les magasins de nouveautés, de petite taille ou de taille moyenne, que Xavier-Édouard Lejeune connaît bien pour les avoir fréquentés comme « calicot » sous le Second Empire. À l'enseigne de Sainte Madeleine, annexe des Trois Quartiers que gère M. Charrière et où l'on trouve du deuil et du demi-deuil, il y a sept employés. On travaille chaque jour de huit heures le matin à neuf heures le soir, et le dimanche on reste jusqu'à midi, mais sans avoir à faire ce matin-là la vitrine. Du coup, « c'est le meilleur moment de la semaine, car on peut s'asseoir derrière le comptoir et lire des journaux et des livres » (p. 160). On y trouve d'ailleurs un garçon de magasin, Célestin, qui lit fort tard le soir (dans la nouveauté, on mange et on dort sur place) et admire beaucoup les grands écrivains du XVIIIe siècle : « Il avait lu Diderot, d'Alembert, Voltaire et Rousseau ; mais ce qui le passionnait le plus c'était la lecture des auteurs qui s'étaient rendus célèbres par leurs écrits sur l'athéisme, tels que l'abbé Meslier et le baron d'Holbach » (p. 162). Mais Célestin retient moins l'attention de son jeune collègue par sa fréquentation solitaire de l'écrit que par la propension avec laquelle il partage ses lectures : « [Il] nous faisait à haute voix la lecture des *Sermons* de l'abbé Meslier et du *Système de la nature* d'Holbach » *(ibid.)*. On imagine les discussions, les controverses même qui s'ensuivent.

Si la lecture individuelle n'est pas absente des modes populaires d'appropriation de l'écrit, elle en représente certainement les formes les plus dynamiques, et lorsque des témoignages la mettent en scène, les lecteurs concernés paraissent être des individus exceptionnels. Est-elle mieux partagée ? Certainement, le développement des bibliothèques dans la seconde moitié du siècle l'implique presque à coup sûr, en particulier lorsqu'on prend en considération le nombre moyen d'emprunts effectués par chaque lecteur. Le rapport annuel de la Bibliothèque des Amis de l'instruction du IIIᵉ arrondissement (42) signale en 1882 que les 360 sociétaires qui disposent de 5 122 volumes ont emprunté en moyenne 2 livres par mois chacun. Certes, il s'agit d'une bibliothèque parisienne déjà ancienne qui recrute ses adhérents dans l'aristocratie ouvrière de l'arrondissement (artisanat d'art), mais cela implique pour certains lecteurs l'emprunt de plus d'un livre par semaine et donc, nécessairement, une habitude de lecture individuelle. Et l'on trouve dans les rapports de la Société Franklin qui soutient le développement des bibliothèques rurales — scolaires ou religieuses — des constats tout à fait identiques dès le Second Empire.

Ce sont pourtant les modes collectifs d'appropriation de l'écrit qui reviennent le plus souvent dans les témoignages endogènes ou exogènes où sont représentées des scènes de lecture. On peut en imaginer les raisons objectives : les « nouveaux lecteurs » du XIXᵉ siècle vivent dans des espaces sociaux où l'analphabétisme est encore très présent, en particulier lorsque les modes de vie n'impliquent pas une séparation trop rapide des différentes générations. D'autre part, l'imprimé reste un objet rare et cher, et suppose donc souvent des lectures collectives qui en rentabilisent mieux le coût. Enfin, la lecture collective pourrait être

une trace d'anciennes pratiques religieuses, certes plus fréquentes là où le piétisme a été dominant, mais qui n'étaient pas ignorées de la France d'Ancien Régime, aussi bien en milieu catholique qu'en milieu protestant : lectures bibliques du soir, lectures pieuses du dimanche, etc.

Est-ce la diminution rapide de la pratique religieuse ou bien ne s'agit-il que de l'irréligiosité des auteurs des témoignages dont nous disposons, la lecture religieuse collective paraît rare au XIXᵉ siècle. Lorsqu'elle subsiste — et ce n'est qu'au tout début du siècle —, elle semble parfaitement anachronique à celui qui s'en fait le témoin. Louis-Arsène Meunier, par exemple, décrit ainsi l'ambiance dominicale d'une grosse ferme du Perche en 1817 : « Avec tout cela [mauvaise nourriture], pas la moindre distraction quelque peu agréable, car les mœurs de la famille Brouard étaient exactement celles d'une famille du Moyen Âge. Le dimanche, pendant qu'une partie des habitants de la ferme allaient aux offices de la paroisse, les autres, obligés de garder la maison, se retiraient isolément en quelque coin pour lire avec recueillement leur *euco- logue* et s'associer en esprit aux prières qui se disaient à l'église. Le reste de la journée était employé à des lectures pieuses dont j'étais ordinairement chargé et à des entretiens qui portaient toujours sur la religion » (p. 20). L'appartenance de la famille Brouard à la Petite Église excuse aux yeux de L.-A. Meunier ce comportement un peu excessif. Pourtant, et malgré le contexte, cette lecture religieuse paysanne qui rassemble tous les habitants de l'exploitation ne se situe même pas tout entière du côté du pôle collectif : elle fait une large place à la lecture individuelle. Même en milieu protestant, la lecture collective de la Bible paraît plus être une belle image qu'une réalité. C'est, en tout cas, une scène qui n'apparaît pas dans les témoignages que j'ai pu recueillir auprès de personnes nées à la Belle Époque dans les villages protestants de la plaine viticole nîmoise (43).

Restent la veillée et les lectures profanes, voire légères, dont on aime à l'accuser. Il faut bien pourtant revenir à une évidence : la veillée n'est pas un lieu de lecture, elle a de tout autres

fonctions. Elle permet, d'une part, de rassembler le maximum de personnes avec le minimum de dépenses d'éclairage et de chauffage pendant les longues soirées d'hiver, d'autre part, de poursuivre dans ces conditions une activité productrice spécifique (réparation des outils, transformation de certains produits, chez les hommes, filage, travaux d'aiguille, etc., chez les femmes). Les échanges verbaux sont ceux que permettent ces activités, mais aussi la promiscuité hommes/femmes et le mélange des générations. D'où ce double aspect obscurantiste et licencieux que les censeurs religieux ou laïques reprochent à cette institution puisqu'elle se caractérise aussi bien par son ancrage dans la tradition orale et la superstition que par ce rapprochement jugé trop précoce des sexes. Quelle place y aurait-il pour l'écrit dans ce contexte ?

Au début du siècle, Agricol Perdiguier et Martin Nadaud ne connaissent que des veillées où se transmettent les thèmes de la tradition orale. Dans l'un et l'autre cas, les femmes (la grand-mère du premier, la sage-femme du village pour le second) sont les intermédiaires obligés de ces histoires de loups-garous, de revenants, de galipotes... Là se superposent mémoire orale et analphabétisme féminin. Mais déjà, culture de l'écrit et culture de l'oral se rencontrent, à l'occasion de la veillée, même si à aucun moment le livre n'y est réellement lu. L'écrit, bien évidemment, arrive par les hommes. Ainsi, le petit Martin Nadaud reçoit de son père illettré des textes des chansons de Béranger achetés à Paris. L'enfant sait lire. Bientôt les femmes analphabètes intègrent ces chansons au répertoire des veillées (p. 79). Louis-Arsène Meunier, lui, n'hésite pas à faire étalage de ses connaissances, aussi neuves et limitées soient-elles : « Je faisais à la veillée, devant un auditoire généralement composé de femmes, des espèces de conférences dans lesquelles j'exposais le système du monde ou bien décrivais les pays lointains et les mœurs des peuples qui les habitent, le tout d'après ce que j'avais appris dans la géographie de Crozat » (p. 12). Ce n'est pas tout à fait désintéressé. Il s'y fait une « petite réputation » qui lui permet de recruter quelques élèves pour les cours qu'il donne à la fin de

Le travail du soir dans une ferme du Jura : une image du *Tour de la France par deux enfants* *(op. cit.)* : ici pas de veillée sans travail permettant la lecture ; les paysans occupent la soirée à fabriquer des pièces de montres qui seront assemblées à Besançon, les enfants s'exercent à dessiner, car le dessin est utile aux horlogers, les femmes tissent des bas au métier.

Une veillée au village autour d'un conteur, gravure sur bois pour le *Médecin de campagne* de Balzac : pas de livre, mais des souvenirs évoqués de mémoire par un notable. Paris, Marescq, 1851.

sa journée de tisserand. Mais dans l'un et l'autre cas, il ne s'agit que d'une présence seconde de l'écrit qui semble devoir être obligatoirement recodé par l'art des conteurs qui gardent toute leur autorité culturelle.

Ce n'est que dans la deuxième moitié du XIXe siècle que l'écrit paraît devenir moins étranger à la veillée. D'abord dans les franges des villes, à mi-chemin entre l'espace rural et l'espace urbain, chez Xavier-Édouard Lejeune, ou plus tard encore chez Antoine Sylvère, mais cette fois-ci à la campagne. Mais il ne s'agit que de la lecture faite à haute voix du journal ou de son feuilleton. La seule belle scène de lecture à la veillée dont nous disposions reste une réalité littéraire. C'est Zola qui nous l'offre dans *la Terre* : « Voyons, dit Fouan, qui est-ce qui va nous lire ça pour finir la veillée ? Caporal, vous devez très bien lire l'imprimé, vous. » Il était allé chercher un petit livre graisseux, un de ces livres de propagande bonapartiste dont l'Empire avait inondé les campagnes. Celui-ci, tombé là de la balle d'un colporteur, était une attaque violente contre l'Ancien Régime, une histoire dramatisée du paysan, avant et après la Révolution, sous ce titre de complainte : *Les malheurs et les triomphes de Jacques Bonhomme*. Jean avait pris le livre et, tout de suite, sans se faire prier, il se mit à lire, d'une voix blanche et ânonnante d'écolier qui ne tient pas compte de la ponctuation. Religieusement on l'écouta. » Tout est dit. Il n'y manque rien. Mais n'appartient-il pas à la fiction d'être plus vraie que la réalité ? Dans les entretiens qu'Anne-Marie Thiesse a réalisés pour son étude de la lecture populaire à la Belle Époque (44) les veillées, lorsqu'elles sont évoquées — et ce n'est pas la règle —, ne sont jamais associées au souvenir de moments de lecture.

Progressivement, elles se sont espacées sous l'effet de l'amélioration des communications rurales qui ont rendu le village plus accessible, sous l'effet aussi d'une réorganisation de la sociabilité paysanne bousculée par un clivage plus fort entre les générations. Déplacement des lieux de rencontre, redéfinition des partages, restructuration des espaces…

Lorsque la veillée s'éteint, le café prospère. Dès le Second Empire, les jeunes paysans, les hommes seulement,

Une veillée autour d'un livre, illustration de Méaulle pour *la Terre*, d'Émile Zola : l'unique chandelle éclaire le petit livre, *les Malheurs et les triomphes de Jacques Bonhomme*, que le plus lettré de l'assemblée, un caporal, lit à haute voix. Paris, Marpon et Flammarion, 1887.

Le café Génin, rue Vavin à Paris en 1858.
Au café on se rencontre, on boit un verre, mais aussi on lit
le journal ou le livre que l'on a apporté dans sa poche.

en apprennent le chemin : jeux de cartes ou de dominos, discussions surtout,
et bien sûr quelques verres... Il y a là
de quoi occuper la soirée du samedi et
une bonne partie du dimanche, du
moins pour les plus raisonnables. Le
mariage n'interrompt pas la fréquentation de ce lieu qui devient vite
essentiel dans la sociabilité villageoise.
Lit-on au café ? Difficile de répondre.
Mais, assurément, le journal fait
immédiatement partie des accessoires
obligés : journal du dimanche particulièrement, avec ses illustrations, que
Moïse H. se souvient d'avoir feuilleté
dans les toutes premières années du
XXᵉ siècle, pendant que son père
jouait aux cartes le samedi soir (45).
On y trouve assez souvent, aussi, un
quotidien qui contribue à marquer
politiquement cet espace. Dans les villages viticoles de la plaine nîmoise, il y
a souvent deux cafés, un « rouge » et
un « blanc », un protestant et un
catholique ; l'un reçoit *Le Petit Méridional*, l'autre *L'Éclair*. On désigne
quelquefois le café rouge du nom du
cercle républicain qui s'y réunit. Il
semble bien cependant que la lecture
n'ait, en ces lieux, qu'une place secondaire : on parle des journaux plus
qu'on ne les lit, d'autant que les
innombrables entrefilets des chroniques locales relient très fortement
l'écrit aux dires qui circulent par
ailleurs.

La lecture n'est pas pour autant ban-
nie de l'espace domestique qui devient
plus encore un espace féminin. Les textes y arrivent par d'autres réseaux :
achat du journal, abonnement à des
périodiques ou à des « livraisons » à
quelques sous, emprunt du feuilleton
à la maison voisine, échanges... La
paroisse, catholique ou protestante,
peut aussi servir de relais. Dans les
mêmes villages, les femmes que j'ai pu
interroger disent avoir vu leur mère
rapporter de petites brochures du tem-
ple. Mais surtout, les modalités mêmes
de la lecture sont spécifiques : l'inactif
(souvent un enfant, une fille de préférence) lit à l'actif (la femme lorsque
son travail lui permet l'immobilité et
une relative liberté de l'attention). Il
ne s'agit plus maintenant d'un partage
de l'écrit avec une ascendance encore
analphabète, mais plus simplement
d'un partage des tâches. Du coup, les
temps de ces lectures se déplacent

aussi : ce n'est plus le moment symbolique de la veillée, mais plutôt celui de cette relative intimité qui maintient au foyer femmes et personnes âgées alors qu'hommes et adolescents travaillent ou sont au café. Peut-être même les temps de lecture s'allongent-ils : le thème de l'épouse mauvaise ménagère parce que perdue dans ses feuilletons n'est pas qu'un thème urbain. Voler sur le travail une part de rêve n'est pas une si mauvaise affaire. Est-ce là que la femme apprend à devenir cette lectrice assidue qu'elle est toujours ? Certainement plus que dans la constitution émotive qu'on lui prête.

Il faudrait évoquer aussi, dans ces lectures qui s'échangent dans l'espace domestique même, la place qu'occupent les vieux lorsqu'ils ont été alphabétisés. Les loisirs que leur donnent l'âge en font souvent des lecteurs assidus, des conservateurs aussi des formes les plus archaïques de l'écrit rural. Par eux s'établissent des échanges curieux. C'est chez son grand-père et dans son espace privé que le petit Léon Chauvin découvre la lecture : « Tous les soirs, je montais dans la chambre de mon grand-père, et j'y passais de longues heures à l'écouter narrer des contes, des histoires, ou bien à feuilleter des livres illustrés, qui se trouvaient sur une tablette auprès de la fenêtre » (p. 18), et il en profite pour « dévorer une *Vie des Saints* et le *Grand messager boiteux de Strasbourg* ». Espaces culturels mixtes, textes et images, culture ancienne et culture nouvelle. À l'inverse, Moïse H. (p. 46) prête à son grand-père *Le Tour de la France par deux enfants* qu'il a rapporté de l'école. Le « Galibardi » d'Antoine Sylvère se fait, lui, fournir en *Histoire de France* et en livres de lecture par le plus jeune de ses fils qui suit les cours du soir. De l'école viennent aussi les livres de prix, beaux ou moins beaux, dont Anne-Marie Thiesse a montré la place qu'ils tiennent dans la lecture domestique rurale ou urbaine, à la Belle Époque (47).

À la ville, d'autres modèles de sociabilité de la lecture se sont-ils constitués ?

D'abord la rue puisque c'est là que l'écrit se trouve : crieurs de canards, marchands de chansons, colporteurs, etc. rassemblent autour d'eux des groupes compacts qui se font et se

La lecture féminine s'exerce souvent au profit des personnes infirmes, vieillards, aveugles, comme c'est le cas sur cette gravure de Méaulle d'après Tofani illustrant *la Lecture en famille,* d'Ernest Legouvé *(op. cit.).*

Version illustrée, en 1878,
de l'œuvre la plus célèbre de Zola.

Les lecteurs d'Émile Zola

Pour évaluer le public d'Émile Zola à la fin du XIXᵉ siècle, il faut tenir compte de la vente de ses livres, mais aussi des feuilletons qu'il publia dans les journaux à grande diffusion et les journaux politiques, de la lecture sur place et du prêt à domicile de ses œuvres dans les différents types de bibliothèques. Son audience fut encore accrue par les multiples traductions qui parurent à l'étranger, les adaptations théâtrales que l'écrivain réalisa en collaboration avec William Busnach, les drames lyriques qu'en tira Alfred Bruneau et les innombrables parodies et imitations que suscitèrent des best-sellers comme *L'Assommoir*.

Une certitude en tout cas : ses chiffres de tirage furent les plus élevés de l'époque.

Ses premières œuvres furent tirées à 1 500 exemplaires, puis ce chiffre augmenta régulièrement jusqu'à ce que Zola entrât, en 1873, dans la Bibliothèque des chemins de fer, collection créée par son ancien employeur, Louis Hachette. Ses livres furent alors disponibles dans tous les kiosques de gare et leur public s'élargit considérablement.

Le 24 janvier 1877 parut *L'Assommoir* ; dix mois plus tard, le roman atteignait sa cinquantième édition et le 145ᵉ mille en 1902, à la mort de l'écrivain. *Une page d'amour* fut tiré en 1878 à 15 000 exemplaires dont les deux tiers furent vendus dès le premier jour. Enfin *Nana*, tiré à 55 000 exemplaires en 1879, connut sa 82ᵉ édition l'année suivante. Sous l'impulsion de *L'Assommoir*, les premiers tirages se firent couramment à 60 000 exemplaires ou plus après 1880, et les œuvres antérieures ne cessèrent d'être rééditées. Or Zola expliquait, en septembre 1878, aux lecteurs russes du *Messager de l'Europe* que « les éditions sont généralement de mille exemplaires. Il faut être très connu et avoir déjà un public fidèle pour atteindre une deuxième édition. Au-delà, on entre dans l'exception » (1).

On peut aussi se demander qui furent les lecteurs de Zola.

Le prix des livres avait beaucoup baissé en quelques décennies et ceux que mettait en vente Georges Charpentier, l'éditeur et ami de Zola, coûtaient en général 3,50 francs. C'était bon marché pour les classes moyennes qui en étaient les principaux acheteurs, mais encore trop cher pour le public populaire, celui justement que l'écrivain mettait en scène dans ses romans. À ce public, il ne restait alors que les livraisons illustrées à 10 centimes comme celles que lit Camille dans *Thérèse Raquin*, les feuilletons et les bibliothèques.

La plupart des œuvres d'Émile Zola parurent d'abord en feuilletons dans des journaux peu chers et de grande diffusion comme *L'Événement*, *Le Siècle* ou *Le Bien public*, mais certains aussi dans des journaux de gauche, touchant ainsi un public plus spécifique. Colette Becker (2) cite l'exemple du journal socialiste et littéraire *Le Cri du peuple* qui publia *Germinal* à sa sortie en 1885 et *Le Ventre de Paris* à partir du 21 février 1887, soit quatorze ans après sa sortie en librairie. De même, *Le Révolté*,

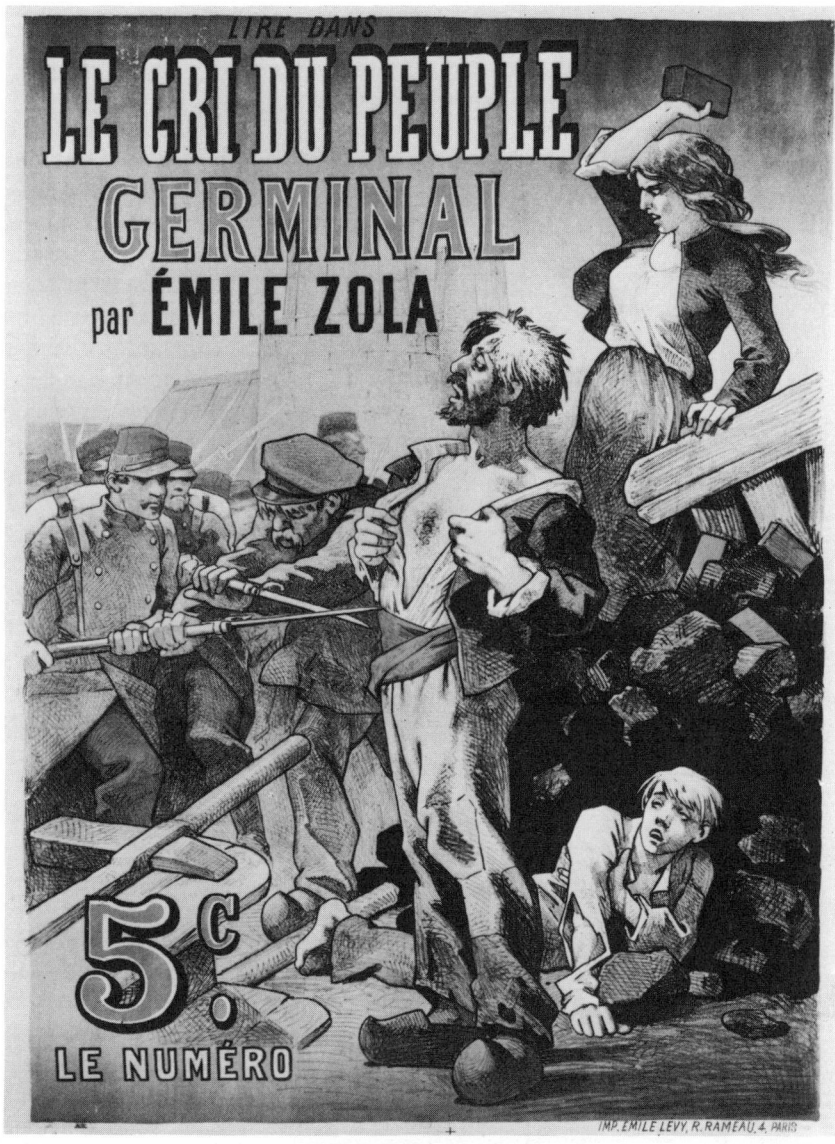

Affiche pour *Germinal,* de Zola, publié en feuilleton
dans *le Cri du Peuple* en 1885.

journal anarchiste, donna dix extraits de *La Fortune des Rougon* en 1886 et 1887, quinze ans après la première édition de ce roman.

L'intérêt de ces feuilletons ne résidait donc pas, aux yeux des hommes de gauche, dans leur nouveauté mais dans les idées qu'ils véhiculaient. Cependant, la presse socialiste préféra revenir aux auteurs qu'elle considérait comme « utiles à l'éducation populaire », tels Tolstoï, George Sand, Paul Féval ou Walter Scott et que Zola condamnait dans ses articles pour leur vision idéalisée et moralisatrice du peuple. Les anarchistes le critiquèrent moins dans un premier temps, mais ensuite Zola entra en conflit avec le journal *La Révolte* qui ne voulait pas lui payer de droits d'auteur. En vérité, on acceptait mal son appartenance à la bourgeoisie et à une certaine élite.

Les lecteurs populaires, quant à eux, considéraient Zola comme un écrivain de combat et préféraient ses romans aux écrits des théoriciens. Ils retrouvaient dans des œuvres comme *L'Assommoir, Germinal* ou *Travail* leur univers quotidien décrit avec simplicité et lucidité. Lorsqu'ils n'avaient pas les moyens d'acquérir le volume de librairie, ils se tournaient vers les institutions qui leur étaient destinées, c'est-à-dire les bibliothèques populaires, municipales et des Bourses du travail. Or, d'après Colette Becker (2), les dossiers du ministère de l'Instruction publique révèlent que Zola était quasiment absent des 2 911 bibliothèques populaires que ce ministère subventionnait et contrôlait en 1902. On ne peut guère s'étonner que les notables qui siégeaient dans les commissions locales et nationales l'aient écarté au profit d'auteurs moins agressifs tels que les Dumas, Jules Verne, Alphonse Daudet ou Dickens et au profit d'ouvrages historiques, techniques ou professionnels, jugés plus « utiles ».

La présence de Zola dans les bibliothèques municipales est moins facile à déterminer, car elle variait selon le type de population de la ville ou de la région. Ainsi, selon Colette Becker, peu de livres de l'écrivain figuraient dans les bibliothèques municipales de Bretagne ou dans celle d'Aix-en-Provence, ville où l'auteur passa son enfance mais très bourgeoise. En revanche, des villes telles que Vierzon, Montluçon, Besançon ou Alger en possédaient beaucoup.

Enfin, dans les bibliothèques des Bourses du travail et des diverses associations ouvrières et, dans les sociétés de lecture comme la Bibliothèque populaire des Amis de l'instruction du XIIe arrondissement, les œuvres de Zola étaient considérées comme des ouvrages de base.

Isabelle Luquet

1. Émile Zola, *Œuvres complètes,* éditées par Henri Mitterand, Paris, Cercle du livre précieux, 1966-1970, tome XI, p. 221 et sq.
2. Colette Becker, « l'Audience d'Émile Zola », in *Cahiers naturalistes,* 47, 1974, pp. 40-69.

Distribution des bulletins d'élections dans les rues.

Lecture hâtive des placards au moment des élections :
« Les murailles sont bariolées de rouge et de blanc en manière
d'affiches où M. Pouff a fait merveille. C'est un feu croisé
d'annonces admiratives, de paragraphes louangeurs,
de recommandations hyperboliques. »
(*L'Illustration,* 23 septembre 1848.)

défont, qui glanent, là un titre, là une image. Lectures hâtives, partagées, échangées, immédiatement commentées. L'analphabétisme compte peu dans ce contexte. L'accès à l'écrit est certainement facilité par la multiplicité des recodages que l'information — quelle qu'elle soit — y subit : textes, images, paroles, chansons ou complaintes se répondent. Un événement survient-il ? Un lecteur se trouve toujours là pour créer autour de lui un cercle attentif. Truquin, parce que analphabète, y est particulièrement sensible lorsqu'il arrive à Paris à quelques jours des premières barricades de 1848 : « Au n° 10 de la rue Saint-Ambroise vivait un ouvrier fondeur d'une trentaine d'années, de taille moyenne mais robuste. Personne n'avait rien à faire pour le moment, la foule encombrait la rue. Le fondeur parut tenant un journal à la main dans lequel se trouvait un article qu'il lut à haute voix » (p. 67). Non seulement il le lit, mais il le commente et en critique le contenu. Scènes de rue exceptionnelles qui dans le quotidien trouvent d'autres lieux, publics encore, mais moins à découvert. Le jeune Nadaud, lors de sa deuxième campagne à Paris en 1834, se fait remarquer par ses qualités de lecteur : « Tous les matins, on me demandait dans la salle du marchand de vin [il s'y retrouve avec ses collègues de chantier pour le premier repas] de lire à haute voix *Le Populaire* de Cabet » (p. 141).

Nous ne sommes déjà plus dans l'espace hétérogène de la rue. On se rassemble pour lire plus que ce qu'on est rassemblé par l'écrit. La lecture des hommes, tout particulièrement, paraît obéir à cette sociabilité très particulière de l'apprentissage, du tour de France, ou même de la boutique où l'on partage vivre et couvert dans une très réelle promiscuité. Peut-être aussi les temps de loisir sont-ils, chez les jeunes, plus importants que chez le travailleur chargé d'une famille. Nadaud rassemble des apprentis maçons dans sa chambre pour des cours du soir, inséparables de lectures. Pour les délasser, après leur avoir enseigné les quatre règles et le dessin linéaire, il lit à haute voix les *Paroles d'un croyant* de Lamennais. Il fréquente la librairie Rouanet, rue Jodelet, où il achète à l'intention de ses élèves des journaux

Récits de vie cités

Louis-Arsène Meunier (1801-1887), père étaminier analphabète, mère fileuse sachant lire, enfance à Nogent-le-Rotrou (Eure), « Mémoires d'un ancêtre », suppléments de l'*École nouvelle*, n°s 29 (16 avril 1904), 31 (30 avril 1904), 33 (14 mai 1904), 36 (4 juin 1904), 38 (18 juin 1904), 42 (16 juillet 1904) ; 46 (13 août 1904), 48 (27 août 1904), 50 (10 septembre 1904). Réédition, *Cahiers percherons,* 65-66, Association des amis du Perche, Mortagne-au-Perche, 1981.

Suzanne Voilquin (née en 1801), père ouvrier chapelier analphabète, mère analphabète, enfance à Paris, *Souvenirs d'une fille du peuple ou La saint-simonienne en Égypte,* 1865, réédition, Maspero, Paris, 1978.

Agricol Perdiguier (1805-1875), père artisan menuisier analphabète, mère couturière analphabète, enfance à Morières près d'Avignon, *Mémoires d'un Compagnon,* Genève, 1854-1855, réédition, Maspero, Paris, 1977.

Louis-Gabriel Gauny (1806-1889), père potier de terre analphabète, mère blanchisseuse analphabète, enfance à Paris, quartier Saint-Marcel, *Le belvédère, fragment autobiographique,* fonds Gauny, « Le travail à la journée », *Le Tocsin des travailleurs,* 16 juin 1848, *Économie cénobitique,* fonds Gauny, rééditions *Le Philosophe plébéien,* textes réunis par Jacques Rancière, Maspero, Paris, 1983.

Joseph Benoît (1812-1880), père paysan analphabète, mère ?, enfance à Saint-Martin-de-Bavel (Ain), *Confessions d'un prolétaire,* ms 302, B.M. Lyon, première éd., présentée par Maurice Moissonnier, Éditions Sociales, Paris, 1968.

Martin Nadaud (1815-1898), père paysan et ouvrier maçon analphabète, mère paysanne analphabète, enfance à La Martinèche (Creuse), *Mémoires de Léonard, ancien garçon maçon,* Duboueix, Bourga-neuf, 1895, réédition établie et commentée par Maurice Agulhon, Hachette, Paris, 1976.

Norbert Truquin (né en 1833), père directeur de manufacture alphabétisé, mère ?, abandonné à sept ans chez un peigneur de laine à Reims, enfance à Rozières (Somme), *Mémoires et aventures d'un prolétaire à travers la Révolution,* ms écrit au Paraguay en 1887, édition par Paule Lejeune, Maspero, Paris, 1977.

Léon Chauvin (né en 1839), père et mère paysans et alphabétisés, enfance à Meslay près d'Arbois (Jura), pseudonyme : Noël Vauclin, *Les mémoires d'un instituteur français,* Alcide Picard et Kaan, Paris, 1895.

Xavier-Édouard Lejeune (1845-1918), mère couturière alphabétisée, élevé à Laon par son grand-père maternel, chiffonnier alphabétisé, Les Étapes de la vie, ms rédigé entre 1860 et 1868, première édition par Michel et Philippe Lejeune, *Calicot,* Arthaud-Montalba, 1984.

Cyr Bigot (né en 1856), père et mère vignerons alphabétisés, enfance à Saint-Prest (Eure), Souvenirs inédits et cahiers scolaires transmis par son fils au Musée national de l'Éducation à Rouen, 3.4.01/35089 (1-6).

Marcel Lignières (1868-1972), père artisan cordonnier alphabétisé, mère paysanne, enfance à Félines-Minervois (Aude), Carnets inédits, en partie cités dans Camille Lignières, *Vie d'un instituteur centenaire de la IIIe République,* H. Peladan, Uzès, 1982.

Antoine Sylvère (1888-1963), père métayer alphabétisé, mère analphabète, enfance à Ambert (Puy-de-Dôme), *Toinou,* 1936-1938, *Le pont des Feignants,* 1938, *Le légionnaire Flutsch,* 1950, édités en deux volumes : *Toinou, le cri d'un enfant auvergnat,* Plon, Paris, 1980 et *Le légionnaire Flutsch,* Plon, Paris, 1982.

Textes littéraires cités

Honoré de Balzac, *Louis Lambert,* Paris, 1832, éd. définitive, Paris, 1842.

Honoré de Balzac, *Le Curé de village,* Paris, 1837, Paris, 1845.

Honoré de Balzac, « Monographie de la presse parisienne », in *La Grande Ville,* t. II, Paris, 1842.

Gustave Flaubert, *Madame Bovary,* Paris, 1856 (in *La Revue de la Presse*), Paris, 1873.

Alphonse Daudet, *Le Petit Chose,* Paris, 1868.

Jules Vallès, *L'Enfant,* Paris, 1878 (in *Le Siècle*), Paris, 1884.

Émile Zola, *La Terre,* Paris, 1887.

Anatole France, *Pierre Nozière,* Paris, 1899.

et des brochures « les plus révolutionnaires » (p. 157). Agricol Perdiguier a des penchants plus littéraires, mais ses premières lectures sont aussi des lectures collectives du soir, partagées à haute voix, dans l'exaltation que procure ce théâtre de Voltaire qui constitue longtemps sa seule bibliothèque. Le goût de lire semble aussi se transmettre au hasard des rencontres, selon de véritables initiations : « Ce Devigne aimait la lecture. C'était dans la chambre où il couchait avec Narbonne et autres que nous nous réunissions le soir. Devigne prenait *Othello* ou *Hamlet,* tragédies de Ducis, ou la *Phèdre* de Racine, et les déclamait tout haut. J'en fus ravi, et je désirai avoir en ma possession, moi aussi, quelques tragédies... » (p. 186). Xavier-Édouard Lejeune rencontre ces lecteurs passionnés dans les arrière-boutiques des magasins de nouveautés (p. 162). Les oralisations sont rarement innocentes. Derrière la collectivisation de la lecture, à la ville, se cache souvent le prosélytisme de l'oralisateur. D'où ces tentatives pour déplacer le moment de la lecture jusqu'au lieu et au temps du travail. On en trouve une véritable théorie chez Joseph Benoît qui semble avoir toujours préféré la propagande à l'action violente. Il faut d'abord se pourvoir de matériaux : « Nous achetions des livres, des brochures, des journaux que nous colportions dans les ateliers et les réunions. Et comme souvent, faute d'argent, nous manquions de brochures et de livres pour exposer nos idées, je fis des brochures manuscrites qui se copiaient et se répandaient parmi les associés » (p. 60). Mais Benoît sait bien, lui, qu'il ne suffit pas de donner de « bons » livres aux nouveaux lecteurs pour qu'ils les lisent convenablement. La propagande suppose donc tout un dispositif permettant l'appropriation des contenus : « La discussion orale et la prédication publique avaient aussi une large part (...) les réunions (...) complétaient l'œuvre que les livres avaient commencée en y ajoutant les commentaires qui étaient nécessaires pour bien faire comprendre les questions qui y étaient traitées » *(ibid.).*

Avec les sociétés de propagande, et malgré leur clandestinité, nous voici presque revenus du côté de ces dispositifs qui tendent à institutionnaliser la lecture populaire. Elles se distinguent peu, dans leur volonté didactique, des bibliothèques associatives qui naissent quelques années plus tard, sous le Second Empire, même si ces dernières ont abandonné pour vivre au grand jour tout souci d'endoctrinement politique. Les formes collectives du lire appellent en effet pareilles tentatives : la moralisation espérée de la veillée ou sa scolarisation, lorsqu'on imagine que l'enfant formé par l'école puisse y jouer le premier rôle, en sont d'autres exemples. Mais alors commencent à se confondre les images et les usages, dans une représentation quasi fantasmatique de la réalité dont le didactisme est coutumier.

Il reste que les sociabilités de la lecture populaire apparaissent à travers des témoignages que les nouveaux lecteurs donnent de leurs propres pratiques de l'écrit, extrêmement riches et diverses. Elles participent comme les lectures lettrées de cette tension entre commerce privé et commerce public avec les textes, elles construisent dans cet intervalle même l'horizon de leurs attentes. Que ce soient les autodidactes dont nous utilisons les récits de vie qui en témoignent n'est pas sans importance. Dans le souci qu'ils manifestent de ces descriptions d'un partage social de la lecture, ils dénoncent l'image qui fait de leur autodidaxie une alphabétisation exceptionnelle. En effet, ils n'apparaissent plus comme ces lecteurs solitaires qui n'ont connu ni la scolarisation, ni la boutique du libraire, ni la bibliothèque. Mais, à l'opposé, ils se situent dans une parfaite continuité avec les pratiques culturelles de leurs groupes sociaux d'origine, de leur lignée. Certes, ils se distinguent des lecteurs lettrés par l'effort avec lequel leur acculturation a été construite, et c'est ce même effort qui les sépare de ceux qui, parmi leurs pairs, n'ont pas poursuivi leur alphabétisation aussi loin. Mais cette absence de spécificité des modalités de leur lecture montre, à l'évidence, que la lecture populaire est une lecture semblable aux autres lorsqu'elle s'en donne les moyens, lorsqu'elle sait créer cet espace collectif et ce temps du loisir qui est nécessaire à toute appropriation d'un texte.

En revanche, les ruptures et les spécificités se marquent dans les représentations à travers lesquelles tout un siè-cle tente de reconstruire la coupure qui s'efface entre lettrés et illettrés. Comment, en effet, penser une différence conçue à la fois comme idéalement réductible par l'instruction, mais conjoncturellement impossible et inacceptable dans sa dimension culturelle ? Le nouveau lecteur du XIXe siècle manifeste dans le même mouvement les signes qui le désignent comme tel et ceux qui constatent son déclassement. Sa modernité est faiblesse et fragilité, l'extension de ses lectures implique un accompagnement, une surveillance particulière. D'où les tâtonnements, tout au long du siècle, de la classe lettrée ou même des plus avancés de ces lecteurs « populaires » pour traduire en dispositifs ses images. Mais ni ceux-ci, ni celle-là n'épuisent la réalité de l'événement que constitue cette généralisation rapide de l'alphabétisation sur le territoire national. En ce sens, la lecture populaire reste au XIXe siècle un phénomène spécifique, moins par son inscription sociale que par la situation qu'elle occupe dans l'histoire du recul de l'illettrisme.

Notes

1. J'emprunte cette expression à Jack Goody, *The domestication of the savage mind*, Cambridge U.P., 1977, tr. fr. *La raison graphique*, Paris, Éd. de Minuit, 1979.

2. Cf. Michel de Certeau, « Lire, un braconnage », in *L'invention du quotidien, 1) Arts de faire*, Paris, U.G.E., 1980.

3. Remarque anonyme dont Françoise Parent-Lardeur fait le titre d'un chapitre où elle rassemble des témoignages qui expriment, tous, cet étonnement. Cf. Françoise Parent-Lardeur, *Lire à Paris au temps de Balzac. Les cabinets de lecture à Paris, 1815-1830*, Paris, Éd. de l'E.H.E.S.S., 1981.

4. Ce sont exactement les conditions dans lesquelles témoigne Jamerey-Duval à la demande des meilleurs esprits de son temps lorsqu'il rédige ses *Mémoires*. Voir sur ce point l'introduction de Jean-Marie Goulemot à : Valentin Jamerey-Duval, *Mémoires. Enfance et éducation d'un paysan au XVIIIᵉ siècle*, Paris, Le Sycomore, 1981.

5. *Journal d'Éducation*, 2, 1818, Paris, pp. 160-161.

6. Cité par Noé Richter, *L'éducation ouvrière et le livre de la Révolution à la Libération*, Le Mans, Bibliothèque de l'Université du Maine, 1982, p. 24.

7. Circulaire du 24 juin 1862 aux recteurs, citée par le baron de Watteville, *Rapport à Monsieur Bardoux, ministre de l'Instruction publique, des Cultes et des Beaux-Arts, sur le service des bibliothèques scolaires (1866-1877)*, Paris, Imprimerie nationale, 1879, p. 18.

8. R. Dunon, *Extraits de rapports des assemblées générales de la Bibliothèque populaire des Amis de l'instruction du XIIIᵉ arrondissement de Paris*, manuscrit ayant appartenu à la même bibliothèque sous la cote B. 12000, collection privée.

9. Cf. Ségolène Le Men, *Les abécédaires français illustrés du XIXᵉ siècle*, Paris, Promodis, 1984.

10. Martin Nadaud, *Mémoires de Léonard, ancien garçon maçon*, édition établie par M. Agulhon, Paris, Hachette, 1976. D'une manière générale, tous les récits de vie utilisés ici sont indexés en bibliographie sous le nom de leur auteur. Nous n'y renverrons donc plus en note.

11. Nadaud signale là un phénomène tout à fait intéressant pour l'histoire de la lecture. L'analphabétisme n'empêche pas l'achat d'écrits. Sylvère indique le même comportement chez son grand-père (*Toinou*, p. 81).

12. Il s'agit d'Antoine Sylvère. Les témoignages cités ici sont tous extraits de *Toinou* (cf. Bibliographie des récits de vie).

13. Margaret Spufford, « First steps in literacy : The reading and writing experiences of the humblest seventeenth century spiritual autobiographers », *Social History*, 4 (1979), pp. 407-435.

14. Cf. Jean Hébrard, « Figures de l'autodidaxie » in Roger Chartier (sous la dir. de), *Pratiques de la lecture*, Rivages, Marseille, 1985.

15. *Statistique rétrospective. État récapitulatif et comparatif indiquant, par département, le nombre de conjoints qui ont signé l'acte de leur mariage aux XVIIᵉ, XVIIIᵉ et XIXᵉ siècles*. Documents fournis par 15 928 instituteurs, recueillis et classés par Maggiolo, recteur honoraire, chargé d'une mission spéciale par M. le ministre de l'Instruction publique (extrait de la *Statistique de l'instruction primaire*, IIᵉ volume), s.d.

16. Cf. Roger Chartier, « Les deux France. Histoire d'une géographie », *Informations sur les Sciences sociales*, 4-5, 1978, pp. 393-415.

17. *Op. cit.*, note 7.

18. Francine Muel-Dreyfus, *Le métier d'éducateur*, Paris, Éd. de Minuit, 1983.

19. François Furet et Jacques Ozouf (sous la direction de), *Lire et écrire. L'alphabétisation des Français de Calvin à Jules Ferry*, Paris, Éd. de Minuit, 2 vol., 1977.

20. Il faut revenir sur l'analyse que fait Daniel Roche de ces désignations (celle de Mercier d'une part et celle de Rétif d'autre part) dans *Le peuple de Paris. Essai sur la culture populaire au XVIIIᵉ siècle*, Paris, Aubier-Montaigne, 1981, pp. 38-65.

21. Furet et Ozouf, *op. cit.*, p. 57.

22. Alfred Binet, *Les idées modernes sur les enfants*, Paris, 1911, réédition, Flammarion, 1973, p. 21.

23. Cf. F. Chapelle, *Statistique de l'ignorance dans le département de la Loire, avec carte teintée*, Saint-Étienne 1870, cité par F. Furet et J. Ozouf, *op. cit.*, p. 261.

24. Chambre de commerce de Paris, *Statistique de l'industrie à Paris, résultats de l'enquête faite par la Chambre de commerce pour les années 1847-1848*, Paris, 1851 ; id. *pour l'année 1860*, Paris 1864 ; cité par F. Furet et J. Ozouf, *op. cit.*, p. 261.

25. Cité par F. Furet et J. Ozouf, *op. cit.*, p. 226.

26. C'est le cas des études de Noë Richter, *L'éducation ouvrière et le livre de la Révolution à la Libération*, Le Mans, Bibliothèque de l'Université du Maine, 1982 et *La lecture et ses institutions*, Le Mans, Bibl. de l'Université du Maine, 1984.

27. Ernest Legouvé, *L'art de la lecture*, Paris Hetzel, 1877 ; *La lecture en action*, Paris, Hetzel, 1881 et *La lecture en famille*, Paris Hetzel, 1882. Il faut y ajouter aussi l'article « Lecture à haute voix » du *Dictionnaire de Pédagogie* de Ferdinand Buisson, Paris, Hachette, 1887.

28. Cf. Dominique Julia, « Livres de classe et usages pédagogiques », in R. Chartier et H. J. Martin (sous la dir. de), *Histoire de l'édition française*, t. II, Paris, Promodis, 1984.

29. Cf. Dominique Julia, *Les trois couleurs du tableau noir. La Révolution*, Paris, Belin, 1981, p. 239.

30. *Journal d'éducation*, 2, 1818, p. 158.

31. Jacques et Mona Ozouf, « Le tour de la France par deux enfants », in Pierre Nora (sous la dir. de), *Les lieux de mémoire, t. I, La République*, Paris, Gallimard, 1984.

32. Charles Robert, « La lecture populaire et les bibliothèques en 1861. Vœux et observations des instituteurs primaires dont les mémoires ont été réservés avec la note BIEN lors du concours ouvert en 1860 par M. Rouland, ministre de l'Instruction et des Cultes », *Bulletin de la Société Franklin*, IV, 1872, pp. 100-110. Charles Robert donne pour chaque département un extrait d'un des mémoires les plus significatifs à ses yeux.

33. Jean-Jacques Darmon, *Le colportage de librairie en France sous le Second Empire*, Paris, Plon, 1972, p. 27.

34. Charles Nisard, « Essai sur le colportage de librairie », *Journal de la Société de la Morale chrétienne*, t. V, n° 3, 1855, pp. 1-60. Cité par J.-J. Darmon, *op. cit.*, p. 223.

35. Cf. Marianne Carbonnier, « Une bibliothèque populaire au XIXᵉ siècle : la bibliothèque populaire protestante de Lyon », *Revue française d'histoire du livre*, 21, 1978, pp. 614-645.

36. Sur l'histoire de cette bibliothèque, voir Pascale Marie, *Étude d'un lieu de mémoire populaire : la Bibliothèque des Amis de l'instruction du IIIᵉ arrondissement, 1861-1835*, Mémoire de D.E.A., Institut d'études politiques de Paris, s.d. ; et Pascale Marie, « La Bibliothèque des Amis de l'instruction du IIIᵉ arrondissement », in Pierre Nora (sous la dir. de), *Les lieux de mémoire, I. La république*, Paris, Gallimard, 1984, pp. 323-351.

37. Circulaire du 31 mai 1860 du ministre de l'Instruction publique et des Cultes aux préfets. Cité par de Watteville, *op. cit.*, note 7, pp. 10-11.

38. Cette notion est empruntée à Hans-Robert Jauss et aux travaux d'esthétique de la réception de l'école de Constance. Cf. H.-R. Jauss, *Pour une esthétique de la réception*, Paris, Gallimard, 1978.

39. Paul Saenger, « Silent Reading : its Impact on Late Medieval Script and Society », *Viator. Medieval and Renaissance Studies*, vol. 13, 1982, pp. 367-414 ; et « Manières de lire médiévales », in R. Chartier et H.-J. Martin, *Histoire de l'édition française*, t. I, Paris, Promodis, 1982, pp. 131-141.

40. Ces « odieuses veillées » sont ici les temps de travail de nuit qu'impliquent les courtes journées d'hiver pour le travailleur « à la journée ».

41. Cf. Jacques Rancière, *La nuit des prolétaires. Archives du rêve ouvrier*, Paris, Fayard, 1981.

42. Cité par Pascale Marie, dans son mémoire (Cf. note 36).

43. Série d'entretiens réalisés avec des personnes scolarisées avant 1914 dans la plaine viticole de la Vaunage à l'ouest de Nîmes en 1980 et 1981.

44. Anne-Marie Thiesse, *Le roman du quotidien. Lecteurs et lectures populaires à la Belle Époque*, Paris, Le Chemin vert, 1984.

45. Moïse H. est né d'un père agriculteur salarié (baïle) qui lisait mais n'écrivait pas et d'une mère alphabétisée, à Saint-Côme dans la Vaunage où il passe son enfance. Voici ce qu'il dit du café du village : « Mon père lisait les journaux ou alors un illustré que le cafetier achetait. Une espèce de petit journal où il y avait des illustrations. Il l'achetait le samedi et ça restait sur les tables. Personne ne se serait permis de l'emporter... Je pouvais le lire moi aussi. Tout jeune j'ai lu le journal. Mais j'entendais des gens qui étaient au café et qui disaient, en patois — mais je le comprenais moi — 'Ce petit, pour son âge, il est bien sérieux !' » (entretien du 30-07-1982).

46. Entretien du 20-12-1982.

47. Anne-Marie Thiesse, 1984, *op. cit.*

Bibliographie

Sources d'archives

Archives nationales

Le fonds de la Direction générale de l'Imprimerie et de la Librairie (sous-série *F18*) constitue la source essentielle. La correspondance de la Direction (partagée entre les sous-séries *F18* et *F* « préliminaire »), les registres du Dépôt légal, les dossiers de déclarations et de brevets des imprimeurs et des libraires en forment les axes principaux, bien que d'un intérêt inégal. Les statistiques portant sur les hommes et leur matériel complètent et précisent les informations de base. L'accès à ces documents est facilité par l'existence d'un instrument de recherche irremplacé, l'*État sommaire des versements faits aux Archives nationales par les ministères,* tome III, Paris, Imprimerie nationale, 1933.

— Enregistrement de la correspondance de la Direction de l'Imprimerie et de la Librairie

F* 4153 à 4159 : registres de correspondance, 1814-1823.
F* 4160 à 4163 : idem, 1831-1844.
F* 5700 à 5720, 5770-5771 et *6303 à 6325* : *idem*, 1849-1869.
F18* I 71 à 75 : idem, 1876-1900.

— Le Dépôt légal

Les registres d'entrée des livres déposés par les imprimeurs de Paris à la Préfecture de Police sont classés dans une sous-série distincte de celle des registres du Dépôt légal intéressant le reste de la France :
F18* III 1 à 241 : registres du Dépôt légal pour Paris :
- *1 à 32* : périodiques et non périodiques confondus, 1810-1811, 1825-1835, 1838-1842.
- *33 à 241* : ouvrages non périodiques, 1842-1913.

[Chaque enregistrement comprend la description de l'ouvrage, les noms de l'auteur et de l'imprimeur ; il existe un index par nom d'auteur et par titre d'anonyme jusqu'en 1828 inclus.]
F18* IX 1 à 312 : registres du Dépôt légal pour les départements :
- *1 à 138* : périodiques et non périodiques confondus, 1810-1825, 1827-1847, 1850, 1855-1864.
- *139 à 312* : ouvrages non périodiques, 1865-1912.

[Ces registres sont composés à partir des listes détaillées envoyées par les préfets et conçues sur le même modèle que les listes parisiennes ; il y figure également un index jusqu'en 1828 et un classement départemental des livres déposés a été établi à partir de l'année 1841.]
Des informations supplémentaires relatives au Dépôt légal sont contenues dans les cartons *F18 2374* (listes d'ouvrages envoyés, 1848-1849), *F18 2367* (demandes de renseignements au sujet du Dépôt légal, propriété littéraire, etc., 1861-1905) et *F18 2368* (avis de dépôts auprès du Ministère et des préfets, demandes des déposants, réclamations auprès des imprimeurs, 1860-1904).

— Les déclarations

Les déclarations des imprimeurs de Paris ont fait l'objet d'enregistrements, comportant le nom et le domicile de l'imprimeur, le titre et l'auteur de l'ouvrage déclaré, son format et le nombre d'exemplaires avoué :
F18* II 1 à 182 : déclarations des imprimeurs de Paris, 1815-1881.

Ces registres sont complétés par les dossiers suivants qui intéressent Paris et tous les départements français :
F18 42 : déclarations des imprimeurs annonçant leur intention d'imprimer tel ouvrage, adressées par J.-B. Boucheseiche au Secrétaire général du Ministère de la Police, Saulnier, 1811-1814.
F18 43 à 156 : déclarations des imprimeurs de Paris et des départements, 1817-1835.
F18 157 à 168 : déclarations des imprimeurs de Paris, Sceaux et Saint-Denis, 1835-1853.
F18 169 à 173 : déclarations des imprimeurs des départements, 1835-1849.
F18 2374 : extraits des déclarations (titre, auteur, imprimeur, format et tirage), 1869-1870.

— Les brevets

Les dossiers de brevets des « imprimeurs en lettres », « imprimeurs lithographes » et libraires comptent parmi les documents les plus instructifs sur les hommes et leur réseau d'influence. En dehors des pièces d'état civil et des lettres de demandes des intéressés, on y trouve, pour les imprimeurs et les libraires de Paris, les rapports du commissaire de police-inspecteur de l'imprimerie et de la librairie, les certificats sur l'honneur de libraires et imprimeurs déjà brevetés attestant du sérieux et de la compétence du demandeur, et, pour les brevetés de la province, le rapport du préfet, celui du maire de l'endroit, les lettres de recommandation des confrères ou les suppliques de concurrents prenant peur devant l'arrivée d'un nouveau breveté, etc. :
F18 1726 à 1837 : brevetés de Paris et de la Seine, 1815-1870.
F18 1838 à 2116 : brevetés des départements, 1815-1870.
F18 2117 à 2162 : dossiers des demandes de brevets rejetées ou classées sans suite (Paris et départements), 1815-1870.

En complément des dossiers de brevets sont conservés en *F18 2163 à 2182* les dossiers d'autorisation pour la vente des livres ou l'ouverture d'un cabinet de lecture à Paris et dans le département de la Seine (1850-1870).
Enfin, suite à l'abandon du régime du brevet et à l'adoption de celui de la simple déclaration (décret du 10 septembre 1870), les dossiers des libraires, imprimeurs, lithographes et typographes de Paris, de la Seine et des autres départements ne sont plus constitués que des déclarations sur l'honneur des intéressés :
F18 2183 à 2294 : déclarations, 1870-1881.

[À noter, sur ce régime des déclarations, un dossier relatif aux demandes de remboursement du prix des brevets par les imprimeurs de Paris (1883-1900) en *F18 2371*.]

— Imprimeurs et libraires : états nominatifs, statistiques. Matériel d'imprimerie : déclarations.

F18 25 : états nominatifs des imprimeurs, libraires, bouquinistes et graveurs, établis pour la délivrance des brevets, 1811-1817.

[Ils touchent Paris et la province, donnent un état des presses, la liste des imprimeurs conservés ou non.]

F^{18} 26 : recensement des libraires et imprimeurs à Paris, 1817-1818, 1820.

F^{18} 27 à 29 : lettres, procès-verbaux, rapports journaliers ou hebdomadaires des inspecteurs de la librairie et de l'imprimerie à Paris, 1809-1811, 1816-1820.

[Les rapports des inspecteurs fournissent, par imprimeur, les titres des ouvrages imprimés, le tirage, l'indication « sous presse » ou « en épreuve ».]

F^{18} 30 : idem, pour les départements, 1810-1820.

[Outre des rapports assez étoffés envoyés au Ministre de la Police, on y trouve des lettres de libraires sur la situation de la profession, la conjoncture, etc.]

F^{18} 2295 à 2309 : états statistiques d'imprimeurs et de libraires dans les départements, 1851-1879.

F^{18}* I 7 à 13 : enregistrement des déclarations de matériel d'imprimerie et de presse, 1853-1881.

F^{18} 2371 : procès-verbaux d'expertises des presses des imprimeurs, 1811.

— Il faut signaler enfin un groupe de cartons contenant des papiers touchant à divers aspects des affaires de librairie et d'imprimerie :

F^{18} 565 à 572 : demandes formulées par les imprimeurs, dossiers de brevets de libraires, rapports de préfets, jurisprudence en matière de librairie, dossiers sur la stéréotypie et les nouveaux procédés, etc., 1790-1894.

[Cf. inventaire manuscrit de Henri Patry, 1931, 23 p.]

— En dehors de la sous-série F^{18} il y a fort peu de choses :

F^{12} 2272-2273 : papiers du bureau des Arts et Manufactures du Ministère de l'Intérieur puis de celui de l'Agriculture et du Commerce : dossiers de subventions aux fondeurs de caractères, aux inventeurs de nouveaux procédés (stéréotypie, monotypage, polytypage), rapports sur l'organisation de la profession, dossiers relatifs aux libraires parisiens Garnery (1811), Guestard (1807-1808) et Lamy (1807), dossiers sur les méthodes d'enseignement de l'écriture, 1806-1850.

F^{17} 3110 à 3239 : indemnités littéraires accordées par le Ministère de l'Instruction publique (classement alphabétique).

[On peut y retrouver des dossiers concernant des libraires ou des éditeurs secourus en période de difficultés.]

Le Minutier central des notaires parisiens

Les minutes des notaires parisiens sont d'une grande importance pour l'histoire des éditeurs et libraires de Paris. Les contrats de vente, les actes de société, les contrats de mariage, les inventaires après décès donnent des informations précieuses sur la vie et la fortune d'un personnage. Lorsque le nom du notaire habituel de l'imprimeur ou du libraire est connu, il ne reste plus qu'à dépouiller les répertoires des minutes correspondantes (noter que la consultation des actes notariés de moins de cent ans est soumise à l'autorisation du successeur actuel, notaire en titre de l'étude) ; sinon il convient de passer par l'intermédiaire de l'enregistrement des actes conservés aux Archives de Paris (cf. infra, sous-séries D.Q^7 et D.Q^8).

Il existe par ailleurs trois fichiers, achevés ou en cours d'achèvement mais qui portent tous uniquement sur la première moitié du XIXe siècle :

— Le fichier de l'année 1851 : ce dépouillement exhaustif (en vue de l'informatisation) des minutes de toutes les études parisiennes pour l'année 1851 est en voie d'achèvement (un tiers des études reste à dépouiller). Il permettra d'obtenir automatiquement des listings par nom de personne ou par nom de profession ; en attendant, des sondages peuvent être faits à partir des bordereaux de dépouillement, pour une ou plusieurs études.

— Le fichier « Révolution-Empire » : il résulte d'un dépouillement exhaustif des minutes des 24 premières études du Minutier pour les années 1789-1815 :

• Études I à XX : un fichier alphabétique par nom de personnes seulement.

• Études XXI à XXIV : deux fichiers alphabétiques, confondus, par nom de personnes et par matière (voir à « libraires », « imprimeurs », « graveurs » etc.).

— Le fichier dit « économique » : il porte sur les années 1800-1830 et a été réalisé d'après le relevé, dans les minutes de ces années, de toutes les informations relatives aux industriels, commerçants, ouvriers, etc. :

• Un fichier des ventes et baux, par nom de personnes.

• Un fichier des inventaires après décès par nom de personnes.

• Un fichier topographique par nom des rues de Paris et par département.

• Un fichier méthodique par nom de profession (voir à la rubrique « imprimerie-papeterie-librairie »).

Archives de Paris

Ce sont principalement les fonds judiciaires (série D.U) et ceux de l'enregistrement (série D.Q) qui sont utiles à l'histoire des libraires et des imprimeurs de Paris, pour retracer aussi bien leur vie familiale que les heurs et les malheurs de leur entreprise.

— Les fonds judiciaires D.U.

• Les justices de paix (sous-série D.U^1 : de D.1 U^1 à D.12 U^1 pour les justices de paix des 12 anciens arrondissements de Paris et des nouveaux qui leur ont succédé).

Les fonds des justices de paix fournissent les procès-verbaux d'apposition de scellés après décès, les procès-verbaux de description après décès, les procès-verbaux de clôture d'inventaire à la requête du veuf ou de la veuve, les procès-verbaux de tutelle des mineurs.

[Accès par un répertoire numérique, qui oblige donc à un dépouillement des années ou des mois susceptibles d'intéresser la recherche, sauf information obtenue par ailleurs sur la date de l'affaire.]

• Le Tribunal de commerce de la Seine D.U^3 Il s'agit ici d'un fonds d'archives essentiel.

Le Tribunal de commerce enregistre les actes de créations de sociétés — dont ceux des libraires et des imprimeurs ; ils sont à rechercher en :

D.3 U^3 93 à 106 : cautions et actes de sociétés, 1792-1805.

D.31 U^3 : actes de société, dissolutions, 1800-1881.

Pour les années 1882-1900 : versement 1147 W.

[On accède à ces actes de société par la consultation des registres d'enregistrement de ceux-ci, qui servent de tables et sont conservés dans la sous-série D.32 U^3.]

Les faillites : les dossiers de faillites (années 1792-1911) forment la sous-série D.11 U^3 ; les déficits que l'on y rencontre sont comblés par les scellés des commerçants faillis apposé par les juges de paix (cf. supra).

Le dossier de faillite comprend le rapport très circonstancié (situation générale de la librairie à l'époque, carrière antérieure du failli) du syndic de faillite, son compte détaillé avec l'état de l'actif et du passif, les diverses pièces de procédure (mise en demeure, concordat, reddition de compte, scellé fait par le juge de paix, etc.).

Les registres d'inscription des faillites (sous-série D.10 U^3, années 1800-1935) constituent le premier moyen d'approche de ces dossiers ; ils comportent en tête de chacun d'eux un index puis, par numéro d'inscription, le nom et la profession du failli, l'état de l'actif et du passif, le calendrier de la procédure, les noms du syndic et du juge-commissaire.

Les fichiers des faillis, par nom de personnes et par profession, donnent, pour tout le XIXe siècle, un accès indirect aux dossiers de faillite par le biais des registres d'inscription à partir desquels ils ont été établis.

[Sur la question des faillites, voir l'article de N. Felkay, « Les libraires à l'époque romantique d'après des documents inédits », dans Revue française d'histoire du livre, 9 (1975), pp. 31-86, avec une liste alphabétique des libraires faillis de 1825-1845.]

— L'Enregistrement de Paris D.Q^7 et D.Q.^{8}

Les actes administratifs, les actes judiciaires, les actes sous seing privé et surtout les déclarations de mutation par décès ont fait l'objet d'enregistrements (sous-série D.Q^7).

Ainsi les déclarations de mutation par décès livrent le nom du témoin attestant le décès à tel domicile, indiquent le ou les héritiers, énoncent l'« actif mobilier de la succession » (ou de la communauté), les immeubles de la communauté, mentionnent bien souvent — mais ce n'est pas toujours le cas — « l'inventaire fait par maître X, notaire à Paris, en date du... » ou l'institution de légataires universels « aux termes du testament déposé... » et procurent donc le nom du notaire (et la date des actes passés devant lui) dans l'étude duquel il convient de dépouiller répertoires et minutes au Minutier central des Archives nationales.

Les tables de décès et d'absences de la sous-série D.Q^8 en sont les uniques moyens d'accès [répertoires numériques des tables par bureau de succession puis par ordre alphabétique — lettre A, lettre B etc.].

Pour toutes les autres séries d'actes enregistrés, l'inexistence de tables oblige au dépouillement intégral des registres, année par année.

Archives privées

L'ensemble des archives privées des éditeurs sera présenté dans le tome IV de l'*Histoire de l'édition française*.

Ces sources d'archives ont été établies par *Ghislain Brunel, conservateur aux Archives nationales.*

Travaux et études imprimés

Les sujets abordés ici nous ont obligé, compte tenu de leur diversité, à opérer un choix. Ceux qui le souhaiteront pourront compléter leur documentation à l'aide des bibliographies courantes suivantes :

A.B.H.B. Annual bibliography of the history of the printed book and libraries, 1970-1983, La Haye (puis Dordrecht), 1971-1985. XIV vol. parus.

Bibliographie annuelle de l'Histoire de France, 1953-1983, Paris, 30 vol. parus.
L'on consultera tout spécialement la rubrique : « L'imprimerie et la presse ».

La production imprimée

Bibliographie de la France : journal général et officiel de la librairie, Paris, 1811→
On se reportera à Malclès (L.-N.), *Manuel de bibliographie*, 3ᵉ éd. mise à jour par A. Lhéritier, Paris, 1976, pour une description détaillée des trois parties de chaque fascicule hebdomadaire : *Bibliographie, Chronique* et *Annonces.*
Quérard (J.-M.), *La France littéraire, ou Dictionnaire bibliographique des savants, historiens et gens de lettres de la France ainsi que des littérateurs étrangers qui ont écrit en français... pendant les XVIIIᵉ et XIXᵉ siècles*, Paris, 1827-1864, 12 vol. (Reprint : Paris, 1964.)
Louandre (C.), Bourquelot (F.) et Maury (A.), *La Littérature française contemporaine*, Paris, 1840-1857, 6 vol. (Reprint : Paris, 1965.)
Les livres sont recensés jusqu'à 1840 pour la lettre A, jusqu'à 1842 pour les lettres B à F et jusqu'à 1849 pour les lettres G à Z.
Catalogue général de la librairie française, par O. Lorenz, continué par D. Jordell, puis H. Stein et E. Champion, puis le Service bibliographique Hachette, Paris, 1867-1945, 34 vol. (Reprint : Nendeln, 1966.)
Recensement par séries chronologiques : 1840-1865, 1866-1875 et 1876-1885, puis séries plus courtes (9 à 3 ans) jusqu'à 1922-1925.
Asselineau (C.), *Bibliographie romantique*, Paris, 1866.
Brivois (J.), *Bibliographie des ouvrages illustrés du XIXᵉ siècle*, Paris, 1883.

Carteret (L.), *Le Trésor du bibliophile romantique et moderne, 1801-1875*, Paris, 1924-1928, 4 vol.
Carteret (L.), *Le Trésor du bibliophile. Livres illustrés modernes, 1875 à 1945*, Paris, 1946-1948, 5 vol.
Drujon (F.), *Catalogue des ouvrages... poursuivis, supprimés ou condamnés depuis le 21 octobre 1814 jusqu'au 31 juillet 1877*, Paris, 1879.
Escoffier (M.), *Le Mouvement romantique, 1788-1850*, Paris, 1934.
Hassan (G.), *Livres de luxe, éditions originales modernes de 1870 à nos jours*, Issy-les-Moulineaux, (1947).
Lachèvre (F.), *Bibliographie sommaire des keepsakes et autres recueils collectifs de la période romantique*, Paris, 1929, 2 vol.
Talvart (H.) et Place (G.), *Bibliographie des auteurs modernes de langue française (1801-1927)*, puis *(1801-1962)*, Paris, 1928-1976, 22 vol. parus.
Les t. XVI et XVII constituent l'index des titres des ouvrages décrits dans les XV premiers vol., le t. XXII contient aux pp. 67-322 l'index des illustrateurs des ouvrages décrits dans les t. I-XXII.
Thieme (H.-P.), *Bibliographie de la littérature française de 1800 à 1930*, Paris, 1933, 3 vol. (Reprint : Genève, 1971.)
Vicaire (G.), *Manuel de l'amateur de livres du XIXᵉ siècle, 1801-1893*, Paris, 1894-1920, 8 vol.

Histoire générale du livre

L'Art du livre à l'Imprimerie nationale, Paris, 1973.
Audin (M.), *Le Livre*, Paris, 1924-1925, 2 vol.
La Bibliophilie à travers cent cinquante ans du « Bulletin du bibliophile », exposition, Bibliothèque de l'Arsenal, 1984, nᵒ spécial du *Bulletin du bibliophile*, 1984, IV.
Brun (R.), *Le Livre français*, 2ᵉ éd., Paris, 1969.
Calot (F.), Michon (L.-M.) et Angoulvent (P.), *L'Art du livre en France des origines à nos jours*, Paris, 1931.
La Civilisation écrite, J. Cain dir., Paris, 1939 (Encyclopédie française, t. XVIII).
Dahl (S.), *Histoire du livre de l'Antiquité à nos jours*, 3ᵉ éd., Paris, 1967.
Duprat (F.-A.), *Histoire de l'Imprimerie impériale de France*, Paris, 1861.
Flocon (A.), *L'Univers du livre*, Paris, 1961.
Labarre (A.), *Histoire du livre*, 4ᵉ éd., Paris, 1985. (Que sais-je ? 620.)
Le Livre, exposition, Bibliothèque nationale, Paris, 1972.
Le Livre dans la vie quotidienne, exposition, Bibliothèque nationale, Paris, 1975.
Le Livre français : hier, aujourd'hui, demain, dir. J. Cain, R. Escarpit et H.-J. Martin, Paris, 1972.
Martin (H.-J.), *Le Livre et la civilisation écrite*, t. 3 (de 1750 à nos jours), P. Pelou collab., Paris, 1970.
Le Romantisme, exposition, Bibliothèque nationale, Paris, 1930.
La Typographie orientale à l'Imprimerie nationale, Paris, 1884.

Histoire de l'imprimerie et de la typographie

Audin (M.), *Histoire de l'imprimerie par l'image*, Paris, 1929, 4 vol.
Audin (M.), *Histoire de l'imprimerie*, Paris, 1972.
Barbier (F.), « Le Livre et l'espace industriel de production en France au XIXᵉ siècle », in *Les Espaces du livre*, colloque organisé par l'Institut d'étude du livre, Paris, 1979-1980, dactyl.
Barbier (F.), « Les Ouvriers du livre et la révolution industrielle en France au XIXᵉ siècle », *Revue du Nord*, t. 73, nᵒ 248, janv.-mars 1981, pp. 189-206.
Barbier (F.), « The Publishing industry and printed output in 19th century France », in *Books and society in history*, New York, London, 1983, pp. 199-230.
Barbier (F.), « Le Transfert des industries alsaciennes en Lorraine après la guerre de 1870 : l'exemple de Berger-Levrault », in *Actes du 103ᵉ Congrès national des sociétés savantes* (Nancy-Metz, 1978), Section d'Histoire moderne et contemporaine, Paris, 1979, t. II, pp. 121-134.
Blondeau (Y.), *Le Syndicat des correcteurs de Paris et de la région parisienne, 1881-1973*, Paris, 1973.
Boutmy (E.), *Dictionnaire de l'argot des typographes*, Paris, 1883. (Reprint : Paris, 1979.)
Centre d'étude et de recherche typographiques, *De plomb, d'encre et de lumière, essai sur la typographie et la communication écrite*, C. Peignot préf., G. Bonnin post., Paris, 1982.
Comporte une bibliographie établie par G. Blanchard, F. Baudin et J. Peignot.
Chauvet (P.), *Les Ouvriers du livre en France. T. II : de 1789 à la constitution de la Fédération du livre*, Paris, 1956.
Chauvet (P.), *Les Ouvriers du livre et du journal : la Fédération française des travailleurs du livre*, Paris, 1971.
Clappeton (R.-H.), *The Papermaking machine*, Londres, 1970.
Décembre-Alonnier, nom collectif de J. Décembre et E. Alonnier, *Typographes et gens de lettres*, Paris, 1864.
Dictionnaire encyclopédique et biographique de l'industrie et des arts industriels. Supplément, Paris, 1891.

Expositions industrielles et commerciales.

Les catalogues et comptes rendus d'exposition constituent une source essentielle concernant l'évolution des techniques du livre. Consulter à ce sujet :

Plinval-Salgues (R. de), épouse Guillebon (de), *Bibliographie analytique des expositions industrielles et commerciales en France depuis l'origine jusqu'à 1867*, mémoire I.N.T.D., Paris, 1960, dactyl. (Classement par villes, sous-classement chronologique.)
Firmin-Didot (A.), *Le Centenaire de la machine à papier continu*, Paris, 1900.
Firmin-Didot (A.), *L'Imprimerie, la librairie et la papeterie à l'Exposition universelle de 1851*, Paris, 1854.
Gille (B.), *Histoire des techniques*, Paris, 1978. (Encyclopédie de la Pléiade.)

Hochstetter (J.), *De l'Emploi de la pâte de bois dans la fabrication des papiers*, Lille, 1889.

L'Intermédiaire des imprimeurs, Lyon, 1886-1916.

Jeanroy (J.), *Typos et imprimeurs de Nancy, 1919-1939*, mémoire de maîtrise, Nancy II, 1982, dactyl.

Jolivet (M.), *Notice sur l'emploi du bois dans la fabrication du papier*, Paris, 1877.

Kantrowitz (M.-S.), *Permanence and durability of paper, an annotated bibliography of the technical literature from 1885 a.D. to 1939 a.D.*, Washington, 1940.

Martin (G.), *L'Imprimerie*, 5e éd., Paris, 1979. (Que sais-je ? 1067.)

Martin (G.), *Le Papier*, 3e éd., Paris, 1976. (Que sais-je ? 84.)

Notice sur l'établissement typographique de M. Paul Dupont, Paris, 1851.

Imprimerie, librairie administratives et litho-typographie de Paul Dupont et Cie, Paris, 1864.

Notes et documents relatifs à l'organisation ouvrière des établissements de M. Paul Dupont, Paris, 1867.

Olmer (G.), *Du Papier mécanique et de ses apprêts dans diverses impressions*, Paris, 1882.

Radiguer (L.), *Maîtres-imprimeurs et ouvriers typographes*, Paris, 1903.

Rebérioux (M.), *Les Ouvriers du livre et leur Fédération*, Paris, 1981.

Les Règlements d'ateliers, 1798-1936, réd. A. Biroleau, Paris, 1984.

Renard (G.), *Les Travailleurs du livre et du journal*, Paris, 1925.

Reynolds (S.), « Allemane avant l'allemanisme : jeunesse d'un militant », *Le Mouvement social*, janvier-mars 1984, pp. 3-28.

Reynolds (S.), *La Vie de Jean Allemane, 1843-1935*, thèse de 3e cycle, Paris VII, 1981, dactyl.

Sales (H.), *Les Relations industrielles dans l'imprimerie française*, Paris, 1967.

Zylberberg-Hocquard (M.-H.), *Femmes et féminisme dans le mouvement ouvrier français*, Paris, 1981.

Le texte et l'image

Adeline (J.), *Les Arts de reproduction vulgarisés*, Paris, 1894.

Adeline (J.), *L'Illustration photographique*, Paris, 1896.

Adhémar (J.), « L'Enseignement par l'image », *Gazette des Beaux-Arts*, févr. 1981, pp. 53-60 et sept. 1981, pp. 49-60.

Adhémar (J.), *Les Lithographies de paysage en France à l'époque romantique*, Paris, 1938.

Adhémar (J.) et Seguin (J.-P.), *Le Livre romantique*, Paris, 1968.

Bassy (A.-M.), « Les Illustrations romantiques des Fables de La Fontaine », *Romantisme*, 1972, n° 3, pp. 94-101.

Beraldi (H.), *Les Graveurs du XIXe siècle*, Paris, 1885-1892, 12 vol.

Bottin (A.), *Bibliographie des éditions illustrées des « Voyages extraordinaires » en cartonnage d'éditeur de la Collection Hetzel*, Paris, 1978.

Bouchot (H.), *Le Livre à vignettes du XIXe siècle*, Paris, 1891.

Bracquemond (F.), *Études sur la gravure sur bois et la lithographie*, Paris, 1897.

Brun (P.), *Albert Robida (1848-1926), sa vie, son œuvre*, suivi d'*une bibliographie complète de ses écrits et dessins*, Paris, 1984.

Champfleury (J. F. F. Husson, dit), *Les Vignettes romantiques : histoire de la littérature et de l'art, 1825-1840*, suivi d'*un catalogue complet des romans, drames, poésies ornés de vignettes de 1825 à 1840*, Paris, 1883.

Gaudriault (R.), *La Gravure de mode féminine en France*, Paris, 1983.

Gausseron (B.-H.), « Les Keepsakes et annuaires illustrés de l'époque romantique en Angleterre et en France », *Annales littéraires des bibliophiles contemporains*, 1890, pp. 201-251.

Gusman (P.), *La Gravure sur bois en France au XIXe siècle*, Paris, 1929.

Hesse (R.), *Le Livre d'art du XIXe siècle à nos jours*, Paris, (1927).

L'Illustration en France et en Belgique de 1800 à 1914 : cent livres de la Réserve précieuse du Musée royal de Mariemont, exposition, Mariemont, 1979.

Jammes (I.), *Blanquard-Évrard et les origines de l'édition photographique française*, Genève, 1981.

Jeune (S.), « Plus jeune qu'à sa naissance : « Le Roi de Bohême » a cent-cinquante ans », *Revue française d'histoire du livre*, 28, 1980, pp. 499-514.

Jeune (S.), « Le Roi de Bohême et ses sept châteaux, livre objet et livre-ferment », in *Charles Nodier*, colloque du 2e centenaire, Besançon, mai 1980, n° spécial des *Annales littéraires de l'Université de Besançon*, 1981, n° 253.

Kaenel (P.), « Autour de J.-J. Grandville : les conditions de production socio-professionnelles du livre illustré romantique », *Romantisme*, n° 43, 1984, pp. 45-61.

Lang (L.), *Godefroy Engelmann, imprimeur lithographe*, Colmar, 1977.

Le Men (S.), *Les Abécédaires français illustrés du XIXe siècle*, Paris, 1984.

Lhéritier (A.), *Les Physiologies, 1840-1845*, Paris, 1966, microfilm.

Lilien (O. M.), *History of industrial gravure printing up to 1900*, Londres, 1972.

« Le Livre et ses images », *Romantisme*, n° 43, avril 1984.

Maingot (E.), *Le Baron Taylor*, Paris, 1963.

Marcucci (E.), *Les Illustrations des « Voyages extraordinaires »*, Bordeaux, 1956.

Melot (M.), *L'Illustration : histoire d'un art*, Genève, 1984. Essentiel.

Mornand (P.), « Iconographie des Fables de La Fontaine », *Portique*, 1946, n° 3, pp. 81-100.

Needham (H. A.), *Le Développement de l'esthétique sociologique en France et en Angleterre au XIXe siècle*, Paris, 1926.

Osterwalder (M.), *Dictionnaire des illustrateurs*, Paris, 1983.

Ray (G. N.), *The Art of the French illustrated book, 1700 to 1914*, New York, 1982.

Rouillé (A.), *L'Empire de la photographie, 1839-1870*, Paris, 1982.

Sander (M.), *Die illustrierten französischen Bücher des 19. Jahrhunderts*, Stuttgart, 1924.

Seguin (J.-P.), *Canards du siècle passé*, Paris, 1969.

Sieurin (J.), *Manuel de l'amateur d'illustrations*, Paris, 1875.

The Turn of a century : 1885-1910, Art nouveau, Jugendstil books, exposition, Houghton Library, Cambridge (Mass.), 1970.
Ce thème sera plus spécialement abordé dans le tome IV.

Twyman (M.), *Lithography, 1800-1850*, Londres, 1970.

Uzanne (O.), *L'Art dans la décoration extérieure des livres en France et à l'étranger, les couvertures illustrées, les cartonnages d'éditeur, la reliure d'art*, Paris, 1898.

Zerner (H.) et Rosen (C.), *Romanticism and realism : the mythology of nineteenth century French art*, New York, 1984.

La reliure

Voir tome II, pp. 625-626. Compléter avec :

Barbier (F.), « La Formation d'un atelier de reliure industrielle au XIXe siècle : Berger-Levrault, 1870-1886 », *Revue française d'histoire du livre*, n° 37, 1982, pp. 746-752.

Malavielle (S.), *Reliures et cartonnages d'éditeur en France au XIXe siècle (1815-1865)*, Paris, 1985. Bibliographie.

Roethel (M.), « Les Cartonnages Hetzel », *Encyclopédie, Connaissance des arts*, avr. et sept. 1978.

Histoire de l'édition

Alhoy (M.) et Huart (L.), *Robert Macaire, libraire*, Paris, 1839-1840.

Allen (J. S.), « Le Commerce du livre romantique à Paris, 1820-1843 », *Revue française d'histoire du livre*, 26 (1980), pp. 69-93.

Allen (J. S.), *Popular French romanticism : authors, readers and books in the 19th century*, Syracuse, 1981.

Allen (J. S.), « Toward a social history of French romanticism : authors, readers and the book trade in Paris, 1820-1840 », *Journal of social history*, 13, 1979-1980, pp. 253-276.

Barbier (F.), « Chiffres de tirage et devis d'édition : la politique d'une imprimerie-librairie au début du XIXe siècle, 1789-1835 », *Comité des travaux historiques et scientifiques. Bulletin de la section d'histoire moderne et contemporaine*, 1978, n° 11, pp. 141-156.

Barbier (F.), « Le Commerce international de la librairie française au XIXe siècle (1815-1913) », *Revue d'histoire moderne et contemporaine*, 28, janv.-mars 1981, pp. 94-117.

Barbier (F.), « L'Édition historique et philologique en France au XIXe siècle », in *Gelehrte Bücher vom Humanismus bis zur Gegenwart*, Wiesbaden, 1983, pp. 183 et suiv.

Barbier (F.), *Le Monde du livre à Strasbourg de la fin de l'Ancien Régime à la chute de l'Alsace française*, thèse de 3e cycle, Paris I, 1980, dactyl.

Bellos (D.), « Le Marché du livre à l'époque romantique : recherches et problèmes », *Revue française d'histoire du livre*, 20, (1978), pp. 647-660.

Birck (F.), *Le Livre nancéien, des origines à 1914*, Nancy, 1983.

Bulletin des libraires, Paris, 1892 →

Cent ans d'édition française, 1847-1947, exposition, Bibliothèque nationale, à l'occasion du centenaire du Cercle de la librairie, Paris, 1947.

Dopp (H.), *La Contrefaçon des livres français en Belgique, 1815-1832*, Louvain, 1932.

Estivals (R.), *La Bibliologie. 1. La Bibliométrie*, Paris, 1978.

Felkay (N.), « La Librairie et la presse de 1825 à 1845. Documents inédits. Première partie : années 1825-1829 incluse », *Revue française d'histoire du livre*, 29 (1980), pp. 685-699.

Felkay (N.), « Les Libraires de l'époque romantique d'après des documents inédits », *Revue française d'histoire du livre*, 9 (1975), pp. 31-86. Contient aux pp. 44-63 une liste alphabétique des libraires faillis de 1825 à 1845.

Flammarion (E.), *Quelques types de libraires et éditeurs de 1866 à 1875*, Paris, 1933.

Fléty (J.), « Le Cercle de la librairie » : un siècle et demi d'histoire, *Arts et métiers du livre*, n° 127, sept.-oct. 1983, pp. 1-25.

Fontaine de Resbecq (A.), *Voyages littéraires sur les quais de Paris : lettres à un bibliophile de province*, Paris, 1857.

Hébrard (J.), *De la Librairie, son ancienne prospérité, son état actuel, causes de sa décadence, moyens de sa régénération*, Paris, 1847.

Hen (C.), *La Réimpression : étude de cette question au point de vue des intérêts belges et français*, Bruxelles, 1851.

Imbert (A.), *Biographie des imprimeurs et des libraires*, Paris, 1826.

Lecocq (M.), *Recherches sur l'édition lyonnaise au XIXe siècle*, travail en cours dans le cadre de l'École pratique des hautes études, IVe section.

Lemaître (L.), *Histoire du Dépôt légal*, Paris, 1910.

Martin (H.-J.), « Comment mesurer un succès littéraire : le problème des tirages », in *La Bibliographie matérielle*, Paris, 1983, pp. 25-42.

Néret (J.-A.), *Histoire illustrée de la librairie et du livre français*, Paris, 1953.

Nettement (A.), *Études critiques sur le feuilleton-roman*, Paris, 1845-1846, 2 vol.

Picot (G.), « Le Dépôt légal et nos collections nationales », *Revue des deux Mondes*, 1er février 1883, pp. 622-633.

Robin (E.), « De la Contrefaçon belge », *Revue des deux Mondes*, janv.-mars 1844, pp. 204-239.

Savart (C.), « La « Liberté » de la librairie (10 septembre 1870) et l'évolution du réseau des libraires », *Revue française d'histoire du livre*, 22 (1979), pp. 91-121.

Sèche (A.), *Tuons les morts ou le roman-feuilleton contre la littérature*, Paris, 1908.

Talmeyr (M.), « Le Roman-feuilleton et l'esprit populaire », *Revue des deux Mondes*, 1er septembre 1903, pp. 203-227.

Tinelli (L.), *Centenaire du livre à Mulhouse*, Mulhouse, 1981.

Werdet (E.), *De la Librairie française : son passé, son présent, son avenir*, Paris, 1860. Fondamental.

Witkowski (C.), *Monographies des éditions populaires : les publications illustrées à 20 centimes, les romans à quatre sous, 1848-1870*, Paris, 1971.

Witkowski (C.), « Le Premier roman-feuilleton », *Bulletin du bibliophile*, 1983, n° II, pp. 215-219.

Monographies d'éditeurs

Bibliographie de la France. Numéro du cent-cinquantenaire, Paris, 1961. Catalogues de libraires et d'éditeurs.

Une collection importante est conservée à la Bibliothèque nationale au Département des imprimés sous la cote [Q.10. Un inventaire manuscrit en a été dressé pour la série ancienne (antérieure à 1925).

Chabrey (L.), pseud. collectif, *Histoire curieuse des Aubanel, imprimeurs en Avignon*, Avignon, 1982.

Baillière (J.-B.), *Histoire de nos relations avec l'Académie de médecine*, Paris, 1872.

Baillière (J.-B.), *Famille Baillière*, Paris (1886).

Hubert (J.), *La Librairie Belin, 1777-1977*, Paris, 1977.

Histoire d'un imprimeur, Berger-Levrault, 1676-1976, Strasbourg, 1976.

Berger-Levrault (Imprimerie et librairie, Nancy), *Histoire d'un imprimeur, 1676-1976*, Paris-Strasbourg, 1976.

Barbier (F.), *Trois cents ans de librairie et d'imprimerie, Berger-Levrault, 1676-1976*. T. I : 1676-1830, Genève, 1979.

Quérard (J.-M.), *Quelques mots sur Martin Bossange père, doyen des imprimeurs et des libraires de Paris*, Paris, 1863.

Lanzac (H.), *Martin Bossange*, Paris, 1865.

Felkay (N.), « Le Musée encyclopédique du libraire Bossange », *Bulletin du bibliophile*, 1984, pp. 32-39.

Casterman, 1780-1980, Tournai, 1980.

Monfrin (J.), *Honoré Champion et sa librairie, 1874-1978*, Paris, 1978.

« Le Cinquantenaire de la Bibliothèque Charpentier », *Le Livre*, IX, 1888, pp. 233-249.

Robida (M.), *Le Salon Charpentier et l'impressionnisme*, Paris, 1958.

Fromageot (J.), « Un Tonnerrois un peu oublié, Armand Colin (1842-1900), *Bulletin annuel de la Société d'archéologie et d'histoire du Tonnerrois*, t. 43, 1981, n° 34, pp. 47-51.

Cloche (M.), « Un Grand éditeur du XIXe siècle, Léon Curmer », *Arts et métiers graphiques*, 31, 1931-1932, pp. 27-32.

Blanchard (G.), « Léon Curmer », *Courrier graphique*, 1962, pp. 42-51.

Guerche (R.), « La Réalisation ambitieuse d'un éditeur romantique : Les Français peints par eux-mêmes », *Bulletin de la librairie ancienne et moderne*, 1972, n° 145, pp. 85-94.

Papillard (F.), *Une Vie de labeur surhumain, Désiré Dalloz, 1795-1869*, Paris, 1964.

Fayard (Librairie A.), *Histoire de la librairie Arthème Fayard*, (Paris), 1953.

Flammarion (C.), *Souvenirs d'un éditeur*, Paris, 1867.

Rosseeuw Saint-Hilaire (E. F. A.), *Notice sur Charles Furne*, Paris, 1860.

Champion (H.), *Portraits de libraires, les frères Garnier*, Paris, 1913.

Hamel (M.), « Éditeurs d'autrefois : les Garnier », *La Voix de l'édition*, n° 65, 1965.

Notice sur la librairie de MM. Hachette et Cie, Paris, 1867.

Janze (C. A., B^{on} de), *Le Monopole Hachette*, Paris, 1887.

Mistler (J.), *La Librairie Hachette de 1826 à nos jours*, Paris, 1964. Essentiel.

Delalande (Y.), *Les Contrats de la librairie Hachette de 1826 à 1857*, mémoire de maîtrise, Paris I, 1976, dactyl.

Parmenie (A.) et Bonnier de La Chapelle (C.), *Histoire d'un éditeur et de ses auteurs : P.-J. Hetzel (Stahl)*, Paris, 1953.

De Balzac à Jules Verne, un grand éditeur du XIXe siècle, P. J. Hetzel, exposition, Bibliothèque nationale, Paris, 1966.

Bellet (R.), « De Hetzel éditeur à P.-J. Stahl journaliste », *Europe*, nov.-déc. 1980, pp. 13-31.

Hetzel, n° spécial de la revue *Europe*, 1980, n°s 619-620.

Petit (N.), « Un Éditeur au XIXe siècle : Pierre-Jules Hetzel (1814-1886) et les éditions Hetzel (1837-1914) », *École nationale des chartes... Position des thèses...*, Paris, 1980, pp. 129-134.

Janin (J.), « Histoire d'un libraire (Ladvocat) », in Janin (J.), *Critique, portraits et caractères contemporains*, Paris, (1859), pp. 223-235.

Rétif (A.), *Pierre Larousse et son œuvre, 1817-1875*, Paris, 1975.

Pierrard (P.), *La Vie ouvrière à Lille sous le Second Empire*, Paris, (1965). (Reprint : Saint Pierre de Salerne, 1978.) Concerne l'éditeur Lefort.

Mollier (J.-Y.), *Michel et Calmann Lévy ou la Naissance de l'édition moderne, 1836-1891*, Paris, 1984.

Alfred Mame et Cie, imprimerie-librairie-reliure : notice et documents, Tours, 1862.

La Maison Mame (1833-1883), notice historique, Tours, 1883.

Lefranc (P.), *Alfred Mame*, Paris, 1895.

Du Saussois (A.), *Alfred Mame*, Lille, 1898.

Felkay (N.), « Les Quatre faillites de Louis Mame (1815-1816, 1830-1835) », *L'Année balzacienne*, 1973, pp. 145-156.

Vernet (A.), « L'Abbé Jean-Paul Migne (1800-1875) et les ateliers du Petit-Montrouge », *Études médiévales*, 1981, pp. 627-649.

Vernet (A.), « Migne, éditeur de textes médiévaux », *Études médiévales*, 1981, pp. 651-658.

Catalogue général de l'œuvre d'Édouard Pelletan, Clément-Janin préf., Paris, 1913.

Louis-Benoît Perrin, exposition, Lyon, 1923.

Plon (E.), *Notre livre intime de famille*, Paris, 1893.

Thome (J.-R.), « L'Éditeur Poulet-Malassis, 1825-1878 », *Courrier graphique*, 57 (1952), pp. 43-48.

Launay (J.-J.), « Le Charme discret de la bibliophilie : Auguste Poulet-Malassis », *Bulletin du bibliophile*, 1979, pp. 379-386.

Launay (J.-J.), « Impressions, publications, écrits d'Auguste Poulet-Malassis », *Bulletin du bibliophile*, 1979, pp. 388-397 et 520-531, 1980, pp. 185-219 et 487-502, 1981, pp. 78-91 et 342-365, 1982, pp. 81-106, 185-208, 547-550 et 551-556.

Les Édouard Privat : cent années d'une librairie française, 1839-1939, Toulouse, (1952).

Jullien (A.), *Le Romantisme et l'éditeur Renduel*, Paris, 1897.

Gérin (M.), *Renduel (1798-1873), éditeur romantique*, Nevers, 1929.

Alkan aîné (A.), *Notice sur L.-C. Silvestre, ancien libraire-éditeur*, Paris, 1868.

Stock (P. V.), *Mémorandum d'un éditeur*, Paris, 1935-1938, 3 vol.

Bartillat (C. de), Gourcuff (A. de) et Prigent (M.), *La Librairie Stock, 1708-1981*, Paris, 1981.

515

Barbier (F.), « Une Librairie internationale, Treuttel et Würtz », *Revue d'Alsace*, 1985.

Felkay (N.), « Grandeur et décadence d'un libraire-éditeur : Antoine dit Edmond Werdet (1793-1870) », *L'Année balzacienne*, 1974, pp. 153-186.

Le monde des auteurs

Alexis (P.), *Lettres à Émile Zola*, éd. B. H. Bakker, Toronto, 1971.

Aubert (J.), *De quoi vivait Thiers*, Paris, 1952.

Avenel (G.), *Les Revenus d'un intellectuel de 1200 à 1913*, Paris, 1922.

Balzac (H. de), *Correspondance*, éd. R. Pierrot, Paris, 1960-1969, 5 vol.

Balzac (H. de), *Lettres à Madame Hanska*, éd. R. Pierrot, Paris, 1967-1971, 4 vol.

Baudelaire (C.), *Correspondance*, éd. C. Pichois, Paris, 1966, 2 vol.

Bayet (J.), *La Société des auteurs et compositeurs dramatiques*, Paris, 1908.

Becker (C.), « Zola à la librairie Hachette (1862-1866) », *Revue de l'Université d'Ottawa*, vol. 48, 1978, n° 4, pp. 287-309.

Bleton (P.), *La Comtesse de Ségur : la vie sociale sous le Second Empire*, Paris, 1963.

Borgal (C.), *De quoi vivait Gérard de Nerval*, Paris, 1950.

Bory (J.-L.), *Eugène Sue, le roi du roman populaire*, Paris, 1962.

Bouillon (J.-P.), « Artiste et éditeur : correspondance de Bracquemond et de Poulet-Malassis », *Bulletin du bibliophile*, 1975, n° 1, pp. 49-66, n° 2, pp. 193-201, n° 3, pp. 276-287, n° 4, pp. 383-396, 1976, n° 4, pp. 371-404.

Bouvier (R.) et Maynial (E.), *Les Comptes dramatiques de Balzac*, Paris, 1938.

Bouvry (F.), *De quoi vivait George Sand*, Paris, 1952.

Charle (C.), *La Crise littéraire à l'époque du naturalisme*, Paris, 1979.

Charle (C.), « Situation sociale et position spatiale, essai de géographie sociale du champ littéraire à la fin du XIXe siècle », *Actes de la recherche en sciences sociales*, 13, 1977, pp. 45-59.

Charpentier (G.), *Trente années d'amitié, 1872-1902, lettres de l'éditeur Georges Charpentier à Émile Zola*, éd. C. Becker, Paris, 1980.

Dangon (G.), « Balzac imprimeur », *Le Courrier graphique*, 39, fév.-mars 1949, pp. 11-17.

Descharmes (R.), « Flaubert et ses éditeurs Michel Lévy et Georges Charpentier », *Revue d'histoire littéraire de la France*, avr.-juin 1911, pp. 364-393 et 627-663.

Dumon (F.) et Gitan (J.), *De quoi vivait Lamartine*, Paris, 1952.

Felkay (N.), « Autour de Balzac imprimeur », *L'Année balzacienne*, 1980, pp. 255-267.

Felkay (N.), « Autour de Balzac. Librairie, imprimerie, presse. I : 1824-1829. II : 1830-1835 », *L'Année balzacienne*, 1976, pp. 261-274 et 1977, pp. 229-240.

Felkay (N.), « Autour de Madame Béchet, nouveaux documents », *L'Année balzacienne*, I, 1980, pp. 300-305.

Felkay (N.), « Un Banquier des auteurs dramatiques : Porcher-Braulard », *L'Année balzacienne*, 1972, pp. 201-220.

Felkay (N.), « Deux imprimeurs de Balzac, André Barbier et Adolphe Everat », *L'Année balzacienne*, 1978, pp. 225-243.

Felkay (N.), « Un Éditeur de Hugo : Paul Doublet de Persan (1793-1841) », *Bulletin du bibliophile*, 1983, pp. 208-214.

Felkay (N.), « Un Homme d'affaires, Victor Bohain », *L'Année balzacienne*, 1975, pp. 177-197.

Felkay (N.), « Levavasseur et la 2e édition de la Physiologie du mariage », *L'Année balzacienne*, 1973, pp. 374-380.

Felkay (N.), « Les Libraires de Balzac : Urbain Canel (1789-1867) », *Courrier balzacien*, 8, 1979, pp. 21-24.

Felkay (N.), « Madame veuve Béchet, éditeur des "Études de mœurs" », *L'Année balzacienne*, 1977, pp. 219-227.

Felkay (N.), « Stendhal et l'imprimeur Henri Fournier », *Stendhal Club*, t. XXIII, 15 janv. 1981, pp. 132-138.

Felkay (N.), « Sur un éditeur de Balzac : Charles Gosselin », *L'Année balzacienne*, 1976, pp. 245-260.

Felkay (N.), « Urbain Canel, ami et éditeur de Balzac », *L'Année balzacienne*, 1971, pp. 83-99.

Flaubert (G.), *Lettres inédites de G. Flaubert à son éditeur M. Lévy*, éd. J. Suffel, Paris, 1965.

Gondolo Della Riva (P.), *Bibliographie analytique de toutes les œuvres de Jules Verne*.

I. Œuvres romanesques publiées, Paris, 1977.

II. Œuvres non romanesques publiées et œuvres inédites, Paris, 1985. (N° spécial hors-série du *Bulletin de la Société Jules Verne*.)

Guise (R.), « Balzac et le roman-feuilleton », *L'Année balzacienne*, 1964, pp. 283-338.

Guise (R.), *Le Phénomène du roman-feuilleton, 1828-1848, la crise de croissance du roman. 1re partie : la presse et la littérature facile, 1828-1835*, thèse de lettres, Nancy II, 1975, dactyl.

Hetzel (P.-J.), *La Propriété littéraire et le domaine public payant*, 2e éd., Paris, 1860.

Hugo (V.) et Hetzel (P.-J.), *Correspondance entre Victor Hugo et Pierre-Jules Hetzel*, éd. S. Gaudon, t. I : 1852-1893, Paris, 1979.

Hugo (V.) et Lacroix (A.), *Victor Hugo publie « les Misérables », correspondance avec A. Lacroix, août 1861-juillet 1862*, éd. B. Leulliot, Paris, 1970.

Jouanne (A.), *Baudelaire et Poulet-Malassis : le procès des « Fleurs du Mal »*, Alençon, 1952.

Lacretelle (C. de), *Victor Hugo et ses éditeurs*, *Revue de France*, 15 oct. 1923, pp. 753-761.

Le lecteur et la lecture de l'œuvre. Actes du Colloque international de Clermont-Ferrand, Paris, 1982.

Lods (A.), « Les Premiers éditeurs de Verlaine », *Mercure de France*, 15 oct. 1924, pp. 402-424.

Lough (J.), *Writer and public in France*, Oxford, 1978.

Martin (C.-N.), *La Vie et l'œuvre de Jules Verne*, Paris, 1978.

Marsan (J.), « Alfred de Vigny et G. H. Charpentier », *Revue d'histoire littéraire de la France*, 1913, pp. 51-64.

Orecchioni (P.), « Eugène Sue, mesure d'un succès », *Europe*, 60e année, nos 643-644, nov.-déc. 1982, pp. 157-166.

Ponot (R.), « L'Imprimerie et la typographie selon Balzac », *Impressions : bulletin de l'Imprimerie nationale*, 15, août 1980, pp. 18-23.

Ponot (R.), « Les Trois illusions de Balzac imprimeur », *Impressions : bulletin de l'Imprimerie nationale*, 17, avril 1981, pp. 7-16.

Ponton (R.), *Le Champ littéraire de 1865 à 1905*, thèse EHESS, 1977, dactyl.

Ponton (R.), « Naissance du roman psychologique », *Actes de la recherche en sciences sociales*, 4, 1975, pp. 61-81.

Proudhon (P.-J.), *Des Majorats littéraires*, Paris, 2e éd., 1863.

Raymond (F.) et Compère (D.), *Le Développement des études sur Jules Verne (domaine français)*, Paris, 1976.

Ricard (L.-X. de), *Petits mémoires d'un Parnassien, 1898-1900*, Paris, 1967.

Rosny (J. H.) aîné, *Mémoires de la vie littéraire*, Paris, 1927.

Rousselot (J.), *De quoi vivait Verlaine*, Paris, 1950.

Rudelle (P.), *Des Rapports juridiques entre les auteurs et les éditeurs*, thèse de droit, Paris, 1897.

Seebacher (J.), « Victor Hugo et ses éditeurs avant l'exil », in V. Hugo, *Œuvres complètes*, éd. J. Massin, t. 6, pp. I-XII.

Soriano (M.), *Jules Verne, le cas Verne*, Paris, 1978.

Thiesse (A.-M.), « L'Éducation sociale d'un romancier, le cas d'Eugène Sue », *Actes de la recherche en sciences sociales*, n° 32, avr.-juin 1980, pp. 51-63.

Thome (J.-R.), « Balzac imprimeur, éditeur et fondeur de caractères », *Le Courrier graphique*, 34, janv.-fév. 1948, pp. 43-50.

Touchard (J.), *La Gloire de Béranger*, Paris, 1968, 2 vol.

Vessilier-Ressi (M.), *Le Métier d'auteur*, Paris, 1982.

Werdet (E.), *Souvenirs de la vie littéraire*, Paris, 1879.

Wogan (Bon E. Tanneguy de), *Manuel des gens de lettres*, Paris, (1899).

Zola (E.), « L'Argent dans la littérature (1880) », in Zola (E.), *Le Roman expérimental*, éd. préf. par A. Guedj, Paris, 1971.

Zola (E.), *Correspondance*, B. H. Bakker, C. Becker et H. Mitterand éd., Paris, 1978-1983, 4 vol. parus.

La presse face à l'édition

Albert (P.), « Aux origines de la presse à grand tirage : les magazines de lecture populaire sous le Second Empire », in *Regards sur la presse et l'information, mélanges offerts à Jean Prinet*, Paris, 1980.

Albert (P.), *Histoire de la presse politique nationale au début de la IIIe République (1871-1879). T. I : le monde de la presse. T. II : la vie des journaux*, Paris, 1980, 2 vol.

Albert (P.) et Terrou (F.), *Histoire de la presse*, 4e éd., Paris, 1985. (Que sais-je ? 368.)

Amaury (F.), *Histoire du plus grand quotidien de la IIIe République, « Le Petit Parisien », 1876-1944*, Paris, 1972, 2 vol.

Annuaire de la presse française, Paris, 1880 →

Avenel (H.), *Histoire de la presse française depuis 1789 jusqu'à nos jours*, Paris, 1900.

Choisel (F.), « La Presse française face aux réformes de 1860 », *Revue d'histoire moderne et contemporaine*, t. 27, juil.-sept. 1980, pp. 374-390.

Daumier et le dessin de presse, colloque à Grenoble, Maison de la culture, N° spécial de *Histoire et critique des arts*, n°s 13-14, 1er semestre 1980.

Diebolt (E.), *« Le Petit Journal » et ses feuilletons, 1863-1914*, thèse de 3e cycle, Paris VII, 1975, dactyl.

Ducatel (P.), *Histoire de la IIIe République vue à travers l'imagerie populaire et la presse satirique*, Paris, 1973-1979, 5 vol.

Dupuy (A.), *1870-1871, la guerre, la Commune et la presse*, Paris, 1959.

Grand-Carteret (J.), *Les Mœurs et la caricature en France*, Paris, 1888.

Grenville (E. de), *Histoire du journal « La Mode »*, Paris, 1861.

Histoire générale de la presse française, C. Bellanger, J. Godechot, P. Guiral et F. Terrou dir., Paris, 1969-1976, 5 vol.

Plus spécialement pour cette période les t. 2 : de 1815 à 1870 et 3 : de 1871 à 1940. Essentiel.

Kunzle (D.), *« L'Illustration »*, premier magazine illustré en France, *Nouvelles de l'estampe*, n° 43, janv.-févr. 1979.

Ledre (C.), *La Presse à l'assaut de la monarchie, 1815-1848*, Paris, 1960.

Lethève (J.), *La Caricature et la presse sous la IIIe République*, Paris, 1959.

Maillard (F.), *Histoire anecdotique et critique des 159 journaux parus en l'an de grâce 1856*, Paris, 1857.

Marchandiau (J.-N.), *Un Magazine républicain « L'Illustration », 1891-1914*, thèse de 3e cycle, Lyon II, 1981.

Martin (M.), « Journalistes parisiens et notoriété (vers 1830-1870) », *Revue historique*, n° 539, juill.-sept. 1981, pp. 31-74.

Mitterand (H.), *Zola journaliste*, Paris, 1962.

Nobécourt (R.-G.), *Armand Carrel, journaliste*, Rouen, 1935.

Palmer (M.-B.), *Des petits journaux aux grandes agences*, Paris, 1983.

La Presse d'éducation et d'enseignement, XVIIIe siècle-1940, P. Caspard dir., Paris, 1981-1984, 2 vol. parus (A-C et D-J).

Presse et caricature, Cahiers de l'Institut d'histoire de la presse et de l'opinion, n° 6, 1983.

Reclus (M.), *Émile de Girardin*, Paris, 1934.

Roberts-Jones (P.), *La Caricature du Second Empire à la Belle Époque*, Paris, 1963.

Roberts-Jones (P.), *De Daumier à Lautrec, essai sur l'histoire de la caricature française entre 1860 et 1890*, Paris, 1960.

Roberts-Jones (P.), « La Presse satirique illustrée entre 1860 et 1890 », *Études de presse*, n° 14, 1956.

Rossel (A.), *Histoire de la France à travers les journaux du temps passé : la Belle Époque, 1898-1914*, Paris, 1982.

Rossel (A.), *Un Journal révolutionnaire : « Le Charivari »*, Paris, 1971.

Roth (F.), *Le Temps des journaux : presse et cultures nationales en Lorraine mosellane, 1860-1940*, Metz-Nancy, 1983.

Sullerot (E.), *Histoire de la presse féminine en France des origines à 1848*, Paris, 1966.

Watelet (J.), « Nationalisme et patriotisme à la fin du XIXe siècle dans les suppléments illustrés du « Petit journal » et du « Petit Parisien », in *Regards sur la presse et l'infor-*

mation, mélanges offerts à Jean Prinet*, Paris, 1980.

Witkowski (C.), « Le Supplément littéraire détachable. 1. Le Figaro, 1836-1837. 2. Le Constitutionnel, 1845-1848. 3. Le Siècle, 1845-1877 », *Revue de la Bibliothèque nationale*, 9, sept. 1983, pp. 2-11.

L'élargissement du public liseur

Pour l'histoire des bibliothèques en cette période, on se reportera à l'ouvrage en préparation chez le même éditeur.

Barbier (F.), « Le Colportage de librairie dans le Bas-Rhin sous le Second Empire », in *Actes du 105e Congrès national des sociétés savantes*, Caen, 1980, Section d'histoire moderne et contemporaine, Paris, 1983, t. I, pp. 283-299.

Barbier (F.), « Un Exemple d'émigration temporaire : les colporteurs de librairie pyrénéens (1840-1880) », *Annales du Midi*, VC, n° 163, juill.-sept. 1983, pp. 291-307.

Bellet (R.), « Une Bataille culturelle provinciale et nationale à propos des bons auteurs pour les bibliothèques populaires (janvier-juin 1867) », *Revue des sciences humaines*, juill.-sept. 1969, pp. 453-473.

Berge (F.), *Bibliothèques traditionnelles et lecture publique à Lyon au XIXe siècle (1815-1914)*, D.E.S., Fac. des Lettres, Lyon, 1962, dactyl.

Bertho-Leclerc (C.), *La Naissance des stéréotypes régionaux en Bretagne au XIXe siècle*, thèse de 3e cycle, École des hautes études en sciences sociales, Paris, 1979.

Brochon (P.), *Le Livre de colportage en France depuis le XVIe siècle*, Paris, 1954.

Bulletin de la Société Franklin, journal des bibliothèques populaires, Paris, 1868-1933.

Carbonnier (M.), « Une Bibliothèque populaire au XIXe siècle : la bibliothèque populaire protestante de Lyon », *Revue française d'histoire du livre*, 21, 1978, pp. 614-645.

Chatelain (A.), « Pour une histoire du petit commerce de détail en France. Lutte entre colporteurs et boutiquiers en France pendant la première moitié du XIXe siècle », *Revue d'histoire économique et sociale*, t. 49, 1971, n° 3, pp. 359-384.

Corbin (A.), « Pour une sociologie de la connaissance de l'alphabétisation au XIXe siècle », *Revue d'histoire économique et sociale*, 1975, I, pp. 117-118.

Darmon (J.-J.), *Le Colportage de librairie en France sous le Second Empire*, Paris, 1972.

Escarpit (R.), *Sociologie de la littérature*, Paris, 1973.

Fabre (D.), « Le Livre et sa magie : les liseurs dans les sociétés pyrénéennes aux XIXe et XXe siècles », in *Pratiques de la lecture*, R. Chartier dir., Marseille-Paris, 1985, pp. 181-206.

Fleury (M.) et Valmary (P.), « Les Progrès de l'instruction élémentaire de Louis XIV à Napoléon III d'après l'enquête de Louis Maggiolo (1877-1879) », *Population*, janv.-mars 1957, pp. 71-92.

Foucambert (J.), *La Manière d'être lecteur*, Paris, 1976.

Furet (F.) et Ozouf (J.), *Lire et écrire : l'alphabétisation des Français de Calvin à Jules Ferry*, Paris, 1977, 2 vol.

Hébrard (J.), « École et alphabétisation au XIXe siècle », *Annales, économies, sociétés, civilisations*, 1980, n° 1, pp. 66-80.

Hébrard (J.), « Figures de l'autodidaxie. Comment Jamerey-Duval apprit-il à lire ? », in *Pratiques de la lecture*, R. Chartier dir., Marseille-Paris, 1985, pp. 23-60.

Legouvé (E.), *L'Art de la lecture*, Paris, 1877.

Legouvé (E.), *La Lecture en action*, Paris, 1881.

Legouvé (E.), *La Lecture en famille*, Paris, 1882.

« Le livre et ses lecteurs », *Romantisme*, 47, avril 1985.

« Le livre et ses mythes », *Romantisme*, 49, août 1984.

Marie (P.), « La Bibliothèque des Amis de l'instruction du IIIe arrondissement », in *Les Lieux de mémoire*, dir. P. Nora, t. I : La République, Paris, 1984, pp. 323-351.

Marie (P.), *Étude d'un lieu de mémoire populaire : la Bibliothèque des Amis de l'instruction du IIIe arrondissement, 1861-1935*, mémoire de D.E.A., Institut d'études politiques de Paris, 1982.

Mialaret (G.), *L'Apprentissage de la lecture*, Paris, 1966.

Nisard (C.), « Essai sur le colportage de librairie », *Journal de la Société de la morale chrétienne*, t. V, n° 3, 1855, pp. 1-58.

Nisard (C.), *Histoire des livres populaires ou de la littérature de colportage*, Paris, 1854, 2 vol., rééd. 1864. (Reprint : Paris, 1968.)

Parent-Lardeur (F.), *Lire à Paris au temps de Balzac : les cabinets de lecture à Paris, 1815-1830*, Paris, 1981.

Parent-Lardeur (F.), *Les Cabinets de lecture : la lecture publique à Paris sous la Restauration*, Paris, 1982.

Pratiques de la lecture, R. Chartier dir., Marseille-Paris, 1985.

Richter (N.), *Les Bibliothèques populaires*, Paris, 1978.

Richter (N.), *L'Éducation ouvrière et le livre de la Révolution à la Libération*, Le Mans, 1982.

Richter (N.), *La Lecture et ses institutions*, Le Mans, 1984.

Tenant de La Tour (J.-B.), *Mémoires d'un bibliophile*, Paris, 1861.

Thiesse (A.-M.), *Le Roman du quotidien, lecteurs et lectures populaires à la Belle Époque*, Paris, 1984.

La « reconquête des âmes »

Pierrard (P.), « Question ouvrière et socialisme dans le roman catholique en France au XIXe siècle », *Cahiers naturalistes*, 1976, pp. 150-190.

Pierrard (P.), « Le Roman pieux ou d'édification en France au temps de ''l'ordre moral'' (1850-1880) », in *La Religion populaire*, colloque, Paris, 1977, Paris, 1979, pp. 229-235.

Savart (C.), *Le Livre catholique, témoin de la conscience religieuse (en France au XIXe siècle)*, thèse de doctorat d'État, Paris IV, 1981, 3 vol. (à paraître à Paris aux éditions Beauchesne).

Essentiel. Bibliographie.

La littérature enfantine

Amalvi (C.), « Les Guerres des manuels autour de l'école primaire en France, 1899-1914 », *Revue historique*, t. 262, pp. 359-398.

Amalvi (C.), *Les Héros de l'Histoire de France*, Paris, 1979.

Berdoulay (V.), *La Formation de l'école française de géographie (1870-1914)*, Paris, 1981.

Bonheur (G.), *Qui a cassé le vase de Soissons ? L'album de famille de tous les Français*, Paris, 1963.

Caradec (F.), *Histoire de la littérature enfantine en France*, Paris, 1977.

Dessoye (A.), *Jean Macé et la fondation de la Ligue de l'enseignement*, Paris, 1883.

Enseigner l'histoire : des manuels à la mémoire, textes réunis par Henri Moniot, Berne, 1984.

Escarpit (D.), *La Littérature d'enfance et de jeunesse*, Paris, 1981.

Freyssinet-Dominjon (J.), *Les Manuels d'histoire de l'école libre : 1882-1959*, Paris, 1969.

Gerbod (P.), « L'Éthique héroïque en France, 1870-1914 », *Revue historique*, 1982, pp. 409-429.

Giolitto (P.), *Naissance de la pédagogie moderne, 1815-1879*, Grenoble, 1980, 3 vol.

Hazard (P.), *Les Livres, les enfants et les hommes*, Paris, 1932.

Jan (I.), *La Littérature enfantine*, Paris, 1984.

Latzarus (M.-T.), *La Littérature enfantine en France dans la deuxième moitié du XIXᵉ siècle*, Paris, 1923.

Les Livres de l'enfance du XVᵉ au XIXᵉ siècle. T. I : texte. T. II : planches, Paris, (1931). (Catalogue Gumuchian, XIII.)

Mora (C.), « La Diffusion de la culture dans la jeunesse des classes populaires en France depuis un siècle : l'action de la Ligue de l'enseignement », in *Niveaux de culture et groupes sociaux*, Paris, 1971, pp. 247-261.

Nora (P.), « Ernest Lavisse, son rôle dans la formation du sentiment national », *Revue historique*, t. 228, 1962, pp. 73-106.

Nora (P.), « Lavisse, instituteur national », in *Les Lieux de mémoire*, dir. P. Nora, t. I : La République, Paris, 1984, pp. 291-322.

Ozouf (M.), *L'École, l'Église et la République : 1871-1914*, Paris, 1963.

Ozouf (M.), « Le Thème du patriotisme dans les manuels primaires », in *L'École de la France : essais sur la Révolution, l'utopie et l'enseignement*, Paris, 1984, pp. 185-213.

Ozouf (J. et M.), « Le Tour de la France par deux enfants », in *Les Lieux de mémoire*, dir. P. Nora, t. I : La République, Paris, 1984, pp. 291-322.

Prévost (N.), « Livres de prix et distribution de prix dans l'enseignement primaire (1870-1914) », *École nationale des chartes..., Position des thèses...*, Paris, 1979, pp. 109-119.

Rulon (H.-C.) et Friot (P.), *Un Siècle de pédagogie dans les écoles primaires, 1820-1940 : histoire des méthodes et des manuels scolaires utilisés dans l'Institut des Frères de l'instruction chrétienne de Ploërmel*, Paris, 1962.

Soriano (M.), *Guide de littérature pour la jeunesse*, Paris, 1975.

Trigon (J. de), *Histoire de la littérature enfantine de ma mère l'Oye au roi Babar*, Paris, 1950.

La littérature féminine

Adler (L.), *Les Premières journalistes, 1830-1850*, Paris, 1979.

Autour de Louise Colet : femmes de lettres au XIXᵉ siècle, R. Bellet dir., Lyon, 1982.

Biographie des femmes auteurs contemporaines françaises, C. Nodier préf., Paris, 1836.

Bussière (A.), « Les Romans de femmes », *Revue de Paris*, t. 22, 1843.

Carton (H.), *Histoire des femmes écrivains de la France*, Paris, 1886.

Chesnel (A. de), pseud. de A. de Montferrand, dir. *Biographie des femmes auteurs contemporaines françaises*, Paris, 1836, 2 vol.

Des Gachons (J.), « Les Femmes de lettres françaises », *Figaro illustré*, février 1910.

Desplantes (F.) et Pouthier (P.), *Les Femmes de lettres en France*, Rouen, 1890.

La Femme au XIXᵉ siècle, littérature et idéologie, Lyon, 1979.

Lagardère (J.), « L'Éducation de la femme au XIXᵉ siècle », in *La Femme contemporaine*, Besançon, 1904.

Larnac (J.), *Histoire de la littérature féminine en France*, 2ᵉ éd., Paris, 1929.

Pontmartin (A. de), « Les Femmes et le roman contemporain », *Le Correspondant*, juin 1868, t. 74, pp. 862-881.

Rousselot (P.), *Histoire de l'éducation des femmes en France*, Paris, 1883, 2 vol.

Ces travaux et études imprimés ont été recensés par Simone Breton-Gravereau, conservateur à la Bibliothèque nationale.

Table des encadrés

Cet index se veut avant tout pratique. C'est pourquoi nous avons relevé les noms des personnes et des lieux ayant un rapport direct avec l'édition. Nous avons aussi fait figurer de nombreux renvois thématiques. Les chiffres des pages en italique font référence aux illustrations. Comme dans le corps de l'ouvrage, les noms des collections ne sont pas placées entre guillemets.

Index

a

Blanchet et Kléber 60.
blanchiment au chlore 58.
Blandy (S.) 450.
Blanquard-Evrard 301.
Blanquet (A.) 485, 491.
Blanqui (A.) 244.
Blass (J.) 332, 333.
Blémont (E.) 140.
Blocquel 76.
Blondet (E.) 332.
Blosse 250.
Bloud et Gay 140.
Bobigny (imp) 335.
Bocquet 380.
Bocquillon 301.
Bodin (Mme) 450.
Boersenblatt fuer den deutschen Buchhandel 279.
Boersenverein des deutschen Buchhandels 231, 234.
Bohaire 160.
Boileau (N.) 491.
bois de bout 313, 333, 412 ; (gravure sur) 296, 298, 299.
bois Protat *165.*
Boissieu (comte de) 319.
Boitard 193.
Boitel (P.) 160.
Boivin 140.
Bonald (L. de) 160, 213.
Bonamy 218, 219.
Bonaparte (prince) 212.
Bonaparte (N.) 163.
Bonaparte, Alexandre et Pertinax 378.
Bonaparte devant Minos 378.
Bon conseiller en affaires (le) 230.
Bonhomme Misère (le) 456.
Bon messager (le) 169.
Bonnat 333.
Bonnetain (P.) 129.
Bonnetty (abbé) 404.
Bon sens (le) 460.
Bons romans (les) 207, 464.
Bon Ton (le) 448.
Bopp 209.
Bordeaux (bibliothèques) 32 ; (imprimerie) 75 ; (ouvriers) 92,96 ; (presse) 332 ; (revues) 415.
Borel (E.) 222.
Borel (P.) 170.
Bornemann *174.*
Bornier (H. de) 151.
Bossange 172, 174, 172, 231, 274, 279, 320.
Bossange (A.) 172.
Bossange (H.) 172, 173, 176, *176,* 254.
Bossange (M.) 172, 173.
Bossuet (J. B.) 30, 40.
Boston (diffusion) 173.
Bottin (S.) 117, *117,* 230.
Bottin commercial et industriel 72, 234, 236.
Bouches-du-Rhône (imprimerie) 75 ; (librairie) 239.
Bougeart (A.) 198.
Bouilhet (L.) 142, 210.
Bouillé 79.
Bouillet 190, 223.
Bouillie de la Comtesse Berthe (la) 427.
Bouillon-Vieweg 221.
Bouilly (J.-N.) 424.
Boulanger (général) 333.
Boulanger (L.) 294.
Boulé 371, 387.
bouquinistes 247-249.
Bourassé (abbé) 423.
Bourdel (J.) 52.
Bourdelin (E.) *68.*
Bourdin *298.*
Bourdon (M.) 450.
Bourget (P.) 112, 127, 128, 140, 147, 212, 269.
Boussac *94* ; (impr.) 100.
Boutet de Monvel (L. M.) 306, 441.
Boutier (E.) 206.
Boutigny 64, 65.
Boutmy (E.) *93, 98,* 99, 100.

Boyer 194.
Boyet (abbé) 160.
Bozérian 360.
Braconniers ou les dangereux effets de la colère (les) 423.
Bracquemond (F.) 299, 310.
Bradel (à la) 421.
Bradi 450.
Branciet (P.) 32.
Bréauté 380.
Bredif 186.
Bréhat (A. de) 199.
Brès 438.
Bresdin 362.
Breslau (diffusion) 173.
Bretagne (alphabétisation) 27 ; (bibliothèque) 505 ; (diffusion) 229 ; (la) 399.
Bréton (H.) 184, 185.
Bréton (L.) *137.*
brevets 47, 50, 466.
Brévière 177, 209, 313.
Brick, Album de la mer (le) 452.
Brière 171.
Brillat-Savarin (A.) 181, 379, 380.
Bringer (R.) 466.
Brion *198.*
Brispot 333.
Brissot-Thivars 171.
Brizeux (A.) 152.
Broca 218, 219.
Brodard et Taupin 388.
Broglie (duc de) 207.
Broglie (A. de) 412, 461.
Broise (de) 204, 205.
Brontë (C.) 450.
Brontë (E.) 450.
Brouard (E.) 188, 189.
Brouilly 148.
Broussois et Victorion 255.
Brun (A. et L.) 160.
Bruneau 301.
Bruneau (A.) 504.
Brunet (J. C.) 244, 343, 344, 348, 349, *349, 350,* 351, 354, 358.
Brunetière 362.
Brunne (C.) 450.
Bruno (Mme) 450.
Bruno (G.) *41, 42,* 188, *213,* 224, 438, *482,* 490.
Brunot-Labbé 240.
Brunschvicg (L.) 222.
Brunswick (contrefaçon) 270.
Bruxelles (contrefaçon) 272 ; (édition) 198, 381 ; (imprimerie) 159, 270.
Bry (J.) 181, 339, 465.
Buchez (P. J.) 93, 244.
Buenos-Aires (diffusion) 173.
Buffon 30, 230, 261, 291, 373-375, 385, 386, 387, 419, 423.
Buffon des enfants (le) 387.
Buffon pittoresque de la jeunesse (le) 387.
Bug-Jargal 170.
Buisson 329.
Buisson (F.) 188, 441.
Bulletin académique 231.
Bulletin de correspondance 42.
Bulletin de la Grande Armée (le) 475, 491.
Bulletin de la librairie 177.
Bulletin de la Société des Gens de Lettres 148.
Bulletin de la Société française de minéralogie et de cristallographie 164.
Bulletin de la société Franklin (le) 373, 491.
Bulletin de l'instruction publique (le) 187.
Bulletin de l'université de Toulouse 162.
Bulletin départemental du Doubs 26, 42.
Bulletin des lois 42.
Bulletin des séances de l'Académie de médecine 218.
Bulletin du bibliophile 243, 261, 343, 347, *348, 355, 358,* 360-362, *362,* 363.
Bulletin du bouquiniste 347, *349.*
Bulletin mensuel des principales publications de la librairie allemande 231.

Bulletin monumental 220.
Bulletin théologique scientifique et littéraire de l'Institut catholique de Toulouse 162.
Buloz 143, 148, 156, 409, 412.
Bunau-Varilla 460.
Buonapartiana ou Petite histoire d'un grand homme 48.
Bureau typographique (le) 418.
Burel (J.) 82.
Burgess 59.
Burnouf (E.) 184, 186, 209.
Burty (P.) 310.
Busnach (W.) 339, 504.
Buveurs de larmes (les) 469.
Buveuse de larmes (la) 469.
Buxy (B. de) 450.
Byron (lord) *130,* 169, 172, 173, 191, 299, 305, 373, 375, 385, 397.

C

Cabanis 380.
Cabet (E.) 243, 244, 379, 506.
cabinet de lecture 249-251, 446.
Cabinet de lecture (le) 148, 338.
Cabinet des manuscrits de la Bibliothèque impériale et nationale 209.
Cabinet des modes (le) 329.
Cadart (A.) 305.
Cadix (diffusion) 173.
Caen (édition) 456 ; (revues) 415.
café (lecture) 502, *502.*
Cahiers de la Quinzaine 146, 400.
Cahun (L.) 434.
Cailleau 348.
Cailleux (A. de) 299, 302.
Caillié (R.) 209.
Caillot 249.
Calendrier de Marienthal 251.
Calendrier séculaire 253.
Calicot 507.
Calligrammes 296, *296.*
Callot (J.) 293.
Calmann-Lévy *112,* 132, 140, 147, 211.
Calmann-Lévy (P.) 211.
Calvet 188.
Cambrai (cabinet de lecture) 249.
Camée (le) 452.
Camélia (le) 452.
campagnes (lecture) 482, 483.
Campan (Mme) 450.
Camus de Limare 346.
Canada (édition) 467 ; (exportation) 280.
Canard de Vaucanson (le) 181.
canards *37,* 458, *458,* 459, *459.*
Canel (U.) 78, 170, 306, *312,* 452.
Canier (P.-L.) 197.
Cannette (H.) 301.
Cans *272.*
Canson (papeteries) 182.
Cantal (librairie) 239.
Cantiques spirituels anciens et nouveaux 31.
Capdenac (bibliothèque de gare) 247.
Capitaine Burle (le) 339.
Capitaine Fracasse (le) 199.
Capitaine Hatteras (le) 200-202.
Capitaine Nemo (le) 203.
Capitaine Paul (le) 399.
Capital (le) 466, *466.*
Cappiello 340.
Caprice (le) 448.
caractères 318, 319.
caractères étrangers 164.
Caraguel (C.) 295.
Caran d'Ache 464.
Carco (F.) 340.
Cardelli 394.
Carey *100.*

Raphaël 308.
Rapine 232.
Rapport de la Compagnie du chemin de fer 117.
Raspail (F.-V.) 186.
Ratisbonne 199.
Ravaisson-Mollien (F.) 263.
Ravasse (E.) 82.
Raymond (E.) 450.
Rayons et les ombres (les) 330.
réalisme 127.
Recherches bibliographiques 351.
Récits patriotiques 189.
Reclus (E.) 223, *223.*
Recueil de jurisprudence du royaume 171.
Recueil de rapports sur les progrès des lettres et des sciences en France 209.
Recueil des anciennes lois françaises 217.
Recueil des historiens des croisades 209.
Recueil des historiens des Gaules et de la France 224.
Recueil général des ordonnances, édits . depuis Hugues Capet jusqu'aux premiers travaux de l'Assemblée nationale 213.
recueils de prières et de cantiques 407.
Recueils des actes administratifs 42.
Réforme (la) 246.
Régimbaud 190.
Règle des jeux de société (la) 230.
Règles de la bienséance et de la civilité chrétienne 30.
Regnault 219.
Regnault (E.) *130, 158,* 182, 327.
Règne animal (le) 219.
Reichard 193, 291.
Reinach (R.) 221.
Reine Margot (la) 379.
Réjane 340.
reliure 64 ; (rétrospective) 324, 325 ; (romantique) 322, 323.
reliure d'éditeur (ou industrielle) 62, 64, 84, 85, 186, 421.
Rembrandt 310.
remise (libraires) 462 ; (taux de) 233.
Rémusat (A.) 209.
Rémusat (C. de) 170, 212.
Renan (E.) 40, 112, 153, 199, 209, 211, 225, 390, 391, *391,* 412.
Renan-Satan 390.
Renard (J.) 147.
Renaud-Noblet 457.
Rendu (A.) 27.
Renduel (E.) 112, 135, 140, 146, 170, 171, 198, 316, *316,* 317, 320, *320.*
Renneville (Mme de) 450.
Renoir (A.) 211.
Renou 302.
Renouard 117, 175, 182, 291.
Renouard (A. A.) 166, 167, 343, 344, 358.
Renouard (A. C.) 166.
Renouard (C.) 173, 174.
Renouard (J.) 166, 168.
Renouard (P.) 172, 173.
Renouard (Veuve) 161.
Renouvier 221.
Répertoire de jurisprudence générale 217, *217.*
Répertoire méthodique et alphabétique de jurisprudence générale 171.
République (la) 200.
République des lettres (la) 212.
République illustrée (la) 335.
Rétif de la Bretonne (N.) 26.
Réty (C.) 336.
Reutlinger 340.
Rêve (le) 339.
Révérend (vicomte) 207.
Révolte (la) 505.
Révolté (le) 504.
Révolution (la) 209.
Révolution française (la) 113.
Revue algérienne et coloniale (la) 191.
Revue archéologique (la) 212.
Revue blanche (éditions de la) 135, 140.

Revue blanche (la) 132, 400.
Revue critique d'histoire et de littérature 221.
Revue d'anthropologie 219.
Revue de Bretagne (la) 415.
Revue d'Edimbourg (la) 409.
Revue de l'aéronautique 219.
Revue de la Mode (la) 448.
Revue de la Presse (la) 507.
Revue de l'Institut français du pétrole 164.
Revue de l'Instruction publique 187.
Revue de l'Orient 82.
Revue de l'Ouest (la) 399.
Revue de métaphysique et de morale 227.
Revue de Paris (la) 53, 55, 148, 210, 211, 314, 339, 400, 412.
Revue de Provence (la) 415.
Revue de Rouen (la) 415.
Revue des deux mondes (la) 120, 128, *128,* 143, 156, 170, 211, 390, 399, 400, 409, *411,* 412, 447.
Revue des études grecques (la) 82.
Revue des feuilletons (la) 415.
Revue des industries du livre (la) 83.
Revue des langues romanes 220.
Revue des questions historiques (la) 207.
Revue des sociétés savantes 225.
Revue d'histoire et de littérature (la) 207.
Revue d'histoire littéraire de la France 227.
Revue du Midi (la) 415.
Revue du Nord (la) 415.
Revue encyclopédique (la) 409.
Revue européenne (la) 412.
Revue fantaisiste (la) 362.
Revue française (la) 412.
Revue générale de droit international public 217.
Revue hebdomadaire du diocèse de Lyon 161.
Revue historique (la) 207, 222.
Revue historique de droit français et étranger 217.
Revue indépendante 36.
Revue internationale de l'enseignement 227.
Revue Mame (la) 428.
Revue Normande (la) 415.
Revue ou Décade philosophique 409.
Revue philosophique (la) 222, 227, 409.
Revue pittoresque (la) 408, *414,* 415.
revues littéraires 408-415.
Revue sociale (la) 94, 100.
revues pédagogiques 187.
Reybaud (Mme) 450.
Reybaud (L.) *111,* 148, 232, 374, 378, 379.
Rgya tch'er rol pa 209.
Rhône (imprimerie) 72, 75 ; (librairie) 239.
Riccoboni (Mme) 449.
Richard 193.
Richard sans peur 456.
Richelieu 189.
Rideau levé ou l'éducation de Laure (le) 169, 203.
Riffault 394.
Rio-de-Janeiro (diffusion) 168, 173, 274.
Riou 427.
Riou de Maillous 207.
Rire (le) 115.
Rittner et Goupil 301, *304.*
Rives (papeteries) 60.
Rixheim (papeteries) 61.
Roanne (imprimerie) 160.
Robert (C.) 450, 485, 491.
Robert (N. L.) 58, 60.
Robert Macaire 330.
Robinson 446.
Robinson Crusoé 370, 385.
Robinson dans son île 376-379.
Robinson de 12 ans 378.
Robinson suisse 200.
Rob Roy 378.
Rocambole 400.
Roche 218.
Rochefort (H.) 211, 400, 460.
Rochette 209.
Rod 269.
Rodolphe-Rousseau (J.) 52.
Rogié et Despiques 188.

Roi de Bavière aux pieds de Lola Montès (le) 253.
Roi s'amuse (le) 170, 316, *316.*
Roland (Mme) 79.
Roland furieux 29, *309, 426,* 426.
Roll 333.
Rolland (A.) 291.
Rollinat (M.) 152.
romain (caractère) 317, 318.
romain du Roi (caractère) 318.
Romain Kalbris 211.
Romains (J.) 340.
roman 110, 111, 112, 129, 151, 183 ; (production) 128.
Roman de la momie (le) 153.
Roman de la Violette 324.
Roman d'un bas-bleu (le) 450, 451.
Roman d'un brave homme (le) 388.
Roman d'un marin 398.
roman-feuilleton 398, 399, *401, 457, 461,* 468.
Romania (la) 207.
Roman illustré 181.
Roman naturaliste (le) 152.
roman populaire 454-469.
Roman populaire illustré 181.
Romans choisis (les) 464.
Romans illustrés de Havard 465.
Romans populaires illustrés de Gustave Barba 465.
romantisme 127-130, 135, 136.
Rome (diffusion) 270.
Rome au siècle d'Auguste 171.
Rome et Lorette 423.
Rome, Naples et Florence 394.
Rops (F.) 205.
Roret (N. E.) 118, 171, 303, 394.
Rosny (J. H. aîné) 136, 156, 447.
Rossigneux 438.
Rossini 331.
Rostand (E.) 333.
rotative 63.
Rôti-Cochon (le) 418.
Rotterdam (diffusion) 173.
Rouanet 506.
Rouault (G.) 333.
Roubaix (imprimerie) 76, 82.
Rouen (bibliothèque) *260,* 263 ; (édition) 423, 430, 456 ; (imprimerie) 62, 84, 253.
Rouff (J.) *102, 468.*
Rougé (E. de) 209.
Rouge et le Noir (le) 129, 392.
Rougemont 148.
Rougon-Macquart (les) 132, 143, 211.
Rouland (G.) 42, 456, 473, *474, 493, 495.*
Roumanille (J.) 163.
Rouquette (J.) 339.
Rousier (abbé) 424.
Rousseau (H.) 333.
Rousseau (J. J.) 29, 30, 194, 373-377, 384, 385, 386, 445, 460, 485, 491, 498.
Rousseau et Moisant (banque) 184, 185.
Rousselet (abbé) 160.
Roustan (E.) *398.*
Rouveyre (A.) 340.
Rouvière 375, 396.
Roux (A.) 306.
Roy (J.-J.) 423.
Royal Keepsake (le) 452.
Royaume-Uni (exportation) 280.
Roycroft (T.) 306.
Royer 343.
Royer (A.) 317.
Ruche médicale (la) 114.
Ruche parisienne (la) 450.
Ruche populaire (la) 486, *487.*
Rudolstadt (diffusion) 173.
Rufus d'Ephèse 209.
Ruines (les) 79, 373-375.
Ruines de Pompéi 159.
Rusand 160.
Russie (diffusion) 176, 269 ; (exportation) 280 ; (traductions) 203.
Ruy Blas 332.

Table des planches en couleurs

Références des photographies

A l'exception des références dont la liste suit, tous les documents (illustrations en noir et planches en couleurs) figurant dans ce livre proviennent du service photographique de la Bibliothèque nationale. Les autres provenances sont :

Paris, Bibliothèque des Amis de l'Instruction du 3e arrondissement : 494.

Paris, Documentation photographique de la Réunion des Musées nationaux : pl. 31, 32, 33, 34, 35, 36, 37.

Paris, Photothèque des Musées de la Ville de Paris : 115, 131, 292, 293, 320, pl. 18.

Paris, Service iconographique de la Direction d'administration générale du Ministère des P. et T. : 276.

Paris, Union centrale des Arts décoratifs, Musée de la Publicité : 144, 145, 454, pl. 17.

Paris, Studio Cl. Bablin (sur diverses collections) : 41, 118, 167a, 167b, 242, 250, 275, 406, 421, 422, 425, 435a, 435b, 472, 482, 488, 492, 497, 500, 503, pl. 13, 14, 29 ; (à la Bibliothèque de l'Arsenal) : 183, 250, 276, 277, 314, 315, 328, 338, 341, 342, 345, 348, 355, 359, 361, 410, 413, 429a, 429b, pl. 9, 10, 12 ; (à la Bibliothèque des Arts graphiques, mairie du 6e arrondissement) : 52, 85, 90, 93, 95, 97, 98, 99, 100 ; (à la Bibliothèque historique de la ville de Paris) : 51, 53, 54, 205, 336, 337, 398, 401, 438, 468, 487 ; (à la Bibliothèque Mazarine) : 43, 221, 350c, 350d, 351a, 351b, 353 ; (à l'Union centrale des Arts décoratifs, Bibliothèque des Arts décoratifs, coll. Maciet) : 268, pl. 30.

Paris, Archives Bordas : 221, 222.

Paris, Photos Michel Bouvier : 322, 324a, 324b, 325, 350b, 351c, 351d.

Paris, Photos Bulloz : 206.

Paris, Photos Cambazard : 78, 198, 220, 227, 271, 323a, 323b, 404, 470, 480, 494, 500, 501, 504, 506, pl. 19, 20.

Paris, Archives du Cercle de la librairie : 52.

Paris, Archives Armand Colin : 226b.

Paris, Archives Dalloz : 217, 226a.

Paris, Photos Giraudon : 150, 505, pl. 15, 16.

Paris, Archives Hachette (Photos R. Landin) : 137, 187, 191, 228, pl. 28.

Paris, Photos Lalance, à la Bibliothèque des Arts graphiques : 58, 61a, 61b, 83a, 83b, 213.

Paris, Archives Larousse : 196.

Paris, Archives Pedone : 216a, 216b.

Paris, Studio Photographitou : 235, jaquette.

Paris, Archives Promodis : 62, 63, 64, 68, 87a, 87b, 420, pl. 24, 25, 26.

Paris, Photos H. Roger-Viollet : 24, 25, 372.

Paris, Clichés A. Sauvy : 444, 447a, 447b, 449, 450a, 450b, 451.

Paris, Collection Sirot/Angel : 476.

Avignon, Archives Aubanel : 163.

Chantilly, Bibliothèque Lovenjoul : 154-155.

Lyon, Archives départementales : 161.

Montceau-les-Mines, Éditions de Champvallon : 481, 495.

Mulhouse, Bibliothèque de la Société industrielle de Mulhouse : 266.

Rouen, Bibliothèque municipale : 260.

Rouen, Studio Ellebé (pour la Bibliothèque municipale) : pl. 38.

Strasbourg, Studio Dietrich (pour les Archives départementales du Bas-Rhin) : 81, 86.

Valenciennes, Studio « La Boîte à images » (pour les Archives municipales) : 80.

Cet ouvrage, troisième tome de l'Histoire de l'édition française, composé en Garamond, a été achevé d'imprimer le 15 Octobre 1985 sur les presses de Jouve, sur vergé de France, ivoire, les hors-texte en couleurs ont été tirés sur kaolimat ivoire.

Imprimé en France.
JOUVE, 18, rue Saint-Denis, 75001 Paris
N° 13492 — Dépôt légal : Octobre 1985.